人物事典
Biographical Dictionary

ポプラディア プラス
POPLAR ENCYCLOPEDIA PLUS

1

あ・い・う・え・お
か・き

監修者一覧 (五十音順)

今泉　忠明	動物科学研究所所長（生物）
小野田　襄二	数学教育家（算数・数学）
金井　直	信州大学准教授（西洋・東洋美術）
川手　圭一	東京学芸大学教授（世界史）
久保田　篤	成蹊大学教授（国語）
阪上　順夫	東京学芸大学名誉教授（政治・経済・産業）
田中　比呂志	東京学芸大学教授（学問・思想・宗教・心）
坪能　由紀子	日本女子大学教授（音楽）
西本　鶏介	昭和女子大学名誉教授（文学）
野口　剛	根津美術館館員（日本美術）
山村　紳一郎	科学評論家（サイエンス）
山本　博文	東京大学史料編纂所教授（日本史）
吉田　健城	スポーツジャーナリスト（スポーツ）
渡部　潤一	国立天文台副台長（宇宙）

この人物事典のつかい方

　ポプラディアプラス『人物事典』（全5巻）は、古代から現代までのあらゆる時代、あらゆるジャンルで活躍した、日本と世界の人物4300人以上を掲載した学習用人物事典です。

　以下に、この人物事典（第1巻から第4巻）のくわしいつかい方をまとめましたので、よく読んでじゅうぶんに活用してください。

★第1巻から第4巻では、すべての人物を五十音順に解説しています。人物名は、原則として「姓・名」の順であらわした場合の、五十音順にならんでいます。

★第5巻では、「征夷大将軍一覧」「天皇系図」など、関連する学習資料と索引を収録しています。
索引は、「五十音順」のほか「ジャンル別」「時代別」「地域別」の3つのテーマでひくことができます。五十音順の索引では、外国人の名前を正式名にしたがって「姓・名」ではなく「名・姓」の順でひくこともできます。

※第5巻『学習資料集・索引』のつかい方は、第5巻3〜7ページに書いてあります。

■ページ全体の見方

- **■つめ** そのページにある項目の最初の1文字をひらがなであらわしています。

- **■はしら** 左ページではそのページにある最初の項目、右ページではそのページにある最後の項目のはじめの文字を、原則として4文字目まで、ひらがなでしめしています。

- **■項目** 見出し語と解説文からできています。

■項目の見方

- **■見出し語** 見出し語は、上段と下段の2段でできています。あらわし方のくわしいきまりについては、次のページに説明があります。

- **■日本／世界をあらわすマーク**
  - ●マーク　主に日本で活躍した人物や、日本の歴史で学習する人物。
  - 🌐マーク　主に世界で活躍した人物や、世界の歴史で学習する人物。

- **■見出し帯の色**　青色は男性、ピンク色は女性。

- **■ジャンル別マーク**（6ページで説明しています）

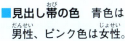

- **■生没年**

- **■解説文**　その項目の人物の説明です。

3

見出し語についてのきまり

■見出し語（上段）のあらわし方

(1) 人物名の読みを、ひらがな、または、カタカナであらわしています。
　　すべての項目は、この見出し語（上段）の五十音順でならんでいます。

(2) 原則として「姓・名」の順であらわしています。
　　中国・韓国・朝鮮人以外の外国人の場合、「姓」と「名」は、「,」（カンマ）で区切っています。

［例］

アインシュタイン，アルバート

アシモフ，アイザック

●例外的な人名のあらわし方

「姓」よりも「名」が有名であり、習慣的に「名」でよばれる人物は、「名・姓」であらわしている場合があります。

［例］

ミケランジェロ・ブオナローティ

ダンテ・アリギエリ

正式名より通称が有名である人物は、通称であらわしている場合があります。

［例］

マザー・テレサ

習慣的に「姓」「名」でくぎることをしない人物は、ひとつづきの呼び名であらわしている場合があります。

［例］

バスコ・ダ・ガマ

レオナルド・ダ・ビンチ

(3) 中国人名は、日本式の読みであらわしています。ただし、現地音に近い読みも一般的につかわれている場合、その読みを（　）に入れています。

［例］

もうたくとう（マオツォトン）

(4) 韓国・朝鮮人名は、現代の人物は現地音に近い読みで、それ以外の人物は日本式の読みであらわしています。
　　ただし、それぞれ日本式の読みや現地音に近い読みも一般的につかわれている場合は、その読みを（　）に入れています。

［例］

キムデジュン（きんだいちゅう）

こうそう（コジョン）

■見出し語（下段）のあらわし方

(1) 日本・中国・韓国・朝鮮人の場合は、正式名を「姓・名」の順で漢字などであらわしています。

(2) 中国・韓国・朝鮮人以外の外国人の場合は、正式名をカタカナなどであらわしています。
　　正式名の「姓」と「名」の順は、国によってことなります。また、見出し語（上段）の ●例外的な人名のあらわし方 と同じく、習慣によって特別なあらわし方をしている人物名もあります。

(3) 同姓同名の人物の場合は、（　）で補足しています。

［例］

| 🌐 | フランシス・ベーコン（哲学者） |
| 🌐 | フランシス・ベーコン（画家） |

■ほかの項目を参照するための見出し語

　次の場合には、ほかの項目を参照するための見出し語をのせています。

(1) 同一人物で複数の呼び名がある場合、矢印 → で参照先の項目をしめしています。
　　下の例の場合、「なかのおおえのおうじ（中大兄皇子）」は「天智天皇」という項目で、「こうぼうだいし（弘法大師）」は「空海」という項目で解説していることをあらわします。

［例］

なかのおおえのおうじ

中大兄皇子 → 天智天皇

こうぼうだいし

弘法大師 → 空海

(2) 同一人物で複数の読み方やあらわし方がある場合、矢印 → で参照先の項目をしめしています。
　　下の例の場合、「えいさい（栄西）」は「栄西」という項目で、「マオツォトン（毛沢東）」は「毛沢東」という項目で解説していることをあらわします。

［例］

えいさい

栄西 → 栄西

マオツォトン

毛沢東 → 毛沢東

■大項目のページを参照するための見出し

　この人物事典では、とくに重要な60名の人物については、2ページまたは1ページ大の特別な項目をつくって、くわしく解説しています。この特別な項目を「大項目」といいます（7ページ参照）。

　大項目であつかっている人物は、矢印 → で参照先のページをしめしています。下の例の場合、「徳川家康」という大項目が、70ページにあることをあらわします。

［例］

とくがわいえやす

徳川家康 → 70ページ

■見出し語のならべ方

(1) 見出し語（上段）は、五十音順にならべています。

(2) 「゛」（濁音）や「゜」（半濁音）がつく場合は、清音（たとえば［は］）→濁音（［ば］）→半濁音（［ぱ］）の順にならべています。

(3) 「ゃ、ゅ、ょ」（拗音）と「っ」（促音）も、五十音順にふくめます。同じ字の場合には、大きい字のあとにならべています。

(4) 「ー」（のばす音、長音）は、その前の文字の母音と同じように読むと考えて、ならべています。

［例］

ビアンキ, ビタリイ
↓
ヒース, エドワード
※「ひいす」と読む
↓
ピウスツキ, ユゼフ

(5) 「,」（カンマ）がつく場合は、その前の文字までの五十音順でならべています。

［例］

ダン, エドウィン
↓
だんいくま

(6) 王族など、見出し語に「○世」とつく場合は、即位順（小さい数字を先）にならべています。

［例］

ルイじゅうよんせい
↓
ルイじゅうごせい

表記やマークについてのきまり

■人物名でのかなや漢字のつかい方

　人物名の表記は、おもに中学校や高等学校でつかわれている教科書を参考にしています。ただし、外国人の人名などにはさまざまな表記のしかたがあり、同一人物であっても、この人物事典とはちがう表記も広くつかわれています。この人物事典では、調べやすさを重視して、次のきまりにもとづいて表記しています。

(1) 外国語のV音をあらわすカタカナの「ヴ」は原則としてつかいません。「ヴァ」「ヴィ」「ヴ」「ヴェ」「ヴォ」は、「バ」「ビ」「ブ」「ベ」「ボ」などとあらわしています。

(2) 中国・韓国・朝鮮人以外の外国人の「姓」と「名」の間などには、「・」を入れてあらわしています。

(3) 常用漢字の表記は、原則として「常用漢字表」の字体にもとづいています。ただし、現代の人物などで旧字体で表記されることが一般的な人物名については、一部で旧字体をつかってあらわしています。

［例］

えくにかおり

江國香織

いけざわなつき

池澤夏樹

■年代のあらわし方

(1) 年代は原則として西暦であらわしています。日本国内のできごとで、明治時代以降の事がらは、必要に応じて元号を（　）でしめしています。
［例］　1945（昭和20）年

(2) 人物の生没年は、生年または没年がわからない場合には「？」、はっきりしない場合には数字に「？」をつけて「○○？年」のようにあらわしています。生年、没年ともにわからない場合は「生没年不詳」としています。存命中の人物は生年のみしめしています。
［例］　？〜621年／345〜367？年／1973年〜

(3) 解説文中または大項目の年表内の年齢は、（生まれたときの年齢を1歳と数える）数え年の場合があります。また満年齢の場合でも、その時点での実年齢が実際の満年齢とことなる場合があります。

5

■青い字であらわした人物名

解説文に出てくる人物名のうち、この人物事典でほかの「項目」としてあつかっている人物は、青い字であらわしています。人物名を「名・姓」の順であらわしている場合、調べやすいように、姓の部分だけを青い字にしています。

解説文を読んで、青い字であらわした関連人物の項目をさらに調べることで、学習を深めることができます。

［例］フランクリン・ローズベルト

■第5巻の学習資料集との関連マーク

解説文の終わりにある 学 マークは、その人物が第5巻の学習資料集にも掲載されていることをあらわします。学 マークの右側は、学習資料集の中でのテーマをしめしています（7ページ参照）。

［例］学 征夷大将軍一覧

■人物のジャンル別マーク

見出し語（上段）の右側にあるマークは、その人物が活躍したジャンルをあらわしています。マークは複数入っている場合があります。ジャンル別マークは下記の32種類があります。　　※●は日本の人物、●は世界の人物が当てはまるジャンルであることをあらわします。

王族・皇族 ＝王族・皇族など
●●（例）聖徳太子、天智天皇、ルイ16世

貴族・武将 ＝貴族・豪族・武将など
●（例）足利尊氏、蘇我入鹿、平清盛、藤原道長

戦国時代 ＝戦国・安土桃山時代の大名・武将など
●（例）織田信長、真田幸村、伊達政宗、豊臣秀吉

江戸時代 ＝江戸時代の大名・武士など
●（例）大岡忠相、徳川家康、松平定信、水野忠邦

幕末 ＝幕末・明治維新で活躍した人物
●（例）勝海舟、西郷隆盛、坂本龍馬、吉田松陰

古代 ＝古代ギリシャ・ローマの人物
●（例）アリストテレス、カエサル，ユリウス

政治 ＝政治家・軍人・運動家
●●（例）吉田茂、毛沢東、リンカン，エイブラハム

宗教 ＝宗教に関する人物
●●（例）空海、イエス・キリスト、ムハンマド

思想・哲学 ＝思想家・哲学者
●●（例）西田幾多郎、ルソー，ジャン＝ジャック

学問 ＝学者
●●（例）湯川秀樹、ダーウィン，チャールズ

文学 ＝作家
●●（例）芥川龍之介、川端康成、魯迅

絵本・児童 ＝絵本・児童文学作家
●●（例）新美南吉、キャロル，ルイス

詩・歌・俳句 ＝詩人・歌人・俳人
●●（例）藤原定家、松尾芭蕉、杜甫

絵画 ＝画家・書家
●●（例）葛飾北斎、王羲之、ピカソ，パブロ

音楽 ＝音楽家
●●（例）武満徹、ブラームス，ヨハネス

写真 ＝写真家
●●（例）木村伊兵衛、土門拳、キャパ，ロバート

映画・演劇 ＝映画・演劇に関する人物
●●（例）黒澤明、シェークスピア，ウィリアム

漫画・アニメ ＝漫画・アニメに関する人物
●●（例）宮﨑駿、シュルツ，チャールズ・モンロー

伝統芸能 ＝伝統芸能・文化に関する人物
●（例）大山康晴、観阿弥、近松門左衛門

華道・茶道 ＝華道家・茶道家
●（例）池坊専慶、今井宗久、千利休、古田織部

彫刻 ＝彫刻家
●●（例）運慶、高村光雲、ムーア，ヘンリー

建築 ＝建築家
●●（例）安藤忠雄、丹下健三、ガウディ，アントニ、ル・コルビュジエ

工芸 ＝工芸作家
●●（例）酒井田柿右衛門、正宗、ウェッジウッド，ジョサイア、ストラディバリ，アントニオ

デザイン ＝デザイナー
●●（例）横尾忠則、シャネル，ガブリエル

産業 ＝産業人
●●（例）松下幸之助、カーネギー，アンドリュー

教育 ＝教育家
●●（例）新渡戸稲造、クーベルタン，ピエール・ド

医学 ＝医学に関する人物
●●（例）緒方洪庵、北里柴三郎、ナイチンゲール，フローレンス、パスツール，ルイ

スポーツ ＝スポーツ選手
●●（例）長嶋茂雄、ベーブ・ルース

発明・発見 ＝発明・発見に関する人物
●●（例）高峰譲吉、エジソン，トーマス・アルバ

探検・開拓 ＝探検・開拓に関する人物
●●（例）植村直己、間宮林蔵、マルコ・ポーロ

架空 ＝架空・伝説上の人物
●●（例）アーサー王、ウィリアム・テル、徐福

郷土 ＝郷土の発展につくした人物
●（例）玉川兄弟、安井道頓、布田保之助

大項目について

とくに重要な60名の人物については、2ページまたは1ページにまとめて、「大項目」として大きくあつかっています。写真や年表、コラムとあわせて、くわしく解説していますので、理解をより深めることができます。

見出し語のあらわし方やマークの意味は、そのほかの項目と同じです。

■ 見出し語　見出し語のあらわし方のくわしいきまりは、4ページに説明があります。

■ 解説文　小見出しをつけて、内容の組み立てがすぐわかるようにしています。

■ コラム　人物を幅広く理解するための知識を入れています。

■ 年表　その人物の一生をわかりやすくまとめています。

第5巻『学習資料集・索引』について

この人物事典の第5巻には、「天皇系図」「征夷大将軍一覧」「ノーベル賞受賞者一覧」「芥川賞・直木賞受賞者一覧」など、第1巻から第4巻の掲載人物に関連のある学習資料を収録しています。

また、巻頭には、各世紀の「人物年表」、366日その日に生まれた人がわかる「人物カレンダー」を掲載しています。

これらの資料を参照することで、さまざまな人物の相関関係や、同じ時代に生きた人物について知ることができます。

学習資料には、右の一覧のようなテーマがあります。

また、「五十音順」のほか、すべての人物を「ジャンル別」で、日本の人物を「時代別」で、世界の人物を「地域別」でひける索引が収録されています。

索引をつかうことで、より便利に調べることができ、また同じジャンル、同じ時代、同じ地域の人物に興味を広げていくことができます。

※第5巻『学習資料集・索引』のつかい方は、第5巻3～7ページに書いてあります。

■ 学習資料集テーマ一覧

- 歴代の内閣総理大臣一覧
- 天皇系図
- 藤原氏系図
- 源氏・平氏系図
- 征夷大将軍一覧
- 江戸幕府大老・老中一覧
- 鎌倉幕府執権一覧
- 室町幕府執事・管領一覧
- 日本の歴史地図
- アメリカ合衆国大統領一覧
- 国連事務総長一覧
- 主な国・地域の大統領・首相一覧
- ローマ教皇一覧
- 世界の主な王朝と王・皇帝
- 世界の主な王朝地図
- ノーベル賞受賞者一覧
- 日本人ノーベル賞受賞者
- 国民栄誉賞受賞者一覧
- お札の肖像になった人物一覧
- 切手の肖像になった人物一覧
- 文化勲章受章者一覧
- 芥川賞・直木賞受賞者一覧
- オリンピック日本代表選手メダル受賞者一覧
- 日本と世界の名言
- 人名別 小倉百人一首

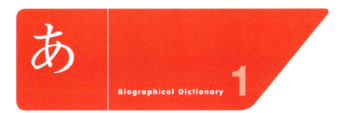

あ

Biographical Dictionary 1

アークライト，リチャード
発明・発見

リチャード・アークライト　1732～1792年

水力紡績機を発明、近代的工場制度をつくった

18世紀のイギリスの発明家、企業家。

イングランド北西部のランカシャーに、貧しい家の末っ子として生まれる。理髪店に弟子入りして、理髪師兼かつら職人としてはたらく。その後、ボールトンで理髪店をもち、かつら用の防水染料を発明。英国各地をおとずれて紡績についても学び、かつらの着用がすたれると紡績業をはじめた。1768年、織物の中心地だったノッティンガムへ移り、ジェニー紡績機を改良して、特許を取得。熟練工を不要とした、機械化による安価な綿糸生産を可能にした。1771年、世界初の水力を動力とした紡績機工場を建設して操業を開始。

その後、故郷ランカシャーにもどり、大規模な紡績工場を近代的に経営、ランカシャー発展の基礎を築いた。特許権で財をなし、1786年にナイトの称号を受け、翌年、ダービーシャーの州長官に任命されるなどの栄誉も得た。

1991年創設の技術系学生向け「アークライト奨学金」に、その名をのこしている。

アーサーおう
架空

アーサー王　生没年不詳

サクソン人を撃退した、ブリトン人の伝説的英雄

5～6世紀ごろのケルト人の伝説的な王。

侵入するサクソン人を撃退したブリトン人（ブリテン島に先住していたケルト人）として歴史書などにしるされている。しかしその実在は議論があり、後世につくられた「アーサー王伝説」とよばれる物語の中で人物像が形づくられていった。サクソン人にブリテン島を征服されたケルト人の再興の願いが、アーサーを伝説的な英雄にかえていったと考えられている。

一般的に知られるアーサー王の伝説は、王の生涯や、その家臣である円卓の騎士団が活躍する物語である。王妃と騎士の恋物語や、最後の晩餐で用いられ、キリストの血を受けたといわれる聖杯をさがす物語などがふくまれ、中世以降のヨーロッパ各地で親しまれ、文学をはじめ各芸術作品の題材となっている。

アービング，ジョン
文学

ジョン・アービング　1942年～

20世紀のディケンズとよばれる作家

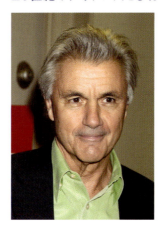

アメリカ合衆国の作家。

ニューハンプシャー州生まれ。10代はレスリングに熱中していた。15歳でイギリス人作家ディケンズの長編小説『大いなる遺産』に感動し、のちに作家をめざす。ニューハンプシャー大学を卒業したのち、1965年にアイオワ大学創作科に入り、作家のボネガットの指導を受けた。

1968年、長編小説『熊を放つ』で作家としてデビューし、好評を得る。1978年に出版した4作目の『ガープの世界』がベストセラーになり、これを原作とした映画も世界中で注目を集めた。その後、『ホテル・ニューハンプシャー』『オウエンのために祈りを』などを発表し、作家としての地位を確立する。『サイダーハウス・ルール』では、みずから作品を映画の脚本に書き直し、1999年度のアカデミー賞脚色賞に輝いた。

一風かわった登場人物を中心に、その周辺でおかしなできごとがおこるというストーリーにおもしろさがある。長編を得意とし、20世紀のディケンズともよばれる。

アービング，ワシントン
文学

ワシントン・アービング　1783～1859年

独自の神話・伝説をつくりだした作家

アメリカ合衆国の作家、随筆家。

ニューヨーク生まれ。体が弱くて学校にかよえず、独学で弁護士の資格をとる。

1809年に、オランダ人の開拓者をユーモラスにえがいた『ニューヨーク史』で作家としてみとめられる。その後ヨーロッパをおとずれ、そこでの見聞を集めた『スケッチ・ブック』（1819～1820年）により高い評価を得た。1826年から、スペインのアメリカ公使館につとめながら、『グラナダ征服記』『アルハンブラ宮殿物語』などをだす。また、アメリカの初代大統領ワシントンやイスラム教の創始者ムハンマドなどの伝記でも知られる。移民の国であるアメリカのフォークロアをえがき、リップ・バン・ウィンクルのような、独自の神話・伝説的人物像をつくりだしたことでも評価されている。

アームストロング，ウィリアム　産業　発明・発見
ウィリアム・アームストロング　1810〜1900年

軽量で機動性の高いアームストロング砲を開発した

19世紀のイギリスの技術者、発明家。

ニューカッスルに、穀物商の子として生まれる。法律家をめざすが、工学に興味をもち、水車を利用した原動機を考案。1845年にはニューカッスルの水道工事計画に参加し、翌年、業績がみとめられ、王立協会会員に選出された。その後、水力機器の製造をおこなうW・G・アームストロング社を設立。クリミア戦争中に兵器開発にたずさわり、軽量で機動性の高いアームストロング砲を開発する。アームストロング砲はイギリス陸軍、海軍に採用され、のちに日本海軍軍艦にも装着、日清・日露戦争で威力を発揮した。また、彼の造船所は日本の軍艦の造船もおこなった。晩年には民間技術者協会や機械技術者協会の会長などをつとめた。

アームストロング，ニール　探検・開拓
ニール・アームストロング　1930〜2012年

人類初の月面着陸をはたした宇宙飛行士

20世紀のアメリカ合衆国の宇宙飛行士。

オハイオ州生まれ。パデュー大学で航空工学を学んだあと、1949年、海軍に入隊して飛行士となり、朝鮮戦争でいくつもの勲章を受ける。除隊後はパデュー大学に復学し、航空工学の学位を取得、1955年に卒業。その後、テストパイロットとして超音速実験機の試験飛行にたずさわり、操縦技術が高く評価された。1961年、宇宙飛行士に志願し、1966年、2人乗り宇宙船ジェミニ8号で、ほかの宇宙船とのドッキングに成功した。1969年7月20日には、アポロ11号の船長として、人類ではじめて月面に足跡をのこした。このとき「一人の人間にとっては小さな一歩だが、人類にとっては偉大な飛躍である」という名言をのこす。宇宙飛行士を引退後は国防高等研究計画局をへて、シンシナティ大学で宇宙工学を教え、宇宙機の事故調査委員会にも参加、その後は企業経営にも加わった。2012年、82歳の誕生日をむかえてまもなく、心臓病にて死去した。

アームストロング，ルイ　音楽
ルイ・アームストロング　1901〜1971年

ジャズを即興の芸術にかえたトランペット奏者

アメリカ合衆国のジャズ・トランペット奏者、歌手。

ルイジアナ州ニューオーリンズ生まれ。本名はルイス・ダニエル。解放奴隷の貧しい家庭に育ち、ふとしたことで入った少年院でコルネットを習い、音楽を志す。誘いを受けてシカゴの楽団に入る。

1925年からホット・ファイブやホット・セブンと名づけたバンドをひきいて録音活動をはじめる。アンサンブルが中心だったジャズ演奏に、ソロのアドリブ（即興）演奏をとり入れ、今日のジャズの基本スタイルを確立した。また、意味のないことばを即興的に歌うスキャットなど、声を一つの楽器として演奏にとり入れた。

数多くの映画にも出演している。大ヒット曲『このすばらしき世界』がとくに有名。サービス精神あふれる演奏ぶりで、多くのミュージシャンと共演し、ポピュラー音楽界全体に大きな影響をあたえた。愛嬌のある丸顔と、愛すべき性格で、大口という意味の「サッチモ」の愛称で親しまれた。

あいかわよしすけ　産業
鮎川義介　1880〜1967年

日産コンツェルンの創設者

（国立国会図書館）

昭和時代の実業家、政治家。

山口県生まれ。東京大学卒業後、芝浦製作所（現在の東芝）に入社。このとき、大学卒という身分をあかさないで職工としてやとわれ、アメリカ合衆国でより強度の高い鋳鉄の製造技術を学ぶ。義弟の久原房之助の事業経営をひきうけ、1928（昭和3）年、久原鉱業を日本産業に改組した。満州事変以後の景気回復の中、日本鉱業、日立製作所、日本水産、日産自動車などの有力会社をようする新興財閥日産コンツェルンを形成した。

1937年、日産本社を満州（現在の中国東北部）へ移転し、満州重工業開発会社とする。岸信介（満州国総務庁次長）、松岡洋右（満鉄総裁）とならんで「満州の参スケ」とよばれた。わずか十数年で三井、三菱をしのぐコンツェルンを形成した鮎川は、日本資本主義の父ともいえる。第二次世界大戦後は政治活動に専念し、参議院議員になる。1956年、日本中小企業政治連盟を結成し総裁となり、中小企業の発展に力をつくした。

あいざわさぶろう
相沢三郎　1889〜1936年　政治

二・二六事件のきっかけである相沢事件をおこした

明治時代〜昭和時代の陸軍軍人。

宮城県生まれ。陸軍士官学校を卒業し、陸軍戸山学校の教官、日本体育会体操学校（現在の日本体育大学）での学校教練担当、歩兵第5連隊大隊長などをつとめた。階級は陸軍中佐にのぼる。剣道や銃剣道の達人として知られ、戸山学校では剣術教官をつとめた。天皇中心の体制をめざす急進的改革派である皇道派の青年将校らに共感して親交をもち、1935（昭和10）年、陸軍省において永田鉄山軍務局長に軍刀で背後から切りかかり殺した（相沢事件または永田事件）。この事件がきっかけの一つとなり、皇道派の青年将校らによるクーデター、二・二六事件につながっていく。1936年の軍法会議で死刑判決がくだされ、代々木衛戍刑務所内で銃殺刑に処された。

あいざわせいしさい
会沢正志斎　1782〜1863年　学問

水戸藩で尊王攘夷運動を進めた

江戸時代後期の水戸藩（現在の茨城県中部と北部）の儒学者。

常陸国水戸藩出身。1791年、藤田幽谷に儒学を学んだ。1799年、歴史書『大日本史』を編さんするために水戸藩の第2代藩主徳川光圀が設置した彰考館に参加した。藩主の子、徳川斉昭に学問を教え、1824年、イギリス船の乗組員が領内の海岸に上陸したときに応接して外国の進出に危機感をおぼえ、翌年、天皇をうやまい外国勢力を追いはらおうという尊王攘夷論をまとめて『新論』を著し、富国強兵論を説いた。1829年、藤田東湖らとともに斉昭が藩主となることに力をつくした。1830年、郡奉行（地方をおさめる役人）、1831年、彰考館総裁となり、1840年、藩校である弘道館の初代教授頭取となり、水戸学の発展に貢献した。正志斎は尊王攘夷思想をとなえて多くの著作を著し、吉田松陰ら幕末の志士たちに大きな影響をあたえた。

あいざわただひろ
相沢忠洋　1926〜1989年　学問

はじめて日本の旧石器時代の遺跡を発見

昭和時代の考古学者。

1926（大正15）年、東京府荏原郡羽田町（現在の東京都大田区羽田）に生まれる。8歳で鎌倉に引越しし、建築現場で遊んでいた際に土器のかけらをみつけるなどして、考古学への興味を強めていった。9歳のとき、両親が離婚。11歳で父とともに群馬県桐生市に移ると、まもなく浅草の履物屋に奉公にださ れた。18歳で海兵団に志願、1944（昭和19）年に太平洋戦争に出撃し、終戦後は桐生に引き揚げた。

桐生にもどると、幼いころから好きだった考古学への思いを胸に、納豆の行商をするかたわら、赤城山ろくへ行っては土器や石器をひろい、独自の研究にいそしんだ。そんな中、1946年、群馬県新田郡笠懸村（みどり市）の切り通しで、露出した関東ローム層中に黒曜石の小さなかけらを発見。3年後には黒曜石製の石器をみつける。この石器は、世界の石器とくらべると、旧石器時代の槍先形尖頭器のように思われた。

▲相沢忠洋　（相沢忠洋記念館）

しかし当時、多くの学者は、関東ローム層のできた時代、つまり縄文時代より古い時代には、日本列島ははげしい噴火で人が住めないと考えていた。日本列島には旧石器時代はないとされていたのである。もしこの石器が旧石器時代のものであれば、日本の学説は大きくかわることになる。

そこで相沢はこの石器の真偽をたしかめるため、明治大学の大学院生だった芹沢長介に連絡をとり、鑑定を依頼。芹沢も旧石器時代のものと確信し、同大学助教授であった杉原荘介らとともに相沢の調査に加

▲石器を見る相沢（左）と芹沢長介（右）　（相沢忠洋記念館）

わった。発掘をおこなうとまもなく、旧石器時代に特徴的な握斧（ハンドアックス）が発見され、ここが旧石器時代の遺跡であることが証明された。岩宿遺跡の誕生である。

この重大な発見は、学会や報道で大きくとり上げられたが、はじめは発見者である相沢の功績はほとんど無視されてしまった。中には学歴も財産もなかった相沢の功績をねたみ、ばかにする者さえいたという。しかし、相沢の考古学への情熱は消えることなく、黙々と研究をつづけ、数多くの旧石器時代の遺跡の発見にたずさわっていく。やがて正当な評価を得て、1967年には吉川英治文化賞を受賞。1989（平成元）年に亡くなると、国から勲五等瑞宝章を授与された。

アイスキュロス
アイスキュロス　紀元前525〜紀元前456年　古代／詩・歌・俳句

古代ギリシャの悲劇詩人

古代ギリシャの悲劇詩人。

アテネ郊外のエレウシスで貴族階級の家に生まれる。マラトンの戦いやサラミスの海戦など、ペルシアとの戦争に従軍した。20代から劇の創作をはじめ、紀元前499年、ディオニュシア祭の悲劇の競演会にはじめて参加する。紀元前484年の競演会で

初優勝すると、その後12回優勝した。それまで一人の俳優と合唱隊で進めていた劇に俳優を2人起用するようになったのは、アイスキュロスからだといわれる。生涯90編の作品をのこしたとされるが、完全な形でのこるのは7編のみ。最古の作品『ペルシア人』ではサラミスの海戦をえがき、唯一、現実の事件を素材にした。代表作は『オレステイア』三部作。エウリピデス、ソフォクレスとならび、三大悲劇詩人とされている。

アイゼンハワー，ドワイト 〔政治〕

ドワイト・アイゼンハワー　1890～1969年

第二次世界大戦で名声を得て大統領となった

アメリカ合衆国の軍人、政治家。第34代大統領（在任1953～1961年）。

テキサス州生まれ。陸軍士官学校、陸軍大学を卒業した。第二次世界大戦では北アフリカ連合軍司令官、西ヨーロッパ連合軍最高司令官となり、1944年、ノルマンディー上陸作戦をおこなう。これにより、ドイツに支配された北西ヨーロッパへの上陸に成功してドイツ軍を後退させ、翌年ドイツは無条件降伏した。指揮をとったアイゼンハワーは高い名声を得た。その後、陸軍参謀、陸軍元帥となるが一時引退。しかし、1950年に北大西洋条約機構（NATO）軍の最高司令官となる。1952年、共和党から大統領選に立候補し当選、翌年から2期つとめた。内政では自由企業経済を重視し、大資本を優先した。外交では反共強硬策、核戦略であるニュールック政策をとる一方で、朝鮮戦争、インドシナ戦争の休戦につとめた。1959年、ソビエト連邦（ソ連）のフルシチョフ首相と直接会談するなど友好につとめたが、1960年、U2型機事件で米ソ関係は悪化した。1961年に引退、1969年に亡くなった。

学 アメリカ合衆国大統領一覧

あいづやいち 〔詩・歌・俳句〕〔絵画〕

会津八一　1881～1956年

万葉調の短歌をのこした歌人

大正時代〜昭和時代の歌人、書家、美術史家。

新潟県生まれ。早稲田大学英文科に学ぶ。卒業後、新潟の有恒学舎（現在の有恒高等学校）で英語の教師をつとめるかたわら、多くの俳句をのこした。この時期、はじめて奈良をおとずれたのをきっかけに、仏教美術への関心を深め、東洋美術や奈良の古美術などを研究した。また、俳句にかわって本格的に短歌をつくるようになる。1910（明治43）年、大学時代の恩師である坪内逍遙のまねきで上京し、早稲田中学校の英語教師などをへて、同大学で東洋美術史を教える。

『万葉集』のほか、正岡子規や良寛の影響を受けた短歌をよんだが、歌人の集団からは距離をおいた。ひらがなで書かれた万葉調の短歌集『鹿鳴集』など、多くの著作がある。独創的な

（日本近代文学館）

筆法による書をのこし、書家としても評価されている。1945（昭和20）年に大学を退職。空襲で家を失ったため、晩年は故郷の新潟市ですごした。

アイヒマン，カール・アドルフ 〔政治〕

カール・アドルフ・アイヒマン　1906～1962年

ナチスドイツによるユダヤ人大量虐殺の責任者

ナチスドイツの軍人。

幼いころ、ドイツからオーストリアに移り住む。1932年、オーストリア・ナチ党に入り、親衛隊に加わった。ドイツにもどると親衛隊本部でユダヤ人問題を担当。ドイツ占領下のオーストリアで、ユダヤ人移住中央事務局長となる。ナチスドイツの力が大きくなると、国家秘密警察（ゲシュタポ）に属してユダヤ人を強制移住させ収容することを提案した。1942年、バンゼー会議でユダヤ人絶滅の方針が決定されると、その実行責任者となる。第二次世界大戦後、アメリカ軍の捕虜となったが、脱走してアルゼンチンに逃亡した。しかし、イスラエル秘密警察（モサド）にとらえられる。1961年、イスラエルでの裁判により、ユダヤ人大量殺戮の罪で死刑判決がくだり、1962年に処刑された。

あいみつ 〔絵画〕

靉光　1907～1946年

前衛的な作品をえがいた洋画家

昭和時代の洋画家。

広島県生まれ。本名は石村日郎。6歳のとき、生活苦から父親の弟の家に養子にだされる。大阪の天彩画塾で洋画を学んだのち、1925（大正14）年に上京して太平洋画会研究所に入る。翌年、二科美術展覧会（二科展）に初入選した。作風をめまぐるしくかえながら、しだいに前衛的な作品をえがく。1930年代なかばにはライオンの連作をかきつづけ、1938（昭和13）年に代表作となる『眼のある風景』を発表した。シュールレアリスム（超現実主義）と東洋画の影響のもと、独自の画風を築いた。

1944年、徴兵されて中国大陸に送られ、上海で病死した。故郷にのこした作品の多くは、1945年の原子爆弾投下によって失われた。

アインシュタイン，アルバート　［学問］

アルバート・アインシュタイン　1879～1955年

相対性理論で、20世紀の物理学の方向をしめした

▲アルバート・アインシュタイン

ドイツに生まれ、のちにアメリカ合衆国に帰化した理論物理学者。

ドイツ南部の都市ウルム生まれ。1896年、チューリヒのスイス連邦工科大学に入学し、数学や物理学を学んだ。卒業して2年後の1902年、ベルンの特許局に就職。仕事のあいまに物理学の研究に没頭し、1905年、26歳のとき、光電効果についての光量子説やブラウン運動の理論、特殊相対性理論など、物理学の常識をくつがえす画期的な論文をあいついで発表した。

光量子説では、強い光をあてた金属から電子が飛びだす現象（光電効果）が、光を波動ではなくエネルギーをもつ粒子（光量子、光子）ととらえることで光量子が金属内の電子にぶつかり、電子がそのエネルギーを受けとったためであると説明できることをしめした。また、特殊相対性理論では、時間や空間はみる人の運動によって変化すること、真空中の光速度が不変であることから、光の速度に近づくにつれ時間はおくれ、空間はちぢみ、質量は大きくなること、質量が少しだけエネルギーにかわっても膨大な量になることなどをしめした。

これらの論文が評価され、1912年、スイス連邦工科大学教授、翌年、ドイツのカイザー・ウィルヘルム研究所物理学部長などに就任。1916年に、重力の影響をとり入れた一般相対性理論を発表。重力によって空間はひずみ、光線は曲がることを説いた。

1921年、光電効果の理論的解明により、ノーベル物理学賞を受賞、翌年、日本をおとずれ、歓迎を受ける。

1933年、ドイツでナチスが政権をにぎり、ユダヤ人の迫害をはじめると、アメリカへ亡命し、プリンストン高等研究所の教授となる。1939年、アメリカのフランクリン・ローズベルト大統領に、ナチスが原子爆弾を開発する可能性があることを警告する手紙を送った。これがきっかけとなりアメリカで原子爆弾製造計画（マンハッタン計画）が進められた。しかし、1945年には原爆を使用しないよう、トルーマン大統領に進言している。

▲原子爆弾開発の可能性をうったえる書簡

第二次世界大戦後は、核兵器廃絶や世界政府樹立をうったえ、人権活動、平和運動にも積極的に参加した。

1955年、イギリスの哲学者ラッセル、湯川秀樹らと、アメリカやソビエト連邦など6か国の政治指導者に、核戦争廃絶をうったえる平和声明を送った。

20世紀最大の物理学者の一人で、それまで絶対と考えられていたニュートン物理学を根本から変革、物理学の新しい方向性をしめし、量子力学の分野にも大きな影響をあたえた。

🎓 ノーベル賞受賞者一覧　🎓 日本と世界の名言

アウグスティヌス　［古代］［宗教］

アウグスティヌス　354～430年

古代キリスト教でもっとも偉大な教父

ローマ帝国末期のキリスト教神学者。

北アフリカに生まれる。383年にローマへわたり、翌年ミラノで修辞学の教授となった。青年のころは、善悪二元論を説くマニ教を信仰していたが、のちに新プラトン主義などの哲学に関心をもち、マニ教からはなれていった。386年、32歳のとき、ミラノの司教アンブロシウスの説教を聞いて感動し、洗礼を受けてキリスト教徒となる。その後は故郷に帰り、仲間たちと修道院のような共同生活をしながら、ヒッポ（北アフリカの都市）の司祭となり、さらに司教にえらばれた。

395年にローマ帝国が分裂したあとの西ローマ帝国では、キリスト教の教えの解釈をめぐって混乱がおきていた。アウグスティヌスは聖書を深く研究し、『告白録』や『神の国』などを書いて、キリスト教の真の教えと信仰とは何かを説いた。その思想はキリスト教神学に大きな影響をあたえ、アウグスティヌスは、キリスト教会最大の教父とよばれるようになった。

アウグストゥス

アウグストゥス → オクタウィアヌス

アウラングゼーブ　［王族・皇族］

アウラングゼーブ　1618～1707年

ムガル帝国の領土を最大にした

インド、ムガル帝国の第6代皇帝（在位1658～1707年）。

第5代皇帝シャー・ジャハーンの第3子として生まれる。中央アジアのカンダハルに遠征するが失敗し、その後、インド中部のデカン地方の4州の太守（地方長官）に任じられ、デカンの復興につとめた。父の晩年、父を幽閉して皇位継承争いに勝ちぬき、1658年、皇帝に即位した。

厳格なスンナ派イスラム教徒だったため、ヒンドゥー寺院の破壊や、ジズヤ（非イスラム教徒への人頭税）の復活など、ほかの宗派を圧迫する政治をおこなった。1679年、ヒンドゥー教徒のラージプート族が反乱をおこすと、これとむすんだ息子のアクバルがのがれたデカン地方へ遠征を開始。その途中で、ビージャプル王国などイスラム教シーア派が支配する王国をほろぼして、ほぼ全インドを制圧、ムガル帝国の領土を最大にした。しかしマラータ王国のゲリラ戦に苦しめられ、あいつぐ戦争で財政が悪化、帝国の支配は弱体化した。

アウン・サン　　政治

アウン・サン　　1915～1947年

独立運動の指揮をとったビルマの英雄

ビルマ（現在のミャンマー）の独立運動指導者。

中部のマグエ地方生まれ。1938年、イギリスからの独立をめざす政治結社タキン党に入り、書記長となって反英運動の指揮をとった。1940年、日本の陸軍大佐、鈴木敬司の手引きで日本に亡命。翌年、ビルマ独立支援をめざし、ビルマ人青年30人を密出国させ、中華民国の海南島で軍事訓練を受けた。同年末には、タイのバンコクでビルマ独立義勇軍を結成し、少将として日本軍とともにビルマに侵攻、イギリス軍と戦って勝利した。1942年にはビルマ国防軍の司令官となり、翌年、国防大臣となる。しかし軍政をしいてビルマを支配しはじめた日本に不満をいだき、共産党や人民革命軍と共同して反日に転じる。反ファシスト人民自由連盟という抗日戦線を結成し、1945年に反乱をおこした。

日本軍敗退後はふたたびイギリスに支配されるが、ねばり強く交渉をつづけ、1947年、イギリスのアトリー首相との独立協定に調印。しかし、同年、保守派により暗殺された。

「ビルマ独立の父」として敬愛される。長女はミャンマー民主化運動の指導者、アウン・サン・スー・チー。

アウン・サン・スー・チー　　政治

アウン・サン・スー・チー　　1945年～

ノーベル平和賞を受賞したミャンマーの民主運動家

ミャンマー（ビルマ）の民主運動家、政治家。

ラングーン（現在のヤンゴン）生まれ。ビルマ独立の英雄アウン・サンの長女。1988年、民主化運動により、長年つづいた社会主義独裁政権がたおれたが、クーデターによって軍事政権が誕生した。スー・チーは国民民主連盟（NLD）を結成して軍事政権を批判、翌年、自宅軟禁となる。1990年の総選挙では、スー・チーひきいるNLDが圧倒的な勝利をおさめたが、政府はこの結果をみとめず、独裁をつづけた。軟禁中のスー・チーは、自宅からの演説で民主主義の実現を国内外にうったえた。1995年に解放されたが、その後も軟禁と解放がくりかえされる。

2010年、自宅軟禁が解除され、2年後、議会補欠選挙でNLDが圧勝。2015年の総選挙でもNLDが勝利し、自身も下院議員に当選した。

軍事政権に対して、非暴力で民主化を求めた活動は国際的にも評価され、1991年にノーベル平和賞を受賞した。当時は軟禁中のため、授賞式には出席できなかった。花の髪かざりは亡き夫との思い出という。

学　ノーベル賞受賞者一覧

あおうどうでんぜん　　絵画

亜欧堂田善　　1748～1822年

日本で洋風銅版画を完成させた画家

▲遠藤田一筆『亜欧堂田善坐像』
（個人蔵／須賀川市立博物館提供）

江戸時代中期～後期の画家。

本名は永田善吉。陸奥国須賀川（現在の福島県須賀川市）に染物屋の子として生まれる。家業をてつだうかたわら絵を学んだ。1794年、白河藩（福島県白河市）の藩主、松平定信に絵の才能を見いだされ、画家の谷文晁に師事した。その後、定信の御用絵師をつとめ、白河城下に住んだ。定信から銅版画の技法の習得を命じられ、江戸（東京）に出て研究に打ちこんだ。蘭学者の協力のもと、西洋の銅版画を模写するなどして腕をみがき、江戸の名所をテーマにした銅版画や世界地図『新訂万国全図』などを制作した。司馬江漢の銅版画よりも遠近法や陰影表現にすぐれ、日本で洋風銅版画を完成させた画家といわれる。また、洋風画もてがけて、浮世絵師の葛飾北斎や歌川広重の風景画に影響をあたえた。大作『浅間山図屏風』は国の重要文化財に指定されている。

あおきこんよう
● 青木昆陽　　　　　　　　　　　　1698～1769年　【学問】

サツマイモを広めた甘藷先生

（国立国会図書館）

江戸時代中期の儒学者、蘭学者。

江戸（現在の東京）の商人の子として生まれる。学問の道を志し、京都へ行き、儒学者の伊藤東涯に学んだ。享保のききんの翌年の1733年、米のかわりに凶作のときでも収穫できる甘藷（サツマイモ）の効用を説いた『蕃藷考』を著し、町奉行大岡忠相に提出した。『蕃藷考』は江戸幕府第8代将軍徳川吉宗の目にとまり、吉宗に命じられて、小石川薬園（現在の小石川植物園）で薩摩国（鹿児島県西部）からとりよせた種芋の試作に成功した。その後も、サツマイモの栽培、普及につとめて、人々から甘藷先生とよばれて親しまれた。

1740年、学者の野呂元丈とともにオランダ語の学習を命じられ、長崎からやってくる江戸参府のオランダ人やオランダ通詞（通訳）からオランダ語や文化などを学び、オランダ語の研究書や単語集、翻訳書を著した。その成果は、蘭学者の前野良沢に受けつがれた。また、大岡忠相に命じられて、徳川氏と関係の深い諸国をめぐり歩いて古文書を調査、収集し、『諸州古文書』をまとめた。これらにより1767年、書物奉行にとりたてられた。

あおきしげる
● 青木繁　　　　　　　　　　　　1882～1911年　【絵画】

歴史や神話から名作をえがいた画家

明治時代の洋画家。福岡県生まれ。洋画家の坂本繁二郎とは久留米高等小学校の同級生だった。中学校を途中で退学し、洋画家をめざして上京した。画塾の不同舎に入ったのち、東京美術学校（現在の東京藝術大学）に入学し、黒田清輝の指導を受ける。一方、美術学校の近くの上野図書館にかよい、哲学書や宗教書を読みあさって、芸術についての想像力を深めた。

在学中の1903（明治36）年、神話を題材にした『黄泉比良坂』などで第1回白馬会賞を受賞した。翌年、恋人の福田たねや坂本繁二郎らと千葉県南部の布良海岸に滞在し、代表作となる『海の幸』をえがいて白馬会展に出品し、大きな反響をよんだ。巨大な魚をかつぐ漁師たちをえがいたこの作品は、明治時代のロマン主義的洋画を代表する傑作といわれる。

その後も『わだつみのいろこの宮』など、歴史や神話を題材にした名作をえがくが、病気のため若くして世を去った。

あおきしゅうぞう
● 青木周蔵　　　　　　　　　　　　1844～1914年　【政治】

不平等条約の改正につとめた外務大臣

（国立国会図書館）

明治時代の外交官、政治家。長州藩（現在の山口県）の医師、三浦玄仲の長男として生まれ、蘭方医、青木研蔵の養子となる。長崎で医学を学び、1868（明治元）年、藩の命令でプロイセン（のちのドイツ）に留学するが、途中で政治・経済学に転向し、外務一等書記官として1874年に帰国する。駐独公使、外務次官などをへて、山県有朋内閣、松方正義内閣の外務大臣となり、外国との不平等条約の改正を進めたが、1891年に日本訪問中のロシア皇太子（のちのニコライ2世）が切りつけられた大津事件の責任をとって辞任する。その後、ドイツ、イギリスの公使となり、1894年、日英通商航海条約の調印に成功した。1898年に帰国したのちふたたび外務大臣となり、中国の清朝でおきた民衆による排外運動（義和団事件）の鎮圧を担当した。その後、駐米大使、枢密顧問官などを歴任した。

ドイツ男爵家の娘を妻とし、親独派としてドイツの制度や技術を積極的に導入した。

あおきもくべい
● 青木木米　　　　　　　　　　　　1767～1833年　【絵画】【工芸】

絵にも才能を発揮した陶芸家

江戸時代後期の画家、陶芸家。

京都祇園（現在の京都市）の茶屋に生まれる。幼いころから文芸を好んだ。大坂（阪）の文人木村蒹葭堂の下で中国の陶芸書を読んで刺激を受け、陶芸家の道に進んだといわれる。京都の陶芸家奥田頴川に学び、粟田（京都市）に窯をひらいた。加賀国加賀藩（石川県・富山県）からまねかれて陶芸を指導し、とだえていた加賀九谷焼の再生に力をつくした。代表作に国指定重要文化財の『染付龍濤文提重』などがある。

また、陶器づくりでやしなった色彩感覚をもとに絵にも才能を発揮した。絵の代表作である『兎道朝暾図』は宇治（京都府宇治市）の朝景色をえがいたもので、国指定重要文化財となっている。

あおやまさんう

● 青山杉雨　　　　　　　　　　　　1912〜1993年　　絵画

独自の様式を切りひらいた書家

　昭和時代の書家。
　愛知県生まれ。本名は文雄。4歳のときに上京し、親類の大池晴嵐に書を学ぶ。1941（昭和16）年、当時の三大書道展の一つ泰東書道院展で最高賞を受賞し、注目を集める。その後、中国に留学した書家、西川寧の影響を受け、作品制作と中国の書の研究にはげんだ。1965年、日本芸術院賞を受賞し、1969年には日展の理事、のちに常務理事となる。
　主に中国の古い文字を素材にして、つねに現代的な感覚をもりこみ、「1作ごとに書風がことなる」といわれるほど多彩な表現を求めつづけた。とくに漢字の篆書体や隷書体に独自の様式を切りひらき、力強く実験的な書は海外でも高く評価された。西川寧らが創立した謙慎書道会の理事長につき、大東文化大学の教授を長くつとめるなど、書道家の育成や漢字教育にも力をそそぐ。中国の書画や文房具の収集家としても知られる。1992（平成4）年、文化勲章を受章した。

学 文化勲章受章者一覧

あかがわじろう

● 赤川次郎　　　　　　　　　　　　1948年〜　　文学

『三毛猫ホームズ』シリーズで人気作家になる

　作家。
　福岡県生まれ。東京の桐朋高等学校卒業。1976（昭和51）年、『幽霊列車』でオール讀物推理小説新人賞を受賞し、作家デビュー。ネコが事件を解決する『三毛猫ホームズの推理』（1978年）は、ユーモラスなミステリーとしてベストセラーを記録。続編を次々と発表し、『三毛猫ホームズ』シリーズは人気となる。女優の薬師丸ひろ子の主演により映画化された『セーラー服と機関銃』（1978年）、『探偵物語』（1982年）も大ヒットし、ブームをまきおこした。
　ほかの作品に『三姉妹探偵団』『晴れ、ときどき殺人』『悪妻に捧げるレクイエム』などがある。2006（平成18）年、日本ミステリー文学大賞を受賞。

あかぎまさお

● 赤木正雄　　　　　　　　　　　　1887〜1972年　　郷土

常願寺川の砂防ダムを完成させた役人

　明治時代〜昭和時代の役人。
　兵庫県豊岡町（現在の豊岡市）に生まれた。第一高等学校（現在の東京大学教養学部）在学中に、校長の新渡戸稲造の話を聞き、治水に一生をささげようと決意した。東京帝国大学林学科（現在の東京大学農学部）で土砂くずれなどをふせぐ砂防学を学び、1914（大正3）年、内務省に入った。37歳のとき、自費でオーストリアに留学して先進国の砂防技術を学び、1925年、復職した。翌年、立山砂防工事事務所長になり、たびたび土砂災害をおこしていた常願寺川の砂防にとりくんだ。

（全国治水砂防協会）

　最新の技術をとり入れて、コンクリートをつかった砂防ダムを設計し、1939（昭和14）年、白岩砂防ダムを完成させた。現在も土砂災害から富山平野を守り、「白岩堰堤砂防施設」の名で国の重要文化財に指定されている。

あかさきいさむ

● 赤﨑勇　　　　　　　　　　　　　1929年〜　　学問

不可能といわれた青色LEDを開発した工学者

（名城大学）

　工学者。
　鹿児島県生まれ。1949（昭和24）年に京都大学理学部に入学。卒業後、神戸工業（現在の富士通テン）でブラウン管の開発をおこなう。1959年から名古屋大学で助教授などをつとめ、1964年に工学博士となり、松下電器東京研究所へ移る。
　1987年、新技術開発事業団、1993（平成5）年には独立行政法人科学技術振興機構（JST）で、研究開発総責任者として研究をおこなった。高輝度青色発光ダイオード（青色LED）の開発は不可能といわれていたが、材料になる半導体の窒化ガリウムの高品質の結晶化に成功。世界初の青色LEDを実現させた業績により、2014年度のノーベル物理学賞を天野浩、中村修二とともに受賞。また日本学士院賞恩賜賞、文化勲章など、多数の賞を受けた。LEDは省エネ光源として注目される半導体素子で、青色LEDの開発により、すでに開発されていた赤色、緑色とともに光の三原色がそろい、LEDによる白色化やフルカラー化が可能となった。

学 ノーベル賞受賞者一覧　学 文化勲章受章者一覧

あかざわぶんじ

赤沢文治 → 川手文治郎

あかしじゅんぞう
● 明石順三　1889〜1965年　【宗教】

キリスト教徒の立場から兵役を拒否した

明治時代〜昭和時代の宗教家。滋賀県生まれ。中学中退後の1908（明治41）年にアメリカ合衆国へわたり、独学で邦字新聞の記者となる。アメリカ滞在中、キリストの再臨を主張するワッチタワー（エホバの証人）に入会。1926（大正15）年に帰国し、ものみの塔聖書冊子協会の日本支部として、灯台社を創立した。彼らは唯一の神を信じて偶像崇拝を禁じ、戦争は聖書のいう殺人の罪であるとして兵役拒否をとなえた。全国を巡回して伝道活動をしていたが、1933（昭和8）年、灯台社のほとんどの出版物が発禁処分を受ける。1939年には、長男や弟子が兵役を拒否したため、関係者がいっせいに検挙された。明石は治安維持法違反の罪で懲役10年の刑を受け、自分の考えをかえることはないままに、第二次世界大戦後の1945年に釈放となった。その後、アメリカのワッチタワー総本部の方針を批判して除名され、伝道活動からはなれた。栃木県鹿沼市に住み、独立したキリスト教徒として読書と執筆に歳月を送った。訳書に『神の竪琴』がある。

あかしじろう
● 明石次郎　1620〜1679年　【郷土】

小千谷縮の創始者

江戸時代前期の武士、織物研究家。
堀将俊ともいう。播磨国明石藩（現在の兵庫県明石市）の藩士だったが、浪人となり、17世紀なかば、妻子とともに越後国山谷村（新潟県小千谷市）に移住したという。
その後、明石で織られていた絹織物の明石縮の技法にくふうを加え、小千谷で織られていた越後上布（横糸と縦糸を組んで織る平織りの麻織物）の技術を改良した。布のさらし方などにもくふうをこらして、縮織（布の表面に細かいしわをあらわした織物、小千谷縮）をつくることに成功し、周辺に縮織の技術を広めた。その後、小千谷縮は夏の高級織物として評判となり全国に広まった。次郎の死後、小千谷を発展させた功績をたたえて、明石堂が建てられた。現在、小千谷縮と越後上布は、国の重要無形文化財に指定され、ユネスコの無形文化遺産にも登録されている。

▲小千谷縮　（小千谷市教育委員会）

あかしやすし
● 明石康　1931年〜　【政治】

紛争地域の安定化に貢献した国連事務次長

元国連事務次長。
秋田県生まれ。東京大学を卒業後、アメリカ合衆国のバージニア大学、コロンビア大学で国際政治学を学んだ。1957（昭和32）年、日本人ではじめて国連職員となる。1974年に外務省に入り、日本の国連代表部参事官、公使、大使を歴任。1979年、国連にもどり、広報担当事務次長、軍縮担当事務次長などの事務次長職をつとめた。1992（平成4）年、国連カンボジア暫定統治機構（UNTAC）の代表に就任。内戦がつづいていたカンボジアの軍事と行政を国連が一時的にあずかるというはじめての試みを指揮し、翌年にはカンボジア初の民主的な総選挙を成功させた。1994年に旧ユーゴスラビア問題担当の国連事務総長特別代表、1996年に人道問題担当事務次長に就任。翌年、国連を退官した。カンボジア、旧ユーゴスラビアなど、紛争地域の安定化に手腕を発揮し、国際平和への貢献が高く評価された。日本人の国際社会進出の先がけとなった。

あかせがわげんぺい
● 赤瀬川原平　1937〜2014年　【文学】

新しい価値観をつくった前衛芸術家

昭和時代〜平成時代の前衛芸術家、作家、随筆家。
神奈川県生まれ。本名は克彦。兄は直木賞作家の赤瀬川隼。武蔵野美術学校（現在の武蔵野美術大学）中退。1960年代は前衛芸術家として、1000円札を模写した作品を展示し、裁判で表現の自由をあらそってやぶれる。1970年代は、漫画誌にイラストを連載していた。1981（昭和56）年、尾辻克彦のペンネームで、小説『父が消えた』を発表し、芥川賞を受賞する。また、建築家の藤森照信らと路上観察学会を結成し、マンホールや看板など路上にある不思議なものに「超芸術トマソン」と命名する活動をおこなう。1998（平成10）年には、もの忘れ、くり言など高齢者にありがちな現象を「老人力がついた」と評価する著書『老人力』を発表して大ベストセラーを記録、毎日出版文化賞を受賞した。前衛芸術家、作家のほか、幅広い分野で新しい価値観を創造するユニークな活動を展開した。

【学】芥川賞・直木賞受賞者一覧

あかぞめえもん

赤染衛門　　　　　　　　　　　　　詩・歌・俳句　生没年不詳

良妻賢母のほまれ高い女流歌人

平安時代中期の歌人。

下級貴族の娘で、藤原道長の妻源倫子につかえ、その後、道長の娘の彰子にもつかえた。そのあいだ、清少納言や和泉式部、紫式部らの女性文学者と交遊し、歌集『赤染衛門集』を著した。夫の大江匡衡は学者で、大学寮で歴史や詩文を教える文章博士をつとめた。良妻賢母として知られ、のちに匡衡が尾張守（現在の愛知県の長官）として任地で善政をおこなったとき、夫をささえて内助の功をしめしたという。

歌人として有名で、平安時代に天皇の命令でまとめられた勅撰集『拾遺和歌集』などに90首あまりの歌がのせられ、紫式部などもその歌を高く評価した。また、道長の栄華を中心にえがいた歴史物語『栄花物語』の作者ともいわれている。

学　人名別　小倉百人一首

あかつかふじお

赤塚不二夫　　　　　　　　　　　　漫画・アニメ　1935〜2008年

多くの人に愛されるギャグ漫画を生みだした

▲赤塚不二夫
（撮影：新潟日報社／©赤塚不二夫）

昭和時代〜平成時代の漫画家。満州（現在の中国東北部）生まれ。本名は藤雄。第二次世界大戦後の1946（昭和21）年、日本へ帰国し、奈良、新潟で育つ。

学生時代、手塚治虫の漫画『ロストワールド』に感動し、漫画家を志す。中学校卒業後、映画看板をかくなど塗装店で約2年間はたらいたのちに上京。はたらきながら漫画をかき、雑誌への投稿をつづけた。そこで、石森章太郎（のちの石ノ森章太郎）と出会い、彼がつくった東日本漫画研究会という団体へ参加。一時期は石森のアシスタントのような役割もつとめた。

1956年に『嵐をこえて』という少女漫画で貸本漫画デビュー。同年、東京都豊島区のトキワ荘という、かつて手塚治虫が住んでいたアパートに移り、本格的な漫画家活動をはじめる。当時トキワ荘には、石森、藤子不二雄（のちの藤子・F・不二雄、藤子不二雄Ⓐ）らがくらしていた。

1958年に初の少年誌連載作品『ナマちゃん』を発表。1962年からは6つ子が主人公のギャグ漫画『おそ松くん』、鏡をつかって変身する少女が主人公の少女漫画『ひみつのアッコちゃん』の連載を開始。『おそ松くん』に登場する「シェー！」というせりふとポーズは大流行した。5年後には『天才バカボン』と『もーれつア太郎』の連載がはじまり、大ヒット。強烈なキャラクターと、「これでいいのだ！」「ニャロメ」など数々の流行語を生みだした。

漫画はナンセンスなギャグが特徴。社会への風刺も多くふくまれたことから、こどもだけでなくおとなからも支持された。主要な作品はアニメ化され、ギャグ漫画の王様とうたわれる、戦後の漫画界での象徴的存在となった。1974年にはその功績がたたえられ、『週刊少年ジャンプ』にてギャグ漫画の登竜門「赤塚賞」が設立された。若い漫画家を育てることにも熱心で、『釣りバカ日誌』の北見けんいちなどは、赤塚の漫画プロダクション「フジオ・プロ」でアシスタントをしていた。交友関係も広く、タレントのタモリの才能を見いだし、デビューに協力した。

『おそ松くん』で小学館漫画賞、『天才バカボン』ほかで文藝春秋漫画賞、日本漫画家協会文部大臣賞、1998（平成10）年には紫綬褒章を受章している。

2008年に肺炎で亡くなったときは、新聞の1面や、テレビのトップニュースで伝えられ、一時代を築いた漫画家であることをあらためて印象づけた。

▲『天才バカボン』のバカボン一家
（©赤塚不二夫）

あかばすえきち

赤羽末吉　　　　　　　　　　　　　絵本・児童　1910〜1990年

絵本『スーホの白い馬』をえがいた画家

昭和時代の絵本作家、画家。東京生まれ。順天中学卒業。こどものころは江戸の雰囲気がのこる下町で、演劇や文学に親しんで育つ。独学で絵画を学び、22歳から15年間、満州（現在の中国東北部）ですごす。帰国後、あらためて日本の自然や文化の美しさを発見して、日本各地をスケッチしながら絵画制作にはげむ。絵本作家としての出発は、1961（昭和36）年の絵本『かさじぞう』（瀬田貞二再話）が最初で、50歳になっていた。その後、日本の伝統的な墨絵や大和絵の技法を生かしたやわらかく力強い筆づかいと大胆な構図や色づかい、独特のユーモラスな表現で、日本や世界の昔話をはじめ、数々の物語を絵本にして発表する。『源平絵巻物語』や『ももたろう』など、各種の受賞作品も多く、国際的にも評価が高い。

1980年には、『スーホの白い馬』などの全業績に対して、絵本の世界でもっとも権威のある国際アンデルセン賞画家賞を日本人としてはじめて受賞した。

あかまつえんしん

赤松円心 → 赤松則村

あかまつかつまろ　政治

● 赤松克麿　1894〜1955年

民主主義から社会主義へと転向した政治家

大正時代〜昭和時代の社会運動家、政治家。

山口県生まれ。祖父は僧侶の赤松連城。東京帝国大学（現在の東京大学）法学部在学中に大正デモクラシーを指導した吉野作造の影響を受け、のちにその娘と結婚する。1918（大正7）年、人道主義の立場から民本主義に近づき、石渡春雄、宮崎龍介らと新人会を創立。大学卒業後、日本労働総同盟の運動に参加し、1922年には日本共産党創立に参加した。まもなく離党し、総同盟の現実主義化を進めた。1926年、社会民衆党結成に参加、のちに書記長となったが、1932（昭和7）年、離党して日本国家社会党を結成した。1937年に衆院院議員に当選、日本革新党を結成し党務長となる。解党後の1940年、当時の内閣総理大臣近衛文麿を中心に結成された大政翼賛会の初代企画部長に就任。戦後は戦争協力の罪により公職追放となり、追放解除後に病死した。

あかまつのりむら　貴族・武将

● 赤松則村　1277〜1350年

足利尊氏を助けて室町幕府を樹立した

（国立国会図書館）

鎌倉時代〜南北朝時代の武将。法名の円心でも知られる。1331（元弘元）年、後醍醐天皇が鎌倉幕府をたおそうと計画した元弘の変の際に、挙兵の要請にいち早く応じた。播磨国（現在の兵庫県南部）の武士たちを集めて、足利尊氏らと協力して六波羅探題（京都におかれた鎌倉幕府の機関）を攻め、幕府滅亡に大きな役割をはたす。後醍醐天皇のはじめた建武の新政が武士を軽んじているものだったことに不満をもち、1336年に尊氏が天皇と対立すると、則村は尊氏の北軍に味方した。一時は苦戦した尊氏を助けつづけ、播磨においては少ない軍勢で新田義貞の進軍をはばむなど活躍。尊氏は楠木正成を湊川の戦いでやぶって光明天皇を即位させ、室町幕府が樹立した。これらの戦いの功績により、則村は播磨国の守護となり、領地の支配制度をととのえた。その後、赤松氏は室町幕府の中でも大きな勢力をもつ守護大名となっていく。また、禅を深く信仰し、大徳寺（京都市北区）など禅寺の建立にもとりくんだ。1350年に京都七条の邸宅で、74歳で亡くなった。

あかまつみつすけ　貴族・武将

● 赤松満祐　1373？〜1441年

室町幕府第6代将軍を暗殺

室町時代の武将。

室町幕府の有力な守護大名、赤松氏に生まれる。第4代将軍足利義持の下で侍所頭人をつとめ、中央で権力をもった。1427年に父が亡くなると、義持によって領地をうばわれそうになったが反抗し、播磨国（現在の兵庫県南部）、美作国（岡山県北東部）、備前国（岡山県南東部）の3国の守護をつぐ。

（『赤松満祐梅白旗』（部分）
都立中央図書館特別文庫室所蔵）

1428（正長元）年、第6代将軍足利義教のときにも侍所頭人となり、正長の土一揆では軍をひきいて鎮圧にあたった。ちょうど同じころ、自身の領国である播磨国でも赤松氏に反抗する土一揆がおこり、こちらも鎮圧した。満祐は、義教の下で力をつけ、重要な役割をになっていたが、両者はしだいに対立。やがて、義教が有力な守護の領地を次々ととり上げ、弾圧や殺害するようになると、それに危機感をいだき、1441（嘉吉元）年、酒宴と称して京都の自宅に義教をまねいて暗殺した（嘉吉の乱）。その後、播磨にもどって抵抗するが、山名持豊（のちの山名宗全）らのひきいる幕府軍にやぶれ、自害した。

あかまつりんさく　絵画

● 赤松麟作　1878〜1953年

関西の美術教育に力をそそいだ洋画家

明治時代〜昭和時代の洋画家。

岡山県生まれ。1899（明治32）年、東京美術学校（現在の東京藝術大学）を卒業し、翌年、三重県の中学校の教員となる。1902年、白馬会展に出品した『夜汽車』が白馬会賞を受賞し、注目を集めた。夜汽車に乗る人々の姿をえがいたこの作品は、光の効果を強調する「外光派」の初期の傑作である。

1904年、大阪朝日新聞社に入り、1915（大正4）年まで新聞のさし絵を担当した。1910年、大阪に赤松洋画研究所をひらいて、後進の指導にあたる。1936（昭和11）年に関西女子美術学校の教授、1942年には校長になるなど、関西の美術教育に力をそそいだ。門下には洋画家の佐伯祐三などがいる。

あがわひろゆき　文学　絵本・児童

● 阿川弘之　1920〜2015年

戦争体験をえがいた作家

昭和時代〜平成時代の作家。

広島県生まれ。東京帝国大学（現在の東京大学）国文科

（日本近代文学館）

卒業。長女はエッセイストの佐和子。第二次世界大戦中、予備学生として海軍に入り、中国で敗戦をむかえた。志賀直哉の紹介で、1946（昭和21）年に小説『年年歳歳』を雑誌に発表して文壇にデビュー。1952年には、戦時下の通信隊員と恋人をえがいた長編『春の城』を発表し、読売文学賞を受賞。その後、『雲の墓標』で作家としての地位を確立し、吉行淳之介や遠藤周作らとともに「第三の新人」とよばれた。戦争体験をえがいた作品や軍人の伝記が多いが、エッセーや児童文学でも活躍した。作品に『山本五十六』や『なかよし特急』、『きかんしゃやえもん』などがある。1999（平成11）年、文化勲章受章。

学 文化勲章受章者一覧

あきたうじゃく　絵本・児童　映画・演劇
● 秋田雨雀　1883～1962年

人間の身勝手さを問う『国境の夜』で知られる

大正時代〜昭和時代の作家、劇作家、児童文学作家。青森県生まれ。本名は徳三。早稲田大学英文科卒業。1913（大正2）年、島村抱月が主宰する劇団、芸術座に参加して脚本を書く。東北地方の封建的な町を舞台に、おとなどうしのみにくい争いの中で少年と少女の淡い恋がうもれてしまう過程をえがいた『埋れた春』でみとめられる。代表的な戯曲に、人間の身勝手さを問う『国境の夜』などがある。

児童文学には『太陽と花園』をはじめ多くの作品がある。社会主義運動に参加していたため、第二次世界大戦中は作品を発表しにくくなったが、戦後、日本児童文学者協会会長を長くつとめ、演劇や文学の発展につくした。

アギナルド，エミリオ　政治
● エミリオ・アギナルド　1869～1964年

フィリピンを独立にみちびいた英雄

フィリピンの政治家、フィリピン共和国の初代大統領（在任 1899～1901年）。

カビテ州カウイット町に生まれる。父は同町長をつとめていた。1895年、スペインの植民地支配からの独立をめざすフィリピン独立革命のリーダーの一人であるアンドレス・ボニファシオがはじめた秘密結社カティプナンに加入し、革命運動家として活動をはじめる。

1897年にはそのボニファシオをしりぞけ革命軍の指揮者となり、その後スペイン軍との戦いにいどみ勝利。翌年1898年にフィリピン独立を宣言した。また同年9月ブラカン州マロロスで国会を招集して憲法を制定し、初代フィリピン共和国大統領に就任した。6月初頭にスペイン軍をやぶり独立を宣言したことから現在も6月12日はフィリピンの独立記念日となっており、アギナルドは「フィリピン独立の父」としてあがめられている。

しかしその後、同盟を組んだはずのアメリカ合衆国が独立宣言をみとめなかったため宣戦布告。ルソン島中部、北部での戦いもむなしく、1901年に降伏し、アギナルドもとらえられた。釈放後は、国政に復帰することなく、長い引退生活ののち、1964年、94歳で亡くなった。

アキノ，コラソン　政治
● コラソン・アキノ　1933～2009年

ピープルパワー革命によりフィリピン大統領となった

フィリピンの政治家。第11代大統領（在任 1986～1992年）。

ルソン島の裕福な地主の家に生まれる。中学からアメリカ合衆国に留学。マウント・セント・ビンセント大学では数学、フランス語などを専攻した。1953年に帰国し、ベニグノ・アキノと結婚するが、1983年に上院議員だった夫が暗殺された。それをきっかけに政界に入り、夫と対立していたマルコス大統領の独裁政権打倒の中心人物となる。1986年の大統領選に出馬するが、マルコス側の不正により落選。しかし、その不正に反発した国民と軍部の支持を背景にマルコス政権をたおし、大統領に就任した（ピープルパワー革命）。その後は暫定憲法の公布や、マルコスの資産回収、共産ゲリラとの暫定停戦協定の締結、国営企業民営化による経済の活性、アメリカからの経済・軍事援助の導入など、積極的に政治をおこなった。しかし政権成立から5年のあいだに、未遂もふくめ8回もクーデターがおこり、しだいに政権は失速した。大統領退任後もフィリピン民主化の象徴として「コリー」の愛称で親しまれた。2010年、子のベニグノ・アキノ3世が、フィリピンの第15代大統領となった。

あきひと（きんじょうてんのう）　王族・皇族
● 明仁（今上天皇）　1933年～

新しい天皇・皇室の姿をつくった平成時代の天皇

平成時代の天皇。第125代天皇（在位 1989年～）。

昭和天皇と香淳皇后の第一皇子として、皇居にて生まれる。3歳までは天皇・皇后の手もとで育てられ、以降は東宮御所で、養育係らによって皇太子教育を受けた。1940（昭和15）年に

学習院初等科に入学したが、翌年、太平洋戦争がはじまり、1944年には栃木県に疎開、1945年の終戦も疎開先でむかえた。1946年、学習院中等科に進学するとともに、アメリカ人の家庭教師、バイニング夫人の教育を受けた。バイニング夫人は英語や国際文化の教育を通して、皇太子の意思や行動を尊重し、自己確立を助けた。また、1949

年からは、宮内庁の選任した教育責任者の小泉信三から講義を受け、新しい時代の天皇のあり方を考える基礎を築いた。アメリカ合衆国の占領統治が終わった1952年、学習院大学に進学。同年、成年式と正式に皇太子となる儀式をおこない、翌年には、昭和天皇の代理として、イギリスのエリザベス女王（エリザベス2世）の戴冠式に参列した。以降、昭和天皇の代行として、数々の公務をつとめた。

1959年、皇族・華族からきさきをえらぶ皇室の慣例にはしたがわず、民間出身の正田美智子（現在の美智子妃）と結婚した。浩宮（現在の皇太子徳仁親王）、礼宮（現在の秋篠宮文仁親王）、紀宮清子内親王（現在、結婚して黒田清子）の3人のこどもが誕生すると、自身が受けた養育係による子育てではなく、一般家庭と同様に手もとで育てる養育をえらんだ。こうした家庭のようすがメディアを通して報じられ、「ひらかれた皇室」の存在を印象づけた。

1989（平成元）年、昭和天皇の崩御を受けて天皇に即位した。即位にあたり、国民に、日本国憲法を守って責務をはたす誓いをのべた。即位後も精力的に公務をおこない、皇太子時代から通算して50か国以上を訪問して皇室外交につとめ、近年は、第二次世界大戦の戦地への慰霊訪問もおこなっている。国内では、東日本大震災をはじめとした被災地へも積極的に出むき、国民と交流を深めている。また、公務のあいまに、ハゼの分類に関する研究をおこない、学術雑誌に多数の論文を発表し、業績は国内外で評価されている。

戦後民主主義のもとでの新しい天皇・皇室の姿を形づくり、平和、親善、福祉や文化の振興のために尽力している。2016年8月、国民にむけ、譲位の意向をにじませメッセージを発表した。

学 天皇系図

あきもとながとも

● 秋元長朝　　　　　　　　　1546～1628年　郷土

地域に天狗岩用水をひらいた大名

戦国時代～江戸時代の武将、大名。
武蔵国深谷（現在の埼玉県深谷市）に生まれ、深谷城主の上杉氏につかえた。1590年、豊臣秀吉が小田原（神奈川県小田原市）の北条氏を攻めたとき深谷城を守ったが、最後は豊臣方に降伏し、その後徳川家康につかえた。1600年の関ヶ原の戦いでは、家康に敵対した上杉景勝に降伏をすすめる使者となり、その功績により、1601年に上野国総社（群馬県前橋市）の大名となった。

▲長朝の功績をたたえる力田遺愛碑　（前橋市教育委員会提供）

利根川から水をひく用水路をつくり、新田の開発を考えた。領地が台地の上にあるため、取水口をはるか上流につくる大事業となった。領民から3年間は年貢をとらないことにして、協力を求め、1602年から工事をはじめ、1604年に用水（越中堀）が完成した。その後、堀は幕府代官の伊奈忠次により、下流にのばされ、備前堀が完成した。2つの用水は天狗岩用水とよばれ、現在も農業用水や水力発電に利用されている。

あきやまさねゆき

● 秋山真之　　　　　　　　　1868～1918年　政治

日本海海戦でロシアをやぶった

明治時代～大正時代の海軍軍人。
松山藩（現在の愛媛県）生まれ。陸軍大将の秋山好古の弟で、正岡子規とは同郷の親友だった。1890（明治23）年、海軍兵学校を首席で卒業し、1897年にアメリカ合衆国に留学する。その後、イギリスに駐在し、帰国後は海軍常備艦隊の参謀となる。日露戦争では、東郷平八郎の下で連合艦隊の参謀として海軍を指揮し、数々の作戦を発案した戦略家として知られている。1905年の日本海海戦では、敵の進行方向をさえぎる形に艦隊を配備する丁字戦法を用いて世界最強といわれていたロシアのバルチック艦隊をやぶり、日本の勝利を決定づけた。その際の報告電文、「天気晴朗ナレドモ波高シ」は有名。その後は海軍省軍務局長をつとめ、1917（大正6）年、海軍中将に昇進したが、翌年、病気のため亡くなった。

あきやまとよひろ

● 秋山豊寛　　　　　　　　　1942年～　探検・開拓

日本人としてはじめて宇宙へ行った宇宙飛行士

ジャーナリスト、宇宙飛行士。
東京都生まれ。国際基督教大学卒業後の1966（昭和41）年、TBS入社、ラジオの番組構成や取材を担当。イギリスBBCへの出向後、外信部で政治部記者をつとめ、ワシントン支局長となる。TBSと旧ソビエト連邦宇宙総局との協定により、1990（平成2）年に日本人初の宇宙飛行士としてソユーズ宇宙船に

搭乗。宇宙ステーション・ミールも訪問した（毛利衛が日本人初の宇宙飛行をする予定であったが、1986年のアメリカ合衆国のチャレンジャー号爆発事故のため、毛利の飛行は1992年に延期）。帰還後はTBS報道総局次長などをつとめ、1995年に退職。福島県で農業に従事するが、東日本大震災による原発事故で福島をはなれた。

あくたがわやすし

音楽

● 芥川也寸志　　　　　　　　　　　1925〜1989年

戦後、日本のクラシック音楽界をリード

昭和時代の作曲家、指揮者。

東京生まれ。父は作家の芥川龍之介。東京音楽学校（現在の東京藝術大学）卒業。音楽学校では、作曲家の橋本国彦や伊福部昭の指導を受ける。1950（昭和25）年、『交響管絃楽のための音楽』が、NHK放送25周年記念管弦楽懸賞作品の特選に入賞。1953年、『弦楽のためのトリプティーク』を発表。團伊玖磨、黛敏郎と「三人の会」を結成して本格的に作曲や演奏活動をはじめる。『エローラ交響曲』、オペラ『ヒロシマのオルフェ』のほか、『八つ墓村』など多くの映画やテレビドラマの音楽の作曲もてがけた。

テレビ番組の司会や、指揮者として新しい交響楽団の創設にもかかわる。また、うたごえ運動の指導、日本音楽著作権協会の理事長をつとめるなど、クラシック音楽の普及とアマチュアや若手の育成に力をつくし、第二次世界大戦後の日本の音楽界のリーダーとして活躍。

1982年には平和を願う「反核・日本の音楽家たち」を発足させ、演奏会を通して核兵器の廃絶をうったえた。著書に『音楽の基礎』『音楽の現場』などがある。

あくたがわりゅうのすけ

文学

● 芥川龍之介　　　　　　　　　　　1892〜1927年

大正時代を代表する作家

大正時代〜昭和時代の作家。

東京生まれ。はじめの筆名は柳川隆之介、号は澄江堂主人。東京帝国大学（現在の東京大学）英文科卒業。

小学生のころから秀才で知られ、早くから徳冨蘆花、泉鏡花、夏目漱石などの本に親しんでいた。高校の同級には久米正雄、菊池寛、山本有三がいる。大学に在学中の1915（大正4）年に『羅生門』を発表して注目され、ついで翌年発表した『鼻』が夏目漱石にほめられ、はなばなしく文学の世界に登場した。

ほかに『芋粥』（1916年）、『地獄変』『蜘蛛の糸』（1918年）、『杜子春』（1920年）などがある。また、『蜃気楼』『河童』『歯車』『或阿呆の一生』（1927年）など、人間の孤独や絶望をテーマにして、作者の心の風景をえがいた作品も多く知られている。

（日本近代文学館）

関東大震災（1923年）以降、芸術と現実のあいだの矛盾に苦しみ、心身ともに傷ついて健康状態が悪化。36歳の若さでみずから命を絶った。その自殺は当時の文学界や社会に大きな衝撃をあたえた。

作家として活躍した期間は12年間だが、評論などをのぞけば、そのほとんどは短編小説で、いまもなおファンに愛されている。

アクバル

王族・皇族

● アクバル　　　　　　　　　　　　1542〜1605年

ムガル帝国を全盛期にみちびいた皇帝

ムガル帝国の第3代皇帝（在位1556〜1605年）。

第2代皇帝フマーユーンの子。名はアラビア語で「偉大」の意味。ムガル帝国は祖父バーブルが建国したトルコ系イスラム王朝。アクバルは、父が北インドのスール朝の創始者、シェール・シャーに帝位を追われて流浪しているときに生まれた。幼いころから何度も人質にだされる。父がデリーを奪還した直後に事故死したため、13歳で即位。当初、アクバルの統治は不安定だったが、スール朝の残党をやぶり、宰相バイラム・ハーンを追放し、18歳で実権をにぎる。ヒンドゥー教徒と融和すると、アグラを首都とし、東はベンガル、南はデカン高原まで進出して、インドの大部分とアフガニスタン東部をふくむ広大な領地を支配。全国を州、県、郡に分け、役人を派遣して中央集権政治を整備し、貨幣を統一した。

宗教に対しておおらかで、イスラム教以外の宗教を信じる人々からとる人頭税（ジズヤ）を廃止した。

また、多様な社会階層からの人材を政治に抜てきし、ヒンドゥー教徒をとりこむ政策を進めて支配を安定させ、ムガル帝国の基礎を確立した。

あくゆう　阿久悠　[文学][音楽]　1937〜2007年

日本歌謡史をいろどるヒットメーカー

昭和時代〜平成時代の作詞家、作家。

兵庫県生まれ。本名は深田公之。1959（昭和34）年、明治大学を卒業して広告代理店に入り、テレビ番組やコマーシャルの企画制作を担当。1964年より「阿久悠」のペンネームで、テレビ番組の台本を書く放送作家の活動をはじめる。

その後、歌謡曲の作詞をてがけ、5000曲以上の作品をのこす。1970年代には『また逢う日まで』『北の宿から』『UFO』などのヒット曲が次々とレコード大賞を受賞し、歌謡界をリードする。作家としての才能も発揮し、映画化された『瀬戸内少年野球団』などを発表する。高校野球を愛し、1993（平成5）年には、選抜高等学校野球大会の大会歌も作詞する。1997年、菊池寛賞受賞。1999年、紫綬褒章を受章。

あけちみつひで　明智光秀　[戦国時代]　1528?〜1582年

本能寺の変で信長を討つ

（本徳寺）

戦国時代〜安土桃山時代の武将。

美濃国（現在の岐阜県南部）に生まれる。越前国（福井県北東部）の朝倉義景や、室町幕府第15代将軍足利義昭につかえ、のちに織田信長の家臣となる。義昭と信長のあいだをとりもち、寺社や公家との交渉役をつとめた。1571年、近江国（滋賀県）の坂本城主となる。領地をおさめる一方、丹波、丹後地方を攻略するなど、武将として数々の功績をあげて信長にみとめられ、1580年、丹波国（京都府中部・兵庫県東部）の領主となった。1582年、中国地方の毛利氏と戦っていた羽柴秀吉（のちの豊臣秀吉）軍の支援にむかう途中、突然謀反をおこし、京都の本能寺にいた信長をおそい、自害させた（本能寺の変）。つづいて、信長の長男織田信忠を二条城でたおした。しかし、直後に毛利氏と和解してもどった秀吉軍にやぶれ（山崎の戦い）、殺された。信長を討ってからわずか13日後のことであり、この期間は「三日天下」といわれる。

あけらかんこう　朱楽菅江　[文学]　1740〜1800年

狂歌の三大家の一人

江戸時代後期の狂歌師、戯作者。

本名は山崎景貫。幕府の下級の家臣だったが、若いときから俳諧（こっけいみのある和歌や連歌、のちの俳句など）に親しみ、和歌にもすぐれていた。友人の四方赤良（大田南畝の別名）や唐衣橘洲の影響で狂歌（風刺や皮肉をもたせた短歌）をはじめた。

遊里での遊びを小説にえがいた洒落本もてがけ、『売花新駅』などの作品で名をあげた。1783年、赤良とともに編集した狂歌選集『万載狂歌集』が評判をよび、天明年間（1781〜1789年）に狂歌が大流行するきっかけをつくった。赤良や橘洲とともに狂歌の三大家の一人とされる。妻のまつも節松嫁々の名前で狂歌師として活躍した。

アサーニャ，マヌエル　マヌエル・アサーニャ　[政治]　1880〜1940年

自由主義左派の指導者

スペインの政治家。首相（在任1931〜1933年、1936年）、大統領（在任1936〜1939年）。

マドリード近郊のアルカラ生まれ。マドリードおよびパリで法律を学び、自由主義の立場から著作活動をおこなう。1931年4月、スペインでは王制が廃止されて共和制となり、スペイン共和国政府の陸軍大臣に就任。同年10月に首相となり、1933年まで政権を担当して、内政改革を実施した。

その後、左翼の統一をよびかけ、1936年2月、スペイン人民戦線の総選挙勝利によりふたたび首相に就任し、同年5月に大統領となる。しかし、7月にフランコ将軍を中心とした軍部・右翼が反乱をおこし、スペイン内戦が勃発。1939年、フランスに亡命して大統領を辞任した。翌年、亡命先のフランスで死去。

あさいちゅう　浅井忠　[絵画]　1856〜1907年

関西洋画壇の中心人物として活躍

（国立国会図書館）

明治時代の洋画家。

江戸（現在の東京）生まれ。

少年時代に日本画を学んだのち、イギリスから帰国した国沢新九郎の画塾、彰技堂で油絵を学ぶ。1876（明治9）年、できたばかりの工部美術学校に入学し、イタリア人教師フォンタネージから自然主義絵画の指導を受ける。1889年、日本初の洋画団体である明治美術会を設立した。1898年には東京美術学校（現在の東京藝術大学）の教授となる。1900年から2年間、フランスに留学し、帰国後は京都に移り、関西美術院を創立した。安井曽太郎、梅原龍三郎、津田清楓ら後進の指導にあたり、関西洋画壇の中心人物として活躍した。

初期から中期には、フォンタネージの影響を受けたバルビゾン派風の絵をかいたが、フランス留学後は印象派の画風をとり入れ、水彩画にも多くの傑作をのこした。代表作に、『春畝』『収穫』『グレーの秋』などがある。

あざいながまさ
浅井長政 戦国時代 1545〜1573年

姉川の戦いで信長にやぶれた

（長浜城歴史博物館）

戦国時代の武将。
近江国（現在の滋賀県）の北部を支配した戦国大名、浅井氏の3代目当主。「あさい」とも読む。父の久政の時代には、近江南部を支配する戦国大名の六角氏の勢力に圧倒されていたが、長政はこの状況を打開して、しだいに浅井氏の勢力をもりかえしていった。また当時、尾張国（愛知県西部）、美濃国（岐阜県南部）を支配して勢いをましていた織田信長と同盟をむすび、1568年ごろには信長の妹お市の方を妻にむかえることで、近江国の支配力をさらに強めた。しかし、信長が越前国（福井県北東部）の大名、朝倉義景への攻撃を開始すると、朝倉氏と友好関係にあった浅井氏は信長と絶縁した。1570年、長政と朝倉氏の連合軍は、近江国姉川で信長・徳川家康の連合軍と戦ってやぶれた（姉川の戦い）。
1573年には居城の小谷城を信長に攻められ長政は自害し、浅井氏は滅亡した。長女の茶々は、のちに秀吉の側室淀殿となり、次女の初は京極高次夫人、3女の江は江戸幕府の第2代将軍徳川秀忠の夫人（崇源院）となった。

あさいのそうずい
阿佐井野宗瑞 医学 ？〜1531？年

『医書大全』を出版した医師

戦国時代の医師、出版人。
和泉国堺（現在の大阪府堺市）で「遠野屋」と称した豪商の家に生まれる。医術を学び、女科（産婦人科）を得意としたが、専業医師ではなかったともされる。大徳寺の僧大林宗套に帰依し、雪庭宗瑞居士と号した。
1528年に私財を投じ、明の熊宗立が著した『医書大全』を翻刻出版（昔、出版された本をふたたび出版すること）した。これは本格的に刊行された医学出版物としては日本最古のものとなる。阿佐井野家ではほかに、唐代の詩集である『三体詩』、『天文版論語』などを出版。これらは「阿佐井野版」とよばれ、図書の印刷普及に大きく寄与したことから、書誌学上に名をのこす。

あさかごんさい
安積艮斎 幕末 教育 1791〜1861年

幕末〜明治時代に活躍した人々を教えた

江戸時代後期の儒学者。
陸奥国安積郡安積国造神社（福島県郡山市）の宮司の子として生まれる。17歳のとき学問を志して江戸（現在の東京）に行き、佐久間象山や横井小楠を教えた儒学者（中国の孔子によってまとめられた学問を研究する人）の佐藤一斎や幕府直轄の昌平坂学問所で朱子学（儒学の一派）を教える林述斎に学び頭角をあらわし、神田駿河台（東京都千代田区）に私塾をひらき門人を教育した。1843年から1年半、二本松藩（福島県二本松市）藩校の教授をつとめたあと江戸にもどった。1850年、昌平坂学問所の教授となり、ペリー来航時にアメリカ国書の翻訳をおこなった。門人は2000人をこえたが、なかには小栗忠順、吉田松陰、高杉晋作、岩崎弥太郎など、幕末から明治時代に活躍した人々がいた。

あさかたんぱく
安積澹泊 学問 郷土 1656〜1737年

『大日本史』を編さんした儒学者

江戸時代中期の儒学者。
常陸国水戸藩（現在の茨城県中部、西部）の藩士。通称は覚兵衛。水戸藩主の徳川光圀にまねかれた明（中国）の朱舜水に、儒学（中国の孔子によってまとめられた学問や教え）を学んだ。1683年には『大日本史』の編さんのために設置された彰考館に入り、1693年、総裁となって『大日本史』編さんの主導的役割をはたした。1714年に総裁をやめたのちも、彰考館で紀伝稿本（人物の伝記）の補訂作業などをつづけた。朱子学（中国の朱熹によってまとめられた儒学の一派）を中心とした水戸学を代表する人物で、新井白石、室鳩巣、荻生徂徠らと親交があった。

あさかわかんいち
朝河貫一 政治 学問 1873〜1948年

はじめてエール大学の教授となった日本人

（二本松市教育委員会）

明治時代〜昭和時代の歴史学者。
福島県生まれ。幼少より英語が得意で、中学時代には英語の勉強のために、毎日、英和辞典を2ページずつ暗記して、やぶりすてたり、食べたりしたという。1895（明治28）年、東京専門学校（現在の早稲田大学）文学科を首席で卒業、アメ

リカ合衆国にわたる。ダートマス大学、エール大学大学院で学び、論文『日本における初期の制度的生活、645年改革の研究』で哲学博士の学位を得て、のちにダートマス大学の極東史専任講師となる。1904年、日露戦争の原因を説明した『日露衝突』を刊行。翌年、日露講和会議に出席し、日本の立場を世界にうったえ、講和条約の締結に貢献した。1906年に一時帰国すると、エール大学図書館と米国議会図書館からの依頼で、日米関係図書の収集をおこなった。

1937（昭和12）年、日本人初のエール大学の教授となり、西洋中世法制史を担当。その後も同付属図書館日華資料部長、同名誉教授を歴任し、封建制が「天皇という制度」を伝えたとした。また、政治家に書簡を通じて外交提言し、影響をあたえた。アメリカでくらした54年間のうち、36年間、エール大学ではたらき、アメリカでの東アジア研究の基礎を築いた。

あさかわたくみ　　学問　工芸

● 浅川巧　　1891〜1931年

朝鮮の文化や芸術を研究した日本人の陶芸研究家

（浅川伯教・巧兄弟資料館）

大正時代〜昭和時代の朝鮮民芸・陶芸の研究家。
山梨県生まれ。山梨県立農林学校卒業後、秋田県の大館営林署に就職する。1914（大正3）年、兄のあとを追って日本の植民地支配下の朝鮮半島にわたり、朝鮮総督府農商工部の林業試験場に勤務。養苗や造林研究に従事するかたわら、朝鮮美術工芸品の研究と収集をはじめる。1924年、兄や民芸運動の思想家である柳宗悦とともに京城（現在の韓国のソウル）に朝鮮民族美術館を設立。朝鮮や朝鮮人の美点に視線をそそいだ。また朝鮮美術の研究書を多くのこし、『朝鮮の膳』『朝鮮陶磁名考』などを書いた。

40歳の春、急性肺炎により短すぎる生涯を終える。死のまぎわにのこした「私は死後も朝鮮にとどまる。だからなきがらも朝鮮式に埋葬してほしい」という遺言のとおり、京城郊外の清涼里に埋葬された。1996（平成8）年には、浅川を尊敬していた金成鎮によって直筆の日記が約70年ぶりに故郷の山梨県高根町に届けられ、高根町の資料館にたいせつに保管された。

あさくらたかかげ　　戦国時代

● 朝倉孝景　　1428〜1481年

応仁の乱で、斯波氏にかわって越前の守護職となった

室町時代〜戦国時代の大名。
朝倉氏の7代目当主となり、越前国（現在の福井県北東部）の守護である斯波氏につかえていた。当初は教景と名のり、のちに敏景、教景、孝景と名をかえた。1467（応仁元）年、応仁の乱がおこると、はじめは斯波義廉とともに山名持豊ひきいる西軍に属して戦った。しかし東軍の大将細川勝元のさそいで寝返り、その条件として、1471年、斯波氏にかわり、越前国の守護となる。同じく斯波氏につかえていた甲斐氏との抗争がつづくなか、一乗谷（福井市）に城をかまえて城下町をつくり、戦国大名として100年にわたる朝倉氏の繁栄の基礎を築いた。

孝景が制定したとされる領国内を統治するための分国法『朝倉孝景条々（朝倉敏景十七箇条）』は、戦国大名の合理的な考え方をしめした戦国家法として有名である。

あさくらふみお　　彫刻

● 朝倉文夫　　1883〜1964年

写実的な作品をのこした彫刻家

明治時代〜昭和時代の彫刻家。
大分県生まれ。1902（明治35）年に中学校を中退し、彫刻家として活躍していた兄の渡辺長男をたよって上京した。翌年、東京美術学校（現在の東京藝術大学）に入学し、1907年に卒業した。翌年の第2回文部省美術展覧会（文展）にだした『闇』が最高賞の2等賞となり、注目を集めた。その後も文展で受賞を重ね、1916（大正5）年からは文展、さらにそれにつづく帝国美術院展覧会（帝展）の審査員をつとめた。1921年から1944（昭和19）年まで東京美術学校の教授をつとめる一方、自宅に朝倉彫塑塾をひらき、弟子たちの指導にあたった。

すぐれた観察力と技術によって、自然の姿をありのままにうつす写実的な作品をのこし、明治時代から昭和時代にかけての彫刻界に大きな影響をあたえた。代表作には、最高傑作とされる『墓守』のほか、『吊された猫』『大隈重信像』などがある。1948年、文化勲章を受章した。　学 文化勲章受章者一覧

あさくらよしかげ　　戦国時代

● 朝倉義景　　1533〜1573年

浅井長政とともに信長と敵対した戦国大名

戦国時代の武将。
越前国（現在の福井県北東部）を支配した戦国大名、朝倉氏最後の当主。朝倉氏が本拠としていた一乗谷は、戦国時代を代表する城下町で、応仁の乱で荒れはてた京都をのがれた貴族や文化人が移り住むなど繁栄を誇った。1565年、室町幕府第13代将軍足利義輝が京都で松永久秀らに殺されると、

（心月寺）

その弟の足利義昭を一乗谷にむかえた。しかし、京都への復帰を望む義昭に対し、義景の態度は消極的だったため、義昭は結局、尾張国（愛知県西部）の織田信長のもとに去ってしまう。1568年、義昭は信長の支援を受けて京都にのぼり、室町幕府を復興。第15代将軍となる。

義景は、京都で将軍にあいさつするよう信長に命じられるが、それをこばみ、信長と対立するようになる。義景は近江国（滋賀県）の大名、浅井長政などとむすんで信長に抵抗するが、1570年、姉川の戦いでやぶれた。1573年には一乗谷を攻撃され、自害した。

あさだごうりゅう　　　　学問
● 麻田剛立　　　　1734～1799年

暦学を研究し、塾をひらいて多くの門人を教えた

江戸時代中期の天文学者。

豊後国杵築藩（現在の大分県杵築市）につかえる儒学者綾部安正の子として生まれる。本名は綾部妥彰。1763年に日食を予言して有名になる。医学を学び1767年、藩医になった。幼いころから興味をもっていた天文学に専念するため辞職を願いでたがゆるされず、1772年、脱藩し改名して大坂（阪）に出た。医者を開業して生計を立てながら、暦学を研究し、先事館という塾をひらいて多くの門人を教えた。1795年、幕府から改暦を命じられるが、高齢を理由に辞退し門人の高橋至時、間重富を推薦した。のちに至時らによって西洋の暦法をとり入れた寛政暦がつくられた。門人にはほかに山片蟠桃がいる。

あさだしょうどう　　　　郷土
● 浅田松堂　　　　1711～1777年

地域の名産となる大和絣を考案

江戸時代中期の商人。

大和国葛上郡御所町（現在の奈良県御所市）に生まれる。家は運送問屋で、材木、米、塩、油などをあつかい、繁盛していた。読書を好み、書や彫刻にすぐれていた。52歳のとき、子孫に『家用遺言集』を書きのこし、「家内平等であるべきだ」と説いた。そのころ大和絣を考案し、地域の産物にしたいと考えた。あらかじめ色で染めた糸と白い糸を織り、白地にかすったような色の模様を織りだしたものと考えられている。その後、御所、新庄（葛城市）、高田（大和高田市）で、木綿織の生産がさかんになり、白絣、紺絣、絹糸をまぜた縞模様織などが考案され、名産品となった。

あさだそうはく　　　　医学
● 浅田宗伯　　　　1815～1894年

漢方医学の保存につくした名医

江戸時代後期～明治時代の漢方医。

信濃国筑摩郡（現在の長野県松本市）に医者の子として生まれる。医学を学び、1832年、京都で漢方医学や儒学を学んだ。1836年、江戸（東京）で開業し、コレラなどの治療に腕をふるい、1855年、幕府の御目見医師（将軍に謁見できる医師）に抜てきされ、平安時代に編さんされた医書の『医心方』の修正などにつとめた。

1865年、外国の医師が治せなかったフランス公使ロッシュの病気を治療して、高い評価を得た。1866年、第14代将軍徳川家茂を診療して夫人の和宮らに信頼された。明治時代には皇室の侍医として、皇太子の嘉仁親王（のちの大正天皇）の治療にもあたった。

1874（明治7）年、医療や衛生に関する法令が公布されたとき、西洋医学より漢方医学がすぐれていると主張して、東洋医学や漢方の保存につくした。のどあめとして知られる「浅田飴」は、彼の名にちなんでいる。

あさのあつこ　　　　絵本・児童
● あさのあつこ　　　　1954年～

人気小説『バッテリー』の作者

作家、児童文学作家。岡山県生まれ。本名は浅野敦子。青山学院大学卒業。仕事をもった両親のかわりに祖母とすごすことが多く、おばあちゃん子だった。中学生のときに『シャーロック・ホームズ』シリーズを読んで、小説のおもしろさを知る。大学卒業後、小学校の教師をつとめ、結婚、出産、子育てをへて、1991（平成3）年、作家としてデビュー。野球に打ちこむ中学生の姿を通して、少年たちの友情と成長をえがいた『バッテリー』で野間児童文芸賞、『バッテリーⅡ』で日本児童文学者協会賞など、数々の賞に輝き、一躍人気作家になる。

デビュー後も出身地の岡山県美作市に住みながら、児童文学以外にも、ミステリー、時代小説、SF（空想科学小説）、エッセーなど、幅広く執筆活動をおこなう。

デビュー作は『ほたる館物語』としてシリーズ化された。ほかに『No.6』『ガールズ・ブルー』『The MANZAI』『弥勒』などの人気シリーズがある。

あさのそういちろう
浅野総一郎　1848〜1930年　産業／郷土

日本一のセメントメーカーを築いた

明治時代〜大正時代の実業家。

越中国（現在の富山県）の町医者の長男として生まれる。15歳で大商人をめざし、さまざまな商売をおこすが、ことごとく失敗。多額の借金をかかえたまま24歳で上京し、お茶の水で水売りから再出発する。

1873（明治6）年、石炭や薪炭をあつかう商売の中で、石炭の廃材コークスをセメント製造の燃料として利用する方法を開発し、大成功をおさめる。1884年、浅野の仕事ぶりをみこんだ渋沢栄一の支援で、官営深川セメント工場の払い下げを受け、浅野セメント（のちの日本セメント、現在の太平洋セメント）を設立。その後も安田善次郎の資金援助を受けて、海運、炭鉱、造船、製鉄、電力など多角的に事業を拡大し、一代で浅野財閥を築き上げた。

さらに1913（大正2）年には、鶴見〜川崎沿岸で東京湾の埋め立て事業をはじめ、製鉄所、造船所を設立。現在の京浜工業地帯発展の立役者としても知られている。

あさのながのり
浅野長矩　1667〜1701年　江戸時代

赤穂浪士のつかえた主君

（浅野長矩画像／東京大学史料編纂所所蔵模写）

江戸時代の播磨国赤穂藩（現在の兵庫県赤穂市）の藩主。

藩主浅野長友の子。浅野内匠頭ともよばれる。1675年、9歳で父のあとをつぎ、赤穂藩5万3000石の藩主になったが、政治への関心はうすく、家老たちにまかせきりだったという。

1683年、江戸幕府より、年頭に朝廷から派遣される天皇の勅使の接待役を命じられ、無事につとめた。しかし、1701年に2度目の接待役を命じられたとき、指導役の高家（幕府の儀式などをつかさどる役職）吉良義央（通称は上野介）と対立し、勅使が江戸城に登城する3月14日、江戸城内の松の廊下で吉良に切りつけ負傷させた。吉良からいやがらせを受けたためともいわれるが、はっきりした原因はわかっていない。江戸城内で刀をぬくことはかたく禁じられていたので、長矩はその日のうちに切腹させられ、浅野家はとりつぶされた。一方、吉良が処分を受けなかったため、翌年12月14日に浅野家の元家臣たちが吉良邸を襲撃した赤穂事件は、のちに浄瑠璃や歌舞伎の『仮名手本忠臣蔵』の題材となった。

あさのながまさ
浅野長政　1547〜1611年　戦国時代

家康からも信頼された五奉行の一人

（浅野長政画像／東京大学史料編纂所所蔵模写）

戦国時代〜江戸時代前期の武将、大名。

尾張国（現在の愛知県西部）に生まれる。幼名は長吉。織田信長の弓衆（弓組の長）をしていたおじ、浅野長勝の婿養子となり、浅野家をついだ。浅野家の養女であったねね（高台院）は、のちに豊臣秀吉の正室となる。

信長につかえ、1573年には小谷城の戦いで活躍し、信長の死後は、秀吉の家臣となる。賤ヶ岳の戦いなどで武将としても功績をあげたが、一方で、すぐれた行政手腕を買われ、1582年には京都奉行となり、全国の土地を測量した太閤検地を実施するなど、秀吉の内政面をささえた。

1583年、近江国（滋賀県）の大津城、坂本城の城主、1587年、若狭国（福井県南西部）の小浜城の城主となる。1592年の朝鮮出兵、文禄の役でも活躍し、甲斐国（山梨県）をあたえられる。そののち、豊臣政権をささえる五奉行の筆頭となったが、関ヶ原の戦いでは、徳川家康の東軍方についた。家康とは囲碁などを通して親交を深め、隠居後も家康の相談相手となるなど信頼があつかった。

あさひなたかし
朝比奈隆　1908〜2001年　音楽

スケールの大きい演奏で、ファンを魅了

昭和時代〜平成時代の指揮者。

東京生まれ。1927（昭和2）年、新交響楽団（現在のNHK交響楽団）の演奏会で、ロシア人指揮者メッテルの指揮に感銘し、翌年、メッテルが指導していたオーケストラのある京都帝国大学（現在の京都大学）に入学して指導を受ける。1939年、新交響楽団を指揮してデビューし、第二次世界大戦中は、中国で各交響楽団の指揮をする。

戦後は関西で活動し、関西交響楽団の結成から大阪フィルハーモニー交響楽団への改組にかかわり、亡くなる直前まで同

楽団の音楽監督をつとめた。

国内の有名オーケストラはもとより、ベルリン・フィルハーモニー管弦楽団、シカゴ交響楽団などでも客演の指揮をとり、スケールの大きい演奏でファンの人気を集めた。とくにブルックナーの演奏には定評があった。ベートーベン、ブラームス、シベリウスなどの交響曲のレコードをのこしている。1989（平成元）年文化功労者、1994年に文化勲章受章。　学 文化勲章受章者一覧

あさみけいさい
浅見絅斎　1652〜1711年
学問

著書がのちの尊王思想に大きな影響をあたえた

江戸時代中期の学者、思想家。

近江国太田村（現在の滋賀県高島市）に医者の子として生まれる。京都に出て医者を開業するが、28歳のとき、儒学者の山崎闇斎に入門し朱子学を学んだ。その後、医者をやめて儒学者になり、京都で塾をひらいて門人を教える一方で多くの著書を著した。1687年に出版した『靖献遺言』は、中国の楚の政治家屈原から明の方孝孺まで王朝に忠誠をつくした8人の伝記を紹介した本で、幕末にベストセラーになり、天皇をうやまう尊王思想に大きな影響をあたえた。

アジェンデ，サルバドール
サルバドール・アジェンデ　1908〜1973年
政治

史上初の合法的に誕生した社会主義政権の大統領

チリの政治家。チリ共和国の大統領（在任1970〜1973年）。

中部のバルパライソ生まれ。チリ大学で医学を学ぶかたわら、社会主義にめざめて政治活動をおこない、投獄を何度か経験する。1933年、チリ社会党の創立に参加し、以後政治家の道をあゆみ、1939年には人民戦線内閣の保健大臣に就任。上院議長をつとめるなど社会党の重要人物として活躍し、1970年の選挙では社会党と共産党を中心とした人民行動戦線の候補者として大統領選に出馬、世界的に注目を集める中で当選をはたした。アジェンデは、選挙によって合法的に誕生した、史上初の社会主義政権の大統領となった。

国内の主要産業などの国有化、土地改革をおし進め、対外的にはキューバや中華人民共和国との国交を樹立。平和革命方式で、民主的手続きにもとづいた実験的社会主義国家の建設をめざしたが、アメリカ合衆国などの反発や圧力を受けた。1973年には軍と警察によるクーデターがおき、大統領官邸で襲撃部隊との銃撃戦の最中に自殺したとされ、政権も崩壊した。

あしかがしげうじ
足利成氏　1438?〜1497年
貴族・武将

初代古河公方

（『八犬伝犬之草紙之内　足利成氏』／都立中央図書館特別文庫室所蔵）

室町時代〜戦国時代の武将。

鎌倉公方（室町幕府が関東支配のためにおいた鎌倉府の長官）の家に生まれた。しかし、父の足利持氏が第6代将軍足利義教と対立して、1438（永享10）年に反乱をおこした結果、鎌倉府は滅亡した（永享の乱）。信濃国（現在の長野県）でかくまわれていたが、1441（嘉吉元）年、嘉吉の乱で義教が赤松満祐らに暗殺されたためにゆるされ、1447年に鎌倉にもどって鎌倉府を再興、第5代鎌倉公方となった。ところが、鎌倉公方の補佐役である関東管領の上杉氏と対立するようになる。

1454（享徳3）年、上杉憲忠を殺害すると、京都の幕府との関係も悪化した。成氏は幕府に対抗するため、鎌倉から下総国古河（茨城県古河市）に移って古河公方とよばれた。幕府は成氏にかわる鎌倉公方として第8代将軍足利義政の異母兄の足利政知を関東に送りこんだが、政知は鎌倉に入れず伊豆国（静岡県伊豆半島）の堀越にとどまったため、堀越公方とよばれた。その後、政知らの勢力とのあらそいは、幕府と和睦する1482年まで約30年間つづいた（享徳の乱）。和睦後も鎌倉公方が分裂した状況はかわらず、鎌倉にもどれないまま古河で亡くなった。

あしかがたかうじ
足利尊氏　1305〜1358年
貴族・武将

室町幕府の創立者

▲足利尊氏　（天龍寺）

南北朝時代の武将。室町幕府初代将軍（在位1338〜1358年）。

鎌倉幕府の有力御家人の家に生まれ、はじめは高氏という名だった。15歳で元服する。

1331（元弘元）年に後醍醐天皇が幕府打倒の兵を京都であげて元弘の乱がはじまると、幕府軍として出陣。天皇方である楠木正成らをたおし、反乱をしずめた。後醍醐天皇は隠岐（現在の島根県隠岐諸島）に島流しになるが、2年後にふたたび挙兵。このとき尊氏は天皇方に味方し、京都におかれた鎌倉幕府の要所、六波羅

探題を攻め落とす。同時期に、新田義貞も鎌倉に攻めこみ、鎌倉幕府を滅亡させた。後醍醐天皇は、鎌倉幕府をたおしたはたらきをたたえて、天皇の名である尊治の1字をあたえた

▲『洛中洛外図屏風』にえがかれた室町幕府
（米沢市上杉博物館）

ので、以後、足利尊氏という名になった。後醍醐天皇がはじめた建武の新政は、京都の公家を中心とするものであったため、武士たちの不満は高まった。また、尊氏は征夷大将軍の地位を望んだが、後醍醐天皇にそれをみとめられなかったため、鎌倉で天皇方に反乱をおこした。後醍醐天皇は新田と北畠顕家を尊氏討伐に任命。箱根で新田をやぶった尊氏は、1336年、京都に攻めこみ、後醍醐天皇を比叡山（滋賀県大津市）へと追いやる。その後、北畠に背後から攻撃され、いったんは九州にしりぞくことになるが、尊氏は有力な武将たちを四国、中国地方各地に派遣して、反撃の地盤をかためた。

同年、天皇方の楠木を湊川の戦いでやぶり、京都へ入る。京都近郊での戦いで、天皇方の軍をほぼ壊滅させると、尊氏は光明天皇を即位させた。後醍醐天皇は吉野（奈良県南部）にのがれ、朝廷（南朝）をひらき、京都の光明天皇の朝廷（北朝）と対立した。以後、約60年間、南北朝の対立はつづく。

さらに同年、尊氏は建武式目を制定、武家政権の方針をしめしたことで、実質的に室町幕府をひらいた。1338年には、念願の征夷大将軍となる。翌年、後醍醐天皇が吉野で亡くなったことを知った尊氏は、僧である夢窓疎石とともに、天龍寺（京都府）を建立し、その菩提をとむらった。室町幕府は約240年にわたってつづき、文化面での発展が特筆される。しかし、応仁の乱（応仁・文明の乱）以降は実権を失い、戦国時代となった。

学 征夷大将軍一覧

あしかがただふゆ
貴族・武将

● 足利直冬　　　　　　　生没年不詳

父の足利尊氏と敵対しつづけた

南北朝時代の武将。

室町幕府初代将軍の足利尊氏の子として生まれるが、認知をされず、おじである足利直義の養子となる。

1348年に紀伊国（現在の和歌山県・三重県南部）で兵乱がおき、討伐軍の大将として大きな戦功をあげるが、尊氏からはみとめられなかった。翌年、山陽・山陰を管轄する長門探題として備後国（広島県東部）へおもむくが、尊氏の下で執事（将軍を補佐する役職）をつとめた高師直と直義の対立が深まり、幕府の内乱である観応の擾乱へと発展。1352年、尊氏と和解したはずの直義が急死する。これをきっかけに、ふたたび南朝方に移った直冬は、尊氏・足利義詮父子と、徹底して対

立抗争をくり広げる。九州、中国地方で勢力をたくわえ、1355年には京都を占領するが、わずか2か月で義詮らの反撃にあい、中国地方へのがれた。その後の消息は明らかになっていない。

あしかがただよし
貴族・武将

● 足利直義　　　　　　　1306～1352年

室町幕府をささえたが、のちに尊氏と対立した

（『英雄一百伝　足利直義』）
都立中央図書館特別文庫室所蔵

室町時代の武将。

室町幕府初代将軍足利尊氏の弟。1331（元弘元）年にはじまった元弘の乱以降、直義は尊氏とともに戦いつづけた。後醍醐天皇を中心とした建武の新政がはじまると、14か所の地頭職をあたえられ、鎌倉にくだって関東をおさめた。1336年に尊氏が入京し室町幕府が成立すると、直義も京都に入り、尊氏は軍事面を、直義は裁判や日常政務を担当して、幕府の政治をおこなった。1349年に尊氏の側近である高師直と対立し、師直は執事（将軍を補佐する役職）をやめさせられた。しかしながら、師直がすぐさまクーデターをおこしたため、直義も政治の座から追われることになった。1350（観応元）年には尊氏ともあらそうようになり、観応の擾乱とよばれる幕府の内乱へと発展。師直をたおしたが形勢不利となり、京都から北陸をへて鎌倉へとのがれた。ここで勢力回復をめざしたが、1352年に尊氏の追討軍にやぶれて降伏、同年に亡くなった。死の原因は不明だが、『太平記』では尊氏による毒殺としるされている。

あしかがちゃちゃまる
貴族・武将

● 足利茶々丸　　　　　　？～1491年

北条早雲にほろぼされた堀越公方

室町時代の武将。

伊豆国（現在の静岡県伊豆半島）の堀越公方である足利政知の子として生まれる。室町幕府第11代将軍足利義澄の異母兄弟にあたる。堀越公方は、室町幕府と対立して関東をおさめる鎌倉公方の座を追われた足利成氏が古河公方を名のったため、それに対抗する形で政知が名のった役職である。1491年、父が病死すると、まま母の円満院から虐待を受け、ろうに入れられるが脱獄。円満院と、その子であとつぎの異母弟の潤童子を殺害し、堀越公方となる。しかし、近臣のことばを信じて重臣を殺したことなどから家臣の信頼を失い、内乱は伊豆国一帯に広がった。この混乱に乗じた駿河国（静岡県中部と北東部）興国寺城主の北条早雲に攻められ、自害したといわれる。これに

より堀越公方はほろび、北条氏の関東制圧のきっかけとなった。

あしかがまさとも　貴族・武将

● 足利政知　1435～1491年

鎌倉に入れず、堀越公方となった

室町時代の武将。

室町幕府第6代将軍足利義教の子に生まれる。第8代将軍足利義政の兄。はじめは出家して京都天龍寺の僧となり、香厳院と称した。享徳の乱で鎌倉公方（室町幕府が関東支配のためにおいた鎌倉府の長官）の座を追われ、下総国（現在の千葉県北部・茨城県南西部）で古河公方と名のっていた足利成氏に対抗するため、1457年、義政の命で政知と称し、幕府公認の鎌倉公方として関東に送られる。しかしそのころ、関東では成氏が大きな勢力をもっていたため、鎌倉府のある鎌倉に入れず、伊豆国（静岡県伊豆半島）の堀越にとどまり、堀越公方とよばれた。その後も成氏との対立はつづいたが、鎌倉府の実権は本来鎌倉公方を補佐する役職の関東管領である上杉氏がにぎっていたため、自分の意思で政治を動かすことはできなかった。1482年、伊豆国を領国とすることを条件に成氏と和解し、堀越公方として存続をゆるされた。

あしかがみつかね　貴族・武将

● 足利満兼　1378～1409年

応永の乱に加わろうとした鎌倉公方

室町時代の武将。

第2代鎌倉公方（室町幕府が関東支配のためにおいた鎌倉府の長官）である足利氏満の子。幼名は寿王丸。室町幕府第3代将軍足利義満から1字さずかり、満兼と名のった。1398年に父のあとをつぎ、21歳で第3代鎌倉公方となる。翌年、新たに鎌倉府の管轄となった陸奥国・出羽国（現在の東北地方）の支配を強めるため、弟の満貞を陸奥稲村御所（福島県須賀川市）へ、満直を奥州篠川御所（福島県郡山市）へ送りこむ。1399（応永6）年、中国地方の守護大内義弘が義満打倒をねらって応永の乱をおこすと、それとむすんで出陣するが、義弘はやぶれて死に、関東管領である上杉憲定に説得されて進軍をやめた。1404年に満兼による東北の支配に反発した伊達政宗の反乱がおこるが、上杉氏憲（のちの上杉禅秀）を送ってこれをおさめた。死後、鎌倉公方は長男の足利持氏がついだ。

あしかがもちうじ　貴族・武将

● 足利持氏　1398～1439年

永享の乱をおこした鎌倉公方

室町時代の武将。

第3代鎌倉公方（室町幕府が関東支配のためにおいた鎌倉府の長官）の足利満兼の子。1409年、第4代鎌倉公方に就任する。当初、関東管領上杉氏憲（のちの上杉禅秀）の補佐を受けていたが、のちに対立した。1416年、禅秀に反乱をおこされたため、持氏は鎌倉からのがれた。第4代将軍足利義持は持氏を支援し、幕府軍を鎌倉に派遣したため、禅秀の反乱は鎮圧された。しかし鎌倉に復帰した持氏は、鎌倉公方の勢力拡大をめざして関東の有力武将を次々と討伐していく。その中には幕府に親しい武士もふくまれていたため、しだいに持氏と義持の関係は悪化していった。

第5代将軍足利義量が早くに亡くなり、1428年に義持も病死すると、第6代将軍として足利義教が就任した。自身が次の将軍になることを望んでいた持氏は幕府へ対抗し、1438（永享10）年に永享の乱をおこした。義教は関東管領上杉憲実ら討伐軍を鎌倉に送り、やぶれた持氏は降伏して、翌年、自害した。これにより鎌倉公方は一時とだえた。

あしかがもとうじ　貴族・武将

● 足利基氏　1340～1367年

初代鎌倉公方

（国立国会図書館）

南北朝時代の武将。

室町幕府初代将軍足利尊氏の4男。1349年に尊氏が弟の足利直義を政治の中心からしりぞけ、鎌倉の支配をまかせていた3男の足利義詮を京都によんだ際、そのかわりに鎌倉に送られて、初代鎌倉公方（室町幕府が関東支配のためにおいた鎌倉府の長官）となる。このとき、直義の養子となり、上杉憲顕の補佐を受けた。尊氏と直義のあいだで争い（観応の擾乱）がおこると、直義派であった憲顕とともに関東各地で戦い、1352年に鎌倉にもどる。同年に直義が死ぬと、今度は尊氏派についたため、直義派であった憲顕によって鎌倉を追われたが、尊氏とともにすぐに鎌倉にもどった。

尊氏が亡くなり、兄の義詮が第2代将軍となると、尊氏と直義の対立をみてきた基氏はふたたび兄弟間で争いがおこることをおそれ、鎌倉から義詮を助けた。関東の平定を進め、1361年に補佐役であった畠山国清を追放すると、かつての補佐役の上杉憲顕を初代関東管領にむかえ、関東支配のための諸政策を実施。足利氏による関東支配の基礎を築いた。

あしかがよしあき　貴族・武将

● 足利義昭　1537～1597年

室町幕府再興をめざした将軍

室町幕府第15代将軍（在位1568～1573年）。

第12代将軍足利義晴の次男として生まれる。家督をつぐ立

場ではなかったため、奈良の興福寺（奈良県）で出家。兄の第13代将軍足利義輝が1565年に松永久秀らに暗殺されると、興福寺から脱出し、

▲足利義昭木像　　　　（等持院）

越前国（現在の福井県北東部）の朝倉義景をたよった。還俗（僧侶をやめて俗人にもどること）して義秋、その後元服して義昭と改名する。1568年、織田信長の力を借りて京都へ入る。同年、いとこの第14代将軍足利義栄をしりぞけ、第15代将軍となった。その後、毛利元就と大友宗麟、上杉謙信と武田信玄の戦いなどを仲裁し、政治的に力をしめしはじめる。しかし、これをこころよく思わなかった織田信長が、義昭に対して政治的行動の制限を命じたために、両者は対立。義昭は甲斐国（山梨県）の武田信玄、朝倉義景、近江国（滋賀県）の浅井長政と手をむすび、信長包囲網を完成させた。

しかし、信玄の病死後、戦況は不利になる。1573年、義昭は信長によって京都を追放させられ、ここに室町幕府は滅亡。浅井・朝倉両軍も信長により壊滅に追いこまれた。室町幕府滅亡後も、形だけとはいえ、朝廷から征夷大将軍の位をあたえられたままになっていた義昭は紀伊国（和歌山県・三重県南部）に移り、幕府再興をめざした。

1576年、義昭は安芸国（広島県西部）の毛利氏をたより、ふたたび信長包囲網を築こうと画策。それにこたえる形で、石山本願寺（大阪市にあった寺）、越後国（新潟県）の上杉氏などが参加した。しかし、上杉謙信の病死後、本願寺が信長に降伏。上杉氏と毛利氏は信長との戦いをつづけたが、信長自身が明智光秀のうらぎりによって、本能寺の変で殺されてしまう。まだ征夷大将軍だった義昭は京都に帰還しようとするが、かなわなかった。

豊臣秀吉が1585年に関白に、翌年には太政大臣となり、豊臣政権が確立したが、義昭は征夷大将軍として一定の影響力はもちつづけた。そして3年後、悲願であった京都への帰還をはたした。義昭は秀吉を養子にむかえたが、征夷大将軍の座を秀吉にゆずることはこばみつづけた。その後、義昭は征夷大将軍の座をおりて出家、名を昌山とした。文禄・慶長の役の際には、秀吉の要請を受けて、出陣。その後、はれ物が原因で亡くなった。

▲1566年に上洛を計画した手紙　（『三淵藤英・一色藤長連署書状』個人蔵）

義昭は室町幕府再興の野望をつねにいだいていたが、独自の武力をもたなかったこともあり、かなわなかった。すでに群雄割拠の戦国時代に突入していたため、力をもつ者こそが天下をとる時代となっていたのである。

学 征夷大将軍一覧

あしかがよしあきら　貴族・武将

● 足利義詮　　　1330〜1367年

足利尊氏のあとをついで室町幕府をささえた

（松平定信作『古画類聚 後集 古画 人形服章 肖像2 足利義尚像』（部分）東京国立博物館 Image:TNM Image Archives）

室町幕府の第2代将軍（在位1358〜1367年）。足利尊氏の3男として生まれる。新田義貞が鎌倉を攻撃した際、4歳で父のかわりに幕府軍に加わり、鎌倉幕府がほろんだあとは鎌倉にとどまり関東をおさめた。1349年におじの足利直義が執事（将軍を補佐する役職）の高師直と対立、師直が直義を政治の中心から遠ざけると、義詮は鎌倉から京都によばれ、直義のかわりに幕府の仕事を担当した。1351年、直義が師直をたおすため京都を攻撃すると、義詮は丹波国（現在の京都府中部・兵庫県東部）に逃げ、尊氏が直義と和平すると京都に帰った。同年、ふたたび尊氏と直義があらそうと、義詮は京都を守った。尊氏に降参した直義は翌年亡くなるが、直義の養子の足利直冬が京都を攻撃したため、義詮は美濃国（岐阜県南部）にのがれる。同年、義詮は大軍をひきいて京都をとり返した。1358年に尊氏が亡くなると、次の将軍となり、斯波氏を管領（将軍を補佐する役職）にして政治を安定させた。1367年に病気のため家督を子の足利義満にゆずり、38歳で亡くなった。

学 征夷大将軍一覧

あしかがよしかず　貴族・武将

● 足利義量　　　1407〜1425年

若くして亡くなった室町幕府第5代将軍

室町幕府第5代将軍（在位1423〜1425年）。第4代将軍足利義持の子に生まれる。1417年に元服し、正五位下右近衛中将に就任する。父にかわいがられ、父母と各所へ参詣や遊山に出かけていた。

1423年、朝廷に参内したのち、父にゆずられて17歳で征夷大将軍となる。しかし、実権はひきつづき父や有力な管領たちがにぎり、政務にほとんどかかわることなく、2年後、19歳で病死した。もともと病弱なうえ、かなりの大酒飲みで、父からも注意をされ、酒を飲まないよう契約文を書かされたとも伝えられている。子や兄弟がいなかったため、あとつぎがおらず、義量の死後4年間の将軍職は、義持がかわりにおこなった。

学 征夷大将軍一覧

あしかがよしかつ
●足利義勝　1434〜1443年　貴族・武将

嘉吉の乱により即位した幼い将軍

室町幕府第7代将軍（在位1442〜1443年）。

第6代将軍足利義教の子に生まれる。幼名は千也茶丸。

1441（嘉吉元）年、嘉吉の乱により、父の義教が赤松満祐に暗殺され、管領である細川持之や、山名持豊（山名宗全）らの助けで、8歳で将軍の座をついだ。同年、宗全の活躍で満祐を討つが、幕府内部の混乱にあわせ、京都の農民を中心に徳政令（借金を帳消しにする法令）を求める嘉吉の土一揆がおこる。徳政令を発布してこれをおさめるが、幕府の権威は失われた。1442年、元服して将軍となる。しかし幼少のため、実権はかわらず持之がにぎった。翌年、就任してわずか11か月、10歳で亡くなる。死因は病死、落馬など、さまざまな説があるが、明らかになっていない。

学 征夷大将軍一覧

あしかがよしずみ
●足利義澄　1480〜1511年　貴族・武将

細川政元に擁立された将軍

室町幕府第11代将軍（在位1494〜1508年）。

足利政知の次男として、伊豆国（現在の静岡県伊豆半島）に生まれる。おじである第8代将軍足利義政の命を受け、1487年、天龍寺（京都市）に入って出家し、法名を清晃と名のる。

1493（明応2）年、細川政元が反乱をおこし、義澄のいとこである第10代将軍足利義稙を追放して将軍をやめさせると、政元に擁立されて将軍となった（明応の政変）。しかし実権のほとんどは、政元ににぎられていた。1507年、政元が暗殺されると政治は混乱し、義稙が援軍とともに攻め上がってくるという知らせを受けて、近江国（滋賀県）へのがれた。翌年には義稙が将軍にもどり、義澄は勢力をもりかえそうと画策するが、復帰をはたせず、近江国で病死した。

学 征夷大将軍一覧

あしかがよしたね
●足利義稙　1466〜1523年　貴族・武将

いくたびも京都を追われた将軍

室町幕府第10代将軍（在位1490〜1493年、1508〜1522年）。

第8代将軍足利義政の弟、足利義視の子として、美濃国（現在の岐阜県南部）に生まれる。初名は義材。のちに義尹、義稙と改名。病死した第9代将軍足利義尚のあとつぎとして、1490年、おばの日野富子らにおされ、征夷大将軍となる。1493（明応2）年、将軍を補佐する管領の細川政元と富子らの反乱（明応の政変）によりとらえられるが脱出し、周防国（山口県東部）にのがれた。1508年、政元の暗殺をきっかけに、政元の擁立した第11代将軍足利義澄を追放し、細川高国、大内

義興らの援助でふたたび将軍に復帰。義興の帰国後は高国と対立し、1521年に京都を追われ、淡路国（兵庫県淡路島）、阿波国（徳島県）へのがれ、「島の公方」「流れ公方」とよばれた。

学 征夷大将軍一覧

あしかがよしてる
●足利義輝　1536〜1565年　貴族・武将

将軍の権威回復をめざした

（国立歴史民俗博物館）

室町幕府第13代将軍（在位1546〜1565年）。

第12代将軍足利義晴の長男として生まれる。初名は義藤。

1546年、将軍を補佐する管領の細川晴元と敵対して近江国（現在の滋賀県）に逃亡中の父、義晴からゆずられ、幼くして第13代将軍となる。諸将対立の政争にまきこまれ、細川晴元にかわり勢力をのばした三好長慶により、たびたび京都を追われた。1553年からの5年間は近江の朽木谷（滋賀県高島市朽木）へ亡命し、このあいだに塚原卜伝に剣術を学んだという伝説もある。

1558年、長慶と和解し、帰京したのちは、織田信長ら諸大名の力を利用して将軍の権威回復をめざした。長慶が病死した翌年の1565（永禄8）年、京都二条御所で、謀反をおこした松永久秀や三好三人衆（このころ大きな権力をもっていた、三好家の3人の重臣、三好長逸、三好政康、岩成友通）らの軍勢に攻められる（永禄の変）。剣術の達人であった義輝は、みずから剣をふるい、壮絶な最期をとげたといわれている。

学 征夷大将軍一覧

あしかがよしのり
●足利義教　1394〜1441年　貴族・武将

独裁を強めて暗殺された将軍

（愛知県妙興寺原蔵）

室町幕府第6代将軍（在位1429〜1441年）。

父は第3代将軍足利義満、兄は第4代将軍足利義持。もともと1403年に出家して義円と名のり、1419年には天台宗延暦寺の住職である天台座主となった。義持の子である第5代将軍足利義量が、1425年、父に先だって急死し、義持も1428年に亡くなったため、数人の将軍の後継候補者の中から、幕府重臣のくじ引きによって、第6

代将軍にえらばれた。
　還俗（僧侶をやめて俗人にもどること）して、翌年に将軍に就任すると、いままでの将軍と同じく重臣の意見を尊重しながら、幕府の権力強化をめざす。義持の時代に停止されていた中国、明との日明貿易を復活させて経済力を強めるなど、多くの政策を打ちだした。
　しかし、しだいに独裁化していき、幕府に反抗的だった鎌倉公方足利持氏をほろぼし（永享の乱）、自分の意見に少しでもしたがわない大名や寺社を処罰するなど、きびしい政治を展開するようになった。そのため、1441（嘉吉元）年、危機感をいだいた播磨国（現在の兵庫県南部）守護、赤松満祐に暗殺された（嘉吉の乱）。
学 征夷大将軍一覧

あしかがよしはる　貴族・武将

● 足利義晴　1511〜1550年

家臣の争いにまきこまれた将軍

　室町幕府第12代将軍（在位1521〜1546年）。
　第11代将軍足利義澄の子として、近江国（現在の滋賀県）に生まれる。生後すぐに父が亡くなり、播磨国（兵庫県南部）の守護、赤松義村に育てられる。
　1521年、第10代将軍足利義稙を追放した、将軍を補佐する管領の細川高国によって擁立され、征夷大将軍となる。しかし実権をにぎっていた高国らの内紛にまきこまれ、1527年、桂川の戦いで、細川晴元、三好元長らに大敗し、高国とともに近江へのがれた。その後、細川氏とは和解と対立をくりかえし、京都と近江とを往復する。
　1546年、長男の足利義輝に将軍の座をゆずるが、三好長慶、細川晴元らの政争に翻弄され、逃亡の末、京都にもどれないまま病死した。
学 征夷大将軍一覧

あしかがよしひさ　貴族・武将

● 足利義尚　1465〜1489年

応仁の乱の一因となった将軍

（松平定信作『古画類聚 後集 古画 人形服章 肖像2 足利義尚像』（部分）東京国立博物館 Image:TNM Image Archives）

　室町幕府第9代将軍（在位1473〜1489年）。
　第8代将軍足利義政と日野富子とのあいだに生まれる。義尚が生まれる前に、義政の弟足利義視が将軍職をつぐことが決まっていたが、母の富子は義尚を次期将軍にしようと画策し、有力守護大名であった山名持豊（山名宗全）とむすんで、義視をしりぞけようとたくらんだ。
　これに対し、義視は同じく有力守護大名の細川勝元をたよったため、幕府は分裂し、これが応仁の乱の一因となった。1473年、

義尚は父の義政から将軍職をゆずられるが、このときの京都は応仁の乱のために荒廃し、将軍の権威も大きく低下していた。1483年に義政が隠居して実権を手にすると、義尚は落ちた将軍の権威をとりもどすために、近江国（現在の滋賀県）で貴族や寺社の領地を侵害していた守護大名、六角高頼を討伐しようとみずから出陣した。近江国鈎の陣（滋賀県栗東市）に1年以上駐留したが、義尚はこの陣中で病となり、若くして亡くなった。
学 征夷大将軍一覧

あしかがよしひで　貴族・武将

● 足利義栄　1538〜1568年

三好三人衆のあとおしを受けて将軍に

　室町時代の室町幕府第14代将軍（在位1568年）。
　第11代将軍足利義澄の孫。阿波平島（現在の徳島県阿南市）に生まれ、はじめは義親と名のった。父は義澄の子足利義維。
　1565年、第13代将軍足利義輝が松永久秀に暗殺されると、久秀と対立する三好長慶の家臣の三好三人衆に阿波からむかえられた。1566年、義栄と改名した。1568年、三好三人衆のあとおしを受けて将軍に任命された。同年、織田信長がいとこの足利義昭を立てて京都に入ると、摂津富田（大阪府高槻市）で三好三人衆らとともに信長・義昭軍と対決しようとしたが、はれ物をわずらい病死した。
学 征夷大将軍一覧

あしかがよしまさ

足利義政 → 35ページ

あしかがよしみ　貴族・武将

● 足利義視　1439〜1491年

将軍の座をめぐって応仁の乱で戦った

　室町時代の武将。
　室町幕府第6代将軍足利義教の子として生まれる。第8代将軍足利義政の弟。1443年に出家して浄土寺に入り、義尋と称した。
　1464年、兄の義政に男子が生まれなかったため、還俗（僧侶をやめて俗人にもどること）して義政の後継者となり、義視と改名。京都の今出川屋敷に住んだことから、今出川殿とよばれる。しかし翌年、義政と日野富子とのあいだに足利義尚が生まれると、義尚を次の将軍にしようとする富子と対立し、将軍職をめぐる争いがおこった。
　これが、1467（応仁元）年の応仁の乱へと発展。義視は管領の細川勝元をたより、はじめは細川方の東軍の大将であったが、のちに義政と不和となり、義政が攻撃を命じていた山名持豊（山名宗全）方の西軍へと転じる。乱の終結後、義尚の死後に義政と和解。その後は、子の足利義稙を第10代将軍に立て、後見人となって幕府の実権をにぎった。

あしかがよしみつ

足利義満 → 36ページ

あしかがよしもち

貴族・武将

● 足利義持　1386〜1428年

安定した政治をおこなった室町幕府の将軍

（神護寺所蔵／京都国立博物館）

室町幕府第4代将軍（在位1394〜1423年）。

第3代将軍足利義満の子。1394年、義満から将軍職をゆずられるが、義満の存命中は実権をもてなかった。

1408年、義満が急死したため、幕府の運営を本格的にはじめる。それまで義満が本拠としていた御所から移住して、義満が開始した中国の明との日明貿易を停止するなど、義満とはことなる政治をおこなった。1423年に息子の足利義量に将軍職をゆずり出家した。しかし、義量がその2年後に若くして亡くなったため、義持が出家したまま政治に復帰。1428年、後継者を決めないままに病死した。

義持の時代は、配下の守護大名のささえもあって、室町幕府の中でも平和で安定した時代だった。室町幕府の将軍でもっとも長い28年にわたって将軍をつとめ、義持の時代の元号である「応永」は35年もつづいた。これは現在のところ、昭和（64年）、明治（45年）に次ぐ長さである。

学 征夷大将軍一覧

あしだひとし

政治

● 芦田均　1887〜1959年

日本国憲法の制定にたずさわり、戦後復興期をささえた

（国立国会図書館）

昭和時代の政治家。第47代内閣総理大臣（在任1948年）。

京都府に生まれる。東京帝国大学（現在の東京大学）卒業後、外務省に入り、各国に駐在する。

1932（昭和7）年に退官し、立憲政友会から衆議院議員となり、第二次世界大戦中も反軍部の姿勢をつらぬいた。

政界入りしたあとも、1933年から1940年にはジャパンタイムズ社長をつとめた。戦後、頭角をあらわすと、1945年には幣原喜重郎内閣の厚生大臣となり、また鳩山一郎らと日本自由党を創立。日本国憲法の制定では、衆議院の帝国憲法改正小委員会の委員長として、「芦田修正」をほどこした。これはのちに、日本国憲法第9条に自衛権をみとめさせるふくみをもつと解釈されることがある。

1947年に民主党を結成して総裁となり、翌年、日本社会党と国民協同党との3党連立中道内閣を実現させ、内閣総理大臣に就任した。

しかし、昭和電工疑獄とよばれる贈収賄事件がおこり、7か月で総辞職した。自身も逮捕、起訴されたが、1958年に無罪となった。外交史や国際法に関する著作も多くのこしている。

学 歴代の内閣総理大臣一覧

アシモフ，アイザック

文学

● アイザック・アシモフ　1920〜1992年

人間型ロボットをはじめて小説に

アメリカ合衆国のSF作家、科学解説者。

ロシア西部ペトロビッチに生まれる。3歳のときに家族とアメリカに移住し、国籍を取得する。コロンビア大学で化学を学び、のちにボストン大学で生化学を教えた。

学生時代から創作をはじめ、1950年に『われはロボット』で人間型ロボットという着想をはじめて小説にした。この作品は、日本の漫画界に大きな影響をあたえ、手塚治虫の『鉄腕アトム』など多くの作品へとつながった。

ほかに、壮大なスケールで人類の未来をえがいた『銀河帝国の興亡』三部作（ファウンデーションシリーズ）や『神々自身』、純粋な推理小説の短編集『黒後家蜘蛛の会』などがある。また、科学を一般むけにやさしく紹介する解説書も多い。

アシュレイ，ローラ

デザイン

● ローラ・アシュレイ　1925〜1985年

生地プリントで人気のデザイナー

イギリスのテキスタイル・デザイナー。

ウェールズに生まれる。16歳で秘書学校をやめ、第二次世界大戦中は王立夫人海軍に入隊する。戦後は秘書の仕事につき、1949年に技術者のバーナードと結婚した。

1953年、気に入ったビクトリア朝風のがらの生地がみつからず、自分でデザインし、バーナードのつくった機械でシルクプリントをはじめる。それをきっかけに、夫婦で生地のプリント事業を開始した。1966年にはオリジナルデザインの生地をつかったドレスを発表して好評を得る。

その後、カーテン、クッションカバー、ベッドシーツなどの製造販売にも進出し、ファッションブランドとしてのたしかな地位を手に入れた。イギリスならではのカントリースタイルによくあう、おとなしい色合いの小花がらで知られる。

キッチン、ベッドまわりなど、インテリア用品を同じがらでそろえることができるのが強みで、女性を中心に世界で根強い愛好者をもつ。

あしかがよしまさ　　　　　　　　　　　　　　　　　　　　　　　　　貴族・武将　1436～1490年

足利義政

東山文化を築いた将軍

▲伝土佐光信筆　伝足利義政像
（東京国立博物館 Image:TNM Image Archives）

■室町幕府第8代将軍となる

室町幕府の第8代将軍（在位1449～1473年）。

第6代将軍足利義教の子として生まれる。父義教は独裁政治をおこなって人々におそれられ1441年、播磨国（現在の兵庫県南部）の守護大名（国への支配を強めた守護）赤松満祐に暗殺された。兄の足利義勝が第7代将軍となるが、2年後に病死したため義政は8歳で足利家のあとをついだ。

1449年、14歳で将軍となったが、まわりには母、乳母（母のかわりに子を育てる女性）、側近たちがいて政治に口をはさんだ。義政が20歳のときにとついできた日野富子も政治に関心をしめした。義政はつねにまわりにいる者に指示され、将軍としての力を発揮できなかったので、政治への熱意をなくした。

そのころ毎年のようにききんがおこり飢えや病気で苦しむ人々が京の都にあふれていたが、政治に興味を失った義政は対策をおこなうこともなく、毎日宴会や能（はやしに謡をうたい舞いおどる芸能、能楽）の見物などをして遊びくらしていた。

■世つぎ争いがおこる

義政には男子が生まれなかったので、1464年、弟の足利義視をあとつぎに決め、将軍職をつがせようと考えた。ところが、翌年、富子に子の足利義尚が生まれた。富子は義尚を将軍にしようと実力者の山名持豊（山名宗全）にあとおしをたのんだ。これに対し、義視は管領（将軍を補佐する役職）の細川勝元をたよった。

このころ、実力者の守護大名畠山氏、斯波氏の家ではあとつぎをめぐって争いがおこっていた。畠山氏では兄畠山政長と弟畠山義就があらそい、政長は細川勝元をたより、義就は山名持豊をたよった。

■応仁の乱

1467（応仁元）年、畠山政長が弟の義就と京都の上御霊神社で戦った。これがきっかけで応仁の乱がはじまった。各地の守護大名が東軍の細川勝元か西軍の山名持豊のどちらかの陣営に加わり京都を戦場にして戦った。しかし勝敗はつかず、11年間におよぶ戦いで京都全土が焼け野原になり幕府や将軍の力はほとんどおとろえた。

■東山文化が生まれる

応仁の乱のさなかの1473年、義政は子の義尚に将軍職をゆずって引退した。応仁の乱後の1482年、京都の東山に山荘を建てて移り住

▲銀閣　　　　　　　　　　（慈照寺提供）

み文化人などをまねいて趣味の生活に明け暮れた。茶の湯（茶道）、生け花、水墨画、書院造りの建築、枯山水の庭園などは東山山荘を中心に生まれたので「東山文化」とよばれている。義政は1489年、山荘内に銀閣を建立した。第3代将軍足利義満の建立した金閣に対抗して建物に銀箔をはる予定だったともいう。銀閣は金閣とともにUNESCOの世界遺産となっている。

学 征夷大将軍一覧

足利義政の一生

年	年齢	主なできごと
1436	1	第6代将軍足利義教の子として生まれる。
1443	8	第7代将軍足利義勝が病死し、家をつぐ。
1449	14	室町幕府第8代将軍となる。
1464	29	弟の義視に将軍職をつがせようとする。
1467	32	将軍のあとつぎ争いなどから応仁の乱がおこる。
1473	38	子の義尚に将軍職をゆずる。
1482	47	東山山荘の造営をはじめる。
1489	54	銀閣を創建する。
1490	55	東山山荘で亡くなる。

※年齢は数え年であらわしている

▼応仁の乱の戦い『真如堂縁起絵巻』より。　　（真正極楽寺）

あしかがよしみつ

貴族・武将　1358〜1408年

足利義満

室町幕府の全盛期を築いた将軍

▲足利義満像　　　　　　　　（鹿苑寺所蔵／承天閣美術館）

■京都の室町で政治をおこなう

室町幕府の第3代将軍（在位1368〜1394年）。

室町幕府をひらいた足利尊氏の孫。第2代将軍の父足利義詮は若くして亡くなったので、1368年、11歳で第3代将軍となった。最初は後見役の細川頼之が管領（将軍を補佐する役職）につき、義満を助けて政治をおこなった。

将軍となって10年後の1378年、義満は京都の室町（京都府上京区）に新しい将軍の邸宅を建てた。これが室町幕府の名のおこりとなったが、天皇がくらす御所のそばに、りっぱな将軍邸を建てて実力をしめそうとした。また公家の屋敷などから名木といわれる木をほりおこして将軍邸の庭に植えかえたところ四季おりおりに花が咲いたので「花の御所」とよばれた。

■有力守護の勢力をけずる

1379年、管領の細川頼之は、反対派の勢力に地位を追われた。これをきっかけとして22歳の義満は、ひとり立ちして政治をおこなうようになった。

義満は朝廷の力が弱まっているのにつけこんで、朝廷がもっていた権限を幕府の手に移し、朝廷の人事にまで口をだすようになったので、公家たちも義満のいいなりになった。

1385年ごろから義満はさかんに全国を旅してまわり、地方に大きな勢力をもつ寺社や守護（国の軍事を主とする役職）たちに将軍の権威をみせつけた。また、一族で多くの守護職を独占する実力者をおさえるため、一族間でもめごとがおこるようにはかり、1390年、美濃国（現在の岐阜県南部）など3か国の守護だった土岐氏を討ち（土岐氏の乱）、1391（明徳2、元中8）年には、中国・近畿地方11か国の守護をかねていた山名氏を討った（明徳の乱）。

■南北朝の合一をなしとげる

祖父の足利尊氏が後醍醐天皇と対立して室町幕府をひらいて以来、朝廷は幕府が支持する京都の北朝と、後醍醐天皇がひらいた吉野（奈良県吉野町）の南朝とに分裂し争いが絶えなかった。幕府に反抗する人々が拠点とした南朝をこのままにしておいては政治が安定しないと考えた義満は、山名氏をしのぐ勢いをもつようになった守護の大内氏をあいだに立てて南朝との交渉を進めた。

その結果、1392年、南朝の後亀山天皇が吉野から京都に帰り、北朝の後小松天皇に皇位のしるしである三種の神器をわたすことになった。こうして義満は、約60年にわたりあらそってきた南北の朝廷を一つにまとめ戦乱の時代を終わらせた。

■金閣を建てる

1394年、義満は将軍職を9歳の子、足利義持にゆずり朝廷の最高職、太政大臣となった。これによって義満は、武家と公家を同時に支配する力をもった。

翌1395年、太政大臣をやめて出家し僧になった。しかし義満は政治からしりぞいたわけではなく、平安時代後期に位をゆずった天皇が出家して法皇となり院政をおこなったのと同じように、思いどおりに政治を進めようとした。

1397年、義満は京都の北山に山荘をつくりはじめた。山荘内の建物でもっとも豪華だったのは、1398年に完成した金閣だった。建物の壁などに金ぱくがはられ、完成までに銭100万貫というばく大な資金がついやされたといわれる。北山山荘は、義満が政治から身をひいて静かにくらすためではなく、新たに政治をみる場所として建てたものだった。政治の中心は将軍義持のいる幕府の御所から北山山荘に移り、守護たちの屋敷も北山

▼室町幕府の将軍邸　『洛中洛外図屏風』より。　（米沢市上杉博物館）

36

山荘の近くに建てられた。義満の北山山荘には守護、文化人、芸能人、僧などさまざまな人々がやってきたので北山文化とよばれる文化が発展し、禅宗によってもたらされた文化や能などの芸能がさかんになった。

■明と貿易をはじめる

義満が将軍になったころ、中国では元にかわって明が統一をなしとげた。明の皇帝は日本に使者を送り、朝貢をうながした。これは、明の皇帝が周辺の国々の国王から貢ぎ物を献上させ、それに対して返礼の品をあたえるという外交・貿易のやり方だった。

▲遣明船復元模型　（広島県立歴史博物館）

そのころ倭寇とよばれた日本の海賊集団が、中国や朝鮮半島の沿岸を荒らしまわっているのに頭を痛めていた明では、正式にみとめた貿易船だけに来航をゆるすことで、倭寇の密貿易をとりしまろうとした。明と貿易をおこないたいと願っていた義満は、1380年、明に使いを送ったが、明では義満を国王とみとめず外交はとだえた。

1399（応永6）年、南北朝の合一に協力し6か国の守護をかねる勢力をもっていた大内氏が義満に対し堺（大阪府堺市）で挙兵、反乱をおこしたのでほろぼし幕府の権力をたしかなものにした（応永の乱）。

その後中国との貿易に乗りだす体制がととのったと考えた義満は、1401年、あらためて明に使節を送った。明の皇帝は、これを日本からの正式な使節とみとめ、翌1402年、使者を日本に送った。義満は明からの使者を北山山荘にむかえ、義満を「日本国王」に任命するという詔書（皇帝のことばをしるした文書）を受けとった。

1404年、日本と明の貿易がはじまった。日本から明に行く船（遣明船）は、明の皇帝からあたえられた「勘合」とよばれる渡航証明書をもたなければならなかったので、勘合貿易とよばれる。義満は明との貿易でばく大な利益をおさめた。

■義満が最後にめざしたもの

義満は、将軍職をゆずった息子の義持よりも、義持の弟の足利義嗣をかわいがった。1408年、義満が北山山荘に後小松天皇をまねいて盛大なうたげをもよおしたとき、天皇をむかえたのは将軍の義持ではなく15歳の義嗣だった。義嗣は祝いの席で天皇からさかずきをもらい舞いを舞った。義満はこれを機に義嗣を後小松天皇の養子とし、天皇の位を義嗣にゆずらせ、みずからは天皇の父として政治をみようとしていたといわれる。得意の絶頂期にあった義満だったが、まもなく病気で亡くなった。

学 征夷大将軍一覧

▲金閣　1950（昭和25）年に焼失したが1955年に再建された。（鹿苑寺）

勘合貿易

日本が明に送った遣明船は、正式な貿易船であることを証明するための勘合（勘合符）とよばれる札をたずさえていた。勘合は、木片や紙片に文字を書いてまん中から2つに割った割符のことで、明の皇帝が日本にあたえた勘合には「本字壹號」などの文字の左半分が2か所にしるされていた。

明の寧波と北京ではそれぞれ右半分がしるされた底簿（台帳）をもち、遣明船がもつ勘合と照らし合わせて左右の文字がぴったり合えば正式な貿易船だとみとめられた。

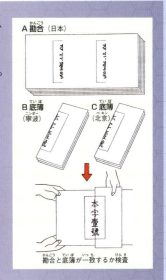

足利義満の一生

年	年齢	主なできごと
1358	1	室町幕府の第2代将軍義詮の子として生まれる。
1368	11	室町幕府の第3代将軍となる。
1378	21	京都室町の花の御所に幕府を移す。
1379	22	細川頼之が管領からしりぞき義満が政治をみる。
1390	33	土岐氏を討つ（土岐氏の乱）。
1391	34	山名氏を討つ（明徳の乱）。
1392	35	南北朝を合一する。
1394	37	将軍を子の義持にゆずり、太政大臣となる。
1395	38	太政大臣をやめ、出家する。
1398	41	北山山荘に金閣を建てる。
1399	42	大内氏を討つ（応永の乱）。
1401	44	明に使者を送る。
1402	45	明から「日本国王」としてみとめられる。
1404	47	明との貿易をはじめる。
1408	51	北山山荘で亡くなる。

※年齢は数え年であらわしている

アショカおう

アショカ王 〔王族・皇族〕 生没年不詳

古代インド、マウリヤ朝全盛期の王

　古代インドのマガダ国、マウリヤ朝の第3代国王（在位紀元前268?～紀元前232?年）。

　マウリヤ朝を建国したチャンドラグプタの孫。即位9年目にカリンガ国（現在のインド、オリッサ州）を征服し、南部をのぞくインド、パキスタン、バングラデシュのほぼ全域におよぶ、古代インド最大の帝国を築いた。

　しかし、戦いで多くの犠牲者をだしたことを深く反省し、仏教をあつく信じるようになる。また、武力による政策をやめて、法（ダルマ）による政治の実現をめざした。王は、人民に対しても倫理的な生き方をするように、法の内容を文書にして、各地の石柱（石柱碑）や、がけ（摩崖碑）にきざませた。そしてみずから地方をめぐったり、官吏を派遣したりして、法が守られているかを確認した。さらに全土に仏塔を建て、3回目となる仏典結集（仏典の編集）をおこない、スリランカへの布教もおこなった。仏教以外の宗教も保護した。人民のために道路をつくり、井戸をほり、病院を建設するなど、社会事業にも力を入れた。

アステア，フレッド

フレッド・アステア 〔映画・演劇〕 1899～1987年

アメリカ映画界のダンスの名手

　アメリカ合衆国のダンサー、映画俳優。

　ネブラスカ出身で3歳からダンスを習う。こどものころから姉アデールとともにショーに出演し、18歳のとき念願のブロードウェー・デビューをはたす。その後は数々のミュージカルで主役を演じ、姉弟ともにトップスターとなった。

　1932年に姉が結婚して引退すると、活動の場を映画に移す。ミュージカル映画が脚光をあびはじめていた時代で、『トップ・ハット』『カッスル夫妻』『イースター・パレード』『足ながおじさん』などに主演し、映画界でも成功をおさめた。

　タップダンスをベースに、羽のように優雅な身のこなしと軽快なステップで独自のスタイルをもつ。どんな相手とも華麗におどってみせるので、長いあいだ「帽子かけとでもおどれる」といわれつづけた。1951年の映画『恋愛準決勝戦』でついに帽子かけとのダンスを実現した。おどりながら室内の壁や天井にのぼり、壁、床へとおりてくるように撮影したシーンも有名である。

あずまたろべえ

東太郎兵衛 〔郷土〕 1787～1840年

大和茶の栽培の創始者

　江戸時代後期の農民。

　大和国添上郡波多野村吉田（現在の奈良県山添村）の豊かな農家に生まれた。年貢に苦しむ農民のために、スギを植林し、ウメ、カキ、コンニャクの栽培をすすめて、村人の暮らしを豊かにした。また、近江国信楽（滋賀県甲賀市）からチャの苗木を持ちかえり、山をひらいて約80aの土地でチャを栽培した。これが、大和茶のはじまりとされる。昼夜の温度差が大きく、チャの栽培に適していた大和高原（奈良市東部の笠置山地周辺）は、茶園にかわっていった。日本が開国し、輸出品としてチャの需要が高まると、さかんに生産がされた。現在は、奈良県の特産物として全国に普及している。

あそうかんぱち

麻生観八 〔郷土〕 1865～1928年

大分の産業、交通、教育の発展につくした商人

　明治時代の商人。

　幕府領の豊後国日田（現在の大分県日田市）に商人の子として生まれ、16歳のとき、玖珠郡右田村（九重町）で酒造業をいとなむ麻生家の養子になった。杜氏（酒造り職人の長）の仲摩鹿太郎の協力を得て、家業に精をだし、1885（明治18）年、2人の名前から1字をとった酒「八鹿」を販売し、家業を立て直した。1897年、養祖父や養父の意志をつぎ、水不足に苦しむ村のために農業用水の建設に乗りだし、1907年、約14kmの右田井路が完成した。また、交通が不便な玖珠郡の将来を考えて、九州横断鉄道（現在のJR久大本線）をしく運動をはじめた。1919（大正8）年から工事がはじまり、1934（昭和9）年、久留米（福岡県久留米市）～大分（大分市）間が開通した。九州水力電気会社（九州電力）や森高等女学校（県立玖珠美山高等学校）の設立にかかわり、玖珠郡の産業、交通、教育の発展に力をつくした。

あそうたきち

麻生太吉 〔産業〕〔郷土〕 1857～1933年

筑豊の炭鉱を開発した実業家

　幕末～昭和時代の実業家。

　筑前国立岩村（現在の福岡県飯塚市）の庄屋（村の長）の子として生まれた。1872（明治5）年、16歳で父のあとをついで、村をおさめる副戸長になった。このころから、父とともに

筑豊地方（福岡県内陸部）で炭鉱経営に乗りだして、次々と炭鉱を開発した。

1918（大正7）年、石炭の販売をする会社麻生商店を設立し、社長となった。ほかにも電気、運輸、築港、セメントなどの事業にたずさわり、北九州の発展につくした。第92代総理大臣麻生太郎の曽祖父。

あそうたろう　政治
● 麻生太郎　1940年〜

大臣を歴任する自民党の重鎮

政治家。第92代内閣総理大臣（在任2008〜2009年）。

福岡県生まれ。祖父は元内閣総理大臣の吉田茂。1976（昭和51）年には、モントリオールオリンピックにクレー射撃の選手として出場した。麻生セメント社長などをへて、1979年に衆議院議員に初当選。第2次橋本龍太郎内閣で経済企画庁長官として入閣し、以後、総務大臣や外務大臣を歴任した。2001（平成13）年、2006年、2007年の自由民主党の総裁選挙に出馬したが、それぞれ小泉純一郎、安倍晋三、福田康夫にやぶれた。4度目の挑戦で総裁に選出され、2008年に第92代内閣総理大臣に就任。翌年には総選挙での自民党大敗の責任をとって辞職した。その後、第2次および第3次安倍内閣で副総理、財務大臣、内閣府特命担当大臣（金融）、デフレ脱却担当をつとめる。

学 歴代の内閣総理大臣一覧

あだちやすもり　貴族・武将
● 安達泰盛　1231〜1285年

北条家をめぐる権力争いでほろぼされた

鎌倉時代中期の武将。

1250年、鎌倉幕府の執権、北条時頼の側近となる。1253年、御家人の所領関係の裁判をあつかう引付衆、1254年、秋田城を守る秋田城介、1256年、執権を補佐して裁判や政治をおこなう評定衆などを歴任し、1272年、肥後国（現在の熊本県）の守護となった。また、娘をとつがせるなど、執権である北条家とのむすびつきを深くして、勢力を広げた。

▲『蒙古襲来絵詞（部分）』より
（宮内庁三の丸尚蔵館）

1281（弘安4）年、元軍が襲来すると、このときの執権北条時宗を助けて防衛にかかわり、これをしりぞけた（弘安の役）。またその後は、御恩奉行として、御家人たちの恩賞の審査や認定にあたった。1284年、時宗の死後は、執権をついだ孫の北条貞時を補佐して政治の改革を進めたが、北条家の執事である内管領の平頼綱と権力をあらそってはげしく対立した。1285年、頼綱によって謀反のうたがいをかけられ、北条貞時の追討軍に攻められ、一族はほろぼされた（霜月騒動）。

アタナシウス　宗教
● アタナシウス　296ごろ〜373年

キリストは神と同質であると主張した正統派神学の祖

エジプト、アレクサンドリアのキリスト教会の教父、聖人。

アタナシウスは「イエスは神性があり、神自身とまったく同質である」と主張し、「イエスは神聖ではあるが人の子であり、神そのものではない」と主張するアリウス派と深刻な対立となった。そこで、325年にローマ皇帝コンスタンティヌス帝によってニケーア公会議が開催され、アタナシウスの説が正統の教義とされた。しかしアリウス派の巻き返しにより、77歳の生涯に5度も追放されたが抵抗をつづけ、のちに聖霊にも神性をみとめて、神とイエスと聖霊は一体であるという「三位一体説」をキリスト教の正統教義として体系づけた。死後、381年に召集された第1コンスタンティノープル公会議でアタナシウスの三位一体説が正統信条として確定した。

アダム・シャール　宗教
● アダム・シャール　1592〜1666年

明・清両朝につかえて『崇禎暦書』『時憲暦』を完成させた

17世紀、中国でキリスト教を布教したドイツのイエズス会宣教師。

シャル・フォン・ベルともよばれる。漢名は湯若望。ドイツ（当時は神聖ローマ帝国）西部のケルン生まれ。1611年、イエズス会修道士となり、1622年、中国にわたり、西安でキリスト教を布教した。月食を予測して的中したことから名声を博し、1630年、明の皇帝崇禎帝に命じられ、北京で徐光啓とともに西洋天文学にもとづく、より正確な暦の暦法書『崇禎暦書』をつくる。しかし明朝末期の混乱で新しい暦の導入は実現しなかった。

1645年、清の皇帝順治帝に命じられて『崇禎暦書』にもとづく『時憲暦』を完成。時憲暦は1912年の清の滅亡までつかわれた。順治帝に厚遇され、欽天監監正（天文台長）に任じられ、1650年には北京最初の西洋建築である天主堂（キリスト教の教会）を建てた。しかし順治帝の死後、伝統的な天文学者らのしっとを買い、1664年、楊光先らによって逮捕され、死刑を宣告される。天災があいついだことや太皇太后（順治帝の母）の尽力で1665年に解放。翌年に没した。日時計、望遠鏡など科学器械や大砲も製造した。

アダムズ，ウィリアム　江戸時代
● ウィリアム・アダムズ　1564〜1620年

旗本になったイギリス人

江戸時代初期のイギリス人の旗本。

三浦按針ともいう。ケント州に生まれ、少年時代を造船所の

徒弟としてすごした。1598年、オランダ船リーフデ号に航海長として乗船しインドにむかう途中嵐にあい、1600年、臼杵湾（大分県臼杵市）に漂着した。リーフデ号が大砲を積んでいることを知った徳川家康にまねかれてヤン・ヨーステンとともに大坂（阪）で家康と会見し、大砲の使用と戦法を教え、のちの大坂の陣で家康の勝利に貢献した。家康の外交顧問としてつかえ、家康に命じられて西洋式の帆船を建造したり、家康に数学や地理学などを教えたりした。1605年、相模国三浦郡（現在の神奈川県横須賀市）に250石

▲長崎県平戸市の銅像

の領地をあたえられて旗本（将軍の家臣のうち将軍に直接会うことをゆるされた武士）になり、三浦按針と名のった。三浦按針という名前は、領地の三浦と、航海士を意味する按針にちなんでいる。また、平戸（長崎県平戸市）のイギリス商館開設に力をつくし、その一員としてシャム（タイ）との貿易をおこなった。

アダムズ，ジェーン　　政治

● ジェーン・アダムズ　　1860〜1935年

社会福祉施設ハル・ハウスの設立者

アメリカ合衆国の社会事業家。

イリノイ州シダービルに生まれる。1881年、ロックフォード大学を優秀な成績で卒業した。1887年、ヨーロッパを旅行中ロンドンに立ちよった際、貧しい地域に定住して教育や生活全般を助ける社会事業であるセツルメント運動の先がけともいえるトインビー・ホールを視察し感銘を受ける。アメリカに帰国後、学友のエレン・ゲイツ・スターとともに、当時貧困者のスラムと化していたシカゴに社会福祉事業所のセツルメント、ハル・ハウスを設立。貧困者の生活援助、改善に尽力した。この施設は、地域の貧困者のための福祉センターであるとともに社会改善事業の中心でもあり、多くの女性たちがこの活動に参加した。その後、婦人参政権運動や社会改革運動にもとりくみ、反戦平和運動を展開するなど国際的に活躍した。それらの功績がみとめられ、1931年、教育学者のニコラス・バトラーとともにノーベル平和賞を受賞した。

学 ノーベル賞受賞者一覧

アダムソン，ジョイ　　文学　絵本・児童

● ジョイ・アダムソン　　1910〜1980年

野生動物の生きる姿を紹介

イギリスのノンフィクション作家、芸術家。

オーストリア生まれ。美術や音楽の才能にめぐまれ、ピアノは教師になれるほどの腕前で、プロの画家としても活躍した。ケニアで狩猟監視官をしていたジョージ・アダムソンと結婚してケニアに住み、射殺された野生のメスライオンののこしたこどもを育てた。1960年、その経験を書いた『野生のエルザ』を発表し、画期的な動物文学として世界的なベストセラーとなる。その後も、『エルザ』シリーズの続編『永遠のエルザ』や、野生のチーターを育てた記録『いとしのピッパ』などを発表する。晩年は、自然保護に情熱をかたむけ、野生動物の保護にも力をつくした。

あちのおみ　　貴族・武将

● 阿知使主　　生没年不詳

日本に朝鮮半島の先進技術を伝えた

（国立国会図書館）

古墳時代に渡来した、百済の人。『日本書紀』によれば、応神天皇の時代に、朝鮮半島の百済王の使者として、子の都加使主と仲間の工人をつれて倭（日本）に渡来した。また、応神天皇に命じられ、中国の呉に行き、機織りの工女をつれて帰り、織物の先進技術をもたらした。仁徳天皇の死後、弟の住吉仲皇子に殺されそうになった履中天皇を助けたという。子孫は、5世紀以後、東漢氏とよばれる一族となった。この一族は、大和政権の有力豪族として渡来人を支配下におさめ、産業技術だけでなく外交、軍事、財政、文筆等の分野で活躍したといわれている。

アッシュール・バニパル　　王族・皇族

● アッシュール・バニパル　　生没年不詳

アッシリア王国全盛期の王

アッシリア王国の王（在位紀元前668〜紀元前627年）。

アッシリア王エサルハドンの子。父の時代にはじめて統一したオリエント世界を維持することにつとめ、エジプトやエラム（イラン高原の南西部にあった古代オリエントの国）に遠征をおこなう。紀元前655年、エジプトの支配権を失うが、エラムを制圧し、北方および東方からの侵攻をおさえ、支配地を最大にした。

教養が高く、アッシリア全土から神学、医学、文学などの学術書や文書を収集して、首都のニネベに図書館をつくった。このとき集められたくさび形文字の粘土板は2万点をこえ、現在、その大半が大英博物館に保存されている。それらの文書から古代メソポタミアの文明が明らかになった。

アッティラ　　王族・皇族

● アッティラ　　406?〜453年

フン族の帝国を築いた偉大な王

フン族の王（在位434〜453年）。

434年、弟と共同で、北アジアの遊牧民、フン族の支配者と

なり、弟の死後、単独で王になった。ハンガリーを中心に、カスピ海からライン川にいたる地域を征服し、大帝国を築く。しばしばビザンツ帝国（東ローマ帝国）をおびやかし、ばく大な貢ぎ物を要求した。451年、ガリア（現在のフランス）に侵入し、カタラウヌムの戦いで、西ゴート、フランク、ブルクントなどゲルマン人の連合軍に大敗する。翌年はイタリア半島に入り、北部の都市を荒らしまわったが、教皇レオ1世の説得により撤退した。453年、再度イタリアに侵攻する計画をするが、実行する前に急死し、帝国は崩壊した。アッティラはヨーロッパで、おそろしい侵入者として語り伝えられた。中世ドイツの文学作品『ニーベルンゲンの歌』にも、エツェルの名で登場する。

アッバースいっせい 〔王族・皇族〕

アッバース1世　1571〜1629年

サファビー朝全盛期のシャー

サファビー朝ペルシアの第5代シャー（王）（在位1588〜1629年）。

第4代シャー、ムハンマド・ホダーバンデの子。サファビー朝ペルシアは（現在のイランを中心とした地域）を支配したイスラム王朝だが、当時、オスマン帝国の侵攻にあってアゼルバイジャンやイラクを失い、衰退していた。目の不自由な父にかわって実権をにぎっていた母が、軍事貴族に暗殺されると、サファビー朝は危機におちいる。そこで1588年、アッバース1世はクーデターをおこし、父を退位させて17歳でシャーに即位。王朝を建て直すため、行政・軍事改革を断行する。内政では権力を牛耳っていた軍事貴族を追放し、国王専制の体制を築いた。能力を重んじ、奴隷身分であったとしても、すぐれた人材を地方長官などに多く登用した。軍事的には、王直属の常備軍を創設し、火砲を積極的に採用。北西のウズベク勢力や、強大なオスマン帝国をやぶって領土をとりもどし、サファビー朝は全盛期をむかえた。1622年にポルトガルと戦ってホルムズ島をうばったが、イギリス、オランダ、フランスとは同盟をむすび、友好関係を築いた。

あつひめ

篤姫 → 天璋院

あつひらしんのう

敦成親王 → 後一条天皇

アップダイク，ジョン 〔文学〕

ジョン・アップダイク　1932〜2009年

現代アメリカ市民の日常をえがく

アメリカ合衆国の詩人、作家。

ペンシルベニア州生まれ。ハーバード大学卒業。こども時代は、吃音や皮膚病に苦しんだ。学生時代は、短編小説で有名な雑誌『ニューヨーカー』に作品がのることを夢みて、詩作などにはげむ。

卒業後は、『ニューヨーカー』誌の編集者をしながら作品を書いていた。1959年の長編『プアハウス・フェア』や、1960年の『走れウサギ』で、アメリカを代表する作家となり、『ウサギ』シリーズの続編でピュリッツァー賞を受賞する。

都市にくらす人々の不安やなやみを、センスのよい文章で表現するのが得意で、作家のカポーティなどとともに「ニューヨーカー派」とよばれる。評論も書き、短編小説でも名高い。

あつみきよし 〔映画・演劇〕

渥美清　1928〜1996年

映画『男はつらいよ』で寅さんを演じた名優

▲渥美清　（Ⓒ松竹株式会社）

昭和時代〜平成時代の俳優、コメディアン。

東京都下谷区車坂町（現在の台東区上野）に生まれる。本名は田所康雄。父は元新聞記者だが、失業していることが多く、生活は貧しかった。1936（昭和11）年、板橋区清水町に転居し、志村第一尋常小学校（現在の志村第一小学校）に転入。志村尋常高等小学校に進み、1942年に卒業した。その間小児腎臓炎と関節炎のために長く学校を休んだ。

病床では、ラジオ放送されていた落語や講談を熱心に聞き、成績は悪かったが、おもしろい話をして人を笑わせるので学校の人気者だった。高等小学校卒業後、楽器工場の工員をはじめ、いろいろな職業についた。

やがて大衆演劇の役者になり、1953年、浅草のフランス座に入る。そして、軽妙なギャグなどをとり入れたモダンなコントで観客をわかせた。1954年、肺結核のために片肺を切除して入院し、3年後に復帰。

1959年からはテレビドラマにも出演しはじめる。1962年、フジテレビの連続ドラマ『大番』の主役に抜てきされ、翌年、松竹映画『拝啓天皇陛下様』で、純朴でおかしみのある主役を演じて、人気をよんだ。

1968年、山田洋次脚本による連続ドラマ『男はつらいよ』に主演。翌年、山田洋次監督によって映画化されると、大ヒットして、ただちに『続・男はつらいよ』がつくられた。このころは、ほかにも多くの映画やドラマに出演していた。

1972年に、今井正監督の『あゝ声なき友』をプロデュースし主演したが、それ以後は、一貫して『男はつらいよ』の車寅

あ
あでなう

▲柴又駅（東京都葛飾区）前にあるフーテンの寅像　　（Ⓒ松竹株式会社 葛飾区）

次郎役をつづけた。シリーズは26年間に48作品つくられ、ギネス・ワールド・レコーズに登録されている。最後になった1995（平成7）年公開の第48作『男はつらいよ　寅次郎紅の花』は、肺がんの苦しみにたえながら演技をしたものだった。さまざまな主演男優賞を受賞していたが、亡くなったあとに国民栄誉賞が贈られた。

清が演じた「寅さん」は、全国の祭りなどをわたり歩き、みごとな口上をいいながら商売をするテキ屋（露天商）だった。ふらりと妹がいる東京の柴又（葛飾区）に帰ってきては事件をおこすが、手が届かない女性にあこがれ、純情で人情味にあふれる人物である。このキャラクターは、自身の幼いころの下町の思い出をもとに、山田洋次と創作したもので、日本人の共感をよび、多くのファンに愛された。

学 国民栄誉賞受賞者一覧

アデナウアー，コンラート　〔政治〕

コンラート・アデナウアー　1876～1967年

西ドイツの初代首相

ドイツ連邦共和国（西ドイツ）の政治家。首相（在任1949～1963年）。

ケルン生まれ。カトリック政党である中央党に入党し、1917年から1933年までケルン市長として活躍。その間、プロイセン枢密院議長などを歴任したが、1933年、ナチスにより市長の地位とその他の官職をうばわれ、1944年にはヒトラー暗殺未遂事件との関連で強制収容所に収容された。

1945年、アメリカ軍のケルン占領とともにふたたびケルン市長に復職し、同年キリスト教民主同盟の創設に参加、のちに党首となる。1949年、西ドイツの初代首相に選出され、その後の14年間は「アデナウアー時代」とよばれ、親米・反共の保守体制を維持しながらアメリカ合衆国からの強力な支援の下で、西ドイツの第二次世界大戦後の再建につとめた。

学 主な国・地域の大統領・首相一覧

あてるい　〔貴族・武将〕

阿弖流為　？～802年

蝦夷をひきいた指導者

奈良時代～平安時代前期の蝦夷の首長。

789年、征東大将軍（蝦夷を平定する軍の最高司令官）紀古佐美の朝廷軍をむかえ撃って勝利した。しかし、802年、桓武天皇により征夷大将軍（蝦夷を平定する軍の最高司令官）に任命された坂上田村麻呂の軍に攻撃され、阿弖流為の軍ははげしく抵抗したが、次々に拠点を攻め落とされた。ついに副将の磐具公母礼とともに500人あまりの兵をひきいて降伏し、その後、京に送られた。田村麻呂は朝廷に2人の助命を願いでたが、ゆるされず河内国（現在の大阪府東部）で処刑された。田村麻呂はこれをたいへん悲しんだという。

▲悪路王とよばれた阿弖流為の首　　（鹿島神宮）

アトリー，アリソン　〔絵本・児童〕

アリソン・アトリー　1884～1976年

働き者のウサギ「グレイ・ラビット」の生みの親

イギリスの児童文学作家。

イングランド北東部ダービシャー生まれ。本名はアリス。美しい田園地方の小さな村で、緑豊かな自然にかこまれて育つ。大学卒業後、女子高校の理科の教師をつとめながら、こどもむけの物語を書いた。1929年に、森でくらす動物たちを主人公にした絵本『スキレルとヘアとグレイ・ラビット』を出版。その後も田園地帯を舞台に、小さな生き物たちを主人公にしたユーモアあふれる物語を発表しつづける。代表作となった、働き者で優しいウサギ『グレイ・ラビット』のシリーズのほか、少女ペネロピーが時間の壁をこえて、16世紀と20世紀を行き来するファンタジー『時の旅人』などがある。

アトリー，クレメント　〔政治〕

クレメント・アトリー　1883～1967年

イギリスの福祉国家体制を確立した政治家

イギリスの政治家。首相（在任1945～1951年）。

ロンドン生まれ。オックスフォード大学卒業後、弁護士となり、ロンドンの貧困街をまのあたりにして衝撃を受ける。ロンドン大学で講師をつとめたのち、第一次世界大戦に従軍。除隊後は政治の世界に進み、1922年に労働党の下院議員に選出され、1935年に党首となった。第二次世界大戦中はチャーチル連立内閣に加わり、副首相などとして活躍。終戦まぎわの1945年7月、選挙で労働党が圧勝すると首相に就任した。

アトリー政権は、主要産業の国有化をおこなったほか、「ゆりかごから墓場まで」のスローガンとともに国民医療制度の創設など、さまざまな社会保障政策をおし進め、福祉国家の体制を確

立した。対外的にはインドの独立の承認をはじめとした植民地の縮小をおこない、東西冷戦においてはアメリカ合衆国側を支持して北大西洋条約機構（NATO）に加入した。その後、財政危機や党内の対立などがおこり、1951年の選挙では保守党に政権の座を明けわたすこととなった。

 🎓 主な国・地域の大統領・首相一覧

あなみこれちか

| 阿南惟幾 | 1887～1945年 | 政治 |

戦争継続を主張した最後の陸軍大臣

明治時代～昭和時代の陸軍軍人。

東京生まれ。陸軍士官学校、陸軍大学校卒業。参謀本部部員、東京陸軍幼年学校長、陸軍省兵務局長などを歴任。1939（昭和14）年に陸軍次官となり、日独伊三国同盟に反対していた米内光政内閣の倒閣を画策、畑俊六陸軍大臣を辞職させて、米内内閣を総辞職に追いこんだ。その後、第11軍司令官、第2方面軍司令官をへて、1945年4月、鈴木貫太郎内閣の陸軍大臣として入閣。本土決戦をとなえ、ポツダム宣言受諾にあたり、条件つきでの受諾を主張した。同年8月15日未明、戦局判断を誤ったとして、割腹自殺をとげた。辞世の句は「大君の深き恵みに浴みし身は言ひ遺こすべき片言もなし」。

アナン, コフィ

| コフィ・アナン | 1938年～ | 政治 |

国連とともにノーベル平和賞を受賞した国連事務総長

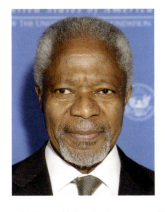

ガーナの外交官、政治家。第7代国際連合（国連）事務総長（在任1997～2006年）。

ガーナの科学技術大学を卒業後、アメリカ合衆国とスイスに留学し、1962年、世界保健機関（WHO）職員として国連に入る。その後、国連難民高等弁務官事務所（UNHCR）をへて、国連平和維持活動（PKO）担当の事務次長など上級職を歴任。1990年の湾岸戦争時にはイラクへ派遣され、人質解放などの交渉にあたったほか、ボスニア・ヘルツェゴビナ紛争時のユーゴスラビアなど、各紛争地域に派遣され、解決に努力した。1997年、国連はえぬきとしては初の事務総長にえらばれた。

合意をたいせつにする政治家として知られ、2001年には人権保護活動や国際テロ防止などの国際平和へのとりくみが評価され、国連とともにノーベル平和賞を受賞した。国連の能力の向上、国連と市民社会を近づけることなどに力をそそぎ、2006年まで国連事務総長をつとめた。

🎓 国連事務総長一覧　🎓 ノーベル賞受賞者一覧

アブー・ターリブ

アブー・ターリブ → アル・アッバース

アブー・ハーミド・ガザーリー　宗教

| アブー・ハーミド・ガザーリー | 1058～1111年 |

中世イスラムのもっとも偉大な思想家

セルジューク朝のイスラム神学者、法学者、神秘主義者（スーフィー）。

ガザーリー、またはラテン語のアルガゼルの名前でも知られる。イラン北東部ホラーサーン地方のトゥース近郊生まれ。ニーシャープールで当時を代表する学者イマーム・アルハラマインから法学や神学など、イスラム諸学を学ぶ。セルジューク朝の宰相、ニザーム・アルムルクに才能と学識をみとめられて、1091年、イスラム世界の最高学府であった首都バグダッドのニザーミーヤ学院の教授となる。イスラム教スンナ派の正統な教義を説き、シーア派など異説・異端を批判。高い名声を得て活躍するが、しだいに合理的な学問に懐疑をいだくようになる。1095年に教職を去り、スーフィズム（イスラム神秘主義）に傾倒し、修行者として各地を遍歴、聖地メッカを巡礼する。その後、故郷のトゥースに帰り、著述と瞑想に専念する隠遁生活を送った。

晩年はイスラムの神学・法学と神秘主義とを統合させ、イスラム諸学の再解釈をおこない、正統的神学を再構成した。『宗教諸学の再生』『幸福の錬金術』『哲学者の自己矛盾』など多数の著書がある。

アブー・バクル　王族・皇族　宗教

| アブー・バクル | 573ごろ～634年 |

イスラム教創始者ムハンマドの古くからの友人、信従者

イスラム教の初代正統カリフ（在位632～634年）。

アラビア半島西部の都市メッカにて、クライシュ族に属するタイム家に生まれる。成功した商人であり、イスラム教の開祖ムハンマドの近親者をのぞく最初の入信者といわれ、古くからの同志である。終生にわたりムハンマドを補佐し、イスラム教の勢力拡大に貢献。娘のアーイシャが9歳のとき、56歳だったムハンマドにとつがせたため、義父にもあたる。

632年、ムハンマドの死後、選挙（信者の合意）によって初代正統カリフに選出され、最長老として教団分裂の危機を乗り切った。カリフすなわち「アッラーの使徒（預言者ムハンマド）の代理人」を名のった最初の人物である。離反したアラビアの部族を討ち、イラクやシリアにジハード（聖戦）の軍隊を派遣。

反対勢力からイスラム教を守り、発展の基礎をつくった。現在、スンナ派ではアブー・バクルを「正統カリフ」とよんでいるが、シーア派では多くの場合、アリーとアリーの子孫以外のカリフ権の継承を否定している。

学 世界の主な王朝と王・皇帝

アフガーニー

アフガーニー → ジャマール・アッディーン・アフガーニー

あぶつに

阿仏尼　?〜1283年　文学

『十六夜日記』の作者

（国立国会図書館）

鎌倉時代中期の歌人。高倉天皇の孫の安嘉門院につかえ、右衛門佐または四条と称した。若いころの回想録『うたたね』には、ある貴人との恋にやぶれて出家したことなどがえがかれている。30歳ころ、藤原定家の子、藤原為家の側室となり、冷泉家の祖となる藤原（冷泉）為相、為守らを生んだ。1275年、為家が亡くなると、出家して尼となった。

その後、為家の遺産の相続をめぐり、為相と、正妻の子の為氏とあいだに争いがおこる。1279年、為相にかわり幕府にうったえるため、みずから鎌倉に出むいた。そのときの鎌倉までの旅の記録や、鎌倉滞在中のできごとなどを、京にいる息子への愛情、解決を願う歌などとともに著したのが、紀行文『十六夜日記』である。しかし、訴訟の結果をみずに鎌倉で亡くなったといわれる。歌人としては、『続古今和歌集』などに歌がとられている。また、関東の神社に勝訴を祈願して奉納した『安嘉門院四条五百首』や、歌論集『夜の鶴』などをのこしている。

アブデュルハミトにせい

アブデュルハミト2世　1842〜1918年　王族・皇族

オスマン帝国の実質的な最後のスルタン

オスマン帝国の第34代皇帝（在位1876〜1909年）。

アブデュルメジト1世の第2子として生まれる。おじの第32代皇帝アブデュルアジズが立憲派のクーデターにあい、つづいて即位した兄のムラト5世もすぐ退位したため即位した。当時政治の実権をにぎっていた宰相ミドハト・パシャの意見により憲法を発布したが、まもなくイスラム世界の統一をめざす思想や運動のパン・イスラム主義を利用して秘密警察を組織、軍を利用して世論を抑圧するなど極端な専制政治をした。一方で電信機の開発や聖地巡礼のためのヒジャーズ鉄道建設など科学技術の促進に尽力した。1908年には青年トルコ党の革命にやぶれ、翌年の反革命に失敗し退位。サロニカに幽閉されたのち、トルコ西部のマグネシアで亡くなった。

学 世界の主な王朝と王・皇帝

アブデュルメジトいっせい

アブデュルメジト1世　1823〜1861年　王族・皇族

西欧化を進め、クリミア戦争でロシアと戦った

オスマン帝国の第31代皇帝（在位1839〜1861年）。

マフムト2世の長子として生まれ、16歳で即位した。西洋式の教育を受け、フランス語が堪能で、ヨーロッパ文学や音楽を愛した。宰相ムスタファ・レシト・パシャの補佐を受け、1839年にギュルハネの勅令を発し、父が進めていた近代化改革を受けつぎ、さまざまな改革（タンジマート）をおこなうと表明した。対外的には、長年にわたるエジプトのムハンマド・アリーとの紛争をイギリスの調停によりおさめ、イギリス、ロシア、オーストリア、プロイセンとのあいだに協定をむすび、国家的な危機を脱した。その後ロシアによるモルダビア、ワラキアの占領を受け、クリミアでロシアと開戦（クリミア戦争）。これに勝利してパリ条約を締結したことで、トルコを国際社会の一員としてみとめさせた。晩年のキリスト教徒への寛容な立場は、反キリスト教の一派による暴動をまねき、イギリス、フランスからの軍事的介入を受け、経済進出までもゆるした。また、みずからの浪費癖もあって権威を失った。

学 世界の主な王朝と王・皇帝

アブドアッラフマーンさんせい

アブド・アッラフマーン3世　889〜961年　王族・皇族　宗教

後ウマイヤ朝最盛期をつくった君主

後ウマイヤ朝の第8代君主（在位912〜929年）、初代カリフ（在位929〜961年）。

イベリア半島の後ウマイヤ朝は9世紀末以来、内乱状態にあったが、若くして即位したにもかかわらず、すぐれた手腕で国内を統率した。後ウマイヤ朝ではじめて、カリフ（ムハンマドの後継者でイスラム国家の宗教的最高指導者）を称した。その後、イベリア半島北方のレオン国王などキリスト教徒諸侯の南下を阻止し、半島全土をほぼ支配下におさめ、アフリカ北部にも勢力をのばした。

国内産業の振興につとめる一方で軍隊を強化し、さらに文化を保護してイスラムとヨーロッパの文化を融合させた一大文化を形成した。後ウマイヤ朝の首都、コルドバは人口30万人をこえる商業都市として繁栄し、10世紀前半に王朝の最盛期をむかえた。

学 世界の主な王朝と王・皇帝

アフマディネジャド, マフムード

マフムード・アフマディネジャド　1956年〜　政治

強硬な外交姿勢で、イランの孤立をまねいた大統領

イランの政治家。大統領（在任2005〜2013年）。

イラン中部のセムナン州生まれ。1歳のとき、首都テヘランに

移住。1975年、科学技術大学に入学、1981年に同大学開発工学の修士課程を修了した。1979年のイラン革命ののち、革命指導者のホメイニ師の体制をささえる組織である革命防衛隊に入隊した。地方都市の首長、州知事をへて、2003年、テヘラン市長に就任。2005年、大統領にえらばれると、ハタミ前政権の国際協調路線を一転させ、イラン革命時の理念にもどる保守政治をおこなった。

外交面では、核兵器製造の前段階であるウラン濃縮を再開、イスラエルを挑発するなど強硬姿勢をとった。そのため、欧米諸国から経済制裁を受け、イランの石油輸出は激減した。大統領任期の上限である2期満了までつとめ、2013年に退任。市長時代には、みずから報酬を返上して低所得者層を救済するなど貧困対策に熱心であったが、大統領時代には、国際社会で孤立をまねき、その結果、国内経済も悪化させた。

アフマド・アラービー

アフマド・アラービー → アラービー・パシャ

アブラハム

架空

● アブラハム　　　　　　　　　生没年不詳

3つの宗教に影響した旧約聖書の登場人物

古代イスラエル人（ユダヤ人）の伝説上の祖先。
旧約聖書の『創世記』によると、紀元前2000年ごろ、カルデアのウル（現在のイラン南部）に生まれた。その後、新天地を求めて故郷をはなれ、途中で神の啓示を受けて、妻のサラとともに、約束の地カナン（パレスチナ）へ移り住んだ。そして、アブラハム100歳、サラ90歳のときに息子のイサクが生まれるが、神は、試練として息子をいけにえとしてささげるように命じる。アブラハムは、それにこたえ、息子にナイフをふりかざそうとしたが、神はアブラハムの信仰の深さをみとめ、イサクを救い、アブラハムを祝福した。アブラハムは、ユダヤ教、キリスト教、イスラム教の始祖とされ、「信仰の父」として尊敬されている。

あぶらやくまはち

郷土

● 油屋熊八　　　　　　　　　1863〜1935年

別府の観光開発につくした実業家

明治時代〜昭和時代の実業家。
伊予国宇和島城下（現在の愛媛県宇和島市）の米問屋に生まれた。アメリカ合衆国ではたらいたのち、1911（明治44）年、49歳のとき別府（大分県別府市）に移住。亀の井旅館（亀の井ホテル）を経営して、客を手厚くもてなし評判を高めた。その後、当時まだ有名ではなかった別府を観光地にしようと「山は富士、海は瀬戸内、湯は別府」というキャッチフレーズを考え、富士山頂をはじめ、各地に標柱を立てて、湯の町別府を宣伝した。また、亀の井自動車（現在の亀の井バス）を設立し、バスによる地獄めぐりをおこなったり、全国ではじめて、観光バスに女性のバスガイドを乗せたりして、話題を集めた。一方で、他県からの観光客をふやすため、別府港を整備し、九州横断道路の建設にも力をつくした。地図記号だった「♨」を別府温泉のシンボルマークとして広めたといわれている。

（別府市平野資料館）

あべいそお

政治　学問　スポーツ

● 安部磯雄　　　　　　　　　1865〜1949年

社会の改良に尽力したキリスト教社会主義者

明治時代〜昭和時代のキリスト教社会主義者、政治家。
福岡県生まれ。同志社大学で学び、新島襄により洗礼を受け、キリスト教徒となった。卒業後、社会問題に関心をもち、アメリカ合衆国、イギリス、ドイツに留学、社会問題は社会主義によって解決できると考えるようになった。帰国後の1899（明治32）年、東京専門学校

（日本近代文学館）

（現在の早稲田大学）の教授となる。また、キリスト教の精神にもとづいて労働問題などを解決しようとする、キリスト教社会主義を主張した。
1901年に、幸徳秋水らとともに社会民主党を結成し、1928（昭和3）年、第1回普通選挙に当選。1932年には社会大衆党を創立して活動したが、1940年、軍部批判の演説をした議員斎藤隆夫への懲罰を不服として党をはなれ、政界を引退した。第二次世界大戦後は、現在の社会民主党の前身である日本社会党の顧問をつとめた。人道主義の立場から社会問題にとりくみ、社会の改良に尽力した。早稲田大学野球部の創設者でもあり、学生野球の父とよばれる。

あべこうぼう

文学

● 安部公房　　　　　　　　　1924〜1993年

現代人の心を寓意的にするどくえがく

昭和時代の作家、劇作家。
東京生まれ。本名は公房。東京大学医学部在学中に小説

『終りし道の標べに』を発表し、内面の自由を重んじる実存主義的な作家としてデビュー。作品には、『箱男』のように、現実にはありえない設定で、ストーリーが進むにつれて、現代人の心の奥にひそむ病理をするどくえぐる寓意的な物語が多い。

戦後派とよばれる世代の中でも、特異な才能をもつ作家として知られる。代表作には、芥川賞受賞の小説『壁─Ｓ・カルマ氏の犯罪』やフランスの最優秀外国文学賞などを受賞した『砂の女』『燃えつきた地図』などのほか、戯曲『制服』『どれい狩り』、評論集『内なる辺境』などがある。

学 芥川賞・直木賞受賞者一覧

あべじろう

阿部次郎　　　　　　　　　　　1883～1959年　思想・哲学

大正期を代表する、人格主義、教養主義の哲学者

大正時代～昭和時代の哲学者、評論家。

山形県生まれ。父は教師、8人兄弟のうち4人が大学教授という、教育一家であった。東京帝国大学（現在の東京大学）哲学科を卒業後、夏目漱石の門下生として、安倍能成らと親交を深める。

1914（大正3）年、みずからの精神的苦悩の体験をもとにした評論集『三太郎の日記』を発表し、教養主義の代表作として、大正時代の青年の必読書となった。慶應義塾大学、日本女子大学の講師をつとめ、1922年、『人格主義』を発表し、文部省在外研究員としてヨーロッパへ留学。

帰国後は東北帝国大学（東北大学）法文学部の教授として、美学を講義する。1954（昭和29）年、阿部日本文化研究所を設立した。

あべしんぞう

安倍晋三　　　　　　　　　　　1954年～　政治

アベノミクスでデフレ対策

政治家。第90、96、97代内閣総理大臣（在任2006～2007年、2012～2014年、2014年～）。

東京生まれ。祖父は第56、57代内閣総理大臣の岸信介、父は外務大臣だった安倍晋太郎。成蹊大学法学部卒業後、神戸製鋼に勤務し、外務大臣の父の秘書官となった。急死した父をついで、1993（平成5）年の衆議院議員総選挙で初当選。2000年の森喜朗内閣、2002年の小泉純一郎内閣で内閣官房副長官に就任した。

2006年には自民党総裁となり、内閣総理大臣に就任する。52歳での就任は、第二次世界大戦後としては最年少だった。支持率低下と自身の体調悪化のため、2007年9月に退陣。2012年9月に、ふたたび内閣総理大臣に就任した。この第2次安倍内閣では、デフレ対策として「アベノミクス」とよばれる経済政策をかかげ、金融緩和をおこなった。

学 歴代の内閣総理大臣一覧

あべともじ

阿部知二　　　　　　　　　　　1903～1973年　文学

『シャーロック・ホームズ』の翻訳で知られる

昭和時代の作家、評論家、英文学者、翻訳家。

岡山県生まれ。東京帝国大学（現在の東京大学）英文科卒業。1930（昭和5）年、短編小説『日独対抗競技』、西欧文学の評論『主知的文学論』を発表して、文学界にデビューする。その後は、『冬の宿』（1936年）、『街』（1939年）、『光と影』（1939年）を次々に発表する。明治大学教授として英文学を教えながら、作家として知識人の内面をえがいた小説で、人気を得る。代表作とされる『冬の宿』は、冬のような暗い日々をこえて春がおとずれるという感動小説で、のちに映画化された。

第二次世界大戦後は、平和運動でも活動。社会問題を題材にした『黒い影』（1949年）、『日月の窓』（1959年）などを発表した。1958年からは、小学生むけの『雨の日文庫』の編集に加わり、児童文学でも活躍する。ワイルドの『幸福な王子』、メルビルの『白鯨』、ドイルの『シャーロック・ホームズ』シリーズ、ブロンテ姉妹の作品などの翻訳家としても知られる。

あべのうちまろ

阿倍内麻呂　　　　　　　　　　?～649年　貴族・武将

大化の改新で活躍した

飛鳥時代の豪族。

645年、中大兄皇子（のちの天智天皇）、中臣鎌足（藤原鎌足）らが蘇我入鹿を暗殺して蘇我氏がほろぶ（乙巳の変）と、蘇我倉山田石川麻呂とともに、中大兄皇子のひきいる新政府の左大臣となり、鎌足らとともに大化の改新の指導者となった。保守的で、647年に聖徳太子が定めた冠位十二階の制度が冠位十三階にあらためられたあとも、なお古い冠をかぶったという。648年、四天王寺（大阪市）に仏像を安置し、盛大な仏事をおこなった。

あべのさだとう

安倍貞任　　　　　　　　　　　?～1062年　貴族・武将

前九年の役で朝廷にやぶれる

平安時代中期の豪族。

安倍頼時の子。1056年、陸奥国（現在の山形県・秋田県をのぞく東北地方）の権守（国司の定員外の長官）の藤原説貞の子弟がおそわれた。前陸奥守の源頼義はこの事件の犯人

を貞任と断定し、安倍氏追討を命じた。翌年、父が戦死したあと、弟の宗任とともに源頼義軍をやぶり、朝廷軍は劣勢になった。しかし1062年、頼義は陸奥の豪族清原武則の応援を得て攻勢となり、貞任は厨川柵（岩手県盛岡市にあった安倍氏の城柵）の戦いで戦死した。これにより安倍氏はほろび、清原氏が陸奥を支配した。1051年の源頼義の赴任から1062年までの一連の戦いは前九年の役という。

▲『安部貞任図』（部分）
（福島美術館）

貞任には有名な逸話がある。衣川柵（岩手県奥州市にあった安倍氏の拠点）の戦いのとき、貞任の軍は、源頼義の子源義家の軍にやぶれて退却した。貞任を追いかけた義家は、「衣の館はほころびにけり（衣川柵はやぶれ、お前の着ている鎧の糸もほころんでいる）」とよびかけた。これに対し貞任は「年をへし、糸のみだれの苦しさに（長い戦いで糸もみだれてほろぼろになってしまった）」と応じた。義家は、いなか者だと思っていた貞任がとっさに返事をした教養の高さにおどろいて、追うのをやめたという。

あべのせいめい　宗教

● 安倍晴明　　921〜1005年

日本屈指の陰陽師

▲『不動利益縁起絵巻』（部分）より
（東京国立博物館 Image:TNM Image Archives）

平安時代中期の陰陽師。朝廷の陰陽寮（天文や暦をうらなって儀式の日取りなどを決める役所）につかえた。安倍氏（土御門氏）の祖先。天文得業生（天文を学び卒業した者）から、天文博士、左京権大夫（京の民政をつかさどる京職の定員外の長官）などをつとめた。その能力により、生前から名声が高く、朝廷の実力者、藤原兼家や子の藤原道長に信頼され、藤原氏の祭りや寺を建てるときなどの日取りや方角を決めた。986年、花山天皇の出家事件のときも天の異変を知り、式神（目にみえない精霊）をつかって天皇の退位を予知したといわれる。また、道長が寺を建てるとき、イヌが道長を建設中の現場に入れないようにした。不審に思った道長は晴明をよんだ。土の中からのろいの土器を発見した晴明は、紙で鳥をつくり、のろいをかけた犯人の家をさがしあてたといわれる。後世、日本一の陰陽師としてあがめられ、伝説的人物となった。現在、京都府上京区に晴明を祭る晴明神社がある。

あべのなかまろ　貴族・武将

● 阿倍仲麻呂　　698〜770年

帰国できず、故郷をなつかしむ歌をのこす

（国立国会図書館）

奈良時代の留学生。717年の遣唐使にしたがい、吉備真備、玄昉らとともに、中国の唐にわたる。唐の都、長安（現在の陝西省西安市）の大学に学んだのち、朝衡（仲満とも）と名のり、唐の朝廷につかえて出世した。たびたび、日本に帰国することを願いでたが、仲麻呂を気に入っていた玄宗皇帝は、なかなかゆるしてくれなかった。

753年、ついに帰国がゆるされ、遣唐使、藤原清河の船に同乗したが、暴風雨にあって遭難し、安南（ベトナム付近）に漂着した。その後、長安にもどり唐の朝廷につかえるが、日本に帰ることなく亡くなった。死後に大都督（軍事や政治をつかさどる地方の長官）という高い官職を贈られた。

吉備真備とならび、唐で有名な日本人だった仲麻呂は、高名な詩人の李白や王維らと交流し、すぐれた漢詩をつくっている。

日本に帰れなかった仲麻呂が日本をしのんでよんだ「天の原　ふりさけ見れば　春日なる　三笠の山に　出でし月かも」という有名な歌は、平安時代にまとめられた『古今和歌集』におさめられている。

学　人名別　小倉百人一首

あべのひらふ　貴族・武将

● 阿倍比羅夫　　生没年不詳

東北地方平定に活躍

（国立国会図書館）

飛鳥時代の武将。658年、越国守（現在の新潟県、富山県、石川県、福井県北東部の長官）として、180隻の船をひきい、大和政権にしたがわない蝦夷を討ち、部下にした。さらに660年、200隻をひきい、蝦夷に対抗していた粛慎（大陸からきた狩猟民族）を討ったという。663年、中大兄皇子（のちの天智天皇）に命じられ、新羅にほろぼされた百済を救援するために2万7000人の船団をひきい、朝鮮半島の白村江で、中国の唐と、新羅の連合軍と戦った（白村江の戦い）。しかし、2日間のはげしい戦いの結果、400隻の船が炎上するなど大敗北に終わり、阿倍比羅夫の軍は引き揚げた。中大兄皇子は、唐・新羅に攻められたときの防衛のため、大宰府（福岡県太宰府市）に水城（土塁を築き、内側に水をためた施設）や西日本各地に山城を築造させた。

あべのぶゆき
阿部信行　1875〜1953年　政治

内閣総理大臣、最後の朝鮮総督をつとめた

　昭和時代の軍人、政治家。第36代内閣総理大臣（在任1939〜1940年）。
　石川県出身。陸軍大学校卒業後、日露戦争、シベリア出兵に従軍した。参謀本部や陸軍省の要職を歴任して、関東大震災時には戒厳参謀長となった。陸軍次官、陸軍大臣代理をつとめ、1933（昭和8）年に陸軍大将となる。1939年に内閣総理大臣となり、日中戦争の早期解決や、第二次世界大戦への不介入、協調外交などの穏健政策をかかげたが、軍の支持を得られず、わずか4か月あまりで総辞職した。
　その後は、中国特派大使、貴族院勅選議員、翼賛政治会総裁などを歴任した。終戦時は最後の朝鮮総督であり、民衆保護のために朝鮮に自治権をあたえ、朝鮮人民共和国を成立させた。敗戦後は戦犯容疑で逮捕されたが、不起訴となった。

学 歴代の内閣総理大臣一覧

あべのよりとき
安倍頼時　?〜1057年　貴族・武将

陸奥を支配した有力者

　平安時代中期の豪族。
　初名は頼良。蝦夷をまとめる首長として鎮守府にしたがっていたが、やがて力をつけ、陸奥国（現在の山形県・秋田県をのぞく東北地方）北部にある奥六郡（現在の岩手県奥州市から盛岡市）を支配するようになった。衣川をこえて南下し、朝廷の支配地に勢力を広げたため、1051年、陸奥守（長官）の藤原登任の討伐を受けたが、これをやぶった。朝廷は、武名高かった源頼義を鎮守府将軍、陸奥守に任命して東北に送った。頼良軍は頼義軍にやぶれ、降伏した頼良は、頼義と同じ読みをさけて頼時と改名し、頼義につかえた。1056年、陸奥権守（定員外の長官）の藤原説貞の子弟がおそわれた事件がおこると、頼義はこれを頼時の子安倍貞任のしわざとし、全面戦争（前九年の役）となった。翌年、頼時は東北奥地の蝦夷を味方につけようとしたが反抗にあい、戦死した。

あべへいすけ
阿部平助　1852〜1938年　郷土

今治タオルの製造をはじめた人物

　幕末〜昭和時代の商工業者。
　伊予国今治（現在の愛媛県今治市）に生まれる。1880（明治13）年ころから、綿ネル（布地の表面をけばだたせ、フランネルという毛織物に似せた綿織物）を製造していたが、泉州（大阪府南西部）に行ったとき、綿ネルとはちがうタオルに出会った。1894年、泉州から織機を購入し、さらに綿ネル織機を

改良したタオル織機で、タオルをつくりはじめた。しかし、泉州のタオルにくらべると、見おとりがした。また、タオルは手ぬぐいを使用していた人々にはぜいたく品と思われてしまい、売り上げはのびなかったので、綿ネル製造を中心にし、タオル製造を副業とした。
　大正時代の終わりごろ、タオル織りの技術が改良され、高級な織りのタオルが生産できるようになり、昭和時代になると今治はタオル生産地として有名になった。今治は、現在も質量ともに日本一のタオル生産地となっている。

（四国タオル工業組合）

アベベ・ビキラ
アベベ・ビキラ　1932〜1973年　スポーツ

オリンピック2連勝のマラソン選手

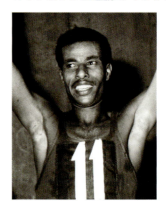

　エチオピアのマラソン選手。
　貧しい農家に生まれ、小学校にも1年しか行けず家の仕事をてつだった。19歳のときに皇帝の親衛隊に入隊して、訓練の一環としてスポーツのトレーニングを受けたが、足の速さが注目され、1960年のローマオリンピックのマラソン代表となる。オリンピック本番では、シューズがこわれたため、はだしで走ったが、世界最高記録で優勝をとげ、「はだしの王者」とよばれた。国民はその勝利に熱狂し、帰国後に皇帝から勲章が授与された。
　1964年の東京オリンピックでは、世界記録をさらにちぢめる2時間12分11秒2で優勝。オリンピックのマラソン競技では、史上初の2連覇をなしとげた。
　1969年、交通事故で重傷を負い下半身不随となるが、きびしいリハビリをへて、身体障害者のスポーツ大会に参加した。1973年、脳出血により41歳で死去した。

あべまさひろ
阿部正弘　1819〜1857年　幕末

ペリーと日米和親条約をむすんだ老中

　幕末の江戸幕府の老中。
　備後国福山藩（現在の広島県福山市）の藩主の子として江戸（東京）に生まれ、1836年、18歳で藩主となる。1840年、幕府の寺社奉行（全国の寺や神社を管理し宗教をとりしまる役人）に任命された。1843年、25歳で老中に昇進し、1845年、天保の改革で失敗した水野忠邦にかわって老中首座（老中の

筆頭）となる。

1853年、アメリカ合衆国のペリーが来航したとき、アメリカ大統領の国書を受けとった。進歩的な考えの正弘は、幕府の独裁政治をあらためて諸大名との協調路線をとり、水戸藩（茨城県中部と北部）の徳川斉昭や薩摩藩（鹿児島県）の島津斉彬らに意見を聞いた。翌年、ふたたびペリーが来航すると日米和親条約をむすんで日本を開国した。その後、品川に砲台を築造し（品川台場）、1855年、長崎に海軍伝習所（航海技術などを教える海軍の教育機関）、1856年、講武所（幕臣や子弟に武芸を教える機関）、蕃所調所（洋学の研究教育機関）などを設立。勝海舟などを登用して、外国に対応するための進歩的な政策を実現した。

（福山誠之館同窓会蔵）

学 江戸幕府大老・老中一覧

あべよししげ

● 安倍能成　　1883〜1966年　学問

戦前も戦後も自由主義をつらぬいた教育者

明治時代〜昭和時代の哲学者、教育者。

愛媛県生まれ。1909（明治42）年、東京帝国大学（現在の東京大学）哲学科を卒業。

夏目漱石の門下生として、自由主義思想を確立した。『哲学叢書』の編集者として岩波書店の経営に加わり、みずからも『西洋古代中世哲学史』『カントの実践哲学』など、多くの著書をのこす。法政大学教授などをへて、1924年にはヨーロッパへ留学し、帰国後、京城帝国大学（ソウル大学）教授などをつとめ、1940（昭和15）年、旧制第一高等学校（東京大学教養学部）の校長となる。

第二次世界大戦後、1946年には、幣原喜重郎内閣の文部大臣として、教育制度の改革にあたった。気骨のある自由主義者で、戦前の軍国主義、戦後の社会主義への過大評価に対しても批判的であった。帝室博物館（現在の東京国立博物館）館長、学習院院長もつとめた。

アベラール，ピエール

● ピエール・アベラール　　1079〜1142年　宗教

エロイーズとの恋愛で知られるフランスの宗教哲学者

中世フランスの哲学者、キリスト教神学者。

ナント近郊生まれ。神学に弁証法を導入し、理性的な討論のたいせつさをうったえスコラ学の基礎を築き、権威にたよる伝統的な神学に対抗した。

パリでの神学と哲学の講義には全ヨーロッパから学生が集まり、著書は広く読まれ、名声を得た。一方、師匠ですら容赦なく論破する性格には敵も多かった。39歳のとき、17歳の女弟子エロイーズと恋に落ちる。エロイーズのおじは結婚をみとめず、アラベールは修道士、エロイーズは修道女になる。別れて生活する2人の往復書簡集『アベラールとエロイーズ』では、愛や神学、哲学、修道院生活について書かれている。修道士となったあとも多くの弟子が集まったが、ローマ教皇から異端とされ、迫害はつづいた。

アベロエス

アベロエス　→　イブン・ルシュド

アボガドロ，アメデオ

● アメデオ・アボガドロ　　1776〜1856年　学問　発明・発見

近代化学の基礎を築いた化学者

19世紀のイタリアの化学者、物理学者。

イタリアにあったサルデーニャ王国のトリノで、貴族の家に生まれる。法律家となるが、1800年ごろから数学と物理学の研究を開始、3年後には初の論文をトリノ科学アカデミーに提出した。1811年、「分子はいくつかの原子から構成され、単体の気体では2個の原子からなる」という分子説と「すべての気体は同温、同圧、同体積中には同数の分子をふくむ」というアボガドロの法則をふくむ論文を発表。1820年、トリノ大学に創設された数理物理学教室の初代教授に就任した。

アボガドロの法則は、近代化学の基礎となる重要な法則であったが、時代を先取りしすぎ、彼の死後、ようやく評価された。現在は、物理定数の一つであるアボガドロ定数に名をのこしている。

アポリネール，ギヨーム

● ギヨーム・アポリネール　　1880〜1918年　詩・歌・俳句

シュールレアリスムで新しい世界を表現

フランスの詩人、作家、美術評論家。

イタリアのローマ生まれ。本名はウィルヘルム・アポリナリス・コストロビツキー。母は亡命ポーランド貴族の娘で、父はイタリア人。こども時代をニースなどですごし、19歳でパリに出ると、美術評論家たちと月刊誌を創刊し、小説を連載する。1913年、詩集『アルコール』を発表して、たちまち名声を得る。第一次世界大戦では志願して入隊するが、負傷し、その後は、詩、小説、劇作、美術評論などで大活躍した。スペイン風邪にかかり、38歳でこの世を去る。

象徴主義の影響を受けつつ、文字で絵をえがくカリグラムの手法を試みるなど豊かな創造力で新しい詩の世界をつくりだした。詩「ミラボー橋」は、シャンソンとして歌いつがれている。「シュールレアリスム（超現実主義）」ということばを最初につかったことでも知られる。

アマースト，ウィリアム・ピット 〔政治〕

🌐 ウィリアム・ピット・アマースト　1773～1857年

清との貿易の改善を求める

イギリスの外交官、政治家。

中国の清との対等な国交と貿易の改善を求めて、マカートニー使節団につづいて、イギリス政府から全権大使として派遣された。1816年、北京に入り、清の第7代皇帝、嘉慶帝との謁見をのぞむが、3回ひざまずき、そのたびに3回頭を地面にすりつける「三跪九叩頭」の礼をするよう要求され、これを拒否したため、謁見できず、退去させられた。

その後、インド総督に就任し、ビルマ（現在のミャンマー）軍のベンガルへの侵入を撃退して、アッサムなどを割譲。のちのイギリスのビルマ併合への道をひらいた。1828年に帰国し、その後カナダ総督の任命を受けたが実現せず、政治家を引退した。

あまかすまさひこ 〔政治〕

🔴 甘粕正彦　1891～1945年

満州国の陰の帝王

明治時代～昭和時代の陸軍軍人。

宮城県生まれ。1912（明治45）年陸軍士官学校卒業。足のけがのため憲兵に転科し、憲兵司令部副官などをへて、1921（大正10）年に憲兵大尉となる。1923年、関東大震災の混乱にまぎれて、アナキスト（無政府主義者）の大杉栄とその妻伊藤野枝、6歳のおいを殺害したとされる（甘粕事件または大杉事件）。軍法会議で懲役10年の判決を受けたが、恩赦により3年で出所し、陸軍機密費でフランスにわたった。1930（昭和5）年に満州（現在の中国東北部）にわたり、満州事変に関するさまざまな謀略工作に参加。満州国建国の陰の立役者となった。建国後は満州国民政部警務司長や、満州唯一の合法的政治団体である満州国協和会の中央本部総務部長を歴任した。1939年、満州映画協会理事長となる。1945年の敗戦にともない、青酸カリを服用し自殺。「大ばくち　身ぐるみ脱いで　すってんてん」と辞世の句をのこした。

あまくさしろう 〔宗教〕

🔴 天草四郎　1623?～1638年

天の使いとして島原・天草一揆を指導

江戸時代前期の反乱指導者。

本名は益田時貞。肥後国江部村（現在の熊本県宇土市）出身といわれるが、はっきりしたことはわかっていない。父はキリシタン大名小西行長の家臣、益田甚兵衛で、小西家が1600年の関ヶ原の戦いにやぶれて滅亡したため、浪人になった。熱心なキリスト教徒だった父の影響で、幼いころキリスト教に入信。また、長崎に遊学して学問をおさめ、高い教養を身につけたといわれる。

▲『天草四郎屏風』（北矢代氏作／天草市立キリシタン館蔵）

伝説では、海の上を歩いたり、冬にサクラの花を咲かせたりして人々をおどろかせた。ハトが四郎の手の中で卵を産み、その卵からキリスト教の教えが書かれた文書をとりだしてみせたこともあったという。また、かつて、「いまから25年後に天の使いの少年があらわれる」と予言した宣教師がおり、人々はこのようなさまざまな奇跡をおこす四郎こそ、天の使いにちがいないと信じた。このころ松倉氏が支配する島原半島（長崎県）と寺沢氏が支配する天草諸島（熊本県）の農民や浪人は藩主の悪政に苦しんでおり、さらにキリスト教徒の多いこの地の人々に対し禁教令による弾圧ははげしさをましていった。そして1637年10月、四郎が15歳のとき、一揆がおこった。一揆勢は、カリスマ性の高い四郎を総大将にかついで、廃城となっていた島原半島の原城に立てこもった。

幕府は一揆をしずめるため譜代大名の板倉重昌を、つづいて老中（将軍を補佐して政治をおこなう役職）松平信綱を指揮官として派遣し、周辺の藩から大軍を動員して原城を攻めた。

四郎は原城の本丸に建てられた礼拝堂で神に祈り、農民たちにいっそう信仰を強めるよう説いたという。四郎の下に結束した農民たちは、死をおそれぬ強い精神力で幕府の軍勢にはげしく抵抗した。しかし、4か月後の1838年2月、幕府軍の総攻撃によってついに原城の一揆勢はやぶれ、四郎をはじめ3万7000人全員が殺された。熊本藩士が四郎の首をとり、首は長崎に送られてさらされた。この乱をきっかけに、幕府はキリスト教への弾圧をさらに強め、一部をのぞく外国との交流を断つ鎖国体制へとふみ切った。

▲天草四郎陣中旗（天草市立天草キリシタン館蔵）

あまごかつひさ 〔戦国時代〕

🔴 尼子勝久　1553～1578年

尼子氏再興のため戦った

戦国時代～安土桃山時代の武将。

出雲国（現在の島根県東部）をおさめた尼子氏、尼子誠久の子。「あまこ」とも読む。祖父の尼子国久と父を尼子晴久に

殺されるが、勝久は小川重遠に救われ、東福寺（京都市）の僧となる。1566年、晴久の子、義久が毛利元就にやぶれると、尼子氏の再興を願う家臣、山中幸盛や立原久綱らにおされ、総大将として毛利軍と戦った。いちじは出雲での勢力をまきかえしたかにみえたが、1570年、元就の孫の毛利輝元にやぶれ、織田信長をたよって京都にのぼる。織田軍の羽柴秀吉（のちの豊臣秀吉）にしたがって、播磨国（兵庫県南部）の上月城を守るが、1578年、毛利軍に包囲され、自害した（上月城の戦い）。これにより、尼子氏は完全に滅亡した。

あまごつねひさ 〔戦国時代〕
● 尼子経久　　1458～1541年

一代で尼子氏の全盛期を築いた

戦国時代の大名。
出雲国（現在の島根県東部）の守護代、尼子清定の子として生まれる。「あまこ」とも読む。1478年、父のあとをついで、出雲国の守護代、月山富田城主となる。地方の小領主らとむすびつきを強くするが、1484年、寺院や神社の領地や税金を横領したとして、室町幕府軍の京極氏に追放された。しかし、2年後には京極氏をたおして月山富田城にもどり、近隣を制圧して戦国大名として独立。さらに、1486年に有力守護の大内氏が足利義稙を将軍に復帰させようと上京したすきに、山陰、山陽地方11か国に勢力をひろげ、尼子氏の全盛期を築いた。その後は大内氏や安芸国（広島県西部）の戦国大名の毛利氏と対立。1537年には孫の尼子晴久に尼子家をつがせて隠居した。

あまのきしろう 〔郷土〕
● 天野喜四郎　　?～1756年

多喜浜塩田を開発した農民

江戸時代中期の農民、塩田開発者。
備後国御調郡吉和村（現在の広島県尾道市）に生まれる。1723年、伊予国西条藩（愛媛県西条市）から塩田づくりをたのまれ、仲間とともに新居郡黒島村（愛媛県新居浜市）に移住した。翌年、多喜浜の干潟に、約16haの塩田と、約3haの田畑をひらいた。1732（享保17）年からおこった享保のききんの難民救済もかねて、1733年から3年がかりで、さらに約26haの塩田と約9haの田畑をひらいた。息子や子孫も事業を受けついで開拓をつづけ、幕末には約238ha、日本有数の大塩田地帯を築いた。

あまのひろし 〔学問〕
● 天野浩　　1960年～

青色LEDの開発でノーベル物理学賞を受賞した工学者

工学者。
静岡県生まれ。名古屋大学工学部で学び、修士課程を修了後、指導教官の赤﨑勇の強いすすめで博士課程に進学。

（名古屋大学）

高輝度青色発光ダイオード（青色LED）の開発に、赤﨑とともにとりくむ。当時、青色LEDの開発は不可能といわれていたが、1985（昭和60）年、「低温バッファ層技術」によって、窒化ガリウム（青色LEDの材料となる半導体）の高品質の結晶をつくることに、世界ではじめて成功した。1989（平成元）年に名古屋大学で工学博士。同大学工学部助手をへて、1992年から名城大学理工学部講師、のちに教授。2010年からは名古屋大学大学院工学研究科の教授などをつとめる。

2014年、青色LED開発の業績によって、ノーベル物理学賞を恩師の赤﨑勇、中村修二とともに受賞。

また文化勲章も受けた。2015年より、名古屋大学特別教授、未来エレクトロニクス集積研究センター長、浜松科学館名誉館長などをつとめる。

[学] ノーベル賞受賞者一覧　[学] 文化勲章受章者一覧

あまんきみこ 〔絵本・児童〕
● あまんきみこ　　1931年～

日本の本格ファンタジーの先がけ

児童文学作家。
満州（現在の中国東北部）生まれ。本名は阿萬紀美子。幼いころ両親や祖父母が語る昔話や童話などを聞いてすごした。14歳のとき、第二次世界大戦の敗戦をむかえて帰国。高校卒業後、結婚して2人のこどもを育てながら日本女子大学の通信教育部で児童文学を学び、坪田譲治の雑誌『びわの実学校』に参加。1968（昭和43）年、空色のタクシーの運転手がさまざまな客と出会うファンタジー集『車のいろは空のいろ』を出版し、日本児童文学者協会新人賞、野間児童文芸推奨作品賞を受賞。

現実と空想の世界をおりまぜながら、読者を豊かなファンタジーの世界にさそい、生きるよろこびや悲しみを語りかける作風に特徴がある。

戦争をテーマにして、小学校の教科書にも掲載された『ちいちゃんのかげおくり』のほか、『おにたのぼうし』『おっこちゃんとタンタンうさぎ』など多くの作品がある。2001（平成13）年、紫綬褒章を受章。

あみやきちべえ

網屋吉兵衛　　1785〜1869年　【郷土】

神戸にドックを建造した商人

江戸時代中期〜幕末の商人。

摂津国八部郡（現在の兵庫県神戸市）の呉服商の家に生まれた。当時、兵庫津（神戸港）に出入りする船のための船燫場（船を修理する施設、ドック）がなかった。呉服商をつづけながら資金をたくわえ、1846年に隠居したあと、私財を投じて、安永新田浜（神戸新港第一突堤付近）に完成させた。1863年、14代将軍徳川家茂が小野浜（神戸市）に上陸したとき、家茂に謁見し、この地が外国との貿易に適していると進言した。1867年、兵庫港（神戸港）開港にあたり、船燫場は幕府に接収され、運上所（税関）の船着き場として使用されるなど、その後の神戸港発展のもとを築いた。

アムンゼン，ロアルド

ロアルド・アムンゼン　　1872〜1928年　【探検・開拓】

人類ではじめて南極点に到達

ノルウェーの探検家。

首都オスロ近郊のボルグ村に生まれる。14歳のときに、海運業をいとなむ父を亡くす。16歳のころノルウェーの探検家ナンセンが、グリーンランドの横断に成功したことに感動して探検家にあこがれるが、母の希望によりオスロ大学の医学部に入る。ところが母が亡くなると、大学を中退して船員になった。

▲ロアルド・アムンゼン

1897年、ベルギーの探検船ベルギカ号の航海士となり南極海にむかうが、流氷にとじこめられ、極地で冬をすごすという経験をする。1903年、47トンの漁船ヨーア号で大西洋から北西航路に入り、途中3度の越冬をしながら、1906年、ベーリング海を通りアラスカの太平洋岸の港に到着。越冬中にイヌイットから学んだ犬ぞりのつかい方などは、のちの南極探検に生かされた。

次に世界初の北極点到達をめざし、ナンセンから探検船フラム号をゆずりうけるなどして準備を進めていたが、1909年にアメリカ合衆国の軍人で探検家のピアリーに先をこされた。そのため目標を南極点にかえて、南にむかった。1911年1月14日、南極大陸の太平洋側、ロス海にあるクジラ湾に上陸し、基地を建設。探検の準備と調査をはじめた。そして10月19日、4人の隊員とともに4台の犬ぞりに食糧などをのせて、1500km先の南極点をめざした。そして12月24日、同じころ南極点をめざしていたイギリスのスコット隊にせり勝ち、史上初の南極点到達をなしとげた。

その後、空路で北極横断をめざし、1926年5月、イタリアの飛行家ノビレが操縦する飛行船ノルゲ号でノルウェーのスピッツベルゲン島から北極点をへて、アラスカに到着し、空からの北極横断に成功した。南極と北極の両極点を制覇した人類初の偉業である。1928年、ノビレが北極を飛行中に遭難したため救出にむかうが、その途中、乗っていた飛行機とともに消息を断った。

── 1911年12月アムンゼンの南極点到達の経路
── 1912年1月スコットの南極点到達の経路

▲スコットとアムンゼンの南極ルート

あめのもりほうしゅう

雨森芳洲　　1668〜1755年　【学問】

朝鮮との外交を担当

（芳洲会所蔵）

江戸時代中期の儒学者。

近江国（現在の滋賀県）に医者の子として生まれる。18歳のころ、江戸（東京）に出て、儒学者の木下順庵の門人になった。新井白石や室鳩巣とは同門である。1689年、順庵の推薦で対馬国対馬藩（長崎県対馬市）につかえたが、その後も勉学にはげみ、長崎で中国語を学んだり、朝鮮の釜山で朝鮮語や朝鮮の歴史、文化、習慣などを勉強したりした。対馬藩では、すぐれた語学力を生かして朝鮮との外交を担当し、1711年と1719年に朝鮮から派遣された朝鮮通信使が来日したとき、通信使の世話をし、朝鮮と日本の交流に力をつくした。朝鮮通信使の待遇をめぐっては、接待にかかる経費をおさえ、もてなしを簡素にしようとする新井白石と対立したこともあった。

著書に、朝鮮語の入門書『全一道人』や、朝鮮外交の心得を書いた『交隣提醒』がある。

アメンホテプよんせい

アメンホテプ4世　　生没年不詳　【王族・皇族】

アトン信仰による宗教改革をおこなった

古代エジプト、第18王朝の第10代ファラオ（王）（在位紀元前14世紀前半ごろ）。

父はアメンホテプ3世。妻はネフェルティティ。当時の王朝は、アメンを国の守護神としてあがめており、アメンホテプとは「アメン神が満足したまう」という意味。また、アメンを祭る神官団は、

宗教や政治に関与し、ときには王をおさえるほどの強い発言力をもっていた。

アメンホテプ4世は、即位するとアメン信仰や多神教を否定して、アトン神を崇拝し、国民にも唯一の神としてアトン信仰を強要した。また、アメン神官団の反発をおさえるために、都を王朝発祥の地テーベから、テル・エル・アマルナに移し、みずから王名をイクナートン（アトン神をよろこばせる者）とあらため、自身も崇拝の対象とした。この一連の宗教改革は

「アマルナ改革」とよばれた。芸術面でも、これまでの伝統からはなれ、自由で写実的な様式のアマルナ美術が栄えた。アメンホテプ4世が亡くなると、息子であるツタンカーメン王が王位をついだ。

あゆかわぎすけ

鮎川義介 → 鮎川義介

あゆかわのぶお　詩・歌・俳句

● 鮎川信夫　1920～1986年

戦後詩の発展につくす

（日本近代文学館）

昭和時代の詩人、評論家、翻訳家。

東京生まれ。本名は上村隆一。早稲田大学英文科中退。16歳ころから詩をつくり、詩誌『LUNA』や『新領土』に参加する。大学在学中に、森川義信らと詩誌『荒地』を創刊。第二次世界大戦中は陸軍に入隊するが、病気のため本土にもどり、傷病兵として療養所ですごす。この時期に書いた『戦中手記』を1945（昭和20）年に発表、戦争世代の思想をあらわす重要な作品となった。

戦後の1947年に、北村太郎、田村隆一、三好豊一郎らと詩誌『荒地』（第二次）を創刊し、1951年から『荒地詩集』を刊行した。

1947年に発表した『死んだ男』は、戦後詩の出発をつげる詩とされ、それ以後、一貫して戦後詩の発展に力をつくす。主な作品に、詩集『宿恋行』『難路行』などがある。

晩年は評論家としても活躍し『吉本隆明論』『疑似現実の神話はがし』、詩論『現代詩とは何か』などを発表する。エリオット、エラリー・クイーンなどの翻訳でも知られ、ときに二宮佳景のペンネームをつかっている。

アラービー・パシャ　政治

◉ アラービー・パシャ　1841～1911年

エジプトの独立をめざして戦った軍人

エジプトの軍人、独立運動指導者。

アフマド・アラービーともいう。近衛隊将校となったが農民出身を理由に左遷され、アビシニア戦争に従軍ののち、一時休職した。その後、みずから反トルコ運動を組織し、人望を得て、軍人として復帰。イギリス、フランスの経済支配への反対闘争の先頭に立ち、外国支配に反対する軍の中心的存在となった。1881年にはオスマン帝国の支配下にある副王に対してクーデターをおこし、翌年、陸軍大臣に就任した（アラービーの反乱）。しかし同年、アラービーひきいる軍の急進派が在留外国人へ危害を加えたことを受け、イギリスが出兵。アラービー軍はこれにやぶれた。その後セイロン島に流されたが1901年に大赦で帰国。カイロで亡くなった。数々の功績により「エジプトの独立の父」といわれる。

あらいはくせき　江戸時代　学問

● 新井白石　1657～1725年

儒学者の視点で政治をかえた

（国立国会図書館）

江戸時代中期の儒学者、政治家。上総国久留里藩（現在の千葉県君津市）の藩主、土屋氏の家臣の子で、江戸（東京）に生まれる。のちに浪人になり、学者として身を立てようと、儒学者の木下順庵の門人になった。1693年、順庵の推薦で甲斐国甲府藩（山梨県甲府市）の藩主の徳川家宣につかえ、歴史を講義した。1709年、家宣が江戸幕府第6代将軍になると、家臣に登用されて政治にかかわった。まず第5代将軍徳川綱吉が定めた「生類憐みの令」を廃止し、物価の上昇をおさえるため、貨幣を良質のものにつくりかえた。さらに、金銀の海外流出をふせぐために貿易を制限するなど、正徳の治とよばれる政治を主導した。しかし、第7代将軍徳川家継が亡くなり、徳川吉宗が第8代将軍になると、政治から遠ざけられた。その後は、学問の道にもどり著作に専念。著書に、歴史書『読史余論』や自伝『折たく柴の記』のほか、密入国したイタリア人宣教師シドッチをとりしらべて、西洋の事情をまとめた『西洋紀聞』がある。

あらかわようじ　詩・歌・俳句

● 荒川洋治　1949年～

多くの実験的作品を発表する詩人

現代詩の詩人。

福井県生まれ。早稲田大学卒業。高校時代から詩誌『とら

むぺっと』を刊行し、高校生の詩をつのって大学2年まで刊行をつづけた。1971（昭和46）年、在学中に最初の詩集『娼婦論』を出版、小野梓記念賞を受賞する。卒業後は、出版社につとめながら詩集専門の出版社、紫陽社を経営する。

1976年、『水駅』で、新人のすぐれた詩集に贈られるH氏賞を受賞。戦後詩の枠をこえた新鮮な詩風で注目される。その後も、みずからを現代詩作家と名のり、多くの実験的な作品を発表しつづけている。

詩集『渡世』『空中の茱萸』『心理』、評論集『文芸時評という感想』などで、数々の賞に輝く。

あらきさだお　　　政治
● 荒木貞夫　　　1877～1966年
天皇親政をとなえた皇道派の中心人物
大正時代～昭和時代の軍人、政治家。

東京生まれ。陸軍大学校卒業後、参謀本部員としてロシアに駐在、第一次世界大戦中はロシア従軍武官をつとめるなど、ロシアに精通していた。

ソビエト連邦（ソ連）が成立すると、その共産主義の脅威を強く意識。これに対抗すべしという姿勢をとった。また政財界を排除し、天皇親政による国家改革をめざす皇道派の中心人物となった。この思想は青年将校から絶大な支持を受ける　1931（昭和6）年以降、犬養毅内閣、斎藤実内閣で陸軍大臣をつとめたが、みずからかかげた改革を実行しないため人気が落ち、病気を理由に辞任。

1936年、過激化した青年将校たちの暴走によりおきた二・二六事件では決起した青年将校に同情的であったため、事件後は第一線をしりぞき、予備役となる。その後、近衛文麿内閣、平沼騏一郎内閣で文部大臣となり、軍国主義の教育を進めた。戦後はA級戦犯として終身刑の判決を受けたが、病気のため仮釈放された。

あらきそうたろう　　　産業
● 荒木宗太郎　　　？～1636年
朱印船貿易でばく大な富を築いた貿易家
安土桃山時代～江戸時代前期の貿易家。

肥後国（現在の熊本県）出身の武士で、1588年ころ、長崎（長崎市）に移り住んだ。1592年、豊臣秀吉から朱印状をあたえられ、貿易をはじめたといわれる。

江戸時代になると、幕府から朱印状を受け、1606年から1632年までシャム（タイ）やアンナン（ベトナム）に朱印船を派遣してばく大な富を築いた。船主の宗太郎みずから朱印船に乗りこんで貿易をおこなったことで知られ、広南国（ベトナム南部）の王である阮福源に信頼されて貴族の待遇を受け、その娘と結婚した。その豪華な嫁入りのようすは、長崎くんちの奉納踊りで再現されている。

あらきだもりたけ　　　詩・歌・俳句
● 荒木田守武　　　1473～1549年
連歌から俳諧を独立させた始祖
戦国時代の連歌師、俳諧師。

伊勢国（現在の三重県）生まれ。父は伊勢神宮内宮で禰宜（宮司の補佐役）をつとめた荒木田（薗田）守秀。15歳で禰宜となり、69歳のとき、一禰宜（長官）に昇格した。早くから連歌に親しみ、1495年、宗祇がえらんだ『新撰菟玖波集』に、兄の守晨とともに歌がおさめられた。俳諧にも関心をもち、1540年、『守武千句』（『飛び梅千句』ともいう）を発表。これはそれまで余興で披露され、書きとめることがなかった俳諧をまとめた書で、一人で1000句をよむ千句形式をはじめて完成させた。『犬菟玖波集』をえらんだ山崎宗鑑とともに、俳諧を連歌から独立させた始祖といわれる。

あらきまたえもん　　　江戸時代
● 荒木又右衛門　　　1599?～1638年
伊賀越えのあだ討ちで有名な剣術家

（国立国会図書館）

江戸時代前期の剣術家。

伊勢国津藩（現在の三重県津市）の藩主、藤堂高虎の家臣の子として、伊賀国（三重県西部）に生まれる。柳生十兵衛に剣を学んだといわれ、新陰流（剣術の一流派）を身につけ、大和国郡山藩（奈良県大和郡山市）の藩主、松平氏に剣術師範としてつかえた。妻の弟で備前国岡山藩（岡山県岡山市）の藩主、池田氏の家臣、渡辺数馬が、弟の敵を討とうとしていることを知ると、助太刀を申しでて、1634年、伊賀上野（三重県伊賀市）の鍵屋の辻で、数馬を助けてあだ討ちをはたした。事件後は、藤堂氏にあずけられたが、数年後、岡山から鳥取へ国がえになった池田氏にひきとられ、まもなく急死した。一説には、死んだことにして池田氏につかえたともいわれる。このあだ討ちは、伊賀越えのあだ討ちとよばれ人形浄瑠璃や歌舞伎などに脚色されて評判をよび、曽我兄弟のあだ討ち、赤穂浪士の討ち入りとならび、日本三大あだ討ちの一つと称された。

あらきむらしげ　　　戦国時代
● 荒木村重　　　1535?～1586年
一族や家臣を見捨てて生きのびた
戦国時代～安土桃山時代の武将。

父、荒木義村の代から摂津国（現在の大阪府北西部・兵庫県南東部）の池田勝正につかえたが、1568年、織田信長

に攻められ、降伏。勝正とともに信長につかえた。1573年、室町幕府の第15代将軍足利義昭を京都から追放し、各地の戦いでてがらを立て、摂津国をあたえられ、伊丹の有岡城主となる。石山本願寺（大阪市にあった寺）攻めの主力としても活躍した。1578年、信長から謀反のうたがいをかけられ、石山本願寺の毛利氏とむすんで反逆を決意。10か月におよぶ籠城の末、有岡城は陥落するが、村重は人質となった一族郎党や家臣たちを見殺しにして、毛利氏のもとへのがれた。そののち、道薫と称し、茶道に専念。信長の死後は茶人として豊臣秀吉につかえた。

アラゴン，ルイ　　　文学　詩・歌・俳句

ルイ・アラゴン　　　1897〜1982年

愛国を歌う詩でレジスタンスを鼓舞

フランスの詩人、作家。

パリ生まれ。新しい文学をつくりだそうとするシュールレアリスム運動の中心人物として、1926年に詩集『永久運動』、同年には若者の夢や幻想をえがく小説『パリの農夫』を発表する。その後、フランス共産党に入り、社会主義レアリスムの連作小説『現実世界』の執筆をはじめる。このころ、恋人エルザ・トリオレと出会い、生涯いっしょにくらした。エルザを主人公にした詩集『エルザの瞳』（1942年）から生まれたシャンソンの名曲は、日本でも親しまれている。第二次世界大戦中は、ドイツへのレジスタンス運動（抵抗運動）に加わる。愛国の気持ちをうったえた『フランスの起床ラッパ』などの詩集が、フランス人に好んで口ずさまれた。また「教えるとは希望を語ること。学ぶとは誠実を胸にきざむこと」で知られる『ストラスブール大学の詩』も有名。戦後は、共産党の中央委員となり、雑誌『レットル・フランセーズ』を編集。また、小説『聖週間』（1958年）、『ブランシュまたは忘却』（1967年）などを発表する。

あらはたかんそん　　　政治

荒畑寒村　　　1887〜1981年

『谷中村滅亡史』をしるした社会主義運動家

明治時代〜昭和時代の社会主義者。

神奈川県生まれ。本名は勝三。小学校卒業後、外国商館のボーイや造船工の見習い職工をしながら独学で学問をおさめる。幸徳秋水、堺利彦らの社会主義思想に傾倒し、1904（明治37）年、社会主義結社である平民社の活動に参加。翌年、社会主義宣伝のための伝道行商に加わったその途中、足尾鉱毒事件で、公害の被害者である農民の立場に立って、政府と戦った政治家田中正造と出会う。このとき、足尾鉱毒事件の影響で、強制的に廃村させられそうになっている谷中村のことを知る。これをもとに1907年、20歳のとき、『谷中村滅亡史』を出版した。その後、赤旗事件をはじめ、政府の弾圧で何度となく投獄されながらも、1912（大正元）年、大杉栄らと雑誌『近代思想』を創刊し、反権力活動をつづけた。1920年、社会主義同盟の創立、1922年には日本共産党の創立に参加したが、のちに方針の対立から離党した。第二次世界大戦後は日本社会党中央委員となり、衆議院議員に2回当選したが、1948（昭和23）年に離党。その後は、評論活動や文筆活動に力をそそいだ。著作に『ロシア革命運動の曙』『寒村自伝』などがある。

（国立国会図書館）

アラファト，ヤセル　　　政治

ヤセル・アラファト　　　1929〜2004年

パレスチナ独立のためにPLOをひきいた指導者

政治家、パレスチナ解放機構（PLO）の指導者。

エルサレム生まれ（カイロ生まれの説もあり）。カイロ大学在学中、パレスチナ人学生組織の代表をつとめた。卒業後、パレスチナ解放運動組織ファタハを結成、1969年にPLO議長に就任。当時はテロ、ゲリラ活動を展開する武闘派であった。その後、PLOの拠点をおくことをヨルダン、シリア、レバノンに拒否され、エジプトもイスラエルと和平条約を締結するなど、PLOはアラブ世界の支援を失い、苦境に立たされた。1980年代、アラファトは武装闘争をやめ、政治的手段で問題を解決する方向に転換、1988年、パレスチナ国家独立を宣言した。1993年のイスラエルとのオスロ合意により、翌年、ヨルダン川西岸とガザ地区からなるパレスチナ自治政府を設立。同年、イスラエルのラビン首相らとノーベル平和賞を受賞した。しかし、ラビンが暗殺されると、和平路線はくずれた。1996年、パレスチナ自治政府の代表となるが、強硬となったイスラエルとふたたび対立が深まり、事態を改善できないまま求心力を失い、2004年に死去した。　　学 ノーベル賞受賞者一覧

アラリックおう　　　王族・皇族　古代

アラリック王　　　370?〜410年

ローマを略奪した侵略者

イベリア半島、西ゴート族の王（在位395〜410年）。

西ゴート族の族長の子に生まれる。ローマ帝国の補助軍であっ

た一族の指揮官になり、395年、ローマ皇帝テオドシウス1世が亡くなると、一族の王となった。

翌年、新しい定住地を求めてギリシャに侵入し、コリント、アルゴス、スパルタなどを攻略。アテネからは多くの賠償金を得る。さらに各都市を荒らしてイタリアまで攻め入るが、西ローマ帝国の軍にやぶれ、ローマの属州イリュリクム（バルカン半島北西部）を支配する権限をあたえられた。しかし、イタリアへの侵攻をあきらめず、410年、ローマを攻め落として、3日にわたり大規模な略奪をする。その後、アッピア街道を南下してアフリカへ軍を進めようとするが、南イタリアで病死した。

アリ，モハメド　スポーツ

モハメド・アリ　1942～2016年

プロボクシングのヘビー級王者

アメリカ合衆国のプロボクシング選手。

旧名はカシアス・クレイ。1960年のローマオリンピック、ボクシングのライトヘビー級で金メダルを獲得した。その後プロへ転向し、1964年に世界ヘビー級チャンピオンになる。この年、イスラム教徒となり、名前をモハメド・アリにあらためる。軽快なフットワークと速くてするどいパンチが持ち味で「チョウのように舞い、ハチのようにさす」といわれた。

1967年、信仰上の理由で、ベトナム戦争への徴兵を拒否したため、ヘビー級のタイトルをはく奪され、3年間試合出場を禁じられた。

試合復帰後、1974年にジョージ・フォアマンをやぶり、ヘビー級王者のタイトルをうばい返す。1978年にふたたびタイトルを失うが、7か月後にチャンピオンに返り咲いた。

1976（昭和51）年に来日して、プロレスラーのアントニオ猪木と異種格闘技戦をおこなうなど、日本でも人気となった。

1981年、現役を引退した。プロ通算成績は61戦56勝5敗37KOだった。1996年のアトランタオリンピックでは聖火の最終ランナーをつとめた。

学 日本と世界の名言

アリー　王族・皇族　宗教

アリー　600ごろ～661年

イスラム教分裂前の最後の正統カリフ

イスラム教の第4代正統カリフ（在位656～661年）。

アリー・イブン・アビー・ターリブ。イスラム教開祖のムハンマドのいとこで、幼少のときにムハンマド夫妻にひきとられ、養育された。最初期に入信し、英知、武勇ともにすぐれ、若くからイスラム教団の発展につくした。ムハンマドの末娘ファーティマと結婚し、ハサンとフサインの2男をもうけた。

第3代正統カリフ（ムハンマドの後継者でイスラム国家の宗教的最高指導者）のウマイヤ家のウスマーンが暗殺されたあと、第4代正統カリフとなる。そのころはイスラム教団の主導権をめぐる争いもはげしくなっており、ウスマーンの未亡人アーイシャの反乱があり、シリア総督のウマイヤ家のムアーウィヤとも対立。アリーに不満をもつハワーリジュ派によって暗殺された。

ムアーウィヤがカリフとなり、カリフの地位はウマイヤ家に世襲され、ウマイヤ朝が開始される。しかしアリーの子孫のみをイマーム（イスラム教の指導者）であるとするシーア派が出現。ウマイヤ家のカリフをみとめるスンナ派と対立し、イスラムは二分されることになる。

学 世界の主な王朝と王・皇帝

アリウス　宗教

アリウス　250ごろ～336年

神とキリストは異質ととなえ、追放される

古代キリスト教会の神学者。

リビア生まれ。アレイオスともいう。神学者のルキアノスに学び、のちに古代神学の中心地の一つのアレクサンドリアへわたり、聖職につき、献身的な態度とたくみな話術とで人々の信頼を得た。ルキアノスの説をついで、キリストは神につくられたものであり、父なる神と子なるキリストとはまったく対等な関係ではないと主張し、神である父と子であるキリストは同質である（三位一体説）とするアレクサンドリア主教のアレクサンドロス1世やアタナシウスらとあらそった。

325年、ローマ皇帝コンスタンティヌス帝は論争に決着をつけるためにニケーア公会議を招集。その結果アリウスの教えは異端とされ、追放された。その後、復帰をゆるされたがコンスタンティノープルで急死した。彼の思想は、その後も長くキリスト教会に論争をもたらした。

ありさわひろみ　学問

有沢広巳　1896～1988年

戦後の急速な経済復興に貢献した昭和時代の経済学者

昭和時代の経済学者、統計学者。

高知県に生まれる。1922（大正11）年に東京帝国大学（現在の東京大学）経済学部を卒業。同学部の助手、助教授をへて、1925年からドイツに留学。当時もっとも民主的といわれたワイマール共和国のドイツ社会に感銘を受け、帰国後は、世界恐慌で混乱した経済や政治の分析研究をおこなった。

第二次世界大戦後は、教職のかたわら、吉田茂首相の経済面の相談役となり、経済復興の基礎となる石炭、鉄鋼の生産に優先的に資金をまわす傾斜生産方式を提言した。1956年に東京大学を退官。傾斜生産方式など、多くの経済政策立案にかかわり、戦後の急速な経済復興を実現、とくにエネルギー政策の分野で貢献した。

ありしまたけお

[文学]

● 有島武郎　1878〜1923年

白樺派の代表作家

大正時代の作家。

東京生まれ。父は大蔵官僚。弟は画家の有島生馬、作家の里見弴。学習院中等科を卒業後、札幌農学校（現在の北海道大学）に進む。内村鑑三の影響でキリスト教に入信するが、大学卒業後、アメリカ合衆国への留学中に信仰に疑問をもち、社会主義思想と文学に関心をもつ。帰国後は母校で英語を教えながら、1910（明治43）年、武者小路実篤、志賀直哉らと文芸誌『白樺』の創刊にかかわる。1916（大正5）年に妻と父を亡くしてから、本格的に創作活動に専念する。代表作に戯曲『死と其前後』や、流行作家の地位を確立させた小説『カインの末裔』、名作『生れ出づる悩み』や『或る女』などがある。さらに、独自の生命哲学をまとめた『惜みなく愛は奪ふ』を刊行。人間愛を尊重する人道主義文学の代表として、文学を通して、人間や社会のあり方を問いつづける作品をのこした。

ありすがわのみやたるひと

[王族・皇族] [幕末]

● 有栖川宮熾仁　1835〜1895年

明治政府で総裁となった

▲『有栖川宮熾仁親王肖像画』
（國學院大學）

幕末〜明治時代の皇族。

有栖川宮幟仁親王の子。日米修好通商条約に反対し、天皇をうやまい外国勢力を追いはらうという尊王攘夷思想を主張。1864年、長州藩（現在の山口県）が京都御所をおそった禁門の変のあと長州藩士と近づいたので、謹慎処分を受けた。

1867年、江戸幕府が廃止されて政権が朝廷にもどされる、王政復古の大号令がだされると、新政府の総裁（政務を統括する最高官職）となる。1868年、戊辰戦争がおこると、幕府を討つための東征軍大総督として指揮をとった。1876（明治9）年、立法機関である元老院の議長となる。1877年の西南戦争では、征討総督（司令官）として九州を平定したのち、陸軍大将となった。

1882年、ロシア皇帝即位儀式に参列し、その後ヨーロッパ各国をおとずれた。1885年、内閣制度が発足すると参謀本部長となり、日清戦争（1894〜1895年）では陸海軍全軍の総参謀長となって明治天皇を補佐した。

アリスタルコス

[古代] [学問]

● アリスタルコス　紀元前310?〜紀元前230?年

はじめて地球がまわっているととなえた学者

古代ギリシャの天文学・数学者。

サモス島に生まれる。当時は、地球は静止していると考えられていたが、地球や惑星が太陽のまわりを公転しているとする太陽中心説（地動説）をはじめてとなえた。肉眼で大きさを観測できる2つの天体、太陽と月の見かけの大きさが等しいことから、相似（三角法）を用いて、地球から太陽や月までの距離の比を計算した。また、月食のときに月が地球の影を通過するようすを観測して、地球と月の直径の比を3：1（実際は、3.6：1）とし、月の上弦と下弦のときの地球からみた太陽と月の角（離角）を測定して、太陽と月の大きさの比を求めた。

アリストテレス

[古代] [思想・哲学]

● アリストテレス　紀元前384〜紀元前322年

ギリシャ哲学を大成し、諸学問の基礎を築いた

古代ギリシャの哲学者、科学者。トラキア地方の小さなギリシャ人植民町、スタゲイラに生まれる。父はマケドニア王の主治医。17歳でアテネにあるプラトンの学園、アカデメイアに入門し、約20年、プラトンの下で学んだ。

プラトンの死後、各地で研究や執筆をしていたが、マケドニア王フィリッポス2世の依頼で、当時13歳だった王子（のちのアレクサンドロス大王）の家庭教師となり、文学や哲学、政治学などを教えた。紀元前335年、アテネの郊外に学園のリュケイオンを開校、多くの弟子を育てながら研究に没頭する。紀元前323年、アレクサンドロス大王が亡くなり反マケドニア運動がおこると、アテネから追放されカルキスで亡くなった。

ソクラテス、プラトンとともに、西洋最大の哲学者の一人とされるが、哲学だけでなく、自然科学や物理学、政治学、文学、芸術など、あらゆる学問の基礎を築き、「万学の祖」とよばれ、後世に大きな影響をあたえている。

アリストファネス

[古代] [詩・歌・俳句]

● アリストファネス　紀元前445?〜紀元前385?年

喜劇で反戦をうったえた

古代ギリシャの喜劇詩人。

アテネの黄金時代に生まれる。詩人として活躍した時期は、

古代ギリシャ全域をまきこんだペロポネソス戦争（紀元前431～紀元前404年）と重なり、政治色の強い作品を生みだした。作品は44編におよぶと伝えられているが、現存するのは11編。喜劇の競演会では、たびたび優勝した。

平和主義者であり、喜劇においても反戦をうったえ、国を戦争へとみちびく政治家をきびしく批判した。とくにデマゴーグ（民衆をあおる指導者）の政治家クレオンを強烈に批判し、告訴されたこともあった。

また、市民の無節操さや、哲学者ソクラテスをその代表とみなしたソフィストの思想、ソフィストの影響を受けた詩人エウリピデスなどを風刺の対象にした。

ありたはちろう　　　　　　政治
● 有田八郎　　　　　　　　1884～1965年

日本初のプライバシー侵害裁判を起こした

明治時代～昭和時代の政治家。

新潟県生まれ。東京帝国大学（現在の東京大学）法科卒業後、外務省に入り、天津総領事、アジア局長、オーストリア公使などを歴任した。1936（昭和11）年に広田弘毅内閣の外務大臣に就任、日独防共協定を締結する。

また、第1次近衛文麿改造内閣、平沼騏一郎内閣、米内光政内閣でも外務大臣をつとめ、日独伊三国同盟には最後まで反対した。第二次世界大戦後、1953年に衆議院議員となり、社会党に入党。1955年、1959年に東京都知事選挙に立候補したが、いずれも落選した。

1960年、三島由紀夫が有田の結婚生活をモデルとした『宴のあと』を発表すると、翌年、プライバシー侵害だとうったえ、謝罪広告と損害賠償を請求。日本初のプライバシー侵害裁判となった。

ありましんしち　　　　　　幕末
● 有馬新七　　　　　　　　1825～1862年

寺田屋事件で討たれた

（国立国会図書館）

幕末の薩摩藩（現在の鹿児島県）の藩士。

薩摩藩の藩士として、文武にはげみ弓術や剣術を修業した。1845年、京都に出て尊王攘夷派（天皇をうやまい外国勢力を追いはらおうという考えの人々）の梅田雲浜と知り合う。1858年、大老の井伊直弼は、アメリカ合衆国やイギリスなどと天皇の許可なく通商条約をむすび、さらに、将軍のあとつぎを有力大名のおす一橋慶喜（のちの徳川慶喜）でなく徳川慶福（徳川家茂）に決めた。これに反対する新七は、同志と井伊暗殺計画を立てたが藩主島津忠義に命じられて思いとどまった。

しかし1862年、幕府の京都所司代を襲撃しようと、同志と京都の伏見の宿、寺田屋に集まったところ、過激な行動をおこった藩主の父、島津久光の派遣した藩士と切りあいになり、殺害された（寺田屋事件）。

ありまのおうじ　　　　　　王族・皇族
● 有間皇子　　　　　　　　640～658年

中大兄皇子と対立して処刑された

飛鳥時代の皇子。

孝徳天皇の子。654年、父の死後、皇位をつぐ有力な候補者となったため、孝徳天皇と対立し、政治の実権をにぎっていた中大兄皇子（のちの天智天皇）に命をねらわれた。

これを知った有間皇子は危険をさけるため、657年、紀伊国牟婁温泉（現在の和歌山県白浜町）へのがれた。658年、中大兄皇子のたくらみでつかわされた蘇我赤兄にそそのかされ、反乱を決意したが、謀反をくわだてた反逆者としてとらえられ、中大兄皇子の尋問を受けて処刑された。有間皇子の死によって朝廷での中大兄皇子の地位はたしかなものになった。

処刑場へ送られる途中、岩代（和歌山県みなべ町）でよんだといわれる「岩代の　浜松が枝を　引き結び　ま幸くあらばまたかへり見む」「家にあれば　笥にもる飯を草枕　旅にしあれば　椎の葉に盛る」という2首の辞世の歌が『万葉集』にのこされている。

ありまはるのぶ　　　　戦国時代　宗教
● 有馬晴信　　　　　　　　1567～1612年

ヨーロッパに天正遣欧使節を派遣したキリシタン大名

（有馬キリシタン遺産記念館）

安土桃山時代～江戸時代の武将、キリシタン大名。

父のあとついで、肥前国（現在の佐賀県・長崎県）日野江城主となる。

1580年にバリニャーノからキリスト教の洗礼を受け、プロタジオ、のちにジョアンと称する。日本ではじめてのセミナリヨ（神学校）を設立。1582（天正10）年、九州のキリシタン大名である大村純忠、大友宗麟とともに、セミナリヨの生徒で、従兄弟の千々石ミゲル、ほか伊東マンショ、中浦ジュリアン、原マルチノを天正遣欧使節としてローマ教皇のもとへ送った。その後は豊臣秀吉につかえ、1587年、秀吉が禁教令によりキリシタンを禁じると、多くの宣教師を領内にかくまった。

一方、秀吉の下、九州征伐や朝鮮出兵（文禄・慶長の役）、関ヶ原の戦いなどに従軍。1608年に、徳川家康の命令で朱印

船貿易に出かけた際に、ポルトガル領マカオで乗船員を殺害されると、その報復として、長崎でポルトガル船を焼き打ちした。この事件をきっかけに、家康の側近本多正純の家臣だった岡本大八の詐欺事件にまきこまれ、甲斐国（山梨県）に移されて処刑された。

ありよしさわこ　【文学】

● 有吉佐和子　1931〜1984年

社会問題に光をあてる

昭和時代の作家。

和歌山県生まれ。東京女子大学短期大学卒業。在学中に、三浦朱門、阪田寛夫らが創刊した第15次『新思潮』の同人となる。

1956（昭和31）年に伝統芸能の世界に生きる父と娘の対立をえがいた『地唄』が文学界新人賞、芥川賞の候補にのぼり文壇にデビューする。その後、『紀ノ川』や『華岡青洲の妻』など、実在の人物に焦点をあてた作品をてがける。さらに、高齢化社会をあつかった『恍惚の人』、環境汚染をとり上げて物質文明の裏にひそむ問題を明らかにした『複合汚染』など、話題作を次々と発表。社会問題に対して人々の目をひらかせた。そのほかに『和宮様御留』『出雲の阿国』などがある。

ありわらのなりひら　【詩・歌・俳句】

● 在原業平　825〜880年

平安時代の代表的歌人

（国立国会図書館）

平安時代前期の歌人。平城天皇の皇子、阿保親王の子。母は、桓武天皇の皇女。826年、在原の姓をたまわり、皇族をはなれ臣民となる。右馬守（ウマの飼育や調教をおこなう右馬寮の長官）、右近衛権中将（京内の警備をおこなう右近衛府の定員外の次官）などをへて、879年、蔵人頭（天皇の機密文書などを管理する蔵人所の長官）に昇進した。平安時代にまとめられた『三代実録』には「美男で気まま、学問はないが和歌は得意だった」と書かれている。『古今和歌集』にも30首の歌がのせられ、撰者の紀貫之も情熱あふれる歌だと業平の歌を評価している。六歌仙（紀貫之がえらんだ6人の歌人）の一人で、三十六歌仙（藤原公任のえらんだ36人の歌人）の一人でもある。平安時代中期に書かれた『伊勢物語』は、数多くの恋愛物語が和歌を中心に書かれているが、主人公は在原業平だとされている。

『古今和歌集』『伊勢物語』にのせられている「名にし負はば　いざ言問はむ　都鳥　わが思ふ人は　ありやなしやと」という有名な和歌は、東国に旅をしたといわれる業平が、武蔵国（現在の東京、埼玉県、神奈川県東部）の隅田川のほとりにたたずみ、都鳥（ユリカモメ）をみてよんだという。

📖 人名別 小倉百人一首

アル・アッバース　【王族・皇族】【宗教】

🌐 アル・アッバース　565ごろ〜652年ごろ

ムハンマドを迫害の手から保護

4代正統カリフのアリーの父。

イスラム教の開祖ムハンマドのおじ。アブー・ターリブともいう。ムハンマドは幼くして両親を亡くし、クライシュ族のハーシム家の家長で祖父のアブド・アル・ムッタリブにひきとられた。祖父はムハンマドが8歳のときに亡くなり、その後はハーシム家の家長をついだおじの商人、アル・アッバースに育てられた。ムハンマドの父アブドゥッラーの同母弟である。

アル・アッバースはムハンマドをかわいがり、少年時代に彼をつれてシリアまで商用の旅をしたという。ムハンマドが預言者として活躍してからも、入信はしなかったが、つねに有力な支援者であり、彼を迫害の手から保護した。アル・アッバースの末子アリーはムハンマドの養子となり、ムハンマドの妻ハディージャに次ぐ2番目の信者となり、のちに、イスラム教の第4代正統カリフとなった。

アルキメデス　【古代】【学問】

🌐 アルキメデス　紀元前287〜紀元前212年

「アルキメデスの原理」などを発見した古代の科学者

古代ギリシャの科学者、数学者、発明家。

シチリア島のシラクサ生まれ。どのような人生をあゆんだかは不明な点が多いが、第二次ポエニ戦争中の紀元前212年に死去したとされる。

砂の上にかいていた数学図形をローマ兵士がふんだため、「私の図形をこわすな」とさけんで、殺害されたという逸話がある。

業績は多分野にまたがり、有名なものに、物体はおしだした水の重さに等しい浮力を受けるという「アルキメデスの原理」の発見、らせん構造を使用したポンプ「アルキメディアン・スクリュー」の発明、てこを利用した投石機や太陽光線を利用して敵船を撃退する兵器の発案などがある。円周率の計算、放物線の面積を求める方法、「アルキメデスのらせん」とよばれる代数らせんの定義など、数学上の成果も知られる。

古代においてぬきんでた科学者であり、物理学をはじめ近代

科学の基礎を築いた彼の名は、多数の法則や原理などにのこされている。

アルクイン

宗教

🌐 アルクイン　　　　　　　　735ごろ〜804年

フランク王国のカール大帝につかえたイギリスの神学者

8世紀の神学者、修道士、著述家。

イングランドのヨークに生まれ、767年同地の司教養成学校の校長となる。ローマに派遣された帰りに、イタリア北部のパルマで、フランク王国カロリング朝の国王カール大帝と会って説得され、781年アーヘン（ドイツ西部の都市）にあったフランク王国の宮廷につかえ、カール大帝の教会制度と教育制度の相談役をつとめた。アーヘンに宮廷学校をつくり、王や家族、若い聖職者たちに神学、論理学、天文学などを教え、学問復興のもとを築いた。アーヘンには多くの学者や芸術家が集まり、この時期の文化の隆盛は「カロリング朝ルネサンス」とよばれる。2度ほどイギリスへ帰国したが、796年からはトゥール（フランス北西部の都市）にあるサンマルタン修道院の司教となり、付属学校をつくって多くの学者・修道者を育成した。神学の著述も多く、図書館も設立するなど、生涯にわたってフランク王国の教育・宗教行政の整備につくした。

アルサケス

王族・皇族

🌐 アルサケス　　　　　　　　生没年不詳

アルサケス朝パルティアの建国者

アルサケス朝パルティアの初代国王（在位紀元前247？〜紀元前211？年）。

中央アジアの遊牧民だったパルニ族の族長だったとされる。このころ、メソポタミア、シリア、イランにまたがる広大な地域は、セレウコス朝シリアに支配されていた。

イラン北東部のパルティアが、セレコウス朝の総督アンドラゴラスによって独立したのを機に、アルサケスと弟のティリダテスはパルティアに侵入。支配権をにぎり、あとから攻めてきたセレウコス朝の軍を撤退させ、独立を勝ちとった。そしてパルティア王国（アルサケス朝）を建国し、各地に要塞を築いて、国家の基盤をかためた。のちにつづく歴代パルティア王は、即位するとアルサケスと名のった。アルサケスに関する記録は、弟ティリダテスとくらべて少なく、また歴代の王がアルサケスを称号にしたことから、2人は同一人物だという説もとなえられた。しかし現在は、2人は別人で、このアルサケスが初代国王だと考えられている。彼のあとをついだのは、息子と弟の2説がある。

アルダシールいっせい

王族・皇族

🌐 アルダシール1世　　　　　　?〜241?年

領土を拡大し、ササン朝の基礎をつくった王

イラン、ササン朝ペルシアの実質的な初代国王（在位226〜241？年）。

イラン南西部のパールサ地方（ペルシアの語源。現在のファールス州近辺）の君主、パパクの次男として生まれる。父の死後、アルダシールはあとをつぎ、周辺のイスファハーン、ケルマーン方面まで勢力をのばした。224年、当時イランを支配していたパルティアをやぶり、首都クテシフォンを占領する。226年には「イランの諸王の王」と名のり、ササン朝をひらき、以後、ササン朝は400年以上つづく。また、ゾロアスター教を国教に定めた。

王に即位したあとも、アルダシールは遠征をつづけ、領土を拡大していった。その後は子のシャープール1世に王位をわたした。

アルタン・ハン

王族・皇族

🌐 アルタン・ハン　　　　　　1507〜1582年

明をおびやかしたモンゴルの支配者

モンゴル、タタールのハン（在位1551〜1582年）。

モンゴルを支配したダヤン・ハンの孫。アルタンは「黄金」という意味。1519年、亡くなった父のあとをついで、モンゴルの一部、トメト部をおさめる小領主となる。直後から勢力をのばし、西の部族オイラトを討ってカラコラムを支配、カザフスタンにも進出した。

1550年には北京城を数日にわたって包囲し、中国の明を深刻におびやかすなどして力をみせつけ、内モンゴル最大の有力者となる。そこで翌年、モンゴル全体をおさめる大ハンからハンの称号をあたえられ、大ハンが亡くなると、事実上、モンゴル全体の支配者となった。

1571年に明と和議が成立すると、明から順義王の号を受け、交易をおこなった。チベットや青海など、チベット仏教がさかんな地域を支配下におくと、1578年、チベット仏教の指導者ソナム・ギャムツォと会見し、ソナムにダライ・ラマ（チベット仏教の最高指導者）というモンゴル語の称号をあたえ、保護を約束した。晩年はチベット仏教に帰依し、多くの寺院を建立した。

アルツハイマー，アロイス

医学

🌐 アロイス・アルツハイマー　　1864〜1915年

認知症の一つ「アルツハイマー病」研究の先駆者

ドイツの精神科医学者。

バイエルン州生まれ。フランクフルト市立精神病院などをへて、ミュンヘン大学のクレペリンのもとで勤務する。1901年に診療した、いちじるしい記憶障害のある患者の症例を、1906年、南西ドイツ精神医学会に発表。この内容は翌年、『精神医学および法精神医学に関する総合雑誌』に論文として掲載され、クレペリンの著した精神医学の教科書でもとり上げられた。この症例は、現在では「アルツハイマー病」とよばれ、認知症の代表的疾患として広く知られている。

アルツハイマーは1912年にブレスラウ大学精神科教授に就任するが、1915年に死去した。

アルフレッドだいおう

アルフレッド大王　　　王族・皇族　　848?～899年

バイキングを撃退、学問を保護した偉大な王

ウェセックス王家のイングランド王（在位871～899年）。祖父ははじめてイングランドを統一したイングランド王のエグバート。その息子、エセルウルフの第5子。即位した当時、イングランドの北東部はデーン人の支配下にあり、のこされた国土もデーン人バイキングに攻撃されていた。アルフレッドはイングランド軍をひきいて戦い、878年にはデーン王グットルムと和約をむすび、デーン人の支配をイングランド北東部にとどめて、みずからはロンドンをふくむ南部を手中にした。兵制をととのえ、海軍の建設などによって、その後のデーン人の侵入をしりぞけた。またデーン人との戦闘で荒廃した国土を回復させるため行政改革をおこない、フランク王国のカール大帝を模範として文化面ももりたてた。『アングロサクソン年代記』や法典の編さんを指示し、ラテン語古典の英訳も積極的に推進。学者や学僧の協力を得て宮廷学校を設立し、教育の充実にも尽力した。アングロサクソン人のもっとも偉大な王といわれる。

学 世界の主な王朝と王・皇帝

アルマーニ，ジョルジオ

ジョルジオ・アルマーニ　　　デザイン　　1934年～

着心地のよさが特徴の服をデザイン

イタリアの服飾デザイナー。

イタリア北部のピアチェンツァの生まれで、父は実業家だった。人体の構造に興味をもち、大学の医学部に入学する。

第二次世界大戦の兵役を終えて、ミラノのデパートに就職したのち、服飾デザイナー、セルッティの会社の紳士服のデザイナーになった。1970年に独立し、1975年、ブランドを立ち上げる。1980年、映画『アメリカン・ジゴロ』で主演俳優が着ていたスーツが人気をよび、アメリカをはじめとして、世界中でブームをまきおこした。紳士服も婦人服もデザインしており、身体の動きに気をくばった、独特の着心地のよさを特徴とする。ゆったりしたシルエットと淡い色調のソフトスーツが代表作として有名である。イタリアを代表する世界的なファッションブランドとなっている。

アレクサンドルいっせい

アレクサンドル1世　　　王族・皇族　　1777～1825年

ウィーン体制をリード、神聖同盟を提唱した

ロシア、ロマノフ朝の第10代皇帝（在位1801～1825年）。ロシア皇帝パーベル1世の長子として生まれる。祖母はエカチェリーナ2世。幼いころは祖母の下で自由主義的な教育を受けたが、父の軍事的気風も教えこまれ、その性格は二面性をもち、複雑で周囲をこまらせたといわれている。父の圧制的な政治をきらい、即位をさけて国外逃避を望んでいたが、父が暗殺されたため、あとをついで1801年に即位した。立憲政治をめざし、国家評議会や行政機関の設立、教育制度の整備、大学の創設など諸改革を進めた。対外的にはイギリス、オーストリア、プロイセンと同盟をむすび、フランスのナポレオン1世に敵対したが、2度もやぶれてティルジット条約を締結し、イギリスに対する大陸封鎖に参加した。フランスとはまたすぐに対立し、勝利。その後ジョージア（グルジア）、フィンランド、ベッサラビアなどを併合し、勢力を拡大するなど活躍をみせた。さらに、みずからが王をかねる形でポーランドを復興して憲法と国会をあたえたほか、国内ではキリスト教精神による世界平和をめざす神聖同盟を提唱した。

学 世界の主な王朝と王・皇帝

アレクサンドルにせい

アレクサンドル2世　　　王族・皇族　　1818～1881年

ロシア近代化の大改革を進めた皇帝

ロシア、ロマノフ朝の第12代皇帝（在位1855～1881年）。ロシア皇帝ニコライ1世の長子として生まれる。1853年におこったクリミア戦争での父の死により帝位につき、戦争を収拾した。その後、国内の諸改革を促進。農奴解放、ゼムストボ（地方自治体）の設置、裁判制度の変革、国民皆兵の施行などにとりくみ、ロシアの近代化を進めた。しかしポーランドで反乱がおきると、その自治をうばい、ポーランド語の使用を禁じて弾圧したことが国内の革命派を刺激し、たびたび襲撃された。秘密警察の廃止など対応を試みるも、首都サンクトペテルブルクで暗殺された。対外的には、日露通好条約、樺太千島交換条約、アイグン条約、北京条約などをむすび、東方領土を拡大。中央アジアではカフカス地方を占領した。また、親ドイツ政策をとり、1873年にはオーストリアも加えた三帝同盟を締結した。さらにバルカン半島から地中海方面に南進策を講じてトルコと戦った（露土戦争）が、列強の介入によるベルリン条約で譲歩をしいられ、その成果の多くを失った。

学 世界の主な王朝と王・皇帝

アレクサンドロスだいおう

アレクサンドロス大王 → 64ページ

アレニウス, スバンテ　〈学問〉

　スバンテ・アレニウス　1859～1927年

電解離説とアレニウス式で知られる科学者

19世紀のスウェーデンの物理化学者。

ウプサラ近郊のビークに、測量技師の子として生まれる。幼いころから才能を発揮、ウプサラ大学をへて、1881年からストックホルムの王立科学アカデミー物理研究所で学ぶ。1884年、ウプサラ大学に提出した電解液の電気伝導についての論文（電解離説）は、当時は注目されなかったが、1903年のノーベル化学賞受賞へとつながった。1896年にストックホルム王立工科大学学長に就任、その後、ノーベル賞の創設にもかかわり、ノーベル研究所物理学部長などを歴任した。

彼の最大の功績は、イオン解離説と、化学反応の速度と温度の関係をしめした式（アレニウス式）の2つであるが、二酸化炭素と温暖化の関係や、生命の地球外起源説など、研究はさまざまな領域におよんだ。

〈学〉ノーベル賞受賞者一覧

アロヨ, グロリア　〈政治〉

　グロリア・アロヨ　1947年～

反政府勢力との和平につとめたフィリピンの大統領

フィリピンの政治家。大統領（在任2001～2010年）。

フィリピンのマニラに生まれる。マカパガル元大統領の長女。1964年からアメリカ合衆国に留学、ジョージタウン大学でクリントン元アメリカ大統領と同級生だった。1985年、フィリピン大学経済学部博士課程を修了。経済学の大学教授をへて、1986年、アキノ大統領の下で貿易産業次官などをつとめた。1992年に上院議員に当選、1998年には、副大統領に当選した。2001年、エストラーダ大統領が汚職で失脚したため、副大統領から昇格して大統領に就任。2004年の大統領選挙で再選された。

大統領在任中は、貧困問題や海外への出かせぎ労働者の保護にとりくみ、反政府勢力との和平につとめた。また、議員内閣制、連邦制導入のための憲法改正をめざしたが、2010年の大統領選挙でやぶれて退任、議院内閣制、連邦制は実現できなかった。2011年、大統領在任中の選挙における不正行為により逮捕された。

あわたぐちよしみつ

粟田口吉光 → 吉光

あわたのまひと　〈貴族・武将〉

　粟田真人　?～719年

再開した遣唐使として唐にわたる

（国立国会図書館）

奈良時代の公家の高官。

7世紀後半、天武天皇につかえた。700年、その後の日本の基本法律となる大宝律令の編さんにたずさわり、701年、民部卿（租税・民政をつかさどる民部省の長官）に任命された。同年、中断されていた遣唐使を派遣することが決まり、文武天皇に命じられ、702年に中国の唐にわたった。このとき万葉歌人として知られる山上憶良が書記としてしたがった。唐では文化人としての名を高め、704年に帰国したあとは、従三位中納言（太政官の次官）、708年、大宰帥（九州を統括する役所である大宰府の長官）、715年には正三位に昇進した。

あわなおこ　〈絵本・児童〉

　安房直子　1943～1993年

ファンタジーを通して人間の生き方をえがく

昭和時代～平成時代の児童文学作家。

東京生まれ。本名は峰岸直子。日本女子大学国文科卒業。夫は国語学者の峰岸明。小中学校時代は高松、高崎、仙台、函館などの地方都市に移り住み、グリムやアンデルセン、昔話や神話などを読みふける。大学在学中から文芸評論家の山室静の指導を受けて童話の創作をはじめる。卒業後、1970（昭和45）年に同人誌『海賊』に発表した短編『さんしょっ子』で日本児童文学者協会新人賞を受賞する。

その後も『風と木の歌』『遠い野ばらの村』『風のローラースケート』などを発表し、数々の賞に輝いた。つねに独自のファンタジーの世界をつくりあげ、空想物語を通して人間の生き方をえがいた。

あわやのりこ　〈音楽〉

　淡谷のり子　1907～1999年

昭和時代のブルースの女王

昭和時代～平成時代のポピュラー歌手、シャンソン歌手。

青森県生まれ。本名はのり。東洋音楽学校（現在の東京音楽大学）卒業。実家は裕福な呉服商であったが倒産、その後、1923（大正12）年に母親と妹の3人で上京して音楽学校に進

学した。休学して絵のモデルをして生活を助けながら音楽学校を卒業する。生活のため歌謡曲に転向して、『夜の東京』でレコード・デビュー。1937（昭和12）年『別れのブルース』、翌年の『雨のブルース』がヒットし、ブルースの女王とよばれた。

第二次世界大戦中は、軍隊での慰問演奏をおこなう。はでなドレスと化粧で舞台に立ち、敵国の音楽として禁止されていたブルースを歌ったことで、軍部から圧力をかけられたが、屈することはなかった。戦後はブルース、シャンソンのほかジャズ、タンゴと幅広いレパートリーで活躍。1993年の休養宣言まで全国をまわり、コンサートで歌いつづけた。1971年、日本レコード大賞特別賞受賞。1972年、紫綬褒章受章。

アングル，ジャン・オーギュスト　　絵画

● ジャン・オーギュスト・アングル　1780〜1867年

フランス新古典主義の画家

フランスの画家。
南西部の町モントーバンに、画家の息子として生まれる。トゥールーズの王立アカデミーに学んだあと、1797年、パリに出てダビッドの弟子となる。そこで古代と古典主義の美術を学び、1801年、21歳で『アキレウスのもとにやってきたアガメムノンの使者』でローマ賞を受賞した。1806〜1820年にイタリアに留学して、ラファエロやシスティナ礼拝堂、ローマの古代彫刻などから大きな影響を受けた。古代の歴史や中東の文化から作品のテーマをとり上げ、歴史的な資料の収集や複製を制作して、正確なデッサンをおこなった。曲線の美しさを求めて、ときには現実とことなる構図で表現した。華麗な構図は、セザンヌやルノアールなどの印象派、キュビスム（立体派）やシュールレアリスム（超現実主義）の画家にも影響をあたえた。作品に『グランド・オダリスク』『トルコ風呂』『泉』などがある。

あんこうてんのう　　王族・皇族

● 安康天皇　生没年不詳

倭の五王の一人、興とされる天皇

古墳時代の第20代天皇（在位5世紀ごろ）。
『古事記』『日本書紀』によれば、允恭天皇の子、雄略天皇の兄。兄の木梨軽皇子を攻めて自殺させ、皇位についた。その後、おじの大草香皇子をほろぼし、その妻の中蒂姫をきさきとしたが、大草香皇子の子の眉輪王に殺された。中国の歴史書『宋書』に出てくる倭の五王のうち、興にあたると考えられている。
学 天皇系図

あんこくじえけい　　戦国時代

● 安国寺恵瓊　1538?〜1600年

毛利氏の外交をになった僧

戦国時代〜安土桃山時代の武将、僧。
安芸国（現在の広島県西部）の守護、武田氏の生まれ。出家して安芸安国寺（現在の不動院）（広島県）に入ると、毛利氏の外交僧として活躍した。
1573年には室町幕府第15代将軍足利義昭と織田信長の争いをおさめるべく奔走したが、このとき木下藤吉郎（のちの豊臣秀吉）の有望さ、信長の天下が短いことを予言し、先見の明にすぐれたことで知られる。毛利氏の勢力拡大をはかって、1582年に備中国（岡山県西部）高松城を攻めた際には、秀吉と毛利輝元のあいだを調停し、秀吉の天下統一を助けた。秀吉の信任も得て、伊予国（愛媛県）の大名の待遇を受ける。九州征伐や朝鮮出兵（文禄・慶長の役）に従軍し、関ヶ原の戦いでは石田三成方の西軍についてやぶれ、三成らとともに六条河原で首を切られた。

あんじゅうこん（アンジュングン）　　政治

● 安重根　1879〜1910年

伊藤博文を暗殺した、朝鮮王朝の独立運動家

朝鮮王朝末期の民族主義者、独立運動家。
黄海道海州（現在の朝鮮民主主義人民共和国、黄海北道・南道）の名門両班の家に生まれる。幼いころから武勇を重んじ、甲午農民戦争では16歳で父にしたがい農民軍鎮圧に加わった。17歳になるとキリスト教カトリックに入信、トーマスという洗礼名があたえられた。日本が朝鮮支配を進めていた1905（明治38）年、第二次日韓協約をきっかけに民族運動にめざめ、愛国啓蒙運動に参加。
1906年には、国権回復をめざして学校の運営をはじめる。翌年、朝鮮王朝がオランダのハーグで開催された平和会議に密使を送り、日本の侵略の不当をうったえようとして失敗する（ハーグ密使事件）と、初代韓国統監の伊藤博文は国王である高宗の退位を要求。これに反発して高まった義兵運動に参加した。1909年には、満州（中国東北部）のハルピン駅に立ちよった伊藤を暗殺し、その場で逮捕され、翌年、旅順監獄で死刑になった。母国では、愛国の義士としてたたえられている。

アンジュングン

安重根 → 安重根

アレクサンドロスだいおう　　　　　　　　　古代　王族・皇族　紀元前356〜紀元前323年

アレクサンドロス大王
ギリシャ、エジプト、西アジアにまたがる大帝国を築いた大王

▲アレクサンドロス大王　貨幣にきざまれた肖像。

■ホメロスの叙事詩『イリアス』の英雄にあこがれる

マケドニアの国王（在位紀元前336〜紀元前323年）。「アレクサンダー」ともいう。マケドニアの国王フィリッポス2世の子として生まれる。少年期の約3年間、哲学者のアリストテレスから、自然科学や人文科学をはじめ、王として必要なさまざまな学問を学んだ。その中に古代ギリシャの詩人ホメロスが書いた叙事詩『イリアス』があった。これはギリシャとトロヤが戦ったときの英雄の活躍をたたえた叙事詩で、そこにえがかれた英雄アキレスを見習おうとした。

紀元前338年、ギリシャ中部のカイロネイアで、フィリッポス2世がひきいるマケドニア軍と、ギリシャのアテネとテーベの連合軍が戦うと、アレクサンドロスは左翼の騎兵隊を指揮して、不敗を誇っていたテーベ軍をやぶり、マケドニアの勝利に貢献した。この勝利により、フィリッポス2世はギリシャ諸都市をたばねるコリントス（ヘラス）同盟の盟主となった。

■20歳でマケドニアの王に、ペルシア遠征へ出発

紀元前336年、フィリッポス2世が暗殺されると、アレクサンドロスは20歳で父のあとをついで王となった。国内の紛争をおさえると、すぐに軍をひきいてアテネをおとずれ、コリントス（ヘラス）同盟の盟主の権利をひきつぐことをギリシャ諸都市の代表にみとめさせた。こののち、北方のトラキア方面（ブルガリア南部）への遠征にでかけているすきに、テーベ軍が蜂起すると、これを制圧し、ギリシャ全土にマケドニア軍の力をみせつけた。

紀元前334年、東方の強国アケメネス朝ペルシアへの遠征に出発。かつて何度もギリシャに侵攻してきたペルシアに遠征することは、ギリシャ諸都市にとって、また父フィリッポス2世にとっても悲願であり、自分の夢でもあった。当初の兵は歩兵約3万2000、騎兵約5000といわれている。小アジアにわたり、現在のトルコ北西にあるグラニコス川の戦いで、ペルシア総督がひきいるペルシア軍に勝利した。このとき先頭に立ってウマを走らせ、敵将を投げやりでしとめたといわれている。

■ダレイオス3世との決戦

紀元前333年、シリア北部へ侵攻し、イッソスでアケメネス朝ペルシアの国王ダレイオス3世がひきいるペルシアの主力軍10万と戦って勝利した。その後、エジプトへむけて進軍。紀元前332年、エジプトに入ると、解放者としてむかえられ、「ファラオ（王）」の称号をあたえられた。

エジプトで休息をとったのち、ペルシアの中心部へむけて進み、紀元前331年、ティグリス川上流のガウガメラ（現在のイラクのアルビール）で、ダレイオス3世がひきいるペルシアの大軍と再対決。激戦の末にこれをやぶり、バビロン（現在のイラクにある古都）、アケメネス朝ペルシアの首都スサ、さらに旧都のペルセポリスまで攻め入った。このとき接収したばく大な量の貴金属や金をもとに貨幣をつくり、征服した土地に普及させた。

■ペルシア支配を確立

一方、ダレイオス3世は、紀元前330年、再起をはかろうと東方へのがれる途中、側近に殺された。ここにアケメネス朝ペルシアは滅亡した。これを知ったアレクサンドロスは、犯人を追討するという大義をかかげ、新たな征服地の獲得にむかった。また、広大なペルシアを統治するため、ペルシアの貴族を登用し、伝統的な服装や儀礼、制度などはそのままとり入れた。しかし、遠征軍の中にはギリシャやマケドニア出身者をもっと優遇すべきだと、反対する者も出てきた。彼はこうした批判者を処刑したため、暗殺をくわだてる者もあらわれた。

■中央アジアからインドへさらなる遠征

紀元前329年、アレクサンドロスの遠征軍はヒンドゥークシ山脈をこえて、バクトリア（現在のアフガニスタン北部）やソグディアナ（現在のウズベキスタン）など中央アジア方面へ進んだ。ここではげしい抵抗にあい、苦戦をしいられたが、2年後、これを制圧した。

▼イッソスの戦い　左端がアレクサンドロス、右がダレイオス3世。

●アレクサンドロスの遠征路と最大領土

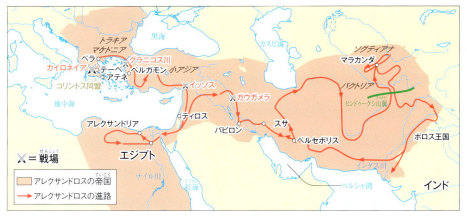

紀元前327年、インドにむけて南下。インダス川をこえてパンジャブ地方に侵入し、紀元前326年、ゾウの部隊をひきいるポロス王の軍をやぶった。さらにインド中央部へむかおうとすると、長い戦いに疲れはてた将兵たちは、これ以上進むことを拒否。アレクサンドロスは遠征をつづけることを断念し、帰途についた。

■ペルシアに帰還、東西の融合をはかる

紀元前324年、スサにつくと、ここで将兵たちとペルシアの女性との集団結婚式をあげた。これにより、マケドニア人をペルシアの支配者にするとともに、東西の融合をはかろうとした。さらにアラビア半島や、西地中海への遠征を計画したが、紀元前323年、古都バビロンに帰ってまもなく病気にかかり、32歳で亡くなった。アレクサンドロスの世界帝国実現の夢は途中で終わったが、この遠征により、ギリシャ文化圏とオリエント文化圏（エジプトやメソポタミアの文化）の活発な交流の場がひらかれ、東西文化が融合した新しいヘレニズムの時代がはじまった。

アレクサンドロスは遠征の途中、各地に自分の名にちなんだアレクサンドリアと名づけた植民市を多数建設した。なかでもエジプトのナイル川河口につくられたアレクサンドリアには、大図書館が建てられ、交易と学芸の中心地として栄えた。

アレクサンドロスの死後、将軍たちが後継者争いを開始。およそ半世紀後、帝国は小アジアからインドの西辺にいたる東方のセレウコス朝シリアと、プトレマイオス朝エジプト、アンティゴノス朝マケドニアの3国に分割統治された。

▲アケメネス朝ペルシアの古都ペルセポリス　ダレイオス1世により壮麗な宮殿が築かれたが、アレクサンドロスによって焼かれて廃墟になった。

アレクサンドロス大王の一生

年	年齢	主なできごと
紀元前356年	0	フィリッポス2世の子として生まれる。
紀元前343年	13	アリストテレスのもとで学ぶ。
紀元前338年	18	カイロネイアの戦いに参加。
紀元前336年	20	マケドニア王に即位する。
紀元前334年	22	ペルシア遠征に出発。
紀元前333年	23	イッソスの戦いでペルシア軍をやぶる。
紀元前331年	25	ガウガメラの戦いでペルシア軍をやぶる。
紀元前329年	27	バクトリア、ソグディアナに進攻する。
紀元前327年	29	インド北西部に進攻する。
紀元前323年	32	6月、バビロンで病死する。

※年齢は満年齢であらわしている

ギリシャ文化とオリエント文化が融合したヘレニズム文化

アレクサンドロス大王の東方遠征により、ギリシャ文化とオリエント文化が融合して国際的な性格をもった文化が生まれた。これをヘレニズム文化という。とくにめざましい進歩をとげたのは自然科学で、幾何学の体系をつくったユークリッド（エウクレイデス）、浮力や比重の原理をときあかしたアルキメデス、太陽中心の宇宙をとなえたアリスタルコス、地球の周囲の長さを算出したエラトステネスらがあらわれた。

建築や彫刻も発展し、小アジアの西部につくられた都市ペルガモンには、丘の斜面にそって大祭壇、神殿、宮殿、劇場、大図書館など、壮大な建築物が建てられた。ゼウスの大祭壇のまわりは、約120mにわたり、巨人族と戦うオリンポスの神々をえがいたレリーフでかざられている。彫刻では力強く躍動感のあるラオコーン、優雅な美しさをかもすミロのビーナス、サモトラケのニケなどが有名である。

▲ペルガモンの大祭壇にほられたレリーフ　トルコのベルガマにある。

▲ラオコーン　ヘレニズム時代の代表作とされている大理石像。

アンじょおう

🌐 アン女王　　　　　　　　　王族・皇族　　1665〜1714年

グレートブリテン連合王国を成立させた女王

イングランド王国・スコットランド王国、スチュアート朝の第6代国王（在位1702〜1707年）、グレートブリテン王国の初代女王（在位1707〜1714年）。

イングランドのヨーク公（のちのジェームズ2世）の次女として生まれる。姉のメアリ（メアリ2世）とともに国教徒（イギリス国教会の信徒）として育てられた。1683年、デンマーク王子ジョージと結婚。名誉革命のときは、父ジェームズではなく、姉の夫のウィレム3世（のちのウィリアム3世）の側に走った。

1702年、ウィリアム3世が亡くなると、あとをついで国王に即位。スペイン継承戦争（1701〜1713年）のときは、マールバラ公を登用してフランスに勝利し、さらにインドや北アメリカ大陸でのフランスとの戦いにも勝ち、海外に多くの植民地を獲得した。1707年、スコットランドを併合し、グレートブリテン王国が成立。その初代女王となった。

王室収入の一部を貧民救済のためにあたえ、大衆の支持を得た。こどもがすべて早くに亡くなったため、彼女の死後、ドイツのハノーファー家からジョージ1世をむかえ、ハノーバー朝がひらかれた。

アンジロー

🔴 アンジロー　　　　　　　　　宗教　　　1512?〜?年

日本人初のキリシタン

▲鹿児島市ザビエル公園にあるアンジローの銅像
（写真協力／公益社団法人鹿児島県観光連盟）

戦国時代のキリシタン。

薩摩国（現在の鹿児島県西部）に生まれる。ヤジロウ（弥次郎）ともいわれる。故郷で殺人の罪を犯し、とらえられる直前、ポルトガルの商人の船に乗って国外へと逃げた。1547年、ポルトガル領マラッカ（マレーシア）で、その罪を告白するため、イエズス会のスペイン人宣教師ザビエルのもとをたずねる。翌年、ザビエルのみちびきでポルトガル領インドのゴアをおとずれ、ボン・ジェス教会で洗礼を受けて日本人初のキリスト教徒となり、また、聖パウロ学院でキリスト神学を学んだ。このとき、ザビエルに日本について教えている。ザビエルが日本布教を決意すると、1549年にザビエルとともに薩摩国にもどり、通訳や、キリスト教の教理書を日本語に翻訳するなどして布教を助けた。その後は日本をはなれ、中国で亡くなったといわれている。

アンセルムス

🌐 アンセルムス　　　　　　　　　宗教　　　1033〜1109年

スコラ哲学の創始者

カンタベリーの大司教、スコラ哲学者、教会博士、聖人。

北イタリア、アオスタの貴族で大地主の家に生まれる。修道院に入りたかったが、父親に大反対される。1057年ごろに家を出て放浪ののち、1060年にフランスのノルマンディーのベック修道院に入って神学研究にはげみ、院長（1078〜1093年）となる。1093年、イングランド教会の長であるカンタベリー大司教となる。当時のローマ教皇グレゴリウス7世の教会改革理念と連動して、イングランド国王のウィリアム2世とヘンリー1世とを相手に聖職者の叙任権（任命権）闘争をおこない、2度の追放にあったが、やがて和解して、イギリスにおける政教条約（ローマ教会と国家間の取り決め）の基礎をつくった。アンセルムスの業績は2つあり、1つははじめて理性的、学術的に神を把握しようとつとめたことで、「スコラ哲学（学校の学問）の父」とよばれる。2つめは、イングランド王に聖職の叙任権の放棄を約束させ、教会の自由と権利のためにつくしたことである。

アンダーソン，カール・デビット

🌐 カール・デビット・アンダーソン　　学問　発明・発見　　1905〜1991年

陽電子を発見した物理学者

20世紀のアメリカ合衆国の物理学者。

ニューヨーク生まれ。カリフォルニア工科大学卒業後、1930年に博士号を取得。1939年に同大学の教授となり、ロバート・ミリカンの研究チームに所属して宇宙線の研究を開始する。1931年、霧箱（荷電粒子の飛跡を検出する装置）をつかって、宇宙線粒子が1億電子ボルト（電子ボルトは素粒子、原子核、原子、分子などのエネルギーをあらわす単位）以上であることを確認。翌年には、撮影した宇宙線の飛跡写真から、正と負に帯電した粒子が対で出現するようすを見いだし、1928年にポール・ディラックにより予言されていた、電子と同質量だが正の電荷をもつ陽電子（ポジトロン）の発見となった。この発見により、1936年、ノーベル物理学賞を受賞。翌年、宇宙線のμ粒子

（ミューオン）を発見、1949年には、μ中間子の自然崩壊による電子と2個のニュートリノの生成を確認するなどの業績を上げた。

学 ノーベル賞受賞者一覧

アンダーソン, マリアン　音楽

マリアン・アンダーソン　1902～1993年

100年に一人の美声

アメリカ合衆国のアルト歌手。ペンシルベニア州生まれ。貧しい家庭に育ち、6歳のころから教会の聖歌隊で歌いはじめる。黒人という理由で音楽学校への入学をことわられるが、声楽家ボゲッティから声楽を学ぶ。1925年、ニューヨーク・フィルハーモニーのコンテストで優勝してみとめられ、ヨーロッパの舞台に進出する。1955年、黒人歌手としてはじめてニューヨークのメトロポリタン歌劇場に出演した。

オペラへの出演依頼は受けなかったが、公演では黒人霊歌のほかオペラのアリア（独唱曲）もとりあげた。公演など、さまざまな場面で人種差別を受けるが、つねに前むきに歌いつづけた。力強く美しい声と深い表現力、レパートリーの広さで多くの観客を魅了し、世界的指揮者のトスカニーニから「100年に一度の美声」とたたえられた。国際的な賞を数多く受賞する。1965年に引退。日本では、ひたむきに歌う姿が教科書で紹介されたこともある。

アンデルセン, ハンス・クリスチャン　文学　絵本・児童

ハンス・クリスチャン・アンデルセン　1805～1875年

おとなにも愛される近代童話を確立

デンマークの作家、児童文学作家、詩人。

オーゼンセ生まれ。デンマークではアンナセンという。靴職人の父は、貧しいながら文学や芝居を好み、本をよく読み聞かせたが、その父を11歳で亡くし、教育は受けられなかった。

14歳で、俳優をめざして首都コペンハーゲンに出る。援助者があらわれて大学に進むが、在学中に書いた戯曲が王立劇場で上演され、大学をやめて作家になる。しかし、その後は作品が評価されず、失意のまま外国旅行に出ると、1835年、2回めの旅行で着想を得て書いた『即興詩人』が好評を得る。同じ年に『こどものための童話集』を出版。その後は童話に力を入れて、亡くなるまでに168編もの童話をのこした。

はじめのころの童話は、民話を書き直したものだったが、しだいに創作童話を中心に、心にひびく美しい物語により、おとなにも愛される童話をつくりあげた。代表作に『人魚姫』『みにくいあひるの子』『裸の王様』『雪の女王』などがある。

あんどういえもん　郷土

安藤伊右衛門　1751～1827年

用水路を完成させた農民

江戸時代後期の農民、治水家。

因幡国八上郡郡家村（現在の鳥取県八頭町）の庄屋（村の長）の家に生まれた。郡家村は台地の上にあり、毎年のように日照りに苦しんでい

▲安藤井手の取水口　（八頭町産業観光課）

たため、村の南を流れる八束川から水をひいて用水路をつくる計画を立て、鳥取藩（鳥取県）に工事を願いでた。しかし、藩には資金がなく、伊右衛門が資金を負担するという条件で、許可が出た。

1820年、但馬国（兵庫県北部）から土木工事の専門家をよび、工事をはじめた。困難だったのは、峠をこえる水路トンネルだった。18mの絶壁をけずり、218mのトンネルをほるというむずかしい工事に2年近くかかり、1823年、全長約11kmの用水路を完成させた。約27haの新田がひらかれ、村は豊かな農地にかわった。

この用水路は「安藤井出（用水路）」とよばれ、現在も農業用水路として利用されている。

あんどうしょうえき　思想・哲学

安藤昌益　1703～1762年

江戸時代に身分差別のない社会を説いた

江戸時代中期の医者、思想家。

出羽国二井田村（現在の秋田県大館市）の富裕な農民の子として生まれる。家が没落したため故郷をはなれ、1744年、八戸藩（青森県八戸市）の城下で町医者を開業した。医者、学者として高く評価され、門人も多かった。1758年ころ、二井田村にもどると、田畑を買いもどして、家を建て直し、ききんで苦しんでいた村の再建に力をつくした。

▲『自然真営道』の表紙
（東京大学総合図書館）

昌益は、医学、本草学（動物、植物、鉱物などを研究する学問）、儒学に通じていた。身分差別のない社会が理想の社会であると説き、武士が農民を支配する身分制度をきびしく批判し、すべての人が農業生産にたずさわり自給自足の生活をおこなうべきであると主張した。主な著書に『自然真営道』や『続道真伝』などがある。

あんどうただお
安藤忠雄　　　　　　　　　　　　　　　1941年〜　【建築】

プリツカー賞を受賞した建築家

建築家。
大阪府生まれ。高校を卒業後、独学で建築士の資格を得る。1969（昭和44）年、大阪に安藤忠雄建築事務所を設立した。1976年、大阪市の三軒長屋の1軒を改築した「住吉の長屋」で、むきだしのコンクリートをつかった表現を確立し、1979年度の日本建築学会賞を受賞する。神戸市六甲の集合住宅、京都市の商業施設、兵庫県立こどもの館をはじめとする公共施設や美術館などの建築をてがける。海外での評価も高く、1995（平成7）年には建築界のノーベル賞といわれるプリツカー賞を受賞した。1997年〜2003年、東京大学教授をつとめ、学生の指導にもあたった。2010年、文化勲章を受章した。

【学】文化勲章受章者一覧

あんどうのぶまさ
安藤信正　　　　　　　　　　　　　　　1819〜1871年　【幕末】

井伊直弼のあとをついで公武合体を進めた

（安藤綾信蔵／福島県いわき市立美術館）

幕末の江戸幕府の老中。陸奥国磐城平藩（現在の福島県いわき市）の藩主の子。1847年、父の死後藩主となる。江戸幕府の寺社奉行（全国の寺や神社を管理し宗教をとりしまる役人）、若年寄をへて、老中に任命され、外国の事務をあつかう外国御用取扱となる。井伊直弼の下で、諸外国との外交や将軍の後継者の問題にあたった。

井伊が桜田門外の変で暗殺されたあと、老中首座の久世広周とともに公武合体（朝廷と徳川将軍家が協力すること）を進め、孝明天皇の妹和宮が第14代将軍徳川家茂にとつぐために力をつくした。

1861年、江戸（東京）、大坂（阪）に開市場をひらく一方、兵庫、新潟の開港延期を要請するためにヨーロッパに使節を派遣した。1862年、公武合体、尊王攘夷（天皇をうやまい外国勢力を追いはらう考え）を主張する水戸藩（茨城県中部と北部）浪士に江戸城の坂下門外でおそわれて負傷し、老中を辞任した（坂下門外の変）。

【学】江戸幕府大老・老中一覧

あんどうひろしげ
安藤広重　→　歌川広重

あんどうももふく
安藤百福　　　　　　　　　　　　　　　1910〜2007年　【産業】【発明・発見】

インスタントラーメンの生みの親

昭和時代〜平成時代の実業家、発明家。
台湾生まれ。幼いころ両親を亡くし、呉服屋をいとなむ祖父母に育てられる。第二次世界大戦後の食糧難にあえぐ日本を明るく元気にするため、1948（昭和23）年、食品販売会社である中交総社を設立。1958年、急速油熱乾燥法により世界初のインスタントラーメン「チキンラーメン」を発明して大ヒットさせる。同年、日清食品と社名を変更する。

1971年「カップヌードル」を発売。晩年も製品開発の意欲を失わず、91歳で宇宙食の開発を宣言。完成した宇宙食ラーメンは、2005（平成17）年、スペースシャトルに搭載された。日本即席食品工業協会会長もつとめた安藤は、生涯現役をつらぬき、日本と世界の食文化に大きな影響をあたえた。

あんとくてんのう
安徳天皇　　　　　　　　　　　　　　　1178〜1185年　【王族・皇族】

壇ノ浦の戦いで8歳で亡くなった悲劇の天皇

（泉涌寺所蔵）

平安時代後期の第81代天皇（在位1180〜1185年）。高倉天皇の子で、母は平清盛の娘、建礼門院徳子。生後1か月で皇太子に立てられ、1180年、平清盛が高倉天皇に譲位をせまったので、3歳で安徳天皇として即位した。しかし、清盛の専横なふるまいは朝廷の貴族や武士たちの反発をまねき、全国的な内乱（源平の争乱）となった。

1183年、源義仲の軍勢によって京を追われ、平氏とともに西国にのがれ、1185年、壇ノ浦の戦いで平氏軍が源義経軍にやぶれたとき、8歳の天皇は、清盛の妻、時子（二位尼）にだかれて入水したといわれる。

平氏の盛衰をえがいた『平家物語』には、安徳天皇が「尼よ、私をどこへつれて行くのだ」と問うと、時子は「波の下にも

都はさぶろうぞ（ございます）」とこたえ、ともに海中にとびこんだと書かれている。
学 天皇系図

アントニウス，マルクス　古代　政治

マルクス・アントニウス　紀元前82?〜紀元前30年

第2回三頭政治をおこなった一人

▲アントニウスの肖像コイン

古代ローマの軍人、政治家。
執政官（コンスル）をつとめた父をもち、シリア属州の騎兵隊長として頭角をあらわす。その後、ガリア総督のカエサルの部下として活躍し、執政官になるまで出世した。カエサルが暗殺されたのちの紀元前43年、それまで対立していたオクタウィアヌスと手をむすび、レピドゥスとともに第2回三頭政治をおこなった。翌年にはオクタウィアヌスとともに、カエサルを暗殺したブルートゥスらをフィリッピの戦いでやぶった。またオクタウィアヌスの姉と結婚し、同盟を強めた。

しかしアントニウスは、しだいにエジプトのプトレマイオス朝の女王クレオパトラとの連合を強める。アルメニア王国を併合したときは、ローマではなく、エジプトのアレクサンドリアで凱旋式をおこない、ローマの支配領土を無断でクレオパトラとその子に分割するなどして、ローマ市民の反感を買った。さらに妻を一方的に離縁したため、オクタウィアヌスとの対立は決定的となり、紀元前31年、両者はギリシャのアクティウム沖で戦い（アクティウムの海戦）、アントニウスはやぶれ、アレクサンドリアで自殺した。

アントニヌスピウスてい　王族・皇族　古代

アントニヌス・ピウス帝　86〜161年

まじめで誠実な五賢帝の一人

ローマ帝国の皇帝（在位138〜161年）、五賢帝の4番目。
名門貴族の出身。34歳のとき、執政官（コンスル）となり、小アジア（トルコ）の総督などの要職についたあと、先帝ハドリアヌス帝の顧問団の一員になった。

まじめで誠実な性格から、ハドリアヌス帝の信任も厚く、養子としてむかえられる。同皇帝の死後、後継者に指名され、元老院は「ピウス（敬けんな人）」という称号を贈り、新しい皇帝をたたえた。

アントニヌス・ピウスは、元老院と協調して内政の安定と財政改革につとめ、ローマ帝国の平和な時代を築いた。しかし在位中は、一度もローマをはなれることがなく、外地で軍の指揮をとることもなかった。対外政策に消極的だったため、周辺の諸民族が勢いをます結果につながった。
学 世界の主な王朝と王・皇帝

アンドロポフ，ユーリ　政治

ユーリ・アンドロポフ　1914〜1984年

ソ連の最高会議幹部会議長

ソビエト連邦（ソ連）の政治家。最高会議幹部会議長（在任1983〜1984年）。

ロシア南西部スタブロポリに生まれる。1936年、水運技術専門学校を卒業。1939年に共産党入党。第二次世界大戦では、ドイツにゲリラ戦で戦う。

戦後、ハンガリー駐在大使をつとめ、1956年、学生や労働者のデモがきっかけでおこったハンガリー動乱を体験した。翌年、共産党中央委員会の社会主義諸国共産党・労働者党連絡部長となり、中国共産党との対立であった中ソ論争にかかわりをもった。

1967年、国家保安委員会（KGB）議長に就任。1982年、ブレジネフ死去により、共産党書記長に就任、翌年、ソ連の最高指導者である最高会議幹部会議長を兼任したが、1984年に死去。
学 主な国・地域の大統領・首相一覧

あんのみつまさ　絵画

安野光雅　1926年〜

独創性に富んだ絵本を創作

（Ⓒ安野光雅美術館）

画家、絵本作家、装丁家、エッセイスト。
島根県生まれ。山口師範学校卒業。津和野町に育ち、こどものころから絵が大好きだった。山口県で小学校の代用教員をつとめたのちに上京し、はじめ小学校の美術教員をしながら本の装丁などをてがけたが、やがて画家として独立する。

版画家のエッシャーにあこがれ、1968（昭和43）年、『ふしぎなえ』で絵本作家としてデビュー。その後も『さかさま』『ABCの本』『旅の絵本』など、独創性に富んだ作品で世代をこえて人気となる。作品は世界各国で出版され、海外にもファンが多い。

1984年、国際アンデルセン賞を受賞。絵本の創作のかたわら、風景画や装丁画もてがけ、エッセイストとしても知られる。2001（平成13）年、津和野町に安野光雅美術館が開館。1988年に紫綬褒章受章。2012年、文化功労者。

ほかに『天動説の絵本』、『繪本 平家物語』、司馬遼太郎の紀行『街道をゆく』の装画などがある。

アンペール，アンドレ＝マリー　[学問][発明・発見]

アンドレ＝マリー・アンペール　1775～1836年

アンペールの法則を発見、電磁気学の基礎を築いた

19世紀のフランスの物理学者、化学者、数学者。

中南部のリヨン生まれ。幼いころから数学と語学の才能を発揮し、18歳で当時の数学を学び終えたといわれる。フランス革命で父が処刑され一時無気力におちいるが、その後、苦学を重ねてリヨン大学の数学教授となり、1809年、パリのエコール・ポリテクニーク（理工科学校）教授に就任。

確率論などの研究のあと、1820年に、電流を流すと磁石の針がふれるというエルステッドの発見を知ったことから電磁気学の研究をはじめ、「アンペールの法則」とよばれる、電流と磁気の関係を見いだした。1827年にロンドン王立協会、翌年、スウェーデン王立科学アカデミーに、いずれも外国人会員としてえらばれた。電流の単位アンペア（A）は彼の名にちなんでいる。

アンリよんせい　[王族・皇族]

アンリ4世　1553～1610年

ナントの勅令で宗教戦争を終わらせる

フランス、ブルボン朝の初代国王（在位1589～1610年）。

ユグノー（フランスのプロテスタントの一派）の中心で、有力な王位継承権をもつブルボン家に生まれる。国王シャルル9世は、ユグノーとカトリックの宗教対立をおさめるため、妹マルグリットとアンリを結婚させたが、式の直後、カトリックによるユグノーの大虐殺がおこってしまう（サンバルテルミの虐殺）。アンリは軟禁され、カトリックへ改宗させられたが、のちに脱出してプロテスタントに復帰。アンリ4世として即位するが、ユグノーの王をみとめない勢力も多く、国内は分裂状態となった。

カトリック国であるスペインの介入もあり、ふたたび改宗すると、1598年、近代ヨーロッパではじめて個人の信教の自由をみとめた「ナントの勅令」を公布。

30年以上つづいた宗教対立を終わらせた。内政では戦費縮小や商工業の振興を推進し、財政を安定させる。ヨーロッパ各国が共同で国際裁判所と国際軍をもつ国際連盟のような構想をもったが、カトリック信者により殺された。

[学] 世界の主な王朝と王・皇帝

あんろくざん　[政治]

安禄山　705～757年

安史の乱の首謀者

中国、唐の武将。

突厥人の母とソグド人の父のあいだに生まれ、営州（現在の遼寧省）で育ったとされる。史思明とともに、6言語に堪能な能力を生かして貿易仲買人となり、地方軍司令官（節度使）につかえて戦功を立て、力をのばした。やがて唐の玄宗の信頼を得て、早くから節度使に抜てきされ、玄宗の寵姫である楊貴妃の養子となる。当時の宰相、楊国忠は、玄宗が安禄山を宰相にすることに反対し、権力争いに発展。755年に楊国忠を討つという名目で兵をあげ、安史の乱とよばれる大規模な反乱をおこした。756年玄宗を追放し、洛陽にて大燕聖武皇帝と名のり、燕の初代皇帝についた。一方唐は、玄宗が退位、皇太子が粛宗として第7代皇帝に即位し、ウイグルの援軍を得て形勢を逆転した。追いつめられた安禄山はそのさなかに、後継問題から息子の安慶緒に殺された。安禄山暗殺後も息子や史思明によって唐への反乱はつづき、唐は衰退する。唐の詩人、杜甫の『春望』は、安史の乱で荒れはてた唐の都、長安を嘆いた詩である。

い

Biographical Dictionary 1

いいおそうぎ

飯尾宗祇 → 宗祇

いいざわただす　映画・演劇

● 飯沢匡　1909〜1994年

時代を風刺する劇作家として活躍

昭和時代〜平成時代の劇作家、演出家、作家。

和歌山県生まれ。本名は伊沢紀。文化学院卒業。朝日新聞社につとめるかたわら戯曲を書き、1932（昭和7）年、『藤原閣下の燕尾服』で劇作家としてデビューする。『北京の幽霊』（1943年）、『鳥獣合戦』（1944年）を上演し、第二次世界大戦を風刺した。戦後は『婦人朝日』『アサヒグラフ』の編集長をつとめ、1954年に退社。時代を風刺した喜劇『二号』（1954年）で岸田演劇賞、『五人のモヨノ』（1967年）で読売文学賞、『夜の笑い』（1978年）で毎日芸術賞を受賞。

放送劇作家としても活躍し、白いサルのなかよし三兄弟が冒険の旅をする、黒柳徹子が初主演したラジオドラマ『ヤン坊ニン坊トン坊』（1954年）、3匹の子ブタの着ぐるみによるテレビ人形劇『ブーフーウー』（1960年）が大人気となる。新劇にとどまらず、狂言や歌舞伎、ミュージカル、大衆演劇まで幅広く活躍した。著書に『芝居－見る・作る』などがある。

イーストマン，ジョージ　産業　発明・発見

● ジョージ・イーストマン　1854〜1932年

カメラとフィルムを一般大衆に普及させた技術者

19〜20世紀のアメリカ合衆国の写真技術者、発明家、実業家。

ニューヨーク州の農場主の末っ子として生まれる。少年時代に父が、次いで姉が亡くなり、高校を中退してはたらきはじめた。1880年に写真の事業を開始。当時、ガラス板だった感光剤の基盤をロール紙にする特許、ロールフィルムをつかうカメラの特許をあいついで取得。1888年にコダックの商標を取得して世界初のロールフィルムカメラを発売し、カメラとフィルムを爆発的に普及させた（1892年にイーストマン・コダック社とする）。その後も研究開発部門を中心に会社の発展につとめ、1925年に経営から引退した。慈善活動にも力をそそぎ、ロチェスター大学のイーストマン音楽学校と医歯学部の創設、ロチェスター工科大学への寄付、マサチューセッツ工科大学の第2キャンパス建設などをおこなったほか、ロンドンなど、ヨーロッパ各地に低所得者のための診療所を建設する基金を創設し、人々のためにつくした。晩年は脊椎の病気になやみ、77歳で自殺した。

いいだだこつ　詩・歌・俳句

● 飯田蛇笏　1885〜1962年

田園生活を送り、自然主義の俳句をよむ

昭和時代の俳人。

山梨県生まれ。本名は武治。早稲田大学英文科中退。別号山廬。旧家に育ち、文学を志して進学、早稲田吟社に参加し、若山牧水らと交流する。24歳のとき、高浜虚子の俳句道場「俳諧散心」に最年少で参加、のちに『ホトトギス』に加わる。翌年、大学をやめて故郷にもどり、田園生活をはじめた。

1913（大正2）年、俳誌『キララ』（のちの『雲母』）を主宰する。河東碧梧桐らによる俳句の新傾向運動に反対し、独自の俳句論をくり広げた。山国の自然と正面からむき合い、自然と生活を力強くよむ俳句に特徴がある。句集『山廬集』『白嶽』『椿花集』のほか、随筆集や評論集も数多くのこる。

いいだただひこ　学問

● 飯田忠彦　1799?〜1860年

桜田門外の変で無実の罪でとらえられた歴史家

江戸時代後期の歴史家、国学者。

周防国徳山藩（現在の山口県徳山市）の藩士の子。1821年、河内国八尾（大阪府八尾市）の郷士（武士の待遇を受けていた旧家）飯田謙介の娘婿となった。幼少のころから歴史に興味をもち、12歳で水戸藩（茨城県中部と北部）が編さんした『大日本史』を愛読し、続編をつくろうと考えて各地から史料を集め、『大日本野史』291巻を1851年に独力で完成した。

1834年に公家の有栖川宮家につかえたころから時勢を論じるようになり、日米修好通商条約の調印を非難する意見書を提出。しかしこれがもとになり、1859年、井伊直弼がおこなった安政の大獄でとらえられた。その後ゆるされると、京都深草村（京都市）に隠棲した。1860年、井伊直弼が暗殺された桜田門外の変にかかわっていたとしてふたたびとらえられた。忠彦は事件には無関係だったが、幕府の処遇に怒り、自害した。

いいだちょうじろう

● 飯田長次郎　　　郷土　　?～1711年

農民一揆の指導者

江戸時代中期の農民。

安房国分村（現在の千葉県館山市）の名主（村の長）。安房国北条藩藩主の北条忠位の家老（家臣）川井藤左衛門は、藩の財政を立て直すために、各村にそれまでの倍の年貢を割りあてるという増税をおこなった。これに対し、1711年、600名の農民をひきいて陣屋（役所）におしよせ、減免を求めた。さらに江戸（東京）の藩主の屋敷に行き、直接うったえた。この万石騒動の首謀者として、川井により死刑にされた。妻子は追放され、家財が没収された。しかし、のちに農民が老中にうったえ、川井は死罪、藩主は改易（領地没収）になった。

イーデン，アンソニー

● アンソニー・イーデン　　　政治　　1897～1977年

第二次世界大戦時に、外交で活躍した政治家

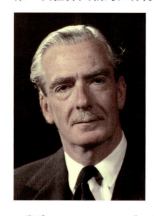

イギリスの政治家。首相（在任1955～1957年）。

オックスフォード大学卒業後、1923年に保守党下院議員となる。1935年、国際連盟担当大臣をへて、チェンバレン内閣の外務大臣となるが、1938年、チェンバレン首相のイタリアやドイツに対する戦争回避のための妥協的な政策に反対して辞任。第二次世界大戦が勃発した1939年以後は政府に復帰、自治領大臣に就任、チャーチル戦時内閣では陸軍大臣、外務大臣を歴任し、イギリスの外交において強力なリーダーシップを発揮し、アメリカ合衆国との強固な関係を築いた。戦後の1951年、ふたたび外務大臣をつとめ、第一次インドシナ戦争終結のためのジュネーブ会議の実現などに貢献。1955年、チャーチルの引退を受け首相に就任したが、エジプト政府のスエズ運河国有化に対し、フランス、イスラエルとともにエジプト攻撃をおこない、国内外からの批判をあびて、1957年に辞任した。その後、回顧録を執筆し、79歳で死去した。

学 主な国・地域の大統領・首相一覧

いいなおすけ

● 井伊直弼　　　幕末　　1815～1860年

安政の大獄で尊王攘夷運動を弾圧した

幕末の江戸幕府の大老。

彦根藩（現在の滋賀県北部）の藩主、井伊直中の子。14男に生まれたので立身の望みのない部屋住みだったが、父の死後、藩主となった兄直亮の養子が亡くなったので1846年に直亮の養子となり、1850年、兄直亮の死後、彦根藩主となった。

1853年、アメリカ合衆国のペリーが来航したとき、彦根藩は相州（神奈川県）の海岸警備にあたった。ペリーがアメリカ大統領の国書を幕府にわたしたとき、開国を主張し、外国船打ちはらいを主張する水戸藩（茨城県中部と北部）の徳川斉昭と対立した。こどものいなかった第13代将軍徳川家定のあとつぎとして、薩摩藩（鹿児島県）の藩主島津斉彬や福井藩（福井県北部）の藩主松平慶永ら有力大名は、徳川斉昭の子で有能といわれた一橋家当主一橋慶喜（のちの徳川慶喜）をおしたが、直弼は血統にしたがうべきだと紀州藩（和歌山県）の藩主で第11代将軍家斉の孫の徳川慶福（徳川家茂）を推挙し、徳川斉昭らと対立した。

▲井伊直弼　（豪徳寺所蔵）

1858年、幕府最高職の大老になると、孝明天皇の勅許（天皇の許可）を得ないで日米修好通商条約をむすび、箱館（北海道函館市）、神奈川、新潟、兵庫、長崎を開港して貿易をおこなうことをみとめた。その後、オランダ、ロシア、イギリス、フランスとも修好通商条約をむすんだ。また、徳川慶福を将軍あとつぎに決め、第14代将軍とした。1859年、井伊の強引な条約調印を非難した徳川斉昭を永蟄居（家の中で終身謹慎すること）に追いこみ、一橋慶喜、松平慶永、土佐藩（高知県）の藩主山内豊信らを隠居・謹慎、朝廷の公家や皇族を辞官や謹慎処分にした。また、幕府に反発する尊王攘夷派（天皇をうやまい外国勢力を追いはらうという考えの人々）の志士、橋本左内、吉田松陰、梅田雲浜、頼三樹三郎などをとらえ処刑するなど徹底的に弾圧した（安政の大獄）。

しかし井伊に対する反発は大きく、1860年3月、江戸城へむかう井伊の行列が桜田門外にさしかかったとき、水戸藩と薩摩藩の浪士におそわれた。雪がふっていたので刀につか袋をつけていた彦根藩士たちは応戦できず、井伊は首をとられた（桜田門外の変）。大老が首をとられたことにより幕府の権威は急速に失われていった。

▲『桜田門外之変図』（茨城県立図書館）

学 江戸幕府大老・老中一覧

いいなおとら

● 井伊直虎　　　戦国時代　　?～1582年

戦国時代の女性領主

戦国時代の領主。

今川義元につかえる遠江国井伊谷（現在の静岡県浜松市

の領主、井伊直盛の娘。父のいとこの直親を婿にむかえて、直親が井伊家をつぐ予定だった。しかし1544年、直親は謀反のうたがいで逃げ、生死不明となる。直虎はいいなずけが死んだと思い、嘆いて出家、次郎法師と名のった。直親はのちにもどるものの、逃亡中に結婚していたため、直虎は生涯結婚をしなかった。桶狭間の戦いで父が戦死し、その後、直親も今川氏に殺されたため、1565年、井伊家の当主となって直虎と名のった。うばわれた城を徳川家康の助けでとりもどし、直親の子の直政を養子にして、井伊家をつがせた。直政は家康の重臣として活躍。井伊家はのちに彦根藩（滋賀県北部）の藩主となった。

いいやしろう

伊井弥四郎　　政治　　1905〜1971年

労働者のために闘った、二・一ゼネストの企画者

昭和時代の労働運動家。

富山県生まれ。1926（大正15）年、日本国有鉄道（現在のJR）に入る。はたらきながら、1932（昭和7）年、法政大学経済学部を卒業。第二次世界大戦後、国鉄労働組合連合会結成に参加し、1946年に中央執行委員となる。同年、全官公庁労組拡大共同闘争委員会（全官公庁共闘）が結成され、議長に就任した。

1947年に、全官公庁労働者が全国いっせいにゼネラル・ストライキに突入するといった「二・一ゼネスト宣言」を発表したが、それまで労働運動の拡大を容認してきた連合国軍最高司令官総司令部（GHQ）の命令により、ストライキ決行前夜にNHKラジオで中止を発表。「一歩退却、二歩前進、労働者農民ばんざい」と涙ながらに放送した。1958年に日本共産党中央委員に選出されたが、第11回党大会で解任された。

イェーツ，ウィリアム・バトラー

ウィリアム・バトラー・イェーツ　　詩・歌・俳句　映画・演劇　　1865〜1939年

20世紀アイルランド最大の詩人

アイルランドの詩人、劇作家。

ダブリン生まれ。幼いころ、ロンドンに引っ越す。画家だった父の影響で、19歳のとき、ダブリンの市立美術学校に入学するが、2年後に退学、詩人をめざす。ロンドンにもどり、1889年にはじめての詩集を発表して大好評を得る。詩を書くかたわら、1891年にアイルランド文芸協会を設立し、ケルトの民話や伝説を収集するなど、アイルランドの芸術や文学を守り育てる活動にも貢献。

1923年にノーベル文学賞を受賞。アイルランド人のルーツであるケルト文化を土台にした、おとぎ話のような幻想的な作品が特徴。代表作に『塔』、『ケルトの薄明』などがある。戯曲『鷹の井戸』は日本の能に影響を受けて書いたという。

学 ノーベル賞受賞者一覧

イエス・キリスト

→ 74ページ

いえながさぶろう

家永三郎　　学問　教育　　1913〜2002年

教科書検定裁判をおこし国と戦った歴史学者

昭和時代〜平成時代の日本史学者。

愛知県生まれ。1937（昭和12）年、東京帝国大学（現在の東京大学）国史学科を卒業。新潟高等学校（新潟大学）、東京高等師範学校（筑波大学）教授をつとめ、1949年に東京教育大学（筑波大学）教授、1978年に中央大学教授となる。

自身が書いた高等学校の教科書『新日本史』に対する文部省の教科書検定で、不合格処分や条件つき合格処分を受け、1965年、「教科書検定制度は、表現や学問の自由を保障する憲法に反する」として、国などを相手に裁判をおこした。32年にわたった裁判は、1997（平成9）年、「検定の内容に一部違法な部分はあったが、検定そのものは憲法違反にはあたらない」という判決がおりて、終了した。

古代から近代の日本思想史や文化史の研究で業績をのこし、大和絵の研究でも知られ、1948年、研究成果である『上代倭絵年表』『上代倭絵全史』で日本学士院恩賜賞を受賞。そのほか、主要な著書に『日本思想史に於ける否定の論理の発達』『太平洋戦争』などがある。

イェルマーク，チモフェービッチ

チモフェービッチ・イェルマーク　　政治　　?〜1585年

イワン4世のシベリア進出で活躍

ロシア、コサック（ロシア周辺に移住した農民などによる軍事集団）の首長。

1579年、ロシア皇帝イワン4世からシベリア開発の特権をあたえられ、東方への勢力拡大を計画していた豪商ストロガノフ家にやとわれる。1600人ほどの部隊をひきい、ウラル山脈をこえて狩猟民を降伏させ、西シベリアのシビル・ハン国をやぶり、1582年、その首都カシリクを占領した。

イェルマークがイワン4世に使者を送り、シビル・ハン国の領土と、クロテンやキツネなどの毛皮を献上すると、イワン4世は本格的にシベリア進出に乗りだし、ロシア人の毛皮商人も東をめざした。その後、さらに征服をつづけたものの、シビル・ハン国の残党の急襲を受けて戦死。伝説的英雄として、民謡などで語りつがれている。

イエス・キリスト　　　　　　　　　　　　　　　　　　　　　　　　　宗教　　紀元前4?〜紀元後30?年

イエス・キリスト

神の愛による救いと隣人への愛を説いた救世主

▲イエスの肖像　右手の指の形はイエスをしめすアルファベット「IHS（イエチエス）」をあらわし、みるものを祝福している。

■ヨハネから洗礼を受ける

キリスト教の開祖。

イスラエル北部ガリラヤ地方のナザレ生まれ。父は大工のヨセフ、母はマリア。イエスは名前で、キリストは「救世主（ヘブライ語でメシア）」という意味のギリシャ語。イエスが生まれたとき、夜空に異常な星の輝きをみた東方のペルシアの三博士が、「ユダヤ人の王が生まれた」といっておとずれ、贈り物をささげた。新たな王の誕生をおそれたユダヤ（イスラエル南部の地域）のヘロデ王は、2歳以下の男子を皆殺しにするよう命じたため、一家はエジプトにのがれた。ヘロデ王の死後、家族はふたたびナザレにもどった。

イエスが30歳のころ、バプテスマ（洗礼者）のヨハネがヨルダン川のほとりで、人々に「悔いあらためよ、神の国は近づいた」と説いて、洗礼を受けることをすすめる活動をはじめた。イエスは彼のもとをおとずれて、洗礼を受けた。

その後、荒野に出て、40日間、断食の修行をおこなった。そこで悪魔から「あなたが神の子なら、これらの石をパンにかえられるか？」と問われると、イエスは「人はパンだけで生きるものではない。神のことばによって生きるものである」と答えた。

■ガリラヤ地方で伝道を開始

ガリラヤにもどったイエスは、「罪を悔いあらためる者は、だれでも神の愛を受けることができる」と説いて、布教をはじめた。ガリラヤ湖で漁をするペテロとアンデレの兄弟に「人間をとる（救う）漁師にしてあげよう」とことばをかけて弟子にした。こうしてイエスのもとには12人の弟子が集まった。

イエスは病気で苦しむ人々の心に寄りそって、いやそうとした。また、不治の病を治したり、死人をよみがえらせたりする「奇跡」をおこなう力もあるとされた。その評判はたちまち広まり、各地から病気に苦しむ人や体の不自由な人、悪霊にとりつかれたとうったえる人たちがやってきた。

イエスはガリラヤ湖を見下ろす山の上に登り、群衆を前に、「苦しんでいる人、努力が報われない人にこそ、神の国が用意されている」と説いて、多くの人に希望をあたえた。また、神から見はなされているとみなされていた徴税人や罪人と食事を共にし、神の愛による救いを約束した。さらに「なんじの敵を愛せ、なんじを迫害する者のために祈れ」と、隣人への愛を求めた。こうしてイエスの名は高まり、神の国にみちびく救世主として、熱狂的にむかえられた。

■ユダヤ教の祭司たちから反発を受ける

当時のイスラエルは、ローマ帝国の支配下にありながら、パリサイ人（モーセの律法を厳格に守ろうとする一派）やサドカイ人（ユダヤ教の祭司や貴族階級の一派）が支配し、律法にのっとった伝統的な教えや習慣を強制していた。なかでも、安息日にははたらかないという律法は、安息日にはたらかなければ食べていけない人々を圧迫していた。イエスの教えは、これらの律法を正しく守れない人々にとって救いとなっただけでなく、パリサイ人や上流階級のあいだにも広まったため、ユダヤ教の祭司たちにとって、イエスは自分たちの地位をおびやかす危険な存在となった。

■エルサレムで弟子たちと最後の晩餐

「エルサレムで殺され、3日後に復活する」という神の預言をさずかったイエスは、過越祭（ユダヤ教の春祭）をめざして首都エルサレムに入った。その晩、死期が近いことを覚悟したイエスは、12人の弟子たちと晩餐を共にした（最後の晩餐）。その席でパンをちぎって「これはわたしのからだ」、ブドウ酒が入った

▲イエスの誕生　生まれた場所は、エルサレムの南のベツレヘムの馬小屋ともいわれ、ウシやロバが見守っている。キリスト教ではこの日をクリスマスとして祝う。フラ・アンジェリコ画。

▲受胎告知　マリアのもとに大天使ガブリエルがおとずれ、神の子であるイエスを身ごもったことを告げた。フラ・アンジェリコ画。

▲ヨハネによる洗礼　洗礼を受けると、天がひらかれ、神がハトとなってくだってきた。ピエロ・デラ・フランチェスカ画。

74

▲最後の晩餐　12人の弟子と食事をするイエス。ドゥッチオ画。

さかずきをあげて「これはあなたがたのために流される私の血」といって弟子たちに手渡した。さらに「あなたがたのうちに、私をうらぎろうとする者がいる」とつづけると、弟子たちのあいだに衝撃が走った。

晩餐のあと、オリーブ山のふもとで祈りをささげていると、弟子のイスカリオテのユダの密告により、大祭司がつかわした兵士がきてイエスをとらえた。大祭司の評議会でイエスは「神を冒瀆する者」「ローマ帝国への反逆者」とされ、大祭司はローマ帝国のユダヤ総督ピラトに死刑にするようったえた。ピラトは「死刑にあたるものがない」と、イエスを釈放しようとするが、ユダヤ人のはげしい要求におされて死刑をみとめた。

■ゴルゴタの丘で十字架刑に

翌朝、イエスは十字架を背負わされ、エルサレム郊外のゴルゴタ（ヘブライ語で頭蓋骨の意味）の丘まで歩かされ、そこで十字架刑に処せられた。死後3日目の朝、マグダラのマリアら女性たちがイエスの墓をおとずれると、天使があらわれ、イエスが復活したことを告げた。それから40日間、イエスは弟子たちの前に姿をあらわし、「全世界をまわって、すべてのものに伝道をせよ」と命じて、昇天（天にのぼること）した。

▲十字架にかけられたイエス　「主よ、なぜ私をお見捨てになったのですか？」とさけんで息絶えた。イエスの右には洗礼者ヨハネ、左下にはマグダラのマリア、左には母マリアと彼女をささえる弟子のヨハネがえがかれている。グリューネワルト画。

イエスの復活をまのあたりにした弟子たちは、自分たちの罪のために死んだイエスこそメシア、すなわちキリスト（救世主）であると確信し、ペテロを中心にエルサレムに教団を組織した。やがて小アジア、ギリシャ、ローマなどで伝道を開始。さまざまな迫害を受けながら、教えを広めていった。

イエスの生涯や教えは、マタイ、ルカ、マルコ、ヨハネの4つの福音書にしるされ、新約聖書におさめられて、世界中に「キリスト教」として広まった。また、イエスが処刑された場所には、のちに聖墳墓教会が建てられ、キリスト教徒の最大の巡礼地となった。

▲エルサレムの聖墳墓教会

学　日本と世界の名言

イエスにえらばれた12人の弟子（十二使徒）

イエスの近くにつかえ、教えを直接聞き、教えを広める権限をゆだねられた12人の弟子たちを十二使徒とよんだ。

❶ペテロ：ガリラヤ湖畔の漁師。弟アンデレとともにイエスの最初の弟子となった。イエスが逮捕されると、弟子であることを否定するなど弱い面をもっていたが、一番弟子として信頼された。エルサレムの初代キリスト教会の中心人物となり、ローマで殉教した。

❷アンデレ：ペテロの弟。イエスが5000人の空腹を満たす奇跡をおこなったとき、重要な役割をはたした。ギリシャで殉教した。のちに、ケルト教会やスコットランド教会の守護聖人となる。

❸大ヤコブ：漁の網をつくろっているとき、イエスにまねかれた。イエス昇天後は、スペインで布教。彼の墓の上にサンティアゴデコンポステラ大聖堂が建てられた。

❹ヨハネ：大ヤコブの弟。イエスから自分の死後、母マリアの世話をたのまれた。伝道活動をして迫害を受けるが、ただ一人、天寿をまっとうし、福音書をしるした。バプテスマのヨハネとは別人。

❺フィリポ：ガリラヤ湖の漁師。的はずれな言動が多く、しばしばイエスをあきれさせた。ギリシャや小アジアで布教し殉教した。

❻バルトロマイ（ナタナエル）：フィリポにさそわれて弟子入りする。「いつわりのないまことのイスラエル人」といわれた。アルメニアで殉教した。

❼トマス：イエスが復活したとき、イエスの傷跡にふれて真の信仰にめざめた。インドで布教し殉教した。

❽マタイ：徴税人だったが、イエスにまねかれ弟子になった。ペンをとり、主の言動を記録しつづけて、福音書をしるした。

❾小ヤコブ：エジプトで布教し、殉教した。

❿タダイ：シモンとともにペルシアで布教。新約聖書の『ユダの手紙』の著者といわれる。

⓫シモン：イスラエルからローマ軍を追いだすことをめざした武闘派集団「熱心党」に属していた。エジプト、ペルシアなどで布教し、殉教した。

⓬イスカリオテのユダ：会計係として活躍した。イエスをうらぎった人物として、後世まで悪名が伝わる。イエスの死刑判決がくだると自殺した。

イエンジャアガン

厳家淦 → 厳家淦

いくさわクノ 〔医学〕

● 生沢クノ　1864〜1945年

女性医師の草分け

（深谷市）

明治時代〜昭和時代の医師。武蔵国深谷宿（現在の埼玉県深谷市）で、蘭方医（西洋の医学を学んだ医師）の子として生まれる。若くして医学を志し、父の反対をおして修学のために上京。東京府病院の見習生などをへたのち、神田の私立東亜医学校に入学して、森鷗外らに医学を学ぶ。しかし当時は学校が女人禁制であったため、髪を切って男装し、ほかの学生とは別室で学ぶ苦労をしいられた。

1883（明治16）年に医学試験請願書を提出するが、女性であるために却下された。東京府知事、埼玉県令（県知事）に嘆願書を送るなどの活動により、翌1884年に法改正が実現。クノは1885年に医術開業前期試験、翌年に後期試験に合格し、日本で2番目の女医としての資格を得た。

川越、深谷、寄居など埼玉県各地で開業し、女性と地域のための医療に尽力。貧しい者からはお金をとらなかったともいわれる。1921（大正10）年には岩根病院に勤務し、のちに副院長となるが、晩年は深谷にもどって平穏な暮らしを送った。

いくたけんぎょう 〔伝統芸能〕

● 生田検校　1656〜1715年

生田流箏曲をおこした音楽家

江戸時代前期の音楽家。
京都に生まれる。名は幾一。箏曲（十三弦の琴による音楽）の開祖、八橋検校の門人・北島検校に師事して箏曲を学び、演奏技術をきわめた。

1695年、生田流箏曲をおこす。当時、上方で流行していた三味線の音楽「地歌」と箏の合奏をはじめ、そのためにひきやすい角爪（先が角形の箏をひくためのつめ）や調弦法などを考案した。

箏を伴奏にした歌曲『思川』『鑑の曲』『四季源氏』や、箏のための曲『五段』を作曲したといわれている。生田流は上方でさかんだったが、やがて全国に広まり、のちに江戸（現在の東京）で山田検校がおこした山田流とともに、箏曲の二大流派になった。

いくたよろず 〔学問〕

● 生田万　1801〜1837年

貧民救済のため、乱をおこす

▲生田万の乱で打ちいった陣屋の跡地の石碑　（柏崎市）

江戸時代後期の国学者。
上野国館林藩（現在の群馬県東部）の藩士の子として生まれる。24歳のとき、江戸（東京）に出て、国学者の平田篤胤に国学を学んだ。藩にもどったのち、藩政改革を求める意見書『岩にむす苔』を提出するが受け入れられず、かえって藩がみとめる朱子学以外の学問を学んだことをとがめられて追放された。

江戸や上野国を放浪したのち1836年、越後国柏崎（新潟県柏崎市）に移り、国学を教える桜園塾をひらいた。当時は天保のききん（1833〜1839年）のさなかで、柏崎の人々も飢えに苦しんでいたが、代官所の役人は貧民を救おうとしないばかりか、米商人とむすんで私腹を肥やしていた。1837年、大坂（阪）で大塩平八郎が乱をおこしたことを知って大きな影響を受け、5人の同志とともに柏崎の桑名藩陣屋をおそったが、やぶれて自殺した（生田万の乱）。反乱は失敗に終わったが、貧民救済のきっかけとなった。

イクナートン

イクナートン → アメンホテプ4世

いけざわなつき 〔文学〕

● 池澤夏樹　1945年〜

人間と自然のかかわりをさぐる

作家、詩人。
北海道生まれ。父は作家の福永武彦。母は詩人の原條あき子。埼玉大学理工学部を退学し、世界各地を旅する。一時期ギリシャや沖縄、フランスなどで生活し、アップダイクなどの現代アメリカ文学やギリシャの作品の翻訳や、詩集『塩の道』『最も長い河に関する省察』を発表する。

1984（昭和59）年に長編『夏の朝の成層圏』で作家としてデビューすると、1987年には『スティル・ライフ』で芥川賞を受賞。

文学と科学的知識にもとづく視点で、自然と人間のあり方をさぐる作品を次々と発表する。エッセーや書評にも定評があり、『母なる自然のおっぱい』、小説『マシアス・ギリの失脚』、こどもむけの『南の島のティオ』などがある。

学 芥川賞・直木賞受賞者一覧

いけだきくなえ 産業

● 池田菊苗　1864〜1936年

「うま味」の正体を解明した物理化学者

明治時代の物理化学者。京都に薩摩藩士の次男として生まれる。大阪衛生試験所で化学を学び、1889（明治22）年、東京帝国大学理科大学（現在の東京大学理学部）化学科を卒業、大学院に進学する。その後、母校の助教授となり、1899年から1年半、ドイツのライプツィヒ大学へ留学。帰国前に寄ったロンドンで夏目漱石と出会い、以後親交をもった。帰国後は母校教授に就任。基本味4種類（甘味、酸味、苦味、塩味）以外に「うま味」があると考え、コンブの研究から、1907年に、「うま味」がグルタミン酸ナトリウムであることを突き止めた。これを主成分として開発した調味料「味の素」が、1909年に鈴木製薬所（現在の味の素株式会社）から発売された。日本の物理化学の基礎をつくり、画期的な発見をした功績をたたえ、1985（昭和60）年に特許庁により「日本の十大発明家」の一人として選定された。

いけだげんべえ 工芸 郷土

● 池田源兵衛　1675〜？年

津軽塗をはじめた職人

▲津軽塗の椀　（公益社団法人弘前市物産協会）

江戸時代中期の職人。
陸奥国弘前（現在の青森県弘前市）の塗師（漆器の職人）の家に生まれた。
幼名は源太郎。父の源兵衛は、1685年、弘前藩から派遣され、江戸（東京）の有名な蒔絵職人の青海太郎左衛門のもとで技術を学んだが、翌年江戸で亡くなった。源太郎は、父のあとを受けつぎ、弘前の蒔絵師山野井四郎右衛門の弟子となっていたが、青海からまねかれて、23歳のとき江戸に出て、青海のもとで8年間修業した。
1704年、弘前にもどって源兵衛の名をつぎ、「研ぎだし変わり塗り」技法を創案した。青森産のヒバの木地にいろいろな漆をぬってはみがいて、つやをだす作業を何十回もくりかえす手間のかかる技法だった。堅牢で実用性のある漆器は、弘前藩から奨励されて特産品となり、明治時代には、津軽塗とよばれるようになった。1975（昭和50）年、国の伝統的工芸品に指定された。

いけだしげあき 産業

● 池田成彬　1867〜1950年

三井財閥を大きく発展させた銀行家

（国立国会図書館）

明治時代〜昭和時代の銀行家、政治家。
米沢藩（現在の山形県東部と南部）の藩士、池田成章の長男として生まれる。慶應義塾大学、ハーバード大学卒業後、1895（明治28）年に三井銀行に入社。三井銀行副長、中上川彦次郎の娘と結婚する。1909年、三井財閥の持ち株会社、三井合名の発足にともない、三井銀行は株式会社化し、常務取締役に就任。電力会社に外貨債を発行させるなど、経営手腕を発揮した。1933（昭和8）年には「役員は実際にはたらいている人を選任すべし」と、三井財閥の所有と経営の分離を推進した。また、国の恩にむくいることと大衆との共存共栄を願い、財団法人三井報恩会を設立。失業対策や風水害対策、研究施設などに寄付活動をおこなう。1936年、三井直系各社に定年制を導入し、自身もこの決定にしたがい退職した。翌年、第14代日本銀行総裁に就任。大蔵大臣兼商工大臣をつとめた。合理主義的な感覚と実行力で三井銀行を日本の代表的銀行に発展させたが、身辺は質素で、引退後は所蔵する書画や骨董を売って生計を立てていた。

いけだてるまさ 江戸時代

● 池田輝政　1564〜1613年

姫路宰相百万石といわれた大名

（林原美術館）

戦国時代〜江戸時代前期の大名。
織田信長の重臣池田恒興の子。尾張国清洲（現在の愛知県清須市）に生まれる。父や兄とともに織田信長、豊臣秀吉につかえた。1584年、小牧・長久手の戦いで父や兄が戦死したため、その領地を受けついで美濃国大垣（岐阜県大垣市）城主になり、翌年、美濃国岐阜城（岐阜市）に移った。秀吉の天下統一を助け、1587年の九州平定や1590年の小田原攻めに兵をひきいて戦功をあげ、三河国吉田（愛知県豊橋市）15万2000石をあたえられた。秀吉が亡くなると家康に接近し、1600年、関ヶ原の

戦いでは徳川家康に味方した。岐阜城攻略に成功したので戦後、播磨国姫路（兵庫県姫路市）52万石をあたえられ、姫路城を居城とした。徳川氏に信頼されてたびたび領地を加増されたので、姫路宰相百万石といわれた。

輝政が築いた姫路城はその美しさから白鷺城ともよばれ、1993（平成5）年、世界遺産に登録された。

いけだはやと 政治
● 池田勇人　1899〜1965年

高度経済成長をなしとげた内閣総理大臣

(内閣広報室)

昭和時代の政治家。第58、59、60代内閣総理大臣（在任1960年、1960〜1963年、1963〜1964年）。

広島県生まれ。京都帝国大学（現在の京都大学）卒業後、大蔵省に入省し、1947（昭和22）年に大蔵事務次官となる。1949年に衆議院議員に当選すると、第3次吉田茂内閣で大蔵大臣、第4次吉田内閣で通商産業大臣、経済審議庁長官を兼務。佐藤栄作とともに「吉田学校の優等生」といわれた。大蔵大臣時代には「貧乏人は麦を食え」、通産大臣時代には「中小企業の5人や10人自殺してもやむをえない」と発言し、辞任した。その後も石橋湛山内閣、岸信介内閣で入閣。60年安保でたおれた岸内閣のあとを受け、1960年、内閣総理大臣に就任した。「寛容と忍耐」を基本政治姿勢とし、「所得倍増計画」をとなえ、高度成長政策を打ちだす。国民総生産（GNP）を10年で2倍にする経済成長目標を4年で達成し、1964年に第18回オリンピック東京大会を開催。反面、公害、物価上昇、農業の荒廃などの新たな社会問題をひきおこした。オリンピック閉会式の翌日に退陣を表明、1965年に病死した。

学 歴代の内閣総理大臣一覧

いけだますお 絵画
● 池田満寿夫　1934〜1997年

幅広い分野で活躍した版画家

昭和時代〜平成時代の画家、版画家、作家、映画監督。

旧満州の奉天（現在の中華人民共和国の瀋陽）生まれ。第二次世界大戦後は長野市で育ち、高校卒業後、画家をめざして上京した。画家の瑛九のすすめで銅版画をはじめ、1960（昭和35）年の東京国際版画ビエンナーレ展で文部大臣賞を受賞した。1965年には日本人としてはじめて、ニューヨーク近代美術館で個展をひらく。

翌年、ベネチア・ビエンナーレ展で版画部門の国際大賞を受けるなど、海外でも活躍した。

そのかたわら小説を書き、1977年には『エーゲ海に捧ぐ』で芥川賞を受賞し、みずからが監督をつとめて映画化した。陶芸や彫刻、絵画など、幅広い分野で多くの作品をのこした。

学 芥川賞・直木賞受賞者一覧

いけだみつまさ 江戸時代
● 池田光政　1609〜1682年

学問を奨励した名君

(池田光政画像/東京大学史料編纂所所蔵模写)

江戸時代前期の大名。播磨国姫路藩（現在の兵庫県姫路市）の藩主、池田利隆の子。1616年、8歳で父のあとをつぐが、幼いことを理由に42万石から32万石に領地をけずられた。1632年、国がえによって備前国岡山藩（岡山市）31万5000石の藩主になった。儒学（中国の孔子によってまとめられた学問）にもとづいた政治をおこない、備前風といわれる質素倹約を進める一方で、新田開発や治水工事、殖産興業に力を入れた。藩士の子弟や庶民の教育にも熱心で、儒学者の熊沢蕃山をまねき、蕃山は「花畠教場」で藩士の子弟を教育した。1666年、日本で最初の藩校をひらき、1670年には庶民のこどもに読み書き、算術と儒学を学ばせる閑谷学校（岡山県備前市）を創設した。閑谷学校の建物は現在、国宝や重要文化財に指定されている。

74歳で亡くなるまで藩政につくし、水戸藩（茨城県水戸市）の徳川光圀、会津藩（福島県会津若松市）の保科正之とともに江戸時代前期の三名君の一人とされる。

いけだりよこ 漫画・アニメ
● 池田理代子　1947年〜

『ベルサイユのばら』などで多くのファンをもつ漫画家

漫画家、声楽家。

大阪府生まれ。東京教育大学（現在の筑波大学）哲学科に在学中、『バラ屋敷の少女』で漫画家デビュー。1972（昭和47）から雑誌『週刊マーガレット』に『ベルサイユのばら』を連載して大人気となる。西洋史を題材にした歴史長編が多く、ほかの代表作に『オルフェウスの窓』『栄光のナポレオン―エロイカ』『女帝エカテリーナ』などがある。

『ベルサイユのばら』は18世紀末のパリ、ベルサイユを舞台に、フランス革命という史実をもとにした物語。女性に生まれながら男性として育てられた主人公オスカルや、その幼なじみのアンドレ、オーストリアのハプスブルク家からルイ16世のもとにとついだマリー・アントワネット、その精神的なささえとなるフェルゼンなどが登場する、恋と革命の陰謀が渦巻く、壮大な長編歴史ロマン漫画である。通称「ベルばら」とよばれ、空前のブームをまきおこし、少女漫画の金字塔となった。1974年には、宝塚歌劇団が舞台化して宝塚史上最大のヒット作となり、くりかえし上演され、初演から40年をへて通算観客動員数500万人をこえ、現在も看板演目としてたびたび上演されている。1979〜1980年にはテレビアニメが放映された。

▲池田理代子

1995年、47歳のときに東京音楽大学声楽科に入学。卒業後、ソプラノ歌手として音楽活動も開始した。「真夏に第九を歌う会」を結成し、世界のめぐまれないこどもたちのためのチャリティーコンサートをひらくなど、ボランティア活動にも従事。2005年にはマリー・アントワネット生誕250周年記念作品として、マリー・アントワネットが作曲した歌曲12曲を歌ったCDも発売した。2005年には3頭身のキャラクターが登場する4こま漫画『ベルばらKids』を『朝日新聞be』に連載し、新しいファンを獲得した。2012〜2013年には、連載40周年を記念して「ベルサイユのばら展」が全国各地でひらかれた。原画や資料が、宝塚歌劇の華麗な衣装とともに展示され、いまも幅広い年代層から熱い支持を得ている。2009年には、フランスとの友好関係に大きく寄与したとして、フランス政府よりレジオン・ドヌール勲章の第5階級シュバリエを受章した。

▲『ベルサイユのばら』6巻表紙
（Ⓒ池田理代子プロダクション／集英社マーガレットコミックス）

いけなみしょうたろう	文学

● 池波正太郎　　1923〜1990年

『鬼平犯科帳』で時代小説の第一人者となる

昭和時代〜平成時代の作家、劇作家。
東京生まれ。下町の浅草に育ち、幼いころから母親につれられて芝居見物にかよった。小学校卒業後は、株式売買の店ではたらく。第二次世界大戦中は海軍へ入隊した。戦後、区役所ではたらきながら、劇作家をめざし、新聞社の懸賞戯曲に応募して入選する。劇作家の長谷川伸に教えを受けて、戯曲『鈍牛』などが劇団の新国劇で上演される。1960（昭和35）年、小説『錯乱』で直木賞を受賞。1967年から、鬼の平蔵と悪人におそれられる一方で、義理と人情に厚い火付盗賊改方長官の長谷川平蔵の活躍をえがく『鬼平犯科帳』シリーズが大ヒット。つづいて『剣客商売』『仕掛人・藤枝梅安』のシリーズを発表し、時代小説の第一人者となる。いずれもテレビドラマ化され、高い人気を得た。1977年に吉川英治文学賞、1988年には菊池寛賞を受賞。庶民感覚にあふれた語り口でつづる映画や旅、食などのエッセーも人気がある。

学 芥川賞・直木賞受賞者一覧

いけのたいが	絵画

● 池大雅　　1723〜1776年

日本の文人画を大成させた

江戸時代中期の画家。
京都に生まれる。幼いころから書の才能を発揮し、京都の禅寺、黄檗山万福寺で書を発表して絶賛された。独学で絵も学び、15歳のとき扇子に絵をえがいて売る店をひらき、職業画家としてデビューした。中国の文人画（文芸をたしなむ文人のえがいた絵画）や、琳派（俵屋宗達にはじまり、尾形光琳、酒井抱一らに受けつがれた流派）の絵画、水墨画、西洋画の遠近法などを学んだ。また、若いころから日本各地を旅して、風景に対する実感に富んだ表現をみがき、与謝蕪村とともに日本の文人画を大成した。

（国立国会図書館）

代表作に『楼閣山水図屏風』、蕪村と合作した『十便十宜図』がある。『十便十宜図』は、中国の明代から清代の文人、李漁がよんだ詩『十便十二宜詩』にもとづいてえがかれた画集で、国宝に指定されている。また、筆のかわりに指やつめでえがく指頭画にもすぐれ、万福寺に障壁画『五百羅漢図』がのこされている。妻の池玉瀾も画家として活躍した。

いけのぼうせんけい	華道・茶道

● 池坊専慶　　生没年不詳

池坊生け花の始祖

室町時代の池坊生け花の創始者。
初期の生け花である「立花（たてはな）」の名手で、京都

六角堂として知られる頂法寺（京都市）の僧侶。この寺の僧侶は代々池のほとりに住んでいたため「池坊」とよばれていた。1462年、武将のまねきを受けて、金瓶に草花数十枝を立てたところ、京都中の愛好家がこぞって見物して感嘆したと、東福寺（京都市）禅僧の日記『碧山日録』にしるされている。日々の読経や礼拝に欠かすことのできない仏前供養の供花から、観賞用の立花への展開をもたらし、日本独自の「いけばな」という文化を成立させ、いまもつづく生け花の流派、池坊の創始者となった。専慶のさした花を記録した図はまったくないが、現存する日本最古の花書とされる『花王以来の花伝書』にみられる花の絵図と技法は、専慶の時代の花の面影をうつしたものと考えられている。

いけのぼうせんこう　[華道・茶道]

● 池坊専好　1575〜1658年

池坊生け花を大成させた

▲『池坊専好（2代）肖像』
（華道家元池坊総務所）

安土桃山時代〜江戸時代前期の華道家。
池坊専好の名を称する人物は4名いるが、とくに初世専好と2世専好が有名で、初世（？〜1621年）は儒教を立花の構成理論にとり入れ、自然の景色を器の上に表現し、入木道（書道）の理論を前提とした新しい技法論『専好華伝書』を著した。
2世（1575〜1658年）は初世の理論に仏教をとり入れ、より複雑な構成になった立花（生け花）を武家屋敷などで立てた。京都では、後水尾天皇が親王や公卿たちを宮中に集めてたびたび立花会を開催し、指導者として活躍した。とくに1629年の「紫宸殿御立華」の花会は有名。天皇から位をあたえられ、池坊の指導的立場を不動のものとした。曼殊院（京都市）や池坊家元、陽明文庫（京都市）などに200点以上の立花図がのこされ、立てた日や場所が明確になっているものもある。2世が大成した立花は、町人社会にも普及し、多くの弟子が輩出されていった。

いけのぼうせんのう　[華道・茶道]

● 池坊専応　1482〜1543年

いまも基本とされる花伝書をのこした

戦国時代の僧、華道家。
頂法寺（通称六角堂）（京都市）の僧。頂法寺は聖徳太子ゆかりの寺で、聖徳太子が沐浴した池のほとりにあった僧の住坊を池坊といった。池坊専慶のひらいた池坊生け花を発展させ、立花（生け花）の基本形を成立させた。1525年、青蓮院尊鎮親王の御所で開催された花会で生けた花が、非常にみごとだったことが「池坊は六角堂の執行で花の上手なり」と公家の日記『二水記』に賞賛されている。池坊としてはじめて宮中で花を生けるなど、池坊の中心となって活躍した。また、弟子などにあてていくつかの花伝書をのこし、その中でも、『池坊専応口伝』が代表的な花伝書として知られている。生け花は、単に美しい花をめでるだけのものではなく、草木の風情を知り、かれた枝なども用いながら自然の姿を器の上に表現するのだととなえ、その教えはいまもたいせつにされている。

いこう　[王族・皇族]

● 韋后　？〜710年

政治の混乱をまねいた皇后

中国、唐の第4代皇帝中宗の皇后。
京兆府万年県（現在の陝西省西安）に生まれる。父、韋玄貞は地方の州の長官だった。韋皇后、韋氏ともよばれる。中宗が皇太子のとき、そのきさきにえらばれ、684年に皇后となった。中宗が生母、則天武后によって房州（湖北省）に流されていた約20年間は苦労を共にした。705年に中宗は復位。中宗の信頼を得て国の政治に参加するようになると、政治に不熱心な中宗にかわって、武則天（則天武后）派とむすんで実権をにぎった。710年に中宗を毒殺し、中宗の子を仮の皇帝に擁立したが、中宗のおいの李隆基（のちの玄宗）がおこした軍事政変によって殺害された。則天武后と韋后の政権掌握がひきおこした政治の混乱は「武韋の禍」といわれる。

イサベルいっせい　[王族・皇族]

● イサベル1世　1451〜1504年

スペインを共同統治し、レコンキスタを完成

スペイン、カスティリャ王国の女王（在位1474〜1504年）。
イベリア半島中央部にあった、カスティリャ王フアン2世の娘。イサベラ女王などともいう。地中海に領海権をもつアラゴン王国の王子フェルナンドと結婚し、1474年、父のあとをついだ兄、エンリケ4世が亡くなると、夫と共同で王位についた。ポルトガル王アフォンソ5世との戦いに勝つと、カスティリャ領内の反イサベル派を討伐。1479年、夫がその父の死去にともないアラゴン王位を継承することで、カスティリャ＝アラゴン連合王国（スペイン王国）が誕生した。1492年、イスラム勢力が支配していたグラナダを征服し、約800年にわたったレコンキスタ（キリスト教国によるイベリア半島の再征服運動）を完了させ、スペインにキリスト教を広めた。この偉業がたたえ

られ、イサベルとフェルナンドは、ローマ教皇により「カトリック両王」の称号をさずけられた。また、コロンブスの新大陸発見の航海を支援したことでも有名である。

イサムピョン

● 李参平 → 李参平

いざわしゅうじ　〔教育〕

● 伊沢修二　1851～1917年

近代日本の教育界の基礎を築いた官僚出身の教育者

（石川県立歴史博物館）

明治時代の教育者、文部官僚。

信濃国高遠（現在の長野県伊那市）の高遠藩士の家に生まれる。1872（明治5）年、大学南校（現在の東京大学）を卒業し、文部省勤務をへて愛知県師範学校（愛知教育大学）の校長となる。1875年、アメリカ合衆国へ留学、ブリッジウォーター師範学校、ハーバード大学で教育学や音楽を学んだ。帰国後はふたたび文部省に勤務、日本のこどもたちの健全な情操を育てることを目的に、西洋の音楽教育をもとにして『小学唱歌』の編集をおこない、学校教育にとり入れた。また教員養成の師範教育、体操教育を重視し、教科書検定制度を実施するなど、近代の教育体制の確立をめざした。

東京師範学校（筑波大学）をはじめとした各学校の校長もつとめ、1890年には、忠君愛国の国家教育の実現をめざして国家教育社を創設。翌年、文部省を退官し、民間教育運動の中心として活躍した。日清戦争後、台湾へわたり、植民地教育にも力をそそいだ。晩年は、吃音矯正を目的とした楽石社を設立し、学制改革などにも尽力した。著書に、日本初の教育学書『教育学』や『視話法』『進化原論』などがある。

いざわやそべえ　〔郷土〕

● 井沢弥惣兵衛　1654～1738年

見沼代用水をつくった武士

江戸時代前期～中期の武士。

紀伊国溝口村（現在の和歌山県海南市）に生まれた。本名は為永。幼いころから算数が得意だったという。30代の中ごろ紀伊藩（和歌山県）に登用され、約30年間にわたり、藩の土木事業につくした。1716年、藩主の徳川吉宗が8代将軍になると、江戸（東京）によばれて幕府の家臣になり、下総国飯沼新田（茨城県坂東市、常総市など）の開発や、下総国手賀沼（千葉県我孫子市、柏市など）の干拓、大井川の河川

の改修などをてがけた。

1727年、新田開発を進めていた吉宗から、武蔵国見沼溜井（さいたま市）の水をぬく工事を命じられた。見沼溜井は、江戸時代のはじめに伊奈忠治がつくった溜池で、下流の村々（川口市、蕨市など）の用水池として利用されていた。干拓と同時に見沼溜井を利用していた村の水を確保するため、見沼溜井にかわる用水づくりを計

▲井沢弥惣兵衛の銅像
（見沼代用水土地改良区）

画した。利根川の水を下中条村（埼玉県行田市）でとり入れ、見沼まで全長約80kmの用水をひくもので、その年の8月から工事をはじめ、半年後の1728年、見沼代用水が完成し、約1200haの水田（見沼たんぼ）をうるおした。

1731年、弥惣兵衛は見沼代用水を交通路として利用しようと考え、見沼代用水の2本の水路とあいだを流れる芝川をつなぐ運河をつくった。見沼代用水と芝川では水面の高さが3mもちがうため、水門をもうけて水面を上下させて船を通す閘門式運河を考案した。この運河は船を通すことから見沼通船堀とよばれた。見沼通船堀の開通により、物資の輸送が便利になり見沼たんぼで収穫された米などが船で江戸へはこばれ、江戸からは魚類、塩、肥料などがはこばれた。

▲現在の見沼代用水
（見沼代用水土地改良区）

いしいきくじろう　〔政治〕

● 石井菊次郎　1866～1945年

石井・ランシング協定を締結

明治時代～昭和時代の外交官、政治家。

上総国（現在の千葉県中部）出身。帝国大学（現在の東京大学）卒業後、外務省に入り、外務次官、駐仏大使などをつとめる。1915（大正4）年、第2次大隈重信内閣で外務大臣に就任して日露協約の締結などにとりくんだ。1917年、特派大使としてアメリカ合衆国にわたり、中国問題に関する日米間の合意を、アメリカの国務長官ランシングとのあいだにむすぶ（石井・ランシング協定）。

1920年、駐仏大使再任と同時に国際連盟における日本代表となり、1927（昭和2）年のジュネーブ軍縮会議では全権大使となった。その年に退官し、その後は枢密顧問官などをつとめる。ヒトラーのドイツに不信感をもち、日独伊三国同盟締結に際しても懸念をあらわしていた。1945年、東京大空襲で行方不明となり、死亡認定された。

いしいじゅうじ 　教育　郷土
● 石井十次　1865～1914年
孤児の救済につくした教育者

（社会福祉法人石井記念友愛社）

明治時代の教育者、社会事業家。
日向国高鍋藩（現在の宮崎県中央東部と串間市）の藩士の子として生まれた。医者になろうと岡山県甲種医学校（現在の岡山大学医学部）に入学し、在学中にキリスト教の洗礼を受けた。医学生として村の診療所で研修中、貧しい巡礼者のこどもをあずかったことをきっかけに、孤児を救済する仕事を志し、1887（明治20）年、岡山県の寺の一角を借り、岡山孤児院を創設した。その後、1891年に名古屋地方をおそった濃尾地震や、1905年の東北地方の大凶作による孤児を受け入れ、収容人数は1200人に達した。孤児院の中に小学校をつくって、教育を受けさせる一方、孤児たちによる音楽隊を編成して全国各地で公演活動をおこない、寄付を集めて、孤児救済の資金にした。1910年、自然の中で養育しようと決意し、故郷宮崎県の茶臼原（宮崎県西都市）の原野を孤児たちと開拓して移住し、小学校や教会などを建てた。

いしいばく 　映画・演劇
● 石井漠　1886～1962年
日本の現代舞踊の基礎を築いた舞踊家

大正時代～昭和時代の舞踊家。
秋田県生まれ。本名は忠純。1911（明治44）年に創設された帝国劇場歌劇部の第1期生で、イタリア人振付師ローシーからバレエの基礎、ドイツ人音楽家ベルクマイスターやオペラ歌手の三浦環から音楽を学ぶ。1916（大正5）年、ヨーロッパから帰国していた小山内薫、山田耕筰の劇団「新劇場」に参加し、翌年には浅草オペラの旗揚げに加わる。1922年から4年間、ヨーロッパやアメリカ合衆国各地で公演した。フリーダンスから独自の創作舞踊を生みだし、日本の現代舞踊の基礎を築いた。帰国後は石井漠舞踊研究所を設立し、新人の指導につとめた。代表作に『人間釈迦』などがある。

いしいももこ 　絵本・児童
● 石井桃子　1907～2008年
『ノンちゃん雲にのる』の作者

昭和時代～平成時代の児童文学作家、評論家、翻訳家。
埼玉県生まれ。日本女子大学英文科卒業。幼いころは、家族にかこまれて昔話などを聞きながらすごした。大学卒業後、出版社勤務のかたわら、英米児童文学の翻訳をてがけ、ミルン作の『クマのプーさん』（1940年）、続編の『プー横丁にたった家』をはじめ多くの訳書を出版する。第二次世界大戦中から児童小説を書きはじめた。1947（昭和22）年に発表した『ノンちゃん雲に乗る』は、新しい日本の児童文学として高い評価を得て、芸術選奨文部大臣賞を受賞。ほかに『山のトムさん』『べんけいとおとみさん』『迷子の天使』などの作品がある。児童文学の研究者、評論家としても活躍し、いぬいとみこらといっしょに児童文学研究をまとめた『子どもと文学』は、日本の児童文学の方向性をしめした意欲的なとりくみである。戦後、日本の児童文学の質を高めるために力をつくし、図書館運動などにも大きな足跡をのこした。

いしがきりん 　詩・歌・俳句
● 石垣りん　1920～2004年
現代詩を代表する女性詩人

昭和時代～平成時代の詩人。東京生まれ。高等小学校卒業後、銀行員のかたわら詩の創作に打ちこむ。1938（昭和13）年に同人誌『断層』を創刊。『歴程』に参加して、詩や小説を発表する。第二次世界大戦後は組合運動にも参加し、反戦をモチーフにした詩集『私の前にある鍋とお釜と燃える火と』により注目される。1969年に『表札など』でH氏賞を受賞。1971年の詩集『石垣りん詩集』で田村俊子賞を受賞して、詩壇の地位を確立した。
その後も詩集『略歴』『やさしい言葉』などで高く評価され、小学校の国語教科書にも詩が収録される。その作風は、やわらかな感受性と心の強さをもち、感情の動きや理論の核心をやさしいことばでときほぐしてみせる。同年代の詩人、茨木のり子とも交流があり、ともに現代詩を代表する女性詩人と称される。エッセー集『ユーモアの鎖国』『焔に手をかざして』『詩のなかの風景』『夜の太鼓』などでも注目された。

いしかわくらじ 　教育
● 石川倉次　1859～1944年
日本式の点字の考案者

明治時代～昭和時代の教育者。
浜松藩（現在の静岡県西部）生まれ。千葉県での小学校

教師をへて、1887（明治20）年に東京盲唖学校助教諭となる。1890年、目の不自由な人でも書かれた文字がわかるように、フランスのルイ・ブライユが考案したアルファベット用の6点点字を改良し、日本語の音にあてはめた日本式の点字を考えだした。これが点字選定会で正式に採用されたのが、1890年11月1日のことで、以来この日は「日本点字制定記念日」として定められている。この日本式点字の開発により、多くの目の不自由な人が、読みたい本や公文書を読めるようになった。

（国立国会図書館）

石川はその後、1898年に拗音点字を発表。この拗音点字をふくめた日本語点字は「日本訓盲点字」として、1901年4月の官報に掲載された。これにより点字が全国に広まり、日本の盲人用文字として公認されることとなった。

そのほか、点字を表記するための「点字器」や「点字タイプライター」も開発したことから、「日本点字の父」とたたえられている。

いしかわごえもん　戦国時代
● 石川五右衛門　?～1594年

天下の大盗賊

（国立国会図書館）

安土桃山時代の伝説的盗賊。

遠江国浜松（現在の静岡県浜松市）に生まれ、徒党を組んで強盗などの悪事をはたらき、1594年にとらえられて親子ともども京都の三条河原で釜ゆでの刑にされた、と伝えられている。

大きく世間をさわがせたことや、釜ゆでという極刑を受けたことが、のちに民衆の空想をふくらませて、大衆芸能の題材となり、さまざまな物語を生んだ。江戸時代の浄瑠璃『石川五右衛門』が劇になった最初といわれており、その後『釜淵双級巴』『傾城吉岡染』などがつくられた。また、歌舞伎でも『金門五山桐』『艶競石川染』などの有名な作品がつくられた。これらの作品の中でしだいに、大衆から支持され、豊臣秀吉の命をねらった義賊としてあつかわれるようになる。キセルをくわえ、百日かつらに大どてらという五右衛門像は、この時期に確立され、五右衛門ぶろという鉄製のふろの名前にもなった。小説、落語、川柳、映画やドラマ、漫画などの題材として、現代でも語りつがれている。

いしかわさんしろう　政治
● 石川三四郎　1876～1956年

日本にアナキストの思想を広めた

明治時代～昭和時代の社会運動家。

埼玉県生まれ。東京法学院（現在の中央大学）在学中にキリスト教にふれ、洗礼を受ける。卒業後は朝報社の記者をへて、幸徳秋水、堺利彦らの平民社に入り、『平民新聞』で、非戦論と社会主義を主張した。1905（明治38）年には木下尚江とともに月刊誌『新紀元』を創刊。同時期に田中正造とともに足尾鉱毒事件にとりくんだ。政府による社会主義者とアナキスト（無政府主義者）への弾圧事件や、大逆事件をのがれ、1913（大正2）年にヨーロッパにわたる。帰国後は、農民や協同組合による自治の社会を理想とした土民思想を主張。1946（昭和21）年には日本アナキスト連盟設立に参加し、思想の宣伝につとめた。

いしかわじゅん　文学
● 石川淳　1899～1987年

現代社会への批判精神をこめた小説

昭和時代の作家。

東京生まれ。漢学者を祖父にもち、中学生のころは古典や江戸文学、夏目漱石などを愛読した。東京外国語学校（現在の東京外国語大学）フランス語科を卒業後、さまざまな職につき、のちにアナトール・フランス、アンドレ・ジッド、モリエールなどフランス文学の翻訳にかかわる。その後、1935年に37歳でデビューすると、翌年発表した小説『普賢』で芥川賞を受賞して作家としてみとめられた。

第二次世界大戦中の活動が制限された時期を乗りこえ、戦後、活動を再開すると『黄金伝説』『焼跡のイエス』など、次々と発表。1980年の『狂風記』が若者の支持を得てベストセラーとなる。現代社会への批判的精神がこめられた作品群から、太宰治、坂口安吾らとともに、無頼派とよばれる。

学 芥川賞・直木賞受賞者一覧

いしかわたくぼく　詩・歌・俳句
● 石川啄木　1886～1912年

平易なことばで日常生活をよむ

明治時代の歌人、詩人。

岩手県日戸村（現在の盛岡市）でお寺の住職の長男に生まれる。本名は一。1898（明治31）年、県立盛岡尋常中学校（現在の盛岡第一高校）に進む。在学中は、先輩の金田一京助らに影響され、文芸雑誌『明星』を愛読するなど浪漫主義文学に夢中になった。

1902年、文学の道に進むため、中学を退学して上京する。与謝野鉄幹の主宰する『明星』に詩や短歌の投稿をはじめる。このころからペンネームを啄木とした。1905年、詩集『あこがれ』

を出版し、天才詩人として将来を期待される。

（日本近代文学館）

その後、母校の小学校で代用教員をつとめながら小説の執筆をつづけた。1907年、北海道にわたり、地方新聞の記者となって函館、札幌、小樽、釧路と移り住んだ。

1908年、北海道から上京して、翌年東京朝日新聞社の校正係の定職を得る。1910年、はじめての歌集『一握の砂』を刊行する。みずからの日常の生活に主題を求める新鮮さや、歌の意味で3行に分かち書きする独特のスタイルが注目され、第一線の歌人としてみとめられた。1912年、194首をおさめた歌集『悲しき玩具』を発表するが、貧困のなかで病にたおれ、26年の生涯をとじた。病と貧困に苦しみながら、生活をみずみずしく平易なことばでよみ、読者の共感を得た。歌集のほかに、詩集『呼子と口笛』、評論『時代閉塞の現状』などがある。

学 日本と世界の名言

いしかわたつぞう

● 石川達三　　　　　　1905～1985年　　文学

戦後社会派作家として活動

（日本近代文学館）

昭和時代の作家。
秋田県生まれ。岡山市の旧制中学を卒業後、早稲田第二高等学院へ進むが、1年で退学。電気業界誌の会社ではたらきながら小説を書く。1930（昭和5）年に移民団としてブラジルへわたるが、半年で帰国。この経験をもとに、移民の実情をえがいた『蒼氓』で1935年の第1回芥川賞を受賞する。つづく『日蔭の村』ではダムの底にしずむ村をえがくなど、つねに社会の問題をテーマに、取材を重視して実情を伝える姿勢で小説を書いた。1938年の『生きてゐる兵隊』は、日中戦争の残虐な実態を明らかにしたことで発売禁止となる。

第二次世界大戦中は発表作品が少なくなるが、社会正義とヒューマニズムの立場をつらぬき、戦後は社会派作家として精力的に活動する。

主な作品に『風にそよぐ葦』『人間の壁』『傷だらけの山河』『金環蝕』、話題作『結婚の生態』『僕たちの失敗』、文明批評にあふれた『流れゆく日々』などがある。

学 芥川賞・直木賞受賞者一覧

いしかわちよまつ

● 石川千代松　　　　　　1861～1935年　　学問

日本に進化論の考え方を広めた

明治時代～昭和時代の動物学者。
江戸（現在の東京）で、江戸幕府の旗本の子として生まれる。明治維新後、開校したばかりの東京大学で、アメリカ合衆国の動物学者モースから動物学を学び、1883（明治16）年に、モースの講義を『動物進化論』にまとめて出版した。翌年からドイツに留学して、細胞の遺伝などを学び、帰国後に『進化新論』を出版、日本に進化論の考え方を広めた。1890年から東京帝国大学（現在の東京大学）教授、その後、上野動物園の初代園長をつとめた。

主に水にすむ動物の受精や発生を中心に研究をおこなった。また、琵琶湖のコアユを多摩川に放流してふつうのアユに育てることに成功し、アユの養殖や放流事業の基礎をつくった。

いしかわまさもち

● 石川雅望　　　　　　1753～1830年　　学問　詩・歌・俳句

宿屋飯盛の名で知られる狂歌師

（国立国会図書館）

江戸時代後期の国学者、狂歌師。
浮世絵師、石川豊信の子。江戸の日本橋小伝馬町（現在の東京都中央区）の旅籠屋に生まれる。和学や漢学を学んだ。その後、四方赤良（大田南畝）に入門して狂歌（風刺やこっけいみをもたせた短歌）を学び、宿屋をいとなんだことから宿屋飯盛の名前で、狂歌四天王の一人に数えられた。『万代狂歌集』など狂歌の本も数多く出版した。

しかし、1791年、家業のことで贈収賄の嫌疑をかけられ、江戸払（江戸市内から追放する刑）を命じられた。内藤新宿（東京都新宿区）に移って和学の研究に打ちこみ、国語辞書『雅言集覧』や『源氏物語』の注釈書『源註余滴』などを著した。その後、ふたたび狂歌師として活躍した。また、読本（さし絵よりも文章を中心にすえた小説）もてがけ、『近江県物語』『飛驒匠物語』などを発表した。

いしかわりきのすけ

● 石川理紀之助　　　　　　1845～1915年　　郷土

「農聖」とよばれた農業指導者

江戸時代後期～明治時代の農業指導者。
陸奥国小泉村（現在の秋田県秋田市）の農家に生まれる。

21歳のとき、山田村（秋田県潟上市）の農家、石川家の養子となり、かたむいていた家を復興させた。1872（明治5）年、秋田県庁につとめると、種苗交換会をひらいて、品質のよいイネを求め、各地の経験豊かな老農を集めて、農業の改善を研究した。1882年に役人をやめてからは、冷害つづきで借金に苦しむ山田村の立て直しにとりくんだ。質のよい堆肥をつかって米の収穫をふやし、わら製品やカイコ、果物を販売して、収入を得ることを提案した。毎朝3時に農家をまわって村人をおこすなど、農村のためにつくした結果、5年間で借金を返済した。

イシグロ, カズオ　　文学

● カズオ・イシグロ　　1954年〜

イギリスの若手作家ベスト20の一人

イギリスの作家。

長崎県生まれ。1983年イギリス国籍取得。イーストアングリア大学大学院創作科修了。両親は日本人。5歳のとき海洋学者の父とともに家族でイギリスに移住。こども時代は探偵小説『シャーロック・ホームズ』に親しんだという。

大学院に在籍中から小説を書きはじめる。1982年、最初の長編『女たちの遠い夏』（日本題は、のちに『遠い山なみの光』と改題）を発表し、王立文学協会賞を受賞して注目される。1989年には『日の名残り』で、イギリス最高の文学賞ブッカー賞を受賞。イギリスの若手作家ベスト20にもえらばれ、2008年『タイムズ』紙による1945年以降のもっとも重要な英文学者の一人にも数えられた。この作品と2005年に発表した『わたしを離さないで』は、のちに映画化された。『わたしを離さないで』は、日本では2014年に蜷川幸雄の演出により舞台化され、2016年にはテレビドラマ化された。

作風は、ひかえめな語り口ながら、読み終わるといつまでも心にのこる独特の雰囲気をもつ。テーマは幅広く、長編が多い。2015年には『忘れられた巨人』を発表した。

いしざかようじろう　　文学

● 石坂洋次郎　　1900〜1986年

明るくユーモラスな青春小説で人気作家に

昭和時代の作家。

青森県生まれ。慶應義塾大学卒業。卒業後は青森県や秋田県で教師をしながら小説を書き、主に慶應義塾大学文学部を中心とする文芸雑誌『三田文学』に作品を発表する。1927（昭和2）年『海をみに行く』で作家としてデビュー。明るく健全でユーモアにあふれる郷土色豊かな青春小説で、広く支持された。1936年、教師としての経験をもとにした小説『若い人』で、三田文学賞を受賞、作家としての地位を確立した。

第二次世界大戦後は、『青い山脈』『陽のあたる坂道』などでくったくのない明るさと若い正義感を魅力的にえがき、幅広い読者を得た。ほかに『石中先生行状記』などがある。

いしだいら　　文学

● 石田衣良　　1960年〜

現代の若者の姿をえがく

作家。

東京都生まれ。本名は石平庄一。成蹊大学卒業。こどものころから本を読むのが好きで、7歳ころから小説家になりたいと思っていた。大学卒業後は、広告制作会社勤務、フリーのコピーライターなどをへて、36歳で小説家になることを決意する。さまざま小説新人賞に応募し、1997（平成9）年、『池袋ウエストゲートパーク』でオール讀物推理小説新人賞を受賞、作家としてのデビューをはたす。

現代の社会にひそむ問題に視点をおき、若者の生きる姿をえがき、中高生からおとなまで、幅広い人気を集める。2003年、『4TEEN』で直木賞を受賞。ほかに『5年3組リョウタ組』『北斗　ある殺人者の回心』などの作品がある。

学 芥川賞・直木賞受賞者一覧

いしだばいがん　　学問

● 石田梅岩　　1685〜1744年

商人にわかりやすく道徳を説いた

（一般社団法人心学明誠舎）

江戸時代中期の思想家。

丹波国東懸村（現在の京都府亀岡市）の農家に生まれ、少年のころから京都の商家に奉公した。商売のかたわら読書にはげみ、独学で儒学や仏教、神道を学んだ。この知識をもとに、庶民のための人生哲学「心学」を考えだし、1729年、京都の自宅に無料の公開講座をひらいた。

梅岩の教えは、当時の身分社会の中でもっとも低い地位におかれていた商人に対し、正直、勤勉、倹約、孝行などの道徳を実践することが、家業繁栄の条件であるとわかりやすく説き、商業における道徳の確立をはかって、町人を中心に受け入れられた。

その後、入門者がふえ、京都市中だけでなく大和国（奈良県）や河内国（大阪府東部）へも出むいて教えを説いた。梅岩の死後、その教えは弟子の手島堵庵たちによって石門心学として全国に広められた。

いしだはきょう

● 石田波郷　　　　　　　　　1913～1969年　　〔詩・歌・俳句〕

いのちの極限をよむ

昭和時代の俳人。

愛媛県生まれ。本名は哲大。明治大学文芸科中退。旧制中学のころから俳句をはじめ、水原秋桜子が主宰する『馬酔木』の同人となる。1935（昭和10）年に『石田波郷句集』を出版、清新な俳句が注目される。1937年、句誌『鶴』を創刊する。

第二次世界大戦中から戦後に流行した新しい俳句運動とは距離をたもち、松尾芭蕉を学び、伝統を重んじつつ新しい俳句を切りひらこうとした。その作風から、中村草田男や加藤楸邨らとともに「人間探求派」とよばれる。1954年『石田波郷全句集』で読売文学賞、1968年『酒中花』で芸術選奨文部大臣賞を受賞。句集『惜命』は、結核との壮絶な闘病記録。

いしだみつなり

● 石田三成　　　　　　　　　1560～1600年　　〔戦国時代〕

関ヶ原の戦いで西軍をひきいてやぶれる

(石田三成画像／東京大学史料編纂所所蔵模写)

戦国時代の武将。

近江国石田村（現在の滋賀県長浜市）に生まれる。長浜城主だった羽柴秀吉（のちの豊臣秀吉）にみとめられ、13歳のころから側近としてつかえる。

1583年の賤ヶ岳の戦いをはじめ、九州征伐や朝鮮出兵（文禄・慶長の役）などで、知将として活躍した。一方、秀吉の全国統一後は、行政面で手腕をふるい、太閤検地の推進などに力をそそいだ。1591年、近江国佐和山（彦根市）の城主となり、1595年には五奉行の一人となって権力をふるう。豊臣政権の維持に力をつくし、領民からは善政でしたわれたが、強引なやり方で諸大名から反感を買う。秀吉の死後、勢力をのばしはじめた徳川家康に対抗し、1600年、毛利輝元、宇喜多秀家らの大名をまとめて、西軍として戦いをいどんだが（関ヶ原の戦い）、小早川秀秋のうらぎりによって敗北し、逃走中にとらえられ、京都の六条河原で処刑された。

いしだよしお

● 石田芳夫　　　　　　　　　1948年～　　〔伝統芸能〕

「コンピューター」といわれた囲碁棋士

囲碁棋士。

愛知県生まれ。小学校2年のとき、碁会所をひらいていた父から囲碁を習う。1957（昭和32）年、9歳で木谷実九段に入門した。1963年に入段、以後毎年のように段位を上げ、1974年に九段となる。22歳で、史上最年少の本因坊となり、秀芳という号となる。本因坊5連覇により名誉本因坊の資格を得る。加藤正夫、武宮正樹とともに、木谷門下三羽烏の一人である。

2008（平成20）年、60歳となり、名誉本因坊の資格を得て、24世本因坊秀芳を名のる。正確な計算と形勢の判断により「コンピューター」のニックネームがある。タイトル獲得数は24。2012年より棋士会会長をつとめる。

いじのあざまろ

伊治砦麻呂 → 伊治砦麻呂

いしのもりしょうたろう

● 石ノ森章太郎　　　　　　　1938～1998年　　〔漫画・アニメ〕

『サイボーグ009』をはじめ多くの作品を生んだ「萬画家」

▲石ノ森章太郎

昭和時代の漫画家。

宮城県石森町（現在の登米市中田町石森）生まれ。本名、小野寺章太郎。病弱な姉に学校や外でのできごとを絵にして伝えたのが、漫画の原点となった。その後、手塚治虫の『新宝島』を読み、大きな影響を受ける。中学生のころから漫画を投稿しつづけ、高校生のときには手塚治虫のアシスタントも経験した。

1954（昭和29）年の高校在学中、『二級天使』という作品で漫画家デビューをはたす。ペンネームを石森章太郎とした。父親は反対するが、姉の説得により高校卒業後、2人で上京。手塚治虫が住んでいた東京都豊島区のトキワ荘で、漫画家としての活動をはじめた。トキワ荘では、藤子不二雄（のちの藤子・F・不二雄、藤子不二雄Ⓐ）や赤塚不二夫らと、切磋琢磨しながら漫画をかいた。

20歳のとき、同居していた姉が病気を悪化させ急死する。漫画家としてのスランプなども重なり、石ノ森は世界一周旅行に出かけた。帰国後の1964年から、特殊な力をもった9人のサイボーグ戦士たちの活躍をえがいた『サイボーグ009』の連載をはじめ、大ヒット。単純な正義のヒーローものではなく、人種・異文化問題や、文明社会への問題提起、主人公たちやその敵の心の葛藤をテーマにするなど、哲学的に大きくふみこんだSF（空想科学）長編ストーリー漫画であった。

ほかにも、ほとんど台詞のない漫画『ジュン』や、少女漫画『おかしなおかしなおかしなあの子』、200万部の大ベストセラーとなった教養漫画『マンガ日本経済入門』など、SFから時代劇まで

幅広いジャンルの漫画をかいた。作品数は単行本だけでも400冊をこえる。さらに特撮作品『秘密戦隊ゴレンジャー』の原作や、『仮面ライダー』の原作、漫画化、監督もつとめるなど、漫画家という枠をこえて活躍した。

▲宮城県登米市にある生家
（石ノ森章太郎ふるさと記念館）

1985年、ペンネームを石森から石ノ森に改名。漫画でも漫画以外でも新しい表現方法を追い求めつづけ、自分自身のことを多彩な表現者という意味をこめて「萬画家」（萬はよろずという意味）と称するようになる。1992（平成4）年にコミック表現の自由を守る会の代表、1993年にはストーリー漫画家の団体マンガジャパンの世話人代表となった。亡くなったのちの同年、勲四等旭日小綬章、全作品に対して、日本漫画家協会賞文部大臣賞が贈られた。

いしばしたんざん　政治
● 石橋湛山　1884～1973年

ジャーナリストから内閣総理大臣へ

（国立国会図書館）

大正時代～昭和時代のジャーナリスト、政治家。第55代内閣総理大臣（在任1956～1957年）。

東京で僧侶の子として生まれる。早稲田大学卒業。1911（明治44）年、東洋経済新報社に勤務。経済評論を主として活躍し、金の輸出に関して、大蔵大臣井上準之助の政策に反対した「金解禁論争」などが有名。第二次世界大戦前・戦中は、民主主義をとなえて大正デモクラシーをリードする一人となり、また日本の植民地政策や帝国主義を批判した。1941年（昭和16）年には東洋経済新報社の社長となった。

戦後の1946年に総選挙に出馬して落選するが、第1次吉田茂内閣の大蔵大臣に抜てきされて就任すると、戦後の経済の再建にとりくんだ。翌年の衆院選で当選するも公職を追放されるが、4年後に解除されると、第1～3次鳩山一郎内閣で通商産業大臣をつとめた。

1956年、自由民主党総裁選に勝って第55代内閣総理大臣となるが、病気のためわずか2か月ほどで辞任する。辞任後は日中米ソ平和同盟を実現するため、中華人民共和国（中国）やソビエト連邦（ソ連）との交流に活躍した。

学 歴代の内閣総理大臣一覧

いしはらかんじ　政治
● 石原莞爾　1889～1949年

柳条湖事件の計画者

（国立国会図書館）

大正時代～昭和時代の陸軍軍人。

山形県生まれ。1919（大正8）年、陸軍大学校卒業。1920年、日蓮主義の思想団体である国柱会の会員となる。1928（昭和3）年、関東軍作戦参謀主任となり満州（中国東北部）にわたる。1931年、板垣征四郎とともに満州事変のきっかけとなる南満州鉄道爆破事件（柳条湖事件）をおこした。「五族協和・王道楽土」をスローガンにかかげた満州国の建国や、日本の国際連盟からの脱退を進める。1935年、参謀本部作戦課長となり、翌年の二・二六事件の鎮圧にあたった。1937年の日中戦争時には、参謀本部作戦部長として中国との全面戦争路線には反対の立場をとったが、参謀本部をおさえることはできなかった。同年、関東軍副参謀長としてふたたび満州にわたる。このときの参謀長が東条英機であり、戦略構想をめぐって対立した。1941年、現役を終えた軍人のなる予備役に編入。以後は大学講師や講演・執筆活動をおこなう。第二次世界大戦後の極東国際軍事裁判では戦犯指定されず、証人として喚問された。

いしはらしんたろう　政治　文学
● 石原慎太郎　1932年～

『太陽の季節』で一世を風靡する

作家、政治家。

兵庫県生まれ。一橋大学卒業。弟は俳優の石原裕次郎。大学在学中に書いた『太陽の季節』で1955（昭和30）年文学界新人賞、芥川賞を受賞し、作家デビュー。古い道徳に反逆する若者をえがいた『太陽の季節』は、「太陽族」という流行語を生み、昭和30年代の若者から熱狂的な支持を得た。

その後、ベトナム戦争の取材をきっかけに政治に関心をもち、1968年に参議院議員に当選。1972年から衆議院議員となり、環境庁長官、運輸大臣を歴任。東京都知事（1999～2012年）をつとめたのち、衆議院議員に復帰し、2014（平成26）年に政界を引退。

政治活動中も創作をつづけ『化石の森』『生還』、弟である俳優・石原裕次郎の死をえがいた『弟』などを発表する。随筆に、アメリカ合衆国でも話題になった『「No」と言える日本』や『老いてこそ人生』『新・堕落論』、2001年に文藝春秋読者賞を受賞した『わが人生の時の人々』などがある。

学 芥川賞・直木賞受賞者一覧

いしはらゆうじろう
石原裕次郎　映画・演劇　1934～1987年

戦後日本を席捲したアクション俳優

(写真提供/石原プロモーション)

昭和時代の俳優、歌手。兵庫県神戸市生まれ。父の転勤にともない、北海道小樽市に、次いで神奈川県逗子市に転居した。慶應義塾大学法学部に在学中、兄石原慎太郎が書いた『太陽の季節』が芥川賞を受賞。その映画化にあたり、1956（昭和31）年、端役として映画デビューした。その後、日活に入社し、『狂った果実』で主演。共演した北原三枝とのちに結婚する。つづく1957年、『俺は待ってるぜ』『嵐を呼ぶ男』で人気が爆発、その主題歌も大ヒットし、歌手としても人気をよんだ。その後も次々にヒット作をだし、第二次世界大戦後の映画界を代表するスターとなった。

1963年に石原プロモーションを設立。超大作映画『黒部の太陽』（1968年）は空前の大ヒットを記録した。1970年代には『太陽にほえろ！』（1972年）、『大都会・闘いの日々』（1976年）、『西部警察』（1979年）など、テレビドラマにも数多く出演し、高視聴率をとった。「タフガイ（たくましい男）」とよばれ、アクション物のヒーローとされたが、けがや病気に苦しみ、1987年、52歳で亡くなった。

いしむれみちこ
石牟礼道子　文学　1927年～

ルポルタージュで水俣病の患者をえがく

ノンフィクション作家、詩人。熊本県生まれ。生後まもなく水俣町（現在の水俣市）に移り住む。水俣実務学校卒業後、小学校の代用教員をつとめ、結婚後は家事のかたわら短歌をつくる。1958（昭和33）年、詩人の谷川雁が主宰する「サークル村」に参加して文学活動をはじめた。1953年ごろから社会問題になっていた公害病、水俣病に関心をもち、1968年、水俣病市民会議を結成する。その病に苦しむ人々の話を聞き書きし『苦海浄土―わが水俣病』を著す。患者の代弁者として、水俣病の実態や公害の恐怖を世に知らせ、公害をもたらした社会の構造を告発した。この作品で、第1回大宅壮一ノンフィクション賞にえらばれたが、受賞を辞退。その後も『天の魚』『椿の海の記』と書きついで、水俣病患者をえがく三部作を完成させた。

そのほかの作品に『西南役伝説』『おえん遊行』『十六夜橋』『水はみどろの宮』『天湖』『アニマの鳥』などがある。

いしもりのぶお
石森延男　絵本・児童　1897～1987年

人間愛にあふれた作品をのこす

大正時代～昭和時代の児童文学作家、国語教育者。北海道生まれ。東京高等師範学校（現在の筑波大学）卒業。在学中から創作をはじめ、1926（大正15）年に『慕はしき人々』を出版し注目される。第二次世界大戦の前は、軍国主義にそまらず人間性あふれる作品を発表する。1943（昭和18）年、長女が20歳の若さで亡くなったことをきっかけにキリスト教に入り、以後、作品にもキリスト教の精神があらわれるようになった。戦後は、昭和女子大学の教授をつとめるかたわら、創作をつづける。1957年に発表した『コタンの口笛』は、ふるさとの北海道を舞台に、誇りをもって生きるアイヌの姉弟をえがき、アイヌの差別問題に目をむけた児童文学として大きな反響をよび、第1回小川未明文学賞、産経児童出版文化賞を受賞した。1962年『バンのみやげ話』で、野間児童文芸賞受賞。創作や教育者としての活動とともに、国語教科書の編さんを通して、長年にわたり日本の国語教育に大きく貢献した。

いじゅういんしずか
伊集院静　文学　1950年～

現代の都会的な男女の世界をえがく

作家、作詞家。山口県生まれ。本名は西山忠来。立教大学文学部卒業。広告代理店の勤務をへて、フリーランスとなり、テレビのコマーシャル制作やコンサートの演出、作詞などで活躍する。作詞家としては伊達歩のペンネームで近藤真彦のヒット曲『ギンギラギンにさりげなく』『愚か者』などをてがける。

1991（平成3）年に『乳房』で吉川英治文学新人賞を受賞し、その後は直木賞作品の『受け月』のほか、『機関車先生』、

『ごろごろ』など、文学賞を受賞した作品を数多く発表。現代の都会的な男女の世界をえがいて人気を集める。ほかに『ノボさん 小説 正岡子規と夏目漱石』『少年譜』『羊の目』『駅までの道をおしえて』などがある。

学 芥川賞・直木賞受賞者一覧

いじりしょうじ　　学問
● 井尻正二　　1913～1999年

近代的な古生物学の基礎を築く
昭和時代の古生物学者。
北海道に生まれる。東京帝国大学（現在の東京大学）理学部卒業。古生物学、地質学、歯学などを学び、卒業後は、国立科学博物館、東大地震研究所勤務をへて、東京経済大学教授をつとめた。1962（昭和37）年に、長野県の野尻湖でナウマンゾウの化石が発見されると、現地での発掘作業を指導し、旧石器時代の人類の生活のようすなどを明らかにした。
大学を退職してからは、化石や進化などの本を数多く執筆する。日本の化石研究の第一人者として知られ、野尻湖での発掘作業に一般の人々の参加をよびかけるなど、近代的な古生物学を一般に広めることにも力をつくした。

いしんすうでん
以心崇伝 → 金地院崇伝

いずとみと　　郷土
● 伊豆富人　　1888～1978年

『熊本日日新聞』を創刊した実業家
明治時代～昭和時代の実業家。
熊本県日奈久町（八代市）に生まれた。小学校を卒業後、独学で勉強し、1912（大正元）年、早稲田大学に入学した。在学中から『九州日日新聞』の通信員の仕事をおこない、卒業後の1917年、30歳のとき東京朝日新聞社に入社して政治経済部の記者になった。その後、衆議院議員になるが、ふたたび新聞界にもどり、九州日日新聞社と九州新聞社が合併してできた熊本日日新聞社の社長になった。県民に郷土の姿を広く知ってもらおうと、1958（昭和33）年から『熊本の歴史』を連載し、また、地域につくした人々を表彰する賞をつくるなど、地域の発展につくした。

イスマーイール　　王族・皇族
● イスマーイール　　1487～1524年

イラン人国家であるサファビー朝をひらいた
サファビー朝ペルシアの初代シャー（王）（在位1501～1524年）。
カスピ海近くで活動する、イスラム神秘主義のサファビー教団の教主の家に生まれる。1494年、イラン西部からアゼルバイジャンを支配していた白羊朝の攻撃を受けて父と兄が戦死すると、教主となった。12歳まで有力者の保護を受けてギーラーン地方に潜伏したが、神秘主義者らの支持を得て旗揚げ。アナトリア半島各地のキズィルバーシュとよばれるトルコ系遊牧民のサファビー教徒に決起をうながし、彼らをひきいて東に進み、各地で白羊朝の軍隊に勝利した。1501年に白羊朝の首都タブリーズに入り、サファ

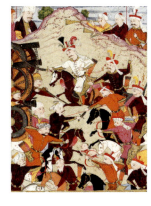

ビー朝を建てて、シャーとして即位。イスラム教シーア派の一派である十二イマーム（シーア派の最大宗派で現在のイランの国教）を国教とし、国内のスンナ派の勢力を弾圧した。イラン、イラク、東アナトリアを支配下において領土を広げたが、1514年、オスマン帝国のセリム1世と戦ってやぶれ、イラクと東アナトリアをうばわれ、失意のうちに亡くなった。

いずみきょうか　　文学
● 泉鏡花　　1873～1939年

幻想と浪漫の作家

（日本近代文学館）

明治時代～昭和時代の作家。石川県生まれ。本名は鏡太郎。父は彫金師、母は能楽師の家系で、独自の美意識をやしないながら育つ。幼いころに母を亡くしたことも、浪漫的で幻想的な小説に影響をあたえた。
1890（明治23）年に作家を志して上京し、翌年、尾崎紅葉の自宅に住みこんで指導を受けるようになる。1895年、社会の矛盾や不合理をえがく観念小説『夜行巡査』『外科室』を発表し作家としてみとめられる。翌年には少年の清純な愛を、独自の美しい文体でえがいた『照葉狂言』、さらに名作『高野聖』を発表。つづく『婦系図』『歌行燈』で人気作家の地位を不動のものとした。
大正時代には、戯曲にも才能を発揮し、『夜叉ヶ池』『天守物語』など、はなやかで幻想的な作品を書いた。その独自な文学世界は、現在も文芸や舞台、映画などに強い影響をあたえている。ほかに『白鷺』『日本橋』『縷紅新草』などがある。

いずみしきぶ　　詩・歌・俳句
● 和泉式部　　生没年不詳

恋多き情熱の歌人
平安時代中期の歌人。
紫式部、清少納言とともに、平安朝の三才女として知られる。

（京都府誠心院）

下級貴族の娘で、20歳ころに和泉守（現在の大阪府南西部の長官）橘道貞と結婚した。冷泉天皇の皇后につかえ、のちに歌人として有名になる小式部内侍を生んだ。恋多き女として有名で、夫と別れたあと、冷泉天皇の皇子為尊親王と恋におち、為尊親王の死後は、弟の敦道親王と恋愛関係になり和歌をやりとりした。それらは1007年ころに著した『和泉式部日記』にくわしく書かれている。藤原道長は、式部の奔放な恋愛遍歴から、浮かれ女とからかった。1007年、敦道親王が亡くなったあと、藤原道長の娘で一条天皇の中宮（皇后と同じ身分）彰子につかえた。その後、道長の家司（家政をつかさどる職）の藤原保昌と再婚したが、50歳ころ、娘の小式部内侍に死なれ、悲しみに暮れた。生涯に1500首ほどの歌をのこしたが、自由で情熱的な歌が多く、紫式部は、なにげないところに新鮮さがあるとほめている。

「あらざらむ　この世のほかの思ひ出に　いまひとたびの　逢ふこともがな」という歌は、のちに藤原定家がまとめた『小倉百人一首』にえらんだ1首で、敦道親王が亡くなったとき、悲しみのうちにもせつない恋心をよんでいる。　学 人名別　小倉百人一首

いずみようすけ

● 和泉要助　　　1829～1900年　発明・発見

人力車の父

（自分史図書館所蔵）

明治時代の発明家。筑前国（現在の福岡県北西部）に生まれる。1869（明治2）年、御所の料理人をしていたころ、西洋の馬車にヒントを得て、仕事を通して知り合った八百屋の鈴木徳次郎とともに人力車を考案。車大工の高山幸助をさそい試作を重ね、翌年試作品が完成する。

同年、3人の連名で東京府に人力車の製造と営業の許可を得て、人力車総行司となり、権利を独占した。

最初は日本橋のたもとで3台から営業をはじめたが、小まわりがきいて便利なうえに値段も安い人力車は、庶民の足としてかごにかわってたちまち全国に広がり、アジアを中心に海外にも輸出された。しかし、日本は専売特許制度が確立しておらず、和泉らは発明者であるにもかかわらず、爆発的な流行の恩恵を受けることはできなかった。

文明開化の象徴ともいわれる人力車の発明に中心的な役割をはたした和泉は「人力車の父」といわれ、東京都内の2か所に「人力車発明記念碑」が建てられている。

いずものおくに

出雲阿国 → 阿国

イスンシン

李舜臣 → 李舜臣

イスンマン（りしょうばん）

● 李承晩　　　1875～1965年　政治

韓国の独立に貢献した初代大統領

大韓民国（韓国）の政治家。初代大統領（在任1948～1960年）。

黄海道平山郡の名家に生まれる。英語教師となったが、李氏朝鮮の近代化をめざす独立協会に参加、1898年に投獄された。

釈放後、アメリカ合衆国に留学してプリンストン大学で博士号を取得。以後、アメリカを拠点に韓国の独立運動をおこなった。第二次世界大戦後、アメリカの占領統治の下、国内の権力闘争に勝ちぬいて、1948年、独立国家となった韓国の初代大統領に就任した。

就任後は朝鮮民主主義人民共和国（北朝鮮）への強硬な態度を強く打ちだし、その強硬姿勢は朝鮮戦争の一因にもなった。日本に対しても、「李承晩ライン」をもうけて漁場から日本漁船をしめだすなど、反日的な外交をおこない、在任中の日韓の国交正常化はならなかった。

大統領職を守るために、言論弾圧や憲法改定、不正選挙をおこなったため、1960年、学生によるはげしい抵抗運動がおこり、失脚した。韓国の独立への貢献は大きいが、大統領就任後は権力の保持に固執するなど負の面も指摘される。

学 主な国・地域の大統領・首相一覧

いせそうずい

伊勢宗瑞 → 北条早雲

いせひでこ

● いせひでこ　　　1949年～　絵本・児童

宮沢賢治の世界を絵本にする

絵本画家、児童文学作家。
北海道生まれ。本名は柳田英子。伊勢英子の筆名もある。東京藝術大学卒業。夫は作家の柳田邦男。大学ではデザイン

を学び、1年間フランスに留学。1985（昭和60）年、『むぎわらぼうし』（作・竹下文子）で絵本にっぽん賞を受賞。38歳のとき、病気で右目の視力を失うが、その後も創作童話『マキちゃんの絵にっき』、『水仙月の四日』（作・宮沢賢治）などを発表し、各種の賞に輝く。

宮沢賢治と画家のビンセント・ファン・ゴッホの研究をライフワークとする。『ルリユールおじさん』はフランスをはじめ各国で翻訳されている。『旅する絵描き　パリからの手紙』などのエッセーも人気がある。

いそざきみんき　〈郷土〉

● 磯崎眠亀　1834〜1908年

花むしろの創作者

江戸時代後期〜明治時代の商工業者。

備中国都宇郡沖新田村（現在の岡山県倉敷市）の綿織物をあつかう商人・織元の家に生まれた。江戸（東京）で武士の家につかえたのち、郷里にもどり、織機の改良を試みて、新しい織物をつくりだした。また、特産のイグサを用いた産業をおこそうと考え、畳表の織機を改良していた。

セイロン島（スリランカ）でつくられた竜鬢筵という敷物をみて、イグサに美しい色をつける方法や、模様を織る機械を開発した。1878年、「錦筵」と名づけた美しい花むしろを売りだした。高価なため国内では売れなかったが、日本の重要な輸出品となった。その技術は、家庭でつかわれる花むしろに受けつがれている。

イソップ　〈古代〉〈文学〉

● イソップ　紀元前620？〜紀元前560？年

寓話の生みの親

古代ギリシャの寓話作家。

バルカン半島南東部のトラキア、または小アジア（トルコ）の人といわれる。イソップは英語名、ギリシャ名ではアイソポスという。その生涯は、はっきりしていないが、古代ギリシャの歴史家ヘロドトスは、サモス島の人イアドモンの奴隷であったが、その機知によって解放されたという。リュディア王の使いとしてデルフォイにおもむき、無実の罪により死刑になったといわれる。

人間社会の道徳や生きる知恵を、神々や人間、さまざまな動物たちが登場する物語、寓話にして語り歩き、各地に広めたとされる。のちに、『イソップ物語』としてまとめられ、世界中に知られるようになった。日本にも西洋人が伝えて、『伊曽保物語』として知られる。

いそのかみのやかつぐ　〈貴族・武将〉

● 石上宅嗣　729〜781年

日本初の図書館をひらいた

奈良時代の公家の高官。

761年、遣唐使に任命されたが、船が破損したので唐にわたることなく、その後辞任した。770年、称徳天皇（孝謙天皇）の死後、参議（朝廷の重要な官職）として、藤原永手、藤原百川、吉備真備らとともに光仁天皇を擁立した。その後、中納言、大納言に昇進し、死後は正二位という高い位を贈られた。漢詩や書にすぐれ、歴史や仏教の知識が豊かな文化人で、同時代の淡海三船とならび名高かった。自宅の書庫を「芸亭」と名づけ、多くの書物を集めて閲覧を希望する者にゆるした。芸亭は日本ではじめての公開図書館といわれている。

（国立国会図書館）

イソンゲ

李成桂 → 李成桂

いたがきせいしろう　〈政治〉

● 板垣征四郎　1885〜1948年

満州国建国の首謀者

大正時代〜昭和時代の陸軍軍人。

岩手県生まれ。陸軍士官学校、陸軍大学校卒業。1929（昭和4）年に関東軍高級参謀となる。1931年、石原莞爾らと満州事変の発端となる南満州鉄道爆破事件（柳条湖事件）をおこした。「五族協和・王道楽土」をスローガンに満州国の建国を進め、建国後は満州国軍政部最高顧問、関東軍参謀長、師団長を歴任した。満州拓殖株式会社を設立して、日本からの移民計画を推進。

また、1938年に近衛文麿内閣の陸軍大臣となると、戦争中に政府が国民の生活全般を統制する権限をみとめた国家総動員法を追加発動して、満州（中国東北部）の産業活動を推進した。1939年には平沼騏一郎内閣で陸軍大臣と対満事務局総裁とを兼任し、日独伊三国同盟の締結を強引に進めようとした。

その後、朝鮮軍司令官や、第七方面軍司令官に就任して、太平洋戦争の指導的役割をはたした。戦後、A級戦犯として極東国際軍事裁判で死刑判決を受け、1948年、絞首刑となった。

いたがきたいすけ

幕末 政治

● 板垣退助　　　　　　　　　　1837～1919年

自由民権運動の指導者

（国立国会図書館）

幕末の土佐藩（現在の高知県）の藩士、明治時代の政治家。

土佐藩の生まれ。1862年、前藩主山内豊信につかえ、江戸（東京）にある藩邸の総裁をつとめた。藩の考えを幕府温存から倒幕にむけようとし、1867年、薩摩藩（鹿児島県）の西郷隆盛とひそかに倒幕の盟約をむすんだ。

1868（明治元）年、戊辰戦争がおこると新政府の総督府参謀として各地に転戦、会津戦争などで活躍し、明治維新後は新政府に参加する。1870年、薩摩の西郷隆盛や大久保利通と廃藩置県を進め、明治新政府の参議となった。

1872年、西郷隆盛らと征韓論（国交を拒否し鎖国政策をとっていた朝鮮に対し出兵するべきだという考え）をとなえたが、国内の政治を優先するべきだとする大久保利通らの反対にあい、西郷とともに政界を去った（明治六年の政変）。

1874年、土佐の後藤象二郎らと愛国公党を結成し、国会を開設することをうったえる「民撰議院設立建白書」を明治政府に提出した。同年、土佐で立志社を設立し、国会をひらくことを主張して自由民権運動を進めた。1875年、大阪に愛国社を設立するが明治政府の参議に再任したので自然消滅した。

1878年、愛国社を再興して国会開設運動を進めた結果、1881年、10年後に国会をひらくという勅（天皇のことば）がだされ、板垣は日本で最初の政党である自由党を結成して党首となり、全国へ遊説の旅に出た。岐阜市の寺で演説を終え、外に出ようとしたところを暴漢に切りつけられて重傷を負った。そのとき「板垣死すとも自由は死せず」とさけんだという。

1882年、後藤象二郎らとヨーロッパに出かけたが、帰国後の1884年、自由民権運動がはげしくなると、急進的な人々が過激な事件をおこすようになり、自由党を解散した。1890年、愛国公党を結成すると、さらに大井憲太郎の自由党、河野広中の大同倶楽部とむすんで立憲自由党を結成した。1891年、立憲自由党を自由党と改称し党首となった。

日清戦争後の1896年、第2次伊藤博文内閣の内務大臣となる。1898年には大隈重信の進歩党と合流して憲政党を結成して党首となり、同年、第3次伊藤内閣が総辞職したあと、日本初の政党内閣となる第1次大隈重信内閣（隈板内閣）が成立すると内務大臣になったが、内輪もめで内閣は解散した。1900年、憲政党を解散して伊藤博文の立憲政友会に合流した

あと政界を引退し、その後は社会事業につくした。

学 お札の肖像になった人物一覧　　学 日本と世界の名言

いたくらしげまさ

江戸時代

● 板倉重昌　　　　　　　　　　1588～1638年

島原・天草一揆の鎮圧にあたった

江戸時代前期の大名。

初代京都所司代（朝廷や西日本の大名を監視する役職）板倉勝重の子。大御所（将軍職をしりぞいた前将軍の呼び名）徳川家康のそば近くにつかえ、大坂の陣（1614～1615年）では豊臣方との和平交渉にあたった。家康の死後、江戸幕府第2代将軍徳川秀忠、第3代将軍徳川家光に重用されて、1624年、三河国深溝藩（現在の愛知県幸田町）1万2000石の大名になった。1637年、島原・天草一揆がおこると、九州の諸大名を指揮して鎮圧にあたった。しかし、一揆をしずめることができず、幕府が老中松平信綱を指揮官として派遣したことを知ると、信綱がくる前に一揆をしずめようと、一揆軍が立てこもる原城に総攻撃をかけたが、やぶれて戦死した。

いたやはざん

工芸

● 板谷波山　　　　　　　　　　1872～1963年

陶芸の近代化を進めた陶芸家

明治時代～昭和時代の陶芸家。

茨城県生まれ。本名は嘉七。号の波山は故郷の筑波山にちなむ。東京美術学校（現在の東京藝術大学）彫刻科を卒業した。金沢の工業学校で彫刻を教えたのち、陶磁科を担当し、本格的に陶芸の研究をはじめる。1903（明治36）年、教師をやめて上京し、田端に窯をひらいて、陶芸家として自立した。日本美術協会展などで受賞を重ね、1929（昭和4）年に帝国美術院会員、1934年に帝室技芸員となる。彫刻の技術を生かし、うすくほった文様に色をつけた作品や、その上に葆光釉とよばれるつや消しの上薬をかけた作品で、陶芸の近代化を進めた。1953年、陶芸家としてはじめて文化勲章を受章した。

学 文化勲章受章者一覧

いたやへいしろう

郷土

● 板屋兵四郎　　　　　　　　　？～1653年

金沢に辰巳用水をつくった町人

江戸時代前期の町人。

加賀国小松（現在の石川県小松市）の生まれといわれる。1631年、加賀藩（石川県・富山県）の城下町、金沢でおきた大火をきっかけに、藩主前田利常にめしだされ、防火用水の建設を命じられた。犀川の上流を測量し、上辰巳村（金沢市）で水をとり入れることを決定した。翌1632年、約10kmの水路をひいて、金沢城内と城下へ水を送る用水を完成させた。この用水は、城の辰巳（南東）の方角にあることから、辰巳用水とよ

ばれ、現在も兼六園や、金沢市内に水を送っている。

イダルゴ，ミゲル　　政治

ミゲル・イダルゴ　　1753〜1811年

メキシコ独立運動の指導者

メキシコの司祭、独立運動指導者。

中部のグアナファト州の大農園の管理人の子として生まれる。神学校で学んだのち、ドローレス村の教区の司祭に任じられた。聖職者の仕事のかたわら、農民に近代的な農業や手工業を指導した。1808年、フランスのナポレオン1世がスペイン本国を占領すると、イダルゴはスペインからの独立運動に参加。1810年9月16日、教区の民衆に武装蜂起をよびかけた（「ドローレスのさけび」）。奴隷解放、先住民への土地の返還などを宣言し、メキシコシティをめざしたが、1811年、スペイン軍の反撃を受けてとらえられ、処刑された。「メキシコ独立運動の父」とたたえられ、9月16日はメキシコの独立記念日となった。

いちかわごろべえ　　郷土

市川五郎兵衛　　1571〜1665年

佐久平に新田をひらいた武士

戦国時代〜江戸時代前期の武士。

上野国羽沢村（現在の群馬県南牧村）に生まれた。先祖は羽沢村を本拠地とする武士で、武田信玄につかえ、戦功により信濃国佐久地方（長野県佐久市）に領地をあたえられた。武田家滅亡後、砥沢村（南牧村）で刃物をとぐ砥石づくりをしていたが、佐久が荒れ地になっていることを知って新田開発を思いたち、佐久に移住した。

1626年、この地方を支配していた小諸藩（長野県小諸市）藩主の許可を得て、5年ほどかけて蓼科山のわき水を水源とする全長約20kmの用水をひき、この用水をもとに佐久の矢島原を開拓して、新田をひらいた。工事にかかった費用はすべて五郎兵衛が負担したという。新しくできた村は、のちに五郎兵衛新田村と名づけられた。五郎兵衛新田は現在も米の産地として知られ、そこで生産される米は、「五郎兵衛米」とよばれている。

▲市川五郎兵衛用水
（佐久市五郎兵衛記念館）

いちかわこん　　映画・演劇

市川崑　　1915〜2008年

『ビルマの竪琴』などで知られる、日本映画界の巨匠

昭和時代〜平成時代の映画監督。

三重県生まれ。少年時代を大阪、京都ですごす。画家を志す一方でちゃんばら映画に熱中。ディズニーの短編アニメーションに感動し、映画関係の仕事を志す。1933（昭和8）年、京都のJOスタヂオのトーキー漫画部に入り、アニメーション映画の作画を担当。1939年、東宝映画東京撮影所に転

籍、上京した。初期は都会的な風刺喜劇で人気を集め、その後次々と文芸作品をてがける。1956年『ビルマの竪琴』で、ベネチア国際映画祭サン・ジョルジョ賞受賞。1961年『おとうと』で、カンヌ国際映画祭でも受賞。1964年の東京オリンピックの翌年上映された記録映画『東京オリンピック』は、日本映画空前の興行記録をつくった。

1965年、崑プロダクションを設立。テレビドラマ『木枯し紋次郎』や角川映画『犬神家の一族』、サントリーのCM演出も話題となった。1982年に紫綬褒章、1994（平成6）年には文化功労者に選出される。92歳で亡くなるまで生涯現役で映画に情熱をそそぎ、幅広い分野で数多くの作品をのこした。

いちかわさだんじ　　伝統芸能

市川左団次　　1842〜1904年

「団菊左」とよばれた初世

▲初世市川左団次
（国立国会図書館）

明治時代の歌舞伎俳優。

代々受けつがれる歌舞伎俳優の名で、屋号は高島屋。2017（平成29）年現在4世まで活躍しており、とくに初世と2世が有名。初世（1842〜1904年）は大坂（阪）生まれ。本名は高橋栄三。7歳で初舞台をふみ、13歳で江戸（現在の東京）へ出て、歌舞伎俳優、市川小団次の門に入る。市川小米、升若を名のったのち、1864年、小団次の養子となって左団次を名のる。養父の没後は一時廃業するが、河竹黙阿弥や守田勘弥などの後援で復帰し、1870（明治3）年、『慶安太平記』の丸橋忠弥で人気を得て、9世市川団十郎、5世尾上菊五郎とともに「団菊左」と称された。1893年に明治座を創設した。2世（1880〜1940年）は東京生まれ。本名は高橋栄次郎。初世の長男で1906年に左団次を襲名、同年、歌舞伎役者としてはじめてヨーロッパ視察に出発した。帰国後、小山内薫と自由劇場を創立し、1909年にイプセンの『ジョン・ガブリエル・ボルクマン』を公演、近代劇運動の走りとなった。また、岡本綺堂らと提携し、「新歌舞伎」というジャンルをつくった。

いちかわじんざえもん
● 市川甚左衛門　1679～1757年　郷土

木曽山林の復興につとめた武士
江戸時代前期～中期の武士。
尾張国尾張藩（現在の愛知県名古屋市）の藩士だった。尾張藩領の木曽の山林（長野県中央部から南部にある山）を支配する初代材木奉行になった。山中を調査し、乱伐によって荒廃していた木曽の山林を復興させるため、留山（村人の立ち入りを禁じた山）、巣山（タカが巣をつくっているあいだ村人の立ち入りを禁じた山）、明山（村人の立ち入りをみとめて薪や下草の採集をみとめた山）などの制度をもうけて、山林の保護につとめた。現在、木曽の山林は日本でも有数の国有林となっている。

いちかわだんじゅうろう
● 市川団十郎　1838～1903年　伝統芸能

明治の「劇聖」と呼ばれた9世

▲9世市川団十郎
（国立国会図書館）

江戸時代～明治時代の歌舞伎俳優。
江戸歌舞伎を代表し、代々受けつがれてきた名前で、屋号は成田屋。2013（平成25）年までで12世つづくが、とくに9世が有名。初世（1660～1704年）は市川家のお家芸である勇猛なしぐさ、「荒事」を創始し、江戸（現在の東京）を代表する名優となる。江戸時代後期に活躍した7世（1791～1859年）は、歌舞伎に能をとり入れるなど革新につとめたほか、『勧進帳』を初演、歌舞伎十八番を制定した。明治の「劇聖」とよばれる9世（1838～1903年）は江戸生まれ。7世の5男で、1874（明治7）年に襲名する。容姿や声にめぐまれ、立役や女形などあらゆる役をこなしたが、とくに時代物を得意としていた。明治時代を代表する歌舞伎俳優として5世尾上菊五郎、初世市川左団次とともに「団菊左」と称された。「活歴」と称する新作の歴史劇をはじめたり、登場人物の性格や心理を内向的に表現する「肚芸」という演技術を開拓したりした。また、新歌舞伎十八番を7世からひきつぎ制定した。演劇改良運動の中心人物となって、写実的な演劇をはじめ、俳優の社会的地位の向上にもつくした。11世（1909～1965年）の弟は歌舞伎俳優の松本白鸚。

いちかわふさえ
● 市川房枝　1893～1981年　政治

女性の地位向上に貢献した社会運動家、政治家
大正時代～昭和時代の女性社会運動家、政治家。
愛知県生まれ。愛知女子師範学校卒業後、小学校教員、新聞記者をへて、労働者組織に加わり、女性の労働問題にとりくんだ。1920（大正9）年、平塚らいてうと新婦人協会を設立して、婦人参政権運動を展開。翌年、アメリカ合衆国に留学して女性や労働に関する社会問題を研究し、1924年に帰国すると、国際労働機関（ILO）東京支局につとめた。同年、婦人参政権獲得期成同盟会を結成し、女性の政治参加のための活動をおこなった。第二次世界大戦中には、婦人運動の指導者として戦時体制への協力をよびかけた。戦後、1945（昭和20）年に新日本婦人同盟（現在の日本婦人有権者同盟）を組織し、女性の解放運動をおし進めた。1953年にどの政党にも属さずに参議院選に立候補し当選、以後4回の選挙で当選した。

女性の政治、社会参加など、地位向上に貢献したほか、選挙や政治の浄化を主張した。

いちききとくろう
● 一木喜徳郎　1867～1944年　学問

天皇機関説をとなえた憲法学者
明治時代～昭和時代の憲法学者、官僚、政治家。
静岡県生まれ。1887（明治20）年、帝国大学法科大学（現在の東京大学法学部）を卒業して内務省に入り、1890年にドイツへ留学した。帰国後、内務省と法科大学の教授を兼務し、天皇は国家の最高機関であるとする天皇機関説にもとづく憲法学説を主張した。1900年、貴族院の勅選議員（天皇が任命する議員）となり、大隈重信、山県有朋、西園寺公望などから信頼され、文部大臣や枢密院議長などを歴任した。しかし、右翼勢力によって、天皇機関説の主張者として攻撃され、1936（昭和11）年にすべての役職を辞任した。学者、官僚、政治家として多面的なはたらきをし、美濃部達吉らの憲法学者を育てた。

いちきごんべえ
● 一木権兵衛　1628～1679年　郷土

室津港を築いた土木技術者
江戸時代前期の農民、土木技術者。
土佐国土佐郡布師田村（現在の高知市）の農家に生まれた。村の用水工事で、土佐藩奉行の野中兼山に技術をみとめられ、郷士（武士の待遇を受けていた旧家）に抜てきされた。その後弘岡用水を築き、津呂港（室戸市）を建設するなど、各地の工事を成功させた功績により、普請奉行（堤防や港湾の工事をあつかう役人）に抜てきされた。1663年、野中兼山は失

脚するが、1677年から室津港（室戸市）の改修工事をおこない、1679年に完成させたのちに切腹した。その死をいたんだ人々により、一木神社に祭られた。現在、室津港は遠洋マグロ漁業の基地となっている。

いちじょうかねよし　貴族・武将　学問
● 一条兼良　1402〜1481年

室町時代を代表する学者

（国文学研究資料館）

室町時代の公卿、学者。関白、一条経嗣の子。また、連歌を大成した二条良基の孫。名は「かねら」とも読む。桃華老人、三関老人などと号した。1412年に元服後、公家の中でももっとも格式の高い五摂家の一つ、一条家の当主として昇進を重ね、摂政、関白、太政大臣などを歴任した。あらゆる学問に精通した無双の才人として知られ、東山文化を代表する学者であった。応仁の乱では一家の蔵書とともに京都の邸宅が焼失したが、奈良の興福寺にのがれて学問研究に力をそそいだ。美濃国（現在の岐阜県南部）守護代、斎藤氏や伊勢国（三重県東部）守護、北畠氏にまねかれて学問を教授し、日野富子に『源氏物語』を講義するなど、各地で学問振興の活動をおこなった。1473年に出家。1477年に京都にもどり、80歳で亡くなった。

その著作は、仏教、儒教、古典、和歌、連歌、紀行など多岐にわたる。代表的なものに、朝廷の年中行事を解説した『公事根源』、『源氏物語』の注釈書『花鳥余情』、第9代将軍足利義尚の求めに応じて著した政治意見書『樵談治要』がある。

いちじょうてんのう　王族・皇族
● 一条天皇　980〜1011年

藤原氏最盛期の天皇

平安時代中期の第66代天皇（在位986〜1011年）。円融天皇の子。母は、藤原兼家の娘詮子。即位する前は懐仁親王とよばれた。

一条天皇の時代は、摂関政治をおこなった藤原氏の全盛期だった。984年、皇太子となり、2年後、藤原兼家のはかりごとによって花山天皇がにわかに出家、退位したため、7歳で即位し、兼家が摂政となって補佐した。一条天皇は、温厚な性格で教養深く、笛がたくみだったといわれる。権力者でおじの藤原道長とも対立することなく、32歳で亡くなった。天皇を補佐した上級貴族で藤原道長の片腕でもあった藤原行成は、天皇を「心が広く、ゆとりのある政治で世の中をおさめた名帝」とほめている。

文芸にも関心が深く、皇后の定子（藤原兼家の子の藤原道隆の娘）には清少納言、中宮（皇后と同じ身分）の彰子（藤原道長の娘）には紫式部など才能豊かな女房（女官）がつかえ、宮廷文学の最盛期をあらわした。

学 天皇系図

いちょうかおり　スポーツ
● 伊調馨　1984年〜

日本女子初のオリンピック4連覇を達成

レスリング選手。青森県生まれ。姉の伊調千春の影響で、3歳のときから、地元のレスリングクラブにかよいはじめる。

高校時代の2001（平成13）年、ジャパンクイーンズカップの56kg級で優勝し、脚光をあびる。翌年63kg級に転向し、同年のアジア大会で銀メダル、世界選手権では初出場で初優勝した。2003年の世界選手権でも優勝し、2004年のアテネオリンピックでは金メダルを獲得。2008年の北京オリンピックで2連覇、2012年のロンドンオリンピックで日本女子初の3連覇を達成した。

2014年からは58kg級に転向し、2015年の世界選手権で通算10回目の優勝、2016年のリオデジャネイロオリンピックでは前人未踏の4連覇を達成した。

紫綬褒章を4回受章したほか、2016年に、レスリング選手としては、吉田沙保里につづき2人目となる国民栄誉賞を受賞した。

学 国民栄誉賞受賞者一覧

イチロー　スポーツ
● イチロー　1973年〜

日米で活躍しているプロ野球選手

プロ野球選手。愛知県生まれ。本名は鈴木一朗。少年時代から野球チームのエースで、4番として活躍した。高校卒業後、オリックス・ブルーウェーブに入団した。

3年目となる1994年に新任の仰木彬監督に抜てきされ、独特の「振り子打法」でヒットを量産、シーズン210安打の新記録を達成した。その後、7年連続で首位打者、3年連続で年間MVP（最優秀選手）になり、日本のプロ野球を

代表する選手に成長する。守備のうまさにも定評があり、外野手としてゴールデングラブ賞を7度受賞している。

2001年にメジャーリーグのシアトル・マリナーズへ移籍、1年目にいきなりMVPにえらばれ、首位打者、盗塁王、新人王などのタイトルにも輝いた。2004年にはヒット262本を打ち、メジャーリーグの年間最多安打記録を84年ぶりにぬりかえている。その後ヤンキースに移籍。マーリンズに移籍した2015年には日本通算得点数で王貞治のもつ通算1967得点の日本記録を更新した。2016年に日米通算安打数でピート・ローズのもつメジャーリーグ通算安打数（4256安打）を更新し、さらに2016年、史上30人目のメジャー通算3000本安打を記録した。

いつきひろゆき
●五木寛之　1932年～　【文学】

現代人の不安や孤独をえがく

作家。
福岡県生まれ。旧姓は松延。早稲田大学中退。生後まもなく一家で朝鮮にわたり、敗戦後は、母の死、九州への引き揚げなど、苦難を経験する。大学在学中は、過酷なアルバイト生活を送り、中退したあとも、さまざまな職業についた。

1966（昭和41）年、『さらばモスクワ愚連隊』で小説現代新人賞、『蒼ざめた馬を見よ』で直木賞を受賞し、作家としてデビュー。その後も小説『青春の門』『恋歌』や、随筆『風に吹かれて』『ゴキブリの歌』などを発表。虚無感をかかえて生きる若い世代の支持を集め、人気作家として活躍する。

その後、龍谷大学で仏教史や仏教思想を学び、蓮如の生涯と思想をテーマにした随筆『蓮如—われ深き淵より』『蓮如物語』『蓮如—聖俗具有の人間像』などをまとめた。歯切れのいい明晰な文体とともに、先のみえない人生で生きることの意味を問う姿勢が、多くのファンの共感をよんでいる。

学 芥川賞・直木賞受賞者一覧

いっきゅうそうじゅん
●一休宗純　1394～1481年　【宗教】

とんちの一休さんとして愛されている禅僧

室町時代の僧。
京都に生まれる。後小松天皇の子ともいわれる。幼名は千菊丸。一休のほかに、狂雲子、瞎驢、夢閨などと号した。6歳で安国寺（京都市）に入って周建と名づけられ、僧になるための修行をはじめる。漢詩なども学び、すぐれた作品を書いて評判となった。1410年、17歳のときに、僧らしくない堕落した生活を送る高僧の姿をみて怒りをおぼえ、安国寺を出る。その後は西金寺（京都市）の謙翁に学び、宗純の名前をさずけられた。謙翁が亡くなると悲しみのあまり入水自殺をしようとしたが助けられ、その後、華叟宗曇の弟子となっ

▲墨斎作『一休和尚像』（部分）
（東京国立博物館 Image：TNM Image Archives）

た。華叟宗曇は、臨済宗の中心的な寺である大徳寺（京都市）の高僧で、近江国（現在の滋賀県）堅田に隠居していた。華叟宗曇の下でさらにきびしい修行にはげみ、25歳で一休の名をさずかる。翌年には、禅の道をきわめてさとりをひらくが、その証である印可は受けとらなかった。

1428年、35歳のころ華叟宗曇が亡くなると、住まいを定めずに、各地を旅してまわった。権力や形式にとらわれることを否定して、粗末な着物で庶民のあいだにまじわり、やさしく仏教の教えを説いて、多くの人に尊敬された。禅宗のきびしい規律をやぶるような、自由で奇妙な行動を多くとった。それは当時の形式にとらわれた臨済宗に対する、抗議と皮肉であったといわれている。

1467（応仁元）年に応仁の乱がおこると、戦いをさけて、酬恩庵（京都府京田辺市）に住んだ。数年後には森侍者という盲目の美女を愛していっしょにくらしはじめ、その愛を歌った詩などがのこされている。応仁の乱がおさまってきた1474年、80歳のときに、天皇の命によって大徳寺の第47代住持（住職）となり、戦によって荒廃した大徳寺を再興した。1481年11月21日、88歳で亡くなる。大徳寺の真珠庵と酬恩庵に墓があり、一休の木像が安置されている。

幕府におもねるようになっていた禅に反発し、正当な禅をめざして、庶民のあいだにも広めた。書画や詩にもすぐれ、著作に『狂雲集』『自戒集』『一休骸骨』などがある。また、そのユーモアの精神はのちの世でも多くの人に愛され、江戸時代には『一休咄』『一休頓智談』などが書かれて、とんちの一休さんとして親しまれるようになった。

いっさんいちねい
●一山一寧　1247～1317年　【宗教】

元から来日した臨済宗の僧

鎌倉時代後期に来日した、中国の元の僧。
台州（現在の中国浙江省）の出身。幼いときに出家し、天台山（浙江省東部）で天台宗を、次いで臨済宗を学んだ。

元は、2回の日本への侵攻（元寇。文永の役・弘安の役）に失敗したため、交渉で日本をしたがえようとした。1299年、一

山一寧はその使者にえらばれ、元の皇帝の国書をたずさえて来日した。真意をうたがわれて伊豆の修善寺に幽閉されたが、その人となりや博識を知って疑念をといた鎌倉幕府の執権北条貞時の信頼を得て、鎌倉の建長寺、円覚寺の住職をつとめた。

中国の教養、朱子学、書道、文学などを武士や貴族などに教え、あつく尊敬された。1313年、後宇多法皇（譲位後に出家した後宇多天皇）にまねかれ、京都におもむいて南禅寺の住持となった。弟子に夢窓疎石、虎関師錬などがいる。

いっぺん

宗教

● 一遍　　　　　　　　　　1239～1289年

踊り念仏で、庶民から武士まで多くの人々が信者に

▲一遍上人像
（長楽寺）

鎌倉時代中期の僧。

時宗の開祖。出家する前の名は河野通尚。遊行上人と称した。伊予国（現在の愛媛県）の豪族で、水軍で知られる河野一族の出身。1248年、10歳で母を亡くし出家する。1251年、大宰府（福岡県太宰府市）におもむいて浄土宗の僧聖達の弟子となり、名を智真とあらためる。そして、南無阿弥陀仏と念仏をとなえれば、死後、極楽浄土に往生できるという浄土教を学んだ。

1263年、25歳のときに父が亡くなったので伊予に帰って還俗（僧をやめて俗人にもどること）し、結婚してこどもも生まれたが、1267年、一族の相続問題からおこった事件をきっかけにふたたび僧となり、1274年、故郷をはなれて念仏をすすめる旅に出た。熊野権現（和歌山県）にもうでたとき、神からのお告げがあり、どんな人をも差別しないで「南無阿弥陀仏、決定往生（極楽に生まれかわること）六十万人」と書いた賦算とよばれる念仏札をくばりなさいといわれた。智真は一遍と称し、諸国遊行の旅に出た。

1279年、信濃国伴野（長野県佐久市）の武士の館で念仏をとなえていた一遍がおどりだしたところ、教えを聞いていた人たちもいっしょにおどりはじめ、踊り念仏のはじまりとなった。一遍のもとには老若男女、貴族、武士から庶民まで、あらゆる人々が集まり、時衆とよばれる集団がつくられた。一遍の足跡は現在の岩手県から鹿児島県にまでおよび、くばった念仏札は250万枚にもなったという。51歳のとき、播磨国和田岬（兵庫県神戸市）の観音堂（現在の真光寺）で亡くなった。7人の弟子があとを追って海に身を投げたという。

死後、一遍を開祖とする時宗がひらかれた。一遍は、死にのぞんで秘蔵の経典などを焼いてしまったので、著作はのこされていないが、門人たちにより法語集『一遍上人語録』が著された。また、鎌倉時代後期にえがかれた『一遍上人絵伝』は、一遍の生涯や時宗の布教のようすとともに、当時の社会のようすがわかる貴重な資料となっている。

▲踊り念仏（円伊作『一遍上人絵伝』部分より）
（東京国立博物館 Image:TNM Image Archives）

いとういっとうさい

戦国時代　江戸時代

● 伊藤一刀斎　　　　　　　1560?～1653?年

一刀流をひらいた剣術家

戦国時代～江戸時代前期の剣術家。

出身地などくわしい経歴はわかっていない。幼いころから剣の修業をして、剣術の一大流派である一刀流を創始した。その後も諸国をめぐり歩いて腕をみがき、33回の真剣勝負をしたが、一度もやぶれなかったという。

一刀流の流儀を弟子の小野忠明にさずけ、第2代将軍徳川秀忠に剣術指南役として仕官させた。忠明はのちに小野派一刀流をひらいた。幕末には、剣豪千葉周作が北辰一刀流をおこしている。

いとうごろうざえもん

郷土

● 伊藤五郎左衛門　　　　　1778～1839年

立体交差により新川を開通させた庄屋

江戸時代後期の農民、治水家。

越後国中野小屋村（現在の新潟市）の庄屋（村の長）。村のある西蒲原地方（新潟市、燕市）は、大潟など多くの沼や池がある湿地帯で、大雨がふるたびに水があふれて、農作物に被害が出た。五郎左衛門は、大潟から日本海まで水路をほって不要な水を日本海へ流す計画を立て、1817年、幕府の許可を得て、工事に着手した。

大潟と日本海のあいだには西川が流れていたため、西川の底に木樋（木製の長い管）をうめて、水路の水を通すことにし、西川と立体交差させる工事をおこなった。難工事の末、1820年に新川が開通し、大潟や田潟は約240haの水田にかわった。

いとうさちお

文学　詩・歌・俳句

● 伊藤左千夫　　　　　　　1864～1913年

『万葉集』に学び独自の短歌を完成

明治時代の歌人、作家。

千葉県生まれ。本名は幸次郎。農家に生まれ、政治家を志

して明治法律学校（現在の明治大学）に入学するが、眼病のため中退。牛乳店ではたらいたあと、牛乳搾取業をいとなむ。30歳ころから和歌を習い、正岡子規の弟子となった。『万葉集』を研究し、かざらない感情や自然をおおらかに歌い、独自の短歌を完成させた。子規が亡くなると、1903（明治36）年に歌誌『馬酔木』を創刊、1909年からは『アララギ』の編集のかたわら斎藤茂吉や土屋文明ら多くの歌人を育てた。

作家としては、1906年に純愛をえがいた『野菊の墓』を発表する。ほかに『春の潮』などがある。

いとうしずお　詩・歌・俳句
● 伊東静雄　1906〜1953年

教師をつとめながら、詩人として活躍

昭和時代の詩人。

長崎県生まれ。京都帝国大学（現在の京都大学）国文科卒業。大阪府の中学、高校の教師をつとめながら、詩作をつづける。

はじめ、ドイツの詩人のヘルダーリンに影響を受け、強烈な表現の詩をよんだが、のちにはおだやかな表現になる。

1928（昭和3）年、大阪三越が募集した児童映画の脚本に『美しい朋輩達』が1等当選し、映画化された。最初の詩集『わがひとに与ふる哀歌』（1935年）が、萩原朔太郎らに絶賛され、文芸汎論賞を受賞。詩集『夏花』（1940年、北村透谷賞受賞）、『春のいそぎ』（1943年）、『反響』（1947年）を発表。

いとうじゃくちゅう　絵画
● 伊藤若冲　1716〜1800年

写実的でありながら、幻想的な絵をえがく

▲伊藤若冲　（相国寺所蔵）

江戸時代中期の画家。

京都の青物問屋（各地から集めた野菜を八百屋におろす業者）の子として生まれる。1738年、23歳のときに父が亡くなり家業をついだ。幼いころから絵が好きで、家業のかたわら狩野派（狩野正信・狩野元信父子にはじまる絵画の流派）を学んだ。しかし、狩野派の画法にあきたらず、京都の寺に伝わる中国の宋、元、明の花鳥画（花や鳥を主題とした絵画）を研究した。

また、自宅の庭に放し飼いにしたニワトリなど身近な動植物を写生し、さらに琳派（俵屋宗達にはじまり、尾形光琳、酒井抱一らによって受けつがれた絵画の流派）の装飾画をとり入れて独自の画風を確立した。1755年、40歳で弟に家業をゆずり画業に専念した。若冲は花鳥画を得意としたが、なかでもニワトリの絵を数多くえがいた。1758年、43歳のころから約10年をかけて大作『動植綵絵』シリーズを完成させ、相国寺（京都市）におさめた。

1788（天明8）年、73歳のとき京都でおきた天明の大火で家や財産を失うと、大坂（阪）に移って西福寺（大阪府豊中市）の襖絵『仙人掌群鶏図』を制作した。生涯独身を通し、晩年は石峰寺（京都市）の門前でくらしながら、裏山にシャカの生涯を石仏群で表現した『五百羅漢像』を制作した。

水墨画にもすぐれ、代表作の鹿苑寺（金閣・京都市）大書院の襖絵『葡萄小禽図』『月夜芭蕉図』は国の重要文化財に指定されている。また、登場人物をすべて野菜におきかえてえがいた『野菜涅槃図』などのユーモアのある作品ものこした。

▲『動植綵絵 南天雄鶏図』（宮内庁三の丸尚蔵館）

いとうじんさい　学問
● 伊藤仁斎　1627〜1705年

古義学をおこした儒学者

（伊藤仁斎画像／東京大学史料編纂所蔵模写）

江戸時代前期の儒学者、思想家。

京都に商人の子として生まれる。少年のころ学問で身を立てようと決意し、朱子学を学んだ。やがて、朱子学に疑問をもつようになり、朱子学にたよらず、孔子やその教えをついだ孟子の教えを直接研究して正しく理解しようとする古義学をおこした。1662年、京都堀川（現在の京都市）の自宅に古義堂（堀川塾）をひらき、門人に教える一方で『論語古義』『孟子古義』『童子問』などを執筆した。仁斎の教えは講義や原稿の写本を通じて京都を中心に全国に広まり、古義学派、堀川学派とよばれた。

肥後国熊本藩（現在の熊本県中部と北部）の藩主、細川氏や近江国水口藩（滋賀県甲賀市）の藩主、鳥居氏などにもまねかれ講義をした。日常の中の情感をたいせつに考え、仁の本質は愛であるとし、あるべき倫理と人間像を追求した。

仁斎の死後、古義学派は息子の伊藤東涯に受けつがれ、著作も東涯によって出版された。播磨国赤穂藩（兵庫県南西部）の家老、大石良雄も仁斎の門人の一人である。

学 日本と世界の名言

いとうしんすい
絵画
● 伊東深水　　　1898〜1972年

浮世絵の美人画を受けついだ日本画家
大正時代〜昭和時代の日本画家。
東京の深川生まれ。本名は一。小学校を中退したのち、印刷工場などではたらいた。1911（明治44）年、鏑木清方に入門した。日本画の巽画会展、文部省美術展覧会（文展）などで入選をはたし、早くから才能を開花させた。1916（大正5）年、新版画運動に参加した。絵、彫り、すりの分業により、浮世絵の復興と近代化をはかるもので、『対鏡』などの美人版画や風景版画を制作した。夫人をモデルにした1922年の『指』、1924年の『湯気』で、美人画家としての名声を得た。昭和時代に入り、日本美術展覧会中心に活躍をつづけ、1947（昭和22）年に『鏡』で日本芸術院賞を受賞した。代表作に『聞香』などがある。

いとうせい
文学
● 伊藤整　　　1905〜1969年

『小説の方法』で日本の近代小説を論じる
昭和時代の作家、評論家、詩人。
北海道生まれ。本名は整。東京商科大学（現在の一橋大学）中退。1926（大正15）年に詩集『雪明りの路』で詩人としてデビュー。その後、出版社ではたらきながら、人間の深層心理を文学にえがく新心理主義を提言し、評論『新心理主義文学』や小説集『生物祭』を発表。また『ユリシーズ』、D・H・ロレンスの『チャタレイ夫人の恋人』を翻訳した。『チャタレイ夫人の恋人』がわいせつ罪で起訴されると、裁判の体験をもとに随筆や小説『火の鳥』などを書いて人気作家となる。ほかに、日本の近代小説を論じた『小説の方法』や『日本文壇史』全18巻、小説『若い詩人の肖像』『氾濫』などがある。

いとうでんえもん
郷土
● 伊藤伝右衛門　　　1741〜1785年

輪中の排水工事を完成させた役人
江戸時代中期の役人。
美濃国西条村（現在の岐阜県輪之内町）の農家に生まれた。幼いころに大垣藩（岐阜県大垣市）の藩士の養子になり、のちに藩の役人になった。大垣村は、揖斐川と牧田川にはさまれていたため洪水から田畑や家を守るために周囲を堤防でかこんだ輪中にあった。南部は、村の土地よりも川底が高く、大雨がふると輪中に水がたまって作物がくさっていた。藩から排水工事を命じられ、揖斐川の底に伏越樋とよばれる排水用のトンネルを通して、水を輪中の外に流す大規模な工事を計画した。ばく大な費用をかけて、1784年にいったん完成したが、うまく水が流れず失敗。翌年、工事をやり直して成功させた。

いとうとうがい
学問
● 伊藤東涯　　　1670〜1736年

父伊藤仁斎のあとをついで古義学の発展につとめた
江戸時代中期の儒学者。
京都生まれ。伊藤仁斎の子。父仁斎に師事して古義学を学び、父を助けて古義学の発展につとめた。1705年、仁斎が亡くなると36歳で古義堂をついで多くの門人を育てる一方、『論語古義』など仁斎がのこした著書を出版した。温厚な性格で、新井白石や荻生徂徠とも親交が深く、門人に青木昆陽らがいる。また、中国の語学や制度史などを研究して『用字格』や『制度通』などを著した。詩文、考証、博物、歴史などにすぐれ、『古今学変』などの歴史叙述がある。

いとうのえ
政治
● 伊藤野枝　　　1895〜1923年

結婚制度などの問題に切りこんだ、先進的な運動家

（日本近代文学館）

大正時代の婦人運動家。
福岡県生まれ。貧しいかわら職人の家に生まれ、高等小学校卒業後は家計を助けるため郵便局に勤務した。おばの援助で東京の上野高等女学校（のちの上野学園）を卒業、郷里で親の決めた結婚をするが、すぐに家を出て再上京。母校の英語教師だった辻潤と同居する。平塚らいてうの青鞜社に入社し、女性文芸運動に参加。1915（大正4）年以降は雑誌『青鞜』の編集と発行をひきついだ。このあいだ、アメリカ合衆国のアナキスト（無政府主義者）、エマ・ゴールドマンの『婦人解放の悲劇』を翻訳し、影響を受けて、いっさいの権力を否定するようになる。1916年、『青鞜』の編集を放棄し、大杉栄と同棲。大杉が恋愛のもつれから愛人にさされた日蔭茶屋事件後、思想と行動をともにし、『文明批評』『労働運動』を編集。ほかにも『クロポトキン研究』『貧乏の名誉』『二人の革命家』など共著も多い。1921年、無政府主義者として社会主義の婦人団体、赤瀾会に山川菊栄らと参加。1923年の関東大震災直後の混乱のさなか、大杉、6歳のおいとともに、憲兵の甘粕正彦大尉に虐殺された。

いとうひこしろう
郷土
● 伊東彦四郎　　　1758〜1834年

黒部川右岸に愛本用水をひいた農民
江戸時代中期〜後期の農民、治水家。
越中国沼保村（現在の富山県朝日町）の有力な農民の子として生まれ、25歳のとき、数十の村でつくられた十村組の長になった。

当時、黒部川右岸の高台にある舟見野台地は、水の便が悪く、作物が育たない荒れ地だった。そこで、黒部川の上流から用水をひく計画を立て、加賀藩（石川県）に願いでた。1796年、藩のゆるしを得て工事に着手し、1802年、約12kmの愛本用水を完成した。この成功により、舟見野台地に周辺の村々の農民が移住して開墾がおこなわれ、約380haの新田がひらかれた。

いとうひろぶみ

伊藤博文 →104ページ

いとうまごえもん　郷土

● 伊藤孫右衛門　1543〜1628年

紀州みかんの栽培者

戦国時代〜江戸時代前期の農民。

紀伊国有田郡糸我庄（現在の和歌山県有田市）の庄屋（村の長）で、米の収穫が少ない農民たちの暮らしを豊かにしたいと考えていた。1574年、仕事で行った肥後国八代（熊本県八代市）で、みかんという果樹の栽培で大きな収益を得られることを知った。特産物で他国への持ち出しが禁止されていたが、盆栽用として2株を手に入れてもどり、つぎ木をしながらふやした。海に面し、気候が温暖な有田は、みかんの栽培に適していた。周辺の村々にも栽培をすすめて、紀州みかんとして大坂（阪）、堺（大阪府堺市）、伏見（京都市）などで販売され、江戸（東京）にも送られた。

いとうマンショ　宗教

● 伊東マンショ　1569?〜1612年

どうどうとふるまった天正遣欧使節の正使

▲『天正遣欧使節肖像画』より
（京都大学附属図書館所蔵）

安土桃山時代のキリシタン、天正遣欧使節の一人。

マンショは洗礼名で、満所と書く。日向国都於郡（現在の宮崎県西都市）に生まれる。本名は伊東祐益で、大友宗麟の親戚だといわれている。臼杵（大分県）で洗礼を受けてキリスト教徒となり、1580年に創設された有馬（長崎県）のセミナリヨ（神学校）に送られる。セミナリヨには、各地から10歳くらいの少年が集まり、外国人の宣教師から宗教や地理、ラテン語などヨーロッパの学問を教わった。日本の少年たちはおどろくほど向学心が高くて上達が早いと、宣教師は報告している。

1582（天正10）年、宣教師バリニャーノの計画による天正遣欧使節にえらばれ、千々石ミゲル、原マルチノ、中浦ジュリアンとともに、長崎からヨーロッパにむかう。使節には、キリシタン大名から、スペイン・ポルトガル国王フェリペ2世とローマ教皇グレゴリウス13世にあてた親書が託された。マンショは宗麟の代理の正使で、4人の使節の筆頭だった。

▲『天正遣欧使節像』指しているのがマンショ。
（一般社団法人長崎県観光連盟）

2年半の長旅ののち、ポルトガルのリスボンに到着した使節は、フェリペ2世やグレゴリウス13世との謁見をはたし、シクストゥス5世の教皇即位式では重要な儀式をまかされた。一行は「キリスト教の教えが極東にまで広まった偉業のあかし」として、各地で大歓迎された。

1590年、長崎に帰国したときは、すでにキリスト教が禁止されていたが、有馬晴信をはじめ多くの人にヨーロッパで見聞きしたことを語った。1591年、豊臣秀吉に会って地球儀、時計などを献上したときには、秀吉から「自分につかえよ」と声をかけられたが、それをことわり、イエズス会に入会した。やがて司教になり、小倉（福岡県）、萩（山口県）、山口、飫肥（宮崎県）など九州各地で布教活動をして、長崎で病死した。

ヨーロッパ各地でどうどうとした態度で、外交使節としての役割をはたし、日本人の評判を高くしたマンショだったが、日本国内では明治時代になるまで知られることがなかった。バリニャーノはマンショを「日向（宮崎県）の国王のおいで、豊後（大分県）の国王の親族」と紹介している。このことからマンショの出自は、日向国の大名だった伊東義益の妹と伊東祐青とのあいだに生まれた子の祐益で、島津氏に負けて豊後国に落ちのびたと考えられる。史料が少なく、不明なことが多い。

いとうみよじ　政治

● 伊東巳代治　1857〜1934年

大日本帝国憲法の起草に参加

（国立国会図書館）

明治時代〜昭和時代の官僚、政治家。

長崎に生まれる。英語を学び、1871（明治4）年に上京して工部省電信寮の修技教場に入学した。長崎電信局、兵庫県の訳官をへて、工部省の役人となった。伊藤博文にみとめられ、内務省、太政官、参事院などで能力を発揮する。1882年にヨーロッパへわたり、帰国後は井上毅、金子堅太郎とともに大日本帝国憲法の起草に加わった。1889年以降も伊藤の下ではた

らき、枢密院書記官長、第2次伊藤内閣の書記官長、第3次伊藤内閣の農商務大臣を歴任した。また、1891年から十数年にわたって東京日日新聞社（現在の毎日新聞社）の社長もつとめ、日本政府を援護するような議論を展開させた。

1899年に枢密顧問官となって枢密院に大きな勢力をつくり、1909年に伊藤が暗殺されたあとも、昭和初期にいたるまで政界に大きな影響力をもっていた。1934（昭和9）年、78歳で亡くなった。

いどへいざえもん
● 井戸平左衛門　郷土　1672～1733年

サツマイモを栽培した代官

江戸時代中期の代官（役人）。

幕府の御家人の子として、江戸（現在の東京）に生まれた。1692年、江戸城の建築物の修理などをする役職となる。1731年、石見国大森銀山領（島根県大田市）7万石を支配する代官となった。1732（享保17）年から享保のききんがおこり、餓死者が出たため、農民を救おうと、薩摩国（鹿児島県）から甘薯（サツマイモ）を取りよせて育てさせた。翌年も大凶作で、被害の大きい村の年貢を免除し、倉をひらいて、農民たちに年貢米をあたえた。サツマイモは周辺各地で普及し、農民たちをききんから救った。

いなただかつ
● 伊奈忠克　郷土　1617～1665年

葛西用水をつくった代官

江戸時代前期の武士。

幕府の家臣伊奈忠治の子として生まれた。1632年、16歳で3代将軍徳川家光に対面し、1645年に代官（地方をおさめる役人）になった。1650年、幕府の命令で畿内、近江国（現在の滋賀県）、伊勢国（三重県東部）、美濃国（岐阜県南部）の洪水のおこる地域を調査した。

1660年、幸手領（埼玉県幸手市）の用水不足を解消するため、利根川の水を本川俣（埼玉県羽生市）で取水する約25kmのかんがい用水をひき、埼玉県東部埼玉平野の水田をうるおした。この用水は、葛西用水（幸手用水ともいわれる）とよばれている。

▲葛西用水路　（葛西用水路土地改良区）

いなただはる
● 伊奈忠治　郷土　1592～1653年

見沼溜井をつくった伊奈忠克の父

江戸時代前期の武士。

徳川家康につかえ、武蔵国小室（現在の埼玉県伊奈町）

に屋敷をかまえて、関東代官頭（幕府領を支配する代官を統率する役職）の伊奈忠次の子として生まれた。はじめ父と兄忠政を補佐していたが、兄の死後、代官職をつぎ、赤山（埼玉県川口市）に屋敷をかまえた。

1629年、見沼（さいたま市）を用水源にするため、沼の幅がいちばんせまい場所に、約8町（約870m）の堤防を築いてせき止め、溜池をつくった。これは見沼溜井とよばれ、下流の村々（川口市、蕨市など）の用水池として利用された。また、洪水をくりかえしていた利根川の流路をかえ、流域に広大な水田をひらくなど、関東地方の新田開発や河川の改修に力をつくした。

（川口市役所）

いなむらさんぱく
● 稲村三伯　医学　1758～1811年

オランダ語の辞書を編さんした

江戸時代後期の蘭学者、医者。

因幡国鳥取（現在の鳥取県鳥取市）に生まれる。鳥取藩（鳥取県）の藩医だったが、大槻玄沢の『蘭学階梯』に刺激を受け、江戸に出て藩邸につとめながら、玄沢の芝蘭堂で蘭学（西洋の知識や技術、文化を研究する学問）を学んだ。オランダ語を習得するには辞書が必要だと考え、オランダ通詞（通訳）や、同門の桂川甫周、宇田川玄随らの協力を得て、1796年、日本最初の蘭日辞書『波留麻和解』（『江戸ハルマ』ともよばれる）を出版した。これにより、蘭学はますますさかんになった。晩年は、京都で蘭学を教えて多くの門人を育て、関西地方の蘭学の発展につくした。

いぬいとみこ
● いぬいとみこ　絵本・児童　1924～2002年

西欧風ファンタジーの世界を日本に

昭和時代～平成時代の児童文学作家。

東京生まれ。本名は乾富子。日本女子大学国文科中退。平安女学院卒業。日本女子大学在学中に、宮沢賢治の作品に魅せられて児童文学に関心をもつ。卒業後、保育士としてはたらいていた山口県で第二次世界大戦の終戦をむかえた。戦後、東京で出版社につとめながら、佐藤さとる、長崎源之助らと同人誌『豆の木』を創刊し、次々と作品を発

表する。

代表作『ながいながいペンギンの話』（1957年）は、ペンギンの生態をもとに、南極生まれのペンギンの兄弟の冒険と成長を通して勇気や優しさをえがいた作品で、新しい児童文学として評価され、毎日出版文化賞を受賞した。そのほか、日本に西欧風のファンタジーを導入したといわれる『木かげの家の小人たち』や、白クマのこどもの物語『北極のムーシカミーシカ』、野間児童文芸賞を受賞した『うみねこの空』など多くの作品がある。

いぬかいつよし　　　政治
● 犬養毅　　　1855～1932年

五・一五事件で殺害された内閣総理大臣

（国立国会図書館）

明治時代～昭和時代の政治家。第29代内閣総理大臣（在任1931～1932年）。備中国庭瀬藩（現在の岡山県南西部）の大庄屋の次男として生まれる。通称、仙次郎。1875（明治8）年に21歳で上京し、翌年、慶應義塾大学に入学。在学中から郵便報知新聞記者となり、1877年の西南戦争には従軍記者として活動した。その後、尾崎行雄らと政府の中枢機関である統計院に入り、大隈重信の立憲改進党に参加、政治の道をあゆむ。1890年の帝国議会開設にともなう第1回衆議院選挙に岡山3区に当選。以後、18回連続で当選した。政党の再編などにともない、いくつかの政党をわたり歩いた。1898年の第1次大隈重信内閣では、尾崎のあとをついで文部大臣に就任したが、この時期以外は野党の少数派であり、官僚的な藩閥政府を攻撃する勢力として活躍した。

経済、社会、文化にわたる民主的な運動や思潮である大正デモクラシーでは、運動の先頭に立ち、1912（大正元）年の第1次憲政擁護運動を指導。尾崎行雄とともに「憲政の神様」とよばれた。また中国政策にも深い関心をもち、辛亥革命の際には、孫文の亡命を援助するなどした。

1918年、寺内正毅内閣のときに臨時外交調査会に参加。このころから国家総力戦の考えをもちはじめ、普通選挙の実施や産業の近代化、軍縮をとなえるようになる。1923年、第2次山本権兵衛内閣で文部大臣と逓信大臣（現在の総務大臣）を兼任、翌年の加藤高明内閣（護憲三派内閣）でも逓信大臣として入閣し、1925年の普通選挙法の実現に力をつくした。

一度、政界を引退したが、支持者らにおされる形で復帰。1929（昭和4）年、政友会総裁となる。浜口雄幸内閣のロンドン海軍軍縮条約締結に際しては、はげしく政府を攻撃した。1931年に満州事変がおこり、内閣が総辞職すると、内閣総理大臣となり戦前最後の政党内閣を組織した。

晩年には陸軍との関係もたもち、非立憲的な軍部の強化をもたらす。満州事変の収拾に努力したが、1932年5月15日、軍部政権樹立をねらい、クーデターをくわだてた海軍青年将校らに暗殺された。これを五・一五事件という。その射殺される直前のことば「話せばわかる」は有名。

弁が立つことでも知られ、一貫して政党政治の確立と普通選挙制度の実現に力をつくした。政治生活の大半を藩閥政治に反対する立場で、立憲政治の実現のために活動した。

学 歴代の内閣総理大臣一覧

いぬかみのみたすき　　　貴族・武将
● 犬上御田鍬　　　生没年不詳

遣隋使、遣唐使として中国にわたった

飛鳥時代の官人。

614年、推古天皇に、遣隋使として中国の隋に派遣され、翌年、朝鮮半島の百済の使節をともなって帰国した。618年、隋がたおれ唐がおこると、630年、舒明天皇に第1回遣唐使として派遣され、632年、僧の旻らとともに帰国した。

いぬぶしきゅうすけ　　　工芸　郷土
● 犬伏久助　　　1747～1829年

阿波藍の製法を改良した農民

江戸時代中期～後期の染色家。

阿波国板野郡下庄村（現在の徳島県板野町）の藍（植物のアイからとる染料）をつくる農家に生まれた。藍は阿波国の特産物で収入源となるので、代々の藩主蜂須賀家により生産が奨励されてきた。

1644～1647年に、板野郡別宮村（徳島市）の庄屋（村の長）の森当左衛門が、藍玉（アイの葉を発酵させかためたもの）をつくった。しかし、品質が悪く水分が多くてくさりやすかったので、長期間保存できなかった。そこで、阿波の藍の信用を得るために、日夜藍玉の改良にとりくんだ結果、久助は1781年に完全な染料としての藍玉をつくることに成功した。その後、多くの弟子を育てて技術を教え、領内各地で製法を指導して阿波藍を広めた結果、全国の染色業者から信用をとりもどした。現在、阿波藍は徳島県の特産品となり、各地の工房で染色した製品がつくられている。

いのうええすけ　　　郷土
● 井上恵助　　　1721～1794年

植林をして砂害をふせいだ農民

江戸時代中期の農民、植林家。

出雲国神門郡高浜村（現在の島根県出雲市）に生まれる。松江城下（島根県松江市）に出て、松江藩の役人の下ではた

らいていたとき、藩が故郷の浜山砂丘（高浜山）にマツを植えて、防砂林をつくり、田畑をひらこうとしていることを知った。しかし、農民が植えたマツの苗は、夏の日照りでかれてしまった。1756年、自分でその仕事をやりとげようと考えて村に帰り、さし木の名人から藻かす（水辺のアシや川藻などが長いあいだにつもって土のようになったもの）をつかうことを教わった。その後藻かすを、ほった穴の底に入れてマツの苗を植えると、乾燥に負けないことがわかった。

1761年、藩の許可をえて富くじ（宝くじ）をおこない、その収益で植林をはじめた。その後、22年かけて浜山にクロマツを植えた結果、115haの松林がしげった。砂の害がなくなり、300haの田と81haの畑がひらかれ、現在におよんでいる。

いのうええんりょう

思想・哲学

● 井上円了　　1858〜1919年

「妖怪博士」として知られる仏教哲学の教育者

（東洋大学井上円了研究センター）

明治時代〜大正時代の仏教哲学者、教育者。

越後国（現在の新潟県）生まれ。家は浄土真宗大谷派の慈光寺。長岡洋学校、東本願寺教師学校で学び、1885（明治18）年、東京大学哲学科を卒業。

在学中、学術団体である哲学会を立ちあげた。「すべての学問の根本は哲学である」として、1887年、29歳で哲学館（現在の東洋大学）を創立。その中等教育の学校として京北中学校を、のちに京北実業学校、京北幼稚園を設立し、哲学教育に力をそそいだ。

1904年には、東京の中野に東洋のシャカ（釈迦）と孔子、西洋のソクラテスとカントの四聖人を祭った四聖堂（哲学堂）（現在、哲学堂公園内にある）を建て、そこを拠点として、東洋の仏教哲学と西洋哲学をむすびつけた講演を全国でおこない、日本仏教の近代化の基礎を築いた。妖怪研究の創始者でもあり、1894年には『妖怪学講義録』を書き、「妖怪博士」「お化け博士」といわれたが、目的は民間の迷信や不思議な現象を科学的知識で解明するためであった。

いのうえかおる

幕末　政治

● 井上馨　　1835〜1915年

日本の西洋化を進めた

幕末の長州藩（現在の山口県）の藩士、明治時代〜大正時代の政治家。

長州藩の藩士の子に生まれ、藩校の明倫館に学び、江戸（東京）の江川太郎左衛門の塾で砲術を学んだ。藩主毛利敬親につかえて日本をとりまく情勢を知り、長州藩の尊王攘夷運動（天皇をうやまい外国勢力を追いはらおうという運動）の中心に立ち、イギリス公使館焼き打ち事件などに加わる。長州藩が外国船を砲撃した報復に四国連合艦隊が下関を砲撃すると、その講和にあたった。その後、高杉晋作らと藩の主導権をにぎり、1866年の第二次長州出兵では、参謀として幕府軍をやぶった。

明治新政府では金融や外交にたずさわり、国立銀行の設置や、朝鮮との日朝修好条規の調印にあたった。1878（明治11）年、元老院議官となり、参議（明治政府の重要な役職）

（国立国会図書館）

や外務卿（外務大臣）を歴任した。外国との不平等条約の改正のため日本の西洋化を進め、1883年、鹿鳴館を建てるなどしたが、極端な西洋化は国民の批判をあび、条約改正交渉も失敗に終わった。その後は農商務大臣や内務大臣をつとめ、1894年、日清戦争がおこると朝鮮公使となった。1898年、第3次伊藤博文内閣の大蔵大臣、その後元老となり、日本鉄道会社、日本郵船会社の設立につくし、三井財閥の顧問として財界に大きな発言権をもった。

いのうえきよなお

幕末

● 井上清直　　1809〜1867年

幕府と諸外国との外交に活躍した

幕末の幕臣。

豊後国（現在の大分県）に生まれ、井上家の養子となる。幕臣の川路聖謨の弟。1855年、老中阿部正弘により抜てきされ、アメリカ合衆国の総領事ハリスの応接にあたった。1858年、大老井伊直弼の決断により、岩瀬忠震とともに、日米修好通商条約に調印した。その後外国奉行（外国関係の事がらをあつかう役職）に任命されて、ロシアやイギリス、フランスなどと修好通商条約をむすんだ。

1859年、軍艦奉行（海軍を統括する役職）となる。1862年、ふたたび外国奉行に就任し、さらに江戸の町奉行（町の行政・裁判・警察を担当した役人）となった。1863年、薩摩藩の島津久光が生麦事件をおこし、老中小笠原長行が独断で賠償金をイギリスに支払うと、朝廷に事態を弁明しようと兵をひきいて京都へむかうのにしたがった。しかし、朝廷は小笠原を拒否し、井上も免職された。1864年、ゆるされて外国奉行に就任し、さらに勘定奉行（税の徴収など幕府の財政運営を担当する役人）となり、1866年には関東郡代（関東におかれた幕府領の代官）と町奉行をつとめた。

伊藤博文

いとうひろぶみ

幕末　政治　1841～1909年

大日本帝国憲法をつくった総理大臣

▲伊藤博文　1963（昭和38）年発行の1000円札の図案になった肖像写真。
（国立国会図書館）

■農民から武士になる

明治時代の政治家。第1、5、7、10代内閣総理大臣（在任1885～1888年、1892～1896年、1898年、1900～1901年）。

周防国熊毛郡束荷村（現在の山口県大和町）の貧しい農民、林十蔵の子として生まれた。幼名は利助といった。

14歳のとき父が長州藩（山口県）の足軽（武士でもっとも低い身分）の伊藤家をついだため伊藤姓になった。

1853年、アメリカ合衆国のペリーが来航し日本に開国をせまった。1856年、長州藩は幕府から相模国（神奈川県）の沿岸警備を命じられた。伊藤はこの警備に加わり諸外国におびやかされる日本の実情を知った。

1857年、萩（山口県萩市）で吉田松陰がひらいた松下村塾に学んだ。松下村塾の塾生にはのちに活躍する高杉晋作、久坂玄瑞、井上馨、山県有朋などがいた。伊藤は高杉によって名を俊輔とあらためた。

■長州藩の中心となって活躍する

1858年、朝廷の許可なくアメリカと日米修好通商条約をむすんだ大老（幕府の最高職）の井伊直弼に反発する尊王攘夷派（天皇をうやまい外国勢力を追いはらうという考えの人々）が井伊によって弾圧を受け、伊藤の師の吉田松陰もとらえられて処刑された（安政の大獄）。その後、伊藤は長州藩の尊王攘夷派の指導者木戸孝允につ

かえてその能力をみとめられた。

1863年、23歳のとき、外国の情勢を知るためイギリスに行くことになったが、外国渡航がゆるされない鎖国の時代なので、ひそかに脱藩して井上馨などとともにイギリスにむかった。

ところが、伊藤たちが横浜を出発する前、長州藩は攘夷にもとづいて下関海峡（山口県下関市）を通過するアメリカ、フランス、オランダの船を攻撃した。しかし、ただちに反撃されて長州藩はやぶれた。伊藤たちがこの事件を知ったのはイギリスに着いて4か月後のことだった。伊藤たちは藩の攘夷をやめさせようと急いで帰国した。そうしてイギリス公使（外交使節で大使に次ぐ地位）のオールコックに長州攻撃をやめるようにたのみ、藩にもどって藩主たちを説得したが、攘夷の考えを止められなかった。

1864年、イギリス、アメリカ、フランス、オランダの四国連合艦隊は下関を攻撃し長州藩は敗北した。敗戦後、伊藤は高杉晋作とともに和平交渉にのぞんだ。そのはたらきをみとめられ伊藤は藩の政治にかかわるようになった。

■明治新政府で活躍する

1868（明治元）年、伊藤は明治新政府で諸外国との交渉をおこなう外国事務掛となり、その後兵庫県知事となった。

1870年、貨幣や銀行制度を調査するためにアメリカにわたり、翌1871年、帰国して造幣局を創設した。同年、幕末に諸外国とむすんだ不平等条約を改正するための調査をおこなうため欧米にむけて出発した岩倉使節団の副使となり、同行した大蔵卿（国庫の管理などをつかさどる大蔵省の長官、現在の財務大臣）の大久保利通に信頼された。1873年、帰国後西郷隆盛、板垣退助らの征韓論（国交を拒否し鎖国政策をとっていた朝鮮に対し出兵するべきだという考え）に反対した。同年、参議（左大臣、右大臣に次ぐ官職）兼工部卿（鉱工業を進める工部省の長官）に昇進した。

▲伊藤博文の生家　6歳まですごした農家。
（伊藤公資料館）

▲岩倉使節団の代表　右から大久保利通、伊藤博文、岩倉具視、山口尚芳、木戸孝允。
（国立国会図書館）

1878年、内務卿（国内行政を統括した内務省の長官）の大久保利通が暗殺されるとそのあとをつぎ、政治の中心に立った。

■大日本帝国憲法をつくる

1881年、自由民権運動に賛同して早期の国会開設を主張する大隈重信と対立した。さらに北海道開拓使の官有物払い下げに反対した大隈を政府から追放した（明治十四年の政変）。その後、1890年に国会を開設するという明治天皇の詔勅（天皇の命令をしるした文書）をだした。

▲大日本帝国憲法発布式　1889年2月11日、皇居正殿でおこなわれた。皇族や大臣、外交官が見守るなか、明治天皇から伊藤博文のあとをひきついだ内閣総理大臣の黒田清隆に大日本帝国憲法がさずけられた。
（絵画『憲法発布の詔勅公布』伊藤芳岐画／衆議院憲政記念館）

1882年、憲法や議会制度を調査するため、ヨーロッパにわたりドイツの憲法を調査した。帰国後の1885年、それまでの太政官制度をあらためて内閣制度をつくり、みずから内閣総理大臣に就任した。この内閣は大臣のほとんどが薩摩藩（鹿児島県）と長州藩出身の人物で占められた薩長藩閥内閣だった。

1887年、伊藤は井上毅、金子堅太郎らと神奈川県の夏島（横須賀市）の別荘にこもって憲法の草案をねり上げた。

1888年、枢密院（天皇に属する機関で重要な国事を審議する機関）が設置されると初代議長となって憲法草案の審議にあたり、1889年2月11日、大日本帝国憲法が明治天皇により発布された。1890年、第1回衆議院議員選挙がおこなわれた。伊藤は貴族院（皇族、華族、内閣の推薦による勅撰議員で構成された機関）の議長となった。

■何度も内閣を組織し日清戦争講和などにあたる

1892年、第2次伊藤内閣を組織し、1894年、イギリスと日英通商航海条約をむすび、領事裁判制度（外国の領事が自国民のおこした事件の裁判をする制度）を撤廃して治外法権をなくし、念願の不平等条約改正の一部がかなった。

1895年、日本が中国（清）と戦った日清戦争（1894〜1895年）に勝利すると外務大臣の陸奥宗光とともに全権大使となり清と講和条約をむすんだ。

1898年、第3次伊藤内閣を組織したが、短命に終わった。1900年、立憲政友会をつくり初代総裁となり、第4次伊藤内閣を組織した。

日露戦争（1904〜1905年）のあと、初代韓国統監（日本が朝鮮を支配するためにおいた機関の長官）となり、韓国の植民地化を進めた。

1909年、枢密院議長として満州（現在の中国東北部）を視察し、ロシアの大臣と会談するためにおとずれた黒竜江省のハルビン駅で韓国の独立運動家安重根にピストルで撃たれて亡くなった。

学 歴代の内閣総理大臣一覧　　学 お札の肖像になった人物一覧

大日本帝国憲法

大日本帝国憲法は、第1条に「大日本帝国ハ万世一系（血統が絶えないでつづく）ノ天皇之ヲ統治ス」、第3条に「天皇ハ神聖ニシテ侵スヘカラス」、第11条に「天皇ハ陸海軍ヲ統帥ス」とある。天皇は神聖な主権者として議会の召集と解散、軍隊の指揮、戦争をはじめること、外国と条約をむすぶことなど大きな権限があたえられた。現在の日本国憲法では、主権は国民にあり、天皇は日本国の象徴であり政治的権力はない。

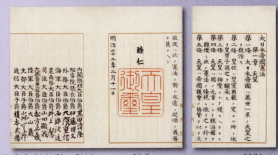

▲大日本帝国憲法　冒頭（右）と末尾の部分。中央には「睦仁」という明治天皇の署名と印がおしてある。左は内閣総理大臣の黒田清隆、枢密院議長の伊藤博文以下の大臣が署名している。
（国立公文書館）

伊藤博文の一生

年	年齢	主なできごと
1841	1	長州藩の農民の子として生まれる。
1857	17	吉田松陰の松下村塾で学ぶ。
1863	23	イギリスに留学する。
1864	24	四国連合艦隊が下関を砲撃し、長州藩が敗北したあと、和平交渉にのぞむ。
1871	31	岩倉遣欧使節団副使として欧米を視察する。
1882	42	憲法調査のためヨーロッパに行く。
1885	45	内閣制度をつくり初代内閣総理大臣となる。
1889	49	憲法草案審議をへて大日本帝国憲法が発布される。
1890	50	第1回衆議院議員総選挙がおこなわれ、帝国議会がひらかれる。貴族院の議長となる。
1895	55	日清戦争後、全権大使となり下関条約をむすぶ。
1905	65	日露戦争に勝利し、初代韓国統監になる。
1909	69	満州のハルビン駅で暗殺される。

※年齢は数え年であらわしている

いのうえこわし

● 井上毅　　　　　　　　　　　　　政治　1843〜1895年

明治時代の近代国家形成をささえた

（国立国会図書館）

明治時代の官僚、政治家。熊本藩（現在の熊本県）の家老、長岡監物の家臣の家に生まれる。こどものころから勉強熱心で、藩内でも秀才として注目され、藩校の時習館などで学んだ。幕末には藩の命令によって江戸や長崎に遊学し、フランス学を習得する。

明治維新後は大学南校（現在の東京大学）で学び、1871（明治4）年、明治政府の司法省に入る。翌年ヨーロッパにわたり、フランス、ドイツを中心に司法制度を調査した。帰国したのち、大久保利通の清国派遣に登用され、岩倉具視の側近としてさまざまな重要政策を立案した。1886年からは伊藤博文の下で、日本で最初の近代的憲法である大日本帝国憲法（明治憲法）をはじめとし、皇室典範や軍人勅諭などを起草。1890年、枢密顧問官として教育勅語を起草し、1893年には伊藤博文内閣の文部大臣に就任した。

つねに明治国家形成の中心人物たちの片腕となって活躍し、「明治国家最大のブレーン」といわれている。

いのうえじゅんのすけ

● 井上準之助　　　　　　　　　　　産業　1869〜1932年

明治時代から日本の金融界で活躍した

（国立国会図書館）

明治時代〜昭和時代の財政家、政治家。大分県生まれ。おじ、井上簡一の養子になる。高山樗牛とならんで仙台第二高等中学校（第二高等学校の前身）の二秀才とうたわれ、1896（明治29）年、東京帝国大学（現在の東京大学）法科卒業。日本銀行に入り、ロンドンで業務研究、ニューヨークで代理店監督役の経験を積む。1913（大正2）年に横浜正金銀行頭取、1919年に日本銀行総裁となり、1923年、第2次山本権兵衛内閣の大蔵大臣となった。関東大震災後の経済措置として、被災地の銀行・会社を救済するためモラトリアム（支払猶予令）を実施し、日本銀行が1億円を限度として政府補償を条件に再割引する、震災手形制度を定めた。

1927（昭和2）年、金融恐慌後、ふたたび日本銀行総裁となる。その後、浜口雄幸内閣の大蔵大臣として金融界の安定につとめ、金貨・金地金の輸出を自由化して金本位制を復活させる金解禁を断行したが、経済は混乱におちいった。1932年、右翼団体の血盟団に暗殺される。日本経済連盟会の結成など、金融界に重きをなした。

いのうえたけし

● 井上武士　　　　　　　　　　　音楽　教育　1894〜1974年

日本の音楽教育をみちびく

昭和時代の作曲家、音楽教育者。群馬県生まれ。東京音楽学校（現在の東京藝術大学）卒業。医師の4男として育ち、家族の影響で幼いころから音楽に親しみ、作曲に興味をもつ。音楽学校卒業後は、女学校や師範学校で音楽を教え、創作と鑑賞を重視した指導で評判になる。国民学校芸能科音楽教科書編纂委員、東洋音楽学校（現在の東京音楽大学）教授、日本教育音楽協会会長などをつとめ、教育者として、また指導者として日本の音楽教育界を先導した。『チューリップ』、文部省唱歌『うみ』『うぐいす』『菊の花』『麦刈り』などの唱歌や歌曲、数百曲の校歌など多数の作品をのこす。著書に『音楽教育』『日本唱歌全集』などがある。

いのうえてつじろう

● 井上哲次郎　　　　　　　　　　思想・哲学　1856〜1944年

国家主義を主張した日本人初の哲学教授

明治時代〜昭和時代の哲学者。筑前国大宰府（現在の福岡県太宰府市）に医師の子として生まれる。1880（明治13）年、東京大学文学部哲学科を卒業後、1882年、母校の助教授となる。同年、外山正一らと『新体詩抄』を刊行し、日本の近代詩の先がけとなった。1884年から6年間ドイツへ留学し、ドイツ観念論哲学を学ぶ。帰国後、東京帝国大学（現在の東京大学）において、日本人初の哲学科の教授となる。東西の思想の統一をめざし、キリスト教を国家主義に反するものとして攻撃、天皇制国家における武士道精神をもった国民道徳をとなえ、国家主義を主張した。1898年に東京帝国大学文科大学学長、その後、東洋大学教授、貴族院議員、大東文化学院総長などをつとめ、晩年は儒教の研究に力をそそいだ。

いのうえでん

● 井上伝　　　　　　　　　　　　　郷土　1788〜1869年

久留米絣を広めた創始者

江戸時代後期の職人、機業家。筑後国久留米城下の通外町（現在の福岡県久留米市）に米屋の娘として生まれた。手先が器用で、幼いころから木綿を織って、家計を助けた。12〜13歳のころ、染料がぬけて白い

斑点ができた古着に興味をもち、着物をほどいて糸を調べ、それをまねて、ところどころを藍で染めた糸をつくって、布を織った。すると、めずらしい模様の織物ができたので「加寿利」と名づけて販売したところ、評判をよんだ。はじめは、かんたんな模様だったが、26歳のころ、当時15歳だった発明家の田中久重の協力を得て、複雑な絵絣（絵画的な模様を織りだした絣）を織りだせるようになり、評判はますます高まった。伝のもとには、技術を習得しようと多くの女性が集まったという。伝の織った「加寿利」は、のちに久留米絣とよばれるようになった。国の伝統的工芸品に指定され、現在も久留米市、八女市、筑後市などで生産されている。

（久留米市市民文化部文化財保護課）

いのうえでんぞう　郷土
● 井上伝蔵　1854～1918年
秩父困民党の指導者
明治時代の商人。自由民権家。

武蔵国秩父郡下吉田村（現在の埼玉県秩父市）の絹、生糸の仲買商人の家に生まれる。当時、生糸価格の暴落と軍事費増税により、農民は高利貸しに借金し苦しい生活をしていた。秩父郡役所に対し、借金の返済をのばしてもらうなどの対策を求めたがしりぞけられた。1884（明治17）年、板垣退助の結成した自由党幹部の大井憲太郎に指導されて、自由党に入党し、秩父自由党の中心人物となった。同年、農民たちの願いが聞き入れられず、秩父困民党を組織して会計長となった。話し合いなどによる解決をとなえたが、困窮した農民3000名が武装蜂起し、郡役所や警察、高利貸しなどをおそい、一帯を支配した（秩父事件）。しかし、政府の派遣した軍隊にやぶれた。伝蔵は、秩父山中にのがれたが、翌年、欠席裁判で死刑判決を受けた。

その後、北海道にわたり伊藤房次郎と名をかえて、逃亡生活をつづけ、家庭ももつが、死ぬまぎわに妻と長男に自分の素性を告白した。

いのうえにっしょう　政治
● 井上日召　1886～1967年
血盟団によるテロ事件の首謀者
明治時代～昭和時代の政治活動家、血盟団の指導者。

群馬県生まれ。本名は昭。早稲田大学、東洋協会専門学校（現在の拓殖大学）中退。1909（明治42）年、南満州鉄道に入社し、陸軍の諜報活動に従事。帰国後は日蓮宗に帰依し、1928（昭和3）年、茨城県大洗町の立正護国堂の住職となる。1932年、右翼団体である血盟団を結成。武力による国家改造をくわだて、配下に一人一殺として、政財界要人の暗殺を指令し、元大蔵大臣井上準之助、三井合名理事長団琢磨が殺害された（血盟団事件）。自首して無期懲役の判決を受けるが、恩赦で1940年に出獄。翌年には近衛文麿の相談役をつとめる。第二次世界大戦後に公職追放となった。1954年、右翼団体の護国団を結成。初代団長となるが2年後、引退した。

いのうえひさし　文学　映画・演劇
● 井上ひさし　1934～2010年
ユーモアと風刺で読者の心をつかむ

昭和時代～平成時代の作家、劇作家、放送作家、批評家。

山形県生まれ。本名は廈。上智大学フランス語科卒業。幼いころに父親を亡くし、中学高校時代は仙台のカトリック系養護施設「光ヶ丘天使園」ですごし、映画と野球に熱中していた。大学生のころから戯曲や台本を書きはじめ、1964（昭和39）年、山元護久と共作したNHKテレビの連続人形劇『ひょっこりひょうたん島』で放送作家としてみとめられる。その後は劇作家として『頭痛肩こり樋口一葉』など、意外な展開とことばのセンスが光る戯曲を次々と発表する。

小説では、1970年に『ブンとフン』でデビューし、1972年に『手鎖心中』で直木賞を受賞。1981年に日本SF大賞を受賞した『吉里吉里人』は、日本各地の自治体が独立国を名のるのがブームになるほど話題になった。表面をとりつくろった人間や社会を風刺し、笑いをさそいながら人間について考えさせている。ほかに小説『青葉繁れる』『ナイン』、いわさきちひろの絵がそえられた『井上ひさしの子どもにつたえる日本国憲法』、エッセー『私家版日本語文法』など数多くある。2004（平成16）年文化功労者。
学 芥川賞・直木賞受賞者一覧

いのうえまさかね　宗教
● 井上正鉄　1790～1849年
神道の布教活動を活発におこない多くの信者を得た
江戸時代後期の神道家。

上野国館林藩（現在の群馬県東部）の藩士の子として生まれる。18歳のころから諸国をめぐって見聞を広め、医学や獣骨やカメの甲などをつかってうらなう卜占を学んだ。1834年、宮中の祭祀をつかさどる神祇官の白川家に入門して神道を学び、呼吸をととのえて心の安定をはかる禊教をたてる。1840年、武蔵

国梅田村（東京都足立区）の神明宮の神主になった。神道の布教活動を活発におこない、大名から庶民まで多くの信者を得たが、急速に信者をふやしたことから幕府ににらまれ、人々をまどわしているという理由で1843年、伊豆諸島の三宅島に流された。門人たちが赦免運動をおこなったがゆるされず、三宅島で亡くなった。著書に『神道唯一問答書』がある。

いのうえまさる　〔政治〕
● 井上勝　1843～1910年

日本の「鉄道の父」
明治時代の鉄道技術者、鉄道官僚。

長州藩（現在の山口県）の藩士の家に生まれる。1863年、井上馨や伊藤博文らとともに脱藩し、密航してイギリスにわたる。ロンドン大学で鉄道、鉱山、造幣技術を学び、1868（明治元）年に帰国した。1871年、工部省鉄道頭（のちの鉄道局長）専任となると、翌年、日本初の鉄道を新橋～横浜間で開通させる。また、大津～京都間の工事ではみずからが技師長となり、外国人技師の手を借りずに、はじめて日本人だけで完成させた。1890年、鉄道庁長官に就任し、東海道線や幹線の建設に貢献する。1896年に汽車製造会社を設立。1909年、帝国鉄道協会会長となる。生涯を鉄道の発展につくし、「鉄道の父」とよばれている。

いのうえみつはる　〔文学〕
● 井上光晴　1926～1992年

社会の底辺に生きる人々をえがく
昭和時代～平成時代の作家。

福岡県生まれ。長女は直木賞作家の井上荒野。幼いころに両親と生き別れ、長崎県の佐世保市で苦労して育つ。

第二次世界大戦後、日本共産党に入党するも、『書かれざる一章』や『病める部分』といった党を批判する内容の作品を発表し、離党にいたる。その後1958（昭和33）年に雑誌『現代批評』を創刊し、作家として、社会の底辺で苦しむ人々をえがいた小説を発表する。代表作は、敗戦時に夜行列車で乗り合わせた若者をえがいた『虚構のクレーン』、被差別部落や被爆者差別などをテーマにした『地の群れ』、『心優しき叛逆者たち』など。

いのうえやすし　〔文学〕
● 井上靖　1907～1991年

人間の運命をうつしだす歴史小説を書く
昭和時代～平成時代の詩人、作家。

北海道生まれ。京都帝国大学（現在の京都大学）哲学科卒業。学生時代から懸賞小説に応募しつづけ、連続して入賞する。

毎日新聞社の記者をしながら小説を書き、1949（昭和24）年、42歳のときに『闘牛』で芥川賞を受賞。その後は執筆に専念し、『天平の甍』『氷壁』『敦煌』『楼蘭』など、数々の文学賞受賞作品を発表する。とくに年代記的な正確さのうえに構築された、人の運命をうつしだす深みのある歴史小説に定評がある。『淀どの日記』で野間文芸賞、『おろしや国酔夢譚』で第1回日本文学大賞などを受賞した。ほかに『しろばんば』『本覚坊遺文』『孔子』など。1976年に文化勲章を受章。

〔学〕文化勲章受章者一覧　〔学〕芥川賞・直木賞受賞者一覧

いのうえやちよ　〔伝統芸能〕
● 井上八千代　1905～2004年

京舞の伝統を守り伝えた人間国宝

明治時代～平成時代の日本舞踊家。

京都生まれ。本名は片山愛子。1908（明治41）年、3歳で京舞の井上流3世八千代に入門し、幼いころから内弟子としてきびしい修練を積んだ。

京舞井上流は、上方四流の一つと知られる伝統ある流派である。13歳で、3世井上八千代の養女になった。14歳で名取となり、井上愛子を名のる。1947（昭和22）年、4世家元井上八千代を襲名した。以来、一筋に京舞の伝統を守り伝え、舞踊家として高い評価を得た。家元としても祇園の都をどりを指揮し、京舞を全国的に広めた。

1955年、重要無形文化財保持者（人間国宝）に認定される。1957年に日本芸術院会員となり、1976年に勲三等宝冠章を受章、1990（平成2）年、文化勲章を受章した。

2001年、孫の井上三千子に家元の座と八千代の名跡をゆずり、井上愛子にもどる。2004年に98歳で老衰により亡くなる直前まで舞台に立ち、京舞の古くからの伝統を伝えた。

〔学〕文化勲章受章者一覧

いのうえようすけ　〔絵本・児童〕
● 井上洋介　1931～2016年

『くまの子ウーフ』のさし絵で知られる
昭和時代～平成時代の絵本作家、画家、イラストレーター。

東京生まれ。本名は洋之助。武蔵野美術学校（現在の武蔵野美術大学）の西洋画科を卒業。1960（昭和35）年、初の絵本『おだんごぱん』（ロシア民話）を発表、1963年には漫画集『サドの卵』を自費出版した。1965年、こっけいなナンセンス漫画で文藝春秋漫画賞を受賞。1969年から、愛らしいクマの子が活躍する童話『くまの子ウーフ』（作・神沢利子）のさし絵をてがける。1988年、『ぶんぶくちゃがま』ほかで小学

館絵画賞、2000（平成12）年、『でんしゃえほん』で日本絵本賞大賞を受賞した。おおらかな筆づかいで奇想天外な世界をえがきだす作風は、幅広い層から支持を得た。ほかに漫画やイラスト、油絵など幅広く活動した。

いのうえよしか

●井上良馨　政治　1845〜1929年

江華島事件で砲撃した艦長

明治時代〜大正時代の海軍軍人。

薩摩国（現在の鹿児島県西部）に生まれる。薩摩藩士、井上七郎の長男。初陣となった1863年の薩英戦争で重症を負うが、イギリス海軍の力に魅せられ、傷が治るのと同時に海軍に入隊する。

1875（明治8）年、雲揚の艦長として朝鮮西岸へ進出。挑発を重ねて朝鮮に反撃させ、それに応戦する名目で江華島砲台を陥落させた（江華島事件）。1879年、国産初の軍艦清輝の艦長としてヨーロッパを訪問。その後、扶桑艦長、海軍大学校長などを歴任し、日清・日露戦争では、佐世保、横須賀、呉など日本海軍の根拠地として艦隊の後方を統轄した鎮守府の司令長官をつとめる。

その後は軍事参議官となり、1901年に大将、1907年に子爵、1911年には元帥の称号を受けた。

いのうじゃくすい

●稲生若水　学問　1655〜1715年

膨大な量の動植物、鉱物をまとめあげた

（国立国会図書館）

江戸時代中期の学者。

山城国淀藩（現在の京都市伏見区）の儒医（儒学者と医者をかねる人）の子として、江戸（東京）に生まれる。医学と本草学（動物、植物、鉱物などを研究する学問）を学んだ。のちに、加賀藩（石川県・富山県）につかえ、学問好きで知られた藩主前田綱紀に命じられて、動植物をまとめた『庶物類纂』の編さんをおこなった。当初、全1000巻を予定していたが、1715年、362巻まで執筆したところで病死し、未完となった。それをおしんだ江戸幕府の第8代将軍徳川吉宗が、幕府で未完分をひきつぐこととし、若水の門人、丹羽正伯らに編さんを命じ、1747年に全1054巻が完成した。3590種におよぶ動植物と鉱物を26綱目に分類し、中国の書物を引用して解説した本草学の大著で、この完成により本草学がさかんとなり、各地の特産物への関心が高まった。編さんのかたわら、京都で塾をひらいて、野呂元丈らを育てた。

いのうただたか

●伊能忠敬　学問　郷土　1745〜1818年

海岸線を測量して地図をつくった

▲伊能忠敬
（伊能忠敬記念館所蔵）

江戸時代後期の測量家。

上総国小関村（現在の千葉県九十九里町）に生まれる。1762年、18歳のとき下総国佐原村（千葉県香取市）の名主（村の長）で酒造業をいとなむ伊能家の婿養子になり、商才を発揮してかたむいていた伊能家を立て直した。

1794年、50歳で家業を長男にゆずって隠居した。翌年、少年のころからの夢であった天文学を学ぶため、江戸（東京）に出て幕府天文方（天体観測や改暦をおこなった役職）の高橋至時に入門し、天文学や暦学（太陽や月、星の運行を観測し暦をつくる学問）を学んだ。一方、深川黒江町（東京都江東区）の自宅に観測機器をそなえて天体観測をおこなった。

当時、天文学者のあいだでは地球上の緯度1度の距離が大きな問題になっていた。それがわかれば地球の大きさを割りだすことができるからである。

測量によって緯度の距離を求めようと考えた忠敬は、幕府に蝦夷地（北海道）の測量を願いでた。1800年、幕府の許可が出たので門人とともに蝦夷地へわたり、約6か月かけて測量をおこなった。その成果をまとめた地図は幕府から高く評価された。

その後、幕府から全国沿岸の測量を命じられ、幕府公認の事業として東北から東海、九州へと測量をつづけ、1816年までに全10回にわたって全国の海岸などを測量した。忠敬の測量隊が歩いた距離は約4万kmにおよんだ。

忠敬は測量のかたわら、門人や天文方の役人と日本地図の作成にはげんだが、完成をみることなく1818年に亡くなった。作業は弟子たちによって受けつがれ1821年、日本初の実測地図『大日本沿海輿地全図』が完成した。忠敬の地図は、現在の地図とくらべても北海道と九州に少しずれがみられるくらいで、ほとんど一致する正確なものだった。一方で、測量の結果から緯度1度の距離を28.2里（約110.75km）。現在の正確な値は北

▲『大日本沿海輿地全図』
（国立国会図書館）

緯35°付近で110.9km）と割りだしている。

学 切手の肖像になった人物一覧

いのまたつなお
学問
● 猪俣津南雄　1889〜1942年

マルクス主義の労農派の中心となった経済学者

大正時代〜昭和時代の経済学者、社会主義者。

新潟県生まれ。早稲田大学政経学部を卒業後、アメリカ合衆国に留学し、経済学を研究。留学中に社会主義団体に参加した。帰国後は早稲田大学の講師となったが、当時、非合法の日本共産党に加入したため、1923（大正12）年、検挙され、大学を退職した。

1927（昭和2）年、山川均らと雑誌『労農』を創刊、封建制度をなかば容認していた共産党を批判し、社会全体の平等を徹底することを主張して活動した。

1937年、治安維持法による弾圧事件（人民戦線事件）で検挙されたが、病気のため刑期中に入院、1942年、52歳で死去した。労農派の中心人物として活動、日本にマルクス経済学を普及させ、日本の政治経済をマルクス主義の視点から分析した。

いはふゆう
学問　郷土
● 伊波普猷　1876〜1947年

「沖縄学の父」といわれた、琉球の郷土研究家

（国立国会図書館）

明治時代〜昭和時代の民俗学者、言語学者、歴史家。

琉球藩（現在の沖縄県）生まれ。1906（明治39）年に東京帝国大学（現在の東京大学）言語学科を卒業し、沖縄へ帰郷。1910年、県立沖縄図書館を設立、館長となり、郷土史料の収集にあたる。一方、琉球史の講演や教会での聖書の講義、エスペラント（国際共通語）の講習会など幅広い分野で、一般の人々への知識の普及活動につとめた。

1921（大正10）年、民俗学者の柳田国男や折口信夫と出会い、沖縄文化の研究に立ちもどることを決心し、1925年、東京へ移住する。琉球語や沖縄の歴史などの研究に没頭し、とくに、琉球王国時代に編集された歌謡集『おもろさうし』の研究は有名で、貴重な資料をのこした。

『古琉球』『南島方言史攷』『琉球戯曲辞典』『沖縄歴史物語』など、300をこえる論文や本は、いまも広く読まれ、沖縄の特色を追求しようとする研究態度は「沖縄学」として、現代の沖縄に関するさまざまな活動にも影響をあたえている。

いばらぎのりこ
詩・歌・俳句
● 茨木のり子　1926〜2006年

反骨とヒューマニズムの詩人

昭和時代〜平成時代の詩人。

大阪府生まれ。本名は三浦のり子。帝国女子薬学専門学校（現在の東邦大学薬学部）を卒業。在学中に空襲と勤労動員を経験する。24歳ころから詩を書きはじめ、1953（昭和28）年に詩人の川崎洋と同人誌『櫂』を創刊、谷川俊太郎や大岡信らが参加した。1955年に最初の詩集『対話』を刊行。青春期に軍国主義から民主主義へとかわっていった社会をしっかりとみつめ、自立した女性の現実と希望を歌ったするどい詩風をもっていた。そのほかの詩集に『見えない配達夫』『鎮魂歌』『人名詩集』『自分の感受性くらい』『食卓に珈琲の匂い流れ』などがあり、エッセー集などもある。

いはらごろべえ
郷土
● 伊原五郎兵衛　1880〜1952年

飯田線の敷設に力をつくした商人

（伊原江太郎氏）

明治時代〜昭和時代の商人。

長野県飯田町（現在の飯田市）に商人の子として生まれた。木曽山脈と赤石山脈にはさまれた伊那谷に鉄道をしこうと熱心に運動をしていた父のあとをひきつぎ、1907（明治40）年、28歳のとき伊那電車軌道株式会社（のちの伊那電気鉄道）の設立に参加した。1908年、鉄道工事がはじまり、翌年、辰野〜伊那松島（長野県箕輪町）間の約9kmが開通した。最初のころは電車の利用者が少なく、赤字がつづいたが、切符を売ったり改札の仕事をしたりしながら、飯田まで鉄道をしく運動をつづけた。その結果、伊那電気鉄道は少しずつ路線が延長され、1923（大正12）年に飯田まで開通し、1927（昭和2）年、辰野〜天竜峡（飯田市）間、約80kmが全通した。その後、伊那電気鉄道の経営は国にひきつがれて、国鉄飯田線（現在のJR飯田線）になった。

いはらさいかく
文学
● 井原西鶴　1642〜1693年

江戸時代の大ベストセラー作家

江戸時代前期の浮世草子作家、俳諧師。

本名は平山藤五。大坂（阪）の裕福な商人の子として生まれる。父が亡くなったあと家業を奉公人にゆずり、少年のころから親しんでいた俳諧（こっけいみをおびた和歌や連歌、のちの

▲井原西鶴
（天理大学付属天理図書館）

俳句）に専念した。1662年、21歳のとき、俳句に評点をつける点者になったといわれる。その後、俳諧師の西山宗因に師事して宗因の別号、西翁から1字をあたえられ西鶴と名のった。

延宝年間（1673～1681年）には、1日にどれだけ多くの句をよむことができるかをきそう俳諧興行、矢数俳諧で名をあげ、1680年、4000句をよんで世間をおどろかせた。さらに1684年、住吉大社（大阪市）で2万3500句をよむという大記録を打ち立てて矢数俳諧の第一人者になった。

一方で、町人の生活や風俗をありのままにえがく浮世草子の執筆をはじめ、41歳のとき『好色一代男』を著し、世に知られるようになる。主人公世之介が快楽を求めて生きる姿をえがいた作品で、大坂で出版されて評判をよび、1684年、江戸でも、浮世絵師、菱川師宣のさし絵で刊行され大人気を博した。つづいて『好色二代男』や『好色五人女』など男女の恋愛をあつかった浮世草子を発表した。浮世草子という新しいジャンルをひらき、江戸時代の文芸が盛り上がることになる。

元禄年間（1688～1704年）には、町人物や武家物をてがけて活躍した。町人物の代表作には商売に命をかける商人たちを主人公にした『日本永代蔵』、武家物の代表作にはあだ討ちをテーマにした『武道伝来記』がある。1692年、『世間胸算用』を出版し、広く読まれた。これは、大晦日を舞台に借金とりとかけひきしながらも正月の準備をする町人の姿をえがいた短編集で、西鶴晩年の傑作といわれている。江戸の町に生きる庶民のエネルギーあふれる姿をユーモアをまじえてえがき、多くの傑作をのこし、明治時代以降の作家にも影響をあたえた。

▲『世間胸算用』の表紙（国立国会図書館）

学 日本と世界の名言

イフェソン（りかいせい） 文学
● 李恢成　1935年～

祖国統一をテーマに創作

在日朝鮮人作家。
樺太（現在のサハリン）で生まれ、1945（昭和20）年、家族とともに札幌に移り住んだ。早稲田大学露文科卒業後、新聞社などではたらきながら創作に打ちこむ。1969年、在日朝鮮人家族をえがいた長編小説『またふたたびの道』で群像新人賞を受賞し、作家として注目される。1971年に日本統治時代の朝鮮を舞台にした『砧をうつ女』で芥川賞を受賞した。
祖国統一と在日朝鮮人の民族的な主体性の回復をテーマに創作にとりくむ。主な作品には、ソウルの青年群像をえがいた『見果てぬ夢』、敗戦後に体験した混乱をもとに人間の諸相をえがいた大作『百年の旅人たち』などがある。

学 芥川賞・直木賞受賞者一覧

いぶかまさる 産業
● 井深大　1908～1997年

革新的な商品を送りだしたソニーの創設者

昭和時代の技術者、実業家。栃木県生まれ。家は会津藩の家老の流れをくむ。2歳のとき、父が死去、愛知県安城市の祖父のもとに移り、さらに、再婚した母にしたがい神戸へ転居。早稲田大学理工学部へ入学、学生時代は発明を趣味とした。卒業後は写真化学研究所に入社、のちに日本光音工業に移籍。1937（昭和12）年には、パリ万国博覧会で学生時代の発明品が金賞を受賞した。その後、軍需電子機器の開発をおこなう日本測定器株式会社を設立。敗戦後、欧米との科学技術力の差を痛感し、1945年にソニーの前身、東京通信研究所を盛田昭夫と設立。1950年に国産初のテープレコーダーを発売し、1955年にはトランジスタの国内生産に成功。1958年に社名をソニーとし、以後、「ウォークマン」をはじめ、革新的な商品を世に送りだした。

教育活動にも熱心で、1972年、ソニー教育振興財団をつくり、幼児教育と母親の役割の重要性を説いた。1992（平成4）年に、産業人として初の文化勲章を受けた。

学 文化勲章受章者一覧

いふくべあきら 音楽
● 伊福部昭　1914～2006年

民族性を重んじる音楽を作曲

昭和時代～平成時代の作曲家。北海道生まれ。北海道帝国大学（現在の北海道大学）卒業。幼いころから家族ぐるみでアイヌ民族と交流し、アイヌの音楽を聴いて育つ。13歳ころから独学で作曲をはじめ、大学では農学を学ぶかたわら、音楽活動をつづけた。卒業後の1935（昭和10）年に発表した管弦楽の作品『日本狂詩曲』がチェレプニン賞を受賞し注目される。

第二次世界大戦後は、東京音楽学校（現在の東京藝術大学）の講師、その後東京音楽大学で教授、学長をつとめた。教え子には芥川也寸志、黛敏郎、松村禎三らがいる。

地域性や民族性を重視した力強い作品が多く、『シンフォニア・タプカーラ』『バイオリンと管弦楽のための協奏風狂詩曲』や歌曲『サハリン島先住民の三つの揺籃歌』、ギター曲『古代日本旋法による踏歌』などがある。映画音楽も数多くてがけ、『ゴジラ』『コタンの口笛』『座頭市』など300以上にのぼる。1980年、紫綬褒章受章、2003（平成15）年、文化功労者。

いぶせますじ　　　　　　　　　　　　　文学

● 井伏鱒二　　　　　　　　　　　1898～1993年

ユーモアともの悲しさがただよう小説を書く

（ふくやま文学館）

昭和時代の作家。
広島県生まれ。本名は満寿二。早稲田大学中退。中学校卒業後は画家をめざして日本美術学校にかよったこともあったが、大学生のころから小説を書きはじめる。その後、同人雑誌を転々としたり、出版社につとめたりして長く文学の修業についやす。1929（昭和4）年に『山椒魚』を発表してようやく作家としてみとめられる。社会批判をテーマにした文学が流行しているなか、庶民的な観察眼と風刺の精神をもち、独特のユーモアともの悲しさのただよう作風で人気となる。その後、『ジョン万次郎漂流記』で直木賞を受賞。

第二次世界大戦後は、『本日休診』や『漂民宇三郎』など格調ある文章で人々のよろこびと悲しみをえがいた。1965年には、原爆が庶民の生活にもたらした悲劇への怒りをこめて『黒い雨』を発表。また、作家ロフティングの『ドリトル先生物語』の翻訳もてがけた。1966年、文化勲章を受章。

学 文化勲章受章者一覧　　学 芥川賞・直木賞受賞者一覧
学 日本と世界の名言

イプセン，ヘンリク　　　　　　　　映画・演劇

● ヘンリク・イプセン　　　　　　1828～1906年

近代劇の父

ノルウェーの劇作家。
南部の港町シーエン生まれ。生家は裕福な商家だったが、8歳のとき破産し、15歳で家を出て薬屋ではたらく。
大学の医学部をめざして勉強しながら、新聞に風刺漫画や詩を投稿。20歳のころ、古代ローマを題材にはじめて戯曲を書くが、ほとんど売れなかった。その後、戯曲『戦士の墓』が劇場で採用され、作家としてデビュー。友人と雑誌を発行したり、

劇場の舞台監督や支配人をつとめたりしながら、歴史劇を発表しつづけるが、なかなかみとめられず、国を出る。

1864年からイタリアとドイツに住み、1872年からは、当時の社会問題に注目した作品を立てつづけに発表して名声を得る。社会劇、近代演劇とよばれる演劇を確立し、その第一人者として、「近代劇の父」と称される。

代表作は『ペール・ギュント』『人形の家』『民衆の敵』など。女性の自立や社会の不正との闘いといったテーマに凝縮された作者の思想が、人々にあたえた影響は大きく、作品は、いまも世界中で上演されている。

イブン・アブドゥル・ワッハーブ　　宗教

● イブン・アブドゥル・ワッハーブ　1703～1792年

アラビア半島でイスラム教改革運動を指導

イスラム教ワッハーブ派の指導者、宗教改革者。
アラビア半島内陸のナジュド地方生まれ。幼いころからイスラム諸学を学び、アラビア各地を旅して見聞を広める。イブン・タイミーヤの思想の継承者となり、イスラム教が後世に加えられた雑多な付加物などによって堕落しており、それらを徹底してとりのぞき、本来の厳格なものにもどそうとした。それにもとづく改革運動をワッハーブ運動という。宗派としてはスンナ派に属する。豪族サウード家のイブン・サウードは教えを受け入れてワッハーブ派を保護し、運動を広げつつ勢力を拡大する。のちにサウジアラビアが建国され、現在も厳格なイスラム法（シャリーア）が遵守されている。ワッハーブ運動はイスラム世界に大きな影響をあたえ、「イスラム原理主義」として知られている復古主義的イスラム改革運動の先駆的な運動であるとされている。

イブン・サウード　　　　　　　　王族・皇族

● イブン・サウード　　　　　　　1880～1953年

ワッハーブ王国の子孫で、サウジアラビア王国を建国

サウジアラビア王国の初代国王（在位1932～1953年）。
アブド・アルアジーズともよばれた。アラビア半島中部の有力豪族、サウード家出身。祖父の代にワッハーブ王国を名のったが、敵対するラシード家に北方のリヤドをうばわれ、1890年、父とともにクウェートに亡命した。しかし1902年、少数の兵でリヤ

ド奪還に成功すると、イスラム教ワッハーブ派のサウード家の王国を再興し、ワッハーブ派の信仰によって結束した強力な軍隊を組織した。第一次世界大戦中はイギリスに協力してアラビア中部を征服。1924年、ヒジャーズ王国を建てていたハーシム家のフセイン・ブン・アリーをやぶり、ヒジャーズ・ネジド王国を樹立した。1927年、イギリスとのジェッダ条約により独立国としての国際的な承認を得て、1932年、サウジアラビア王国を正式名称に定めて初代国王となった。外交では1945年、アメリカ合衆国の大統領フランクリン・ローズベルトと会談したことをきっかけに、アメリカとの協調政策をとった。国政は、1930年に油田が発見されて財政が好転したが、近代的な国家行政をなしとげられないまま亡くなった。

イブン・シーナー　　学問　医学

イブン・シーナー　　980〜1037年

『医学典範』を著したイスラムの医学者

イスラムの医学者、哲学者。
中世に中央アジア南西部とイラン東部を支配したイラン系イスラム王朝であるサーマーン朝の首都ブハラ近郊で、徴税官の子として生まれる。10歳で文学作品や聖典コーランを暗唱するほどの才をみせ、複数の個人教師から数学、天文学、哲学などを学ぶ。その後キリスト教徒の医学者に師事し、16歳のときには患者を診察するまでになっていたという。さらにアリストテレスの『形而上学』を研究し、のちに独自の哲学を発達させた。

999年にサーマーン朝が滅亡するとブハラを脱し、ホラズム地方の統治者の法律顧問をつとめる一方、多数の著作を開始した。サーマーン朝をほろぼしたガズナ朝からの出仕の要求をのがれ、放浪の末にカスピ海に近いジュルジャーン（現在のイラン北部）やテヘラン近郊のレイ、さらにイラン中西部のハマダーンへと移って生涯を終えた。ギリシャ・アラビア医学の集大成である『医学典範』をはじめ、哲学書など多数の書を著し、ヨーロッパ世界に多大な影響をあたえた。

イブン・バットゥータ　　探検・開拓

イブン・バットゥータ　　1304〜1368？年

世界各地を旅し、貴重な旅行記をのこした

イスラムの大旅行家。
モロッコのタンジール生まれ。1325年、エジプトをへてイスラム教の聖地メッカを巡礼し、さらにアラビア半島、イラク、イラン、シリア、東アフリカ、アフガニスタン、インド、スマトラ、中国などを旅して、1349年に帰国した。その後も、スペインから北アフリカにわたってサハラ砂漠を横断し、ニジェール川流域を旅行して、1354年にふたたび帰国。とくにイスラム世界とそれ以外の境界域をよくみて歩いており、旅行生活約30年のあいだには、インドで法官となったり、スルタン（イスラム国家の政治的最高権力者）に命じられて中国の元への使節となったりした。彼が語った旅のようすは、イスラムの学者イブン・ジュザイイにより『大旅行記』（『三大陸周遊記』ともいう）にまとめられた。

この旅行記は、長らくキリスト教社会に知られずにいたが、19世紀に入ってヨーロッパに紹介され、マルコ・ポーロなどと比較され、価値がみとめられた。14世紀のイスラム世界の政治や経済、社会や文化を知る貴重な資料である。

イブン・ハルドゥーン　　学問

イブン・ハルドゥーン　　1332〜1406年

『歴史序説』を著したイスラム歴史学の大家

イスラム世界の歴史家。
北アフリカ、チュニスの貴族の家に生まれ、学者たちから法学、伝承学、哲学などを学んだ。若いころから天才といわれ、同地のイスラム王朝ハフス朝の高官となったが、才能をねたまれてチュニスを去り、北アフリカやイベリア半島の諸王朝につかえた。1375年以降、政治から引退して著作に専念。『歴史』（序論と第1部は『歴史序説』として有名）を書き上げる。この本では、歴史を動かすのは田舎（砂漠）に住む人間がもつ連帯意識であると説き、また政治や経済、社会をするどく分析し、のちの歴史家に影響をあたえた。その後、1382年にはマムルーク朝の大法官としてエジプトのカイロにまねかれ、裁判行政につくした。また、西アジアをおびやかした中央アジアの大征服者ティムールに対する防衛軍に加わり、エジプト側を代表してティムールとの和平交渉にあたっている。彼は、現在もチュニジアの誇りとされ、首都チュニスに銅像が建っている。

イブン・ルシュド　　思想・哲学

イブン・ルシュド　　1126〜1198年

アリストテレスの注釈者として活躍したイスラム哲学者

イスラムの哲学者、医学者。
スペインのコルドバ生まれ。ラテン名はアベロエス。法学、哲学、医学を学び、1182年、ムワッヒド朝カリフ（ムハンマドの後継者で、イスラム国家の宗教的最高指導者）の宮廷医師、さらに、コルドバのカーディー（裁判官）となり、指導的な学者として活躍した。しかし、その後、カリフがかわると、宮廷内で力を失っていった。晩年はふたたび宮廷につかえ、モロッコのマラ

ケシで生涯をとじた。彼の著作の多くは13世紀にラテン語に翻訳され、中世ヨーロッパのスコラ哲学に絶大な影響をあたえた。イスラム世界に伝わるアリストテレス思想の研究を哲学的出発点にしていたが、「新プラトン主義」の影響を受けていたため、再現されたアリストテレス思想もプラトン的な神学理論による解釈であった。医学上の功績に、『医学汎典』という概論書があり、目の網膜の機能などを科学的に説いている。

いまいそうきゅう
● 今井宗久　　　1520～1593年　華道・茶道

秀吉の茶頭として活躍した

（国立国会図書館）

安土桃山時代の豪商、茶人。近江国（現在の滋賀県）の生まれ。一説には大和国（奈良県）の生まれともいわれる。宗久は出家後の号で、名は兼員、彦右衛門、昨夢斎とも名のった。堺（大阪府堺市）の倉庫業や金融業などの実力者である納屋衆の一人。商家としての屋号は納屋。武野紹鴎の娘と結婚し、多くの家財茶器などをゆずり受けた。織田信長に積極的に接近し、紹鴎伝来の松島の茶壺や紹鴎茄子などの名物茶器を献上、歓待されている。以後は信長に重用され、武器や火薬の調達、生野銀山の開発などをおこなって、政治とかかわる事業などをあつかう政商として活躍した。その一方で、堺近郊にある摂津五ヶ荘の代官職などを得て、千利休や津田宗及とともに信長の茶事をつかさどる茶頭をつとめた。

信長の死後は豊臣秀吉の茶頭となり、1587年の北野大茶会にも協力したが、秀吉は利休らを重用するようになったため、しだいにその活躍はみられなくなった。茶会記録の一部が『今井宗久茶湯日記書抜』におさめられている。千利休、津田宗及とともに「茶の湯三大宗匠」の一人となった。

いまいそうくん
● 今井宗薫　　　1552～1627年　華道・茶道　産業

豊臣秀吉、徳川家康につかえた堺の商人

安土桃山時代～江戸時代前期の茶人、商人。

茶人、今井宗久の長男として生まれる。本名は兼久。父から茶道を学び、豊臣秀吉の茶頭、また御伽衆（相談役）としてつかえた。秀吉の死後は徳川家康に近づき、家康の息子と伊達政宗の娘の婚約をはかったが、これは秀吉がのこした命令にさからうものであると非難された。1600年の関ヶ原の戦いでは徳川方についた。1614年の大坂冬の陣の際は、本拠地である堺を防衛したが、豊臣秀頼に徳川方に通じているとうたがわれ、息子とともに大坂（阪）城に監禁された。のちにゆるされたが高野山へ追放された。翌年の大坂夏の陣では家康にしたがい、豊臣方の堺の焼き打ちで自宅を焼かれた。以後は、家康以降3代の将軍に茶頭としてつかえ、旗本として今井屋敷をかまえた。

いまいただし
● 今井正　　　1912～1991年　映画・演劇

戦後の大ヒット映画を次々につくった

昭和時代の映画監督。

東京生まれ。中学生のころから、映画に興味をもつ。旧制水戸高校時代になると、学生左翼運動に打ちこむ。東京帝国大学（現在の東京大学）中退後、東宝の前身JOスタヂオに入社。同僚に市川崑がいた。1939（昭和14）年、監督デビュー。第二次世界大戦後、財閥の腐敗を糾弾する『民衆の敵』で高い評価を受け、その後、石坂洋次郎原作の青春映画『青い山脈』や、恋愛映画『また逢う日まで』が大ヒットした。当時としては大胆な海水浴シーンやガラスごしのキスシーンが話題となり、戦後の民主主義映画の中でもきわだった解放感をあたえていた。イタリア映画のネオレアリズモの影響を受け、社会派作家の第一人者となる。役者へのきびしい演技指導が有名で、映像を追求した監督としても知られた。雲の位置まで気にするあまり、ワンシーンの撮影に1週間かかったエピソードもある。『ひめゆりの塔』など多くの作品を発表し、国際的な評価も高く、『武士道残酷物語』では、ベルリン国際映画祭の最優秀作品賞である金熊賞を受賞している。

いまえよしとも
● 今江祥智　　　1932～2015年　絵本・児童

こどもの本の魅力を発信する

昭和時代～平成時代の児童文学作家、翻訳家。

大阪府生まれ。同志社大学英文科卒業。幼いころから本に親しみ、たくさんの本を読んだ。中学校教員をしているときに、児童文学の魅力にめざめ、童話を書きはじめる。その後、東京の出版社で編集者をしながら、雑誌や新聞に作品を発表。1960（昭和35）年にデビュー作『山のむこうは青い海だった』を出

版する。1973年、太平洋戦争中の体験をもとにした『ぼんぼん』で日本児童文学者協会賞を受賞。1980年、『優しさごっこ』がNHKでドラマ化され、人気を集めた。1988年には『ぼんぼん』につづく、『兄貴』『おれたちのおふくろ』『牧歌』の4作品で、路傍の石文学賞を受賞。

翻訳家としても活躍し、サローヤンの短編集『ワン　デイ　イン　ニューヨーク』のほか、関西弁で翻訳したマイク・セイラーの絵本『ぽちぽちいこか』（1980年）はロングセラーとなっている。絵本『でんでんだいこいのち』『いろはにほへと』のほか、ファンタジーから長編作品まで、さまざまな作風の童話や小説を著し、エッセー、評論などでこどもの本の魅力を発信する。

いまがわうじちか　戦国時代
● 今川氏親　　　　　　1471〜1526年

今川氏発展の基礎を築いた
戦国時代の大名。

駿河国（現在の静岡県中部と北東部）の守護、今川義忠の子。幼いころ、父が戦死し、相続をめぐって一族の内紛がおこるが、1487年、おじの北条早雲の助けで当主の座をつぎ、駿河守護となる。

1494年より隣国の遠江国（静岡県西部）に侵入を開始し、守護の斯波氏と戦ってこれを平定。1508年に、遠江国の守護となる。遠江国は、もとは今川氏が守護職をつとめていたが、斯波氏にうばわれていたため、遠江国奪還は今川氏の悲願であった。遠江国における検地の施行、家法『今川仮名目録』を制定するなど、今川氏が守護大名から戦国大名へと発展する基盤を築いた。

いまがわさだよ
今川貞世 → 今川了俊

いまがわよしもと　戦国時代
● 今川義元　　　　　　1519〜1560年

今川氏の最盛期を築くが、桶狭間の戦いでやぶれた
戦国時代の大名。

1536年、それまで今川氏当主であった兄、今川氏輝の急死によって発生した内紛に勝ち抜き、今川氏をついで駿河国・遠江国（現在の伊豆半島をのぞく静岡県）を支配した。

太原雪斎ら重臣にささえられて勢力を拡大、三河国（愛知県東部）の松平広忠をしたがわせ、その子、竹千代（のちの徳川家康）を忠誠のあかしとして身がらをさしださせる一方、1554年には強力な大名であった甲斐国（山梨県）の武田信玄、相模国（神奈川県）の北条氏康と同盟をむすんで友好関係を築いた。内政にも力をそそぎ、領内での検地をして、商工業の発展や鉱山開発にとりくんだ。

（臨済寺）

さらに、親子のような主従関係をむすぶ寄親寄子制を用いた家臣統制や、父の今川氏親が制定した分国法「今川仮名目録」の追加法制定などを進めた。

今川氏は義元のもとで最盛期をむかえ、義元自身は「海道一の弓取り」と称された。しかし1560年、京都進出をめざして、尾張国（愛知県西部）に侵攻した際に、尾張の大名織田信長の攻撃を受け、討ち死にした（桶狭間の戦い）。

いまがわりょうしゅん　貴族・武将　詩・歌・俳句
● 今川了俊　　　　　　1326？〜1418？年

武将として歌人として活躍
南北朝時代の武将、歌人。

父は駿河国（現在の静岡県東部・中部）、遠江国（静岡県西部）をおさめる守護（国の軍事をまとめる役職）範国。名は貞世。1367年、室町幕府の要職である引付頭人、山城国守護に任命される。2代将軍の足利義詮の死により出家し、了俊を名のる。

1370年、3代将軍の義満のとき、九州地方をおさめる役職、九州探題に任命されて、反幕府の立場をとる南朝勢力と戦い、九州全土を平定する。のちに、了俊の強大化をおそれる幕府により、九州探題を解任された。

冷泉派の歌人でもあり、すぐれた和歌、連歌をのこす。弟子には、歌論書の『正徹物語』を著した正徹がいる。著書に歴史書の『難太平記』、歌論『二言抄』『師説自見集』などがある。

いまざとでんべえ　郷土
● 今里伝兵衛　　　　　　1610〜1659年

新井用水をひらいた農民
江戸時代前期の農民、治水家。

播磨国加古郡古宮村（現在の兵庫県播磨町）の大庄屋（庄屋のまとめ役）の家に生まれた。年間降雨量が少なく、台地上にある土地で、農民たちは井戸をほり、池に水をため、イネを育てていた。

1654年、夏の2か月間雨がふらず、大干ばつで餓死者も出

た。これに対し、加古川から五ヶ井用水をひいていた、五ヶ井郷（兵庫県加古川市の地域）は、豊かな収穫があった。そこで、水不足の解決に五ヶ井用水から分水して新しい用水をひくことを考え、古宮組のほか23か村の庄屋に協力を求めた。同年、姫路藩主榊原忠次に許可を願い、新田開発を奨励していた忠次は、五ヶ井郷に分水を命じた。

▲今里伝兵衛の功績をたたえる頌徳碑
（兵庫県播磨町郷土資料館）

1655年1月から、のべ16万4000人を動員して水路をつくり、川底にトンネルをほって用水を通す工事などをおこなった。翌年3月に約13kmの用水が完成し、約600haの田畑に水がひかれた。この新井用水は現在も農業用水として利用されている。

いまにしきんじ　　　学問
● 今西錦司　　　1902～1992年

日本の霊長類学の基礎を築く

昭和時代の動物学者、人類学者。

京都府生まれ。京都帝国大学（現在の京都大学）農学部卒業。京都の鴨川でカゲロウの分布や生態を調査し、「すみ分け」の理論を発表した。この理論により、ことなる種の生き物が生息地を分けて社会を形成することで共存していることを主張する。生存競争によって強い物が生きのこるという従来の進化論に対抗する、新しい進化論として注目された。第二次世界大戦後は、ニホンザルやチンパンジーを対象に生物の社会のしくみを調べ、人類への進化の過程を研究、日本の霊長類学の基礎を築いた。日本モンキーセンター、京都大学霊長類研究所の創設にかかわり、霊長類学、人類学だけでなく、幅広い分野で多くの研究者を育てた。

また、登山家、探検家としても活躍し、国内だけでなく、中国やアフリカなどにも探検隊をひきいて調査をおこなった。1979（昭和54）年、文化勲章を受章。　　学 文化勲章受章者一覧

いまにしすけゆき　　　絵本・児童
● 今西祐行　　　1923～2004年

歴史児童文学『肥後の石工』の作者

昭和時代～平成時代の児童文学作家。
大阪府生まれ。早稲田大学仏文科卒業。在学中は児童文学の研究会、早大童話会に参加して坪田譲治らに出会った。最初の童話『ハコちゃん』が好評だったことから、作家になる決意をかためた。

1943（昭和18）年には学徒出陣を経験し、1945年、原爆が投下された直後の広島に救援隊として入る。このときの衝撃的な体験が、のちに『一つの花』、『あるハンノキの話』、『ヒロシマの歌』などの戦争児童文学を生みだした。

代表作の『肥後の石工』は、過酷な状況ではたらく石工たちの人生をえがいた歴史児童文学で、数々の賞を受賞する。ほかにキリスト教の信者としての視点から書かれた『浦上の旅人たち』、短編童話集『そらのひつじかい』などがある。

1980年代後半から、自宅のあった神奈川県藤野町（現在は相模原市）で農業小学校（私塾）をひらき、親子で農業を体験する活動に力をそそいだ。1992（平成4）年、紫綬褒章受章。

いまむらしょうへい　　　映画・演劇
● 今村昌平　　　1926～2006年

カンヌ国際映画祭で2度最高賞に輝いた

昭和時代～平成時代の映画監督。

東京生まれ。演劇部だった学生時代、黒澤明の『酔いどれ天使』に感銘を受け、1951（昭和26）年、早稲田大学卒業後、松竹大船撮影所に入社。

助監督として小津安二郎につく。日活に移籍後、1958年、活力あふれる人間模様をえがいた喜劇『盗まれた欲情』で監督デビュー。

1961年、横須賀米軍基地周辺のチンピラとやくざの抗争劇『豚と軍艦』により、重喜劇を確立。重喜劇とは軽喜劇をもじった今村による造語である。

作風は自然主義リアリズムで、脚本執筆の際には徹底した調査をおこなった。1965年、今村プロダクションを設立。1983年の『楢山節考』と、1997（平成9）年の『うなぎ』でカンヌ国際映画祭の最高賞パルムドールを受賞。一方、監督、俳優、スタッフ養成をするべく、1975年に横浜放送映画専門学院（現在の日本映画大学）を開校。

映画監督や俳優、タレントなど次代をになう人材を多く輩出している。

イミョンバク

李明博　1941年～　　政治

経済再生政策に重点をおいた経済界出身の韓国大統領

大韓民国（韓国）の政治家。大統領（在任2008～2013年）。

大阪府生まれ。当時、日本の植民地であった朝鮮半島からの移民だったが、第二次世界大戦後、韓国に帰国。1961年、高麗大学商学部に進学し、在学中、日韓基本条約の締結に反対する学生運動のリーダーとして活動した。大学卒業後、建設会社に入社、30代で社長に抜てきされ、40代で会長となった。1992年に会社を退職し、国会議員に立候補して当選、2002年にはソウル市長となった。2007年、野党であったハンナラ党の予備選挙で、対立候補の朴槿恵に勝利し、党の公認候補として大統領選挙に出馬して当選。経済界出身の「経済大統領」を自称して、経済再生政策に重点をおいた。朝鮮民主主義人民共和国（北朝鮮）に対しては、核問題の解決を最優先課題として、強硬姿勢でとりくんだ。日本に対しては、大統領の任期終了がせまるにつれ強硬となり、2012年には、日韓の領土問題となっている竹島に韓国大統領としてはじめて上陸するなど、日韓関係の悪化をまねいた。

学　主な国・地域の大統領・首相一覧

いやまけんたろう

井山憲太郎　1859～1922年　　郷土

玉島ミカンの栽培を広めた教師

幕末～大正時代の教師、農業指導者。

肥前国玉島村（現在の佐賀県唐津市浜玉町）に医者の子として生まれた。20歳のとき、東京帝国大学（現在の東京大学）医学部に入学したが、在学中に病気になり、故郷にもどって玉島村の平原分校の教師になった。当時の平原分校は壁がくずれ、雨もりで授業ができないほどだったが、村は貧しくて、修理ができなかった。それをみかねて、村の温暖な気候がミカンづくりに合うと考えて、村人に栽培をすすめた。数年後には、約30haのミカン畑ができ、ミカンを売って得た収入で、学校を修理した。その後、柑橘栽培改良会を設立し、品種改良につとめ、玉島ミカンを普及させた。

いよ

壱与　生没年不詳　　王族・皇族

卑弥呼のあとをついだ邪馬台国の女王

弥生時代に日本列島にあった邪馬台国の女王。

名は台与、臺與とする説もある。3世紀に書かれた中国の歴史書『魏志』倭人伝によれば、邪馬台国では卑弥呼の死後に男の王が立てられるが、国中がしたがわずに乱れた。そこで、卑弥呼一族の壱与という13歳の女子を立てると卑弥呼のときと同じようにしずまったという。

壱与は、魏に生口といわれた30人の奴隷や真珠5000個を献上した。

また、266年に、魏をほろぼした中国の西晋に使者をつかわした倭の女王を壱与とする説もある。

いよだよはちろう

伊豫田与八郎　1822～1903年　　郷土

碧海台地に明治用水をひいた庄屋

江戸時代後期～明治時代の農民。

三河国阿陀堂村（現在の愛知県豊田市）に生まれ、岡崎（愛知県岡崎市）の庄屋（村の長）になった。1874（明治7）年、矢作川右岸の碧海台地に用水をひく計画を立てた岡本兵松に協力し、愛知県に許可を願いでた。用水建設に反対する農民たちを説得し、資金の調達をおこない、1879年に愛知県の許可を得て、工事に着手した。1881年、総延長約52kmの用水を完成し、明治時代を代表する用水という意味をこめて、「明治用水」と命名した。

1889年、明治川神社（安城市）の神主になり、死後、都築弥厚、岡松兵松とともに神として祭られた。

イヨネスコ，ウージェーヌ

ウージェーヌ・イヨネスコ　1912～1994年　　映画・演劇

不条理劇の代表的な作家

フランスの劇作家。

ルーマニアのスラティーナ生まれ。父はルーマニア人、母はフランス人で、こどものころをフランスですごす。ルーマニアでブカレスト大学に入学し、詩や評論を書きはじめる。1938年、奨学金を得て、ふたたびパリに出る。

1950年、戯曲『禿の女歌手』で注目を集める。英会話を勉強しようとテキストを読んでいてひらめいたというこの作品は、ストーリーやはっきりした結末がない。

その後に発表した『授業』、『椅子』なども同じようなスタイルをもち、わかりにくいと評された。

1960年の『犀』が高く評価されたのをきっかけに、世界各地で上演されるようになる。

作風は、それまでの悲劇や喜劇とちがい、目的もなくつづくおしゃべりのような劇が特徴。話の方向や筋、つまり条理がみえないので不条理劇とよばれる。アイルランドの劇作家ベケットなどと

ともに、不条理劇を代表する作家である。

いわい

磐井 → 筑紫国造磐井

いわきひろゆき　音楽

● 岩城宏之　1932～2006年

NHK交響楽団の終身指揮者

昭和時代～平成時代の指揮者、打楽器奏者。

東京生まれ。東京藝術大学中退。在学中に、NHK交響楽団の指揮研究員となり、1956（昭和31）年の特別演奏会でチャイコフスキーの交響曲第6番『悲愴』で指揮者としてデビューした。

1969年、同楽団の終身正指揮者となったほか、名古屋フィルハーモニー交響楽団、札幌交響楽団などの音楽監督をつとめる。

国内はもちろん、ウィーン・フィルハーモニー管弦楽団など海外の有名オーケストラでも指揮をとり、国際的にも活躍した。オーストラリア名誉勲章（1985年）、フランス芸術文化勲章（1990年）を受章。1988年からは、オーケストラ・アンサンブル金沢の音楽監督をつとめる。

現代音楽の普及についても、初演の指揮をとるなど積極的にとりくむ。また、テレビやラジオへの出演、音楽プロデュース、著書の執筆など多方面で活躍。2004（平成16）年と2005年には、大晦日から元日にかけて、ベートーベンの交響曲全曲演奏会をおこない話題となった。

いわくらともみ　幕末

● 岩倉具視　1825～1883年

維新後の日本国内の近代化を進めた

幕末の公家、明治時代の政治家。

公家の堀河家の子として京都に生まれ、1838年、公家岩倉具慶の養子となる。1854年、孝明天皇のそばにつかえる侍従となった。1858年、日米修好通商条約勅許（天皇の許可）を求める幕府に反対した。その後、公武合体（朝廷と徳川将軍家が協力すること）を進め、1862年、孝明天皇の妹和宮と江戸幕府第14代将軍徳川家茂を結婚させる策をめぐらせたが、それを尊王攘夷派（天皇をうやまい外国勢力を追いはらおうという考えの人々）に反発され、朝廷からも辞官を命じられ、1867年までいちじ引退した。しかし、その間薩摩藩（現在の鹿児島県）の大久保利通などと接触し、倒幕の意志をかため、計画を進めた。

（国立国会図書館）

1867年10月、15代将軍徳川慶喜が朝廷に権力を返す大政奉還を申しでたあと、12月、朝廷の小御所会議で慶喜の処分を決定して朝廷に政権をもどす王政復古を成功させると、大久保利通、西郷隆盛らと新政府の参与となった。

1871（明治4）年、全国の藩を廃止する廃藩置県をおこなって新政府中心の体制を確立したのち、行政の最高責任者である右大臣となった。同年、不平等条約改正を求めるために、特命全権大使として岩倉使節団（副使の木戸孝允、伊藤博文、大久保利通、政府幹部、留学生などから構成された使節団）をひきいて欧米にわたり近代国家のようすを視察したが、条約改正には失敗した。帰国後は、西郷隆盛や板垣退助らの主張する、国交を拒否し鎖国政策をとっている朝鮮に出兵するべきだという征韓論をおさえて、国内政治を優先し富国強兵政策を進めた。

1877年の西南戦争のあと、板垣退助らがおこした自由民権運動（国会をひらき、憲法制定を要求する運動）がさかんになった。これに対し、1881年、岩倉は井上毅が提出した欽定憲法（君主が定めた憲法）の案を採用。10年後に国会をひらく勅諭（天皇のことば）をだし、伊藤博文に命じて憲法の草案を作成させた。同年、政府内で対立する大隈重信を追放した（明治十四年の政変）。その後は、皇室の財産を保護する政策を進め、華族の財産を保護するため第十五銀行を設置し、華族の事業として日本鉄道会社を設置した。

学 お札の肖像になった人物一覧

いわくらろくえもん　郷土

● 岩倉六右衛門　1817～1896年

和牛の改良につくした農民

▲「あづま蔓」の銅像
（比和自然科学博物館）

江戸時代後期～明治時代の農民、畜産家。

備後国比和村（広島県庄原市）の農家に生まれた。父を早く亡くし、母とともに細々と農業をいとなんでいた。ウシが好きで、よいウシを育てようと志した。当時は、村の共同牧場では、牝牛と牡牛をいっしょに放牧して自然に交配させており、メスが優秀であれば、オスの資質は関係ないと考えられていた。しかし、六右衛門はオスも優秀でなければよい子牛ができないと

考え、自家用の牧場をつくって、妻が嫁入りのときにつれてきたみごとな牡牛と弟が買いもとめてきた牝牛を交配させた。すると、さらに安定的にすぐれた牡牛が生まれた。

さらに交配をつづけるうちに、いちだんとすぐれたウシが生産されるようになった。これは「岩倉牛」とよばれて評判をよび、高値で取り引きされるようになった。六右衛門は一生をかけて、岩倉牛の改良と販売の拡張につとめた。その後、「あづま蔓（蔓は、優秀な和牛のこと）」とよばれる岩倉牛の血をひく新しい系統のウシが育てられ、現在の広島牛に発展した。

いわさききょうこ 〔絵本・児童〕
● 岩崎京子　1922年～

人と自然、動物との交流をえがく

児童文学作家。

東京生まれ。恵泉女学園高等部卒業。3人姉妹の長女として本に親しんで育ち、結婚後、創作をはじめる。1948（昭和23）年、最初の短編『ローソク』が雑誌『少年少女』に掲載される。そのころから童話作家の与田準一に師事し、幼稚園につとめながら作品を発表していた。1959年、孤独な少年と傷ついたサギの交流をえがいた短編『さぎ』で、日本児童文学者協会新人賞を受賞。代表作に、講談社児童文学新人賞受賞の『シラサギ物語』、野間児童文芸賞と芸術選奨文部大臣賞受賞の『鯉のいる村』などがある。

作品の多くは、動物や植物を愛情深く育てる無名の人物をこまやかにえがき、人間の生き方を追究するものである。その集大成ともいえる『花咲か』は、江戸の人々が花見を楽しめるように、サクラの花を育てることに半生をかけた植木職人の人間ドラマで、日本児童文学者協会賞を受賞した。

いわさきそうざえもん 〔郷土〕
● 岩崎想左衛門　1598～1662年

台地に用水路をひらいた農民

（周南市鹿野総合支所）

江戸時代前期の農民、治水家。岩崎家は戦国大名の毛利氏につかえていたが、祖父の代に備中国（現在の岡山県西部）から周防国都濃郡富田村（山口県周南市）に移り、農業をいとなんだ。想左衛門は9歳のとき寺へ修行にだされ、5年後に寺を出て、鹿野村（周南市）の田村家の養子となるが、ふたたび岩崎氏を名のる。

台地の上にある鹿野村では、低地を流れる川の水を利用できず、毎日遠くまで水をくみに行く必要があった。ある日寺の裏山で、水量の豊かな川をみつけ、トンネルをほれば台地に水をひけると考えた。長州藩（山口県）に許可を願いでると、想左衛門が工事資金をだすことを条件に許可が出た。約80mのトンネル工事だったが、岩盤がかたくて困難をきわめた。4年後に完成し、荒れ地に田畑がつくられた。その功績をみとめられ、毛利家の家臣にとりたてられた。この用水は「潮音洞」と名づけられ、農業用水として利用されている。

いわさきちひろ 〔絵画〕
● いわさきちひろ　1918～1974年

独自の感性で、こどもの表情をえがく

▲『ちひろのポートレート』
（ちひろ美術館）

昭和時代の童画家、絵本作家。福井県生まれ。本名は松本知弘。小学生のころから絵の才能を発揮し、高等女学校時代には画家を夢みるが、両親の反対で断念。第二次世界大戦中、空襲で焼けだされて長野県松本市に疎開し、終戦をむかえる。その後、本格的にデッサンと油絵の勉強をはじめた。1947年、『わるいキツネその名はライネッケ』のさし絵で、童画家としてデビューする。のちに国会議員となった善明と出会って結婚、1952年、東京都練馬区内に自宅兼アトリエをかまえ、以後、ここが創作活動の拠点となった。こどもを生涯のテーマとしてえがきつづけ、水彩絵の具やパステルのやわらかく澄んだ色調と、水をたっぷりつかったにじみやぼかしなどの技法、たしかなデッサン力にささえられた大胆な筆づかいで、みずみずしい感性とこどもへの愛情あふれる独自の世界をつくりあげた。1968年の『あめのひのおるすばん』は、絵を中心に展開する絵本を試みた実験的な作品である。これを機に、『となりにきたこ』、ボローニャ国際児童図書展グラフィック賞受賞の『ことりのくるひ』、ベトナム戦争下のこどもたちをえがいてライプツィヒ国際書籍展銅賞を受賞した『戦火のなかの子どもたち』など、代表作を次々と発表、国際的にも高く評価された。没後の1977年、自宅の敷地内に、ちひろ美術館・東京が、1997（平成9）年には、長野県松川村に安曇野ちひろ美術館が開館。ちひろ美術館では、絵本専門の美術館としてこどもの文化に寄与する活動を積極的におこなっている。

▲『チューリップのある少女像』(1973年)
（ちひろ美術館）

いわさきやたろう 〔産業〕
● 岩崎弥太郎　1834～1885年

三菱財閥の基礎を築いた

幕末～明治時代の実業家。

土佐藩（現在の高知県）の地下浪人（郷士という身分を他

者にゆずった武士）岩崎弥次郎の子として生まれた。江戸（東京）で遊学ののち、吉田東洋の少林塾で学び、1867年、土佐藩の重臣後藤象二郎にみとめられ、土佐藩が長崎に設立した開成館長崎商会の主任となって土佐の物産を売り、またイギリスのグラバーが長崎に設立した貿易会社グラバー商会からイギリスの武器や艦船を輸入した。

当時、坂本龍馬は長崎で結成した亀山社中という海運業をおこなっていた。後藤は龍馬と会い、亀山社中は海援隊と名をあらためて土佐藩の海運事業をひきうけることになり、弥太郎は海援隊の資金や財政を援助するようになった。1868年に長崎商会が閉鎖されると、翌年開成館大阪商会に移る。

▲岩崎弥太郎
（国立国会図書館）

1870（明治3）年、土佐藩に許可を得て民営の九十九商会を設立し、旧土佐藩士を集めて海運業をはじめた。

九十九商会は、1872年に三川商会、1873年に三菱商会、1874年に三菱蒸気船会社、1875年には郵便汽船三菱会社と改称した。

1871年、琉球（沖縄県）の島民が中国の清領の台湾に漂着して住民に殺されるという事件がおき、その処理をめぐり清ともめた。1874年、明治政府の大隈重信は弥太郎の三菱蒸気船会社に全面協力を求めた。

弥太郎は政府の購入した外国船に兵隊を乗せて輸送、台湾出兵に貢献した。その結果、日本は清から賠償金を得たので弥太郎は政府に信任されるようになった。

1877年に西南戦争がおこると、郵便汽船三菱会社は大隈の依頼を受け、明治政府軍の7万の兵隊や弾薬、武器、食料などを輸送してばく大な利益を上げて、政商として力を強めて日本の海運界で大きな地位を占め、その後の三菱財閥繁栄の基礎を築いた。弥太郎は、多角経営をめざし、1880年、三菱為替店、千川水道会社を設立、1881年、長崎の高島炭坑を買収した。

1883年、反三菱財閥勢力が集まって三井資本が援助する共同運輸会社が開業し、郵便汽船三菱会社と旅客や貨物をめぐってはげしい値下げ競争をつづけ、運賃が競争前の10分の1に下がるほどだった。

1884年には工部省の長崎造船所を借用し、操業をはじめる。1885年、明治政府の仲介で共同運輸会社と三菱蒸気船会社が合併し、日本郵船会社が

▲高知県安芸市にある岩崎弥太郎の生家　（安芸市）

発足したが、弥太郎はその前に亡くなった。

海運業をもとに、政府と密着しながら幅広い事業をおこなって巨万の富をたくわえ、三菱財閥の基礎を築いた。庭園づくりが趣味で、旧岩崎庭園（東京都台東区）、清澄庭園（江東区）、六義園（文京区）は岩崎家の別邸であった。

いわさきやのすけ　産業

● 岩崎弥之助　1851〜1908年

三菱財閥を発展させた

明治時代の実業家。

土佐国（現在の高知県）の地下浪人の家に生まれる。三菱財閥の創立者である岩崎弥太郎の弟。

土佐藩校の致道館や大坂（阪）の成達書院で学び、21歳でニューヨークに留学。帰国後、三菱商会の副社長として兄を助け、1885（明治18）年、病死した兄のあとをついで社長となる。三菱

（日本銀行写真提供）

商会と共同運輸会社を合併して日本郵船を設立し、鉱業、造船、金融、地所など、事業の多角化を堅実に進めた。

巨額の投資をして、当時焼け野原にすぎなかった丸の内の広大な土地を購入。これがやがて財閥の本拠地となるオフィス街へと発展した。1893年には銀行、鉱山、造船などを一体とした三菱合資会社を発足させ、その際、社長をおい（弥太郎の長男）の久弥へゆずり、現役をしりぞく。その後、1896年には第4代日本銀行総裁に就任する。

冷静で頭脳明晰だった弥之助は、兄がのこした三菱の危機を救い、さらに発展させて、三菱財閥の基礎を築いた。

いわせただなり　幕末　政治

● 岩瀬忠震　1818〜1861年

列強との交渉に力をつくす

幕末の幕臣、外交官。

旗本設楽家の子として江戸（現在の東京）に生まれ、旗本岩瀬忠正の養子となる。まれにみる俊才で、1854年、老中阿部正弘に見いだされ、翌年目付（旗本、御家人を監視する役職）と海防掛（外国の侵略をふせぐ役職）に抜てきされた。1856年、アメリカ合衆国の総領事ハリスの来日時には交渉の全権をまかされる。

1858年、老中堀田正睦と京都にむかい、朝廷に条約調印の勅許（天皇の許可）を求めたが、尊王攘夷派（天皇をうやまい外国勢力を追いはらうという考えの人々）の反対が多く、許可を得られなかった。

同年、大老井伊直弼の指示により、下田（静岡県下田市）

奉行の井上清直とともに日米修好通商条約に調印。外国奉行（外国関係の事がらをあつかう役職）となりオランダ、ロシア、イギリス、フランスとも条約をむすんだ。しかし、将軍のあとつぎに一橋慶喜（のちの徳川慶喜）をおして井伊ににらまれ、安政の大獄で左遷された。

いわたにときこ　【音楽】
● 岩谷時子　1916～2013年

シャンソン、ミュージカルの名曲を訳詞する

昭和時代～平成時代の作詞家、翻訳家。
京城（現在の大韓民国、ソウル）生まれ。本名はトキ子。神戸女学院大学卒業。兵庫県ですごした少女時代には、短い小説を雑誌に投稿していた。1939（昭和14）年、宝塚歌劇団出版部に入社。その後、歌手の越路吹雪のマネージャーとなり、越路の歌うシャンソン『愛の讃歌』などの訳詞をてがける。
歌謡曲の作詞家としても活躍し、『恋の季節』や『男の子女の子』など、数々のヒット曲を作詞、多くの賞に輝いた。1960年ごろより、『王様と私』や『レ・ミゼラブル』『ミス・サイゴン』など、ミュージカルの訳詞を担当するようになり、ミュージカルの普及に力をつくす。2009（平成21）年、文化功労者。

いわなみしげお　【産業】
● 岩波茂雄　1881～1946年

岩波書店の創業者

大正時代～昭和時代の実業家。
長野県生まれ。日本古来の伝統を重んじる思想家、杉浦重剛をしたって、杉浦の創設した日本中学校に学ぶ。第一高等学校に入学したが、人生になやんで退学。東京大学を卒業後、神田女学校教師となったが、まもなく退職した。1913（大正2）年、東京神田に古書店を開業。当時はめずらしかった、正札（掛値なしの値段）を商品につけて販売し、信用を得た。翌年、夏目漱石の『こゝろ』を出版して出版業をはじめ、ついで『哲学叢書』『漱石全集』を刊行。造本、校正などの厳密な出版社として高く評価される。のち岩波文庫、岩波新書を発刊。多くの文学者や学者が集まり、岩波文化とよばれる独自の出版文化を築いた。1946（昭和21）年、文化勲章を受章した。

学 文化勲章受章者一覧

いわのほうめい　【文学】
● 岩野泡鳴　1873～1920年

新自然主義文学を主張

明治時代～大正時代の詩人、作家、評論家。
兵庫県の生まれ。本名は美衛。キリスト教の洗礼を受け、伝道師を志すが、仙台神学校（現在の東北学院）在学中に戯曲や詩を書きはじめる。1906（明治39）年、評論『神秘的半獣主義』で文学思想を明確にすると、つづく『新自然主義』で、島崎藤村や夏目漱石らときびしく対立する立場をとった。1909年の『耽溺』により小説家としてみとめられる。
生計の安定をめざして乗りだした樺太（サハリン）のカニの缶詰事業に失敗し、北海道を放浪した。このあいだの体験を『放浪』『断橋』『発展』『毒薬を飲む女』『憑き物』の5部作にまとめ、代表作となる。ほかに詩集『露じも』『悲恋悲歌』、評論集『近代思想と実生活』『近代生活の解剖』などがある。

いわはしたけお　【教育】
● 岩橋武夫　1898～1954年

「盲人福祉の父」とよばれる社会事業家

▲岩橋武夫

昭和時代の社会事業家。
大阪府生まれ。早稲田大学在学中に失明して、関西学院大学に転入、その後、イギリスに留学し、盲人福祉施設であるライトハウスの存在を知った。帰国後、関西学院大学で教職につく一方、1922（大正11）年に自宅で点字出版、点字図書館などの盲人福祉事業をはじめた。1933（昭和8）年に大阪盲人協会の会長に就任し、1935年、大阪に日本初のライトハウスを設立、点字教育や職業訓練など視覚障害者の自立支援事業をおこなった。
1948年には、日本盲人連合会を設立し会長に就任、1953年には、国内の盲人団体を集めて日本盲人社会福祉施設協議会を発足させた。また、1934年にアメリカ合衆国のヘレン・ケラーをたずねて以来、生涯の友情をむすび、1937年、1948年のケラーの来日を実現させた。視覚障害者の教育の普及や自立支援、社会的地位の向上に尽力し、「盲人福祉の父」とよばれる。

いわまつすけざえもん　【郷土】
● 岩松助左衛門　1804～1872年

白洲灯台の建設につくした役人

江戸時代後期～明治時代の役人。
豊前国長浜浦（現在の福岡県北九州市）に生まれ、18歳で庄屋（村の長）になった。58歳のとき、40年間にわたって村をおさめた功績がみとめられ、小倉藩（福岡県北九州市）から海上御用掛・難破船支配役に任命された。当時、小倉沖には暗礁が多く、船乗りから難所としておそれられていた。とくに藍島の西に浮かぶ白

▲現在の白州灯台
（北九州市小倉北区提供）

洲岩礁付近では、船の難破や沈没事故がたびたびおきていた。白洲に灯台を建設して、そこが危険な場所であることを船乗りに知らせようと考え、1862年、小倉藩に灯台建設を願いでた。藩から許可がおり、資金集めのために募金活動をおこなったが、幕末の混乱でなかなか進まず、明治時代になって、ようやく基礎工事がはじまった。

1872（明治5）年、灯台建設は明治政府にひきつがれ、助左衛門の死後の1873年に完成した。白洲灯台は現在も航海の安全に役だっている。

いわやさざなみ　絵本・児童

● 巌谷小波　1870〜1933年

日本の近代児童文学の基礎を築く

（日本近代文学館）

明治時代〜昭和時代の作家、児童文学作家。

東京生まれ。本名は季雄。号は楽天居、漣山人など、別名大江小波。少年時代から文学に興味をもち、杉浦重剛の称好塾に入り、尾崎紅葉らの硯友社に参加して、『妹背貝』『秋の蝶』などの純愛小説を書いていた。

1891（明治24）年、日本の創作童話の先がけとなる『こがね丸』を発表、好評を得ると、1894年からは、雑誌『少年世界』に、少年文学やおとぎ話を発表して人気となる。

また、『桃太郎』など各地の民話をほりおこして、『日本昔噺』『日本お伽噺』『世界お伽噺』にまとめるなど、民話や童話の出版と普及に力をそそぎ、日本の児童文学の基礎を築いた。晩年は、全国をまわって自作のおとぎ話を語り聞かせ、「お伽のおじさん」として親しまれた。また、口演童話家の久留島武彦や岸辺福雄など、後輩の育成もおこなう。主な作品に『小波お伽全集』や、エッセー『桃太郎主義の教育』、自伝『我が五十年』などがある。

イワンさんせい　王族・皇族

● イワン3世　1440〜1505年

モンゴルのロシア支配を終わらせた

モスクワ大公国（現在のロシア）の大公（在位1462〜1505年）。

モスクワ大公の長男。イワン大帝ともいう。1462年、モスクワ大公国の大公として即位した。1471年、ノブゴロドを軍事力で屈服させ、広大な領土を併合。1480年にはキプチャク・ハン国をやぶり、約240年間のモンゴル人支配「タタールのくびき」を終わらせた。

ビザンツ帝国は1453年にほろびたが、1472年に、イワン3世がビザンツ帝国最後の皇帝のめいソフィアをきさきにむかえたため、モスクワ大公国はその継承者となり、ビザンツ帝国の専制君主制も導入して、ツァーリ（皇帝）を名のった。支配領域を東西に大きく広げ、法典を制定し、強力な統一国家を建てた名君と評価される一方、農民の自由な移転の権利をうばい、農奴制を強化した。

学 世界の主な王朝と王・皇帝

イワンよんせい　王族・皇族

● イワン4世　1530〜1584年

雷帝とおそれられたツァーリ

モスクワ大公（在位1533〜1547年）、ロシアの初代ツァーリ（皇帝）（在位1547〜1574年、1576〜1584年）。

モスクワ大公ワシリー3世の子。3歳で父が亡くなり、モスクワ大公に即位すると、母が摂政となった。内政も対外的にも落ち着いていたが、8歳のときに母が急死。貴族政治がしばらくつづいた。

1547年、ロシア史上はじめて、正式にツァーリとして戴冠した。はじめは貴族や聖職者の意見を聞き、法典の編さんや教会改革をおこなった。しかし、妻の死や大貴族の反抗などをきっかけに、1560年代以降、権力と軍事力を強め、大貴族を処刑し、領地をとり上げるなどの恐怖政治をしく。

その残忍さで、「イワン雷帝」とおそれられた。重税に苦しんだ農民が東方や南方へ逃亡したため、移動の自由を制限するなど、さらに圧迫した。1552年にカザン・ハン国を征服したのを皮切りに、積極的に対外戦争をおこなって東方のシベリアへと支配地を広げ、ツァーリズムとよばれる帝国支配の基礎を築く。しかし経済は低迷し、晩年は統治もとどこおった。

学 世界の主な王朝と王・皇帝

いんぎょうてんのう　王族・皇族

● 允恭天皇　5世紀前半ごろ

倭の五王の一人、済とされる天皇

古墳時代の第19代天皇（在位5世紀ころ）。

『古事記』『日本書紀』によれば、仁徳天皇の子で、母は磐之姫。忍坂大中姫を皇后とし、安康天皇、雄略天皇をもうけた。また、皇后につかえる集団である刑部を定めた。のちに、忍坂大中媛の妹で、容姿が美しかった衣通郎女をきさきとしたので、皇后はそれをねたみ、雄略天皇を出産したとき、その小屋を焼いて死のうとした。おどろいた天皇は皇后にあやまり、なぐさめたという。中国の歴史書『宋書』に出てくる倭の五王のうち、済

にあたると考えられている。

学 天皇系図

いんげんりゅうき
隠元隆琦　宗教
1592～1673年

明の文化を日本にもたらす

（隠元隆琦画像／東京大学史料編纂所所蔵模写）

江戸時代前期に来日した、中国の明の僧。

明の福州（現在の福建省）に生まれ、29歳のとき福州の黄檗山万福寺で出家した。1654年、長崎の興福寺のまねきで20数人の弟子とともに来日した。1658年、江戸幕府第4代将軍徳川家綱に江戸城で対面し、あつい信頼を得た。その後、幕府から山城国宇治（京都府宇治市）に寺領をあたえられ、黄檗山万福寺を創建して、禅宗の一派である黄檗宗をひらき、後水尾天皇をはじめ、幕府の老中酒井忠勝や松平信綱などから尊びあがめられた。

隠元は明の書画や詩文、建築、料理、医術などさまざまな文化を日本にもたらした。インゲンマメを伝えたのは隠元といわれているが、実際に伝えられたのはそれによく似たフジマメである。

いんなみじょうさく
印南丈作　郷土
1831～1888年

那須野原の水路の開拓者

（那須野が原博物館）

江戸時代後期～明治時代の開拓者。

下野国上都賀郡日光町（現在の栃木県日光市）で生まれる。19歳のとき、佐久山宿（栃木県大田原市）で旅館をいとなんでいた印南丈七の養子となった。1854年、町年寄となり、その後関東宿場組合35か村の取り締まりをつとめた。

佐久山宿付近には、那珂川と箒川流域にはさまれた那須野原とよばれる4万haの広大な原野が広がっていた。明治時代になると、田畑をつくって士族（旧武士）たちの生活を確保するため、明治政府はこの原野を本格的に開発することになった。

1880（明治13）年、印南はこれに応じ、矢板村（矢板市）など数か村の指導者だった矢板武とともに那須開墾社を設立して、開拓にあたった。

那須野原の地下には、砂や小石が厚くつもっているため、雨がふっても地中にしみこんでしまい、飲料水や作物に必要な水が足りず、開拓民たちは、飲料水を求めて、1里（約4km）もはなれた川まで水をくみに行かなければならなかった。まず、飲料水を得るための水路が必要なことを国や県に熱心にうったえた結果、資金が出て、1881年から工事がはじまった。水がみこんで、流れなかったりするなど、たいへん困難な工事だったが、翌年、飲料水用の水路が完成した。

しかし、作物に必要な水はまだ足りず、印南と矢板はかんがい用の大きな水路をひく計画を立てた。そうして何度も東京に出かけて、政府の事業として建設するようにうったえた。

1885年、2人の熱意が通じ、政府の許可がおりて、工事がはじまった。安積疏水（福島県郡山市）の工事にたずさわっていた九州出身の石工集団が加わったこともあり、わずか5か月後、全長約16km、幅約7mの那須疏水（水路）が完成した。翌年には疏水から各地の農場に配水する4本の分水路（総延長約96km）も完成した。

那須疏水の完成により、開拓は大きく進んだ。しかし、昭和時代になると、施設が古くなって改修が必要となり、1967（昭和42）年から1994（平成6）年まで、国による那須野原総合開発がおこなわれた。現在では、大規模な稲作地帯となっている。

インノケンティウスさんせい
インノケンティウス3世　宗教
1161～1216年

教皇権全盛時代のローマ教皇

ローマ教皇（在位1198～1216年）。

イタリア中部、アナーニ近郊の裕福な伯爵家のコンティ家で生まれる。コンティ家は9人の教皇を輩出している。1198年に37歳という若さで教皇に選出された。神聖ローマ帝国（ドイツ）の帝位継承争いに介入してオットー4世を帝位につけたが、のちにオットー4世がイタリアへ勢力を拡大しようとしたため破門し、フリードリヒ2世を帝位につけてオットー4世を廃帝に追いこんだ。イングランド王ジョンやフランス王フィリップ2世を破門するなど教皇中最大の権威を誇り、「教皇は太陽。皇帝は月」と演説している。

しかし彼が首唱した第4回十字軍によってビザンツ帝国（東ローマ帝国）の首都コンスタンティノープルが占領され、ラテン帝国が建国されるなど十字軍の暴走もはじまり、また少年十字軍の悲劇（熱心な信者の少年少女による十字軍が奴隷として売りとばされた事件）もおこっている。

学 ローマ教皇一覧

いんふぜん
尹潽善 → 尹潽善

う

う 〔架空〕

禹　生没年不詳

夏王朝の創始者

古代中国の夏王朝の始祖とされる。

姓は姒、名は文命。帝であった堯につかえていた鯀の息子。中国に大洪水がおこったとき、堯は鯀に治水を命じたが、鯀が失敗したため、摂政の舜に推薦された禹がそのあとを受け、治水を成功させた。堯が亡くなり、舜が帝位についたのちも、禹は治水や土木工事の仕事をつづけた。その功績から、舜は禹を次の天子に指名した。舜が亡くなって喪が明けると、禹は舜の子に遠慮して朝廷を去ったが、民はみな禹についてきた。そのため禹は帝位につき、夏王朝がはじまったとされる。夏王朝は伝承上のものとあつかわれてきたが、近年は実在したとする見解が強まっている。治水に力をつくした禹の勤勉さは、のちの文人や為政者たちに尊敬された。　学 世界の主な王朝と王・皇帝

ウァレリアヌス，ププリウス・リキニウス 〔王族・皇族〕〔古代〕

ププリウス・リキニウス・ウァレリアヌス　190〜269?年

ササン朝ペルシアとの戦いで、捕虜となったローマ皇帝

ローマ帝国の皇帝（在位253〜260年）。

由緒ある元老院議員の一族の生まれで、ライン川地方で軍務にあたり、軍人として名を高める。ローマ帝国の皇位をめぐる争いが活発になるなか、253年、ゲルマニア軍によって皇帝に推薦された。息子のガリエヌスを第2の皇帝に指名して帝国の西方をまかせて分割統治とし、みずからはシリアに侵入をくりかえすササン朝ペルシアに対処するために、東方を統治した。しかし、エデッサの戦いでシャープール1世ひきいるペルシア軍にやぶれ、260年に捕虜となり、ペルシアに連行された。そこで亡くなったといわれるが、くわしいことはわかっていない。長いローマの歴史において、皇帝自身が敵国にとらえられるのは前代未聞のできごとだった。　学 世界の主な王朝と王・皇帝

ウィーダ 〔文学〕〔絵本・児童〕

ウィーダ　1839〜1908年

『フランダースの犬』の作者

イギリスの作家、児童文学作家。

サフォーク州ベリー・セント・エドマンズ生まれ。本名はマリ・ルイーズ・ド・ラ・ラメ。フランス人の父とイギリス人の母のもとで

育つ。こどものころから文学が好きで読書にふけって少女時代をすごし、20歳のころからイギリスで小説を発表、のちに映画化された『二つの旗の下に』で人気作家となる。1874年、イタリアに移り住み、後半生をイタリアでくらした。

ベルギーのアントウェルペンを舞台に、絵画を愛する貧しい少年ネロと忠犬パトラッシュの悲しい物語をえがいた『フランダースの犬』は、日本で人気作として定着、1975（昭和50）年にはテレビアニメも製作された。

ほかに、父が売ってしまった美しい陶器のストーブをめぐる少年アウグストの冒険をえがいた『ニュルンベルクのストーブ』などがある。動物、とりわけイヌを深く愛し、イタリアの動物愛護協会の設立にも力をつくした。

ウィーナー，ノーバート 〔学問〕〔発明・発見〕

ノーバート・ウィーナー　1894〜1964年

サイバネティックスの提唱者

アメリカ合衆国の数学者。

ミズーリ州で言語学者の子として生まれる。父の英才教育を7歳まで受け、1906年に11歳でタフツ・カレッジに入学して、14歳で数学の学位を取得。ハーバード大学の大学院に進んで動物学を専攻。コーネル大学大学院で哲学に転向してハーバード大学にもどり、哲学研究をつづけた。

1912年、18歳で数理論理学の論文により博士の学位を受ける。その後、イギリスのケンブリッジ大学に留学。一時期ドイツのゲッティンゲン大学で学び、アメリカにもどって、24歳でマサチューセッツ工科大学の講師となった。

サイバネティックス（生物や機械における制御や情報処理について、両者の区別をしないで統一的に研究する学問）やロボティクス、オートメーションなどの分野で研究を進めて才能を発揮するが、米ソ冷戦時代に東側科学者を支持したことなどから弾圧を受けた。科学者に対して研究がもつ倫理的な意味を問いかけ、技術が生活の向上と貧困の解消に役だつと主張しつづけた。

ウィクリフ，ジョン

宗教

🌐 ジョン・ウィクリフ　　1320ごろ～1384年

宗教改革の先駆者とされるイギリスの神学者

神学者、初期の宗教改革者。

イギリスのヨークシャー生まれ。オックスフォード大学の神学教授となる。聖書こそが信仰のよりどころであるとして聖書に立ち返ることを説き、教会の改革に努力した。聖書の英訳を企画し、弟子たちにより最初の英訳の聖書が完成する。また権力争いによって教会が分裂し、聖職者がぜいたくな生活を送っていることなどから、聖職者の堕落を非難し、聖職位階制や教会財産を否定。教会の秘跡（聖職者が信者にあたえる儀式）をイエスの教えではないと批判。ローマ教皇との対立が深刻になり、1382年、彼の主張は異端と断定される。

王権の優位をみとめるウィクリフの利用価値をみとめたイギリス国王に保護されていたが、1381年の農民一揆の理論的指導者ジョン・ボールとの関係をうたがわれたこともあり、オックスフォードを去ってラタワースの司祭となり2年後に同所で死去。死後に彼の教義が広まったため、30年後のコンスタンツ公会議であらためて異端と宣告され、1428年遺体はほりおこされて焼かれ、遺灰は近くのスウィフト川にまかれた。彼の教義はヤン・フスの宗教思想にとり入れられ、100年後の宗教改革にも大きな影響をあたえた。

ウィッテ，セルゲイ

政治

🌐 セルゲイ・ウィッテ　　1849～1915年

ロシアの産業革命を推進した初代首相

ロシア帝国の政治家。初代首相（在任1905～1906年）。

チフリス（現在のジョージアのトビリシ）で生まれる。オデッサ大学の理学部を卒業し、鉄道会社につとめ、その後、役人となった。1892年に大蔵省鉄道局長から運輸大臣に、次に大蔵大臣に就任。1903年のシベリア鉄道開通をはじめ、金本位制の採用、健全財政の確立によるインフレの抑制、商工業の保護、信用制度の改善などさまざまな政策を進めた。さらにフランス資本の導入による工業振興をおこない、鉄道を中心とする輸送部門や金属工業部門、石油部門などの工業化を促進した。1905年、ロシア第一革命（ロシア革命）に直面し「十月詔書」を起草、初代大臣会議議長（首相）となり、ロシアの立憲制にむけ大きく貢献するが、保守派の反発を受け失脚。晩年は『回顧録』の執筆で余生をすごした。

外交においては、1905年、日露戦争後のポーツマス講和会議に全権代表として出席。当時の日本の外務大臣であった小村寿太郎と交渉をくり広げ、賠償金を拒否するなど有利に進めた。

ウィトゲンシュタイン，ルートウィヒ

思想・哲学

🌐 ルートウィヒ・ウィトゲンシュタイン　　1889～1951年

言語という視点から哲学的問題の解決を試みた哲学者

オーストリアの哲学者。

ウィーン生まれ。ドイツで工学を学び、イギリスで航空機の仕事にかかわるうちに数学に関心をもった。ケンブリッジ大学で数学者・哲学者のラッセルから学び、やがて哲学へ関心を移した。1921年に『論理哲学論考』を出版、言語に絶対的な価値をおき、言語にできるものだけが意味のあるものと主張した。その数年後からは、この理論をみずから批判し、言語が社会生活の中で道具として利用されることを重視、「言語ゲーム」という概念を用いて言語のはたらきを検証した。言語という視点から哲学的問題の解決を試み、20世紀の重要な哲学者の一人とされている。代表的な著作には、死後に弟子がまとめた『哲学探求』などがある。

ヴィトン，ルイ

デザイン

🌐 ルイ・ヴィトン　　1821～1892年

旅行用ケースの工房をはじめた職人

フランスのスーツケース職人。

東部の農家に生まれる。平凡な暮らしをきらい、13歳のとき徒歩で467kmはなれたパリをめざす。さまざまな仕事を経験しながら、約2年かけてパリに到着した。

16歳で荷づくり用木箱職人に弟子入りすると、めきめきと腕を上げる。1853年には、ナポレオン3世の妻、ウジェニーの旅行用ケースを依頼されるほどになった。このケースが上流階級で評判をよび、1854年に独立して工房をもった。

革ケースが一般的だった時代に防水キャンバス地をつかうなど、実用性とデザインの両方にすぐれた製品を次々に開発した。現在は総合ファッションブランドとして知られる。

ウィリアムさんせい

王族・皇族

🌐 ウィリアム3世　　1650～1702年

イギリスの名誉革命を実現

イングランド王国・スコットランド王国、スチュアート朝の第5代国王（在位1689～1702年）。

オランダ総督オラニエ公ウィレム2世の子として、オランダ西部のハーグに生まれる。そのときすでに父は亡くなっていて、あとをついでウィレム3世となった。1672年、フランスがオランダに攻

めてくると、軍総司令官、次いで総督に任命され、オーストリアやスペイン、スウェーデンと同盟をむすび、フランスに対抗した。1677年、イングランドのヨーク公（のちのジェームズ2世）の長女メアリ（メアリ2世）と結婚した。

1688年、国王ジェームズ2世と対立していたイギリス議会のまねきに応じ、軍をひきいてイギリスに上陸。ジェームズ2世を亡命させた。こうして1689年、妻メアリ2世とともにイングランド王・スコットランド王に即位。無血の名誉革命を実現させた。その後、ジェームズ2世がアイルランドにもどって反乱をおこすと、1690年、これをやぶった。1702年、落馬事故がもとで死去、妻とのあいだに子がなかったため、妻の妹がアン女王として王位をついだ。

学 世界の主な王朝と王・皇帝

ウィリアム・オブ・オッカム 思想・哲学

ウィリアム・オブ・オッカム　　1285?〜1349?年

唯名論を展開し、近代哲学に影響をあたえた哲学者

イギリスのスコラ哲学者。

ロンドン近郊のオッカム村生まれ。フランチェスコ会修道士であり、オックスフォード大学やパリ大学で神学を学んだ。スコラ哲学では長いあいだ、「普遍は存在するか」という普遍論争が長くつづいており、13世紀のトマス・アクィナスの実在論が主流となっていた。これに対しオッカムは「個が唯一の実在、説明されるべきは個体のみ」と説いて実在論を批判、「類の概念は実在しない」という唯名論を主張した。また、オッカムの思想には、「真理を説明するのに、必要以上に多くの仮定をするべきでない」というものがあり、「オッカムのかみそり」といわれている。

ウィリアムズ，テネシー 映画・演劇

テネシー・ウィリアムズ　　1911〜1983年

アメリカを代表する劇作家

アメリカ合衆国の劇作家。

南部のミシシッピ州に生まれた。不安定な少年時代を送ったのち、アイオワ大学で、劇作の勉強をした。各地を放浪し、さまざまな仕事をしながら、戯曲、詩、小説を書いた。

自分の青春時代を題材に家族への思いを叙情的にえがいた戯曲『ガラスの動物園』が大成功をおさめ1945年にニューヨーク劇評家賞を受賞する。1947年の『欲望という名の電車』も大好評となり、翌年にピュリッツァー賞を受賞した。主な作品に『夏と煙』『熱いトタン屋根の猫』『去年の夏突然に』などがある。人間の心情や人生を語った名言も多くのこした。1983年に不慮の事故で亡くなった。

ウィリアム・テル 架空

ウィリアム・テル　　生没年不詳

弓の腕が立つスイスの英雄

スイスの伝説上の英雄。

1300年ごろにスイス中央部にいたとされるウィルヘルム・テルともいう。スイスの人たちが、オーストリアのハプスブルク家の圧政に反抗して立ち上がったとき、その先頭に立って活躍したとされる。実在したかはなぞである。伝説では、テルが代官ゲスラーの帽子に敬礼しなかったことから、罰として、息子の頭にのせたリンゴを石弓で射落とすことを命じられる。それを成功させるが謀反の罪でとらえられ、脱走してゲスラーをたおしたところ、それに乗じて人々が圧政者の城をこわして勝利する。この伝説は、ドイツの作家シラーにより戯曲にされ、その戯曲をイタリアの作曲家ロッシーニがオペラにした。この物語は世界的に有名であり、日本でも自由民権運動とのつながりで早くから紹介され、愛と自由と正義のドラマとしていまでも人気がある。

ウィルキンズ，モーリス 学問 発明・発見

モーリス・ウィルキンズ　　1916〜2004年

DNAの二重らせん構造を発見する

イギリスの生物物理学者。

ニュージーランドで生まれる。ケンブリッジ大学で物理学を学び、第二次世界大戦中は、アメリカ合衆国で原子爆弾の開発研究に参加した。戦後、イギリスに帰国し、X線回折を用いたデオキシリボ核酸（DNA）の構造の研究にとりくんだ。

1951年、共同研究者のロザリンド・フランクリンとともに、DNAの構造を推測させる鮮明なX線写真の撮影に成功する。これらの成果は、ジェームズ・ワトソンとフランシス・クリックが1953年に提唱したDNAの二重らせん構造を正しく証明するための基礎をあたえた。この業績により、1962年、ワトソン、クリックとともに、ノーベル生理学・医学賞を受賞した。

学 ノーベル賞受賞者一覧

ウィルソン，ウッドロー 政治

ウッドロー・ウィルソン　　1856〜1924年

国際連盟の結成を提唱

アメリカ合衆国の第28代大統領（在任1913〜1921年）。

バージニア州生まれ。牧師の子に生まれ、幼少時に南北戦争を経験した。1902年にプリンストン大学総長に就任後、ニュージャージー州知事をへて、1912年に民主党から大統領選に立候補する。大企業の市場独占を批判し、自

由競争と経済的な機会均等をとなえる「ニューフリーダム（新しい自由）」という理念をかかげて当選。高率関税の引き下げ、クレイトン反トラスト法の制定などの革新的な政治をおこなった。第一次世界大戦がおこると、当初は中立を守ったが、ドイツの無制限潜水艦作戦をきっかけに、1917年、連合国側で参戦した。1918年、14か条の平和原則を発表。秘密外交の廃止、民族自決、国際連盟の結成などをとなえ、終戦後のパリ講和会議に出席し、その実現に力をつくした。

1919年には、その功績によりノーベル平和賞を受賞。しかし帰国後、国際連盟案をふくむベルサイユ条約は、上院での孤立主義の保持を主張する勢力の反対で批准されず、失意のなか、1921年に政界をしりぞいた。

学 アメリカ合衆国大統領一覧　学 ノーベル賞受賞者一覧

ウィルソン，コリン
文学

コリン・ウィルソン　1931〜2013年

評論『アウトサイダー』の作者

イギリスの作家、評論家。

イングランドのレスター生まれ。家が貧しく、16歳で学校をやめる。いろいろな仕事をしながら、大英博物館に毎日かよい、文学、哲学などを自力で学んだ。

1956年、ゴッホやニーチェを論じたはじめての評論『アウトサイダー』を発表する。古今東西の書物に関する豊富な知識と、するどい分析力に世界がおどろき、またたく間に有名になった。その後、小説、評論、オカルト研究、伝記など、合計で100冊以上を書き、出版するたびに話題となる。

犯罪者など、社会からはみだした人に興味をもち、研究対象は幅広い。代表作に小説『賢者の石』などがある。

ウィルソン，ハロルド
政治

ハロルド・ウィルソン　1916〜1995年

13年ぶりの労働党内閣を組閣

イギリスの政治家。首相（在任1964〜1970年、1974〜1976年）。

ヨークシャーの下層中産階級出身。オックスフォード大学で学んだのち、第二次世界大戦後は労働党下院議員となり、1947年、アトリー労働党内閣の商業大臣に就任。20世紀イギリスで最年少の閣僚となるが、軍事予算の増大に反対し、1951年に辞職。その後、労働党党首となると総選挙で勝利し、1964年に首相となった。アメリカ合衆国との関係を重視したが、ベトナム戦争では中立の立場をとる。その後、国防費削減などの経済政策、財政再建にとりくみ、鉄鋼産業再国有化法案など数々の政策を実現したが、1970年の総選挙でやぶれて退陣した。1974年に政権に復帰し、国民投票でヨーロッパ共同体（EC）加盟の継続を決定した。2年後に突然引退を表明した。

学 主な国・地域の大統領・首相一覧

ウィルヘルムいっせい
王族・皇族

ウィルヘルム1世　1797〜1888年

普仏戦争の勝利により、ドイツ帝国を建国

プロイセン王（在位1861〜1888年）、ドイツ帝国初代皇帝（在位1871〜1888年）。

フリードリヒ・ウィルヘルム3世の第2子として生まれる。10歳でプロイセン軍に入隊、17歳となった1814年には大尉としてフランス皇帝ナポレオン1世の支配に対抗する解放戦争に積極的に加わり、鉄十字勲章を創設するなど軍事に熱心だった。

のちに陸軍元帥となりドイツの三月革命を弾圧したことで国民の怒りを買い、兄王フリードリヒ・ウィルヘルム4世の配慮でイギリスに亡命。その後、病にふせった兄にかわり、第7代国王として即位する。即位後はプロイセンのドイツ制覇をめざし、軍備強化をはかった。これが下院からは猛反発を受けるが、ビスマルクを首相にすえ、強行に政治をおこなった。1866年のオーストリアとの普墺戦争では総司令官として指揮をとり、プロイセンを勝利にみちびき、戦後北ドイツ連邦をつくった。1870年、フランスとの普仏戦争に大勝し、念願のドイツ帝国を建国。占領したベルサイユ宮殿の鏡の間で戴冠式を挙行し、初代ドイツ帝国皇帝に即位した。その後外交、内政の実務はビスマルクにゆだねたが、自身はドイツ統合の象徴として国民から敬愛された。

学 世界の主な王朝と王・皇帝

ウィルヘルムにせい
王族・皇族

ウィルヘルム2世　1859〜1941年

ドイツ帝国最後の皇帝

ドイツ帝国の第3代皇帝、プロイセン王（在位1888〜1918年）。

祖父はウィルヘルム1世。フリードリヒ3世と、イギリスのビクトリア女王の娘ビクトリア皇妃の子で、難産の末、左半身にまひがのこった。父が在位わずかで亡くなったため、29歳でドイツ皇帝、プロイセン王に即位した。祖父の時代から宰相をつとめるビスマルクとはことごとく対立。とくに外交政策などで意見が合わず、即位後まもなく辞職させ、その後は積極的に海外進出を進めた（世界政策）。「航路は従来のまま、全速前進」とのべたことから、その政策は「新航

路」ともよばれる。さらに海軍勢力の拡大をもくろみ、大艦隊建造に着手して、イギリスとの建艦競争をひきおこした。しかし、こうした強硬な姿勢が列強を刺激し、自国の国際的孤立をまねくこととなる。

1914年、第一次世界大戦に突入すると、国内の混乱はピークに達し、しだいに政治への影響力を失い、戦争末期のドイツ革命で退位。帝国はほろび、ワイマール共和国が樹立。ウィルヘルム2世はオランダに亡命した。　学 世界の主な王朝と王・皇帝

ウーペイフー

呉佩孚 → 呉佩孚

ウェイン，ジョン　映画・演劇

● ジョン・ウェイン　1907〜1979年

最後の西部劇スターとよばれた俳優

アメリカ合衆国の映画俳優、映画監督。

中部のアイオワ州ウィンターセットに生まれる。本名はマリオン・マイケル・モリソン。南カリフォルニア大学在学中、映画スタジオの大道具係などをへて、ジョン・フォード監督の映画のエキストラとなった。1930年、ウォルシュ監督の西部劇『ビッグ・トレイル』でデビュー、その後、約8年間に58本の西部劇に出演した。

1939年、フォード監督の『駅馬車』で主役の一人に抜てきされ、一躍ハリウッドのスターになった。つづいて、『赤い河』(1948年)、『黄色いリボン』(1949年)、『静かなる男』(1952年)、『捜索者』(1956年)、『リオ・ブラボー』(1959年)、『ハタリ！』(1962年)などのヒット作に出演した。また、『アラモ』(1960年)やベトナム戦争をあつかった『グリーンベレー』(1968年)は、みずから監督・主演した。1969年、『勇気ある追跡』でアカデミー賞主演男優賞を受賞した。アメリカ映画界のヒーローとしてたたえられた。

ウェーバー，カール・マリア・フォン　音楽

● カール・マリア・フォン・ウェーバー　1786〜1826年

ドイツ語によるドイツ国民歌劇を確立する

ドイツの作曲家、指揮者、ピアニスト。

ドイツ北部オイティン生まれ。巡業劇団の音楽監督の父と、歌手の母のもと、ドイツ、オーストリアを巡業しながら育つ。旅先でハイドンの弟ミヒャエル・ハイドンや音楽理論家のフォーグラーらに師事し、13歳ではじめてオペラを作曲。ピアニストとしてもすぐれた才能を発揮し、各地で人気となる。

1813年より、プラハ歌劇場の指揮者やドレスデン宮廷歌劇場の監督をつとめる。1821年、オペラ『魔弾の射手』の初演で大成功をおさめる。この作品は、ドイツの森を舞台とする狩人の物語で、ドイツ語の台本と神話を題材にしたオペラを確立し、ワーグナーらに大きな影響をあたえた。

作風は、管楽器のひびきを効果的につかい、豊かな情景描写を得意とする。主な作品に、オペラ『オベロン』、ピアノ曲『舞踏への勧誘』や『クラリネット五重奏曲変ロ長調』がある。19世紀にさかんになったロマン派音楽の先がけとなる。

ウェーバー，マックス　学問

● マックス・ウェーバー　1864〜1920年

現代の社会科学に、大きな影響をもたらした

ドイツの社会学者、経済、歴史学者。

エルフルトに生まれる。ハイデルベルク大学などで法律、経済、哲学、歴史を学ぶと、ベルリン大学での講師をへて、フライブルク大学、ハイデルベルク大学の教授を歴任した。神経疾患をわずらって教職をしりぞき、闘病生活を送ったのち、『社会科学・社会政策雑誌』の編集にたずさわって多くの重要な論文を発表。1918年にはウィーン大学、第一次世界大戦後の1919年にはミュンヘン大学の教授となるが、翌年肺炎のため亡くなった。

豊かな知識とするどい分析力によって法学、政治学、経済学、社会学、宗教学、歴史学など社会科学の幅広い分野で業績をのこした。

西欧近代文化がほかの文化とことなる根本的な原理は「合理主義」であると説き、近代思想の根源を追求。また、社会科学の方法論を確立した。マルクス主義には批判的な立場をとった。主な著書に『プロテスタンティズムの倫理と資本主義の精神』『経済と社会』がある。

ウェーベルン，アントン　音楽

● アントン・ウェーベルン　1883〜1945年

ドイツの前衛音楽に影響をあたえる

オーストリアの作曲家、指揮者。

ウィーン生まれ。貴族の家系に育ち、母からピアノの手ほどきを受けて作曲をはじめる。ウィーン大学在学中に、作曲家シェーンベルクの弟子となり、アルバン・ベルクらとともに作曲を学ぶ。

1908年から国内の交響楽団や合唱団で指揮者として活躍するが、ナチス政権によって職を失う。第二次世界大戦の終戦直後、アメリカ兵により誤って射殺された。

ウィーンで活躍した音楽家たちによる新ウィーン楽派の一人。作風は、後期ロマン派から、無調音楽、シェーンベルクの十二音音楽へと変化し、ドイツの前衛音楽に大きな影響をあたえた。代表作に『パッサカリア』、弦楽四重奏曲『5つの楽章』などがある。

うえきえもり

植木枝盛　　　1857〜1892年　政治／思想・哲学

民権思想を広めた運動家

（高知市立自由民権記念館）

明治時代の自由民権運動の指導者、政治家。

土佐藩（現在の高知県）生まれ。1874（明治7）年に板垣退助の演説に感銘を受け、翌年上京。板垣邸の書生として、啓蒙思想団体の明六社や、慶應義塾の演説会などを通して独学で民権思想を学ぶ。1876年、『郵便報知新聞』に「猿人政府（人をサルにする政府）」と投書し、2か月間投獄されたことをきっかけに、さらに民権思想を深める。1877年、板垣らが設立した立志社に入り、自由民権運動家となる。

1881年には、人民主権、人民の抵抗権、革命権など、徹底して民主的な規定をもりこんだ憲法草案「日本国国憲按」をまとめて政府に提出した。

その後も、政治結社の愛国社や、国会期成同盟、自由党の中心となり、自由、平等や人民主権にもとづく民権思想の普及、運動の拡大につとめた。

わかりやすい文体で民権思想を説いた『民権自由論』をはじめ、『天賦人権弁』『無上政法論』『一局議院論』『東洋之婦女』『植木枝盛日記』など、多くの著書をのこしている。

ウェゲナー，アルフレッド

アルフレッド・ウェゲナー　　　1880〜1930年　学問

大陸移動説をとなえた

ドイツの気象学者、地球物理学者、探検家。

首都ベルリンに、牧師の子として生まれる。ハイデルベルク大学、ベルリン大学などで天文学や気象学を学び、高層の気象に興味をもつ。大学卒業後は航空研究所の助手となり、上空にたこや気球を上げて気象観測をおこない、みずからも気球に乗って観測をした。

1906年、科学者の兄とドイツとデンマーク間を往復した際の滞空時間は52時間をこえ、当時の気球による世界新記録となっ

た。同年、デンマーク探検隊のグリーンランド調査に参加し、2年間、地図製作、動植物や地質の調査、気象や氷河の観測をおこなった。このとき陸の氷が割れて氷山がはなれていくのを何度もみたことが、大陸移動説を考えつくヒントになったともいわれている。

1908年に帰国後、大気圏の研究を進め、『大気圏の熱力学』を著した。このころ気候学者のケッペンを知り、のちにケッペンの娘エルゼと結婚する。

1912年、ドイツ地質学会で大陸移動説を発表、さらに、この説をまとめた『大陸と海洋の起源』を1915年に出版した。これは、大西洋をはさんだアフリカ大陸と南アメリカ大陸の海岸線をつなげるとぴったり合うこと、海をへだてているにもかかわらず両大陸では共通の古生物がみられること、赤道付近の氷河のあとがつながっていることなどから、数億年前の古生代には大陸は一つで、長期間に少しずつ移動して分裂し、現在の大陸ができたという説である。

しかし、大陸がどのような力によって動くのか、合理的な説明ができなかったため、学会のほとんどが否定的だった。ウェゲナーが気象学者であり、地質学者でなかったことも、みとめられなかった原因といわれる。

その後も、この説を証明する研究をおこない、ケッペンも協力した。1930年、グリーンランド探検中、50歳で吹雪により遭難死。

1960年代以降、地球表面の岩石にのこされた磁気から地質時代の地球を調べる学問である古地磁気学や、地球内部のマントルの動きを調べる海底地質学の進歩により、彼の説は再評価された。現在は、地球の表面は約10枚のプレート（板）でおおわれ、1年に約数cmの速度でそれぞれちがう方向に移動しているという、ウェゲナーの説をもとにしたプレートテクトニクス理論が定説となっている。

約3億年前、大陸は一つだった。

約2億年前

約6500万年前

現在

▲ウェゲナーの発表した大陸移動説

うえすぎうじのり

上杉氏憲 → 上杉禅秀

うえすぎかげかつ

● 上杉景勝　　　　　　　　　　戦国時代　1555〜1623年

関ヶ原の戦いで徳川家康と対立した

（米沢市上杉博物館）

戦国時代〜江戸時代前期の大名。

越後国（現在の新潟県）の戦国大名、上杉謙信の家臣であった、長尾政景の子として生まれる。謙信に子がなかったため、1564年に謙信の養子となった。しかし、謙信にはもう一人の養子、上杉景虎がいたため、1578年に謙信が亡くなると、後継者をめぐる争いがおこった（御館の乱）。この争いで、景勝は景虎をやぶって、上杉家をついだ。

景勝は、織田信長の死後、力をましてきた羽柴秀吉（のちの豊臣秀吉）と手を組み、信越地域の支配を強めた。秀吉が天下統一をはたすと、景勝は豊臣政権に重用され、五大老の一人にえらばれ、陸奥国会津（福島県会津若松市・喜多方市）120万石という広大な領地を得た。秀吉の死後は、石田三成とむすんで徳川家康と対立するが、三成が関ヶ原の戦いにやぶれたために、景勝も家康に降伏した。領地は出羽国米沢（山形県米沢市）30万石にへらされ、江戸幕府の開始にあたって、初代出羽米沢藩主となった。

うえすぎけんしん

上杉謙信　→131ページ

うえすぎしんきち

● 上杉慎吉　　　　　　　　　　学問　1878〜1929年

天皇は絶対無限という天皇主権説をとなえた憲法学者

明治時代〜大正時代の憲法学者。

福井県生まれ。東京帝国大学（現在の東京大学）を卒業後、助教授となり、天皇機関説を支持したが、1904（明治37）年から5年間ドイツに留学して帰国すると、天皇機関説を誤りとして自説を撤回。

天皇は法律をこえた存在であり、国民は天皇の命令に絶対的にしたがうものとする、天皇主権説をとなえた。憲法における天皇の権限の拡大を主張し、天皇機関説の中心的存在であった美濃部達吉とはげしい論争をおこなった。

第一次世界大戦後、教授をつとめていた東京帝国大学内で学生の国家主義団体である七生社を組織し、指導した。学外でも、経綸学盟、建国会などの国家主義組織をひきい、右翼思想の指導者として活動した。

うえすぎぜんしゅう

● 上杉禅秀　　　　　　　　　　貴族・武将　?〜1417年

上杉禅秀の乱で、鎌倉を占拠した

室町時代の武将。

禅秀は出家後の名前で、出家前の名前は氏憲。上総国（現在の千葉県中部）や武蔵国（埼玉県・東京都・神奈川県東部）の守護をつとめた。1411年には、室町幕府が関東支配のためにおいた鎌倉公方（室町幕府が関東を支配するためにおいた鎌倉府の長官）を補佐する役職である、関東管領に就任した。しかし、このとき鎌倉公方だった足利持氏は禅秀をきらい、禅秀と対立していた上杉憲基を重用したり、禅秀の家臣の領地を没収したりした。

1415年、禅秀がこれに抗議して、関東管領を辞任すると、持氏は憲基を関東管領に任命したため、禅秀の不満はさらに高まった。同年、禅秀は挙兵して鎌倉を占拠した。しかし、第4代将軍足利義持は鎌倉から追放された持氏を支援することを表明し、幕府軍を鎌倉にむけて派遣した。2年後、幕府軍との戦いにやぶれた禅秀は、鶴岡八幡宮（神奈川県鎌倉市）で自害した（上杉禅秀の乱）。一時的とはいえ、幕府側ではない立場で鎌倉を掌握できたのは、禅秀だけである。

うえすぎのりざね

● 上杉憲実　　　　　　　　　　貴族・武将　1410?〜1466年

金沢文庫や足利学校を再興した

（国文学研究資料館）

室町時代の武将。

上杉禅秀とあらそった上杉憲基の養子となり、鎌倉公方（室町幕府が関東支配のためにおいた鎌倉府の長官）を補佐する役職である、関東管領に就任。上野国（現在の群馬県）、武蔵国（埼玉県・東京都・神奈川県東部）、伊豆国（静岡県伊豆半島）の守護をつとめた。当時の鎌倉公方足利持氏と、第6代将軍足利義教との対立が深まると、憲実は持氏を説得して幕府との関係改善をはかった。しかし、持氏はそのような憲実をうとんじて、ほろぼそうとした。1438（永享10）年、義教は憲実を救援するために、鎌倉へ幕府軍を派遣し、持氏をやぶる（永享の乱）。憲実は持氏の助命を願いでたが、義教はこれをゆるさず、持氏は自害させられた。義教は、戦乱後の関東管理を憲実にまかせるつもりでいたが、憲実はこれに応じず、政治から引退し出家した。

関東の学問、教育の発展にも力をつくした。鎌倉時代中期に金沢実時がつくった図書施設である金沢文庫（神奈川県横浜市）や、室町時代初期につくられた足利学校（栃木県足利市）を再興させたことでも知られている。

上杉謙信

うえすぎけんしん

戦国時代　1530～1578年

武田信玄と戦った戦国大名

▲上杉謙信像　（米沢市上杉博物館）

■春日山城主となる

戦国時代の武将。越後国（現在の新潟県）の守護代（国への支配を強めた守護の代官）長尾為景の子として生まれた。幼名は虎千代といい、長尾氏の本拠地春日山城（上越市）のふもとにある林泉寺にあずけられ、禅宗（仏教の一宗派）の修行をする一方で学問や武術にもはげんだ。

1543年、14歳のとき元服（成人したことをしめす儀式）をして景虎と名のり、三条城（三条市）、栃尾城（長岡市）などの城主となった。翌年周辺の武将が若い謙信を攻めるが部下とともに撃退して名将の片りんをみせた。

1548年、春日山城にいた兄の晴景が家臣に信頼されなかったので、守護の上杉定実が調停した結果、19歳の謙信が長尾氏のあとをついで越後国守護代となり春日山城主となった。

■関東管領となる

1552年、関東管領（室町幕府が鎌倉においた鎌倉府の長官の補佐役）の上杉憲政が相模国（神奈川県）の北条氏康に追われて越後にのがれてきた。謙信は憲政を助け、1560年からたびたび関東に出兵して北条氏の城を攻め落とし、翌1561年には北条氏の根拠地小田原城（小田原市）を攻めた。この年、上杉憲政の養子となって上杉家を受けついで姓を上杉とあらため、関東管領に就任した。その後、名を政虎、ついで輝虎とあらため、1570年、謙信と称した。

■川中島で武田信玄と戦う

一方で1553年、信濃国（長野県）の村上氏、小笠原氏などの小領主たちが甲斐国（山梨県）の武田信玄に追われ助けを求めてきた。謙信は、信玄の信濃進出をはばむために出陣し、千曲川沿いにある川中島付近（長野市）で信玄軍と戦った。その後1564年まで5回戦った。

▲毘の旗　毘沙門天を守護神とした謙信は出陣のときにこの旗をかかげた。
（上杉神社蔵）

▲信玄（左）と謙信一騎打ちの銅像　謙信のふりおろす刀を信玄が軍配でふせいだという。
（長野市）

1561年の戦いはもっともはげしいもので、謙信は信玄の本陣にせまり一騎打ちをしたとも伝えられるが決着はつかなかった。

■北陸や関東での戦い

1570年、強敵の北条氏康と和睦し氏康の子三郎を養子にした。しかし、翌年氏康が亡くなるとあとをついだ子の北条氏政は謙信との同盟をやぶって武田信玄と和睦したので謙信はふたたび北条氏と対立した。

1573年、宿敵の信玄が亡くなり、武田氏の力が弱まったので謙信は北陸地方に進出し越中国（富山県）を平定した。

1574年、関東に出陣し、各地に築かれた北条氏政の城を攻めた。

1577年、朝倉氏を攻めほろぼした織田信長の軍勢と手取川（石川県）で戦い、信長軍を打ちやぶった。その後、ふたたび関東への出陣をしようと準備したが出陣直前に脳溢血でたおれ、春日山城で急死した。

上杉謙信の一生

年	年齢	主なできごと
1530	1	越後国で長尾為景の子として生まれる。
1548	19	兄にかわり家をついで越後守護代になり、春日山城主となる。
1553	24	川中島で武田信玄と戦う（以後5回戦う）。
1559	30	京都へ行き13代将軍足利義輝に会う。
1561	32	関東管領になり上杉家をつぐ。
1573	44	越中国を平定する。
1577	48	織田信長の軍と手取川で戦い打ちやぶる。
1578	49	春日山城で亡くなる。

※年齢は数え年であらわしている

うえすぎのりただ
上杉憲忠　貴族・武将　1433〜1455年

鎌倉公方足利成氏に暗殺された

室町時代の武将。

鎌倉公方（室町幕府が関東支配のためにおいた鎌倉府の長官）を補佐する役職である、関東管領上杉憲実の子として生まれる。1438（永享10）年、父の憲実が、かつてつかえていた鎌倉公方足利持氏をほろぼした永享の乱の責任を負って、翌年に出家した際、ともに出家。その後、重臣の長尾景仲らに立てられて還俗（僧侶をやめて俗人にもどること）し、1448年には関東管領となった。ところが翌年、持氏の子である足利成氏が鎌倉公方として復帰し、対立が深まる。1450年の江の島合戦ののちに、和平をむすぶが、1454年、成氏の屋敷にまねかれ、結城成朝らの兵によって23歳で暗殺された。

この事件がきっかけとなって、鎌倉公方と上杉氏は全面対決に入り、幕府が上杉方を支援したため、関東全域で内乱がつづくことになった。

うえすぎのりまさ
上杉憲政　戦国時代　1523?〜1579年

上杉の姓を上杉謙信にゆずった

戦国時代の武将。

上杉憲房の子として生まれる。父が病死すると、9歳であとをついで関東管領となり、上野国（現在の群馬県）の平井城主となった。小田原の北条氏康と対立して、1546年、河越城（埼玉県川越市）を攻めるが、大敗。その後、武田信玄にもやぶれて、家臣の離反や内乱をまねき、勢いを失った。1552年、氏康に平井城を攻め落とされ、長尾景虎（のちの上杉謙信）をたより、越後国（新潟県）に亡命する。1561年、彼を養子にして上杉の姓と関東管領職をゆずった。上杉謙信の死後、その相続をめぐり、養子の上杉景勝と上杉景虎による越後を二分する内乱がおこる（御館の乱）。憲政は景虎側につき、御館に立てこもるが、1579年、景勝軍に攻められ、殺された。

うえすぎはるのり
上杉治憲　江戸時代　1751〜1822年

米沢藩の財政を立て直した名君

江戸時代中期の大名。

日向国高鍋藩（現在の宮崎県南東部）の藩主、秋月種美の子として生まれる。引退後の号（別の名前）は鷹山。祖母が米沢藩（山形県南部）の藩主、上杉綱憲の娘であった縁で、1760年、10歳のときに米沢藩主上杉重定の養子になった。1767年、17歳で藩主になり、19歳で重定の娘の幸姫と結婚した。幸姫はからだに障がいがあったが、治憲は幸姫を生涯大事にした。

（米沢市上杉博物館）

治憲が藩主になったとき上杉家ははく大な借金をかかえ、幕府に領地の返上を考えるほど深刻な財政難にあった。治憲は商人に依存していた藩財政をあらためるため、大倹約令をだし、みずからも質素な暮らしをして倹約につとめた。江戸藩邸でかかる1年間の生活費を1500両から200両にへらし、衣服は木綿、食事は一汁一菜と決めて実践した。治憲の倹約令はそれまでにないきびしいものだったため、体面を重んじる重臣からは反対されたが、能力のある中下級武士を抜てきして改革をおし進めた。

一方で、荒廃した農村を立て直すため、きびしすぎた年貢の取り立てをあらため、藩士を動員して新田の開発や用水路を整備した。そのとき、みずからくわをもって田をたがやした。また、殖産興業（生産をふやし産業をさかんにすること）に力を入れ、和紙の原料となるコウゾ、養蚕に必要なクワ、ウルシなどを植え、1776年、越後国（新潟県）から小千谷縮（麻織物の一種）の職人をまねき、困窮していた藩士の妻や娘に機織りを習わせて、絹織物の一種、米沢織の基礎を築いた。さらに、米の備蓄につとめ、天明のききん（1782〜1787年）のときには、たくわえていた米を領民にあたえたので、領内からは餓死者が出なかった。また、藩士の教育にも力をそそぎ、1776年、藩校興譲館を創設し、儒学者、細井平洲をまねいて講義させた。

1785年、35歳で隠居して養子の治広（養父重定の子）に藩主の座をゆずったが、その後も後見役として藩政改革を指導した結果、藩財政は黒字になり領民の生活も改善した。江戸時代の名君の一人といわれている。

うえすぎようざん
上杉鷹山　→　上杉治憲

ウェスティングハウス，ジョージ
ジョージ・ウェスティングハウス　産業　発明・発見　1846〜1914年

鉄道用空気ブレーキ、交流の送電システムなどを発明

19世紀のアメリカ合衆国の発明家、実業家。

ニューヨーク州生まれ。19歳のとき、ロータリー・スチームエンジンを作成するなど、若くして発明の才能を発揮。鉄道事故を目撃したことから、ブレーキシステムの開発にとりくみ、1869年に発明した圧縮空気を用いた自動空気ブレーキは、高性能に加えて安全性にすぐれていた。1886年に会社を設立。自動空気ブレーキは、ほとんどの鉄道車両で採用された。交流の高電圧による送電システムの開発にとりくみ、直流の低電圧送電を主張するエジソンとの競争に勝って、事業的に成功した。しかし、経営危機ののち、健康を害して事業から引退。67歳で亡くなった。

ウェストン，ウォルター 〔探検・開拓〕

● ウォルター・ウェストン　1861～1940年

日本アルプスを世界に広めた宣教師

明治時代～大正時代に来日した、イギリス人牧師、登山家。

ダービー生まれ。ケンブリッジ大学や神学校を卒業後、イギリス聖公会から派遣され、1888（明治21）年以降、3回にわたって来日。神戸（兵庫県）や横浜（神奈川県）で牧師として伝道にたずさわるかたわら、日本アルプスや富士山、九州の諸山に登り、日本人に登山の楽しさや近代的登山技術を教えた。1896年に『日本アルプスの登山と探検』を出版し、日本アルプスの名を世界に広めた。

また、小島烏水らに日本山岳会の結成をすすめ、日本山岳会最初の名誉会員になる。1917（大正6）年、日本アルプス開拓の功績により、イギリス地学協会からバック・グラント賞を受賞。「日本近代登山の父」といわれ、毎年上高地のレリーフ前でウェストン祭がおこなわれている。

うえだあきなり 〔文学〕

● 上田秋成　1734～1809年

『雨月物語』『春雨物語』の作者

（天理大学附属天理図書館）

江戸時代中期の歌人、国学者、戯作者。

大坂（阪）生まれ。本名は東作。4歳のとき、堂島（大阪市北区）の紙油商人、上田家の養子になった。27歳で家業をつぐが、商売になじめず、和歌や俳諧（こっけいな和歌や連歌、のちの俳句など）をたしなみ、30歳のころから読本（さし絵よりも文章を中心にした小説など）を書きはじめ『諸道聴耳世間猿』などをだした。その後、国学者の賀茂真淵の門人に国学を学び国学者の本居宣長と論争をする。1771年に火事で自宅が焼失したのをきっかけに大坂の郊外に移り住み、医学を学んで医者になった。

多くの著作があり、代表作に1776年に出版された『雨月物語』がある。これは、中国の怪異物語と日本の古典に題材を求めた短編怪談小説の傑作である。晩年は目が不自由になったが『春雨物語』を執筆した。

うえだかずとし 〔学問〕

● 上田万年　1867～1937年

現代の国語学研究の生みの親

明治時代～昭和時代の国語学者。

江戸（現在の東京）生まれ。1888（明治21）年、帝国大学（現在の東京大学）文科大学を卒業した。当時、大学の講師だったチェンバレンから言語学の指導を受ける。言語学をさらに深く研究するため、1890年にドイツ、フランスに留学し、ブルークマンやオストホフら一流の学者のもとで学んだ。4年間の留学を終えて、1894年に帰国したのち、母校の教授となり、国語研究室を創設し、国語学研究の基礎をつくった。その後、文部省専門学務局長、神宮皇学館長、国学院大学長などを歴任し、多くのすぐれた後進の育成につとめた。ヨーロッパの言語学の研究方法を紹介し、国語政策につくした。

うえだびん 〔詩・歌・俳句〕

● 上田敏　1874～1916年

ヨーロッパ文学の紹介、批評に力をつくす

（日本近代文学館）

明治時代～大正時代の外国文学者、詩人、評論家、翻訳家。

東京生まれ。東京帝国大学（現在の東京大学）卒業。旧制高等中学に在学していたころから文学サークルに参加して文才を発揮、北村透谷、島崎藤村らの『文学界』の同人となる。大学では『帝国文学』の編集委員をつとめ、小泉八雲の指導を受けた。その後、高等師範学校で英語を教えながら、『耶蘇』『文芸論集』『詩聖ダンテ』『最近海外文学』などの著作で西欧文学を紹介する。また、森鷗外とともに雑誌『芸文』（のちの『万年艸』）を創刊、名訳として名高い「山のあなたの空遠く　『幸』住むと人のいふ」からはじまるカール・ブッセの訳詩など、西欧の詩の翻訳を試みた。それらはのちに訳詩集『海潮音』にまとめられ、名訳と称されて長く愛読され、日本の近代詩に大きな影響をあたえた。

1908（明治41）年から、京都帝国大学（現在の京都大学）にむかえられ、大学で教えるかたわら、芸術全般にわたっての批評活動をつづけた。

ウェッジウッド，ジョサイア 〔工芸〕

● ジョサイア・ウェッジウッド　1730～1795年

陶器の量産をはじめた陶芸家

イギリスの陶芸家。

イングランド中西部で、窯業をいとなむ家に生まれる。9歳のとき父を亡くし、実家の工房に入り兄の下で陶工の修業をはじめた。1754年から陶芸家ウィールドンの工房で、独創的な技術を学ぶ。1759年、29歳のときに自分の工場をもち、ウェッジウッ

ド社を立ち上げた。
　中世より伝わるクリームウェアの陶器の改良に成功して、1766年に王室から保護を受け、「クイーンズウェア（女王の陶器）」とよばれる器をつくった。古代ギリシャ、ローマの美術作品を題材にした優雅なデザインで、青い地肌にカメオ細工のような白い模様をのせた陶磁器は世界的に有名となった。現在も、高級食器の代表的なブランドの一つとして知られる。蒸気動力や高温計をつかって陶器を大量生産して産業革命に貢献し、イギリス陶業の祖とよばれた。進化論で知られる自然学者ダーウィンは、孫にあたる。

ウェッブふさい　　　　　　　　　　　　　学問
● ウェッブ夫妻　　　夫シドニー・ウェッブ 1859～1947年
　　　　　　　　　　妻ベアトリス・ウェッブ 1858～1943年

のちの労働党の母体となったフェビアン協会を創設

　イギリスの社会学者、経済学者、社会主義運動家。
　夫シドニーは、ロンドン大学卒業後、1885年に社会主義運動の団体、フェビアン協会（のちの労働党）に加盟、ショーらとともに中心的存在となった。労働者の生活改善、社会主義が必要であるとの立場をとるが、革命ではなく、じょじょに改革を進めるべきだと主張した。その後は、労働党の指導者として活動。下院議員となって閣僚などを歴任した。
　妻ベアトリスは、上流階級の出身で慈善活動をするかたわら、スペンサーに共感して労働調査に力をそそいでいた。2人はフェビアン協会で出会い、1892年に結婚する。
　結婚後は夫婦で協力して活動し、社会保障政策に具体的な提案をおこなうなどした。1894年には夫婦共著で『労働組合運動史』を発表。以降も『産業民主制論』『ソビエト・コミュニズム』などを著した。

うえののりこ　　　　　　　　　　　　　絵本・児童
● 上野紀子　　　　　　　　　　　　　1940年～

絵本『ねずみくんのチョッキ』をえがいた
　絵本作家。
　埼玉県生まれ。日本大学芸術学部卒業。夫は作家のなかえよしを。1973（昭和48）年に、なかえとのコンビによる文字のない絵本『Elephant Buttons』（日本の題は『ぞうのボタン』）をアメリカ合衆国で出版し、絵本界にデビュー。以後、講談社出版文化賞を受賞した『ねずみくんのチョッキ』をはじめとする『ねずみくん』シリーズや、『いたずらララちゃん』など数々の絵本を出版する。
　作品は主に、なかえが内容と構成を決め、上野が絵をえがく

スタイルで、鉛筆画から油絵までさまざまな画法をつかいわける。小学校の教科書に掲載された絵本『ちいちゃんのかげおくり』（作・あまんきみこ）などでも知られる。

うえのひこま　　　　　　　　　　　写真　郷土
● 上野彦馬　　　　　　　　　　　　1838～1904年

多くの偉人の肖像写真を撮影
　幕末～明治時代の写真家。
　肥前国長崎（現在の長崎県長崎市）出身。オランダ通詞（通訳）の名村八右衛門からオランダ語を習った。1857年、オランダ人軍医のポンペから化学を学び、写真用の薬品の調合などを学んだ。1859年、フランス人写真家ロシェから写真術を学んだ。1862年、長崎中島川（長崎市）のほとりに日本最初期の写真館「上野撮影局」を開設し、職業写真家となった。1874（明治7）年、金星観測の天体写真を撮影、1877年、西南戦争の戦跡を撮影した。また、高杉晋作、坂本龍馬、木戸孝允、伊藤博文らと交流し、彼らの肖像写真を撮影したことでも知られている。

うえはしなほこ　　　　　　　　　　学問　絵本・児童
● 上橋菜穂子　　　　　　　　　　　　1962年～

異世界ファンタジーで人気
　児童文学作家、文化人類学者。
　東京生まれ。父は日本画家の薫。幼いころから本や漫画、アニメに親しんで育つ。立教大学大学院修了後に、オーストラリアの先住民アボリジニの研究のために現地調査をおこない、その経験が作品のテーマや作風に大きな影響をおよぼす。1989（平成元）年に『精霊の木』で作家としてデビュー。以後も大学で教育者をつとめながら積極的に創作をおこなう。
　野間児童文芸新人賞を受賞した異世界ファンタジー『精霊の守り人』にはじまる『守り人』シリーズで巌谷小波文芸賞を受賞。『精霊の守り人』はアメリカ合衆国でも翻訳されていて、2009年のミルドレッド・バチェルダー賞を受賞している。そのほか『狐笛のかなた』『獣の奏者』などがある。2014年、国際アンデルセン賞を受賞した。これは、日本人として4人目で、20年ぶりとなる。

うえはらゆうさく　　　　　　　　　　　　政治
● 上原勇作　　　　　　　　　　　　　1856～1933年

大正政変のきっかけをつくった
　明治時代～昭和時代の陸軍軍人。
　日向国（現在の宮崎県）生まれ。陸軍幼年学校、陸軍士官学校を卒業後、工兵少尉となり、1881（明治14）年、フランスに留学して工兵術を学んだ。
　日清戦争では第1軍参謀、日露戦争では第4軍参謀長として従軍し、男爵の位をさずかる。

1912年、第2次西園寺公望内閣の陸軍大臣に就任するが、2個師団の増設を要求して、単独で辞職。そのことが内閣を崩壊させ、大正政変のきっかけをつくった。その後、教育総監、シベリア出兵時の参謀総長、陸軍大将などを歴任し、1921（大正10）年に元帥となる。

軍部内では長州の派閥に対立し、九州薩摩出身者を中心に、のちの旧日本陸軍の先鋭的グループである皇道派につながる巨大な派閥をつくった。

ウェブスター，ジーン　　　　絵本・児童
ジーン・ウェブスター　　　1876～1916年

『あしながおじさん』の作者

アメリカ合衆国の児童文学作家。ニューヨーク州生まれ。本名はアリス・ジェイン・チャンドラー。バッサー女子大学卒業。母は作家、マーク・トウェインは大おじで、父はトウェインの作品をあつかう出版社を経営していた。

文章を書くのが好きで、学生時代、大学の雑誌に短編小説を発表する。社会問題に興味をもち、孤児院などへも慰問にいった。卒業後、1903年に短編集『おちゃめなパッティ大学へ行く』を出版して好評を得る。その後しばらく作品がみとめられない時代がつづく。1912年、孤児を主人公にした『あしながおじさん』がベストセラーになり、続編も出版。結婚して、女の子を出産した2日後に病院で亡くなった。

ユーモアと希望を失わない明るさに満ちた作品は、時代をこえて、世界中で愛されている。とくに『あしながおじさん』は人気が高く、アメリカでは1919年の白黒映画にはじまり、何度も映画化されている。

ウェブスター，ノーア　　　　学問　教育
ノーア・ウェブスター　　　1758～1843年

現代アメリカの英語辞典の生みの親

アメリカ合衆国の辞典編集者、教育家。

コネティカット州生まれ。兄弟の中でも、とくに勉強好きだった。エール大学に入学して、法律を学んだが、卒業後は教師となる。1783年に出版したつづり字の教科書が、アメリカ全土で教科書として採用され、有名になった。1806年、最初の辞典『英語簡明辞典』を出版した。1828年には、7万語におよぶ『アメリカ版英語辞典』（2巻）を発行し、以後の辞典編集に大きな影響をあたえた。

彼の死後、彼の編さんした辞典をもとに、数多くの辞典が出版されるようになり、現代アメリカ英語辞書の生みの親といわれる。

うえむらしょうえん　　　　絵画
上村松園　　　1875～1949年

美人画の評価が高い近代の女性画家

▲上村松園

明治時代～昭和時代の日本画家。

京都生まれ。本名は津禰。日本画家の上村松篁の母。生まれる前に父を亡くし、母の手で育てられる。幼いころから絵の才能をみとめられ、1887（明治20）年、13歳で京都府画学校（現在の京都市立芸術大学）に入学し、日本画家の鈴木松年の指導を受ける。翌年、鈴木の退職とともに学校を中退し、正式に鈴木の門に入る。1890年の第3回内国勧業博覧会に『四季美人図』を出品して、受賞した。作品が来日中のイギリスの王子コンノート公によって買い上げられたため、注目を集めた。

1893年、鈴木のゆるしを得て、幸野楳嶺の門に入り、そのかたわら市村水香や長尾雨山に漢学を学ぶ。幸野の死後は竹内栖鳳に入門し、写生のたいせつさを徹底的に教えられ、男性ばかりの門下生の中で、だれよりも熱心に絵とむかい合った。

日本美術協会、日本青年絵画共進会、新古美術品展などでしばしば受賞した。1907年にはじまった文部省美術展覧会（文展）では、第1回展で『長夜』、第2回展で『月影』がそれぞれ3等賞となるなど受賞を重ね、1916（大正5）年の第10回展からは永久に審査を受けずに出品できるようになった。1924年に帝国美術院展覧会（帝展）の審査委員となる。1934（昭和9）年の第15回帝展には、かけがえのない理解者だった母への思いをえがいた『母子』を出品し、帝展参与になる。1941年には帝国芸術院会員となった。1948年、女性としてはじめて文化勲章を受章した。

生涯、一貫して美人画をえがきつづけ、東京の鏑木清方とともに、近代美人画の代表者とされる。京都画壇の主流である四条派を出発点としながら、古い大和絵や浮世絵にも学び、そこに現代的感覚をもりこんだ。作品は主に、能や古典に題材を求めた作品と、母の面影やはたらく女性をテーマにした作品に分けられる。前者には、『花がたみ』『焔』『草子洗小町』『砧』、後者には『母子』のほか、『青眉』『夕暮』『晩秋』などが

▲上村松園筆『焔』

ある。1936年の『序の舞』は、優美な姿の中に、女性の強い意志をえがいた代表作として知られる。著書には、聞き書きをまとめた『青眉抄』がある。

学 文化勲章受章者一覧　学 切手の肖像になった人物一覧

うえむらなおみ
探検・開拓

● 植村直己　　　　　　　　　1941～1984?年

世界初の五大陸最高峰登頂者

昭和時代の登山家、冒険家。兵庫県生まれ。明治大学在学中に山岳部に所属、卒業後も登山活動に没頭する。1965（昭和40）年、同大学のヒマラヤ遠征登山隊に参加、ゴジュンバ・カンの初登頂に成功した。翌年、ヨーロッパのモンブラン山、アフリカのキリマンジャロ山、1968年に南アメリカのアコンカグア山、そして1970年にエベレスト山（チベット名チョモランマ、日本人初登頂）、同年北アメリカのマッキンリー山に登頂成功。世界初の五大陸最高峰登頂者となる。極地探検にもいどみ、1978年に世界初の犬ぞりによる単独北極点到達に成功。

1984年2月12日（自身の誕生日）、世界初のマッキンリー山冬期単独登頂をはたすが、翌日消息不明となった。同年4月、国民栄誉賞が贈られた。

学 国民栄誉賞受賞者一覧

うえむらまさひさ
宗教

● 植村正久　　　　　　　　　1857～1925年

日本にキリスト教プロテスタントの教えを広めた

（国立国会図書館）

明治時代～大正時代の牧師、神学者。
江戸（現在の東京）の旗本の長男として生まれる。幼名、道太郎。大政奉還により家が没落し、幼いころは貧困の中ですごした。1868（明治元）年、一家で横浜に移り、修文館、バラ塾、ブラウン塾などの宣教師の私塾で学んだ。1873年、日本最初のプロテスタント教会である横浜公会で洗礼を受け、1878年、東京一致神学校（現在の明治学院大学）を卒業する。1887年に番町一致教会（現在の富士見町教会）を設立し、終生牧師をつとめる。1904年には東京神学社を設立し、日本における正統的プロテスタント協会の伝道者の育成に力をそそいだ。

聖書にもとづく福音主義を信仰し、普及につとめた。日本人による最初のキリスト教神学書といわれる『真理一斑』などを著作。『日本評論』『福音週報』なども刊行し、キリスト教だけでなく、社会のさまざまな問題をめぐって幅広い評論活動をおこない、文学界にも大きな影響をあたえた。

ウェリントン, アーサー・ウェルズリー
政治

● アーサー・ウェルズリー・ウェリントン　1769～1852年

ナポレオン軍をやぶった英雄

イギリスの軍人、政治家。首相（在任1828～1830年、1834年）。

アイルランドのダブリンで、貴族の子として生まれる。フランスのアンジェ士官学校で学び、1789年、イギリスの陸軍に入った。1797年、インドにわたり、歩兵部隊の司令官としてマイソール戦争やマラータ戦争に参加し、インド諸侯と戦った。1808年、イベリア半島でナポレオン1世がひきいるフランス軍と戦い、1814年、フランスに攻めこみ、ナポレオンを退位させた。ウィーン会議にはイギリス代表として出席。1815年、エルバ島を脱出したナポレオンをワーテルローの戦いでやぶり、国民的英雄となった。その後、イギリスの政界に入り、保守派のトーリ党の首相をつとめるなど、政治家として活躍した。

ウェルギリウス
古代　詩・歌・俳句

● ウェルギリウス　　　紀元前70～紀元前19年

自然と信仰を歌った詩人

古代ローマの叙事詩人。イタリア北部の農家に生まれる。ローマで修辞学などをおさめ、その後、ナポリでエピクロス学派の哲学を学んだ。30代前半に10編からなる『牧歌』を完成させる。この作品が、政治家マエケナスにみとめられ、さらにオクタウィアヌス（のちのアウグストゥス）の目にもとまり、詩作活動の保護を受ける。次に、イタリアの自然や田園生活の魅力をえがいた『農耕詩』（4巻）を刊行した。遺作となった叙事詩『アエネイス』（12巻）は、約11年かけてつくられたとされる未完の大作で、ラテン文学の最高傑作の一つとされている。

また作品の中で、アウグストゥスのローマ帝国創業の功績もたたえられている。

彼の著作は、後世にも大きな影響をあたえた。中世のイタリア詩人ダンテもその一人で、自作の『神曲』では、地獄、煉獄の案内人として、ウェルギリウスを登場させている。

ウェルズ, ハーバート・ジョージ　〔文学〕

ハーバート・ジョージ・ウェルズ　1866～1946年

SF（空想科学小説）の父

イギリスの小説家、歴史家、科学評論家。

H・G・ウェルズとして知られる。ケント州ブロムリー（現在のロンドンの一部）の生まれ。18歳のとき、奨学金を得て、ロンドンの科学師範学校（現在のロンドン大学理学部）に入学。生物学や物理学、天文学などを学び、ダーウィンの進化論の影響を強く受けた。卒業後、理科の教師をつとめながら小説や科学論文を書くが、病気を機に教師をやめて執筆に専念する。1895年、科学者が未来の世界を旅するSF『タイム・マシン』を発表し、大評判となる。つづいて、『モロウ博士の島』（1896年）、透明になった人間が悪事をおこなう『透明人間』（1897年）、『宇宙戦争』（1898年）など、広い科学知識と豊かな想像力を生かした空想小説を次々に発表する。

やがて、戦争のない社会を実現しようと独自の合理的な社会観をあらわした『モダン・ユートピア』（1905年）を発表。また、原爆を予見した科学小説『解放された世界』（1914年）では、原子核反応による強力な爆弾を用いた世界戦争と、その後の世界政府誕生をえがいている。

第一次世界大戦後は、国際連盟の発足にも力をつくした。また、地球誕生から未来までの壮大な歴史をえがいた『世界文化史大系』（全20巻）（1920年）や、科学の啓蒙書『生命の科学』（1929～1931年）を著す。100冊をこえる著書は、いずれも現在の社会や人類の未来について警告を発し予言をする、文明批評に満ちた内容である。

ウェンチアパオ

温家宝 → 温家宝

ウォード, フレデリック　〔政治〕

フレデリック・ウォード　1831～1862年

西洋式軍隊で太平天国の乱を鎮圧

アメリカ合衆国の軍人。

マサチューセッツ州に生まれる。15歳で船員として清末期の中国にわたり、その後本国にて陸軍学校に入学するが卒業できず、ふたたび船員となり世界中を放浪した。再度中国にわたった翌年の1860年、太平天国の乱で農民軍が上海にせまると約200人にものぼる外国人傭兵部隊を編成。洋式銃と大砲で武装した。その後中国人4500人をつのり、外国人指揮官の下、中国人兵士で構成された洋式軍隊をつくり、イギリス・フランス連合軍と協力して太平天国軍をやぶった。その功績により清の信頼を得、皇帝から「常勝軍」の名をあたえられた。中国名を華爾として帰化し、ふたたび中国人を中心とした軍を編成し、戦いを継続。1862年に戦死した。

ウォーホル, アンディ　〔絵画〕

アンディ・ウォーホル　1928～1987年

ポップアートの中心的な画家

アメリカ合衆国の画家、映画製作者。

ペンシルベニア州ピッツバーグで、チェコスロバキア移民の鉱夫の息子として生まれる。工科大学で絵画とデザインを学んだのち、ニューヨークでデザイナーの仕事につく。1950年代までは、線の細いイラストの広告で知られていた。

1960年代に、歌手や政治家など有名人の写真、商品ラベル、ドル紙幣、新聞報道写真のように大量に生産される素材をシルクスクリーンで転写した作品を発表する。同時代の画家、ジョーンズやリキテンスタインらと、大衆文化を題材にした新しい芸術スタイルの「ポップアート」を生みだした。

代表作に、正面からみた女優の顔を何色かで刷り分けた連作版画『マリリン・モンロー』、缶詰32個を同じ向きでならべた『キャンベルのスープ缶』がある。また、眠っている男を長時間撮影した『スリープ』や『チェルシー・ガールズ』などの実験的な映画作品をのこしている。

ウォーレス, アルフレッド・ラッセル　〔学問〕

アルフレッド・ラッセル・ウォーレス　1823～1913年

独自に自然選択による進化論をとなえる

イギリスの博物学者。

ウェールズのモンマスシャー生まれ。測量技師や建築技師としてはたらきながら自然科学を独学する。1848年から昆虫学者のヘンリー・ベイツといっしょに南アメリカのアマゾンからリオネグロ地域にかけて動植物の採集旅行をおこなう。さらに、1854～1862年、東南アジアとオーストラリアのあいだにあるマレー諸島

で動植物の研究調査をおこなった。これらの調査の結果と、マルサスの『人口論』から、生物は環境に適した性質をもつものが生きのこり、そうでないものはほろびるという自然選択の理論による独自の進化論をみちびきだした。これをまとめた論文を送られたダーウィンは、みずからの生物進化説とウォーレスの理論を同時に学会で発表し、1859年に『種の起源』を出版した。

また、マレー諸島での調査から、バリ島とロンボク島のあいだには動物の分布をくぎる境界線があることを提唱した。この境界線は、現在も「ウォーレス線」の名でよばれている。

ウォルポール，ロバート 〔政治〕

ロバート・ウォルポール　1676～1745年

イギリスの責任内閣制を確立

イギリスの政治家。

東部のノーフォーク州の地主の家に生まれる。1701年、庶民院議員にえらばれ、ホイッグ党員として活躍。陸軍長官、海軍財務長官などについた。1714年、ドイツのハノーファー選帝侯ジョージ1世がイギリスのグレートブリテン王に即位すると、彼の信頼を得て、陸海軍支払長官、ついで第一大蔵卿となった。いちじ、閣外に去るが、1720年に南海泡沫事件（株価が大暴落し大恐慌におちいった事件）がおこると、ふたたび第一大蔵卿となって、その処理にあたり、閣内の第一人者となった。議会運営ではすぐれた指導力を発揮し、内閣が議会に対して責任を負うという責任内閣制が確立した。

対外的には平和政策をとり、1713年から1739年のあいだ、戦争をしなかった。内政では、政府の負債をなくし、健全財政を実現。社会が安定する中で、産業革命の準備が進められた。

1742年、伯爵の位を受けて引退。その後も政界に強い影響力をもったが、1745年、亡くなった。

うがきかずしげ 〔政治〕

宇垣一成　1868～1956年

軍縮を進めた陸軍大臣

明治時代～昭和時代の陸軍軍人、政治家。

備前国（現在の岡山県南東部）出身。陸軍大学校卒業後、ドイツに留学し、1924（大正13）年、清浦奎吾内閣で陸軍大臣となる。その後の加藤高明内閣、若槻礼次郎内閣でも陸軍大臣をつとめて、軍の縮小と近代化を進めた。1931（昭和6）年、浜口雄幸内閣のときに、橋本欣五郎らのクーデター未遂事件（三月事件）にかかわったことで、陸軍大臣を辞職。その後、朝鮮総督となり、農村の振興や工業の育成にとりくんだ。1937年、広田弘毅内閣の総辞職後、次の内閣総理大臣にしようという動きがあったが、陸軍の反対で失敗する。その後も、たびたび首相候補として名前があがるが、実現することはなかった。第二次世界大戦後の選挙で、参議院議員となった。

うきたひでいえ 〔戦国時代〕

宇喜多秀家　1573～1655年

豊臣政権の主力として活躍した

（岡山城所蔵）

安土桃山時代の武将。

備前国（現在の岡山県南東部）岡山城主、宇喜多直家の子。幼名は八郎。幼いころ父と死別し、1582年に備前国、美作国（岡山県北東部）を相続した。羽柴秀吉（のちの豊臣秀吉）につかえ、元服した際、秀吉より「秀」の字をあたえられ、家氏から秀家と改名。1589年、秀吉の養女で、前田利家の娘、豪姫を正室にむかえた。四国、九州、小田原攻めで功績をあげ、秀吉の天下統一後は、備前国、美作国、備中国（岡山県西部）東部、播磨国（兵庫県南部）西部の57万石をあたえられる。その後、岡山城と城下町の建設、児島湾の新田開発、太閤検地の実施など、領地の整備にあたった。

1592～1598年の文禄・慶長の役では、2度にわたり朝鮮（李朝）へ出兵。1598年、徳川家康、前田利家らとともに豊臣政権の最高機関である五大老に任じられる。関ヶ原の戦いでは、石田三成方の西軍の主力となったが、敗北。薩摩国（鹿児島県西部）へのがれたものの、1606年、八丈島へ流罪となり、その後の50年間を島ですごした。

うたがわくによし 〔絵画〕

歌川国芳　1797～1861年

反骨の浮世絵師

（国立国会図書館）

江戸時代後期～幕末の浮世絵師。

江戸（現在の東京）の染物屋の子として生まれる。15歳のころ、歌川豊国の門人になるが、入門後十数年は絵師としてふるわなかった。30代のはじめ、中国の小説『水滸伝』をテーマにした錦絵で人気を集め、武者絵の国芳とよばれた。その後、役者絵（人気役者の似顔絵）や美人画、風景画などをえがいて活躍した。

人気絶頂の40代なかば、天保の改革がはじまり、歌舞伎役者や遊女の似顔絵をえがくことが禁じられると、あえて役者たちを落書き風にえがいたりして対抗した。さらに、天保の改革を皮肉った風刺画をえがいて評判をよび、反骨の絵師といわれた。
素顔は生っ粋の江戸っ子で、その人がらをしたって集まった多くの門人を育てた。門人に月岡芳年などがいる。大のネコ好きとしても知られ、ネコをえがいた絵や、寄せ絵などを数多くのこした。

うだがわげんずい　医学
● 宇田川玄随　1755〜1797年

日本初の西洋医学の内科書『西説内科撰要』を出版

江戸時代後期の医者、蘭学者。
美作国津山藩（現在の岡山県津山市）の藩医の子として江戸（東京）に生まれ、津山藩医になった。はじめ漢方の医者だったが、のちに桂川甫周、杉田玄白、大槻玄沢らに師事して蘭学と西洋医学を学んだ。オランダの医者ゴルテルの内科書を約10年かけて翻訳し、1793年、日本初の西洋内科書『西説内科撰要』（全18巻のうち3巻）を出版した。
玄随没後の1810年、後継者の宇田川玄真（榛斎）によって『西説内科撰要』全巻が出版されると、西洋医学が外科だけでなく内科にもすぐれていることが広く知られるようになり、西洋内科医を志す者がふえた。

うたがわとよくに　絵画
● 歌川豊国　1769〜1825年

役者絵を得意とした浮世絵師

▲『初代歌川豊国死絵』（部分）
（早稲田大学坪内博士記念演劇博物館 201-5638）

江戸時代後期の浮世絵師。
江戸（現在の東京）の人形師（人形をつくる職人）の子として生まれる。歌川豊春に入門して、黄表紙（表紙が黄色の大人むけの絵入り小説本）のさし絵などをてがけていた。役者の似顔絵を得意とし、1794年から発表した『役者舞台之姿絵』シリーズで、役者の全身像をえがいて人気を集めた。その後、役者絵や美人画を数多くえがいた。
一方で、歌川国政、歌川国貞、歌川国芳など多くの弟子を育てて、幕末期の浮世絵界で、歌川派が繁栄する基礎を築いた。

うたがわひろしげ　絵画
● 歌川広重　1797〜1858年

浮世絵『東海道五十三次』などで有名

江戸時代後期の浮世絵師。
安藤広重ともいう。定火消同心（幕府直属の消防隊の下級役人）、安藤氏の子として江戸（現在の東京）に生まれる。

▲歌川広重
（国立国会図書館）

1809年、13歳のときに両親が亡くなり、家をついで定火消同心になった。幼いころから絵が得意で、15歳のとき歌川派（浮世絵の一流派）の絵師歌川豊広に入門して広重と名のった。定火消同心の仕事をするかたわら、当時流行していた美人画や役者絵などをえがいたが、あまりふるわなかった。その後、葛飾北斎の影響を受けて風景画をてがけるようになり、1831年、35歳のころに江戸の名所をえがいた『東都名所』シリーズを発表して才能を開花させた。翌年、定火消同心の職を息子にゆずって、絵師に専念した。
1832年、幕府の使節にしたがって東海道を旅した広重は、そのときのスケッチをもとに『東海道五十三次』を制作し、1833年から翌年にかけて出版した。これは、東海道におかれた53の宿場に江戸の日本橋と京都の三条大橋を加えた全55枚の風景画で、旅が人気となっていたため、爆発的な売れ行きをしめした。これにより風景画家としての地位を確立し、つづいて『近江八景』『木曽街道六十九次』『江戸近郊八景』などの諸国の名所をえがいた絵を発表した。60歳をすぎてから118枚におよぶ大作『名所江戸百景』を完成させたが、1858年、江戸で大流行していたコレラにかかり亡くなった。
広重の作品はヨーロッパにも紹介されて、モネやドガ、ルノアールなど19世紀の印象派の画家たちに影響をおよぼした。なかでもゴッホに大きな影響をあたえ、ゴッホは『名所江戸百景　大はしあたけの夕立』などを模写した。また、版画だけでなく、直筆でえがく肉筆画にもすぐれ、『山桜図』などをのこしている。

▲『名所江戸百景　大はしあたけの夕立』
（国立国会図書館）

うだがわようあん　医学
● 宇田川榕庵　1798〜1846年

西洋化学をはじめて日本に紹介した

江戸時代後期の蘭学者。
美濃国大垣藩（現在の岐阜県大垣市）の藩医の子として江戸（東京）に生まれる。14歳のとき、美作国津山藩（岡山県津山市）の藩医で蘭方医の宇田川玄真の養子になり、医学や本草学（動植物・鉱物などを研究する学問）を学んだ。

その後、オランダ通詞（通訳）の馬場貞由にオランダ語を学び、1826年、幕府の蛮書和解御用（オランダの書物などを翻訳する機関）に登用されて、西洋の百科事典の翻訳書『厚生新編』の編さんに参加した。このころ、オランダ商館の医者シーボルトに会い交流したといわれる。

西洋の植物の研究にもとりくみ、1833年、日本最初の植物学書『植学啓原』を著した。また、1837年には西洋の化学書を翻訳して『舎密開宗』を出版し、西洋化学をはじめて日本に紹介した。

現在つかわれている酸素、窒素、炭素、水素などの元素の名前は榕菴によってつくられたもので、日本近代化学の生みの親といわれる。

（国立国会図書館）

うだてんのう

● 宇多天皇　　　　　　　王族・皇族　　867～931年

藤原氏の専横を阻止しようとした

平安時代前期の第59代天皇（在位887～897年）。光孝天皇の子。884年、父の即位後、源の姓をもらい皇族をはなれたが、887年、天皇臨終のとき、朝廷の最高職である太政大臣の藤原基経によって皇位継承者となり、天皇の死の当日に皇太子に立てられ、同年、即位した。

（仁和寺）

基経に関白をまかせようとしたが、基経は慣例により関白を辞退。これに対し、阿衡に任ずると命じたが、基経は阿衡は名誉職で実権がないとして立腹し、政務をおこなわなかった。

そこでふたたび関白に任命したが専横な基経と対立した。891年、基経の死後は、天皇は関白をおかず、学者の菅原道真を重用し、藤原氏の反感をまねいた。894年、道真の進言により遣唐使を中止。899年、道真を学者としては異例の右大臣に任命して、朝廷内の反発が高まった。

左大臣の藤原時平は道真に謀反のうたがいを着せ、大宰府（朝廷が九州をおさめるために、現在の福岡県においた機関）に左遷。

897年、醍醐天皇に譲位し、899年、みずから建立した仁和寺（京都市）で出家して法皇となったが、その後も天皇を補佐した。

学　天皇系図

ウ・タント

● ウ・タント　　　　　　政治　　1909～1974年

開発途上国出身者初の国連事務総長として活躍

ビルマ（現在のミャンマー）の政治家。第3代国際連合（国連）事務総長（在任1962～1971年）。

ビルマ南西部のパンタナウに生まれる。ラングーン大学（のちのヤンゴン大学）で学んだあと、故郷で国民学校の教師となる。第二次世界大戦後は反ファシスト人民自由連盟に参加した。イギリスからの独立後は政府高官を歴任、故郷が近いウー・ヌ首相の側近として外交訪問に随行した。すぐれた外交手腕を発揮して国連駐在大使、国連総会副議長などを歴任し、当時の国連事務総長ハマーショルドが突如事故で亡くなった際に事務総長代理となり、1962年、開発途上国出身者としてはじめて第3代国連事務総長にえらばれた。在任中はキューバ危機、第三次中東戦争、チェコ動乱、ベトナム戦争などの難題に直面したものの、すぐれた指導力を発揮し、加盟各国の信頼を得た。南アフリカ共和国の人種隔離政策（アパルトヘイト）に強く反対し、ベトナム戦争ではベトナム和平会談を実現した。また、中華人民共和国（中国）の国連加盟を実現し、先進国（北）と開発途上国（南）の経済格差（南北問題）の解決にむけて尽力した。

学　国連事務総長一覧

うちだひゃっけん

● 内田百閒　　　　　　　文学　　1889～1971年

独特のユーモアと風刺の随筆で知られる

大正時代～昭和時代の作家、随筆家。

岡山県生まれ。本名は栄造。別号は百鬼園。東京帝国大学（現在の東京大学）卒業。岡山市内にある老舗の造り酒屋に生まれ、祖母に溺愛されて育った。若いころから夏目漱石を尊敬し、学生時代には門下生となって、漱石の著書の校正などをおこなった。

（日本近代文学館）

漱石の全集の編さんにも加わっている。卒業後は、陸軍士官学校や海軍機関学校でドイツ語の教官をつとめる。1922（大正11）年に短篇小説集『冥途』で作家としてデビュー、超現実的な作風で芥川龍之介から推賞された。

昭和時代に入ると、独特のユーモアと風刺をおびた小説的な

随筆によって多くの読者を獲得した。また、鉄道とネコをこよなく愛し、全国各地への列車旅行をつづった『阿房列車』や、飼いネコへの愛情をつづった随筆『ノラや』などの作品もある。主な作品に随筆集『百鬼園随筆』『鶴』『贋作吾輩は猫である』などがある。

うちだろあん　文学
● 内田魯庵　1868～1929年

『罪と罰』をはじめて翻訳する

明治時代～大正時代の評論家、翻訳家、随筆家、作家。

江戸（現在の東京）で、旧江戸幕府の御家人（将軍につかえる武士）の家に生まれる。本名は貢。東京専門学校（現在の早稲田大学）中退。1888（明治21）年、作家の山田美妙に送った手紙が『女学雑誌』に掲載される。以後、『女学雑誌』『国民之友』『国民新聞』などに評論、小説を発表。その後、ドストエフスキーの『罪と罰』をはじめ、数多くの外国文学を翻訳し、文学界に影響をあたえる。また、丸善の雑誌『学燈』の編集、執筆にあたる。するどい批評眼と風刺のきいた文芸評論を発表し、読書の普及にも力をつくした。小説に『くれの廿八日』、『社会百面相』、随筆に『思ひ出す人々』などがある。

うちなかげんぞう　郷土
● 内中源蔵　1865～1946年

紀州のウメ栽培を事業化

明治時代～昭和時代の商人。

紀伊国日高郡山田村（現在の和歌山県みなべ町）に生まれ、染物屋をいとなんでいた。ウメ栽培のさかんな地方だったが、1858年の通商条約締結により、外国から生糸や絹織物の需要がふえたため、この地域でも養蚕業に転じる農家がふえ、ウメの木が切りとられ、クワの木が植えられた。しかし、源蔵は「村を豊かにするのはウメだ」と考え、染物屋をやめて父とともに4haの広大な梅林をひらき、ウメの実の生産から梅干しの加工までをおこない、農民たちの収入をふやした。その後、梅干しは、殺菌効果があることから伝染病の赤痢の予防薬として、さらに日清戦争、日露戦争では、軍隊の戦場での副食物としてつかわれた。生産は増加し、山田村はウメの大産地となった。後の世代にもウメ栽培は引きつがれて、改良を重ね、現在は「南高梅」の名称で有名になり、全国一の産地となっている。

うちむらかんぞう　宗教
● 内村鑑三　1861～1930年

キリスト教の立場から、社会批評や執筆をおこなった

明治時代～大正時代の宗教家。

江戸（現在の東京）生まれ。幼年期は儒教の教育を受けて育つ。有馬私学校、東京外語学校で英語を学び、札幌農学校（現在の北海道大学）在学中、クラークの影響を受けてキリ

(国立国会図書館)

スト教に入信。卒業後の1884（明治17）年、農商務省水産課につとめたが、アメリカ合衆国へ留学。アマースト大学などで学ぶ。

1891年に第一高等中学校教員となるが、式典で「十字架以外のものを礼拝できない」と、教育勅語への最敬礼を拒否。天皇への不敬罪にあたるとして辞職させられた（不敬事件）。その後は、各地で学校教員などをつとめながら、『基督信徒の慰』『余は如何にして基督信徒となりし乎』などの執筆活動を中心に、聖書と十字架を信仰のよりどころとする無教会主義をとなえた。1897年からは新聞『萬朝報』の記者となり、社会評論家として知られるようになる。足尾鉱毒事件では政府の姿勢を批判、また日露戦争では非戦論をうったえ、宗教、文学、社会など多方面に広く影響をおよぼした。

学 切手の肖像になった人物一覧

うつのみやせんたろう　産業
● 宇都宮仙太郎　1866～1940年

北海道で酪農を広めた「酪農の父」

明治時代～昭和時代の酪農家。

豊前国（現在の福岡県東部・大分県北部）に生まれる。17歳で政治家をめざして上京し、東京神田共立学校に入学するが、途中で畜産業に注目するようになり、札幌真駒内牧場の実習生となる。1887（明治20）年、アメリカ合衆国にわたって酪農技術を学び、帰国後、札幌で牧場経営をはじめる。1925年には北海道製酪販売組合（のちの雪印乳業）を結成し、民間ではじめてバターの自主生産をはじめ、北海道の酪農を全国的に有名にした。

ホルスタイン種を輸入して品種改良を進めるなど、先進的な酪農を実践し、「酪農の父」とよばれる。「役人に頭を下げなくてよい、ウシ相手にうそをつかなくてよい、牛乳は日本人を健康にする」という、「牛飼の三徳」といわれる名言をのこした。

うつのみやのぶちか　郷土
● 宇都宮誠集　1855～1907年

ナツミカンの栽培を広げた人

幕末～明治時代の果樹栽培家。

伊予国西宇和郡神松名村（現在の愛媛県伊方町）に生まれる。16歳のとき、法律を学ぶために大阪に出たとき、大阪近郊でミカンが栽培され、商売としてなりたつことを知る。帰郷し、宇和島（愛媛県宇和島市）でナツミカンの栽培をみて、ウンシュウミカンほど手間がかからないことを知った。その後、郵便局長

をつとめながら、1883（明治16）年に資金を投じて、大阪近郊や山口県萩（萩市）からナツミカンの苗木150本を購入して、自宅付近に植えた。あたたかい気候や風土が合い、品質がよいナツミカンを大量に収穫した。村人に栽培をすすめ、1890年代には、佐田岬半島のあちこちにナツミカン栽培が広がった。現在、ナツミカンを改良したアマナツミカンが生産されている。

うのこうじ　　　　　　　　　　　文学
● 宇野浩二　　　　　　　　　1891～1961年

大正文学の中心的作家

大正時代～昭和時代の作家、児童文学作家、評論家。

福岡県生まれ。本名は格次郎。早稲田大学英文科中退。幼いころに父を亡くして転々とし、8歳から大阪の繁華街に近い遊興の地、宗右衛門町などでくらした。このころの経験はデビュー作『清二郎　夢見る子』などに大きく影響している。その後、作家の広津和郎の紹介で『蔵の中』『苦の世界』などを発表し、大正文学の中心的作家としてみとめられる。軽妙で饒舌な作品から、『子を貸し屋』など重い現実をえがいたものまである。また、少年少女むけの雑誌『赤い鳥』『少女の友』などで創作童話や著作を発表、児童文学作家としても活動。『蕗の下の神様』『でたらめ経』などの名作がある。主な作品に読売文学賞を受賞した『思ひ川』、評伝『芥川竜之介』など。

うのそうすけ　　　　　　　　　　政治
● 宇野宗佑　　　　　　　　　1922～1998年

2か月あまりで退陣した内閣総理大臣

昭和時代～平成時代の政治家。第75代内閣総理大臣（在任1989年）。

滋賀県生まれ。神戸商業大学（現在の神戸大学）を中退。1951（昭和26）年に、滋賀県議会議員に当選した。7年後の衆議院議員総選挙では、自由民主党から出馬したが落選し、1960年で再出馬し、初当選をはたした。それ以来、12回当選している。1974年、第2次田中角栄内閣で防衛庁長官として初入閣し、その後、科学技術庁長官、行政管理庁長官、通産大臣、外務大臣を歴任。1989（平成元）年、内閣総理大臣に就任した。しかし同年の参議院議員選挙で、自民党ができて以来、初の過半数割れとなる敗北を受け、在任期間69日で退陣した。その後、自民党最高顧問に就任、1996年に政界を引退した。

学 歴代の内閣総理大臣一覧

うのちよ　　　　　　　　　　　　文学
● 宇野千代　　　　　　　　　1897～1996年

女性むけの恋愛論や幸福論で人気作家に

大正時代～平成時代の作家、随筆家、編集者。

山口県生まれ。岩国高等女学校卒業後、上京し、芥川龍之介らと知り合い、作家をめざす。結婚して札幌に移るが、1921

（大正10）年、『脂粉の顔』が懸賞小説の1等で当選し、翌年ふたたび上京。1936（昭和11）年、スタイル社をおこしファッション雑誌『スタイル』、文芸雑誌『文体』を創刊する。1957年、『おはん』で野間文芸賞、翌年女流文学者賞を受賞する。『おはん』は、女優吉永小百合の主演で映画化された。1972年、日本芸術院賞を受賞。岐阜県にあるサクラの古木の保護活動でも知られ、小説『薄墨の桜』（のちに『淡墨の桜』に改題）を発表。1983年には、文学者としての歩みや、自らの結婚と離婚などをつづった『生きて行く私』がベストセラーとなり、テレビドラマ化された。女性むけの恋愛論や幸福論などをテーマに率直につづるエッセーが人気。著書に『或る一人の女の話』『人形師天狗屋久吉』などがある。1982年、菊池寛賞受賞。1990（平成2）年、文化功労者。

うまづめもとね　　　　　　　　　郷土
● 馬詰親音　　　　　　　　　1748～1807年

砂糖製造をはじめた土佐藩士

江戸時代中期～後期の藩士。

土佐国の土佐藩（現在の高知県）藩士の子として、高知城下に生まれた。1789年、江戸（東京）で、武蔵国川崎（神奈川県川崎市）の名主（村の長）池上太郎左衛門から砂糖の製法を習って帰り、九州から砂糖の原料となる甘蔗（サトウキビ）をとりよせて、栽培した。1799年、町奉行（町の行政・裁判・警察を担当した役人）になると、砂糖の製造をはじめた。

藩主の参勤交代にしたがって、近江国彦根（滋賀県彦根市）に立ちよったとき、すぐれた井戸掘りの技術を知った。1800年、彦根から井戸掘りの工人をまねき、水質の悪い城下の町に井戸をほらせ、良質の水を得た。また、江戸で貸本が町人の教育に役だつことを知り、高知城下に貸本業者をつくらせ、人々の知識向上につとめるなど、さまざまな善政をおこなった。

うまやどのおうじ（うまやとおう）

厩戸皇子（厩戸王）→聖徳太子

ウマル　　　　　　　　　　王族・皇族　宗教
● ウマル　　　　　　　　　　592～644年

イスラム教預言者ムハンマドを長く補佐した

イスラム教第2代正統カリフ（在位634～644年）。

ウマル・イブン・アル・ハッターブ。ウマル1世、オマルともいう。

メッカ（マッカ）のクライシュ族アディー家出身。ウマルはクライシュ族の伝統的信仰を守るためにムハンマドをきびしく迫害していた

が、コーラン（イスラム教の教典）に心を動かされて改宗した。ウマルは意志が強く豪傑であり、人望もあったため、ウマルの支援はメッカにおけるイスラム教布教活動を大いに助けた。娘はムハンマドの妻の一人となる。ムハンマドの死後、第1代正統カリフ（ムハンマドの後継者でイスラム国家の宗教的最高指導者）のアブー・バクルを補佐し、彼の指名によって第2代正統カリフとなる。ウマルは聖戦（ジハード）を展開し、シリア、エジプト、イラン南西部を征服して勢力を拡大した。また、軍事や行政において諸制度を定め、イスラム暦を採用し、イスラム帝国の基礎を確立した。ペルシア人の奴隷によって刺殺された。

学 世界の主な王朝と王・皇帝

うめけんじろう　　　　　　　学問
● 梅謙次郎　　　1860〜1910年

民法と商法を起草した「日本民法の父」

明治時代の法学者、教育者。

松江藩松江（現在の島根県松江市）で藩医の家に生まれる。幼少のころからたぐいまれな秀才ぶりを発揮し、東京外国語学校を最優等で卒業後、1884（明治17）年、司法省法学校を首席で卒業する。翌年、フランスのリヨン大学に留学し、『和解論』で博士号を取得する。帰国後は、帝国大学法科大学（現在の東京大学法学部）の教授、和仏法律学校（法政大学）の校長などを兼任した。

1892年、法典調査会委員となり、穂積陳重、富井政章とともに民法を、また岡野敬次郎、田部芳とともに商法を起草。その後法制局長官、韓国政府の法律顧問などを歴任する。明治の法律史に大きな功績をのこし、「日本民法の父」といわれる。

学 切手の肖像になった人物一覧

うめさおただお　　　　　　　学問
● 梅棹忠夫　　　1920〜2010年

平行進化説を打ちだした民族学者

昭和時代〜平成時代の民族学者、文化人類学者。

京都生まれ。1943（昭和18）年、京都帝国大学（現在の京都大学）理学部動物学科を卒業した。在学中は主に動物学を専攻したが、内モンゴルの学術調査を通じて民族学に興味をもち、アフガニスタン、東南アジア、東アフリカ、ヨーロッパなどで、精力的な現地調査をおこない、資料を収集して、民族学・文化人類学を研究した。1957年『文明の生態史観』を発表し、ヨーロッパ文明と日本文明は、ほぼ同じ歩みで進化したという「平行進化説」を打ちだす。『知的生産の技術』では、独創的な視点から、知的活動とは何かを論じた。

国立民族学博物館の設立に力をつくし、1974年から1993（平成5）年まで初代館長をつとめた。

退官後は、総合研究大学院大学名誉教授、京都大学名誉教授などを歴任した。1988年に紫綬褒章を受章し、1991年に文化功労者となり、1994年には文化勲章、1999年に勲一等瑞宝章を受章した。

学 文化勲章受章者一覧

うめざきはるお　　　　　　　文学
● 梅崎春生　　　1915〜1965年

戦後派文学の代表的作家

昭和時代の作家。

福岡県生まれ。東京帝国大学（現在の東京大学）国文科卒業。大学在学中から同人誌に寄稿し、『早稲田文学』に『風宴』を発表した。卒業後は東京市教育局につとめたが、第二次世界大戦末期の1944（昭和19）年に召集され、翌年の敗戦まで九州の陸上基地にいた。

1946年、このときの体験をもとに、敗戦前後の絶望し無気力になった人間の姿をえがいた小説『桜島』で作家としてデビュー。戦後派文学の代表的な作家とされた。その後も、洒脱なユーモアで庶民や日常をえがく作風で読者を得た。主な作品に直木賞を受賞した『ボロ家の春秋』や『砂時計』『狂ひ凧』『幻化』などがある。

学 芥川賞・直木賞受賞者一覧

うめだうんぴん　　　　　　　幕末
● 梅田雲浜　　　1815〜1859年

安政の大獄で最初に逮捕

（国立国会図書館）

幕末の志士、儒学者。

若狭国小浜藩（現在の福井県南西部）の藩士。1822年、藩校の順造館に入学し崎門学（朱子学者山崎闇斎のおこした学問）を学んだ。江戸（東京）や京都で学び、1841年、京都で崎門派の塾、望楠軒の講師となり、尊王攘夷派（天皇をうやまい外国勢力を追いはらおうという考えの人々）の頼三樹三郎たちと交流した。1850年、小浜藩主酒井忠義に海防意見書を提出するなど、藩の政治をたびたび批判したことで非難され、1852年、藩籍をのぞかれて浪人となった。1853年、アメリカ合衆国のペリーが来航したとき、京都や各地におもむいて尊王攘夷を主張した。1858年、勅許（天皇の許可）なく外国との条約をむすんだ大老（幕府の最高職）井伊直弼を非難し、将軍あとつぎ問題では一橋慶喜（のちの徳川慶喜）を将軍と

するために運動した。同年、井伊が尊王攘夷派を弾圧する安政の大獄を開始すると最初に逮捕され、翌年、江戸に護送されたが取り調べ中に病死した。

うめづよしじろう
梅津美治郎　1882〜1949年　政治
日本軍の中国侵入のきっかけをつくる

明治時代〜昭和時代の陸軍軍人。

大分県の農家に生まれる。陸軍士官学校、陸軍大学校卒業後、日露戦争で参謀本部員となり、第一次世界大戦のころには各国の駐在武官をつとめた。

1931（昭和6）年に参謀本部総務部長に、3年後、支那駐屯軍司令官となる。1935年に華北（中国中北部）で頻発していた反日活動をおさえるため、国民革命軍の何応欽と梅津・何応欽協定を締結。日本軍が中国へ侵入するきっかけをつくる。翌年の二・二六事件後、陸軍次官に就任、軍の粛正と、軍の政治介入を進めた。1939年、関東軍司令官（のちに総司令官）、1944年に参謀総長となり、翌年の太平洋戦争の敗戦に際し、重光葵とともに降伏文書に調印した。

極東国際軍事裁判でA級戦犯となり、終身刑の判決を受け、服役中に病死した。

うめはらたけし
梅原猛　1925年〜　思想・哲学
大胆な仮説で「梅原日本学」を確立した哲学者

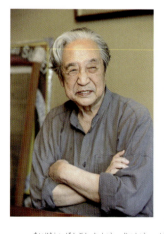

哲学者、作家。

宮城県生まれ、愛知県育ち。1948（昭和23）年、京都大学哲学科を卒業後、龍谷大学、立命館大学で講師をつとめ、1967年、立命館大学教授、1972年、京都市立芸術大学教授、2年後に同大学学長となる。法隆寺は聖徳太子の霊を祭るために建てられたとする『隠された十字架―法隆寺論』で、毎日出版文化賞を受賞。柿本人麻呂の和歌の新しい解釈をしめした『水底の歌』で大佛次郎賞を受賞。ほかにも日本古代史において大胆な仮説を発表し、「梅原日本学」といわれる独特の世界観を築いた。

1987年、国際日本文化研究センターの初代所長となり、その後、市川猿之助の『ヤマトタケル』や『オグリ』などの「スーパー歌舞伎」や、「スーパー能」の台本を書くなど、幅広い活動をおこない、話題となる。これらの業績により、1992（平成4）年、文化功労者、1999年に文化勲章を受章。2001年、ものつくり大学の初代総長となる。　学 文化勲章受章者一覧

うめはらりゅうざぶろう
梅原龍三郎　1888〜1986年　絵画
色彩豊かで力強い画風が特徴

大正時代〜昭和時代の洋画家。

京都市生まれ。京都府立第二中学校（現在の鳥羽高等学校）を中退し、洋画家の伊藤快彦の塾で学んだのち、浅井忠が創立した聖護院洋画研究所（現在の関西美術院）で油絵を学ぶ。1908（明治41）年から1913（大正2）年までフランスに留学し、パリのアカデミー・ジュリアンに入学するが、翌年、ルノアールのアトリエをたずね、指導を受ける。帰国後、白樺社の主催で最初の個展を開催し、初期の代表作『黄金の首飾り』が話題となる。

二科会、春陽会の設立に加わるが、1925年に岸田劉生とともに春陽会を退会し、国画創作協会にむかえられ、洋画部（のちの国画会）をつくる。日本の伝統美術をとり入れた、色彩豊かな力強い画風で、洋画壇に大きな功績をのこした。1944（昭和19）年から1952年まで東京美術学校（現在の東京藝術大学）教授をつとめた。代表作に『桜島』『竹窓裸婦』『紫禁城』などがある。1952年、文化勲章を受章した。　学 文化勲章受章者一覧

うめやしょうきち
梅屋庄吉　1869〜1934年　映画・演劇
孫文をささえた日本の実業家、日活の創業者

明治時代〜昭和時代の実業家、中国革命の支援者。

長崎県に生まれる。幼いころ、中国の清との関係があった長崎の貿易商梅屋家の養子となった。成年になると香港にわたり、写真術を学んで写真館を経営、シンガポールではフランスの映画会社パテーのフィルムを購入した。1895（明治28）年、27歳のとき、清の革命をめざす孫文と知り合い、その情熱を知り、援助を誓う。1905年に帰国すると、M・パテー商会を設立、映画製作や映画興行に乗りだした。1910年、白瀬矗中尉の南極探検に撮影班を派遣して、貴重な記録映画を作成。それを興行してばく大な資金を得たあと、誓いのとおり孫文を支援し、1911年におきた辛亥革命（清をたお

（小坂文乃所蔵／日比谷松本楼）

して中華民国を成立させた革命）の成功に貢献した。
　1912（明治45）年、日本活動写真会社（日活）を創立し、活動写真の発展に貢献。翌年には辛亥革命で袁世凱に追われ日本に亡命した孫文と宋慶齢の結婚披露宴を東京新宿の自宅でおこなうなど、孫文との友情はつづいた。また、アジアは一体となって西洋の圧力と対抗するべきだという「アジア主義」を主張する頭山満、宮崎滔天らとも交流した。

うめわかまんざぶろう 伝統芸能
● 梅若万三郎　1941年～

第一線で活躍する現代の能楽師

（梅若研能会）

　能楽師。
　京都生まれ。本名は万紀夫。観世流シテ方の2世梅若万三郎の長男。600年ほど前、世阿弥が能の基礎をつくったころ、丹波地方に丹波猿楽があり、梅若家が活躍していたと伝えられる。父に師事し、1944（昭和19）年『老松』の仕舞で初舞台をふむ。1948年『合浦』ではじめてシテ（主役）を演じる。2001（平成13）年に3世梅若万三郎を襲名し、以来、老女ものをふくめた大曲、難曲をすべて完演した。
　1967年第1回「日本能楽団」（団長2世梅若万三郎）のヨーロッパ公演に参加した。以後、現在まで、日本各地や海外での公演に意欲的な姿勢をみせ、能楽界の第一線で活躍している。
　1997年、2世梅若万三郎七回忌追善能大阪公演『卒都婆小町　一度之次第』で、3回目の大阪文化祭賞を受賞した。重要無形文化財総合認定保持者であり、長男は梅若紀長、次男は梅若久紀である。

ウラービー・パシャ
ウラービー・パシャ → アラービー・パシャ

うらがみぎょくどう 絵画
● 浦上玉堂　1745～1820年

自由奔放な山水画をえがいて名声を得た画家

　江戸時代中期～後期の画家。
　備前国岡山藩（現在の岡山県）の支藩である鴨方藩（岡山県浅口市）の藩士の子として生まれる。少年のころから藩主池田氏に側近としてつかえるかたわら、学問にはげみ、詩や琴、絵画をたしなんだ。1794年、50歳のとき2人のこどもをつれて脱藩した。以後、琴を背負って九州から東北地方まで各地を放浪して自由に生き、晩年は京都に住んだ。その間、独学で文人画（役人や文人がえがいた絵画。）を学び、自由奔放な山水画（山や川など自然の風景を主題とした絵画）をえがいて名声を得た。代表作『凍雲篩雪図』は国宝に指定されている。
　長男の浦上春琴も画家になり、花鳥画（花や鳥を主題とした絵画）を得意として『花鳥図屏風』などの作品をのこした。

ウラジーミルいっせい 王族・皇族
● ウラジーミル1世　955?～1015年

ビザンツ帝国とむすび、ロシアにキリスト教をもたらした

　ロシア、キエフ大公国の大公（在位978?～1015年）。キエフ大公国の大公スビャトスラフ1世の子。父の死後、後継争いにおいて長兄ヤロポルクをやぶり、大公として即位した。ウラジミールは辺境の東スラブ諸部族を征服し、南方地域にも進出して領土を大きく広げ、キエフ大公国は最盛期をむかえた。987年、ビザンツ帝国（東ローマ帝国）の皇帝バシレイオス2世から要請されてブルガリア王国攻撃を支援し、その見返りとして皇帝の妹アンナを要求した。ウラジミールはアンナをきさきとしてむかえると、ビザンツ帝国の国教であるキリスト教（正教会）に改宗し、スラブ人の古き神々の神殿などを破壊して国教として導入。これによってキエフ大公国はキリスト教世界の一員となった。ロシアでのキリスト教のはじまりである。
　また、皇帝と縁戚関係をむすんだことで国際的地位も上昇することになった。ウラジミールは聖人として崇敬され、政治、軍事ともに大きな成果をおさめた功績はロシアの英雄抒情詩である『ブィリーナ』にも歌われている。　学 世界の主な王朝と王・皇帝

うらべかねかた 宗教
● 卜部兼方　生没年不詳

『日本書紀』に注釈をつけた

　鎌倉時代中期の学者、神道家。
　懐賢ともいう。卜部兼文の子として生まれる。神祇権大副（祭祀をつかさどる神祇官の定員外の次官）、兼山城守（現在の京都府南部の長官）となった。父が『日本書紀』神代巻を貴族たちに講義したものをもとに、奈良時代に編さんされた『風土記』や中国の古典などを引用し、1300年ころ『日本書紀』の注釈書『釈日本紀』を編集した。

うらべかねよし
卜部兼好 → 兼好法師

ウルグ・ベク 〔王族・皇族〕〔学問〕

ウルグ・ベク　1394?〜1449年

偉大な科学者だった君主

ティムール帝国の第4代君主（在位1447〜1449年）、科学者。

中央アジアを支配したティムール帝国の第3代君主シャー・ルフの子。父の下でオアシス地域の総督として、38年間、サマルカンド（現在のウズベキスタン中部の都市）に住んだ。サマルカンドはティムール文化の中心地となり、多くの芸術家や文人、神学者がつどい、建設事業もさかんにおこなわれ、有名なマドラサ（学校）、モスク（礼拝所）、公衆浴場などがつくられた。ウルグ・ベク自身もすぐれた天文学者、数学者、文人であり、とくにサマルカンドに天文台を建設したことは有名である。天文台では高度な観測がおこなわれ、世界的な正確さを誇る『キュレゲン天文表』を作成。コペルニクスやガリレオより100年前に、正確な太陽年の長さや地球の赤道傾斜角などをだしていた。父の死後、君主となるが、不運なことに各地で紛争がおこり、長子のアブドゥル・リャティフに暗殺された。学者としての事績を高く評価され、偉大な近代科学者の一人として知られている。

学 世界の主な王朝と王・皇帝

ウルバヌスにせい 〔宗教〕

ウルバヌス2世　1042ごろ〜1099年

十字軍運動をよびかける演説をしたローマ教皇

ローマ教皇（在位1088〜1099年）。

フランスの貴族の家に生まれる。ブルゴーニュ地方のクリュニー修道院に入って修道士になり、院長となる。クリュニーとかかわりがあった教皇グレゴリウス7世に任ぜられて、ローマのオスティアの司教枢機卿（教皇に次ぐ最高位の位階）となった。教皇の右腕として教会改革（グレゴリウス改革）や叙任権闘争（聖職者による任命権獲得運動）で活躍。1088年に教皇となるが、一方で、神聖ローマ帝国皇帝ハインリヒ4世がクレメンス3世を教皇に立てたため、93年までローマに入ることができなかった。

1095年のクレルモン宗教会議で、ヨーロッパの国王、諸侯に対し、十字軍運動をよびかけた。以前からビザンツ帝国（東ローマ帝国）はイスラム教徒におびやかされており、教皇グレゴリウス7世も救援をうったえていたが無視されていた。しかしウルバヌス2世がうったえた「聖地エルサレム奪回」という目標にキリスト教徒は熱狂し、一大運動となった。

学 ローマ教皇一覧

ウルフ, バージニア 〔文学〕

バージニア・ウルフ　1882〜1941年

独特の手法で人物の心理をえがく

イギリスの作家、批評家。

ロンドン生まれ。本名はアデリーン・バージニア・スティーブン。文学者を父に、めぐまれた環境で育ち、自宅で教育を受ける。第一次世界大戦後の新しい文学を求めるモダニズム運動の中心人物の一人。ブルームズベリー・グループとよばれる集団に参加し、作家や芸術家と交流した。

1915年、『船出』で作家としてデビュー。心理描写を得意とし、「意識の流れ」という独特の手法をつくりだした。代表作は、政治家夫人の現在と過去が行き来する一日をえがいた傑作『ダロウェイ夫人』（1925年）。ほかに、『灯台へ』や女性の自立には収入と部屋が必要という随筆『自分だけの部屋』など。

うんけい 〔彫刻〕

運慶　?〜1223年

東大寺の金剛力士像で知られる仏師

▲『伝運慶像』　（六波羅蜜寺）

鎌倉時代前期の仏師。康慶の子。興福寺（奈良市）の仏像などを制作していた父のもとで学んだ。1176年、円成寺（奈良市）の大日如来像を完成させた。1186年ころ、鎌倉幕府の実力者北条時政の依頼により願成就院（静岡県伊豆の国市）の阿弥陀如来像、不動明王像、毘沙門天像などを制作した。写実的で力強い作風は東国武士の気風にかなっていたので、その後、和田義盛、北条義時、源実朝、北条政子らが仏像の制作を依頼した。

1180年におこった源平の合戦のなか、平重衡の攻撃で焼け落ちた東大寺（奈良市）の諸仏の復興にたずさわり、1195年、東大寺再建供養に際して、法眼（僧位の第2位）をさずけられた。1196年には父の下で東大寺大仏の脇侍像、四天王像を制作した。真言宗の僧文覚に重用され、1197年、東寺（京都市）、神護寺（京都市）などの諸像を制作し、朝廷や貴族たちからみとめられた。

1203年、東大寺南大門の高さ約8mにもおよぶ巨大な金剛力士像（仁

▲東大寺南大門の金剛力士像（阿形像）
（東大寺所蔵／美術院提供）

王像、国宝）を、父の弟子の快慶らとともに制作し、寄木造の技法によりわずか70日で完成させた。その功績により、同年おこなわれた東大寺総供養に際して、法印（僧位の最上位）をさずけられた。

1208年から1212年にかけて、一門の仏師たちをひきいて興福寺北円堂の弥勒如来像、無著像、世親像などを制作したが、これらは日本彫刻史上の傑作といわれている。

運慶の子の湛慶、康弁、康勝らは、運慶様とよばれる新様式を受けついで一流の仏師となった。

うんのじゅうざ　　文学

● 海野十三　　1897〜1949年

日本のSF（空想科学小説）の父

（徳島県立文学書道館）

昭和時代の作家、大衆児童文学作家。

徳島県生まれ。本名は佐野昌一。早稲田大学理工学部卒業。逓信省（現在の総務省）の電気試験所ではたらきながら、科学雑誌の執筆などをおこない、1928（昭和3）年、『電気風呂の怪死事件』で推理小説家としてデビュー。第二次世界大戦中は、軍事小説を多数書いていた。その後、科学トリックや異星人襲来などのSF（空想科学小説）を次々と発表する。

名探偵の帆村荘六が活躍する『麻雀殺人事件』（1931年）が有名。この主人公の名前は、シャーロック・ホームズをもじって名づけられたともいわれる。長編小説には、大都市のやみと迷路の世界をえがいた『深夜の市長』（1936年）がある。ほかに『火葬国風景』『地球盗難』『十八時の音楽浴』や、こどもむけの『浮かぶ飛行島』『火星兵団』など。数々のSFや少年むけ科学読み物で、漫画家の手塚治虫らに影響をあたえ、日本空想科学小説の父とよばれる。

え
Biographical Dictionary 1

エアハルト，ルートウィヒ　　政治

● ルートウィヒ・エアハルト　　1897〜1977年

戦後ドイツの「奇跡の経済復興」を実現

ドイツ連邦共和国（西ドイツ）の政治家。首相（在任1963〜1966年）。

バイエルン州フュルトに生まれる。ニュルンベルク大学、フランクフルト大学で経済学を学び、ニュルンベルク商科大学経済観測研究所につとめた。第二次世界大戦後は、アメリカ占領軍の経済顧問をへて、1945年、バイエルン州の通商・産業大臣となる。西側占領地区経済担当長官となると、1948年に通貨改革を実施。ライヒスマルクからドイツマルクに切りかえた。翌年、ドイツ連邦共和国が発足すると、キリスト教民主同盟に入り、最初の連邦議会選挙で当選。アデナウアー政権の下で経済大臣となる。4期にわたってその任にあたり、1957年に副首相に就任すると、「奇跡の経済復興」の中心人物として活躍した。

企業間の競争と勤労者の平等を同時に追求しようと試み、中間層や中小企業の自立支援、失業対策、社会福祉・社会保障の充実などをおこなった。1963年にはアデナウアーのあとをついで首相となるが、戦後初の財政危機などをきっかけに党内における指導力を失い、辞任した。

学 主な国・地域の大統領・首相一覧

えいさい

栄西 → 栄西

えいせい　　政治

● 衛青　　?〜紀元前106年

武帝が送った匈奴討伐軍の長

中国、前漢の武帝時代の将軍。

平陽侯につかえる婢（女性の奴隷）の子として生まれ、召し使いとして羊牧などの仕事をしていた。当時前漢は、北の遊牧国家、匈奴の脅威にさらされていたが、衛青は羊牧の経験を通して、彼らの生活や文化にくわしくなったといわれている。姉の

衛子夫が武帝の寵愛を受けると、衛青もとりたてられ、のちに才能をみとめられ、紀元前130年には将軍として匈奴征討をまかされた。同じく将軍となったおいの霍去病とともに、11年のあいだに7回も匈奴を打ち負かし、軍功を上げて大将軍となり、さらには武官の最高位である大司馬に任命された。衛青の墓は、長安（現在の陝西省西安市）にある武帝の墓の近く、霍去病の墓のとなりに立てられた。

えいぞん

叡尊　宗教　1201〜1290年

空海にならって真言宗の戒律を重視

（西大寺所蔵／奈良国立博物館写真提供／森村欣司撮影）

鎌倉時代中期の律宗の僧。

興福寺（奈良市）の学問僧、慶玄の子。思円ともいう。

1217年、17歳で出家し、醍醐寺（京都市）や高野山（和歌山県）で、空海のひらいた真言宗の秘密の教え、真言密教を学んだ。空海が戒律を重んじたことを知って戒律を学び、1235年、戒律の復興を志し、当時荒廃していた西大寺（奈良市）に住んで、律宗（戒律を重んじる宗派）を復活させた。叡尊は殺生禁断を説き、弟子の忍性（良観）とともに、ハンセン病患者や非人（差別された人々）を救う施設をつくるなどの社会事業や、道路や橋をつくり、港湾を整備し、寺社の建立や整備などの土木事業をおこなった。1262年、鎌倉におもむいて布教し、北条氏一門や、鎌倉幕府の将軍と主従関係をむすんだ御家人たちに戒律をさずけた。

叡尊の名声は朝廷にも知られ、後嵯峨上皇（譲位した後嵯峨天皇）、亀山上皇（譲位した亀山天皇）、後深草上皇（譲位した後深草天皇）に戒律をさずけた。叡尊の信者は庶民から武士、貴族まで10万人にもなったといわれる。1274（文永11）年と1281（弘安4）年に中国から元軍が襲来した元寇（文永の役・弘安の役）の際には、四天王寺（大阪市）、石清水八幡宮（京都府八幡市）で敵国降伏を祈り、元軍をしりぞけた功により、1284年、四天王寺の別当（寺の庶務を統括する職）に任命された。

えいまん

衛満　王族・皇族　生没年不詳

朝鮮半島初の漢民族国家の建国者

衛氏朝鮮の建国者。

中国の燕に生まれる。『史記』には名のみ「満」として記述され、「衛」という姓が登場するのは『後漢書』以降の記述による。漢の高祖（劉邦）の時代、紀元前195年に燕王が漢にそむいて匈奴に亡命すると、同郷の衛満もその部下1000人あまりをひきいて、朝鮮半島北部へと移った。そこで、土着の民や燕、斉の亡命者をおさめ、王険城（現在の平壌）を都として衛氏朝鮮を建国。漢と君臣関係をむすび、漢との交易を独占することで国力をたくわえ、数千里四方をおさめるまでになる。こうして、3代にわたり約80年つづいた衛氏朝鮮の基礎をつくった。その後、孫の衛右渠の代に漢の武帝により遠征がおこなわれ、紀元前108年に衛氏朝鮮はほろぼされることとなる。

学 世界の主な王朝と王・皇帝

えいらくてい

永楽帝　王族・皇族　1360〜1424年

朝貢国を広げ、明の全盛期を築いた

中国、明の第3代皇帝（在位1402〜1424年）。

成祖ともいう。明をひらいた朱元璋の第4子、姓名は朱棣。父に命じられて北京をおさめ、戦場での能力と勇敢さを父にみとめられていた。父の死後、おいの建文帝が第2代皇帝となっていたが、靖難の変をおこして位をうばい、皇帝に即位する。都を南京から北京に移し、巨大な皇帝の宮殿、紫禁城を完成させた。みずからモンゴルに遠征し、シベリアやチベット、ベトナム北部にも進出して、大帝国をつくり上げた。さらに鄭和に命じて、大船団を南海に遠征させるなど、積極的な対外政策をおこない、日本をはじめ、多くの国に朝貢させた。

また、『永楽大典』『四書大全』『五経大全』など書物の編さん事業をおこなうなど、文化面でも積極的に活動した。『永楽大典』は、史書、詩文集、仏教、道教、医学、天文、占いなどあらゆる書から記事をぬきだして、内容別に分類して配列した書。本文2万2877巻、目録60巻あったが、現存しているのは、そのうちの約800巻である。

学 世界の主な王朝と王・皇帝

えいろくすけ

永六輔　文学　音楽　1933年〜2016年

『遠くへ行きたい』で大人気となる

昭和時代〜平成時代の作詞家、放送作家、随筆家。

東京生まれ。本名は孝雄。早稲田大学中退。中学生のころからラジオ放送に興味をもち、投書していた。高校在学中にスカウトされ、卒業後、作詞家、三木鶏郎のトリロー文芸部に参加、ラジオやテレビのコントやシナリオの制作をはじめる。

1959（昭和34）年、作曲家、中村八大とのコンビによる歌謡曲『黒い花びら』が第1回日本レコード大賞を受賞し、作詞家としての地位を確立する。その後も坂本九が歌ってアメリカ合

衆国でもヒットした『上を向いて歩こう』をはじめ、『こんにちは赤ちゃん』『遠くへ行きたい』など、多くのヒット曲を作詞する。2000（平成12）年に菊池寛賞、2014年に旅番組への長年の出演とテレビ・ラジオへの功績が評価され、毎日芸術賞特別賞を受賞。ラジオ番組では、旅で出会ったおもしろいエピソードを独特の話芸で語り、作家としては、生き方の知恵をテーマに随筆を書く。主な著書にベストセラーとなった『大往生』のほか、『芸人その世界』『話す冥利、聞く冥利』などがある。

エウクレイデス

エウクレイデス → ユークリッド

エウセビオス　　　　宗教

エウセビオス　　260ごろ〜339年

「教会史の父」とよばれるキリスト教最初の教会史家

古代キリスト教会の司教、教会史家。

パレスチナ生まれ。オリゲネス神学を伝えるパンフィロスの弟子となる。313年、当時のパレスチナの第一都市で初期キリスト教の中心地カイサリア主教となる。ローマ皇帝コンスタンティヌス帝の信頼があつく、325年、「神と神の子であるキリストが同質であるか」をあらそった「ニケーア公会議」では中間派のオリゲネス派の代表として列席した。アリウスに同情しつつも、結局は「同質である」とみとめた「ニケーア信条」を承認した。著作の『教会史』はイエスの出現から324年までの古代教会の姿をえがいたキリスト教史で、『年代記』は天地創造からエウセビオスのいた時代までの世界史であり、どちらもきわめて貴重な史料となっている。ほかにも『パレスチナ殉教者列伝』『福音の論証』など。歴史書『コンスタンティヌス伝』における、皇帝を神の代理者とする考え方は、批判の対象とされることもある。

エウリピデス　　　　古代　詩・歌・俳句

エウリピデス　　紀元前484?〜紀元前406?年

神話を人間的にえがいた悲劇詩人

古代ギリシャの悲劇詩人。

アテネに生まれる。当時としてはめずらしく、生涯公職につかず、創作活動に専念した。厳格な性格で非社交的な人であったといわれる。紀元前455年、はじめて公の場で作品が上演された。神話の伝説を人間の世界にとり入れてえがく、新しい悲劇を次々に生みだしたことで知られている。作品総数は92編と伝えられるが、現存するのは『メデイア』『バッコスの信女』『トロイアの女』など19編である。

アテネのディオニュシア祭で開催される悲劇の競演会に20回以上出場したが、優勝は5回（1回は死後）と少なかった。これはソフィストや自然哲学の影響を受け、進歩的な思想の持ち主だったエウリピデスの作風が、詩人アリストファネスをはじめとした保守的な人から反感をもたれたためと考えられている。アイスキュロス、ソフォクレスとならび、三大悲劇詩人とされている。エウリピデスの作品は、ほかの2人とくらべて、現存する数が多く、後世においても人気が高かったことがうかがわれる。

エーコ，ウンベルト　　思想・哲学　文学

ウンベルト・エーコ　　1932〜2016年

世界的に有名な哲学者

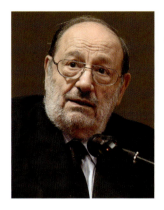

イタリアの美学者、哲学者、作家。

アレッサンドリア生まれ。会計士の父により弁護士になるための教育を受けていたが、途中で反発して哲学者をめざす。トリノ大学で美学と中世哲学を学び、卒業後はテレビ局などではたらいた。その後1963年より大学で講師をつとめ、1975年からボローニャ大学教授。研究者としての主著に『開かれた作品』『記号論』がある。

1980年に、中世ヨーロッパの修道院を舞台にした長編推理小説『薔薇の名前』を発表して一躍有名になる。なぞときが入ったストーリーが人気を博し、数十か国語で翻訳され、映画の原作にもなっている。その後も、幅広い知識を縦横に生かし、小説や大衆文化に関する著作などを発表した。主な小説作品に『フーコーの振り子』『プラハの墓地』、こどもむけの『火星にいった3人の宇宙飛行士』『爆弾のすきな将軍』などがある。

エーベルト，フリードリヒ　　政治

フリードリヒ・エーベルト　　1871〜1925年

社会民主党の指導者でワイマール共和国を発足

ドイツの政治家。ドイツ共和国の初代大統領（在任1919〜1925年）。

ハイデルベルク生まれ。馬具職人になるが、若くして社会民主党に入る。ブレーメンで労働組合運動の指導や組織の拡大

にかかわり、1905年に党執行部書記となり、1912年、国会議員に当選。翌年、党首となった。つねに思想や理論より実践を重んじたことから、しだいに党内の革新派と対立。第一次世界大戦中は、党内多数派をひきいて政府の戦争政策に協力した。これにより党は分裂したが、多数派（右派）社会民主党党首として、大戦末期のドイツ革命でドイツ帝国最後の首相となった。

その後、のちのドイツ共産党となるスパルタクス団の反乱を制圧、憲法制定の国民議会を開催した。1919年、この議会で第一党の指導者として大統領に選出され、ドイツ共和国（ワイマール共和国）を発足させた。国家再建をめざし、ワイマール憲法を守りつつ、国際協調のために党をこえて尽力したが、反共和派の攻撃や非難を受け、任期満了直前に急死した。

エールリヒ，パウル　［医学］［発明・発見］

パウル・エールリヒ　　　　　　　　　1854〜1915年

免疫学で業績をあげ、梅毒の特効薬も開発した細菌学者

19世紀のドイツの細菌学者。

プロイセン王国（ドイツを構成した主要国）で、ユダヤ系ドイツ人の家に生まれる。ライプツィヒ大学の医学生時代から組織の染色を研究し、のちにベルリン大学で内科学を専攻。1891年に同大学伝染病学助教授となる。コッホの研究室にまねかれ、ベルリン郊外に血清研究所を設立して、その後、所長に就任。抗体がつくられるしくみについて「側鎖説」という仮説を打ち立てる。1908年、免疫学の業績によりノーベル生理学・医学賞を、イリヤ・メチニコフとともに受賞した。1910年、秦佐八郎とともに、梅毒に有効な化学物質サルバルサンを発見。「魔法の弾丸」とよばれたこの薬は、世界初の合成化学療法薬品であり、多くの患者を救った。

学 ノーベル賞受賞者一覧

エカチェリーナにせい　［王族・皇族］

エカチェリーナ2世　　　　　　　　　1729〜1796年

すぐれた政治手腕をもった女帝

ロシア帝国、ロマノフ朝の第12代女帝（在位1762〜1796年）。

ドイツの貴族の娘として生まれる。名はソフィア・アウグスタ。1744年、15歳のときロシアの皇太子ピョートルと婚約し、ロシアの首都サンクトペテルブルクへむかった。

ロシア正教に改宗し、名をエカチェリーナとあらため、ロシア語の勉強も積極的にはじめた。こうしてピョートルの母である女帝エリザベートや宮廷貴族、そして国民の支持を得て、翌年に結婚した。

1754年に男子パーベル（のちのロシア皇帝パーベル1世）、1758年に女子アンナ、1762年に男子アレクセイを出産した。エリザベートの死の翌年、1762年には夫がピョートル3世として即位する。しかし夫は病弱で意志が弱く、貴族の信頼もうすかった。そこでエカチェリーナの近衛士官がクーデターをおこし、ピョートル3世をやめさせて、彼女をエカチェリーナ2世として即位させた。

▲エカチェリーナ2世

当時、ヨーロッパで流行していた啓蒙思想（古いキリスト教の制度や習慣、迷信から、人々を解放しようという考え）の影響を受け、フランスの啓蒙思想家ヴォルテールとも文通をしていたエカチェリーナは、法制度をととのえ、教育を振興し、学芸を保護するなど、啓蒙専制君主として国民のための改革を進めようとした。

法制度については農民をのぞく国民の各層から代表を集め、法典を編さんする委員会をもうけたが、内容があまりに急進的だったため、成果をあげなかった。

しかし文化面では、貴族の女子のための女学校を設立し、病院や孤児院をもうけ、ペテルブルクを西洋にひけをとらない文化都市にするなど、成果をあげた。また芸術品を収集し、現在のエルミタージュ美術館のもとを築いた。

一方、広大な国土をおさめる強力な絶対君主制を確立するには、貴族の支持が必要だった。当時のロシアでは、農民は貴族（領主）の下で、奴隷に近い身分（農奴）だったため、不満が高まり、1773年に大規模な農民反乱（プガチョフの乱）がおこった。これをしずめて行政改革にとりくみ、有力貴族を地方長官に任命して地方の自治をみとめ、商工業者には営業の自由をみとめた。しかし、農民については貴族の支配がますます強まり、農奴制は強化されることになった。

対外的にはポーランドの王位継承にかかわり、ロシア、プロイセン、オーストリアの3国でポーランドを分割、支配した（ポーランド分割）。またオスマン帝国とは2度にわたる戦争でクリミア半島を併合し、黒海への出口を確保するなど、ロシアの国際的な地位を高めた。極東へも勢力をのばそうと、日本へも使節としてラクスマンを送った。

学 世界の主な王朝と王・皇帝

▲冬宮殿（エルミタージュ美術館）

えがわたろうざえもん　　　幕末

● 江川太郎左衛門　　　1801〜1855年

世界遺産「韮山反射炉」をつくった

▲江川太郎左衛門
（江川太郎左衛門英龍画像［石版］
／東京大学史料編纂所所蔵模写）

江戸時代後期の幕臣、砲術家。

本名は英龍。号を坦庵ともいう。伊豆国韮山（現在の静岡県伊豆の国市）の代官（幕府領の行政や年貢徴収などをおこなう役職）江川英毅の子として生まれる。

1835年、35歳のとき代官になり、駿河国（静岡県中部と北東部）、伊豆国（伊豆半島）、相模国（神奈川県）、武蔵国（埼玉県・東京都・神奈川県東部）の4か国の幕府領を管理した。1836年、甲斐国（山梨県）の大規模な一揆、郡内騒動をしずめて甲斐国の幕府領も支配下に加えた。

農民の生活の安定につとめ、農民指導者の二宮尊徳をまねいて農地の改良をおこなって人々につくしたので江川大明神といわれた。また、領民に天然痘の予防接種である種痘をおこなったりした。

一方で、伊豆や相模などの海岸ぞいを支配したことから海防問題に強い関心をもち、蘭学者の渡辺崋山と交流して世界情勢やヨーロッパの軍事技術に関する情報を集めた。幕府に江戸湾（東京湾）の海防の強化をうったえ、1841年、砲術家の高島秋帆に入門して西洋砲術（大砲などを操作する技術）を学び、韮山に塾をひらいて門人の川路聖謨や佐久間象山に西洋砲術を教えた。1853年、ペリーが来航すると、外国の侵略をふせぐ海防掛に任じられ、品川（東京都品川区）沖に台場（外国船の攻撃にそなえて建設された海上砲台）を築いた。1853年、幕府の命令で大砲を鋳造するため韮山に反射炉（鉄などをとかす炉）を築くが、完成をみることなく病死した。

▲韮山反射炉
（伊豆の国市）

韮山反射炉は2015（平成27）年、「明治日本の産業革命遺産」の構成資産として世界文化遺産に登録された。

えくにかおり　　　文学　絵本・児童

● 江國香織　　　1964年〜

詩的な文体の恋愛小説に定評

作家、児童文学作家、翻訳家、詩人。

東京生まれ。父は随筆家・演芸評論家の滋。目白学園女子短期大学卒業。アメリカ合衆国デラウェア大学に留学。20歳のときに『ユリイカ』に詩を投稿、その後も創作をつづけ、1989（平成元）年に短編小説集『つめたいよるに』を発表。1992年、童話集『こうばしい日々』で産経児童出版文化賞と坪田譲治文学賞を受賞。詩的な文体でえがく恋愛小説に定評がある。2004年に直木賞を受賞した『号泣する準備はできていた』のほか、『きらきらひかる』『泳ぐのに、安全でも適切でもありません』『真昼なのに昏い部屋』など文学賞受賞作品を次々と発表している。ほかに『海辺のくま』『ふるびたくま』『3びきのぶたたち』など翻訳絵本もある。

学 芥川賞・直木賞受賞者一覧

エグバート　　　王族・皇族

● エグバート　　　775?〜839年

7つの王国を統一し、イングランド王国の王となった

ウェセックス王（在位802〜839年）、イングランド王（在位829〜839年）。

イングランド、ケント王国の国王エルムンドの子として生まれる。ウェセックス王家にも血縁関係があり、ウェセックス王国の王位をめぐる内紛でフランク王国に亡命、少年時代はカール大帝の宮廷ですごした。帰国後、ウェセックス王国の王をつぐ。当時のイングランドは七王国が分立していたが、エグバートは七王国のマーシア王国やノーサンブリア王国を制圧し、またデーン人との戦いで先頭に立っていたことでほかの国王から信任を得、はじめてイングランドの王とみとめられ、イングランド王国の統一が実現した。アルフレッド大王はエグバートの孫にあたる。

学 世界の主な王朝と王・皇帝

えざきぜんざえもん　　　郷土

● 江崎善左衛門　　　1593〜1675年

愛知県の入鹿池を開発した農民

▲入鹿池
（入鹿用水土地改良区）

戦国時代〜江戸時代前期の農民、治水家。

尾張国小牧村（現在の愛知県小牧市）に生まれた。上末村（小牧市）の落合新八郎、鈴木久兵衛らとともに、水の便が悪く、荒れ地になっていた小牧・春日井台地の開発を計画した。

1632年、尾張藩（愛知県）藩主徳川義直の許可を得て、三方を山にかこまれた入鹿村の一方に堤防を築いて、ため池にする工事をはじめ、翌1633年、入鹿池を築造した。入鹿池の完成により、新田開発がさかんにおこなわれるようになり、苗字帯刀（名字を名のり刀をさすこと）をゆるされた。

やがて、入鹿池の水だけでは足りなくなったため、1648年に

木津村（愛知県犬山市）で木曽川から取水する木津用水（合瀬川）を、さらに1664年には、木津用水を分水して新木津用水をつくった。入鹿池は、香川県の満濃池に次ぐ大きなため池で、現在も小牧市、犬山市、扶桑町、大口町の水田をうるおしている。

えさきれおな　[学問]

● 江崎玲於奈　1925年～

エサキダイオードを発明した物理学者

（茨城県科学技術振興財団）

物理学者。
大阪府生まれ。1947（昭和22）年、東京帝国大学（現在の東京大学）理学部を卒業。企業での量子力学の活用をめざして川西機械製作所（現在の富士通テン）に入社。1956年、東京通信工業（ソニー）へ移籍、半導体研究室の主任研究員となり、PN接合ダイオード（P型半導体とN型半導体を接合した半導体結晶）の研究にたずさわる。研究中にトンネル効果（量子力学で、粒子がエネルギーの壁を通りぬけること）をはじめて実証、エサキダイオード（トンネルダイオード）の発明につながった。1960年、アメリカ合衆国のIBMワトソン研究所に移り、人工超格子の作成、共鳴トンネル効果の観測に成功するなどの業績をあげる。1973年、「半導体におけるトンネル現象の実験的発見」により、ノーベル物理学賞を受賞した。1992（平成4）年、筑波大学学長となり、32年ぶりに帰国。茨城県科学技術振興財団理事長、横浜薬科大学学長などをつとめる。教育改革にも積極的にとりくむ。

[学] ノーベル賞受賞者一覧　[学] 文化勲章受章者一覧

えじ　[宗教]

● 慧慈　?～623年

聖徳太子の師匠となった渡来僧

飛鳥時代に渡来した、高句麗の僧。
595年に倭（日本）に渡来し、聖徳太子の師となり、仏教や政治の考え方に大きな影響をあたえた。596年、蘇我馬子が法興寺（現在の飛鳥寺）（奈良県明日香村）を建立すると、朝鮮半島の百済から渡来した僧、慧聡とともに寺に住み、仏教を指導した。615年、聖徳太子の著した経典『三経義疏』をたずさえて高句麗に帰国した。622年、聖徳太子が亡くなったことを知るとたいへん悲しみ、自分も翌年の聖徳太子の命日に浄土にいる太子に会うと誓い、そのことばどおりに亡くなったといわれている。

エジソン, トーマス・アルバ

→153ページ

えじりきたえもん　[郷土]

● 江尻喜多右衛門　?～1739年

延岡に岩熊井堰を築いた武士

江戸時代前期の武士。
三河国吉田藩（現在の愛知県豊橋市）の藩士の子として生まれた。日向国延岡藩（宮崎県宮崎市）に国替になった藩主牧野氏にしたがい延岡に移り、郡奉行（地方の行政を担当した役職）をつとめた。1724年、すぐれた土木技術を家老（藩主を補佐して政治をおこなう役職）の藤江監物からみこまれて、出北村（宮崎県延岡市）に用水をひく工事の責任者になった。五ケ瀬川の上流に200m以上の堰（岩熊井堰）を築いて水をせき止め、約10kmの用水をひく、予想以上の難工事だった。亡くなった監物のこころざしを受けつぎ、喜多右衛門は工事を指揮した。1734年、岩熊井堰と出北用水が完成し、水田がひらかれ、延岡藩の石高は300石以上増加した。

えしんそうず

恵心僧都 → 源信

エストラーダ, ジョセフ　[政治]

● ジョセフ・エストラーダ　1937年～

映画俳優出身のフィリピン大統領

フィリピンの政治家。第13代大統領（在任1998～2001年）。
マニラ生まれ。アテネオ・デ・マニラ大学中退後、20代で映画俳優の道に進む。フィリピンの主要言語のタガログ語で「相棒」を意味する「パレ（pare）」をさかさまにした「エラップ（Erap）」の愛称で親しまれ、100本以上のアクション映画に出演、大スターとなる。その後、政治家に転身し、1969年から1986年までマニラ首都圏のサンフアン区長をつとめ、1987年上院議員に当選。1992年、副大統領に就任、凶悪犯罪撲滅にとりくみ、国民から高い支持を得た。
1998年、大統領選挙に出馬し、候補が乱立する中で当選をはたす。俳優時代に演じることが多かった貧しい人々を助けるヒーロー役のイメージを生かし、「貧困層のためのエラップ」のスローガンをかかげ、貧困層から絶大な支持を得た。しかし、経済政策や外交面での能力を疑問視する声もあり、2000年には汚職や横領の疑惑が浮上、裁判にかけられ、翌年、辞任した。

エジソン, トーマス・アルバ　　産業　発明・発見　1847～1931年

トーマス・アルバ・エジソン

アメリカの発明王

■ 小学校は3か月で退学

アメリカ合衆国の発明家、電気技術者。

東部のオハイオ州ミラン生まれ。父は製材業をいとなんでいた。7歳のとき、北東部のミシガン州ポートヒューロンに移り、翌年、その地の小学校に入学するが、型にはまった学校の授業が合わず、3か月でやめてしまった。その後は元教師だった母が勉強を教えた。とくに科学に関

▲トーマス・アルバ・エジソン 「エジソン効果」を発見したときの電球をもつ。

心をもち、自宅の地下室に実験室をもうけて、電気や化学の実験や工作に没頭した。12歳のとき、鉄道の新聞の売り子になり、列車内で実験をして火災をおこしたこともあった。

■ 22歳ではじめての特許を取得

1862年、電信技術を学び、電信技師となって各地をまわり、電信機の改良や発明に熱中した。1869年、議会での投票結果を電信で記録する自動投票記録機を発明し、はじめての特許を得た。翌1870年、ニューヨークのウォール街の株式相場表示機を改良して4万ドルを手にした。これを元手に、アメリカ東部のニュージャージー州ニューアークに発明工場を建て、印字電信機（タイプライター）や多重電信機など電信関連装置の発明や改良に専念した。

■ 蓄音機や白熱電球の発明で有名に

1876年、ニューヨーク郊外のメンロパークに研究所を設置し、連日、わずかな睡眠だけで、ひたすら発明にとりくんだ。まず、ベルが発明した電話機を改良して独自の炭素粒による送話器を考案し、特許を得た。つづいて音を記録し再生する蓄音機を開発。「世界初の話す機械」と評判になり、エジソンは「メンロパークの魔術師」とよばれた。

▲市販された蓄音機

1879年、炭素フィラメントを採用した白熱電球を発明。フィラメントの材料には日本の京都・石清水八幡宮周辺のタケが最適であることがわかり、そのタケをつかった。さらに1882年、ロンドンとニューヨークに火力発電所を設立。直流電流による送電を開始し、世界初の電力事業をおこした。さらに電球のソケット、コンセント、安全ヒューズ、電力計、送電網などを整備し、ガス照明にかわって、家庭に電灯がともるようになった。エジソンが設立したこれらの電気事業関連の巨大企業群は、世界的な総合電気メーカー、ゼネラル・エレクトリック（GE）の前身となった。

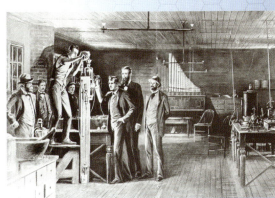
▲白熱電球の点灯に成功したエジソン　1879年、メンロパークの研究所で。

エジソンは、電球の実験中に、加熱された電極とフィラメントの間に真空を通して電流が流れることを発見した。これは「エジソン効果」とよばれ、のちの真空管に応用された。

■ 生涯にとった特許は約1100件

1887年、ニュージャージー州ウェストオレンジに研究所を設立し、鉱山事業やセメント工業など、多様な分野の研究開発にあたった。エジソン電池（アルカリ蓄電池）をつかった電気自動車や、映画の撮影機、映写機の開発もなされた。第一次世界大戦後はゴムの国内生産を試みるなど、生涯にとった特許は約1100件にのぼった。「天才とは99％の汗と1％のひらめきだ」という有名なことばをのこして、1931年、84歳で亡くなった。

学 日本と世界の名言

▲アルカリ蓄電池で走る電気自動車

エジソンの一生

年	年齢	主なできごと
1847	0	2月11日、オハイオ州に生まれる。
1859	12	鉄道の新聞売り子となる。
1869	22	自動投票記録機を発明し、初の特許を得る。
1870	23	株式相場表示機を発明。
1871	24	印字電信機（タイプライター）を発明。
1876	29	メンロパークに研究所を設置。
1877	30	蓄音機を発明。
1879	32	炭素フィラメントの白熱電球を発明。
1882	35	ロンドンとニューヨークに発電所を設立。
1891	44	映画の撮影機、映写機を発明。
1931	84	10月18日、亡くなる。

※年齢は満年齢であらわしている

エセン・ハン

王族・皇族

エセン・ハン　　　　　　　　　　　　　？〜1454年

ハンとなったオイラトの族長

モンゴル、オイラトの族長（在位 1439?〜1454 年）、モンゴル帝国の第 29 代皇帝（在位 1453〜1454 年）。

父はモンゴルの有力部族オイラトの族長トゴンで、モンゴル高原の大半を支配していた。父の死後、後継者として実権をにぎり、東西諸国を制圧して、チンギス・ハン時代のモンゴル帝国をほぼ再現した。中国の明と朝貢の問題で衝突し、1449 年、明軍をやぶって皇帝の正統帝を捕虜とした（土木の変）。モンゴルではチンギス・ハンの子孫しかハン（王）となれなかったため、トクトア・ブハを名目上のハンに立てていたが、1451 年にトクトアを殺害。1453 年にチンギス・ハンの子孫ではないモンゴル貴族としてはじめてハンとなった。しかし翌年、部下の反乱で殺され、その後オイラトは、モンゴルを支配できずに分裂した。

えだごんべえ

郷土

枝権兵衛　　　　　　　　　　　　　1809〜1880年

手取川七ヶ用水をひらいた村役人

（手取川七ヶ用水土地改良区）

江戸時代後期〜明治時代の農民、治水家。

加賀国坂尻村（現在の石川県白山市）に生まれた。1854 年、46 歳で肝煎（村の長）になった。

坂尻村では、手取川の水をとり入れた富樫用水を利用していたが、毎年のように洪水や日照りによる水不足がおきて、村人を苦しめた。権兵衛は、従来の取水口の上流から水をとり入れ、岩をくりぬいて、約 300m のトンネルをほり、さらに約 700m の用水を築いて、富樫用水につなぐ計画を立てた。

1865 年、越中国（富山県）の石工をやとい、工事に着手した。しかし、岩がかたく、工事がはかどらなかったため、村人たちが反対し、石工たちも賃金の値上げを求めた。権兵衛は家や田畑を売って費用をつくり、工事をつづけ、1869（明治 2）年に手取川用水が完成し、村々の水田がうるおった。

エッシャー，マウリッツ

絵画

マウリッツ・エッシャー　　　　　　1898〜1972年

独特のだまし絵で知られる版画家

オランダの版画家。

北部の町レーワルデンで、土木技師の父のもとに生まれる。1919 年、ハールレムの美術学校に入り、建築とグラフィックデザインを学ぶ。卒業後は 1935 年までイタリアのローマで 11 年間くらした。その後、スイス、スペインと移り住み、1941 年にはオランダにもどって晩年まですごした。

スペイン滞在中にアルハンブラ宮殿やモスクのモザイクに刺激を受け、作品にとり入れた。木版画、リトグラフ（石版画）、エッチング（銅版画）に、幾何学的だが現実にはありえない図形をあらわし、独特の世界をつくりだした。絵画の遠近法の矛盾と効果を最大に生かし、のぼりつづける階段『上りと下り』や永遠に流れが止まらない『滝』、魚の大群になる鳥の群れ『空と水』などを発表した。作品はだまし絵ともよばれ、数学者や地質学者からも注目された。1950 年ごろからみとめられ、1968 年ハーグ市立美術館の回顧展をきっかけに国際的に有名になった。

▲『写像球体を持つ手』に写るエッシャーの自画像

エッツ，マリー

絵本・児童

マリー・エッツ　　　　　　　　　　1895〜1984年

安らぎに満ちた世界を絵本に

アメリカ合衆国の絵本作家。

ウィスコンシン州生まれ。ニューヨークで美術を学ぶ。最初の夫と死別したのち、社会学を学んで社会福祉活動に従事し、さらに児童心理学を学んで、絵本作家をめざした。1935 年に最初の絵本を出版。1944 年の『もりのなか』をはじめ、『海のおばけオーリー』『またもりへ』といった代表作を生みだした。

初期の作品は、黒一色のしなやかなタッチでえがかれている。おばけにまちがえられたアザラシの子の物語『海のおばけオーリー』は、漫画のようなこま割りの手法が効果的に用いられている。1955 年の『わたしとあそんで』からは、あたたかみのある淡い色をつかい、こども時代をしのばせる、安らぎに満ちた世界がくりひろげられている。メキシコのクリスマスをえがいた『クリスマスまであと九日　セシのポサダの日』で、1960 年のコルデコット賞（アメリカで、その年のもっともすぐれた絵本に贈られる）を受賞した。

エッフェル，ギュスターブ

建築

ギュスターブ・エッフェル　　　　　1832〜1923年

エッフェル塔をつくった技術者

フランスの構造技術者。

ブルゴーニュ地方に生まれ、18 歳からパリ中央工芸学校で学ぶ。卒業後は化学技師の職をさがしたがみつからず、製鉄工場に就職し、ボルドー橋の建設などにたずさわる。

1867 年に独立して、エッフェル社を設立すると、世界各地から鉄骨をつかった橋や駅などの設計を依頼された。1889 年のパリ万国博覧会では、フランス革命 100 周年記念としてエッフェル

塔を建てた。石造の建物がならぶ街に鉄骨の塔はにあわないと批判されたが、やがてパリのシンボルになり、1991年に世界遺産に登録された。そのほか、パナマ運河の水門や、ニューヨークの自由の女神の骨組みの設計などもてがけた。

鉄骨構造の研究にも熱心で、細い部材を網のように組み上げてつくる、軽くてじょうぶな鉄骨トラス構造を開発した。おかげでより高く大きな建造物をつくれるようになり、鉄骨構造技術のパイオニアとしての評価は、いまなお高い。

エディソン, トーマス・アルバ

エディソン, トーマス・アルバ → エジソン, トーマス・アルバ

えとうじゅん　　〔文学〕

● 江藤淳　　1932〜1999年

戦後の日本を代表する文芸評論家

昭和時代〜平成時代の文芸評論家、作家。

東京生まれ。本名は江頭淳夫。慶應義塾大学英文科卒業。在学中に評論『夏目漱石』を発表して評論家としてデビュー。つづいて発表した『奴隷の思想を排す』で、吉本隆明ら多くの文学者に影響をあたえた。1961（昭和36）年、批評家のありかたから近代人の孤独をえがいた評伝『小林秀雄』で、新潮社文学賞を受賞。1970年の『漱石とその時代』で、第二次世界大戦後の日本を代表する文芸評論家としての地位をかためた。東京工業大学、慶應義塾大学教授などを歴任。1999（平成11）年、雑誌『文藝春秋』に、がんで亡くなった妻との闘病生活をしるした『妻と私』を発表。約3か月後に病気を苦に自殺した。代表作に評論『成熟と喪失』、小説『海は甦える』などがある。

えとうしんぺい　　〔幕末〕

● 江藤新平　　1834〜1874年

近代的な司法制度を整備

幕末の佐賀藩士、明治時代の政治家。

肥前国（現在の佐賀県・長崎県）の生まれ。1848年、藩校の弘道館に学ぶ。ペリー来航後、攘夷論（外国勢力を追いはらうという考え）をとなえ、脱藩して京都に行き、尊王攘夷運動（天皇をうやまい外国勢力を追いはらうという運動）をおこなったが、よびもどされて蟄居（家の門をとじて一室に謹慎する刑罰）を命じられた。1867年、ゆるされると、郡目付（郡の監視をする役職）となる。

1868（明治元）年、明治新政府に登用され、翌年には佐

賀藩の藩政改革にたずさわる。1872年には政府の初代司法卿（司法省の長官）となって裁判所を設置し、近代的な司法制度を整備した。翌年、西郷隆盛、板垣退助らとともに征韓論（国交を拒否し鎖国政策をとっていた朝鮮に対し出兵するべきだという考え）を主張したが、岩倉具視、大久保利通らに反対され、政府を去った。1874年に板垣や後藤象二郎とともに愛国公党を結成。板垣が起草した「民撰議院設立建白書」に名をつらねた。また不平士族（新政府に反対する旧武士層）の指導者となって佐賀の乱をおこしたが、政府軍にやぶれてとらえられ、刑死した。

（国立国会図書館）

えとうとしや　　〔音楽〕〔教育〕

● 江藤俊哉　　1927〜2008年

バイオリン奏者の育成に尽力する

昭和時代〜平成時代のバイオリン奏者、音楽教育者。

東京生まれ。東京音楽学校（現在の東京藝術大学）卒業。4歳からバイオリンをはじめ、12歳のとき音楽コンクール（現在の日本音楽コンクール）で第1位となる。中学生のときには、新交響楽団（現在のNHK交響楽団）と共演して注目される。

1948（昭和23）年から、アメリカ合衆国のカーティス音楽院で学び、卒業後は演奏活動とともに、同校の教壇に立ち後進を指導。1961年に帰国、独奏者として国内外で活躍するとともに、桐朋学園大学で、多くの優秀なバイオリン奏者を育てた。バイオリンは表情豊かな音色が特徴で、演奏技術の向上に貢献し、日本のクラシック界をリードした。

えどがわらんぽ　　〔文学〕

● 江戸川乱歩　　1894〜1965年

日本の探偵小説の先がけ

▲江戸川乱歩

大正時代〜昭和時代の作家、評論家。

三重県生まれ。本名は平井太郎。早稲田大学政治経済学部卒業。筆名は、エドガー・アラン・ポーの名をもじって江戸川藍峯とし、のちに乱歩とあらためた。

大学卒業後、大阪の貿易会社に就職したものの、すぐにやめ、行商、造船所の事務員などいろいろな仕事につく。

1923（大正12）年、本格的な暗号解読をトリックにつかった『二銭銅貨』を発表、日本の探偵小説の出発点となった。主な作品に、短編『屋根裏の散歩者』『人間椅子』（1925年）、長編『陰獣』（1928年）などがある。また、『黄金仮面』（1930年）や少年雑誌に連載した『怪人二十面相』シリーズなどは大人気となり、おおぜいのこどものファンが生まれた。第二次世界大戦後は探偵・推理小説の発展と若い作家を育てるために活動し、1947（昭和22）年に探偵作家クラブ（現在の日本推理作家協会）の初代会長につく。1954年に、江戸川乱歩賞を創設、同賞は第3回から公募による新人賞となり、多くの作家を輩出した。1961年、紫綬褒章受章。

▲『怪人二十面相』表紙
（日本近代文学館）

えどやねこはち

江戸家猫八 　　　　　　　　　1921〜2001年　[伝統芸能]

動物の物まねで活躍した芸人

昭和時代の物まね師、俳優。東京生まれ。本名は岡田六郎。父は初代江戸家猫八。1941（昭和16）年に古川緑波一座に入団し、俳優となる。召集による軍役をへて、父の物まね芸をつぎ、1949年に3代目江戸家猫八を襲名した。ウグイスやコオロギなどの鳴きまねをして、動物物まね芸人として活躍する一方、数多くのテレビドラマや映画に出演した。なかでも1956年から三遊亭金馬、一龍斎貞鳳と出演したテレビ番組『お笑い三人組』は11年つづく長寿番組となった。そのほか『鬼平犯科帳』の彦十役など、俳優としても活躍した。

1979年、所属していた落語協会から、色物（落語以外の芸）でもトリ（最後に演じる人）をとることができる落語芸術協会に移籍した。1988年に紫綬褒章、1994（平成6）年には勲四等旭日小綬章を受章した。長男は4代目江戸家猫八、次女は江戸家まねき猫、3女は江戸家猫ハッピーである。

エドワードいっせい

エドワード1世 　　　　　　　1239〜1307年　[王族・皇族]

「模範議会」を召集したイングランド王

イングランド、プランタジネット朝の王（在位1272〜1307年）。イングランド王ヘンリー3世の長男。1265年、貴族による国政改革の争いにおいて、指導者のシモン・ド・モンフォールをやぶって、父王を助けて王室に権力をとりもどした。十字軍に遠征中の1272年に、父王が亡くなり即位。1276年からウェールズに、1285年からスコットランドへ侵攻して、はげしい抵抗運動をまねきながらも、支配下においた。また、フランスとも領地をめぐって対立し、のちの百年戦争へとつながった。内政面では、法律や行政の改革につとめ、羊毛や酒などの産業の発展にも力を入れた。1295年には軍事費の増加による課税に協力してもらうため、聖職者や有力貴族、都市や州の代表による議会を召集した。これは後世、「模範議会」とよばれ、イギリス議会政治の基礎となった。1301年に皇太子をプリンス・オブ・ウェールズとし、以後これがイギリス皇太子の称号となる。身長が2m近くあったといわれ、「長脛王（ロングシャンクス）」ともよばれる。

[学] 世界の主な王朝と王・皇帝

エドワードさんせい

エドワード3世 　　　　　　　1312〜1377年　[王族・皇族]

百年戦争をはじめたイングランド王

イングランド、プランタジネット朝の王（在位1327〜1377年）。

父はエドワード2世、祖父はエドワード1世。母はフランス王フィリップ4世の娘。母と家臣のモーティマーがクーデターをおこし、父王にかわって即位した。はじめ政治の実権は2人にあったが、1330年にモーティマーを処刑、母を追放して実権をとりもどした。1332年にはスコットランド軍に勝利。内政では国内の産業を充実させ、議会政治を発展させた。フランスでカペー朝が断絶し、バロア朝のフィリップ6世が即位すると、母の血統を根拠に、自分のフランス王位継承権を主張。1339年、フランスに侵入し、百年戦争がはじまる。しばらくは息子であるエドワード黒太子の活躍もあり、有利な戦いをつづけたが、しだいに財政の赤字や国内のペストの流行などにより、兵力は弱まって戦況は悪化。フランスによる巻き返しがおこなわれ、1375年に和議が成立し、前半期にうばいとった領土の大半を失った。晩年は侍女を溺愛して、政治や王室を混乱させた。

[学] 世界の主な王朝と王・皇帝

エドワードこくたいし 〔王族・皇族〕

エドワード黒太子　　1330〜1376年

百年戦争で活躍した騎士

イングランド、プランタジネット朝の王太子。

イングランド王エドワード3世の長男。黒いよろいを愛用したことから、「黒太子」とよばれたといわれている。フランスとの百年戦争に、16歳のとき、はじめて軍をひきいて参加。クレシーの戦いで勝利する。その後も主な戦闘に参加し、1356年のポワティエの戦いではフランス王ジャン2世を捕虜とする大勝で、1360年の講和に貢献した。1362年にはフランス南部のアキテーヌの統治者となる。騎士道精神にあふれた優秀な軍人だったが、統治者としては未熟だった。カスティリャ王国への出兵や、その戦費のための重税などが反発を受け、和平はくずれ、戦闘が再開された。戦況が悪くなるなかで病にかかり帰国、父王より先に亡くなった。

えのもときかく 〔詩・歌・俳句〕

榎本其角　　1661〜1707年

しゃれた作風で知られる芭蕉門下の俳諧師

（国立国会図書館）

江戸時代前期の俳人。本名は竹下源助。宝井其角ともいう。江戸（現在の東京）に医者の子として生まれ、儒学や医学を学んだ。10代なかばで俳人の松尾芭蕉に入門して、俳諧（こっけいみをおびた和歌や連歌、のちの俳句など）を学んだ。俳諧集『虚栗』を編集するなど、服部嵐雪とともに芭蕉門下の俳人として活躍した。1694年、大坂（阪）で芭蕉の最期に立ち会い、芭蕉を追悼する俳諧集『枯尾華』を出版した。芭蕉の死後は、洒落風とよばれる都会的でしゃれた俳諧を確立し多くの門人を得た。芭蕉のとくにすぐれた弟子10人を集めた蕉門十哲の一人。

えのもとけんいち 〔映画・演劇〕

榎本健一　　1904〜1970年

日本の喜劇王

昭和時代の喜劇俳優。

東京生まれ。1919（大正8）年、浅草オペラの俳優、柳田貞一の門下となり、浅草金竜館にて初舞台をふみ、1922年、根岸歌劇団のコーラス部員としてもデビュー。1929（昭和4）年、劇団カジノ・フォーリーを結成し、人気を得た。猿蟹合戦のサルを演じたとき、こぼれたご飯をサルの動きをまねてひろって食べる

アドリブがおおいに受けた。これが喜劇役者を志すきっかけになったといわれる。1932年、浅草松竹座で「エノケン一座」を旗揚げする。軽妙でスピーディーな動きと愛嬌ある表情で、演劇・映画で大活躍した。声帯模写などで人気のあった古川緑波と組んだアチャラカ芝居は、一世を風靡した。第二次世界大戦後はテレビにも出演し、喜劇人協会の初代会長に就任。突発性脱疽のため右足を切断したが、精巧な義足を得て復帰。しかけをして義足をつかった芸も試している。近代の芸能史を通じて、榎本ほど大衆に親しまれた者はなく、まさに日本の喜劇王といえる。死後、勲四等旭日小綬章を受けた。

えのもとたけあき 〔幕末〕

榎本武揚　　1836〜1908年

幕府でも明治新政府でも活躍した

幕末の幕臣、明治時代の政治家。

江戸（現在の東京）で幕臣榎本武規の次男として生まれ、1847年、昌平坂学問所（幕府直轄の教育機関）で朱子学を学び、1852年にアメリカ合衆国から帰国した中浜万次郎（ジョン万次郎）に西洋の学問を学んだ。

▲榎本武揚　　（国立国会図書館）

1854年、蝦夷地（北海道）の支配と防備をおこなう箱館奉行につかえ、樺太（サハリン）を探検した。1856年、長崎の海軍伝習所（幕府が設立した海軍の教育機関）で勝海舟やオランダ海軍のカッテンディーケに航海術などを学んだ。

1858年、江戸にもどり築地軍艦操練所教授となる。1862年、幕府がオランダに注文した軍艦開陽丸の建造を視察するためオランダに留学し、造船術、航海術、砲術、国際法などを学んだ。1866年、完成した開陽丸とともにオランダから帰国した。

1868年1月、戊辰戦争がおこり、幕府軍が鳥羽伏見の戦いで新政府軍にやぶれると、幕府の艦隊をひきいて江戸にもどった。4月、幕府が新政府軍に江戸城を明けわたすと、海軍副総裁の榎本は幕府軍艦のひきわたしをこばみ、開陽丸ほか7隻の軍艦をひきいて北海道へと脱走した。

箱館(函館市)の五稜郭に立てこもり、蝦夷島政府をつくって総裁となり、政府軍と戦った。1869(明治2)年5月、戦いにやぶれて降伏し、戊辰戦争は終わった。榎本は政府軍の参謀(司令官)黒田清隆のとりなしで死罪をまぬかれ、江戸の監獄に入った。

1872年、特赦(刑の執行を免除すること)を受け、北海道開拓使を命じられ、北海道各地を調査し開拓に力をつくした。

1874年、外交能力を買われて海軍中将兼ロシア公使(外交使節で大使に次ぐ地位)となり、1875年、特命全権公使としてロシアと樺太・千島交換条約(樺太をロシアの領土とし千島列島を日本の領土とする条約)をむすんだ。

1880年、海軍卿(海軍大臣)、次いで中国の清の公使となり、1885年、天津条約(朝鮮半島から清と日本が撤兵するなど清とのあいだにむすばれた条約)の締結につくした。その後、逓信大臣(現在の総務大臣)、1889年、文部大臣、1890年、枢密顧問官(天皇に属する機関で重要な国事を審議する枢密院を構成した人)を歴任し、1891年、第1次松方正義内閣の外務大臣となるなど明治新政府に貢献した。

▲現在の五稜郭

えばらそろく

江原素六　1842〜1922年　郷土

沼津の発展につくした人

江戸時代の武士。明治時代の教育者。

幕府の家臣の子として江戸(東京)に生まれた。幕府政治が終わった1868(明治元)年、徳川慶喜が江戸から駿府(静岡市)に移ると、多くの家臣とともに沼津に移住した。その後、1876年静岡で最初の中学校、沼津中学校を、1901年、駿東高等女学校(現在の沼津西高等学校)を設立し、沼津の教育に力をつくした。

また、幕府の元家臣たちの仕事を考え、富士山南東の愛鷹山に牧場をひらき、ヒツジやウシを飼って、牛乳やチーズなどを生産した。チャの栽培もして、外国に輸出した。1874年、愛鷹山が国有地にされると反対運動の中心になり、愛鷹山の土地を地元にとりもどした。

エバンス,ビル

ビル・エバンス　1929〜1980年　音楽

史上最高のジャズ・ピアニストの一人

アメリカ合衆国のジャズ・ピアニスト。

ニュージャージー州生まれ。本名はウイリアム。6歳でピアノをはじめ、10代でストラビンスキーの音楽やジャズに出会う。ルイジアナの大学ではクラシックピアノを学んだ。兵役を終えたのち、ニューヨークで作曲を学びながら演奏活動をはじめ、1956年のアルバム『ニュー・ジャズ・コンセプションズ』でレコードデビュー。1959年に自身のピアノ・トリオを結成、『ポートレイト・イン・ジャズ』や『ワルツ・フォー・デビー』などのアルバムで、人気となる。

優美で叙情的なピアノタッチ、斬新なハーモニーと冒険的なアンサンブル(合奏)が人気で、ソロ演奏でも数多くの名演をのこす。歴代最高のジャズ・ピアニストの一人と評価される。

エバンズ,アーサー

アーサー・エバンズ　1851〜1941年　学問

クノッソスの王宮遺跡を発掘した

イギリスの考古学者。

父は成功した事業家で、高名な考古学者でもあった。オックスフォード大学とゲッティンゲン大学で学び、1884年、オックスフォード大学のアシュモレアン博物館学芸員(現在の館長にあたる職)に就任した。1900年、ギリシャのクレタ島でクノッソスの王宮遺跡の発掘に成功。色あざやかな壁画や装飾品、さらにクレタ文字(線文字Aと線文字B)がきざまれた粘土版を発見した。線文字Bは、のちにベントリスによって解読されている。さらに王宮の復元修復をおこなった。1911年にこの功績をたたえられ、ナイトの称号をあたえられた。

エバンズはこの文明を、ギリシャ神話に登場するミノス王にちなんでミノア文明と名づけた。この発見と、シュリーマンのミケーネ文明の発見は、それまで伝説と思われていたギリシャ文明以前のエーゲ海で栄えた文明の実在を証明することになった。その業績は大きいが、王宮を大胆に復元しすぎて遺跡をそこなったという点も指摘されている。

エピクテトス

エピクテトス　55?〜135?年　古代　思想・哲学

古代ストア学派の哲学を伝える『語録』をのこした哲学者

ローマ帝国時代のストア派哲学者。

小アジアのフリギア(現在のトルコ)に奴隷として生まれた。ロー

マ帝国皇帝ネロの重臣に買われたが、向学心があったため、ストア哲学者のムソニウス・ルフスに学ぶことをゆるされた。のちに奴隷から解放され、ローマで哲学を講じていたが、86年、ドミティアヌス帝による哲学者追放令によってギリシャのニコポリスに移り、学校をひらいた。著作はのこさなかったが、弟子のアリアノスが書きのこしたものが『語録』として広まっている。『語録』から要点をまとめた『提要』も残存する。理性による不動心の獲得などを説き、同じストア派の皇帝マルクス・アウレリウス・アントニヌスやキリスト教の教父たちに影響をあたえた。

エピクロス 古代 思想・哲学

エピクロス　紀元前341?～紀元前270?年

原子論と快楽主義で知られる古代ギリシャの哲学者

古代ギリシャの哲学者。

サモス島生まれ。紀元前307年ごろ、アテネ郊外に学園をひらいて弟子たちとともに生活した。学園は女性や奴隷などにも開放され「エピクロスの園」とよばれた。また、その学徒はエピクロス学派とよばれるようになる。著作は散逸したが、3通の手紙と『主要教説』、そのほか断片がわずかにのこる。デモクリトスの原子論と倫理思想を継承、それにもとづく哲学論や快楽説をとなえた。人生の目的は精神的快楽にあるとし、死の恐怖や、神々の処罰といった迷信を克服して心の平安を求めた。「われにパンと水さえあれば、神と幸福をきそうことができる」ということばをのこしている。なお、ここでいう快楽とは、かって気ままな生活を意味するものではない。

えびなだんじょう 宗教

海老名弾正　1856～1937年

「自由主義神学」をとなえたキリスト教の伝道者

（同志社大学）

明治時代～大正時代の宗教家、教育者。

筑後国柳川（現在の福岡県柳川市）の柳川藩士の家に生まれる。幼名は喜三郎。熊本洋学校で学び、ジェーンズから洗礼を受けたプロテスタント派の「熊本バンド」の一人として、キリスト教に入信。その後、同志社英学校（現在の同志社大学）で新島襄に学び、1879（明治12）年の卒業後、キリスト教伝道に力をつくす。群馬県の安中教会を設立、その後、東京の本郷で伝道をおこない、多くの若者に影響をあたえた。

1890年から日本基督教伝道会社長に就任。1900年、雑誌『新人』『新女界』を発行する。その自由主義的な神学は、聖書を信仰の中心とする福音主義の植村正久と、信仰の理解をめぐって「福音主義論争」をひきおこした。海老名の思想は、の

ちに日露戦争を支持するなど国家主義的な考えへとつながり、「神道的キリスト教」ともよばれた。1920（大正9）年より8年間、同志社大学総長をつとめた。著書に『基督教十講』『帝国之新生命』などがある。

エベール，ジャック＝ルネ 政治

ジャック＝ルネ・エベール　1757～1794年

サンキュロットの指導者

フランス革命期の政治家、ジャーナリスト。

北西部の都市アランソンの宝石商の子として生まれる。1780年ころパリに出て、フランス革命がはじまると、1790年、『デュシェーヌおやじ』という新聞を発刊。大衆の声を代弁し、富裕層を非難する内容で大人気となった。1792年、パリの民衆とともに、国王一家がこもるテュイルリー宮殿をおそい、王権の停止に活躍した。1793年、穏健共和派のジロンド派を追放し、急進的な山岳派（ジャコバン派）の独裁をささえた。サンキュロット（小売商人や職人からなる都市の民衆層）の指導者として、キリスト教否定運動など急進的な改革を進めて、ロベスピエールの一派と対立。1794年、革命政府への反乱をくわだてたとして逮捕され、処刑された。

えましょうこ 詩・歌・俳句 音楽

江間章子　1913～2005年

『夏の思い出』を作詞する

昭和時代～平成時代の作詞家、詩人。

新潟県生まれ、岩手県、静岡県で育つ。駿河台女学院（のちの東京YWCA専門学校）卒業。

学生時代に詩人を志し、上京後詩の雑誌『椎の木』に加わる。1936（昭和11）年、はじめての詩集『春への招待』を発表。第二次世界大戦後は『現代詩』『日本未来派』に参加する。

平和を花に見たてた『花の街』（1947年発表、團伊玖磨作曲）と、尾瀬の思い出を歌った『夏の思い出』（1949年発表、中田喜直作曲）という、ラジオ番組のためにつくった2つの歌で作詞家としてみとめられる。日本語の美しさを生かした唱歌や数多くの校歌の作詞でも知られる。詩集『イラク紀行』、著書『詩へのいざない』などがある。

えみおしかつ

恵美押勝 → 藤原仲麻呂

エラスムス，デシデリウス 宗教 学問

デシデリウス・エラスムス　1469?～1536年

ルネサンスを代表する人文学者

オランダの人文学者。

ロッテルダムで、司祭の子に生まれる。1488年、聖アウグスティヌス修道会の修道院に入る。フランスのカンブレーで司教の秘

書となり、その援助と家庭教師で学資を得ながら、1495年、パリ大学に留学し、神学を学んだ。1499年にイングランドにわたり、政治家のトマス・モアや人文学者のジョン・コレットらと親交をむすんだ。その後、ヨーロッパ各地を転々としながら学問を進め、イギリス滞在中に『愚神礼賛』を著し、1511年に刊行。無意味な論議に時間をついやす哲学者や神学者、堕落した生活を送るカトリックの僧侶や貴族たちをきびしく批判した。宗教改革に

も大きな影響をあたえ、ルターにもはじめは同情的であったが、のちに対立し、論争をくり広げた。神学関係の古典の校訂・出版など、文芸復興の功績も大きい。カトリック教会の諸問題を批判しながらも、その教えからはなれることはなく、1521年からはスイスのバーゼルに住み、死後はカトリック教会に埋葬された。

エラトステネス　古代 学問

エラトステネス　紀元前275～紀元前194年

地球の大きさをはじめて論理的に計算した学者

古代ギリシャの天文学者、地理学者。

古代ギリシャの植民市だったキュレネ（現在のリビア）生まれ。アレクサンドリア（エジプト）で学び、アレクサンドリア図書館の館長をつとめた。紀元前255年ごろに天球儀を作成。これが記録にのこっている最古の天球儀である。紀元前240年ごろには、夏至の正午の太陽高度が各地でことなることから、地球が平面ではなく、球形であると考え、地球の円周を論理的に算出して、約4万5000kmと推測した（実際は約4万km）。数学の分野でも才能を発揮し、素数判定法である「エラトステネスのふるい」を発明。数学的地理学の創始者として知られ、「第2のプラトン」とよばれる大きな業績を後世にのこした。

エリオット，トーマス・スターンズ　詩・歌・俳句 映画・演劇

トーマス・スターンズ・エリオット　1888～1965年

20世紀最大の詩人

イギリスの詩人、劇作家、評論家。

T・S・エリオットとして知られる。アメリカ合衆国のミズーリ州セントルイス生まれ。1927年にイギリスに帰化。生家は17世紀にイギリスから移住した旧家。こどものころから詩が好きで、ハーバード大学時代には大学の文芸誌に詩を書いた。卒業後、ヨーロッパの大学に留学し、第一次世界大戦中は、イギリスのオックスフォード大学で勉強をつづける。1915年、イギリス人女性と結婚。ロンドンで銀行につとめながら、雑誌に詩や評論を書きはじめた。

1917年、はじめての詩集『プルーフロックとその他の観察』が脚光をあびる。1922年の長編詩『荒地』で、現代の人々の心の荒廃をえがいて、若い世代の熱狂的な共感をよぶ。その後も、幅広く活躍し、1948年、ノーベル文学賞を受賞。

心の内をこまやかに表現し、20世紀最大の詩人といわれる。親しみやすい詩も多く、『ポッサムおじさんの実用猫百科』を原作とするミュージカル『キャッツ』は世界各国で上演されている。

学 ノーベル賞受賞者一覧

エリザベスいっせい　王族・皇族

エリザベス1世　1533～1603年

イギリス黄金時代の女王

▲エリザベス1世

イングランド王国、テューダー朝の第5代女王（在位1558～1603年）。

国王ヘンリー8世と2番目のきさきのアン・ブーリンの子として生まれる。2歳のとき母が処刑され、王位継承権をなくした。幼いときから聡明で、古典や歴史、外国語などを学び、イタリア語やフランス語などを自由に話せた。

1553年、ヘンリー8世のあとをついだエドワード6世が亡くなり、異母姉のメアリ1世が即位すると、メアリとスペイン国王フェリペ2世の結婚に反対するワイアットの乱に加わったとして、いちじ、ロンドン塔にとじこめられた。その5年後の1558年にメアリが亡くなると、エリザベスが国民にむかえられ、25歳で王位についた。

即位するとすぐに、カトリック（旧教）に復帰した前王メアリ1世の政策をあらためて、国の宗教をイギリス国教会に統一した。また、財政家グレシャムの提案により、質の悪い銀貨を改鋳してお金の価値をとりもどさせた。さらに毛織物をはじめ産業の育成をはかり、救貧法を定めて貧しい人が仕事につけるようにするなど、経済や社会の安定につくした。

対外的には平和外交をとなえたが、スペインからの独立戦争をおこしたオランダを助け、冒険航海者のドレークらに特許状をあたえて外国船（主にスペイン船）の荷物をうばうことを奨励した。また、カトリック国のスペインと組んだ国内のカトリック派がエリザベスの暗殺をはかると、1587年、それに加わったスコットランドの前女王メアリ・スチュアートを死刑にした。これがもとで、スペ

インが世界最強を誇る無敵艦隊（アルマダ）130隻をそろえて攻めてきたが、1588年、これをドーバー海峡でやぶり、国際的地位を高めた。

また1584年、北アメリカにバージニア植民地をひらき、アメリカ大陸へ進出する基地をつくった。1600年には東インド会社を創設し、インドや東南アジアへの進出を可能にした。文化面でもシェークスピアの演劇をはじめ、文学史上最盛期をむかえ、イギリスのルネサンスが開花した。こうして「エリザベス時代」とよばれる、絶対王政の絶頂期を築いた。

王位にあった45年間「わたしは国家と結婚した」といい、ずっと独身を通して、国が安定するよう政治と宗教のかじをとった。あとつぎをもうけなかったため、1603年に70歳で亡くなるとチューダー朝は絶えた。その後、メアリ・スチュアートの子でスコットランド王ジェームズ6世がジェームズ1世として即位し、スチュアート朝がひらかれた。

▲エリザベス1世がとじこめられたこともあるロンドン塔

学 世界の主な王朝と王・皇帝

エリザベスにせい　王族・皇族

エリザベス2世　1926年〜

国民から広くしたわれるイギリス女王

イギリス女王（在位1952年〜）。

ロンドン生まれ。フルネームはエリザベス・アレクサンドラ・マリー。父はジョージ6世、母はエリザベス皇太后。1936年、父が国王に即位したことで王位継承者となる。1947年にエディンバラ公フィリップと結婚、1952年、父の死により国王となった。イギリス連邦の元首でもあり、国家元首として、国会の召集・解散をおこない、司法の最高責任者、全軍の司令官という役割をあわせもつ。対外的には、1975（昭和50）年の日本への訪問をふくめ、世界各地をおとずれるなどの外交活動もさかんにおこなう。長男チャールズ皇太子のダイアナ妃（1997年に事故死）との離婚など、王室メンバーのスキャンダルが世間をさわがせた際には、王室の権威の立て直しにつとめた。女王自身はイギリス国民から広くしたわれ、2007年にイギリス史上最高齢の君主となった。チャールズのほか、長女アン、次男アンドリュー、3男エドワードと、4人のこどもがいる。

学 世界の主な王朝と王・皇帝

エリツィン, ボリス　政治

ボリス・エリツィン　1931〜2007年

ロシア連邦の初代大統領

ロシア連邦の政治家。初代大統領（在任1991〜1999年）。

中部のスベルドロフスク州生まれ。ウラル工科大学卒業後、1961年にソビエト連邦（ソ連）共産党に入党。1986年、共産党中央委員会政治局員候補に就任し、共産党書記長のゴルバチョフがおし進める政治や経済の改革であるペレストロイカ政策のもとで、改革派として活躍。翌年に保守派と対立して党幹部を辞任するが、政界復帰し、1990年、ロシア最高会議議長に就任。1991年、国民投票によりロシア共和国大統領となると、8月にペレストロイカ反対派によるクーデター（ソ連8月クーデター）を阻止、独立国家共同体の創設をうながし、ソ連を解体にみちびいた。その後、ひきつづきロシア連邦初代大統領として経済改革や新憲法の制定などで手腕をふるった。1993（平成5）年に初来日し、細川護熙首相と会談。歯舞群島、色丹島の2島返還を約束した日ソ共同宣言を守ることを表明し、日本人のシベリア抑留についても正式に謝罪した。1996年の大統領選で再選されたが、持病の心臓疾患が悪化し、1999年末に辞任し、政界を引退した。76歳で死去。

学 主な国・地域の大統領・首相一覧

エリントン, エドワード・ケネディ　音楽

エドワード・ケネディ・エリントン　1899〜1974年

ハーレム文化を体現したジャズ界の巨匠

アメリカ合衆国のジャズ・ピアニスト、作曲家、バンドリーダー。

首都ワシントンの生まれ。通称デューク・エリントンの「デューク」は、「公爵」の意味。比較的安定した家庭に育ち、7歳でピアノを習いはじめる。ジャズの即興演奏に興味をもち、15歳で最初の作品『ソーダ・ファウンテン・ラグ』を発表する。その後、楽団を結成してニューヨークに進出し、1927年には有名なナイトクラブ「コットンクラブ」に出演、一躍脚光をあびる。

『スイングしなけりゃ意味ないね』『サテン・ドール』『ムード・インディゴ』『A列車で行こう』など3000曲以上をのこす。

エルガー, エドワード　音楽

エドワード・エルガー　1857〜1934年

イギリス音楽の復興に尽力

イギリスの作曲家。

イングランド生まれ。楽器商の家に育ち、幼少からピアノを地

元の教師に習い、作曲は独学で身につけた。16歳のころから、事務員、指揮者、音楽教師としてはたらきながら作曲をおこなう。1899年、『エニグマ（謎）変奏曲』の初演で成功する。

その後、5曲からなる行進曲『威風堂々』を発表した。この曲の第1番は、エドワード7世の戴冠式で演奏され、イギリスの第2の国歌として親しまれている。

作風は、親しみやすいメロディーと、たくみな表現で人間の感情を気高く歌い上げるのが特徴。協奏曲や合唱曲を多数発表し、イギリスを代表する作曲家となるが、妻、アリスの死から創作活動がおとろえる。妻への贈り物として作曲した『愛のあいさつ』も人気が高い。

エル・グレコ 〈絵画〉
エル・グレコ　　　　　　　1541〜1614年

宗教画や肖像画を多くえがいた画家

スペインの画家。

ギリシャのクレタ島に生まれる。本名はドメニコス・テオトコプロス。エル・グレコは通称で、イタリア語でギリシャ人という意味である。はじめはクレタ島でビザンチン美術を学ぶ。のちにイタリアへわたり、ベネツィアとローマで画家としての修業を積む。当時の画家ティツィアーノや彫刻家ミケランジェロから大きな影響を受けた。1576年、スペインのトレドに移り、作品制作に専念した。

画風は、細長く変形した人体の大胆な組み合わせと、光のコントラストを強調した配色が特徴で、ルネサンスからバロックの過渡期の美術を代表する画家として知られる。作品の多くは宗教画や肖像画で、主な作品に『オルガス伯の埋葬』『聖三位一体』『無原罪の御宿り』『悔悛するマグダラのマリア』『トレド風景』などがある。ベラスケス、ゴヤとともにスペイン三大画家の一人である。

エルステッド，ハンス・クリスティアン 〈学問〉〈発明・発見〉
ハンス・クリスティアン・エルステッド　　　1777〜1851年

電流の磁気作用を発見した物理学者

19世紀のデンマークの物理学者、化学者。

南東部のランゲラン島生まれ。家業の薬局をてつだい、科学にめざめた。

1796年、コペンハーゲン大学に抜群の成績で入学、カント哲学についての論文で博士号を取得した。ドイツ遊学で出会った物理学者リッターの影響から物理学研究をはじめ、1806年、コペンハーゲン大学の物理学教授に就任。1820年に、電流を流すと磁石の針がふれることから電流と磁気の関係（電流の磁気作用）を見いだした。1825年には初のアルミニウムの分離に成功するなど、化学分野でも業績を上げた。彼の名は、磁場の強さの単位エルステッド（Oe）としてのこっている。童話作家アンデルセンとの交流も知られる。

エルメス，ティエリー 〈デザイン〉
ティエリー・エルメス　　　　1801〜1878年

ナポレオン3世御用達の馬具職人

フランスの馬具職人。

ドイツ西部にある繊維産業のさかんなクレーフェルトに生まれる。両親は、宿をいとなんでいた。1827年ごろ、フランスのドービルで皮革加工などの技術を身につけたのち、パリに出た。

1837年、パリに馬具の小さな工房をひらいた。たしかな技術で、一つひとつていねいにがんじょうにしあげた製品は、当時の王族や貴族に愛用された。やがてナポレオン3世の御用達の職人となり、高級馬具店としての地位をたしかなものにした。1867年にひらかれたパリ万国博覧会では、馬具部門の銀賞を受賞した。店は、代々息子に受けつがれながら、自動車時代にあわせて、馬具以外に旅行かばんなどの革製品の製造をてがけるようになった。現在は、バッグや時計、スカーフなどの衣料品もあつかい、世界に知られる高級ブランドとなっている。

エルンスト，マックス 〈絵画〉
マックス・エルンスト　　　　1891〜1976年

シュールレアリスム絵画を確立した画家

ドイツの画家。

西部のブリュールに生まれる。1909年からボン大学で哲学を学ぶ。ピカソやキリコらの絵画に影響を受け、画家をめざした。1919年、画家のアルプらと既成の芸術的価値を否定した芸術運動、ダダイスム運動をおこし、雑誌を創刊し、展覧会を開催した。1921年にフランスに移り、詩人たちとともに絵画のシュールレアリスム（超現実主義）運動に加わった。1941〜1945年、アメリカ合衆国のニューヨークで作品制作をつづけ、その後フランスのパリに移住して最期をむかえた。

心の奥にある潜在意識を題材にイメージをつくり、絵画であらわした。また、新聞紙や布などを画面にはりつけるコラージュや、板目や葉、石、麻袋など物の上に乗せた紙を木炭や鉛筆でこすって像を浮き上がらせるフロッタージュの表現技法を開発した。主な作品に『森と鳩』『セレベスの像』、作品集『博物誌』、絵画論『絵画の彼岸』などがある。シュールレアリスム絵画を確立した画家である。

エレンブルグ，イリヤ　文学

イリヤ・エレンブルグ　1891〜1967年

ソ連の知識人たちをえがく

ソビエト連邦（ソ連）の詩人、作家。

ロシア帝国時代のキエフ（現在のウクライナ）生まれ。早くから革命運動に加わって、17歳のときに逮捕され、翌年パリへ亡命する。1910年、詩集『詩篇』で、文学界にデビューする。ロシア革命により、一時帰国するが、その後は新聞特派員として、フランス、ベルギーですごす。『フリオ・フレニトの奇妙な遍歴』『トラストD. E.』『十三本のパイプ』『戦争』『あらし』など著書多数。1954年には、ソ連の自由の芽生えをえがいた『雪どけ』を発表。1960〜1964年に発表した回想録『人間・歳月・生活』では、親交のあった芸術家たちについてもふれていて、ソ連の知識人たちの記録として話題をよんだ。

えんい　絵画

円伊　生没年不詳

絵巻をとおして鎌倉時代の社会や風俗をえがいた

（国立国会図書館）

鎌倉時代後期の絵師。

天台宗の園城寺（滋賀県大津市。三井寺ともいう）の僧だったという説もあるが、出自は不明。時宗をひらいた僧、一遍の生涯をえがいた『一遍上人絵伝』（1299年）の奥書に、「画図　法眼（法印に次ぐ僧位）円伊」とあるので、この絵巻の制作にたずさわった絵師たちを指導した人物と考えられている。

鎌倉時代の社会や風俗を知ることができる『一遍上人絵伝』は、絵巻物の最高傑作の一つといわれている。

えんくう　彫刻

円空　1632〜1695年

生涯かけて数多くの仏像をほった僧

▲円空　（飛騨千光寺所蔵）

江戸時代前期の僧、仏像彫刻家。

美濃国（現在の岐阜県南部）に生まれた。若くして出家したが、長良川の洪水で母親を失ったことをきっかけに、山岳修行（山にこもってきびしい修行をおこなうこと）をするようになったといわれる。

やがて、庶民を苦しみから救済するために12万体の仏像をつくる願を立て、美濃国を中心に蝦夷地（北海道）、東北、中部、近畿、中国、四国地方など、ほぼ日本全国を歩きめぐり、仏像をほった。山の頂や寺の片すみ、道ばたのほこらなどにのこされた仏像は、円空仏とよばれて人々に親しまれた。

円空仏は、「なたばつり」（なた彫り）という技法でつくられ、あらけずりな素朴さと力強さが魅力といわれている。荒子観音寺（愛知県名古屋市）に伝わる3m以上の仁王像から、木片をつかってほられた2〜3cmの小さな木っ端仏まで大きさや種類はさまざまである。なかには、自然に生えた木をそのままほったといわれる立ち木彫りの仁王像などめずらしい仏像もある。

現在、岐阜県や愛知県を中心に5000体あまりの円空仏が発見されている。

▲円空仏『両面宿儺坐像』（飛騨千光寺所蔵）

エングラー，アドルフ　学問

アドルフ・エングラー　1844〜1930年

植物の分類方法を確立する

ドイツの植物学者。

北部のザガン（現在はポーランド領）に生まれる。ブレスラウ大学で植物学を学び、卒業後も複数の大学で植物研究をおこなう。植物の分類や地理的研究を専門とし、多くの論文、著書を発表した。

とくに、分類学で大きな功績をのこし、植物を構造の単純なものから複雑なものへと細分化して配列するという分類方法を確立した。この体系は「エングラー・システム（エングラーの分類体系）」とよばれ、現在でも世界中の多くの植物標本室では、これをもとに植物の科をならべている。

著書に『植物分科提要』、『自然植物分科』（プラントルとの共著）などがある。1913（大正2）年に調査のため来日した。

エンクルマ，クワメ　政治

クワメ・エンクルマ　1909〜1972年

ガーナの独立を達成したアフリカ独立運動の父

ガーナの政治家。首相（在任1957〜1960年）、大統領（在任1960〜1966年）。

イギリス領ゴールドコースト（黄金海岸、現在のガーナ）に生まれる。教師となったあと、1935年にアメリカ合衆国へ留学し、その際にインド独立運動の

指導者ガンディーなどに影響を受ける。イギリス留学の際には、アフリカに対する西欧植民地主義の侵略に抗議する「第5回汎アフリカ会議」（マンチェスターで開催）で書記局員をつとめた。以後、アフリカの統合・独立を目的とする汎アフリカ主義運動の指導者として活動。1949年、ゴールドコーストで会議人民党を組織し、独立闘争を指導。1957年、ガーナの独立を達成し、初代首相に就任、1960年には初代大統領となった。サハラ砂漠以南の旧植民地では初のアフリカ人政権の誕生で、アフリカ独立運動は一気に加速した。1963年にアフリカ統一機構（OAU）を結成したが、1966年、中華人民共和国訪問中に本国での軍事クーデターで失脚。ギニアに亡命したのち、療養先のルーマニアにおいて、62歳で死去。「アフリカの独立運動の父」と称される。

エンゲル，エルンスト　［学問］

● エルンスト・エンゲル　1821～1896年

「エンゲルの法則」をしめした社会統計学者

ドイツの社会統計学者。

ドレスデン生まれ。フライブルクの鉱業専門学校を卒業後、ヨーロッパ諸国で学ぶ。そのあいだに家計調査で有名な社会学者のル・プレーや天文学者であり統計学者でもあったケトレーと出会い、生涯にわたり影響を受けることとなる。1850年にザクセン王国統計局初代局長、1860年からはプロイセン王国統計局長などを歴任、ドイツをはじめヨーロッパ諸国における統計学や統計制度の発展に大きく貢献した。主著『ベルギー労働者家族の生活費』で、家計支出に占める食費の比率（エンゲル係数）は、家族の所得がふえるにつれて小さくなるという、有名な「エンゲルの法則」をとなえた。

エンゲルス，フリードリヒ　［思想・哲学］

● フリードリヒ・エンゲルス　1820～1895年

マルクスをささえ、科学的社会主義の理論を築く

ドイツの経済学者、社会主義運動家。

北西部のバルメン（現在のブッパータール）に、実業家の長男として生まれる。父親が関係した会社をてつだうためにイギリスへわたり、仕事のあいまに労働者階級の実情を見聞するなかで、社会主義運動にふれる。1844年、ドイツに帰国する途中、終生の友となるマルクスに会う。翌年、彼のいたブリュッセルに移り住むと、人間社会についての新しい歴史的な考え方である史的唯物論を提示した『ドイツ・イデオロギー』をマルクスと共同で執筆。1848年には、社会主義実現のために労働者階級の団結をよびかけた『共産党宣言』をマルクスと発表。翌年、ロンドンに亡命し、その後、紡績業をいとなみつつ、マルクスを経済的に援助した。マルクスの死後、彼の最後の原稿である『資本論』2巻、3巻を編集し発表した。マルクスとともに科学的社会主義（マルクス主義）理論をつくり上げ、貧富の差をなくした平等社会の実現をとなえて運動をつづけた。

えんせいがい（ユワンシーカイ）　［政治］

● 袁世凱　1859～1916年

軍人として清朝につかえ、寝返って大総統となる

中国、清末期～中華民国初期の軍人、政治家、中華民国の初代大総統（在任1913～1916年）。

河南省の大地主の家に生まれる。科挙試験に落第すると軍に入り、朝鮮を属国化するのに活躍し、李鴻章に功績をみとめられる。日清戦争後は新たに洋式軍隊を編制して訓練にあたり、北洋新軍の基礎をつくった。

光緒帝、康有為らが政治の近代化を求めた戊戌の政変では、保守派について西太后の信頼を得る。李鴻章が亡くなると、そのあとをついで清の直隷総督兼北洋大臣となり、北洋新軍の首領となった。西太后の死後は一時失脚するが、1911年、孫文らが辛亥革命をおこした際、清の内閣総理大臣に任命され、これの鎮圧を命じられた。しかし、寝返って革命勢力と取り引きし、宣統帝（溥儀）を退位させ、中華民国臨時大総統に就任、実権をにぎる。1913年、革命勢力の不満が増大して第二革命がおこると、これを鎮圧して正式に初代大総統に就任し、独裁政治をはじめた。1915年には、日本の二十一か条の要求を受け入れ、みずからの皇帝即位を決議するが、はげしい非難を受け、翌年の第三革命で即位を断念。同年、病死した。

えんちん　［宗教］

● 円珍　814～891年

天台宗の密教化を進めた

（金倉寺）

平安時代前期の天台宗の僧。讃岐国（現在の香川県）出身。母は、真言宗をひらいた空海のめい。828年、15歳で比叡山延暦寺（京都市・滋賀県大津市）に登り、833年、受戒（僧になるための戒律をさずかること）して僧となり修行を積んだ。853年、天台宗を深く学ぶため、留学僧として

中国の唐にわたり、天台宗の根本道場である天台山をはじめ、長安（現在の陝西省西安市）の青龍寺など各地の寺で修行し、きびしい修行によって身につけられる、仏のさとりを伝える秘密の教え、密教を深く学んだ。858年、仏教の経典1000巻をたずさえて帰国し、863年、延暦寺別院の園城寺（三井寺。滋賀県大津市）をひらいた。868年、延暦寺の第5代の天台座主（天台宗の最高位の僧）となり、その後、亡くなるまでの24年間、天台密教（台密）の教えを広めた。その間、円珍に学んで受戒した僧は3000人以上にもなったといわれる。延暦寺を山門とよぶのに対し、園城寺は寺門とよばれた。死後、智証大師の称号を贈られた。

エンデ，ミヒャエル

絵本・児童

ミヒャエル・エンデ　1929～1995年

人間らしい生き方を求めるファンタジーの世界をえがく

ドイツの児童文学作家。
バイエルン州ガルミッシュ・パルテンキルヘン生まれ。父はシュールレアリスムの画家エドガー・エンデ。幼いころは父の友人の画家や彫刻家、作家たちにかこまれて育った。演劇学校を卒業後、俳優として舞台に立ちながら脚本などを書いていたが、1960年、友人のすすめで書いたこどもの本『ジム・ボタンの機関車大旅行』がドイツ児童文学賞を受賞し、一躍児童文学作家として知られる。1962年に続編の『ジム・ボタンと13人の海賊』を出版。

1973年に発表した主人公の少女モモが時間泥棒にうばわれた人間の時間をとりもどす物語『モモ』は、世界的なベストセラーを記録。少年バスチアンが虚無におかされたファンタージエン国を救う『はてしない物語』とともに代表作となる。時代へのするどい風刺と、豊かな人間性や人間らしい生き方を追い求めるファンタジーの世界は、こどもからおとなまで幅広い読者に愛されている。

えんどうしゅうさく

文学

遠藤周作　1923～1996年

「第三の新人」の代表的作家

昭和時代～平成時代の作家。
東京生まれ。慶應義塾大学文学部卒業。少年期にカトリックの洗礼を受けた。大学卒業後、フランスのリヨン大学でカトリック文学を研究。1955（昭和30）年に『白い人』で芥川賞を受賞して注目される。日本的な私小説の作家として、安岡章太郎や吉行淳之介らとともに第二次世界大戦後の「第三の新人」とよばれた。宗教色の強い作品が多く、代表作の『海と毒薬』『沈黙』『死海のほとり』『深い河』などで数々の文学賞を受賞。一方、ユーモア小説『おバカさん』や軽妙なエッセーをつづった『狐狸庵』シリーズなどで大衆の心をとらえた。作品には日本人にとってのキリスト教を問う姿勢と、魂の救済という課題がうかがえる。1995（平成7）年、文化勲章受章。

学 文化勲章受章者一覧　学 芥川賞・直木賞受賞者一覧

えんどうみのる

音楽

遠藤実　1932～2008年

昭和の歌謡曲を数多く作曲

昭和時代～平成時代の作曲家。
東京生まれ。第二次世界大戦中は、両親の実家がある新潟ですごす。17歳で、歌手をめざして上京し、繁華街でギターをひきながら歌う演歌師をしながら、独力で作曲を学んだ。

1957（昭和32）年、歌謡曲『お月さん今晩は』のヒットで有名になる。以後、だれでも口ずさめる親しみやすいメロディーで、ロングヒットとなる歌謡曲を数多く生みだした。
代表作に『高校三年生』『星影のワルツ』『せんせい』『くちなしの花』『北国の春』などがある。歌謡曲や演歌をはじめとして、生涯に作曲した作品は、5000曲以上になる。また、早くから音楽文化の振興と普及に積極的にとりくみ、1965年に自身のレコード会社を設立、1994（平成6）年には遠藤実歌謡音楽振興財団を創設する。1990年、紫綬褒章受章、2003年には、大衆音楽の分野からはじめてとなる文化功労者に顕彰され、亡くなった翌年には国民栄誉賞が贈られた。

学 国民栄誉賞受賞者一覧

えんにん

宗教

円仁　794～864年

天台密教を大成した

平安時代前期の天台宗の僧。
下野国（現在の栃木県）生まれ。808年、15歳で比叡山延暦寺（京都市・滋賀県大津市）に登り、最澄の弟子となり、816年、受戒（僧になるための戒律をさずかること）して僧になった。838年、留学僧として、中国

（一乗寺蔵／奈良国立博物館写真提供／森村欣司撮影）

の唐にわたり、天台宗を学び、長安（現在の陝西省西安市）の青龍寺などで、きびしい修行によって身につけられる、仏のさとりを伝える秘密の教え、密教を学んだ。845年、中国皇帝による廃仏令がだされて仏教が攻撃されたが、なんとかのがれ、847年、仏教の経典800巻をたずさえて帰国した。その後、延暦寺で天台宗の密教を深く研究し、854年、第3代天台座主（天台宗の最高位の僧）となり、天台宗が栄える基礎を築いた。死後、慈覚大師の称号を贈られた。

唐ですごした9年間のできごとを著した『入唐求法巡礼行記』は、危険な航海をする遣唐使船のようす、唐の寺院や各地の人々の暮らし、仏教弾圧による受難などを記録した貴重な資料となっている。

えんのおづの

役小角　　　　　　　　　　　　生没年不詳　　宗教

鬼神をもあやつったといわれる伝説の呪術師

（伊豆山神社蔵）

飛鳥時代〜奈良時代の呪術師。

小角は「おづぬ」ともよむ。役行者ともいう。大和国（現在の奈良県）の葛城山（大阪府千早赤阪村と奈良県御所市の境にある山）に住み、山林で修行したのち、呪術をおこなう力を習得し、鬼神をも意のままにできるすぐれた呪術師として評判となった。しかし、699年、その力をねたんだ弟子により、大衆をまどわすとして朝廷にうったえられ、伊豆（静岡県伊豆半島）に流された。しかし、その後も富士山で修行し、仙人となったといわれている。

平安時代になると、山岳信仰に神道や仏教の一宗派である密教などをとり入れた修験道がさかんになった。役小角は修験道の開祖とされ、各地の山野で修行する僧、山伏によって崇拝された。

えんゆうてんのう

円融天皇　　　　　　　　　　　959〜991年　　王族・皇族

藤原氏の権力争いで位をゆずった

平安時代中期の第64代天皇（在位969〜984年）。村上天皇の子。冷泉天皇の同母弟で、母は藤原師輔の娘。即位する前は守平親王とよばれた。

967年、冷泉天皇の皇太弟（天皇のあとつぎの弟）となる。969年、11歳で冷泉天皇から位をゆずられ即位。皇太子には冷泉天皇の子、師貞親王が立った。980年、きさきの藤原詮子（藤原兼家の娘）とのあいだに、懐仁親王（のちの一条天皇）が生まれた。984年、26歳で譲位。師貞親王が花山天皇として即位し、5歳の懐仁親王が皇太子に立った。この背後には、懐仁親王を早く皇位につけたいという朝廷の実力者、右大臣の藤原兼家の強い意向があったという。退位後は前年建立した、円融寺（京都市にかつてあった寺）に移り、出家して晩年をすごした。

学　天皇系図

エンリケこうかいおうじ

エンリケ航海王子　　　　　　1394〜1460年　　王族・皇族

大航海時代をひらいた後援者

ポルトガルの王子。

ポルトガル王ジョアン1世の3男。1415年、アフリカ北西部の都市セウタの攻略に参加してから、アフリカ大陸に関する伝説などを聞いて、興味をもつようになる。帰国後、アフリカ西海岸に探検隊を送って、大西洋に多くの島を発見した。1422年より西海岸を南へくだる探検隊を送り、1441年に砂金とアフリカ先住民の奴隷を獲得することに成功して、西アフリカの航路を確立した。1443年にギニアに到達し、1460年のエンリケの死去までに、シエラレオネまでの海岸が探検された。また植民事業や、通行税の徴収などの政策も、積極的におこなった。

自身は航海に出ることはほとんどなかったが、「航海王子」とよばれているように、ポルトガルの海外進出政策を進めた最大の指導者であり、貢献者とされている。生涯熱心なキリスト教徒であり、結婚をしなかった。エンリケの死後も、ポルトガルの海外進出政策はつづけられた。

お

Biographical Dictionary 1

おいちのかた
お市の方 　1547?〜1583年　[戦国時代]

時代に翻弄された信長の妹

（持明院蔵）

戦国時代〜安土桃山時代の浅井長政、柴田勝家の妻。
織田信秀の娘、織田信長の妹。1567年、織田家と浅井家が同盟をむすぶための政略結婚として、信長の命令で、近江国（現在の滋賀県）の戦国大名、浅井長政と結婚し、3女をもうける。このとき長政の居城小谷城に住んでいたので、小谷の方ともよばれる。1573年、浅井氏は信長によってほろぼされ、小谷城落城の際には、長政は自害し、お市の方は3人の娘とともに信長の清洲城にひきとられた。
信長の死後、1582年、おいの織田信孝のはからいで、織田氏の家臣である、越前国（福井県北東部）の柴田勝家と再婚する。翌年、勝家が羽柴秀吉（のちの豊臣秀吉）と対立し、1583年の賤ヶ岳の戦いで秀吉の軍勢にやぶれて、北の庄城で勝家とともに自害した。3人の娘は生きのびて秀吉にあずけられ、長女の茶々は、のちに秀吉の側室（淀殿）、次女の初は、京極高次の正室（常高院）、三女の江は、江戸幕府第2代将軍徳川秀忠の正室（崇源院）となる。
戦国一の美女で、かつ聡明だったといわれている。

オイラー，レオンハルト
レオンハルト・オイラー 　1707〜1783年　[学問]

一筆書きの研究で知られる数学者

スイスの数学者。
父親がすすめる牧師の道をこばみ、14歳で数学の世界に進む。数学の目的を、①生活に役だてる、②頭の体操、③正確な理屈と考えた、ユーモアのある人物だった。晩年は視力を失うが、研究をつづけた。関数をはじめて $y=f(x)$ の形であらわしたほか、解析学、数論、幾何学、数理物理学など広い分野で業績をあげ、多くの数学用語に名前をのこした。πが円周率をあらわす記号として広まるきっかけと もなった。
　幾何学分野ではケーニヒスベルクの橋の問題がよく知られている。オイラーは、ケーニヒスベルクという街の7つの橋を1度ずつわたって元の場所にもどることができるかどうかという問題を、4つの点と、それらをむすぶ7つの線からなる図形に単純化し（図参照）、一筆書きの問題として答えをみちびいた。つまり、奇数の線が集まる点は、そこを始点とするか終点としなければ、最後に行き止まりとなってしまうため、2つ以下でなければ一筆書きができず、一つでもあれば元の場所にもどることができない。これにより、橋の問題は不可能だと結論づけた。

▲一筆書きを線と交差点で考える

おうあんせき
王安石 　1021〜1086年　[政治][文学]

北宋で大きな政治の改革をおこなった

中国、北宋の政治家、文学者、思想家。
19歳で父を亡くし、多くの兄弟家族をかかえながら、1042年、科挙に合格し地方行政官となる。約16年間にわたり鄞、舒州、常州など江南各地で地方政治にあたり、仁宗にその経験をまとめた『万言の書』を提出した。1067年、第6代皇帝神宗によって宰相に登用されて財政の再建に着手し、多くの新政策を実施（王安石の新法）。それらは大商人や大地主らの利益を制限し、中小の農民・商人たちの保護をする内容であり、農民の植えつけ前後の窮乏を救済する青苗法や、方田均税法によって税制の不均衡をなくそうとした。また募役法、軍隊を維持するために傭兵制度をあらためた保甲法・保馬法などで富国強兵をはかり、教育制度改革にも力をそそいだ。また、中小商人には低金利の貸付をおこなう市易法も実施した。この改革によって一時的に財政は回復したが、蘇東坡ら役人や司馬光らを中心とした特権階級の反対にあい、1076年に辞職した。文学者としてもすぐれ、唐宋八大家（唐・宋時代の代表的な8人の文章家）の一人に数えられる。詩人としても高く評価されている。

おうい
王維 　699?〜761年　[詩・歌・俳句][絵画]

田園詩人とよばれる唐の大詩人

中国、唐代の官僚、詩人、画家。
山西省生まれ。生家は裕福で、母は仏教を熱心に信仰して

いた。早くから才能をあらわし、9歳で詩をつくる。秀才で美男のため、長安の貴族が集まる社交界で人気者になった。

むずかしい官吏の採用試験、科挙に21歳で合格するが、出世コースをはずれ、地方に送られる。40歳をすぎて長安にもどると、昇進し宮廷詩人としても活躍。阿倍仲麻呂が日本に帰国するときに、送別詩をつくったという。その後、安史の乱（755〜763年、安禄山と史思明が指導した反乱）で捕虜になる。解放されたのちは、仏教の信仰に情熱をそそぐ。

漢詩の形式の一つ、五言絶句により、自然の静けさを表現する詩にすぐれ、田園詩人といわれる。竹林中の一室でよんだ漢詩『竹里館』が有名。絵は山水画を得意とし、のちにさかんになる南宗画（文人画ともいう。江戸時代に日本に入り南画が生まれた）の創始者とされる。詩人の李白、杜甫につづく唐代の大詩人で、仏教を信仰したことから「詩仏」ともよばれ、作風にも仏教の影響がみられる。

オウィディウス 〔古代〕〔詩・歌・俳句〕

● オウィディウス　紀元前43〜紀元後17?年

ローマを追われた詩人

古代ローマの詩人。

中部イタリアのスルモナの裕福な家に生まれる。ローマで法律や修辞学を学び、さらに政治家としての素養を身につけるためにアテネへ留学する。帰国後は、いくつかの公職につくがなじめず、文芸の道に進んだ。

オウィディウスは恋愛詩を得意とし、ローマの社交界で人気の詩人となる。しかし一部の作品は、描写が過激すぎると問題になった。詩にとどまらず、物語も書き、15巻からなる『転身物語』はラテン文学の名作とされている。8年、皇帝アウグストゥス（オクタウィアヌス）から、黒海沿岸のトミス（現在のルーマニアのコンスタンツァ）に追放され、そこでも詩をつくりつづける。ローマへ帰ることを望んだが、生涯ゆるされることはなかった。

おうぎし 〔絵画〕

● 王羲之　307?〜365?年

「書聖」とよばれる中国の書家

（立命館大学ARC所蔵 Ebi1425-01-22）

中国、東晋時代の書家。

山東省の名門一族に生まれる。名は逸少、官名は王右軍。こどものころに父と別れるが、おじの保護を受けて育てられた。早くから書の才能を発揮し、宮廷や地方で図書、軍などの役人をつとめた。高級官職までひきたてられるが、355年に引退して、その後は気ままにくらした。

楷書、行書、草書の実用書体を芸術的な書体にまで完成させ、宮廷や貴族階級から人気を得た。日本には、奈良時代に鑑真とともにその書法が伝わり、平安時代の三筆や三蹟の書家たちに影響をあたえた。作品は2013（平成25）年に日本で発見された模写の手紙『王羲之尺牘大報帖』のように、わずかな文字数の模写した書などが現存するが、本人の直筆のものはみつかっていない。代表作に『蘭亭序』、『十七帖』がある。現在も書道界では手本であり、「書聖」とよばれ、息子の王献之とともに「二王」とたたえられる。

おうけん 〔王族・皇族〕

● 王建　877〜943年

朝鮮半島を統一した高麗の王

朝鮮、高麗の初代国王（在位918〜943年）。

太祖ともいう。祖先は明確ではないが、松岳（現在の開城）近辺に勢力をもつ家系だったといわれる。朝鮮半島を統一していた新羅の国力が衰退し、各地で反乱がおこるなか、新羅王族で、北方の反乱軍の指導者だった弓裔の部下となり、西南海域の水軍を統率して活躍する。弓裔は、901年に高句麗と称した地方政権を樹立するが、しだいに暴君化して部下の信頼を失ったため、918年、王建がおされて王位につく。王建は都を松岳に移し、国号を高句麗の後継者を意味する高麗とあらためる。

朝鮮半島南西にあった後百済とあらそい、一進一退の攻防をくり広げるが、930年の戦いで優勢になる。しばらくして後百済に内紛がおこり、新羅も高麗に降伏して、936年、ついに高麗が朝鮮半島を統一した。

統一後は、地方の豪族に役職をあたえるなど、諸制度をととのえて王朝の基盤をかためた。943年、高麗の代々の王が必ず守らなければならない教訓「訓要十条」をのこし、亡くなった。

学 世界の主な王朝と王・皇帝

おうさだはる 〔スポーツ〕

● 王貞治　1940年〜

大記録を打ち立てたプロ野球選手

▲王貞治の一本足打法

プロ野球選手、監督。

東京都墨田区生まれ。母は日本人、父は21歳のときに日本に来た中国人で、中華料理店をいとなんでいた。

小学4年ではじめて軟式野球を体験し、以後クラスでチームをつくるなど、夢中になる。中学時代にはおとな顔負けの体格となったこともあり、投と打の両面で、ぬきんでた選手になり、高校野球の名門、早稲田実業に進学した。高校時代は、春夏

各2回ずつ甲子園に出場し、1957（昭和32）年の春の大会では、投手および中心打者として大活躍し、初優勝をはたしている。

1959年、破格の条件で読売ジャイアンツに入団した。投手としての入団だったが、監督の指示で打者へ転向し、一塁手に起用された。しかし期待されたほどの成績をだせず、のび悩みの時期が長くつづいた。

1962年に打撃コーチに就任した荒川博は、左打者の王に右足を高く上げてからバットを振る一本足打法を提案した。この打法をとり入れてひたむきな練習をした王は、ホームラン打者としてめざましい成長をとげ、長嶋茂雄とともにジャイアンツの日本シリーズ9連覇（V9）に大きく貢献した。

1977年には、メジャーリーグの強打者ハンク・アーロンの世界記録をぬく756号ホームランを達成した。その偉業をたたえ、初の国民栄誉賞が贈られた。1980年、「王貞治としてのバッティングができなくなった」として、現役を引退した。通算本塁打868本、本塁打王15回、打点王13回、MVP（最優秀選手）9回などは、いまもなお歴代1位の記録である。

1984年にジャイアンツの監督に就任し、4年目にリーグ優勝するが、日本シリーズでは西武ライオンズに敗退した。5年目も優勝できなかったことから、1988年に監督を辞任した。

1994（平成6）年、福岡ダイエーホークス（現在の福岡ソフトバンクホークス）の監督に就任し、万年Bクラスにあまんじてきた選手たちの意識をかえ、ついに1999年にリーグ優勝し、日本一にも輝いた。

2006年の第1回ワールド・ベースボール・クラシック（WBC）では、日本代表チームの監督として指揮をとり、チームを初代チャンピオンにみちびいた。2008年、多くのファンにおしまれながら監督を退任した。

▲日本代表チームの監督時代

学 国民栄誉賞受賞者一覧

おうじゅうよう

王重陽　1113〜1170年　宗教

儒道仏3教をあわせた教えである全真教を創始した

中国、金の時代、道教の一派の全真教の開祖。「ちょうよう」とも読む。王嚞ともいう。咸陽（現在の陝西省咸陽）で富裕な地主の家に生まれる。最初は科挙の文官をめざしたが挫折し、武挙には合格して武官になるが重用されず、世の中に失望して放蕩生活を送る。1159年、仙者と出会い、回心の決意をかためてきびしい修行の生活に入った。1163年ころ道教の一派である全真教を樹立した。

全真教は儒教、仏教、道教の3教を融合した宗教であり、自己救済の修行だけでなく他者の救済も実践しなくてはならないとしている。「三教七宝会」という組織をつくるなどして、一般に受け入れられた。馬丹陽ら「七真」とよぶ7人の高弟を育て、死後はこの高弟が中心となり教義を広め、教団としての体制を整えた。著書は『重陽全真集』『重陽教化集』『重陽分梨十化集』など。

おうしゅじん

王守仁　1472〜1529年　思想・哲学

「心即理」「知行合一」をとなえ、陽明学を創始した思想家

（国立国会図書館）

中国、明の時代の思想家、政治家、陽明学の開祖。浙江省生まれ。一般に王陽明とよばれる。若いころから朱子学や仏教、武芸などを学び、28歳で科挙に合格。官僚となるが、35歳のとき、当時の政治を批判したため、貴州へ左遷された。守仁はその地で、人間が本来もっている心が人間の本質（理）であるという「心即理」をさとり、道理を人間の本質と考える朱子学を批判する。また、知ることと実行することは、もともと一つのものであるとする「知行合一」や、人間が生まれながらにもつ知力によって、物事をただすべきであるという「致良知」をとなえ、陽明学をひらいた。そして、自分の中に理や知力を求めることは、だれもが可能であると説き、庶民のあいだに陽明学を広めていった。

その後、政界に復帰し、各地におこった農民や豪族の反乱を、兵を指揮しておさめ、武人としても才能を発揮した。このように守仁は、ただ思想するだけではなく、実際に行動をおこす人でもあった。主な著作に『伝習録』がある。

おうしょうくん

王昭君　生没年不詳　王族・皇族

匈奴へとついだ漢の宮女

中国、漢の宮女、呼韓邪単于の妻。名は嬙、昭君は字。前漢の元帝の後宮に入り宮女となるが、何年もかえりみられることはなかった。北方の異民族である匈奴の単于（君主）の呼韓邪が、漢と親交を深めるため漢の宮女を妻にしたいと元帝にたのむと、紀元前33年、みずから望んで呼韓邪にとついだ。そのとき王昭君をはじめてみた元帝は、その美しさにおどろき手ばなすのをおしんだという。王昭君は呼韓邪の妻として寧胡閼氏とよばれ、1男を生んだ。呼韓邪の死後は匈奴の風習により、義理の息子で次の単于の復株累の妻となって2女を生み、匈奴の地で一生を終えた。異郷にとつぎそこで亡くなった王昭君は、後世では悲しい物語として、『漢宮秋』など戯曲や文学の題材となった。

おうじんてんのう

応神天皇　生没年不詳　王族・皇族

倭の五王の一人、讃とされる天皇

（国立国会図書館）

古墳時代の第15代天皇（在位5世紀ころ）。『古事記』『日本書紀』によれば、5世紀に大和政権の王となったと考えられている。父の仲哀天皇の死後、母の神功皇后は、朝鮮半島の新羅を討つために応神天皇を身ごもったまま出征し、新羅王をしたがえたのちに帰国して筑紫（現在の福岡県）で応神天皇を生んだという。応神天皇以後の天皇陵が、主に河内（大阪府）にあることから、応神天皇以後は河内王朝という新しい王朝で、朝鮮半島から渡来した騎馬民族の王朝だという説もある。

応神天皇の時代には、阿知使主、弓月君、王仁などが渡来し、中国や朝鮮半島の進んだ技術や文化を伝えた。また、子の仁徳天皇の時代にかけて、河内で大規模な土木開発をおこなったと考えられている。中国の歴史書『宋書』に出てくる倭の五王のうち、讃にあたるという説もある（仁徳天皇や履中天皇という説もある）。墓は大阪府羽曳野市にある誉田御廟山古墳（恵我藻伏岡陵）とされている。

学 天皇系図

おうせいえい

汪精衛 → 汪兆銘

おうせんし

王仙芝　?〜878年　政治

黄巣の乱初期の指導者

中国、唐末期の農民反乱指導者。
濮州（現在の山東省）に生まれ、塩の密売人をしていたが874年ごろに農民をひきいて反乱をおこす。唐は塩や酒などを国の専売にして民衆に重税をしいており、さらに農民は日照りやイナゴの大発生できんに苦しんでいた。そのため反乱軍はたちまち数をふやし、翌年には同じ塩の密売人の黄巣が加わり、勢力を拡大した。唐の懐柔策により官職をさずけられたが黄巣の反対により辞退、その後黄巣とは分裂し、878年に黄梅（湖北省）で唐軍にやぶれ戦死した。

残党の多くは黄巣に合流して880年に長安を陥落させたが、884年唐軍に大敗し、黄巣は自害した。この一連の乱を黄巣の乱という。この乱により唐は実質的にほろび、一地方政権に転落した。

おうちょうめい（ワンチャオミン）

汪兆銘　1883〜1944年　政治

日本の傀儡政権、南京国民政府の主席

中国の政治家。南京国民政府の主席。
広東省に生まれる。1904（明治37）年、清の官費生として日本の法政大学に留学。その際、孫文の革命思想に影響を受け、革命党に入党。その後、中国同盟会にも加わった。

革命運動を進めるため、当時の清皇帝だった醇親王載灃の暗殺をくわだてるが失敗。これにより死刑判決を受けたものの、1911年の辛亥革命により清が崩壊し、釈放された。その後は中華民国で孫文を助け、中国国民党にも加わり、孫文死後は広東の国民政府の主席となった。左派として、たびたび蔣介石と対立していたが、第一次国共合作では蔣による南京の国民政府に参加。1936（昭和11）年の西安事件で蔣が抗日にかたむくと、ふたたび対立し、日本軍との妥協をはかるため、重慶から脱出した。そして1940年、南京に新国民政府を樹立して主席となったが、これは日本の傀儡政権の域を出ず、日中戦争が拡大する中「売国奴」と非難され、日本の名古屋で病死した。

おうちょく

王直　?〜1557年　政治

日本に鉄砲を伝えた海賊の首領

中国、明の密貿易者。
徽州歙県（現在の安徽省黄山市）に生まれる。明は領民が海上を利用することを禁止する海禁政策をとっていたが、徐惟学らとともに密航し、日本や東南アジア各国と硫黄や生糸などの密貿易をおこない、ばく大な利益を得た。1540年、海禁政策が強化されてくると、日本に来航し、五島や平戸（ともに長崎県）を本拠地にして密貿易をおこなう。1543年、種子島（鹿児島県）へ漂着して日本に鉄砲を伝えたとされる船には、王直が同乗していたといわれている。のちに倭寇（海賊）の首領となり、日中の密貿易業者らをひきいて、中国沿海で略奪をくりかえした。15年間日本に滞在したが、明の政府の策略にかかって帰国したところをとらえられ、処刑された。

おうみのみふね

淡海三船　722〜785年　貴族・武将　学問

漢詩に通じた文化人

奈良時代の皇族、学者。
天智天皇の子である大友皇子の曽孫にあたる。あらゆる書を読み、漢詩に通じて、すぐれた才能をあらわした。756年、朝廷を非難し、臣下としての礼を欠いた罪で禁固刑となったが、すぐにゆるされた。764年、藤原仲麻呂が乱をおこしたとき、近江国（現在の滋賀県）の役人だったが、孝謙上皇（譲位した孝謙天皇）方で仲麻呂軍をふせぎ、その功により近江介

（国立国会図書館）

（近江国の次官）になる。766年、東海道巡察使に任じられたが、地方役人に対するきびしい追及をとがめられて解任され、大宰府に左遷された。771年、ゆるされて朝廷に復帰し大学頭（朝廷の式部省におかれた役人養成機関である大学寮の学長）、文章博士（役人を養成する大学寮で歴史や詩文を教える教官）となり、同時代の石上宅嗣とともに有名な文化人となった。

779年、来日した唐の高僧、鑑真について『唐大和上東征伝』を著した。また、歴代天皇の漢風諡号（死後贈られる名）を定めたともいわれている。

おうみやじんべえ　〈郷土〉

 近江屋甚兵衛　1766〜1844年

上総のりの養殖をはじめた漁師

江戸時代後期の商人。

江戸四谷（現在の東京都新宿区）に生まれ、浅草のりの商人をしていたという。50歳をすぎるころ、自分でものりづくりをしようと考え、ノリの養殖にふさわしい場所をさがして、下総国・上総国（千葉県）の浦安（浦安市）、五井（市原市）、木更津（木更津市）などをめぐった。ノリをとるための「ひび（ノリの種をつけて育てるための木やタケ）を海に立てさせてくれ」とたのんだが、漁業のさまたげになると、各地でことわられた。しかし、人見村（君津市）の名主（村の長）森八郎右衛門が協力し、1821年、ノリの養殖にとりかかった。その年は失敗したが、翌年、みごとなノリを採集した。君津の海でとれたノリは「上総のり」とよばれ、江戸で有名になった。その後、ノリの養殖地は東京湾沿岸に広がった。

おうもう　〈王族・皇族〉

 王莽　紀元前45〜紀元後23年

漢王朝の帝位をうばって新を建国

中国、新の初代皇帝（在位9〜23年）。

前漢の第11代皇帝、元帝の皇后（元后）の外戚として王氏一族が力をのばす中、不遇をはねのけ武官の最高位である大司馬となる。第13代哀帝が急死すると、元后とともに実権をにぎり、幼い平帝を皇帝とし、自身は国政をになった。5年、平帝を毒殺するとみずから摂皇帝（仮の皇帝）となり、9年、正式に帝位について新を建国した。在位中には官制や貨幣制度の改革、土地制度の改変などをおこなったが、かえって社会は混乱した。また周辺諸国との争いにも対応しきれず、民は貧しさにあえぎ、赤眉の乱などの農民反乱をまねいた。中国史上初の

簒奪者（君主の地位をうばう者）として批判を受けるが、祭祀儀礼の制定や儒学の奨励など功績もある。

学 世界の主な王朝と王・皇帝

おうようしゅう　〈学問〉〈文学〉

 欧陽脩　1007〜1072年

唐宋八大家に数えられる名文家

中国、北宋代の官僚、文学者。

江西省生まれ。名は修とも書く。4歳で父を亡くす。24歳で官吏採用試験、科挙に合格し、外交使節をはじめさまざまな役職をつとめる。学者としても優秀で、儒学書を研究し、『新五代史』などの歴史書を完成させた。古代の銅器や碑文を調べ、古代文字の解明にもとりくむ。現在の副首相にあたる地位までのぼりつめたが、王安石の改革に反対して、辞職する。

歴史書のほかに、詩の評論書『六一詩話』や数々の随筆をのこす。文章にもすぐれ、唐、宋の時代に名文を書いた、唐宋八大家の一人に数えられる。唐の韓愈らによる文章改革をひきつぎ、のちの中国の文体に影響をあたえた。

おうようじゅん　〈学問〉〈絵画〉

 欧陽詢　557〜641年

楷書にすぐれた中国唐代の書家

中国、唐時代の書家、学者。

湖南省に生まれる。地方の長官だった父を幼いときに亡くし、父の友人に育てられた。頭が非常によく、知識も豊富で、最初は隋の煬帝につかえた。

時代が唐にかわると、初代皇帝の高祖（李淵）の側近にえらばれる。624年には高祖の命令により、ほかの学者とともに、当時の百科事典である『芸文類聚』100巻の編集にたずさわった。次の皇帝、太宗（李世民）の時代になると、皇太子の教育をまかされた。さらに貴族の子弟の学校である弘文館で、教授をつとめた。

書については、中国の偉大な書家、王羲之の作品に学びながら、自分の型をきわめていった。とくに、楷書はバランスのよい清らかな書体が特徴で、現代に伝わり、高い評価を受けている。作品には、『化度寺碑』『九成宮醴泉銘』などがある。虞世南と褚遂良とともに、唐代の三大書家の一人に数えられている。

おうようめい

王陽明 → 王守仁

おえよのかた

お江与の方 → 崇源院

おおあまのおうじ

大海人皇子 → 天武天皇

おおいけんたろう
● 大井憲太郎　　　　　　　　　　　1843～1922年　【政治】

日本の社会運動の先駆者
明治時代の政治家、社会運動家。
豊前国（現在の福岡県東部・大分県北部）の農民の家に生まれる。長崎で蘭学を、江戸（東京）でフランス語を学び、1866年、江戸幕府の開成所舎密局（科学技術の研究機関）で教員をつとめる。明治維新後、塾で法学を教え、代言人（弁護士）などをしながら、自由民権運動の急進派リーダーとして活動。1882（明治15）年、自由党に加わる。
1885年、朝鮮での独立運動と連動して国内改革をくわだてた大阪事件の中心人物として逮捕され、9年間入獄する。その後、自由党の主流派と対立し、1892年に東洋自由党を結成。労働者や小作人の保護や、普通選挙の主張をするなど、社会運動の先がけとなった。

おおいしくらのすけ
大石内蔵助 → 大石良雄

おおいしまこと
● 大石真　　　　　　　　　　　　　1925～1990年　【絵本・児童】

生活や心理をこどもの視点でえがく
昭和時代～平成時代の児童文学作家。
埼玉県生まれ。早稲田大学英文科卒業。10歳で東京都豊島区に転居、小学校の同級生に松谷みよ子がいた。小学生のころは雑誌『少年倶楽部』を愛読していた。大学生のころから児童文学作家を志し、卒業後は出版社で児童書の編集をしながら創作をつづける。1953（昭和28）年に『風信器』で、日本児童文学者協会新人賞を、1963年に『見えなくなったクロ』で小学館文学賞を受賞する。ほかには『チョコレート戦争』や、『教室二〇五号』などがある。こどもの視点から、生活と心理をリアルにえがき、こどもたちの共感を得た。

おおいしよしお
● 大石良雄　　　　　　　　　　　　1659～1703年　【江戸時代】

赤穂浪士をひきいてあだ討ちをはたした
江戸時代前期の武士。
播磨国赤穂藩（現在の兵庫県南西部）の藩主浅野家に代々家老としてつかえる大石家に生まれる。通称は内蔵助。山鹿素行に軍学を、伊藤仁斎に儒学を学んだといわれる。早くに父が亡くなったため、祖父で筆頭家老の大石良欽の養子になった。1677年、19歳のとき家老見習いに、2年後に家老になった。
1701年3月、藩主の浅野長矩が江戸城の殿中で、高家（幕府の儀式などをつかさどる役職）の吉良義央を切りつけて負傷させる事件をおこした。このため、長矩はその日のうちに城

（国立国会図書館）

内で切腹させられ、浅野家は改易（領地を没収されること）、赤穂藩はとりつぶしになった。
事件の知らせが赤穂にもたらされると、家臣たちからは、幕府に抗議の意思をしめすため籠城するべきだという意見も出た。しかし内蔵助は、過激な発言をおさえて赤穂城を幕府に明けわたし、その後、京都郊外の山科に移り住んだ。そして、罪に問われなかった吉良の処分と、長矩の弟浅野大学による浅野家再興を幕府に嘆願した。内蔵助の望みは、一方的な処分によって失われた浅野家の名誉を回復することだった。
しかし、1702年7月、大学は広島藩（広島県）にお預けの身分と決まり、浅野家再興の望みは断たれた。そこで、主君のあだを討つことを決意。決起をせまる旧赤穂藩士たちをまとめて、綿密な計画を立てた。そして、同年12月、赤穂浪士46人（47人ともいわれる）をひきいて本所（東京都墨田区）の吉良邸に討ち入った。2時間におよぶ激闘の末に義央を殺害し、その首を泉岳寺（港区）の長矩の墓にそなえた。その後、幕府に自首し、翌年2月、幕府の命により全員切腹した。
あだ討ちを成功させた赤穂浪士の事件は世間の評判になり、事件を題材にした歌舞伎や人形浄瑠璃（三味線などの伴奏で物語を語る浄瑠璃に、あやつり人形による芝居がむすびついたもの）がつくられた。事件から47年後の1748年には、大坂（阪）の竹本座（竹本義太夫がおこした人形浄瑠璃の劇場）で『仮名手本忠臣蔵』が初演されて、大あたり。現在にいたるまで、くりかえし上演されている。

オーウェル，ジョージ
● ジョージ・オーウェル　　　　　　1903～1950年　【文学】

全体主義や独裁を批判
イギリスの作家、評論家、ジャーナリスト。
インドのベンガル州生まれ。本名はエリック・アーサー・ブレア。父はイギリス領インド政府の役人だった。1904年、母とともにイギリスに帰国。こどものころ、新聞に詩がのったこともある。進学校のイートン校にかようものの、大学へは進まず、19歳でイギリス領インド政府の警察官になる。その後、パリ、ロンドンで下層の労働者として生活し、1933年、その経験をもとに『パリ・ロンドン放浪記』を出版する。スペイン内戦（1936～1939年）がおこると、全体主義に対して反乱をおこした義勇軍に加わり参

戦する。その経験は『カタロニア讃歌』に発表された。1949年、近未来をえがいた小説『1984年』が大ヒットするが、翌年、肺出血で亡くなる。

自分で体験して書くルポルタージュ作家として、全体主義の恐怖や独裁主義への批判を文字にして伝えた。ほかに小説『動物農場』などがある。

オーウェン, ロバート　　政治
● ロバート・オーウェン　　1771～1858年

産業革命期に労働者の環境改善をめざした社会運動家

イギリスの社会運動家、協同組合運動の創始者。

ウェールズ生まれ。1799年、スコットランドのグラスゴーの紡績工場を買収し、経営者となり、事業に成功する。一方、低所得労働者の実態をまのあたりにし、環境改善にふみだした。10歳未満のこどもの労働をやめさせ、こどもたちのための学校を設立。環境が人の性格を形成するとして、「性格形成院」と名づけた。さらに、おとなも労働後に学べる学校をつくり、これが世界初の夜間学校となった。行政にもはたらきかけ、1819年に工場法を成立させる。9歳未満は労働禁止、16歳未満は12時間以上の労働禁止などが規定されるが、監視制度がなく、実際にはほとんど守られなかった。1825年、アメリカ合衆国へわたり、共産主義的な完全平等のニューハーモニー村を建設するが、失敗。帰国後は、協同組合運動、労働運動を指導した。労働者教育、協同組合の導入など、労働者保護に大きく貢献した。後年、マルクス、エンゲルスらに空想的社会主義者と批判されながら、影響もあたえた。

おおうちひょうえ　　学問
● 大内兵衛　　1888～1980年

社会主義運動に影響をあたえた経済学者

大正時代～昭和時代の経済学者、財政学者。

兵庫県生まれ。東京帝国大学（現在の東京大学）を首席で卒業後、大蔵省勤務をへて、1919（大正8）年、東京帝国大学経済学部の助教授となり、財政学を教える。翌年、学部で発行した雑誌に掲載された、同僚の革命思想についての論文にかかわったとして起訴され、退職した。その後、ドイツに留学したが、1922年、教授として復職。大学の講義テキストとして出版した『財政学大綱』では、マルクス主義的な立場から財政を論じた。1938（昭和13）年、大規模な社会主義弾圧（人民戦線事件）によって検挙され、大学を休職。第二次世界大戦後に復帰して、定年まで教授をつとめた。マルクス主義

に関する著書、翻訳書を多数出版し、社会主義運動に大きな影響をあたえた。

おおうちよしたか　　戦国時代
● 大内義隆　　1507～1551年

西国一の大名となった

（龍福寺蔵／山口県教育委員会）

戦国時代の大名。

周防国（現在の山口県東部）に生まれる。大内義興の長男。幼名は亀童丸。1528年、家をつぎ、周防国、長門国（山口県西部）、豊前国（福岡県東部・大分県北部）、筑前国（福岡県北部）、石見国（島根県西部）、備後国（広島県東部）、安芸国（広島県西部）の7か国の守護となる。1530年代は大宰府の次官となり、豊後国（大分県）の大友氏や、筑前国の少弐氏らとあらそってこれを平定し、中国地方から北九州におよぶ広大な領土を得る。さらに出雲国（島根県東部）の尼子氏への攻撃を強めるが、1542年、月山富田城を攻めて大敗し、あとつぎの大内晴持を失った。

その後は政治を部下にゆだね、みずからは学問、文学、芸能文化の普及、発展につくすようになる。海外との貿易を活発にして富をたくわえ、イエズス会の宣教師ザビエルに布教の許可をあたえるなど、山口は文化都市として栄えた。しかし公家を優遇するなどの政策に対して、しだいに家臣や領民の不満がつのり、1551年、有力家臣の陶晴賢らに反乱をおこされて自害した。

おおうちよしひろ　　貴族・武将
● 大内義弘　　1356～1399年

大内氏の全盛期を築いた

（洞春寺蔵／山口県教育委員会）

南北朝時代～室町時代前期の武将。

周防国（現在の山口県東部）を本拠とした守護、大内氏に生まれる。南北朝の内乱にあたって、北朝（室町幕府）につき、西国の中心勢力として、九州探題（室町幕府が九州を統括するためにおいた機関）今川了俊とともに九州地域の南朝勢力をおさえることに功績をあげた。

1391（明徳2）年、山陰地方を支配していた有力守護、山名氏が室町幕府第3代将軍足利義満に反乱をおこす（明徳の乱）と、幕府軍の中心となって奮戦し、戦いを勝利にみちびいた。これらの軍功により、義弘は周防国、長門国（山口県西部）、

石見国（島根県西部）、和泉国（大阪府南西部）、紀伊国（和歌山県・三重県南部）、豊前国（福岡県東部・大分県北部）の守護となり、大内氏の全盛期を築くこととなった。

また義弘は、大内氏が朝鮮の百済の末裔であると称し、朝鮮王朝や中国の明と独自の交易をおこない、巨万の富を築いた。しかし1399（応永6）年、義満と対立し反乱をおこす（応永の乱）が、幕府軍と戦い戦死した。

おおえけんざぶろう　〔文学〕
● 大江健三郎　　　　　　　　　1935年～

戦後世代を代表するノーベル賞作家

作家。
愛媛県生まれ。東京大学仏文科卒業。森にかこまれた谷間の村で育つ。大学の学園祭の懸賞小説に書いた『奇妙な仕事』が、『毎日新聞』の文芸時評で称賛され、注目される。その後、『死者の奢り』『他人の足』を発表し、作家としてみとめられた。1958（昭和33）年、『飼育』で芥川賞を受賞。独創的な文体で少年・青年期の虚無感をえがき、第二次世界大戦後の世代を代表する作家として活躍する。1965年には核爆弾に反対するルポルタージュ『ヒロシマ・ノート』を発表。2004（平成16）年には戦後民主主義を支持する作家として、鶴見俊輔らと「九条の会」を結成、憲法や原子力などの社会問題や事件に対して積極的に発言をおこなう。

主な作品として、『万延元年のフットボール』『洪水はわが魂に及び』『「雨の木」を聴く女たち』などがある。また、障がいをもって生まれた息子の大江光とのかかわりから生まれた『静かな生活』『恢復する家族』『ゆるやかな絆』のほか、エッセーも多い。1994年、川端康成に次いで、日本人で2人目のノーベル文学賞を受賞。

学 ノーベル賞受賞者一覧　学 芥川賞・直木賞受賞者一覧

おおえのひろもと　〔貴族・武将〕
● 大江広元　　　　　　　　　1148～1225年

北条氏の執権政治を助けた

鎌倉時代前期の役人。大江匡房の曽孫。

1170年、権少外記（天皇の側近事務をつかさどる中務省の定員外の下級役人）、1184年、因幡守（現在の鳥取県東部の長官）となった。同年、朝廷の実情を知り、法令などにくわしいことから源頼朝にまねかれて側近として重用され、公文所（政務や財政を担当する役所、のちの政所）の初代別当（長官）となった。1185年、守護（諸国の軍事、警察を担当する

（国立国会図書館）

役職）と地頭（諸国の荘園や公領の管理と年貢徴収を担当する役職）の設置を進言した。1190年、頼朝にしたがって都におもむき、朝廷との交渉に大きな役割をはたした。1191年、宮中の警備をする左衛門尉、都の治安維持や裁判をする検非違使に任命されたが翌年、辞任して鎌倉にもどった。

1199年、頼朝の死後も、その妻北条政子などの信任を得て幕政に参加し、比企能員の乱（1203年）、和田義盛の乱（1213年）をしずめるのに活躍した。1219年、第3代将軍源実朝が暗殺されたのちも、執権（鎌倉幕府の政治を統括する職）北条義時を補佐した。1221（承久3）年に後鳥羽上皇（譲位した後鳥羽天皇）がおこした承久の乱のときは、京へ攻めのぼることを主張し、短期間で幕府を勝利にみちびいた。1224年、北条義時の死後、子の北条泰時を執権につけ、北条氏執権政治の基礎がためをした。

おおえのまさふさ　〔貴族・武将〕
● 大江匡房　　　　　　　　　1041～1111年

博学多才で和歌にすぐれる

平安時代後期の公家の高官、学者、歌人。

（国立国会図書館）

学者、政治家として善政をおこなった大江匡衡の曽孫にあたる。後三条天皇、白河天皇、堀河天皇につかえた。16歳で試験に合格し、次々と昇進し、さまざまな役職を歴任。1097年、大宰府次官である大宰権帥となった。白河上皇が院政をおこなったときには白河院の別当（長官）などをつとめて上皇を補佐した。博学多才で、朝廷の儀式や作法、服飾の故実（規定や習慣）に通じ、それらをまとめた『江家次第』を著した。中でも和歌にすぐれ、『後拾遺和歌集』などの勅撰集に多くの作品をのこしている。同時代に生きた貴族、藤原実兼は、大江匡房の談話や説話を記録した『江談抄』を著したが、匡房は兵法にも通じていたという。鎌倉時代の説話集『古今著聞集』によれば、匡房は、前九年の役（1051～1062年）で戦功をあげた源義家について「器量はよき武者なれど、なお戦の道を知らず」と評した。これが義家に伝わると、義家は怒るどころか弟子となって匡房から中国の兵法を学び、後三年の役（1083～1087年）に役だてたという逸話がある。

学 人名別 小倉百人一首

おおおかしょうへい

文学

● 大岡昇平　1909～1988年

みずからの体験を通して、戦争と人間をえがく

昭和時代の作家、評論家。東京生まれ。京都帝国大学（現在の京都大学）仏文科卒業。高校生のころ小林秀雄にフランス語の個人教授を受けたことから中原中也、中村光夫らと親交をもつ。大学卒業後、スタンダールの研究で知られるようになった。第二次世界大戦末期の1944（昭和19）年、兵士として出征し、翌年アメリカ軍の捕虜となった。これを原体験に、兵士としての自分を批判し、戦争が人間にどのような影響をあたえるかを冷静に分析した傑作『俘虜記』を発表して、作家として出発する。その後、戦争の記録としての『野火』『レイテ戦記』や、歴史小説『将門記』、恋愛小説の傑作とされる『武蔵野夫人』『花影』などを著した。

評論家としては、中原中也の評伝『朝の歌』『在りし日の歌』、文芸評論の『常識的文学論』『昭和文学への証言』『文学における虚と実』などすぐれた作品を多数のこしている。

おおおかただすけ

江戸時代

● 大岡忠相　1677～1751年

江戸の民の生活の安定につとめた名奉行

（『義高島千摂網手』／早稲田大学演劇博物館 100-7357）

江戸時代中期の町奉行。旗本（将軍に直接会うことをゆるされた武士）大岡忠高の子として生まれる。10歳のとき、同じ一族の旗本大岡忠真の養子になり、1700年、24歳で養父のあとをついだ。若いころは兄や一族の不祥事のためよい役目を得られずにいたが、1702年、26歳で書院番（将軍のそば近くにつかえ警備などを担当する役職）に任じられ、その後出世をつづけて1712年、36歳のとき伊勢国（現在の三重県東部）と志摩国（三重県南東部）を支配する山田奉行になった。

1717年、江戸幕府第8代将軍徳川吉宗に抜てきされ、41歳の若さで江戸（東京）の町奉行（江戸の町の行政・裁判・警察を担当した役人）になった。

町奉行になった忠相は1720年、町人による消防隊「いろは四十七組」の町火消を組織し、町人地の消火活動にあたらせ、かわら屋根を普及させたり、火除地（火事が広がるのをふせぐ空き地）をつくったりして、江戸の防火対策につとめた。

また、吉宗の享保の改革の片腕となり、さまざまな改革をおこなった。1722年、貧しい人々を治療するため、小石川薬園（現在の小石川植物園）の中に小石川養生所を設置した。物価対策にもとりくみ、約20年にわたって江戸の民の生活の安定につとめ、名奉行とたたえられた。

一方で、田中丘隅など地方で功績のあった者を登用して、関東地方の治水工事や新田開発などにも力をつくした。また、裁判における幕府の基本法典『公事方御定書』を編さんした。こうしてさまざまな分野で業績を上げ、1736年、寺社奉行（全国の寺や神社を管理し宗教をとりしまる役職）に昇進し、1748年、三河国西大平藩（愛知県岡崎市）1万石の大名になった。

町奉行のときは裁判官として評判が高く、のちに忠相の名裁きを集めた物語『大岡政談』がつくられて落語や講談（巧妙な話術で軍記物やあだ討ちなどを語る演芸）などにとり上げられた。しかし、『大岡政談』の話のほとんどは日本や中国の裁判記録などを忠相の業績として脚色したもので、忠相とは関係ない。

おおおかまこと

詩・歌・俳句

● 大岡信　1931年～

透徹した感性をもつ現代の代表的詩人

詩人、評論家。

静岡県生まれ。東京大学国文科卒業。長男は芥川賞作家の玲。歌人の父、博の影響で、中学生のころから詩や短歌をつくる。在学中に作家の日野啓三、佐野洋らと同人誌『現代文学』を創刊。卒業後、谷川俊太郎らの詩誌『櫂』に参加する。1956（昭和31）年、最初の詩集『記憶と現在』を発表。日本的な感性と新しい表現が融合した作品が注目された。以後、現代詩を代表する詩人の一人として活躍。1979年から朝日新聞で、古典や現代の短歌、俳句、詩などを紹介する『折々のうた』を連載、多くのファンを得た。評論の分野では、『紀貫之』『詩人・菅原道真』などがある。1997（平成9）年に文化功労者、2003年には文化勲章受章。

学 文化勲章受章者一覧

おおかじしちべえ

郷土

● 大梶七兵衛　1621～1689年

出雲平野の開発につくした農民

江戸時代前期の農民、植林家。

出雲国神門郡古志村（現在の島根県出雲市）の豊かな農家に生まれた。出雲平野を流れる神戸川河口の荒木浜は、日本海からの強風にさらされ、作物が育たない荒れ地で、松江藩（島根県東部）による開発も進まなかった。七兵衛は、開発を藩に願いでて許可を得た。まず、砂丘に雑木を編んだ柴垣を

植えて防風林をつくったが、砂にうもれた。しかし何度も築くうちに堤防ができ、裏側に灌木（背の低い木）、さらにマツの苗木を植えて、1674年ごろマツの防風林ができた。マツを8列植えたので「八通りの松林」とよばれた。1677年、荒木浜に移り住み、耕地の開拓をはじめる。斐伊川から用水をひくとき、川床となる地面にむしろをしき、粘土でかためて、水がもれないようにくふうし、1687年、全長約8kmの用水路、高瀬川が完成した。かんがい用水だけでなく、川舟で物資をはこぶこともでき、地域の人々に恩恵をもたらした。

（出雲市観光交流推進課）

おおかわしゅうめい
政治

● 大川周明　1886〜1957年

軍とむすんで国家改造をめざした

（国立国会図書館）

大正時代〜昭和時代の思想家。山形県生まれ。東京帝国大学（現在の東京大学）文科大学哲学科で、インド哲学を学ぶ。卒業後も、インドの植民史や現状もふくめて研究をつづけた。1918（大正7）年、南満州鉄道に入社し、満鉄東亜経済調査局・満鉄調査部に勤務した。北一輝らとともに右翼団体の猶存社を結成するが、のちに北と対立した。1920年、拓殖大学教授となる。1924年には右翼団体の行地社を創立して、陸軍首脳部との関係を深めた。1931（昭和6）年、軍部独裁政権樹立のためのクーデターである三月事件、十月事件にかかわった。1932年、神武会を結成するが、五・一五事件で資金や拳銃を提供したため、有罪判決を受けて服役した。出獄後の1939年に『日本二千六百年史』を刊行、ベストセラーとなる。そのほかにも著書は数多い。第二次世界大戦後、民間人としては唯一A級戦犯の容疑で逮捕されたが、精神障害と判定されて釈放となった。都立松沢病院での入院生活のあいだに、イスラム教の聖典コーラン全文の翻訳を完成させた。

おおきたかとう
幕末

● 大木喬任　1832〜1899年

東京ではじめての知事となった

幕末の佐賀藩（現在の佐賀県）の藩士、明治時代の政治家。
佐賀藩に生まれ、藩校の弘道館で学んだ。江藤新平らとともに尊王攘夷運動を進め、1868（明治元）年の明治維新後、

明治新政府の参与、外国事務局判事、京都府判事、軍務官判事をつとめる。
東京に都を移すことに力をつくして実現させ、東京府知事（東京都知事）となった。それ以降も重職をにない、学制（近代的学校制度を定めた教育法令）の制定など近代教育制度の確立などに貢献した。1880年、立法機関である元老院の議員となり、法律の編さんにたずさわり、その後、司法卿、文部卿をへて、1885年、元老院議長、1888年、天皇に属して重要な国事を審議する枢密院の顧問官、1889年、枢密院の議長をつとめる。1891年、第1次松方正義内閣では文部大臣となった。

おおぎまちてんのう
王族・皇族

● 正親町天皇　1517〜1593年

戦乱の世で天皇の権威を高めた

戦国時代〜安土桃山時代の第106代天皇（在位1557〜1586年）。
名は方仁。1557年、父の後奈良天皇の死去により天皇の位を受けついだ。しかし、当時は、戦国時代で国内が乱れ、天皇家や公家は貧窮しており、3年後、毛利元就の献上金により、ようやく即位式をあげることができた。

（正親町天皇画像／東京大学史料編纂所所蔵模写）

1568年、織田信長は、天皇を守るという名目で京都を制圧すると、朝廷の財政を援助して、皇居の修理や復旧、伊勢神宮の造営や遷宮、朝儀の復興などをおこなった。一方、天皇側は、1570年の信長と朝倉氏、浅井氏との戦いや、1573年の足利義昭との戦いなどで、信長の敵対勢力に対する講和の勅命を実現させるなどして、天下統一事業を助けた。こうした皇室と信長政権の関係は、豊臣秀吉へ政権が移ったあともつづき、結果的に戦国時代に低迷していた皇室の権威を回復させることに成功した。
秀吉を関白に任じた翌年の1586年、孫の和仁親王（後陽成天皇）に譲位して、退位した。

学 天皇系図

おおくぼただたか

大久保忠教 → 大久保彦左衛門

おおくぼとしみち
幕末

● 大久保利通　1830〜1878年

維新三傑の一人

幕末の薩摩藩（現在の鹿児島県）の藩士、明治時代の政治家。
薩摩藩の下級武士大久保利世の子として生まれ、西郷隆盛

▲大久保利通　（国立国会図書館）

とは幼なじみだった。1850年、父が薩摩藩主のあとつぎをめぐる御家騒動にかかわり喜界島に流罪となると、藩主の身のまわりの世話をする御小姓組をやめさせられ、謹慎した。1851年、島津斉彬が藩主になると、1853年に西郷とともに登用された。

1858年、斉彬が急死し、異母弟の島津久光が藩の実権をにぎった。1859年、大久保は脱藩などの行動に走らず藩内の過激派をおさえたので久光にみとめられ、1861年、藩の金銭や物品を管理する御小納戸役に抜てきされて、藩の政治にかかわり、久光の考える公武合体（朝廷と徳川将軍家が協力すること）を進めた。1863年、八月十八日の政変で、朝廷から三条実美など尊王攘夷派（天皇をうやまい外国勢力を追いはらうという考えの人々）が追放されたあと、西郷と手を組み、藩の方針を公武合体から倒幕へとみちびいた。1866年、坂本龍馬の仲立ちで、敵対していた長州藩（山口県）と薩長同盟をむすび、長州を支援することを約束した。

1867年、江戸幕府第15代将軍徳川慶喜が大政奉還（政権を朝廷に権力を返すこと）を申しでて、「王政復古の大号令」がだされ、朝廷に政権がもどされた。大久保はその後の会議で、慶喜の官位辞退、所領返納を決定させた。

1868（明治元）年、明治新政府が成立すると重職の参与となり、京都から東京に都を移し、版籍奉還（大名が領地と領民の戸籍を天皇に返すこと）、廃藩置県（藩を廃止して、かわりに県・府をおいた行政改革）を実現して明治政府の中央集権を進めた。1871年には岩倉使節団の副使として2年あまり欧米を視察した。

1873年に帰国すると、政府内では西郷や板垣退助によって、国交を拒否し鎖国政策をとっている朝鮮に対して出兵するべきだという征韓論が主張されていたが、大久保や岩倉は内政をととのえるのが急務だとして西郷らと対立した。朝鮮派遣は中止となり、西郷や板垣、江藤新平らが政府を去った。大久保は内務卿となって大きな権限をにぎり、国の近代化を進めた。1874年、江藤新平が佐賀の乱をおこすとこれを鎮圧し、以降各地でおきた新政府に反対する旧武士層の不平士族の乱をきびしくしずめ、1875年には日本の軍艦が朝鮮半島の江華島付近で朝鮮軍から砲撃されたのを機に、武力を背景として日朝修好条規をむすび、朝鮮を開国させた。

さらに1877年の西南戦争では西郷を死に追いやった。これに対する反感や不満は大きく、翌年、西郷を崇拝する石川県の士族により暗殺された。西郷隆盛、木戸孝允とともに「維新の三傑」として知られている。

▲西南戦争錦絵『征韓論之図』　大久保利通は左下端の人物。
（国立国会図書館）

おおくぼながやす
● 大久保長安　　1545～1613年　戦国時代

鉱山開発の手腕で江戸幕府成立を助けた

（大安寺）

戦国時代の武将。
名は「ちょうあん」とも読む。甲斐国（現在の山梨県）の武田信玄につかえた猿楽師（能役者）、大蔵大夫十郎信安の次男に生まれる。信玄に家臣（代官衆）としてとりたてられ、財政や司法、黒川金山の開発などにあたった。1582年に武田氏が滅亡したのちは、徳川家康の家臣となり、堤防の復旧、新田の開発、金山の開発などを進め、数年で混乱におちいった甲斐国を再建させた。また、伊奈忠次らとともに関東領国支配の中心となり、関東各地を開発する。1600年、関ヶ原の戦い後は、石見銀山、佐渡金山、伊豆金山などの奉行をつとめ、鉱山開発で驚異的な成果をもたらす。1603年には、佐渡奉行、所務奉行（のちの勘定奉行、税の徴収など幕府の財政運営を担当する役人）、老中に就任。いくつもの城の建築や、東海道・中山道などの交通網の整備や一里塚の建設などをしきり、家康の片腕となって大きな業績をあげた。しかし、長安の死後、鉱山経営で不正蓄財をしたという疑いをかけられ、7人の息子全員が切腹を命じられた。

学 江戸幕府大老・老中一覧

おおくぼひこざえもん
● 大久保彦左衛門　　1560～1639年　江戸時代

将軍に苦言をのべることもあった気骨のある家臣

江戸時代前期の幕臣。
江戸幕府初代将軍徳川家康の重臣大久保忠世の弟。本名は忠教。徳川家が三河国（現在の愛知県東部）の小大名だったころからの家臣の家に生まれる。徳川家康につかえ、1576年、17歳で初陣をかざって以来、数々の戦いに参加して戦功を立

（国立国会図書館）

てた。1590年、小田原征伐ののち家康が関東に移ると、武蔵国（埼玉県・東京都・神奈川県東部）に2000石をあたえられた。1614年、おいで相模国小田原藩（神奈川県南西部）の藩主、大久保忠隣（忠世の子）の改易（領地を没収されること）にともない、三河国で新たに1000石をあたえられ復帰した。1614、1615年の大坂の陣には槍奉行（槍をもつ隊の指揮をする役職）として参加した。1626年ころ、数々の戦いを経験した自身の体験をもとに『三河物語』を書き、子孫に教訓をのこした。

気骨のある武士で、第3代将軍徳川家光に苦言をのべることもあったといわれ、「天下のご意見番」との異名ももつ。のちには彦左衛門と、その奉公人一心太助の逸話が講談などでとり上げられた。

おおくましげのぶ

大隈重信 → 179ページ

おおくらきはちろう

大倉喜八郎　産業
1837〜1928年

大成建設など多くの会社を設立

（国立国会図書館）

明治時代〜大正時代の実業家。

越後国（現在の新潟県）の商家に生まれる。18歳で商人をめざして上京し、江戸（東京）の乾物店に奉公する。

その後、独立して銃砲店をひらき、幕末の動乱を利用して大成功をおさめる。明治維新後、新政府の軍の御用商人として活躍。1873（明治6）年、貿易商の大倉組商会を設立する。政治家や軍部とむすびつき、西南戦争、日清・日露戦争などの武器や軍事物資の調達や輸送で、ばく大な利益を得た。

ロンドンに支店をおいてヨーロッパと直接貿易をおこない、朝鮮や中国との貿易や投資にも進出する。ホテルオークラ、サッポロビールなど、設立にかかわった企業は200をこえるといわれている。1898年、大倉高等商業学校（現在の東京経済大学）を設立する。

1917（大正6）年には、大倉商事、大倉土木（現在の大成建設）、大倉鉱業を直系3社とする大倉財閥を築き、日本の近代化に大きな功績をのこした。

おおくらながつね

大蔵永常　学問
1768〜?年

農業技術をまとめ、発展につくした

▲大蔵永常
（日田市教育庁）

江戸時代後期の農学者。

豊後国日田（現在の大分県日田市）の綿栽培の農家に生まれ、父とろう工場ではたらいた。20歳のころから九州各地をめぐって農業事情を見聞し、製糖（サトウキビなどから砂糖をつくること）や製紙（植物の繊維から紙をつくること）などの技術を修得。1796年、29歳のとき、大坂（阪）に出て苗木商をいとなむかたわら、製糖技術を広めたり先進的農業技術を学んだりした。

その後、農業関係の書物の執筆に専念し1802年、『農家益』を出版した。九州地方の特産物であるハゼ（ろうそくの原料になる木）の栽培方法やろうの製造方法を紹介した本で、これにより名声が高まった。以後、クジラからとれる鯨油を用いる害虫駆除方法を説いた『除蝗録』、アブラナの栽培方法を解説した『油菜録』、数十種類の農具とそのつかい方を絵入りで紹介した『農具便利論』など多数の農業実用書を著した。

1825年、58歳で江戸（東京）に行き、関東地方の農業技術を見聞した。1834年、67歳のとき三河国田原藩（愛知県田原市）の家老（藩主を補佐して政治をおこなう役職）渡辺崋山に推薦されて、田原藩の物産方に任命され、藩内の農業指導にあたった。しかし、1839年、蛮社の獄で崋山が謹慎を命じられると、物産方をやめさせられた。1844年には、遠江国浜松藩（静岡県浜松市）の藩主、水野忠邦にまねかれて物産方をつとめた。

その後は大坂で著作に専念した。永常は、米よりも特産物を重視し、特産物によって農家に現金収入をもたらすことが農民を豊かにするもっともよい方法だと説き、特産物の栽培と加工技術の普及につとめた。

代表作は、約60種類の特産物の栽培方法と、商品作物（アブラナ、アイ、ワタ、チャなど売ることを目的に栽培される作物）の栽培、加工による農家の利益と国益を説いた『広益国産考』で、永常没後の1859年に出版された。

▲梅干しの製造を紹介したページ
『広益国産考』より。　（国立国会図書館）

おおくましげのぶ

大隈重信

幕末　政治　1838〜1922年

日本で最初の政党内閣をつくった政治家

▲大隈重信　（国立国会図書館）

■幕末の動乱期を生きる

明治時代〜大正時代の政治家、第8、17代内閣総理大臣（在任1898年、1914〜1916年）。

佐賀藩（現在の佐賀県東部と南部・長崎県南部）の藩士、大隈信保の子として生まれた。7歳で藩校の弘道館に入学した。佐賀武士の修養書であり、死をおそれず主人へ奉公することを説く『葉隠』や朱子学の教育を受けるが、大隈はこれに反発し藩校の改革をうったえた。1854年、17歳のとき国学を学び、尊王派（天皇をうやまう人々）が結成した義祭同盟に副島種臣、江藤新平らと参加した。

1856年、佐賀藩の蘭学寮に入った。1861年、アメリカ人宣教師のフルベッキに英語などを学び、1865年、長崎で英学塾「致遠館」を設立して学生を指導した。当時の日本は開国後の動乱期で、大隈は尊王攘夷思想（天皇をうやまい外国勢力を追いはらおうという考え）の影響を受けた。1867年、副島種臣とともに脱藩し、第15代将軍徳川慶喜に大政奉還をすすめようと京都へ行くが、藩の役人につかまって佐賀にもどされ、謹慎処分になった。

■明治新政府で活躍

1869（明治2）年、明治新政府の大蔵大輔（明治政府の大蔵省で卿に次ぐ役職）となり鉄道や電信の建設に力をつくした。1870年、参議（明治政府の重要な官職）となり、1873年、大蔵卿に就任した。内務大臣（国内行政を統括した内務省の長官）の大久保利通のもとで財政を担当し、地租改正（土地所有者に地価の3％をおさめさせる政策）、秩禄処分（武士などに支給されていた給料を廃止する政策）などを進めた。また、台湾出兵（1874年）や西南戦争（1877年）で兵員の輸送に協力した岩崎弥太郎の三菱汽船会社を援助し、三菱との関係が密接となった。

■総理大臣となる

1881年、自由民権運動に賛同して国会開設を主張し、また、北海道開拓使の官有物払い下げに反対して伊藤博文らと対立し、参議を辞職した（明治十四年の政変）。

1882年、立憲改進党を結成し国会開設にそなえた。同年、東京専門学校（現在の早稲田大学）を創立した。

1888年、大隈の外交能力をみとめていた伊藤博文は不平等条約を改正するため政敵だった大隈を外務大臣にまねいた。その後の黒田清隆内閣でも外務大臣に留任した。しかし、条約改正のため外国人裁判官を採用するという大隈の改正案がもれ、翌年、これを国の恥だと怒った右翼の青年に爆弾を投げられて右足を負傷して切断するという事件がおこり、外務大臣を辞職した。

1896年、松方正義内閣の外務大臣となったが薩摩出身の大臣と意見が合わず翌年辞職した。

1898年、板垣退助と憲政党を組織し、日本ではじめての政党内閣（隈板内閣）を組織し内閣総理大臣となったが、内部対立がおこり、わずか4か月で総辞職した。

1907年、70歳で政界を引退し、早稲田大学総長に就任した。

1914（大正3）年、政界に復帰し、第2次大隈内閣を組織した。この年、第一次世界大戦がおこると、翌年中華民国に対し二十一か条の要求をだした。1922年、85歳で亡くなるが、葬儀は国民葬でおこなわれた。

歴代の内閣総理大臣一覧

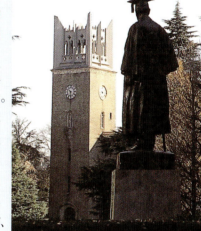
▲早稲田大学大隈講堂と大隈重信の銅像

大隈重信の一生

年	年齢	主なできごと
1838	1	佐賀藩藩士の子として生まれる。
1854	17	尊王派の義祭同盟に参加する。
1865	28	長崎で英学塾「致遠館」を設立する。
1869	32	大蔵大輔となり鉄道・電信建設を進める。
1870	33	明治政府の参議となる。
1881	44	伊藤博文と対立し参議を辞職する。
1882	45	立憲改進党を結成する。東京専門学校を創立する。
1888	51	伊藤博文内閣の外務大臣となる。
1889	52	右翼の青年に爆弾を投げられて負傷し右足を切断。外務大臣を辞職する。
1898	61	隈板内閣を組織し首相となる。
1914	77	第2次大隈内閣を組織する。
1915	78	中華民国に二十一か条の要求をだす。
1922	85	東京早稲田の私邸で亡くなる。

※年齢は数え年であらわしている

おおこうちまさとし
大河内正敏　1878〜1952年
学問

理化学研究所を成長させた科学技術立国・日本の立役者

（国立国会図書館）

大正時代〜昭和時代の機械工学者、実業家。

東京で、旧上総大多喜藩主の家の長男として生まれる。1903（明治36）年に東京帝国大学（現在の東京大学）を首席で卒業。ヨーロッパ留学から帰国し、母校の教授に就任、大砲などの兵器を研究した。1915（大正4）年、貴族院議員に当選、1921年に理化学研究所第3代所長となる。自由な雰囲気をつくり、研究者の意欲を高める一方、研究成果である合成酒やビタミン剤などを商品化して資金を得て、理化学研究所を国際的な研究機関に成長させた。

1927（昭和2）年、ピストンリング（ピストンの外周にはめる環状の部品、エンジンなどにつかわれる）研究の事業化を目的に理化学興業株式会社（のちのリケン）を設立、日本初の実用ピストンリングの製造をはじめた。さらに、理研産業団とよばれる76の企業を設立した。東京物理学校（東京理科大学）校長、軍需省顧問なども歴任したが、1945年、A級戦犯とされ収監、翌年の釈放後、公職追放となる。1951年に追放がとかれるが、翌年、脳こうそくで死去した。

おおしおへいはちろう
大塩平八郎　1793〜1837年
江戸時代　政治　学問

大塩の乱で貧しい人を救おうとした

（大阪城天守閣）

江戸時代後期の陽明学者。

大坂町奉行所の与力の子として生まれ、父のあとをついで与力になった。当時の大坂町奉行に才能をみこまれ、吟味役（容疑者の取り調べや訴訟の審議などをおこなう役職）に抜てきされ、役人の不正をあばくなど、数々の功績をあげて名声を高めた。儒学の一派である陽明学の学者としても知られ、引退後は自宅に洗心洞という塾をひらいて門人の教育にあたった。

天保のききん（1833〜1839年）がおこると、飢えに苦しむ人の救済を町奉行にうったえたが、聞き入れられなかった。1837年、幕府や大坂町奉行所が何の対策も立てないばかりか、大商人といっしょになってぜいたくをしていることに抗議し、門人たちと兵をあげた。大商人をおそい、うばった金や米を貧しい人に分けようとしたが、その日のうちに町奉行所の軍勢に鎮圧され、いったんはのがれたが、後日、自殺した（大塩の乱）。大坂（阪）でおこった元与力による大規模な反乱は、幕府に大きな衝撃をあたえた。

おおしこうちのみつね
凡河内躬恒　生没年不詳
詩・歌・俳句

『古今和歌集』の撰者の一人、三十六歌仙の一人

平安時代前期の歌人。

894年、甲斐権少目（現在の山梨県の下級役人）となる。生涯、役人としては不遇だったが、朝廷では紀貫之に次ぐ歌人として知られ、905年、紀貫之などとともに『古今和歌集』の撰者となった。また、朝廷のさまざまな和歌の催しで歌をつくり、宇多法皇（出家した宇多天皇）の行幸（天皇が外出すること）にしたがって各地に行き、歌をよんだ。921年、淡路権掾（兵庫県淡路島の守、介に次ぐ官職）となり生涯を終えた。『古今和歌集』の60首をふくめ、勅撰集（天皇や上皇の命令でつくられた和歌集）に190首あまりがのせられている。三十六歌仙（藤原公任のえらんだ36人の歌人）の一人。歌集『躬恒集』がある。

学 人名別　小倉百人一首

おおしたひろし
大下弘　1922〜1979年
スポーツ

戦後のプロ野球ブームの立役者

昭和時代のプロ野球選手、監督。

兵庫県生まれ。第二次世界大戦中は軍隊に入り、特攻隊員候補として終戦をむかえる。戦後、プロ野球が再開すると、明治大学を中退してセネタース（現在の北海道日本ハムファイターズ）に入団し、1946（昭和21）年に本塁打王となった。

1947年のシーズンからは、赤バットの読売ジャイアンツ・川上哲治に対抗して、青くぬったバットでホームランを量産したことから、「青バットの大下」とよばれ、敗戦で打ちひしがれた国民を熱狂させ、爆発的なプロ野球ブームをまきおこした。

1959年の現役引退後は、プロ野球のコーチ・監督のほか、少年野球チームの監督として多くの甲子園球児を育てた。

おおしまたかとう
大島高任　1826〜1901年
郷土

近代製鉄産業の父

江戸時代後期の武士。明治時代の溶鉱炉建設者。鉱山開発者。

陸奥国盛岡藩（現在の岩手県）の医師の家に生まれる。17歳で江戸（現在の東京）に出て、蘭学を学ぶ。1846年、長崎に行き、医学、西洋流兵法、砲術、採鉱などを学んだ。オランダの書物を読んで、製鉄や大砲の鋳造法を知り、盛岡藩で

▲大島高任
（釜石市観光交流課）

製造したいと考えた。

1853年、高任の才能をみこんだ水戸藩（茨城県中部、北部）藩主の徳川斉昭にまねかれ、1855年、那珂湊（ひたちなか市）に鉄や銅をとかす反射炉をつくり、大砲を製造した。しかし、砂鉄は大砲の材料にむいておらず、試射すると砲身が破裂してしまった。

盛岡にもどると、釜石（岩手県釜石市）に良質な鉄鉱石のとれる鉱山があることを知り、大橋（釜石市甲子町）に高さ7mの洋式高炉を建設し、1858年、日本ではじめて、鉄鉱石から鉄をつくることに成功した。のべ1万7000人、2万7000両（現在の約27億円）をかけた大事業だったが、年間約660トンの鉄を生産した。高任は約10トンの鉄を水戸藩に送り、水戸藩は大砲を製造した。その後、付近の橋野、佐比内、栗林、砂子渡など7か所に溶鉱炉を建設した。

1861年、盛岡に洋学を教える日新堂を創立し、青年たちに蘭学、医学、物理、化学、兵術、砲術などを教えた。また、明治新政府に工学寮（現在の東京大学工学部）をつくることを進言した。

1871（明治4）年、諸外国とむすんだ条約の改正交渉にむかう岩倉使節団の一員となり、アメリカ合衆国やヨーロッパにわたりドイツで製鉄技術を学んだ。帰国後の1874年、釜石の鉱山が官営（国営）になったが、製鉄所の建設にあたって、高任の案が採用されなかったので、釜石を去った。その後、明治政府がおこなった小坂・尾去沢（秋田県）、佐渡（新潟県）など、全国の鉱山開発事業にたずさわった。現在では「日本鉱山開発の父、近代製鉄産業の父」といわれている。

釜石の製鉄所は、その後一時廃止されたが、民間で再興され、1934（昭和9）年、日本製鐵が経営にあたった。太平洋戦争後は、富士製鐵が経営し、その後八幡製鐵と合併し、現在は新日鉄住金釜石製鉄所となっている。

▲橋野高炉の復元模型
（釜石市観光交流課）

おおしまなぎさ

● 大島渚　　　1932～2013年　　映画・演劇

日本映画に新しい波をおこした

昭和時代～平成時代の映画監督。

京都府生まれ。農林省（現在の農林水産省）の水産学者だった父親の仕事の関係で瀬戸内地方ですごす。1954（昭和29）年、京都大学法学部卒業後、松竹に入社し、1959年に『愛と希望の街』で監督デビュー。翌年、奔放さや反権威の姿勢を強烈に表現した『青春残酷物語』がヒット。1961年に松竹を退社して映画製作会社の創造社を立ち上げ、テレビの世界にも活動を広げ、大衆に知られる人物となった。1975年、大島渚プロダクションを設立。1976年の『愛のコリーダ』は日本では現像ができない性表現のあるフィルムを出資国のフランスで現像編集した大作で、芸術的に高く評価され、世界的に大ヒットした。1978年、『愛の亡霊』でカンヌ国際映画祭監督賞を受賞。1983年の『戦場のメリークリスマス』ではデビッド・ボウイ、坂本龍一、ビートたけしを起用して話題をよんだ。脳出血でたおれるが、夫人の介護もあり復帰。紫綬褒章、フランス芸術文化勲章の第2階級であるオフィシエを受章。権力に闘争的に対峙する大島に、世界中の多くの映画監督が影響を受けた。

おおすぎさかえ

● 大杉栄　　　1885～1923年　　政治

日本を代表するアナキスト

（日本近代文学館）

明治時代～大正時代の社会運動家。

香川県出身。名古屋陸軍幼年学校を中退して上京、順天中学校をへて1903（明治36）年、東京外国語学校仏文科に入学した。在学中より幸徳秋水、堺利彦らの平民社に出入りし、社会主義運動の影響を受け、国家権力を否定するアナキズム（無政府主義）をめざす。1912（大正元）年、荒畑寒村と『近代思想』『平民新聞』を創刊、社会主義運動を広げようとするが発禁処分がつづき、経済的にも行きづまる。このころ、恋愛関係のもつれから、愛人の神近市子にさされて瀕死の重傷を負った（日蔭茶屋事件）。

その後は同じくアナキスト（無政府主義者）の伊藤野枝と共同生活をはじめ、労働者の町・亀戸に移転し『文明批評』を、さらに和田久太郎や久板卯之助とともに『労働新聞』を刊行。労働運動に大きな影響をあたえた。1920年、日本社会主義同盟の創設に参加。

ロシア革命に強い関心をしめすが、しだいに批判を強めるようになる。1923年、関東大震災の混乱の際、憲兵隊の甘粕正彦大佐らによって、伊藤と、自身の6歳のおいとともに連行され、殺された。

おおすみよしのり
大隅良典　1945年～　[医学][学問]

「オートファジー」でノーベル生理学・医学賞を受賞

生物学者。
福岡市生まれ。1967（昭和42）年、東京大学教養学部を卒業後、理学研究科大学院に進学。1974年、理学博士の学位を取得し、同年、アメリカ合衆国のロックフェラー大学の研究員となり、酵母の研究と出会った。1977年、東京大学にもどったのちも、酵母の研究をつづけ、1988年、酵母の細胞内にある液胞にたんぱく質がとりこまれて分解される現象を発見。自分の細胞内にある不要なタンパク質などを分解して、栄養となるアミノ酸をつくる「自食作用（オートファジー）」のしくみを解明した。さらに1993（平成5）年、オートファジーの鍵となる遺伝子14個をつきとめた。また、オートファジーは、単細胞の酵母から人間にいたるまで共通する生命を維持するためのしくみで、パーキンソン病やアルツハイマー病などの神経疾患や、がんなどの病気と深いかかわりがあることを明らかにした。2016年、病気の新しい治療法の開発につながると評価され、ノーベル生理学・医学賞を受賞。同年、文化勲章を受章した。　[学]ノーベル賞受賞者一覧　[学]文化勲章受章者一覧

おおたがきれんげつ
大田垣蓮月　1791～1875年　[詩・歌・俳句]

富岡鉄斎に影響をあたえた歌人

江戸時代後期～明治時代の歌人、陶芸家。
本名は誠。伊賀上野（現在の三重県伊賀市）の家老、藤堂氏の子といわれる。生後まもなく知恩院（京都市東山区）の寺侍大田垣光古の養女になった。歌人の香川景樹、上田秋成らに和歌を学び、また、武芸、裁縫、茶の湯、生け花などにもすぐれていた。33歳のとき、再婚した夫に先だたれ、出家して尼になり蓮月と称した。その後、岡崎村（京都市）に移り、自作の歌をくぎでほった陶器を焼いて生計を立てた。これは蓮月焼といわれてもてはやされた。幕末の女性歌人野村望東尼らと親しく交流し、明治・大正期の日本画家、富岡鉄斎に影響をあたえた。歌集に『海人の刈藻』がある。

おおただいはち
太田大八　1918～2016年　[絵本・児童]

さまざまな個性をもつ絵本作家

絵本作家、画家。
長崎県生まれ。多摩帝国美術学校（現在の多摩美術大学）卒業。第二次世界大戦後から絵本やさし絵をてがけ、絵本界の第一人者として活躍。物語の主題にあわせて、油絵や墨絵、版画などさまざまな技法を用いる。写実的な絵からユーモアあふれるものまで自在にえがき分け、世界的にみとめられている。『いたずらうさぎ』（作・野上彰）での小学館絵画賞の受賞をはじめ、『だいちゃんとうみ』など数々の受賞作品を発表している。2003（平成15）年からは「こどもの本WAVE」で、絵本の文化を普及する活動にも力をつくした。著作に『私のイラストレーション史―紙とエンピツ』がある。

おおたたつごろう
太田辰五郎　1790～1854年　[郷土]

「千屋牛」を改良した畜産家

江戸時代後期の畜産家。
備中国阿賀郡実村（現在の岡山県新見市）に生まれる。家は砂鉄を採取して鉄をつくる鉱山業をいとなみ、財産を築いた。しかし、砂鉄をとりつくせば村には何ものこらない、よいウシを育てれば高い値で売れ、村も豊かになると考えた。周辺の村に出かけて、ウシを育てる技術を学び、牛市がひらかれると、よいウシを買って帰り、もともと小型だった「千屋牛」を、性質のおとなしい、大型でじょうぶなウシに改良した。このウシは、「大赤蔓」とよばれた。蔓は優秀な和牛の系統をいう。1834年、千屋牛を広く販売するため、屋敷地の中に牛市場をつくって、牛市をひらいた。千屋牛は評判がよく、全国に知られるようになった。現在の岡山県産の和牛の多くは、大赤蔓の系統から生まれた。

おおたどうかん
太田道灌　1432～1486年　[戦国時代]

江戸城を築城した名将

（太田道灌画像／東京大学史料編纂所所蔵模写）

室町時代の武将。
出家前の名は資長。父は当時鎌倉公方（室町幕府が関東支配のためにおいた鎌倉府の長官）を補佐する役職である関東管領をつとめた名門守護大名、扇谷上杉氏につかえており、道灌もそのあとをついだ。政治や軍事にすぐれ、築城の名手でもあり、関東各地に城を築いた。1457年には江戸城（東京都千代田区）を築城して居城としたほか、河越城（埼玉県川越市）などでも知られている。関東各地の争乱を戦い、主君である上杉定正の勢力拡大を助けた。しかし1486年、各地での活躍によって影響力を強めた道灌に危機感をいだいた定正の自邸にまねかれ、暗殺された。

学問や和歌に通じた文化人でもあり、少女にヤマブキの花を

さしだされた際、古い和歌に意味を重ねていたことがわからなかったことを恥じて、和歌の道にはげんだという伝説がある。1485年には当時を代表する歌人であった万里集九を江戸城にまねいている。関東各地で活躍し、文武両道の名将であった道灌の伝説や、道灌に由来する地名は、現在でも東京都や埼玉県、神奈川県、千葉県などに数多くのこされている。

おおたなんぽ　文学　詩・歌・俳句
● 大田南畝　1749〜1823年

江戸時代のベストセラー作家

（国立国会図書館）

江戸時代中期〜後期の狂歌師、戯作者。

本名は大田覃。蜀山人、四方赤良などの別号がある。代々御徒（江戸城や将軍の警護する役職）をつとめる幕府の下級家臣の子として江戸（東京）に生まれる。学問で身を立てようと儒学を学んだ。1767年、19歳のとき狂詩狂文集『寝惚先生文集』を出版して名をあげた。

その後、遊里の遊びを小説にえがいた洒落本や黄表紙（表紙が黄色の絵入り小説）などもてがけ、人気を得た。1783年には朱楽菅江とともに狂歌選集『万載狂歌集』を出版し、天明年間（1781〜1789年）に狂歌（風刺や皮肉をもたせた短歌）が大流行するもとをつくった。

しかし、松平定信の寛政の改革がはじまると、狂歌、戯作活動から手をひき、1794年、幕府の学問吟味（寛政の改革でおこなわれた選抜試験）に合格。支配勘定役（税の徴収など幕府の運営を担当した勘定所の役人）に登用されるなどして、役人の仕事に専念した。随筆に『一話一言』がある。

おおたにこうずい　探検・開拓
● 大谷光瑞　1876〜1948年

探検隊をひきいて中央アジアを調査した

（国立国会図書館）

明治時代〜昭和時代の僧、冒険家。

京都府出身。浄土真宗本願寺派本願寺（西本願寺）（京都市）の第22代宗主。法名は鏡如。妻は大正天皇の皇后の姉、籌子。

学習院、共立学校（現在の開成中学校）を退学し、1899（明治32）年、ヨーロッパに留学。日本へもどる途中の1902年、教団活動の一環として西域探検のためインドにわたり、仏教関係の史跡の発掘調査にたずさわった。1903年に父が亡くなって宗主をついだが、その後も探検活動をつづけ、インド、中央アジア、チベットなどの貴重な資料を持ち帰った。この大谷探検隊は、1902年から1914（大正3）年までの13年間で計3回実施された。1908年には、収集品の展示管理のため神戸に二楽荘を建て、文化活動の拠点とした。1914年、大谷家の財政破綻と教団の汚職事件などで宗主を辞任する。中国大陸にわたり、文化活動を継続。太平洋戦争中は近衛文麿内閣の内閣参議、小磯国昭内閣の顧問をつとめた。1945（昭和20）年、病にたおれて入院中にソビエト連邦（ソ連）軍に抑留され、帰国後に亡くなった。多くの著書をのこしている。

おおたにたけじろう　映画・演劇
● 大谷竹次郎　1877〜1969年

伝統芸能を保護した、松竹の創始者

明治時代〜昭和時代の興業師、実業家。

京都生まれ。京都の劇場売店主の家に生まれ、幼少から芝居の世界に入る。1895（明治28）年、新京極阪井座の座主となる。1902年、双子の兄、白井松次郎と松竹合資会社を設立。1910年、関西を兄にゆだね東京に進出。新富座、本郷座、明治座を次々に手に入れ、1914（大正3）年、歌舞伎座の興行権を獲得した。1920年には松竹キネマ合名会社を設立、1931（昭和6）年日本初の本格トーキー映画『マダムと女房』を上映するなど、映画制作にも乗りだし、今日の松竹株式会社を築き上げた。1955年に文化勲章を受章し、1958年に松竹大谷図書館を開設した。第二次世界大戦後の演劇、映画の復興につくし、とくに歌舞伎、文楽、新派の伝統芸能の保護につとめた功績は大きい。

学 文化勲章受章者一覧

おおたようこ　文学
● 大田洋子　1903〜1963年

原爆の悲惨さを文学でうったえる

（日本近代文学館）

昭和時代の作家。

広島県生まれ。本名は初子。進徳実科高等女学校卒業。小学校教師などをへて上京する。雑誌『女人芸術』に恋愛小説『聖母のゐる黄昏』を発表して人気を集める。1939（昭和14）年、『海女』で『中央公論』の懸賞小説に、翌年には、のちに映画化された小説『桜の国』で『朝日新聞』の懸賞小説に入選し、作家としての地位を確立する。

1945年、疎開していた広島で原爆投下にあい、被爆する。

それをきっかけに、原爆の悲惨さを克明につづった『屍の街』(1948年)、約1年かけて書かれた長編小説『人間襤褸』(1950年)を発表、女流文学者賞を受賞する。その後も、被爆の後遺症の恐怖をつづった『半人間』や、被爆者の実態をえがいた『夕凪の街と人と』など、被爆者の姿をえがいた作品をだしつづけ、原爆文学の作家として知られる。

おおつかくすおこ　[文学][詩・歌・俳句]
● 大塚楠緒子　1875～1910年

反戦詩『お百度詣で』の作者
明治時代の歌人、詩人、作家。
東京生まれ。本名は久寿雄。別称は楠緒子。東京女子高等師範学校附属女学校(現在の御茶の水女子大学付属小学校)卒業。夫は、芸術を研究する美学者の保治。佐佐木信綱に短歌を、橋本雅邦に絵を学び、夫の友人の夏目漱石に小説を学ぶ。雑誌『文芸倶楽部』に発表した小説『くれゆく秋』(1895年)などで作家としてみとめられた。

1905(明治38)年、雑誌『太陽』に長詩『お百度詣で』を発表。この詩は、日露戦争に召集された夫の無事を祈る反戦詩として与謝野晶子の『君死にたまふことなかれ』とともに知られる。小説に『客間』『空薫』がある。楠緒子の死にあい、漱石は「有る程の菊抛げ入れよ棺の中」という句でおしんだ。

おおつかけいざぶろう　[工芸][郷土]
● 大塚啓三郎　1828～1876年

益子焼をはじめた陶工

(益子陶芸美術館)

江戸時代後期～明治時代の陶工。
下野国芳賀郡福手村(現在の栃木県茂木町)に生まれる。少年時代に笠間(茨城県笠間市)の寺で修行し、教育を受けた。ときおり寺の住職にしたがい、笠間焼の窯元をおとずれるうちに焼き物に興味をもち、陶器づくりの技術を習いおぼえたという。その後、益子村(栃木県益子町)の農家へ養子に入ったが、生家と行き来するときに、陶器に適した土を発見した。1853年、農業のかたわら、焼き物づくりをはじめた。これが益子焼のはじまりだといわれる。

益子村をおさめていた黒羽藩(栃木県大田原市)は、益子焼の発展をはかった。益子の土では精巧な陶器はつくれなかったが日用品の土びんや水がめ、つぼなどがつくられて、需要が多くなり、明治時代以後も発展した。1924年、陶芸家の浜田庄司が益子に移り住んで、素朴な茶器や花器などをつくるようになると、益子焼は民芸品として有名になった。

おおつかひさお　[学問]
● 大塚久雄　1907～1996年

独自の経済史の研究で業績をのこした経済史学者
昭和時代～平成時代の経済史学者。
京都府生まれ。東京帝国大学(現在の東京大学)卒業後、法政大学教授などをへて、1947(昭和22)年、東京大学経済学部の教授となった。『株式会社発生論』『近代欧洲経済史序説』などの著書で、西欧の近代資本主義社会を分析し、西欧との比較から日本の資本主義社会における弱点を明らかにするなどして、比較経済史研究の第一人者となった。マックス・ウェーバーとマルクスの影響を受けた独自の経済史は「大塚史学」とよばれた。1992(平成4)年、文化勲章受章。これまでの定説にとらわれない幅広いものの見方で、資本主義の形成を論じ、経済学だけでなく、広く社会科学にも影響をあたえた。

学 文化勲章受章者一覧

おおつきげんたく　[医学]
● 大槻玄沢　1757～1827年

江戸の蘭学における中心人物

(国立国会図書館)

江戸時代中期の蘭学者、医者。
陸奥国一関藩(現在の岩手県一関市)の藩医の子として生まれる。江戸(東京)に出て、杉田玄白、前野良沢に蘭学を学び、長崎に遊学してオランダ語を習得した。その後、江戸で仙台藩(宮城県)の藩医をつとめるかたわら、自宅に芝蘭堂という蘭学塾をひらき、全国から集まってきた多くの門人を育てた。門人には、稲村三伯や宇田川玄随がいる。蘭学者たちを芝蘭堂にまねいて、オランダ正月(太陽暦の新年を祝う会)をひらくなど、江戸の蘭学界の中心的存在だった。1811年、幕府の天文方に蛮書和解御用(オランダの書物などを翻訳する機関)がつくられると、高橋景保らとともに翻訳官に登用されて翻訳にあたった。著書に、日本初のオランダ語の入門書『蘭学階梯』がある。

おおつきふみひこ　[学問]
● 大槻文彦　1847～1928年

日本で最初の国語辞典をつくった
明治時代～大正時代の国語学者。
江戸(現在の東京)出身。父は儒学者の大槻磐渓、祖父は蘭学者の大槻玄沢、兄は漢学者の大槻如電という、学者一族の家に生まれる。開成所、仙台藩校、大学南校などで学ぶ。

1872（明治5）年に文部省に入り、宮城師範学校長、文部省御用掛などをつとめる。1875年から、日本最初の本格的な国語辞典である『言海』の編集にあたった。

1891年に完成したのち、その内容をさらに充実させて『大言海』がつくられた。また1897年に刊行された『広日本文典』『広日本文典別記』は、国学と西洋文学をあわせた文典として、文法学の基礎となった。

1899年に文学博士、1911年に帝国学士院会員となる。

おおつのおうじ　　　王族・皇族

● 大津皇子　　　663～686年

すぐれた能力のせいで謀反にまきこまれた

▲伝大津皇子像
（薬師寺所蔵／飛鳥園写真）

飛鳥時代の皇子。大海人皇子（のちの天武天皇）の子で、母は天智天皇の娘の大田皇女（持統天皇の姉）。幼いころから文筆などの才能をあらわし天智天皇にかわいがられたといわれており、天武天皇の皇子の中では鸕野讃良皇女（のちの持統天皇）の子の草壁皇子に次いで皇位継承者の有力候補だった。672年、父が壬申の乱をおこしたとき、近江大津宮（滋賀県大津市）の大友皇子のもとにいたが、ひそかに脱出し父のもとへかけつけて、大友皇子の近江軍と戦った。683年、政治に参加すると評判が高まり、685年には草壁皇子に次ぐ高い冠位をさずけられた。しかし686年に父が亡くなると、その1か月後、草壁皇子に対する謀反の罪のうたがいにより逮捕され、翌日死罪となった。きさきの山辺皇女もあとを追って死んだ。この事件は、大津皇子の宮中における勢力が大きくなることをおそれた鸕野讃良皇女の意をくんだ役人たちの陰謀だともいわれている。『万葉集』には死のまぎわによんだ「百伝う　磐余の池に　鳴く鴨を　今日のみ見てや　雲隠りなむ」という歌がのこされている。

遺体は二上山（奈良県葛城市と大阪府太子町の境にある山）にほうむられた。弟の死を悲しんだ大伯皇女は「うつそみの　人なる我や　明日よりは　二上山を　弟と我が見む」という歌をよんだ。

おおともかつひろ　　　漫画・アニメ

● 大友克洋　　　1954年～

漫画とアニメに新しい発展をもたらした

漫画家、アニメーション作家、映画監督。宮城県生まれ。1973（昭和48）年、『銃声』で漫画家デビュー。超能力者の対決をえがいた『童夢』で、第4回日本SF大賞を受賞した。1982年から『週刊ヤングマガジン』に連載した

SF（空想科学）漫画『AKIRA』は、圧倒的な描写と構図、演出などが話題となり大ヒット、講談社漫画賞を受賞する。1983年、『幻魔大戦』のキャラクターデザインをきっかけにアニメ制作にかかわり、『迷宮物語』『AKIRA』『MEMORIES』『老人Z』などで、原作や監督、脚本などを担当した。とくに1988年に映画化した『AKIRA』は、漫画とともに海外でも高い評価を得ている。実写映画の監督作品には『ワールド・アパートメント・ホラー』『蟲師』などがある。すぐれた作品を数多く発表し、国際的な注目を集め、2013（平成25）年には、日本の芸術文化の発展に大きく貢献したとして紫綬褒章を受賞した。

おおどもかめたろう　　　郷土

● 大友亀太郎　　　1834～1897年

札幌市発展の基礎を築いた開拓者

江戸時代後期～明治時代の役人。相模国足柄下郡西大友村（現在の神奈川県小田原市）の農家に生まれた。22歳のとき二宮尊徳の弟子になり、農村復興や開拓の方法を学んだ。25歳で幕府の役人となって蝦夷地（北海道）にわたり、箱館（函館市）付近の村で、村人とともに8年間かけて約100haの土地を開墾し、田畑にした。この業績がみとめられ、札幌村（札幌市）の開拓を命じられた。道路や橋をつくり、豊平川の支流から水をひいて約4kmの用水路の大友堀を通した。

田畑に水をひくだけでなく、船で物資をはこぶためにもつかわれた。札幌発展の基礎を築いたのち、相模にもどったが、その事業は1869（明治2）年、明治政府が設置した北海道開拓使にひきつがれた。

おおともそうりん　　　戦国時代

● 大友宗麟　　　1530～1587年

大友氏の最盛期を築いたキリシタン大名

（大徳寺瑞峯院）

戦国時代の大名。本名は義鎮。豊後国（現在の大分県）に、義鑑の長男として生まれる。1550年に家をつぎ、その後出家して宗麟と名のった。1551年、来日中のイエズス会宣教師ザビエルを豊後へまねき、キリスト教の布教を助ける。沖ノ浜などの南蛮船の貿易港をつくり、フィリピンへ貿易船を派遣し

て、対外貿易に力をそそいだ。西洋医学の普及などにもつとめ、府内（大分市）は西洋文化の中心地として栄えた。

北九州に侵攻してきた安芸国（広島県西部）の毛利氏や、肥前国（佐賀県・長崎県）の龍造寺氏らと戦い、一時は北九州6か国の守護をつとめる大名となり、大友氏の最盛期をもたらした。しかし、1578年、薩摩国（鹿児島県西部）の島津氏と戦って大敗し、以後は豊臣秀吉の支配下に入る。同年、49歳で洗礼を受け、ドン・フランシスコの洗礼名を受けた。1582（天正10）年には大村純忠、有馬晴信とともに、伊東マンショ、千々石ミゲル、原マルチノ、中浦ジュリアンらの天正遣欧使節をローマ教皇の下に派遣した。

おおとものおうじ　〔王族・皇族〕

● 大友皇子　　　　　　　　648～672年

壬申の乱で先頭に立って戦った

▲天皇陵の長等山前陵　（宮内庁書陵部）

飛鳥時代の皇子。天智天皇の子。博学で、文武にすぐれたといわれ、671年、太政大臣に任じられた。この年、病が重くなった天智天皇は弟の大海人皇子（のちの天武天皇）にあとを託そうとしたが、大海人皇子は天智天皇が大友皇子にあとをつがせたいことを知っていた。大海人皇子はこれがわなだと気づき、吉野（現在の奈良県吉野町）で修行して僧になるといい、朝廷を去った。天皇の死後、大友皇子は、天智天皇と大友皇子を中心とする近江朝廷の中心に立った。672年、大海人皇子が吉野で兵をあげ、近江朝廷のある近江大津宮（滋賀県大津市）にむけて進軍すると、大友皇子も軍を組織してむかえ撃ったが、各地で大海人皇子軍にやぶれ、自殺した。この戦いを壬申の乱という。大友皇子が近江朝廷で即位したかどうかについては疑問視されていたが、後世に明治天皇から即位がみとめられ、弘文天皇の称号が贈られた。

おおとものかなむら　〔貴族・武将〕

● 大伴金村　　　　　　　　生没年不詳

磐井の乱をしずめた大連

（国立国会図書館）

古墳時代の豪族。『古事記』『日本書紀』によれば、5世紀後半ごろの雄略天皇の死後、武烈天皇を即位させ、大和政権の最高官職である大連の地位についた。武烈天皇の死後は継体天皇を擁立し、その後の安閑天皇、宣化天皇、欽明天皇にもつかえた。当時、朝鮮半島の新羅が、大和政権と親交のあった伽耶（加羅）諸国を侵略したので、527年、継体天皇は援軍を送った。これに対し、新羅とむすんだ筑紫国造磐井が九州で反乱をおこしたが、大伴金村は軍を送って反乱をしずめた（磐井の乱）。

欽明天皇が即位した翌年の540年、国内外の激動に適切な対応ができなかった責任を大連の物部尾輿から追及されて失脚し、大伴氏はおとろえた。

おおとものくろぬし　〔詩・歌・俳句〕

● 大友黒主　　　　　　　　生没年不詳

六歌仙の一人

平安時代前期の歌人。

大伴黒主とも書く。近江国（現在の滋賀県）出身と伝えられているが、その生涯は不明な点が多い。917年、宇多法皇（出家した宇多上皇）の石山寺参詣のおりに歌をよんだことで知られている。紀貫之が、『古今和歌集』の序文で、六歌仙の一人にえらび、有名になった。貫之は、「大友黒主はそのさまいやし。いはば薪負へる山人の、花の蔭に休めるがごとし」と評している。黒主は『古今和歌集』『後撰和歌集』などに11首の作品をのこした。後世、さまざまな脚色が加えられて伝説的人物となった。

おおとものこわみね

大伴健岑 → 伴健岑

おおとものさかのうえのいらつめ　〔詩・歌・俳句〕

● 大伴坂上郎女　　　　　　生没年不詳

細やかで感性豊かな女性歌人

奈良時代の歌人。

大伴安麻呂の子。藤原不比等の子の藤原麻呂に愛され、のちに異母兄の大伴宿奈麻呂にとつぐ。『万葉集』の歌人となった大伴坂上大嬢を生んだ。別の異母兄の大伴旅人が大宰帥として九州におもむくと、大伴家の世話をしたという。才色兼備で社交性があり、感受性豊かな歌をよんだ。

『万葉集』には「夏の野の　繁みに咲ける　姫百合の　知らえぬ恋は　くるしきものそ」という女性のこまやかな気持ちをよんだ片思いの歌をはじめ、80首あまりがおさめられている。旅人の子で、『万葉集』をまとめた大伴家持の作風に大きな影響をあたえたと考えられている。

おおとものたびと　〔詩・歌・俳句〕

● 大伴旅人　　　　　　　　665～731年

人生の喜怒哀楽をうたう貴族の歌人

奈良時代の公卿（朝廷の高官）、歌人。

大伴安麻呂の子で、大伴家持の父にあたる。718年、中納

（国立国会図書館）

言となる。720年、征隼人持節大将軍（南九州の隼人を平定するために送られた軍団の総指揮官）となり、隼人の反乱をしずめた。727年ごろ、大宰帥（大宰府の長官）となり九州に赴任したが、まもなく妻を失った。大宰府では筑前守（福岡県北西部の役所の長官）の山上憶良らと交流し、筑紫（福岡県中西部）の歌壇をつくって多くの歌をよんだ。730年、大納言（朝廷の最高官庁である太政官の次官）に任じられて奈良にもどり、翌年従二位に昇進したが、その後病死した。

奈良時代につくられた漢詩集『懐風藻』に格調高い漢詩がおさめられている。また、『万葉集』には九州で亡くなった妻をしのぶ歌、都をしのぶ歌、酒をたたえる歌など、人生の喜怒哀楽をよんだ歌を70首あまりのこしている。「行くさには 二人我が見し この崎を ひとり過ぐれば 心悲しも」という歌は、大宰府から奈良に帰る途中で、妻をしのんでよんだ歌として知られている。

おおとものやかもち　詩・歌・俳句

● 大伴家持　？〜785年

『万葉集』の編さん者とされる歌人

▲大伴家持　（金刀比羅宮所蔵）

奈良時代の公卿（朝廷の高官）、歌人。大伴旅人の子。妻は大伴坂上郎女の娘、大伴坂上大嬢。『万葉集』を編さんしたとされている。

大伴氏は古くから朝廷につかえる武門の有力者であったが、勢いをのばしてきた藤原氏に対抗できず、政治の中心から遠ざけられるようになっていた。家持は746年に越中守（現在の富山県の長官）となって赴任したのを皮切りに、地方の役人や中央のさまざまな役職を転々としている。晩年には従三位をさずけられ、参議（朝廷の重要な官職）に昇進する。784年には征東将軍（東国の住民、蝦夷を平定する軍の総司令官）に任命され、その翌年に亡くなった。しかし、その年おきた藤原種継の暗殺の首謀者とみなされて、死後の埋葬もゆるされず、官人の籍からも除名される。そして、およそ20年後の806年、罪をゆるされ従三位の地位にもどされた。

歌人としての活躍は、759年までにかぎられ、『万葉集』に

は479首と、個人としてはもっとも多くの歌がおさめられている。はじめは坂上郎女や坂上大嬢らとの贈答歌や恋愛の歌が多い。その後、自然をよみ、任地となった地方の風物や望郷の思いをよんだ歌が多くなる。また、754年から兵部少輔（軍政・国防を担当する役所の次官）をつとめていたころには、防人の歌を収集していた。多くは東北の農民の出身であった防人たちの歌が『万葉集』にのこされ後世に伝えられたのは、家持の功績によるところが大きい。

『万葉集』末期の歌人として、独自の繊細で優美な歌風をつくりだし、のちの世の和歌に大きな影響をのこした。三十六歌仙（藤原公任がえらんだ36人の歌人）の一人に数えられ、『小倉百人一首』には中納言家持の名で歌がとられている。

▲富山県二上山にある銅像　（高岡市提供）

学 人名別 小倉百人一首

おおともよししげ

大友義鎮 → 大友宗麟

オードリー，ウィルバート　絵本・児童

● ウィルバート・オードリー　1911〜1997年

『きかんしゃトーマス』シリーズの原作者

イギリスの児童文学作家。

ハンプシャー州に生まれる。グレート・ウェスタン鉄道のそばで育ち、鉄道好きの父親の影響も受けて、幼いころから蒸気機関車に親しんだ。牧師となってから、息子に語り聞かせるために、人間のように感情をもつ個性豊かな機関車たちの話を創作した。これを『汽車のえほん』シリーズの『3だいの機関車』『機関車トーマス』として出版すると、こどもたちに人気の絵本となった。『汽車のえほん』シリーズは26巻までつづき、さまざまな国で翻訳出版され、テレビや映画にもなるなど、世界中で親しまれるロングセラーとなっている。1983年からは息子のクリストファーが、14編の続編をかいている。

おおなかめぐみ　音楽

● 大中恩　1924年〜

昭和史にのこる童謡を数々作曲する

作曲家、合唱指揮者。

東京生まれ。東京音楽学校（現在の東京藝術大学）卒業。土田藍の筆名で作詞もおこなう。父の寅二は『椰子の実』（島崎藤村作詞）の作曲者。第二次世界大戦に学徒出陣し、戦後はラジオ放送の音楽や合唱曲を作曲する。中田喜直らと「ろばの会」を結成し、こどもの歌と音楽の普及に力をつくした。

1957（昭和32）年、合唱団コールメグ（のちにプティと改称）を結成し、30年間、演奏活動をおこなう。作品は合唱曲『愛の風船』『島よ』のほか、『犬のおまわりさん』『サッちゃん』など。『サッちゃん』の作詞者、阪田寛夫はいとこ。1982年、日本童謡賞を受賞。1989（平成元）年、紫綬褒章受章。

おおにしたくや

探検・開拓

● 大西卓哉　　　　　　　　　　　1975年～

初の民間航空機パイロット出身の日本人宇宙飛行士

宇宙飛行士、飛行機パイロット。

東京都生まれ。1998（平成10）年、東京大学工学部航空宇宙工学科を卒業して全日本空輸に入社、パイロットをつとめる。2009年、宇宙航空研究開発機構（JAXA）の宇宙飛行士訓練生に選抜されてJAXAに入り、国際宇宙ステーション搭乗訓練に参加。民間航空機パイロットから宇宙飛行士となった初の日本人として注目される。2011年、アメリカ合衆国フロリダ州沖にある海底研究施設でおこなわれたアメリカ航空宇宙局（NASA）の極限環境ミッション運用訓練にも参加。2013年に国際宇宙ステーションの長期滞在クルーに任命された。2016年7月、ソユーズ宇宙船の打ち上げが成功。その後、国際宇宙ステーションに半年間滞在し、宇宙環境を利用した科学実験をおこなった。

おおのはるなが

戦国時代

● 大野治長　　　　　　　　　　　?～1615年

豊臣家に最後までつかえた武将

安土桃山時代の武将。

通称は修理亮。豊臣秀吉の側室である淀殿（豊臣秀頼の母）の乳母、大蔵卿局の子として生まれる。秀吉につかえ、文禄の役に際しては、肥前国名護屋（現在の佐賀県唐津市）まで出陣した。秀吉の死後、1599年、浅野長政らとともに徳川家康の暗殺計画をくわだてた疑いでとらえられ、一時、下総国結城（茨城県結城市）に追放される。1600年、関ヶ原の戦いでは、徳川方の東軍に加わるが、その後ふたたび豊臣家につかえ、1614年の大坂冬の陣では、停戦講和に力をつくす。翌年の大坂夏の陣では、秀頼の正室であった家康の孫千姫を脱出させ、みずからの切腹をもって秀頼と淀殿の助命を求めるが受け入れられず、大坂（阪）城落城の際、秀頼、淀殿とともに自害した。

おおのやすまろ

貴族・武将

● 太安万侶　　　　　　　　　　　?～723年

『古事記』『日本書紀』の編さんにかかわる

奈良時代の官人。

父は、天武天皇の壬申の乱で、武将として活躍した多品治とも伝えられている。

711年、元明天皇に歴史書の編さんを命じられた安方侶は、天武天皇に下級役人・舎人としてつかえた稗田阿礼という暗記

力にすぐれた人が、『帝紀』（天皇の系統をしるした書）、『旧辞』（神話や伝説を集めた書）を暗誦していたのを記録し、翌年、現存最古の歴史書とされる『古事記』3巻をまとめた。715年、その功績により従四位下、民部卿（租税や民政をつかさどる役所の長官）となった。720年に舎人親王によって編さんされた『日本書紀』の編さん

（舎人親王画像 附収：稗田阿礼・太安万呂／東京大学史料編纂所所蔵模写）

にもたずさわったと考えられている。1979（昭和54）年、奈良市郊外で墓が発見され、骨のほか、文の書かれた墓誌（死者の経歴や業績を書いた文）や真珠などがみつかった。

おおばげんのじょう

郷土

● 大庭源之丞　　　　　　　　　　?～1702年

箱根用水をつくった名主

江戸時代前期～中期の農民、治水家。

駿河国深良村（現在の静岡県裾野市）の名主（村の長）をつとめた。深良村では、村を流れる黄瀬川の水量が少なく、水田をひらくことができなかった。そのため、箱根山の西側にある芦ノ湖の水を村にひいて、水田を開発する計画を立てた。工事にはばく大な費用が必要だったので、江戸（東京）の商人友野与右衛門に援助を依頼し、芦ノ湖を管理している箱根神社と幕府の許可を得て、1666年、工事に着手した。工事は、箱根山の野尻峠にトンネルをほって、芦ノ湖の水を通すというもので、村人は一丸となって芦ノ湖と深良村の両方からトンネルをほり進め、着工から3年半後の1670年、ついにトンネルが開通した。これを箱根用水（深良用水）という。箱根用水の完成により、深良村と周辺の村に、約500haの水田がひらかれた。

▲箱根用水出口に立てられた石碑　（裾野市）

おおはしげんたろう

郷土

● 大橋源太郎　　　　　　　　　　1884～1971年

日本初の農業用ダムの建設者

明治時代～昭和時代の実業家。

滋賀県犬上郡甲良村（現在の甲良町）出身。総合商社丸紅の重役をへて、1930（昭和5）年、富山市の呉羽紡績につとめた。琵琶湖にそそぐ川は、山の木が伐採されたため水量がなく、流域の村は干ばつや洪水になやまされてきた。犬上川も

その一つで、干ばつ時には水の使用をめぐり、村どうしがあらそってきた。この事情を知っていたため、犬上川上流にダムをつくれば解決できると考え、同年、滋賀県に調査を依頼した。その結果、1932年、県は犬上川ダム建設計画を立てた。

源太郎は実行委員会の中心に立ち、ダムができれば流域の村々が利益を得ると熱心に説得したので、ダム建設同意書が調印された。工事はその年にはじめられ、14年の歳月をかけて、1946年に日本初の農業用コンクリートダムが完成した。貯水量450トンのダムは、現在も周辺の田畑をうるおしている。

おおはししずこ　産業
● 大橋鎭子　1920～2013年

雑誌『暮しの手帖』で女性の暮らしをささえた

（暮しの手帖社提供）

昭和時代のジャーナリスト、実業家。

東京深川で3姉妹の長女に生まれる。10歳のとき父が肺結核で亡くなると、その遺言を受けて母と妹を守ることを約束し、戸主となって家族をささえた。高校卒業後に日本興業銀行をへて、日本女子大学に入学。病気療養のため退学したが、静養ののち、日本読書新聞社に入社。花森安治に出会った。3姉妹と花森らは1946（昭和21）年、衣裳研究所を銀座で設立。鎭子が社長となり、雑誌『スタイルブック』を、1948年には雑誌『美しい暮しの手帖』（現在の『暮しの手帖』）を創刊。1951年、社名を「暮しの手帖社」とあらためた。『暮しの手帖』では、物のない時代でもおしゃれに美しくくらしたいと願う女性への生活提案にはじまり、暮らし全般にかかわる提案をおこなってきた。他社の広告は入れず、本当によいものをえらべるよう、生活者の視線に立って商品テストをするなど、画期的な企画で支持を得た。

2016（平成28）年には鎭子をモデルにしたドラマ『とと姉ちゃん』がNHKで放送された。

おおはししんたろう　産業
● 大橋新太郎　1863～1944年

出版業からさまざまな事業を広げる

明治時代～昭和時代の実業家。

越後国（現在の新潟県）長岡城下に生まれる。商人であった父、大橋佐平とともに1881（明治14）年『越佐毎日新聞』を創刊。思いたったらすぐ行動する佐平が立ち上げ、経営感覚にすぐれた新太郎がそれを受けて地道に経営するのが大橋親子の会社経営の姿だった。1887年、東京で父と博文館を創設。ベストセラーとなった『日本大家論集』や雑誌『太陽』、

（協力：博文館新社／三康図書館）

叢書『帝国文庫』などを刊行し、出版界に一時代を築く。1902年、日本初の本格的な私立図書館である大橋図書館を建設。当時一般に公開されていた図書館は少なく、たいへんな盛況ぶりだった。東京瓦斯会社で渋沢栄一の信頼を得て取締役となり、その後、日本鋼管や日本郵船、第一生命など、50以上の大企業の経営にたずさわる。1905年には東京商工会議所副会頭に就任。1926（大正15）年、貴族院議員にえらばれ、1935（昭和10）年、工業資本家の発言力を高めるため創設された日本工業倶楽部の理事長に就任。出版界だけでなく政財界でも活躍した。

おおはたさいぞう　郷土
● 大畑才蔵　1642～1720年

紀ノ川から用水をひいた農民

江戸時代前期～中期の農民。

紀伊国伊都郡学文路村（現在の和歌山県橋本市）の庄屋（村の長）の家に生まれた。1696年、水の便の悪い打田村（和歌山県紀の川市）から西の台地にかけて、紀ノ川上流から藤崎井と小田井、2つの用水をひき、大規模な新田開発をおこなう計画を立てた。藤崎井は、1699年に工事をはじめ、約1年後に24kmが完成。小田井は、1707年から工事をはじめ、才蔵の死後もつづけられ、約30kmが完成した。また、紀ノ川下流に六箇井をひらき、亀の川上流に亀池をつくるなど、各地の水利に力をつくした。工事にあたり、水を用いて測量の精度を高める「水盛器」を考案し、また、川の上をこえる水路橋を築いた。

おおばみなこ　文学
● 大庭みな子　1930～2007年

生命のつながりを女性の視点でえがく

昭和時代～平成時代の作家。

東京生まれ。本名は美奈子。津田塾大学卒業。結婚後、夫の任地アラスカで11年をすごす。その体験から生まれた小説『三匹の蟹』で1968（昭和43）年、群像新人文学賞と芥川賞を受賞。帰国後も、次々と作品を発表し、女流文学賞を受賞した『がらくた博物館』はじめ、『寂兮寥兮』『啼く鳥の』『海にゆらぐ糸』などにより数々の賞を獲得。世代をこえる生命のつながりを女性らしい視点でえがき、文学の可能性を広げた。ほかに、津田塾大学の創立者の評伝『津田梅子』（1991年、読売文学賞受賞）、古典文学の名作をこどものために現代語訳した『枕草子』などがある。

学 芥川賞・直木賞受賞者一覧

おおはらしげとみ
幕末

● 大原重徳　1801〜1879年

朝廷で尊王攘夷派として動いた

（京都大学附属図書館）

幕末〜明治時代の公家。

1853年のペリー来航後、外国勢力を追いはらおうという攘夷論を主張した。1858年、日米修好通商条約の調印に反対し、水戸藩（現在の茨城県）の徳川斉昭に会うためにひそかに京都を出たが、目的をはたせず謹慎させられた。井伊直弼が尊王攘夷運動を弾圧した安政の大獄の処刑からはまぬかれた。1862年、薩摩藩（鹿児島県）の島津久光とともに勅使（天皇の使者）として江戸（東京）へむかい、江戸城で幕府改革と孝明天皇の攘夷の意志を、第14代将軍徳川家茂に伝えた。1863年、薩摩藩と長州藩（山口県）に対する勅諚（天皇の命令）を薩長の対立をさけるために書き直し、その罪で、蟄居（家の門をとじて一室に謹慎する刑罰）させられる。1866年、尊王攘夷派の公家を代表して孝明天皇に朝廷の改革を進言したが、閉門を命じられた。1867年、罪をゆるされたが、兵庫の港をひらく問題では反対をとなえた。1868（明治元）年、王政復古（朝廷の政治を復活させること）のあと、明治政府の重職についた。

おおはらまごさぶろう
郷土

● 大原孫三郎　1880〜1943年

大原美術館を創設した実業家

（公益財団法人大原美術館）

明治時代〜昭和時代の実業家。社会事業家。

岡山県窪屋郡倉敷村（倉敷市）に生まれる。父は、倉敷紡績という紡績会社と中国銀行を経営していた。父の会社に入ると、小学校も出ていない工員が多いことにおどろいた。そこで工場内に小学校をつくり、はたらきながら学ぶ工員を援助した。1906（明治39）年、父にかわって社長になってから、工場ではたらく人々や、土地を貸している農民たちの暮らしがよくなるようにさまざまな社会事業をおこなった。

1919（大正8）年、大原社会問題研究所を設立し、学者をまねいて労働問題や社会問題の研究にあたらせた。1923年、患者本位の病院をこころざす倉敷中央病院を設立した。1929（昭和4）年、大原農業研究所を設立し、農業の改善をはかった。1930年、世界中から集めた美術品を収容して展示する大原美術館を創設した。この美術館は倉敷市の代表的な観光施設となり、現在も市の発展に大きな役割をはたしている。

おおはらゆうがく
政治　郷土

● 大原幽学　1797〜1858年

荒廃した村のため、世界初の農業組合をつくった

（大原幽学記念館提供）

江戸時代後期の思想家、農民指導者。

尾張藩（現在の愛知県西部）の藩士の子といわれる。18歳のころから西日本各地を旅して、儒学、易学（ぜいちくとよばれる竹製の細い棒をつかう占いを研究する学問）、農業技術などを学んだ。1835年、下総国長部村（千葉県旭市）に移り住み、天保のききん（1833〜1839年）で荒廃した村の復興にとりくんだ。農業技術を指導し、世界初の農業協同組合とされる先祖株組合をつくった。また、農民たちに耕地の交換をおこなわせて耕地を整理するなど、農業の合理化をはかり、村を立て直した。一方で、村役人や神主などを中心とする人々に仏教、儒学、神道を融合させた教え、性学を説いた。しかし、門人を指導するための道場、改心楼を建設し、多くの農民を集めたので、幕府に怪しまれて取り調べを受け、1850年、改心楼はとりこわされ、先祖株組合は解散させられた。釈放されて長部村にもどったのち、自殺した。

おおひらまさよし
政治

● 大平正芳　1910〜1980年

日中国交正常化を実現させ、アジアの連帯をめざした

昭和時代の政治家。第68、69代内閣総理大臣（在任1978〜1980年）。

香川県生まれ。東京商科大学（現在の一橋大学）卒業。1936（昭和11）年、大蔵省に入る。1942年、主計局主査となり、大日本育英会（現在の日本学生支援機構）の設立に力をつくした。1949年、当時大蔵大臣をつとめていた池田勇人の秘書官として政界に入り、1952年、衆議院議員に当選。1960年、第1次池田内閣での内閣官房長官をはじめ、外務大臣、大蔵大臣などを歴任した。第1次田中角栄内閣では外務大臣として日中国交正常化を実現。1978年、自民党総裁に就任、内閣総理大臣となった。内政では田園都市構想、外交では環太平洋連帯構想、総合安全保障構想をとなえる。アメリカ合衆国との協力路線を明確にし、新冷戦時代の西側陣営として1980年のモスクワオリンピック出場のボイコットを決定した。1980年6月、衆議院参議院同時選挙中に心不全で死去した。

学 歴代の内閣総理大臣一覧

オー・ヘンリー　〔文学〕

オー・ヘンリー　1862〜1910年

短編小説の名手

アメリカ合衆国の作家。
ノースカロライナ州生まれ。本名はウイリアム・シドニー・ポーター。こどものころは、本を読むのが好きだった。
　15歳から薬屋ではたらき、その後、テキサス州に出てさまざまな仕事を経験する。25歳のころ、文章を書く仕事にあこがれて新聞を発行するが、失敗。そのうえ、以前はたらいていた銀行からぬすみのうたがいをかけられ、約3年、刑務所に入る。ここで短編小説を書き、雑誌に掲載されると、出所後は、ニューヨークに出て、作家として成功をおさめる。
　フランスのモーパッサンの影響を受けた作風で、ユーモアと機知にあふれた短編を得意とし、30代後半から47歳で亡くなるまでに、多くの小説をのこす。地道に生きる人々の、他者への思いやり、やさしさをえがいた心あたたまる話が多い。最後に意外などんでん返しがまっているのも特徴で、『賢者の贈り物』、『最後の一葉』は名作として名高い。

オーム，ゲオルク・ジーモン　〔学問〕〔発明・発見〕

ゲオルク・ジーモン・オーム　1789〜1854年

電流の抵抗の法則（オームの法則）の発見者

19世紀のドイツの物理学者。
バイエルン州北部のエルランゲン生まれ。中等学校に相当するギムナジウムにかようが、科学は錠前師の父から学んだ。1805年、エルランゲン大学に入学、学費がつづかず、一時、スイスで数学教師をつとめ、復学して博士号を取得する。
　いくつかの学校で教師としてはたらき、1826年に、「オームの法則」を発表、電流は加えた電圧に比例し、抵抗に反比例するという、電流、電圧と抵抗の基本的な関係をはじめてしめした。1833年にニュルンベルク工科学校に勤務、音響学を研究した。晩年の1852年、ミュンヘン大学で教授となる。抵抗の単位オーム（Ω）は、彼の名にちなむ。

おおむらさとし　〔学問〕〔医学〕

大村智　1935年〜

世界中の感染症や寄生虫から多数の人々を救った化学者

化学者。
山梨県生まれ。山梨大学卒業後、教師となり、都立の定時制高校で物理や化学を教えるが、生徒の熱意にふれて再度学問の道を志す。1961（昭和36）年、東京理科大学大学院に入学、教師をつづけながら修士課程を修了。山梨大学工学部助手をへて北里研究所に入り、抗生物質の研究をはじめた。1968年、北里大学薬学部助教授、1971年にはアメリカ合衆国のウェズリアン大学の客員教授となり、アメリカへ留学。

（北里大学）

　帰国後、北里研究所にもどり、その後、北里大学教授に就任、多くの研究者を育てたのち、北里研究所の再建に力をそそいだ。
　50年以上、微生物の生産する有用な有機化合物を研究しつづけ、発見した500種をこえる新化合物は、世界中の感染症や寄生虫などに対する医薬・農薬の開発につながった。とくにアフリカや中南米に発生する寄生虫を退治する医薬品により、オンコセルカ症、およびリンパ系フィラリア症から多数の人々を救った功績が大きい。2015（平成27）年、ノーベル生理学・医学賞を受賞した。

〔学〕ノーベル賞受賞者一覧　〔学〕文化勲章受章者一覧

おおむらすみただ　〔戦国時代〕

大村純忠　1533〜1587年

長崎を開港した日本で最初のキリシタン大名

戦国時代〜安土桃山時代の大名。
肥前国（現在の佐賀県・長崎県）の大名、有馬晴純の子として生まれるが、母が同じく肥前国の大名の大村氏の娘であったため、大村純前の養子となり、1550年、そのあとをつぐ。
　財政を確保するために、ポルトガルとの貿易を中心とした外交政策をおこない、キリスト教の宣教師の布教をゆるす。1563年、みずからも洗礼を受けてバルトロメオと名のり、日本で最初のキリシタン大名となった。横瀬浦や福田港を開港させ、1570年には、長崎開港によりそこを南蛮貿易と布教の中心とした。1574年、領民のキリスト教への改宗を強制するようになる。墓や社寺を破壊し、僧侶や神官、改宗しない領民を殺害するなどの迫害をおこない、家臣や領民の反発をまねいた。
　1580年には長崎港周辺の土地をイエズス会に寄付して教会領にするなど、キリスト教の保護を進める。1582（天正10）年には、有馬晴信、大友宗麟とともに、天正遣欧使節をローマに派遣した。

おおむらますじろう 幕末
● 大村益次郎　1824〜1869年

明治政府の軍制の基礎をつくった

（国立国会図書館）

幕末〜明治時代の医学者、兵学者。

周防国（現在の山口県東部）に医者の村田家に生まれる。村田良庵、のち蔵六。19歳で、シーボルトに学んだ蘭医（オランダの医学を学んだ医者）梅田幽斎に学ぶ。翌年、豊後国（大分県）に行き、儒学者の広瀬淡窓がひらいた私塾咸宜園で学んだ。

23歳で大坂（阪）に出て緒方洪庵の適塾で蘭学（西洋の知識や技術、文化を研究する学問）と医学を学び、塾生の監督・指導をする塾頭になった。1850年、故郷にもどって医者を開業した。

1853年、洋学の知識をみとめられて、宇和島藩（愛媛県）の伊達宗城につかえることになり、西洋兵法書の翻訳や蘭学の指導にあたった。1856年からは江戸（東京）で私塾鳩居堂をひらき、蘭学、医学、兵学を教えた。その能力を買われて、幕府蕃書調所（西洋の学問や技術を研究し、外交文書を翻訳する機関）の教授手伝いとなる。1857年、講武所（幕府の家臣や子弟に武芸を訓練する機関）の教授となる。

1860年、長州藩（山口県）にむかえられて、兵学を教え軍政改革を指導。この間、アメリカ合衆国の宣教師ヘボンから英語を学んだ。1866年、幕府の第2次長州出兵では、農民や町人による軍隊を編成して幕府軍をやぶった。

1868（明治元）年、王政復古（朝廷の政治を復活させること）後の明治新政府の軍務官判事（明治時代初期の軍政機関で知事、副知事に次ぐ官職）となり、親兵（天皇を守る兵）の編成をおこなった。同年、戊辰戦争がおこったが、上野（東京都台東区）に立てこもった彰義隊（旧幕府家臣が編成した軍隊）を、5月15日、大砲による攻撃でやぶり、その後、東北地方の旧幕府軍の乱をしずめるために活躍した。

1869年、新しく設置された兵部省（軍事一般をあつかう役所）の兵部大輔（長官）に就任。

陸軍はフランス、海軍はイギリスにならうことや、藩兵解体、帯刀禁止などを決めた。また、国民皆兵の徴兵制度（国民が兵役につく義務を課す制度）の創立を主張して、軍政改革を進めた。しかし、これに反対する士族（旧武士）により、京都でおそわれて死んだ。3年後の1872年、山県有朋らによって、念願の徴兵令が定められた。

おおもりふさきち 学問
● 大森房吉　1868〜1923年

「日本地震学の父」と称される地震学者

（福井市立郷土歴史博物館）

明治時代〜大正時代の地震学者。

越前国足羽郡（現在の福井県福井市）で武士の家に生まれる。帝国大学理科大学（現在の東京大学理学部）を卒業後、大学院で気象学と地震学を学ぶ。地震学者ミルンのもとで、1891（明治24）年に発生した濃尾地震の余震を研究。1896年に3年間のヨーロッパ留学から帰国して、帝国大学地震学教授に就任。文部省（文部科学省）震災予防調査会の幹事となり、1898年には世界初の連続記録可能な大森式地震計を開発する。この地震計はのちに世界ではじめて火山性微動を記録するなど、地震学の進歩を加速した。1899年には、初期微動の継続時間によって震源までの距離を決定する「大森公式」を発表。1911年の有珠山噴火の研究などをもとに、噴火予知のための観測所の設置をとなえる。

後輩の地震学者の今村明恒が関東大震災を予測すると、それに反論し、論争となった。

1923（大正12）年、オーストラリア出張中に関東大震災が発生して帰国の途につくが、脳腫瘍が悪化して帰国後に亡くなった。日本の地震学を大きく前進させた功績により、「日本地震学の父」とよばれている。

おおやそういち 文学
● 大宅壮一　1900〜1970年

多くの流行語を生んだ評論家

大正時代〜昭和時代の評論家。

大阪府生まれ。少年時代からジャーナリズムに関心をもち、雑誌に投稿をくりかえしていた。東京帝国大学（現在の東京大学）に入学後は、文芸誌『新思潮』の編集に参加。大学を中退してからは社会主義的文芸評論家として本格的な評論活動に入った。

その後じょじょに社会主義的傾向はうすれ、第二次世界大戦後はテレビや雑誌で活躍し、「一億総白痴化」「駅弁大学」などの流行語を生みだした。生涯、批判精神と毒舌を失わず、「偉大なる野次馬」と評された。独自の分類をほどこした、雑誌や週刊誌を中心とした膨大な蔵書は、死後、大宅壮一文庫として、一般に開放されている。業績を記念した賞に、大宅壮一ノンフィクション賞がある。

おおやまいくお

● 大山郁夫　　1880〜1955年　【学問】

民本主義を主張して大正デモクラシーを牽引した

大正時代〜昭和時代の社会運動家、政治学者、政治家。

兵庫県生まれ。早稲田大学卒業後、母校の教授となる。1917（大正6）年、大学紛争を機に退職、大阪朝日新聞社に入社。民本主義、大正デモクラシーの立場から言論活動をおこなった。1918年、政府批判の記事にかかわり、同社を辞職。その後、雑誌『我等』を立ち上げ、早稲田大学に復職し、学生の自由思想運動を指導した。労働者階級の地位向上のための活動もおこない、1929（昭和4）年、新労農党を結成。翌年、衆議院議員に当選したが、言論弾圧がはげしく、1932年にアメリカ合衆国へ亡命した。第二次世界大戦後、帰国、平和運動に参加。1951年、ソビエト連邦が創設した、社会主義への貢献をたたえるスターリン国際平和賞を受賞した。

おおやまいわお

● 大山巌　　1842〜1916年　【幕末】【政治】

日清戦争、日露戦争を指揮した陸軍元帥

幕末〜明治時代の軍人、陸軍元帥。

西郷隆盛のいとこで薩摩藩（現在の鹿児島県）に生まれる。藩校の造士館、演武館で学び、1863年の薩英戦争では、薩摩軍の砲台を守った。その後、江戸（東京）の江川太郎左衛門の塾で、砲術を学んだ。倒幕運動に参加し、1868年に戊辰戦争がおこると、砲兵隊長として活躍。

（国立国会図書館）

明治維新後はフランスに派遣され、1870（明治3）年の普仏戦争を経験した。帰国後、1877年の西南戦争では政府軍別働第1旅団司令長官をつとめた。1885年、第1次伊藤博文内閣の陸軍大臣に任命されると、ドイツ式の近代陸軍建設など、日本軍の制度をととのえ、山県有朋とともに明治陸軍の実力者となった。1894年の日清戦争では、第2軍司令官として指揮をとった。1898年、元帥府（天皇の軍事上の顧問機関）が創設されると、元帥（軍隊の最高階級）となる。その後、貴族院議員となり、1904年におこった日露戦争では、満州軍総司令官として、日本軍を勝利にみちびいた。1912年、引退して元老（天皇の政治を補佐する最高顧問）に任命され、2年後には内大臣（宮中職の長）となった。

夫人は日本初の女子留学生の一人である大山捨松（山川捨松）。

おおやますてまつ

大山捨松 → 山川捨松

おおやまやすはる

● 大山康晴　　1923〜1992年　【伝統芸能】

前人未到の大記録を打ち立てた将棋棋士

昭和時代の将棋棋士。

岡山県生まれ。5歳で将棋をおぼえる。1935（昭和10）年、河内尋常高等小学校を卒業し、木見金治郎九段に入門した。1940年にプロ四段になり、1952年、第11期名人戦で木村義雄14世名人をやぶって、初の名人になる。以来、5連覇して、15世名人の永世称号の資格を得た。その後、十段、棋聖、王位、王将の各タイトルの永世称号を得た。1957年、終生のライバルである兄弟子、升田幸三実力制第4代名人にその座をうばわれたが、2年後に奪還し、13連覇する。1950年代後期から、およそ10年間、タイトルをほぼ独占して、前人未到の大記録を次々に打ち立て、全盛時代を築いた。1962年には、初の五冠王（名人、十段、王将、王位、棋聖）になる。

1979年、紫綬褒章を受章し、1990（平成2）年に将棋界初の文化功労者となる。生涯成績は、歴代1位の1433勝781敗だった。名人・A級連続44期在籍は、最長記録である。

オールコック, ラザフォード

● ラザフォード・オールコック　　1809〜1897年　【政治】

『大君の都』で幕末の日本を紹介した

幕末に来日した、イギリスの外交官。

ロンドン郊外のイーリング生まれ。医者の父のあとをつぎ、軍医となったが戦いで負傷した。1844年に中国の清に行き、駐在領事（外国に駐在し通商などにあたる役）として、イギリス租界（イギリス人の居留地域）の拡大につとめた。

1858年に初代駐日総領事に任命され、翌年来日して高輪（現在の東京都港区）の東禅寺に住んだ。同年、公使（外交使節で大使に次ぐ地位）に昇進した。1861年、東禅寺が水戸藩（茨城県中部と北部）の攘夷派（外国勢力を追いはらおうという考えの人々）の浪士にお

そわれたが、難をのがれた。

1862年に帰国し、日本滞在中の記録をまとめた『大君の都』を著した。これは当時の日本のようすを知ることができる貴重な資料である。1864年、ふたたび日本へもどり、四国艦隊下関砲撃事件を指揮して長州藩（山口県）を降伏させ、攘夷運動が不可能なことをしめした。翌年には清国公使に転任し、1869（明治2）年に外交官を引退するまで北京に在任した。

おかきよし

● 岡潔　1901～1978年　[学問]

世界をおどろかせた日本の数学者

昭和時代の数学者。

和歌山県生まれ。京都帝国大学（現在の京都大学）理学部数学科を卒業したのち、母校の講師となり、1929（昭和4）年、助教授となる。同年より3年間、フランスのパリ大学ポアンカレ研究所に留学した。留学中から、「多変数複素関数論」をテーマに研究をおこない、関数の近似などの問題に解決をあたえる論文を次々と発表し、世界の数学者たちに大きな反響をあたえた。多変数複素関数論は、関数の研究の中で、2つ以上の独立した変数をもつ関数を対象としている分野の研究である。

1940年、1932年創立から加わった広島文理科大学（現在の広島大学）を退職し、和歌山の自宅にこもって、研究に専念した。1949年からは、奈良女子大学の教授としてふたたび教壇に立った。1960年、文化勲章を受章した。数学の研究の一方、『日本の心』などの随筆ものこした。　[学] 文化勲章受章者一覧

おかくらてんしん

● 岡倉天心　1863～1913年　[絵画][教育]

伝統美術の復興につくした指導者

明治時代の思想家、美術指導者。

横浜生まれ。貿易商をいとなむ福井藩士の次男として生まれた。本名は覚三。東京帝国大学（現在の東京大学）在学中にアメリカ人教師フェノロサを知る。卒業後、文部省に入って古美術の調査をおこない、1884（明治17）年にフェノロサらと鑑画会をおこすなど、文明開化でかえりみられなくなった伝

（日本近代文学館）

統美術の復興につくす。東京美術学校（東京藝術大学）の創立にかかわり、1890年に校長となる。1898年、学校内の騒動で校長をやめ、教師の橋本雅邦や、門下の横山大観、下村観山、菱田春草らをひきいて日本美術院を創設し、新しい日本画をめざした。しかし、輪郭線を用いない画法が「朦朧体」と批判された。

1901年にインドにわたり、詩人のタゴールらと交流した。1904年にはアメリカ合衆国のボストン美術館東洋部の顧問となる。『東洋の理想』『日本の目覚め』『茶の本』などを英語で著し、日本と東洋の文化の優秀性を内外にうったえた。

[学] 切手の肖像になった人物一覧

おかざきまさむね

岡崎正宗 → 正宗

おかだかんせん

● 岡田寒泉　1740～1816年　[学問]

寛政異学の禁をおし進めた

江戸時代後期の儒学者。

旗本の子として江戸（現在の東京）に生まれる。山崎闇斎がはじめた崎門学（朱子学の一派）を学び、1789年、老中松平定信に登用されて幕府につかえた。朱子学者の柴野栗山らとともに朱子学以外の学問を禁止する寛政異学の禁をおし進め、栗山、尾藤二洲とともに寛政の三博士とよばれた。また、1794年、常陸国（茨城県）の約180か村を支配する代官になり、荒廃していた農村の復興に力をつくして領民から名代官としたわれた。領民が建てた寒泉の功徳碑がつくばみらい市などにのこされている。

おかだけいすけ

● 岡田啓介　1868～1952年　[政治]

戦争の終結に力をつくした

明治時代～昭和時代の軍人、政治家。第31代内閣総理大臣（在任1934～1936年）。

若狭国（現在の福井県南西部）に生まれる。海軍大学校卒業後、海軍軍人として日清戦争、日露戦争、第一次世界大戦に従軍した。1924（大正13）年に海軍大将となり、その後田中義一内閣と斎藤実内閣のときに海軍大臣をつとめた。1934（昭和9）年、内閣総理大臣となる。1936年に陸軍の青年将校たちによるクーデターである二・二六事件がおきて襲撃され、あやうく難をのがれるが、高橋是清などの大臣を失い、内閣を総辞職する。

その後はアメリカ合衆国との戦争をさけようと奔走するが思うようにいかず、開戦を強行した東条英機内閣をたおす運動と、戦争終結に力をつくした。

[学] 歴代の内閣総理大臣一覧

おがたけんざん

【工芸】

● 尾形乾山　1663～1743年

あざやかな装飾の京焼の陶工

（国立国会図書館）

　江戸時代前期の京焼（京都でつくられる陶磁器）の陶工、絵師。
　京都の裕福な呉服商、雁金屋宗謙の子として生まれる。画家の尾形光琳は兄にあたる。本阿弥光悦を尊敬し、孫の光甫から焼き物の手ほどきを受けた。その後、仁和寺（京都市）の門前で御室窯をひらいていた野々村仁清から陶芸を学び、1699年、仁和寺近くの鳴滝（京都市）にみずからの窯をひらいた。鳴滝が京都の乾の方角（北西）にあたることから、窯を「乾山」と名づけ、商標とした。最初のころは、兄の光琳が絵付けに参加し、光琳のデザインを焼き物に応用したりした。
　1712年、二条丁字屋町（京都市）に窯を移し、色絵であざやかな装飾をほどこした食器をつくった。晩年は江戸（東京）に行き、絵画にも力を入れた。代表作に、国の重要文化財に指定されている『色絵竜田川文透彫反鉢』などがある。

おがたこうあん

【教育】【医学】【郷土】

● 緒方洪庵　1810～1863年

適塾をひらいて、天然痘のワクチン「種痘」を広める

▲緒方洪庵肖像
（大阪大学適塾記念センター所蔵）

　江戸時代後期の医師、蘭学者。
　備中国足守藩（現在の岡山市）の藩士の子として生まれる。1825年、父が大坂（阪）の蔵屋敷（大名や旗本が年貢米などを販売するために大坂にもうけた倉庫兼取引所）の留守居役（幕府や他藩との連絡や交渉を担当した役職）になり、父とともに大坂に出た。体が弱かったため、武士にはむかないと考え、医学を志し、江戸（東京）に出て蘭学者（西洋の知識や技術、文化を研究する蘭学を学ぶ人）の宇田川玄真らに学んだ。1836年には、長崎に遊学して西洋医学をおさめた。
　1838年、29歳のとき大坂で医者を開業して治療をおこなうかたわら、「適塾（適々斎塾）」をひらき、全国から集まった若者に蘭学を教えた。門人は3000人以上といわれ、大村益次郎、橋本左内、福沢諭吉、長与専斎など幕末から明治時代にかけて活躍した人材を育てた。
　一方で、当時、命にかかわる病気としておそれられていた天然痘の予防にもつとめた。私財を投じて除痘館を開設して、ジェンナーの開発した、ウシからとれるワクチンをつかって予防する、牛痘種痘法の普及に力をつくして天然痘を予防した。洪庵のおこなった種痘（天然痘の予防接種）は、1858年に幕府の公認となった。
　同年、コレラが大流行したときには、コレラに関する西洋の書物を翻訳して『虎狼痢治準』を著し、症状や治療法を紹介した。
　1862年、これらの医学的な功績がみとめられ、将軍の奥医師、西洋医学所（幕府直轄の西洋医学校）の頭取に任命されて江戸に移ったが、翌年亡くなった。洪庵のひらいた適塾の建物は、現在、国の史跡・重要文化財に指定され、一般公開されている。

▲適塾の外観
（大阪大学適塾記念センター）

おがたこうりん

【絵画】

● 尾形光琳　1658～1716年

はなやかな作品をのこした江戸時代のデザイナー

▲尾形光琳　（国立国会図書館）

　江戸時代中期の画家、工芸家。京都の裕福な呉服商、雁金屋宗謙の子として生まれる。陶工の尾形乾山は弟。父の宗謙は書や絵がじょうずで、めぐまれた芸術環境の中で育ち、狩野派（狩野正信・狩野元信父子にはじまる絵画の流派）の画家に絵を学んだといわれる。光琳は1684年、27歳のとき父から一生こまらないほどの財産をゆずられたが、はでな生活をしたので数年でつかいはたし、生活に困窮した。
　30代前半から、公家の二条家に出入りしていたが、40歳のころから画家として本格的に活動をはじめる。公家の二条家や江戸（現在の東京）の豪商にひきたてられて名声を高めた。やがて、生家に伝わる俵屋宗達の作品にふれて尊敬するようになり、宗達の作品を模写するなどして画法を学び、はなやかな装飾画を大成した。1704年から数年間江戸に滞在して大名家の庇護を受けたが、やがて京都にもどり、二条城の東方にみずから設計した屋敷をかまえて制作にはげんだ。代表作に、流水の左右に紅白梅

▲『八橋蒔絵螺鈿硯箱』
（東京国立博物館
Image:TNM Image Archives）

を配した『紅白梅図屏風』、平安時代の歌物語『伊勢物語』の「八橋」の場面をえがいた『燕子花図屏風』、宗達の作品を模写した『風神雷神図屏風』などがある。工芸にもすぐれた才能を発揮し、『八橋蒔絵螺鈿硯箱』や、江戸の豪商冬木家の妻のためにデザインした着物「白地秋草模様小袖（冬木小袖）」、弟乾山の焼き物に絵付けをした銹絵角皿などをのこした。

光琳の画風は後世に受けつがれ、やがて俵屋宗達などをあわせて琳派（光琳派）とよばれるようになった。

おがたさだこ　政治
● 緒方貞子　1927年〜

難民支援活動のしくみをつくりかえた

国際政治学者、元国連難民高等弁務官。

東京生まれ。父親と祖父は外交官、曽祖父は総理大臣をつとめた犬養毅で、「貞子」の名は犬養がつけた。父の赴任先であるアメリカ合衆国、中国で少女時代をすごして、英語に親しみ、11歳で帰国した。太平洋戦争がはじまると、学校での英語教育は制限されたが、父親の支援によって教材を入手し、家庭で英語の勉強をつづけた。

終戦後、聖心女子大学を卒業すると、アメリカの大学に留学し国際関係学を専攻。日本が第二次世界大戦へと進んだ原因や背景を研究した。帰国後、結婚した夫の転勤にともなって国内外の転居を重ねたが、1965（昭和40）年に大学の講師に就任し、研究活動を再開した。1968年に国連総会の日本政府代表団に参加、以後、国連公使、国連児童基金（UNICEF）議長、人権委員会日本代表などを歴任、1991（平成3）年、国連難民高等弁務官に就任した。就任直後、湾岸戦争がおこり、イラクから多くのクルド人が隣国のトルコへむかって避難したが、トルコの受け入れ拒否によって、イラク国内の国境付近で多くの避難民が行き場を失うという事態がおきた。「国境の外に出てきた人」という国際的な難民の定義のために、国境付近の人々を難民として救済するのは困難だったが、緒方はルールをこえて救済する決断をし、多くのクルド人難民を保護した。その後も、ユーゴスラビアでの民族紛争、ルワンダの内戦などに対処し、人の命を救うことを最優先に、みずから現地へおもむいて紛争の当事者と交渉し、難民救済、支援の指揮をとった。

2000年に弁務官を退任したあとも、人間の安全保障委員会、アフガニスタン支援組織などで役職を歴任、2003年から2012年までは、国際協力機構（JICA）理事長をつとめた。

紛争地域ごとの実情に即した現実的な保護、救済活動をおこない、難民支援活動のしくみを大きくつくりかえた。これらの業績によって、UNESCO平和賞、アジアのノーベル賞ともいわれるマグサイサイ賞などを受賞し、国際的に高く評価されている。

学 文化勲章受章者一覧

おかださぶろうすけ　絵画
● 岡田三郎助　1869〜1939年

格調高い女性像をえがいた洋画家

明治時代〜昭和時代の洋画家。佐賀県生まれ。幼いころに父と上京し、元佐賀藩主の屋敷で百武兼行の油絵をみて、洋画家を志す。曽山幸彦のもとで洋画を習い、のちに同じ故郷の久米桂一郎から黒田清輝を紹介され、指導を受ける。1896（明治29）年、黒田らと白馬会を結成し、東京美術学校（現在の東京藝術大学）に新しくできた西洋画科の助教授となる。翌年、第1回文部省留学生としてフランスにわたり、黒田と同じラファエル・コランに学ぶ。帰国後、母校の教授をつとめた。1907年の東京勧業博覧会で『婦人像（某婦人像）』が1等賞を受賞した。同年の第1回文部省美術展覧会（文展）から審査員をつとめる。作品は女性像が多く、きめこまやかで格調の高い画風が特徴である。代表作は『水浴の前』『あやめの衣』などで、風景画にも『ヨネ桃の林』などの名作がある。1937（昭和12）年、第1回文化勲章を受章した。

学 文化勲章受章者一覧

おがたしゅんさく　医学　郷土
● 緒方春朔　1748〜1810年

天然痘の予防につくした医者

江戸時代中期〜後期の武士、医者。

筑後国久留米藩（現在の福岡県久留米市）の藩士の子として生まれた。長崎で医学を学んだのち1789年、42歳のとき筑前国秋月藩（福岡県朝倉市）の藩医になった。当時、命にかかわる病気としておそれられていた天然痘の予防法を研究し、鼻乾苗法を発見した。これは、患者から採取したかさぶたを粉末にして健康な人の鼻から吸いこませて免疫をつくるというもので、種痘といった。1790年、友人のこどもにほどこして日本ではじめて種痘に成功し、その後、多くのこどもに種痘をおこなって天然痘の予防につとめた。

おがたたけとら　政治
● 緒方竹虎　1888〜1956年

自由民主党の結成に加わった

明治時代〜昭和時代のジャーナリスト、政治家。

山形県生まれ。早稲田大学を卒業後、1911（明治44）年、

朝日新聞社に入社。
1943（昭和18）年に副社長となるが翌年退職した。その後は小磯国昭内閣、米内光政内閣で国務大臣と情報局総裁を兼任。内閣顧問、国務大臣、内閣書記官長などを歴任した。第二次世界大戦後は戦犯容疑者として公職追放されたが、1951年に解除。その翌年に自由党から衆議院議員総選挙に出馬し、当選した。
第4次吉田茂内閣で副総理と内閣官房長官を、第5次吉田内閣で副総理と北海道開発庁長官をつとめた。1954年に自由党総裁に就任すると日本民主党との保守合同を推進し、翌年自由民主党を結党。総裁代行委員に就任する。1956年の総裁公選のための遊説中に亡くなった。

おかだふりえ 郷土
● 岡田普理衛　1859～1947年

酪農の普及につくしたフランス人神父

幕末～昭和時代のフランス人神父。
カトリック教会神父で、本名はフランソワ・プリエという。1896（明治29）年、日本最初の修道院、トラピスト修道院（北海道北斗市）の院長として来日した。北海道開拓に一生をかけるため、日本への永住を決意した。信者の岡田初太郎の養子となり、普理衛と改名した。
修道院は海風の強いやせた土地で、開拓は進まず、また土地の人々の外国人に対する偏見もあり、作物が荒らされることもあった。しかし、がまん強く信者とともにはたらき、数年後には周辺を豊かな農地にかえ、エンバク、ジャガイモ、トウモロコシなどを収穫できた。フランスから乳牛のホルスタインを輸入して酪農をはじめ、牛乳からバターやチーズの製造をてがけた。
農家に乳牛を飼わせて酪農を教えた結果、北海道南西部に酪農が広がった。

おかのかおるこ 絵本・児童
● 岡野薫子　1929年～

動物と心をかよわせるファンタジー

児童文学作家。
東京生まれ。東京農業教育専門学校（現在の筑波大学）附設女子部卒業。科学雑誌の編集者、科学映画の脚本家などをへて、児童文学を書きはじめる。1964（昭和39）年に出版した初の長編『銀色ラッコのなみだ』で、サンケイ児童出版文化賞などを受賞。その後も『ヤマネコのきょうだい』や『ミドリがひろったふしぎなかさ』などを次々と出版する。
生態をふまえた科学的な観察力により、ファンタジーの世界で活躍する動物たちを生き生きとえがきだす。
童話『森のネズミ』シリーズや、エッセー『森のネズミの山荘便り』など作品は多数。さし絵もてがけ、絵画の個展もひらいている。

おかのていいち 音楽 教育
● 岡野貞一　1878～1941年

唱歌『おぼろ月夜』や『春の小川』を作曲

明治時代～昭和時代の作曲家。
鳥取県生まれ。東京音楽学校（現在の東京藝術大学）卒業後、1924（大正13）年、母校の教授となる。『尋常小学読本唱歌』や『尋常小学唱歌』の編集にたずさわった。また、国文学者の高野辰之の作詞で、『おぼろ月夜』や『春の小川』など、現在も親しまれている唱歌を作曲した。

おかのぼりかげよし 郷土
● 岡上景能　?～1687年

岡登（岡上）用水をひらいた武士

▲群馬県みどり市の銅像
（みどり市産業観光部）

江戸時代前期の武士。
武蔵国児玉郡高柳村（現在の埼玉県本庄市）に生まれる。1662年、上野国（群馬県）の代官（地方の事務をおこなう役職）となった。景能の役割の一つは、幕府が管轄する足尾銅山（栃木県にあった銅山）の銅を江戸（東京）にはこぶことだった。
江戸にむかう街道の途中に、笠懸野（群馬県みどり市南部、太田市北西部）とよばれる荒れ地が広がり、水が得られず、街道を行き来する人やウマが苦しんでいた。そこで、渡良瀬川上流から水をひき、笠懸野を開発して新田をひらこうと計画した。1664年から工事をはじめ、岩盤をほりわり、苦労して水をみちびき1672年、全長約14kmの岡登（岡上）用水を完成させた。しかし、渡良瀬川下流の農民たちから下流の水が少なくなるとうったえられ、また公金を不正につかったなどのそしりもあって、幕府によびもどされた。江戸にむかう途中で自害したといわれている。

おかもとかのこ 文学
● 岡本かの子　1889～1939年

『母子叙情』で知られるロマン主義の作家

（日本近代文学館）

大正時代～昭和時代の歌人、作家、仏教研究家。
東京生まれ。本名はカノ。跡見女学校卒業。夫の一平は漫画家、長男の岡本太郎は芸術家。江戸時代からつづく裕福な商家に育ち、作家であった次兄の雪之助（大貫晶川）やその友人の谷崎潤一郎に影響さ

れ、短歌や俳句をつくる。やがて与謝野晶子と知り合い雑誌『明星』で歌人としてデビュー。また、平塚らいてうのさそいで青鞜社に参加し、歌集『かろきねたみ』などを発表する。その一方で、1910（明治43）年に結婚したのちは、夫との葛藤に苦しみ仏教に心ひかれて、仏教思想や仏教研究の著作を発表するようになった。

1936（昭和11）年、川端康成にすすめられて、芥川龍之介をえがいた小説『鶴は病みき』を発表、小説家としてデビュー。その後、息子への思いを書いた『母子叙情』で反響をよび、『老妓抄』『河明り』『生々流転』など仏教にもとづく独自の生命哲学をうかがわせる名作をのこす。

おかもときどう　文学　映画・演劇　伝統芸能

● 岡本綺堂　1872〜1939年

新歌舞伎作者の第一人者

大正時代〜昭和時代の劇作家、作家、演劇評論家。

東京生まれ。本名は敬二。少年時代から劇作家をめざす。1890（明治23）年、東京日日新聞社に入社した。以後1913（大正2）年まで、新聞社を転々としながら劇評を書き、劇作にもはげむ。1902年、劇作家の岡鬼太郎との合作『金鯱噂高浪』を歌舞伎座で初上演した。1911年、歌舞伎役者の2世市川左団次を主演に、明治座で『修禅寺物語』を上演し、近代劇の要素をとり入れた「新歌舞伎」の第一人者となる。1930（昭和5）年には雑誌『舞台』を創刊し、演劇を志す人々の指導にもつとめた。代表的な劇作は『鳥辺山心中』『番町皿屋敷』、ほかに『半七捕物帳』『三浦老人昔話』などの小説がある。

おかもとたろう　絵画

● 岡本太郎　1911〜1996年

前衛美術で多彩な才能を発揮した芸術家

（岡本太郎記念館）

昭和時代の前衛芸術家。

神奈川県生まれ。父は漫画家の岡本一平、母は小説家で歌人の岡本かの子。慶應義塾普通部をへて、1929（昭和4）年、東京美術学校（現在の東京藝術大学）に入学するが、半年で退学した。イギリスにむかう両親とともに日本をはなれ、途中パリで両親と別れる。以後、11年間をパリですごし、パリ大学で美学、民族学などを学ぶ。

1932年、たまたま入った画廊でピカソの作品と出会い、感動する。その後、抽象芸術の国際的なグループ、アブストラクシオン・クレアシオンに最年少メンバーとして参加し、1937年には、はじめての画集を刊行した。同じ年、サロン・デ・シュール・アンデパンダン展に出品した『傷ましき腕』が、シュールレアリスム（超現実主義）の中心人物であるアンドレ・ブルトンに絶賛される。このころから、エルンストらシュールレアリスムの芸術家と交流するとともに、思想家のバタイユらとも親しくまじわる。1940年、第二次世界大戦により帰国。翌年の二科美術展覧会（二科展）に、パリ時代の作品を展示する。

第二次世界大戦後の1948年、花田清輝、安部公房、埴谷雄高らと「夜の会」を結成した。このころ、抽象と具象など、対立し合う要素を作品に共存させる「対極主義」をとなえる。1951年、博物館でみた縄文土器に衝撃を受け、その芸術的な価値を見いだした。1956年、丹下健三が設計した東京都庁舎に陶板の壁画を制作し、その後、フランスの雑誌『今日の建築』の国際建築絵画大賞を受賞する。1970年の大阪万国博覧会では会場に『太陽の塔』を建設した。

以後、絵画にとどまらず、彫刻、インダストリアルデザイン、写真、舞台装置などでも多彩な才能を発揮した。テレビにも出演し、「芸術は爆発だ！」が流行語になる。

著書も多く、『アヴァンギャルド芸術』『日本再発見―芸術風土記』『沖縄文化論－忘れられた日本』などがある。2003（平成15）年には、メキシコで制作した巨大壁画『明日の神話』が発見され、現在、東京の渋谷駅に展示されている。

おかもとひょうまつ　郷土

● 岡本兵松　1821〜1903年

明治用水を開発した一人

明治時代の開拓者。

三河国大浜村（現在の愛知県碧南市）に生まれた。矢作川右岸の石井地区（愛知県安城市）で開墾をはじめたが、水不足で作物が育たなかった。その後、都築弥厚の計画を知り、1873（明治6）年、碧海台地に矢作川上流から用水をひく計画を愛知県に提出した。伊豫田与八郎とともに用水建設に反対する農民たちを説得し、愛知県の許可を得て、1879年、工事に着手した。1881年、総延長約52kmの用水を完成し、明治時代を代表する用水ということから、「明治用水」と命名した。明治用水の完成により、流域の荒れ地は、広大な水田にかわった。

おがわくにお　文学

● 小川国夫　1927〜2008年

人間の内面をみつめる作家

昭和時代〜平成時代の作家。

静岡県生まれ。20歳のとき、カトリックの洗礼を受ける。東京大学国文科を中退後、フランスへ留学して、オートバイで地中海沿岸を旅行する。帰国後、同人誌『青銅時代』を創刊。オートバイ旅行の体験をもとに『アポロンの島』（1957年）を書き、作家の島尾敏雄にみとめられる。

主な作品は『生のさ中に』『海からの光』『試みの岸』『或る聖書』『若潮の頃』など。聖書の世界のイメージや故郷を舞

台とした物語を中心に、自然や人間の存在を問う内省的な作風で知られる。1986（昭和61）年に『逸民』で川端康成文学賞、1998（平成10）年には『ハシッシ・ギャング』で読売文学賞を受賞する。

おがわトク
郷土
● 小川トク　1839〜1913年

久留米縞を創始した織工

（久留米市市民部文化財保護課）

江戸時代後期〜明治時代の織工。武蔵国宮ヶ谷塔村（現在のさいたま市）に生まれた。江戸（東京）に出て、久留米藩（福岡県久留米市）藩士早川甚兵衛の乳母（生母にかわりあかんぼうを育てる女性）になり、1868年、帰国する早川にしたがって、久留米に移り住んだ。トクは、久留米で井上伝が創始してさかんになっていた織物の久留米絣をおぼえた。縞織物（縦、または横にしま模様を織りだした織物）を織って、「久留米縞」と名づけて販売したところ、評判となった。トクのもとには、久留米縞の技術を習おうと多くの女性が集まった。久留米縞は現在も久留米市とその周辺で生産されている。

おがわみめい
絵本・児童
● 小川未明　1882〜1961年

日本の近代童話の父

（日本近代文学館）

明治時代〜昭和時代の小説家、児童文学作家。
新潟県生まれ。本名は健作。早稲田大学英文科卒業。教育熱心な家庭に育ち、中学では友人たちと回覧雑誌をだして漢詩などを書いたが、数学が苦手で留年を重ね、卒業をあきらめて上京する。坪内逍遙や島村抱月、ラフカディオ・ハーン（小泉八雲）らの教えに影響を受け小説を書きはじめる。未明という筆名は、坪内逍遙の命名による。1907（明治40）年、はじめての短編集『愁人』を、ひきつづき3冊の短編集を出して、短編の名手としてみとめられる。また、1910年に最初の童話集『赤い船』を刊行。その後も、鈴木三重吉が創刊した児童雑誌『赤い鳥』や新聞に、『赤い蠟燭と人魚』『野薔薇』『月夜と眼鏡』をはじめ数々の童話を発表した。1926（大正15）年からは童話に専念し、日本の民話や言い伝えを下地にしてつくりあげた幻想的で詩情豊かな作品をのこす。生涯に創作した童話は1000編以上にのぼり、日本の近代童話の父とよばれる。

おがわようこ
文学
● 小川洋子　1962年〜

『博士の愛した数式』でベストセラー作家に

作家。
岡山県生まれ。早稲田大学文学部卒業。幼いころから本を読むのが好きで、家の納戸にあった『家庭医学大事典』や『世界少年少女文学全集』を愛読する。空想にふけるくせがあり、9歳ころから物語を書いていた。大学卒業後に就職するが、結婚とともに退職、その後は小説を書くようになった。
『揚羽蝶が壊れる時』で海燕新人文学賞を受賞し、作家デビューし、『妊娠カレンダー』で芥川賞を受賞。2003（平成15）年、『博士の愛した数式』でベストセラー作家となる。繊細な文体でえがかれる喪失感のある独特の作品に人気がある。ほかに『ブラフマンの埋葬』『ミーナの行進』など。

学 芥川賞・直木賞受賞者一覧

オキーフ, ジョージア
絵画
● ジョージア・オキーフ　1887〜1986年

抽象的で幻想的な作風の女性画家

アメリカ合衆国の画家。
ウィスコンシン州サンプレイリー生まれ。シカゴとニューヨークで絵画を学ぶ。その後、コロンビア大学に入学し、抽象画家のダウから日本画の作画法の指導を受ける。日本美術と岡倉天心の影響を受け、抽象画家をめざした。1924年に、制作の援助を受けていた、写真家で画廊の主宰者スティーグリッツと結婚する。1946年に夫が亡くなると、砂漠のあるニューメキシコ州で、画家として制作活動をつづけた。
はじめは、抽象画が中心だったが、のちに花や建物など具体的な対象をえがいた。荒涼としたニューメキシコ州を愛し、その象徴となる砂漠や動物の白骨、原色の花などを題材にした作品をかき、抽象的で幻想的な作風を完成させた。代表作に1919年の『青と緑の音楽』や、赤、白、青を背景にウシの頭蓋骨を正面からえがいた『牛の頭蓋骨―赤、白、青』、画面いっぱいにかいた花のシリーズがある。

おきたそうじ
幕末
● 沖田総司　1844〜1868年

新選組の一番隊組長

幕末の新選組隊士。
陸奥国白河藩（現在の福島県白河市）の藩士の子として、江戸（東京）に生まれる。市谷（東京都新宿区）にあった天然

理心流の近藤周助の道場、試衛館に入り、近藤勇と知り合った。

(霊山歴史館)

1863年、江戸幕府第14代将軍徳川家茂が京都をおとずれたとき、その護衛のために幕府が募集した浪士組に近藤勇、土方歳三らとともに参加。しかし途中で分裂し、勇や歳三とともに京都守護職（京都の治安維持や朝廷の警備にあたった役職）支配下の新選組を結成して、一番隊組長となった。1864年の池田屋事件で活躍し、尊王攘夷派（天皇をうやまい外国勢力を追いはらおうという考えの人々）の志士たちを殺害、京都から追いだした。幕府が政権を朝廷に返した大政奉還後の1868年1月、旧幕府軍と、薩摩藩（鹿児島県）・長州藩（山口県）を中心とした新政府軍が京都南部の鳥羽・伏見で戦った（鳥羽伏見の戦い）。しかし、総司は労咳（肺結核）のため、戦いに参加できず、大坂（阪）から海路江戸にもどり、病死した。

おぎのぎんこ　医学
● 荻野吟子　1851〜1913年

日本ではじめての女性医師

(国立国会図書館)

明治時代の医者、女性運動家。武蔵国（現在の東京都・埼玉県・神奈川県東部）に生まれる。16歳で結婚し、2年後夫から淋病をうつされ、離婚。その際、男性の医者に診察を受けた体験から、女性の医者の必要性を痛感し、医者になることを決心して上京する。東京女子師範学校（現在のお茶の水女子大学）を主席で卒業し、私立の医学校、好寿院で学ぶ。当時は女性の前例がないとの理由で、医術開業試験の受験を拒否されたが、苦難の末、支援者を得て、1885（明治18）年ついに合格。日本初の国家資格をもった女性医師となった。東京の湯島で産婦人科診療所を開業し、翌年洗礼を受ける。39歳でキリスト教徒の志方之善と再婚し、北海道にわたり、医院を開業する。医師のかたわら、開拓事業やキリスト教の布教に奔走するが、夫と死別後、ふたたび東京にもどり、本所で医院を開業する。婦人運動や社会運動に参加して、医学界だけでなく、日本の女性の地位向上に力をつくした。

おぎゅうそらい　学問　教育
● 荻生徂徠　1666〜1728年

古文辞学を確立した

江戸時代中期の儒学者。

江戸（現在の東京）に生まれる。父は上野国館林藩（群馬県館林市）の藩主、徳川綱吉につかえた医者だったが、徂徠が14歳のとき、父が処罰されて浪人となったため、上総国（千葉県中部）に移り住んだ。のちに江戸にもどって増上寺（東京都港区）の門前で儒学を教えていたが、将軍の側近である側用人の柳沢吉保にその才能をみとめられ、江戸幕府第5代将軍となった綱吉に儒学を講義した。綱吉の没

(早稲田大学図書館)

後は、蘐園塾という私塾をひらいて多くの門人を育てた。徂徠の学問は、中国の学者の孔子や孟子の教えを直接研究して正しく理解しようと主張するもので、古文辞学派とよばれた。晩年は、第8代将軍徳川吉宗に重用され、幕府政治の改革を説いた。

1702年、赤穂事件がおこり、柳沢吉保に意見を求められたとき、赤穂浪士たちの討ち入りは義にかなったものだが、幕府の法をやぶったのだから、切腹させるべきだと主張した。

おぎわらしげひで　江戸時代
● 荻原重秀　1658〜1713年

通貨を管理して、幕府の財政を立て直した

江戸時代中期の勘定奉行。

幕臣の子として生まれる。1674年、勘定所の役人になった。1695年、第5代将軍徳川綱吉から幕府の財政の立て直しを命じられて貨幣の改鋳をおこなう。これは、金の成分の比率が少ない金貨や銀の成分の比率が少ない銀貨など、質を落とした貨幣をつくって貨幣の量を多くし、幕府の収入をふやすというもので、この功績によって翌年、財政面のトップである勘定奉行に抜てきされた。しかし、悪質な貨幣を大量に発行したため、物価が上昇して世間の反感を買った。その後も、全国の酒造家に税金をかけるなどして、幕府収入の増加をはかった。第6代将軍徳川家宣の代にも財政をまかされたが、1712年、新井白石に、商人からわいろを受けていたことなどを追及されて失脚し、翌年、失意のうちに亡くなった。

▲元禄小判
(日本銀行金融研究所貨幣博物館所蔵)

おぎわらもりえ　彫刻
● 荻原守衛　1879〜1910年

生命感あふれる作品を制作した彫刻家

明治時代の彫刻家。

長野県生まれ。号は碌山。農家に生まれ育つが、相馬愛蔵・相馬黒光夫妻らの影響を受け、画家を志して上京する。小山正太郎の塾「不同舎」で洋画を習う。1901（明治34）年にアメリカ合衆国にわたり、1903年からフランスで絵を学ぶが、

（国立国会図書館）

ロダンの『考える人』をみて、彫刻家になる決意をする。1906年、ふたたびフランスに行き、アカデミー・ジュリアンの彫刻部に入学した。翌年ロダンに会い、指導を受け、日本の近代彫刻の先がけといえる『女の胴』『坑夫』を制作した。帰国後、第2回文部省美術展覧会（文展）に出品した『文覚』、第3回文展に出品した『北条虎吉像』が3等賞を受賞した。生命感あふれるみずみずしい作品は、彫刻界にかぎらず、若い芸術家たちに大きな影響をあたえた。1910年、最高傑作とされる『女』を制作した。没後ひらかれた第4回文展で、3等賞を受賞した。

オクタウィアヌスてい
王族・皇族　古代

オクタウィアヌス帝　　紀元前63～紀元後14年

ローマで帝政をはじめた

ローマ帝国の初代皇帝（在位紀元前27～14年）。

はじめはガイウス・オクタウィウスと名のり、のちにガイウス・ユリウス・カエサル・オクタウィアヌスと改名。騎士階級の家に生まれる。母はカエサルのめいで、父の死後はカエサルの保護を受けた。17歳のとき、カエサルが暗殺されると、遺言によりカエサルの養子となる。カエサルの部下だったアントニウスとともに、カエサルを暗殺したブルートゥスをたおすが、その後対立。キケロなど元老院議員を味方につけてアントニウスと戦い、これに勝利した。その後、アントニウスとも和解し、紀元前43年、レピドゥスと3人で、第2回三頭政治をおこなう。しかしその後、レピドゥスが失脚して政治からはなれると、ふたたびアントニウスと対立し、紀元前31年のアクティウムの海戦でアントニウスをやぶり、自殺に追いこんだ。1世紀におよぶ内戦はこれで終結した。紀元前27年、オクタウィアヌスは、元老院からアウグストゥス（尊厳者）の称号を受け、皇帝となった。これがローマ帝政のはじまりとされる。この初代皇帝アウグストゥスから約200年、パックス・ロマーナ（ローマの平和）とよばれるローマの最盛期がつづいた。

おくだすけしちろう
郷土

奥田助七郎　　1873～1954年

名古屋港をつくった土木技師

明治時代～昭和時代の役人、土木技師。

京都に生まれた。京都帝国大学（現在の京都大学）を卒業したのち、1900（明治33）年、愛知県庁に土木技師として入り、伊勢湾のもっとも北に位置する熱田湾の築港工事にたずさわった。1896年からはじめられた工事には、多額の税金がつかわれたうえ、海の中でおこなわれる工事は、進みぐあいがみえず、反対運動が高まった。1906年、工事中の熱田港に4000トンの大型船ろせった丸を入港させて、名古屋の将来には港が必要で、工事が進んでいることをしめし、反対運動をしずめた。1907年、熱田港が開港し、名前を名古屋港とあらためた。助七郎は、初代名古屋港務所長となり、港の整備をおこなった。

おくに
伝統芸能

阿国　　生没年不詳

現代につづく歌舞伎のはじまりをつくった

▲かぶき踊り（『歌舞伎図巻　下巻（茶屋遊び部分）』より）
（徳川美術館イメージアーカイブ／DNPartcom）

江戸時代前期の芸能者。

出雲国（現在の島根県東部）に生まれる。出雲大社の巫女だったともいわれる。出雲阿国ともよばれる。少女のころから、ややこ踊り（幼いこどもによる踊り）を演じて各地をまわる。京都では、五条河原や北野天満宮（京都市）の境内に舞台をつくって興行し、宮中や貴族の屋敷に出むいて踊りを披露した。

1603年ころから、笛や小鼓、太鼓などにあわせて、かぶき踊りの興行をおこなった。これは、とっぴな髪形やはでな服装で京の町を横行し「かぶき者」とよばれた若者に扮した阿国が、歌や踊りをまじえて芝居を演じたもので、庶民だけでなく、貴族や武士のあいだでも大人気となった。1607年には、江戸城にまねかれて、徳川家康の前でかぶき踊りを披露したといわれる。その後、各地で阿国をまねたかぶき踊り（阿国歌舞伎）がさかんになり、やがて歌舞伎芝居へと発展した。現在の歌舞伎のはじまりをつくったとされている。

おくむめお
政治

奥むめお　　1895～1997年

婦人運動をリードしつづけた

大正時代～昭和時代の婦人運動家。

福井県生まれ。本名、梅尾。日本女子大学卒業後、『労働世界』の記者となり、紡績女工として住みこむなど、早くから社会問題に強い関心をもつ。1920（大正9）年、平塚らいてう、市川房枝らと新婦人協会の設立に参加し、婦人参政権運動を推進した。

協会解散後の1923年に職業婦人社を創設、雑誌『職業婦人』（のちに『婦人と労働』『婦人運動』と改題）の発刊や消費者運動、婦人セツルメント運動などに力をそそいだ。1947

（昭和22）年、参議院議員に当選、以後1965年に引退するまで3期18年議員をつとめた。

1948年には、主婦連合会（主婦連）を創立して会長に就任し、「台所の声を政治へ」というスローガンをかかげるなど、消費者・婦人運動を終生指導した。

おくむらとぎゅう
● 奥村土牛　　　　　　　　　1889〜1990年　［絵画］

色の変化で立体感を表現した画家

大正時代〜昭和時代の日本画家。

東京生まれ。本名は義三。1905（明治38）年、日本画家の梶田半古の塾に入門し、主に塾頭の小林古径の指導を受ける。1920（大正9）年からは小林の画室に住みこみ、修業を積む。

海外の絵にも親しみ、セザンヌから大きな影響を受ける。1927（昭和2）年、『胡瓜畑』で日本美術院展覧会（院展）に初入選した。1936年の帝国美術院展覧会（帝展）で『鴨』が推奨第1位となり、名声を確立した。1935年から1966年まで帝国美術学校（武蔵野美術大学）、1944年から1951年まで東京美術学校（東京藝術大学）、1949年から1980年まで女子美術大学で教え、日本画の指導にもつとめる。流れるような線を重視する日本画に対し、こまやかな色の変化で立体感や奥行きをとらえようとした。

そのために、うすい色を100回以上ぬり重ねることもあった。代表作に『鳴門』『醍醐』などがある。1962年、文化勲章を受章した。

［学］文化勲章受章者一覧

おくむらまさのぶ
● 奥村政信　　　　　　　　　1686〜1764年　［絵画］

浮世絵版画の技法の発展に貢献

江戸時代前期〜中期の浮世絵師。

江戸（現在の東京）出身。浮世絵師の菱川師宣、鳥居清信の画風を独学で学んだといわれる。江戸で版元（書物や浮世絵を出版するところ）を経営し、その立場を生かして、丹絵（墨1色ですった木版画に筆で彩色をほどこした浮世絵）や紅摺絵（墨のほかに2〜3色を重ねずりした浮世絵）

（国立国会図書館）

などにくふうをこらし、浮世絵版画の技法の発展に貢献した。また、浮絵（西洋画の遠近法をとり入れて画面に奥行きをあらわした絵）や、柱絵（柱にはって観賞した縦長の絵）などを開拓した。美人画や役者絵、さらには肉筆画の分野にも才能を発揮し、浮世絵界の中心的存在として活躍した。代表作に『小倉山荘図』（肉筆画）や『遊色三福つい図』（版画）などがある。

おぐらゆき
● 小倉遊亀　　　　　　　　　1895〜2000年　［絵画］

女性を題材にえがいた日本画家

大正時代〜昭和時代の日本画家。

滋賀県生まれ。本名はゆき。奈良女子高等師範学校（現在の奈良女子大学）を卒業したのち、京都、名古屋、横浜などで教師をつとめながら、独学で絵を学ぶ。1920（大正9）年、日本画家の安田靫彦に入門した。1926（昭和元）年、日本美術院展覧会（院展）に『胡瓜』を出品して初入選し、1932年に、女性ではじめて日本美術院の同人となる。1938年、山岡鉄舟の門下の小倉鉄樹と結婚したが、1944年に死別した。夫から学んだ禅の思想は、のちの制作に影響をおよぼした。1954年に『O婦人坐像』で上村松園賞、『裸婦』で芸術選奨美術部門文部大臣賞、1961年に『母子』で日本芸術院賞を受賞した。仏像や静物画、風景画にもとりくんだが、主に日常生活の女性をテーマに明るい色彩でえがいたおおらかな作品をのこす。代表作に『浴女』『小女』がある。1980年、文化勲章を受章した。105歳で亡くなるまで、筆をとりつづけた。

［学］文化勲章受章者一覧

おぐりただまさ
● 小栗忠順　　　　　　　　　1827〜1868年　［幕末］

幕末の江戸幕府をささえた

幕末の幕臣。

江戸（現在の東京）生まれ。1860年、日米修好通商条約の批准書（外交文書）交換のための遣米使節の一員としてアメリカ合衆国にわたり、帰国後、外国奉行（外国関係の事がらをあつかう役人）となった。1862年、勘定奉行（税の徴収など幕府の財政運営を担当する役人）・幕府陸軍の歩兵奉行（陸軍奉行に次ぐ役

（国立国会図書館）

職）となり、新しい陸軍の編成など軍制改革にあたった。しかし翌年、京都に行き、朝廷から開国を許可する天皇のことばを得ようとしたが、事前に発覚して職をとかれた。1864年、ふたたび勘定奉行となり、次に軍艦奉行に就任して、横須賀（神奈川県横須賀市）の軍港や製鉄所設立の基礎をつくった。翌年、勘定奉行にもどると、財政改革をおこなった。1868年、薩摩藩（鹿児島県）と長州藩（山口県）を中心とした新政府軍と戦うことを強く主張したため、江戸幕府第15代将軍徳川慶喜に職をとかれる。領地の上野国権田村（群馬県高崎市）に引退したが、新政府軍にとらえられて処刑された。

オゴタイ・ハン　［王族・皇族］

オゴタイ・ハン　1186〜1241年

内政を充実させ、モンゴル帝国の基礎をかためた

モンゴル帝国の第2代皇帝（在位1229〜1241年）。チンギス・ハンの第3子。武勇にすぐれた弟トゥルイの協力で、1234年、金（中国東北部）をほろぼした。父の代からの忠臣、ウイグル人のチンカイや遼の耶律楚材らを重んじ、モンゴル高原に井戸をほり、牧地を広げて家畜税を定めたり、農耕地帯で戸口調査をして新税法を定めたりして税収を確保し、帝国の基礎をかためた。また、新都カラコルムを建て、各地をつなぐ駅伝制（ジャムチ）を整備。南宋やロシア方面へも領地拡大をはかり、とくにおいのバトゥひきいる西方遠征軍は、ロシアから東ヨーロッパに進出して、1241年、ポーランドとドイツの連合軍をやぶった。オゴタイの病死によって遠征は中断したが、ヨーロッパに大きな衝撃をあたえた。　［学］世界の主な王朝と王・皇帝

おこのぎけいご　［学問］［医学］

小此木啓吾　1930〜2003年

日本を代表する精神分析学者

昭和時代の医学者、精神科医。

東京都生まれ。1954（昭和29）年に慶應義塾大学医学部を卒業後、日本人としてはじめてウィーン精神分析研究所に留学。日本の精神分析学の草分けといわれる古沢平作に師事し、精神分析学や家族精神医学を研究した。フロイト研究でも第一人者として知られる。大学で留年をくりかえしたり、卒業後も定職につかなかったりする青年の心理を考察し、彼らをおとなにならずに猶予期間にとどまる「モラトリアム人間」とよんだ1978年の著書『モラトリアム人間の時代』は社会の注目を集めた（モラトリアムはもともとは経済用語で、支払い猶予の意味）。

『対象喪失−悲しむということ−』（1979年）をはじめ一般向けの著書も多く、難解な精神分析理論をわかりやすく紹介した功績が高く評価されている。後進の育成にも熱心で、多方面で活躍する人材を輩出した。慶應義塾大学などで教授、日本精神分析学会では会長をつとめ、73歳で亡くなった。

オコンネル, ダニエル　［政治］

ダニエル・オコンネル　1775〜1847年

アイルランド独立運動の指導者

アイルランドの政治家、独立運動指導者。

西部の貧しい農家に生まれる。カトリックであり、連合王国下ではカトリックは差別されていたためケンブリッジ大学への入学を拒否され、フランスのカトリックの学校に留学。その後、イギリスのロンドンで弁護士になるための勉強をして、1798年、弁護士となった。

1823年、アイルランドでカトリック協会を結成。カトリックの差別撤廃を求める大衆運動を推進させた。1828年、イギリス下院議員の補欠選挙に当選。イギリス国教徒以外の人が議員になることが禁じられていたため、議席を拒否されると、アイルランドで非難の声が高まり、反乱をおそれたウェリントン首相は1829年、カトリック教徒解放法を成立させた。翌年、下院の議席を得て、「解放者」として尊敬された。

1840年、アイルランド分離協会を設立し、イギリスとの合併を撤回する運動を指導。非暴力をとなえ、合法的な運動を追求したため、急進的な青年アイルランド党に指導権をうばわれ、失意のうちに亡くなった。

おさかべしんのう　［王族・皇族］

刑部親王　？〜705年

大宝律令の制定に力をそそいだ

飛鳥時代の皇子。

天武天皇の子。672年の壬申の乱のとき、父にしたがった。681年、天武天皇に命じられ、天皇の系譜などをしるした『帝紀』をまとめた。『帝紀』は8世紀に編さんされた『古事記』や『日本書紀』のもとの資料になった。696年、朝廷の中心にいた高市皇子が亡くなったあと、皇子たちを代表する存在となる。700年、その後の日本の基本法律となる大宝律令制定の中心人物となり、翌年、完成させた。

702年に持統上皇（譲位した持統天皇）が亡くなった翌年、朝廷の政治を監視するため皇族からえらばれる知太政官事となり、律令政治に貢献した。

おざきかずお
尾崎一雄　1899〜1983年　文学
心境小説の名作をのこす

昭和時代の作家。

三重県に生まれ、神奈川県で育つ。早稲田大学国文科卒業。志賀直哉に影響を受けて作家をめざし、学生時代から同人誌に参加する。1926（大正15）年に『早春の蜜蜂』でデビューし、1937（昭和12）年には『暢気眼鏡』をふくむ作品集で芥川賞を受賞する。その後、病気のために神奈川県へもどり、療養をしながら『虫のいろいろ』『すみっこ』などを発表。日常で目にする草木や虫の観察をユーモアをまじえてえがき、自分の心境をつづる心境小説の代表作となる。『まぼろしの記』（1962年）、自伝的な『あの日この日』（1975年）で2度の野間文芸賞を受賞する。1978年、文化勲章受章。

学 文化勲章受章者一覧　学 芥川賞・直木賞受賞者一覧

おざきこうよう
尾崎紅葉　1867〜1903年　文学
明治の大ヒット作『金色夜叉』の作者

（国立国会図書館）

明治時代の作家。

江戸（現在の東京）の生まれ。本名は徳太郎。別称に縁山、十千萬堂など。東京帝国大学（現在の東京大学）中退。1885（明治5）年、作家の山田美妙と硯友社を結成し、日本で最初の同人雑誌『我楽多文庫』を発行する。1889年、2人の尼の悲しい物語をえがいた『二人比丘尼色懺悔』で作家としてみとめられる。大学在学中に読売新聞社へ入社し、新聞小説を執筆。話しことばに近い言文一致体で、艶麗な女性の風俗を写実的にえがいた作品をてがけ、幸田露伴とともに「紅露時代」とよばれた時期もある。すぐれた表現をみがくことにみずからも苦心を重ね、また、小栗風葉、徳田秋声、泉鏡花ら多くの門人を作家として育てた。

代表作は、妻を亡くした男性の心の変化をえがいた傑作『多情多恨』、結婚を約束した貫一とお宮の物語『金色夜叉』など。

おざきしろう
尾崎士郎　1898〜1964年　文学
『人生劇場』の作者

大正時代〜昭和時代の作家。

愛知県生まれ。早稲田大学中退。1921（大正10）年、『獄中より』が『時事新報』の懸賞に入選し、作家生活に入る。1935（昭和10）年、大学を中退した主人公が懸命に生きる姿をえがいた『人生劇場―青春篇』を発表、作家の川端康成にみとめられて、一躍流行作家となる。その後『残侠篇』『風雲篇』などの続編が出て、何回も映画や舞台になった。

第二次世界大戦中は、花形作家としてもてはやされ、戦後は歴史小説を中心に活躍した。主な作品に『石田三成』『篝火』、自伝『小説四十六年』などがある。1964年、文化功労者（死後に追贈）。

おざきほうさい
尾崎放哉　1885〜1926年　詩・歌・俳句
自由律俳句の代表的俳人

大正時代の俳人。

鳥取県生まれ。本名は秀雄。東京帝国大学（現在の東京大学）法学部卒業。中学生のころから俳句をはじめ、学生時代は俳人の荻原井泉水の一高俳句会に参加、高浜虚子の句誌『ホトトギス』に投句する。卒業後は生命保険会社につとめるが36歳で退職。

その後、京都や福井の寺で寺男をつとめ、最後は香川県小豆島にわたり、西光寺の南郷庵に入る。貧しいなか、句作だけの生活を送ろうとしたが、病気のために亡くなった。没後、句集『大空』（1926年）が刊行された。季語や五・七・五の定型にしばられない口語調の自由律俳句で知られ、代表作に「咳をしても一人」「足のうら洗へば白くなる」などがある。

おざきほつみ
尾崎秀実　1901〜1944年　政治
ソ連のスパイ、ゾルゲに協力した

大正時代〜昭和時代の共産主義者、評論家、ジャーナリスト。

東京生まれ。東京帝国大学（現在の東京大学）法学部卒業。1926（大正15）年、朝日新聞社に入社し、東京朝日新聞に勤務する。1927（昭和2）年、大阪朝日新聞支那部に配属。翌年、上海に派遣される。上海では中国共産党と交流し、また魯迅やアグネス・スメドレーらと知り合った。ソビエト連邦（ソ連）共産党員であるスパイのドイツ人ゾルゲに紹介され、情報工作に協力。帰国後は外報部に勤務するが、1934年にゾルゲと再会すると、ゾルゲ諜報団の一員となって、本格的に活動するようになった。暗号名はオットー。同年、東京朝日新聞に転任となり、中国問題に関する評論家として活躍した。1938年退社、近衛文麿内閣の嘱託となり、政治勉強会「朝食会」

にも参加するようになる。1939年、南満州鉄道の満鉄調査部嘱託職員となり、東京支社に勤務。1941年、国際スパイの嫌疑で逮捕され（ゾルゲ事件）、3年後、絞首刑となった。死後、獄中書簡集『愛情はふる星のごとく』が出版されベストセラーとなった。

おざきゆきお　〈政治〉

● 尾崎行雄　1858～1954年

護憲運動をおこした「憲政の神様」

（国立国会図書館）

明治時代～昭和時代の政治家。相模国（現在の神奈川県）津久井郡生まれ。1876（明治9）年、慶應義塾に学び、文才をみとめられて福沢諭吉の推薦により新潟新聞の主筆となる。その後、大隈重信にまねかれて1881年に統計院権少書記官となったが、政変で退官。翌年に『郵便報知新聞』の論説記者となり、立憲改進党の創立に参画し改進党系のジャーナリストとして活躍した。1887年、自由民権論者による政治運動で、外交の回復、地租の軽減、言論の自由の3つを要求して元老院に建白書を提出した（三大事件建白運動）が、政府は保安条例を制定し、尾崎ら570名の民権派は東京退去処分を受けた。ヨーロッパ遊学をへて1890年、第1回帝国議会衆議院選挙に三重県から出馬して以来、25回連続当選した。

藩閥政府攻撃の急先鋒で、1896年に第2次松方正義内閣で外務省勅任参事官、1898年には第1次大隈重信内閣の文部大臣になったが、藩閥政治を攻撃する、日本に共和制を想定した共和演説事件で辞任した。1900年に伊藤博文の立憲政友会結成に参加、最高幹部の一人になったが、のちに脱党し、1903年から9年間東京市長として在職した。

その間に政友会に復党し、1912（大正元）年12月に藩閥政治家の桂太郎内閣ができると護憲運動をおこし、犬養毅とともに先頭に立ち、翌年、第2次西園寺公望内閣を退陣に追いこみ、「憲政の神様」とたたえられた。

その後、ふたたび政友会を脱党し、1914年の第2次大隈内閣で司法大臣をつとめ、国民が選挙権を得るための普通選挙運動の先頭に立ったが、憲政会の運動を不徹底と批判したために除名された。また、軍備縮小論を遊説して歩き、その後もほぼ無所属として治安維持法と軍国主義に反対しつづけ、政党の腐敗、軍部の台頭、全体主義的傾向を批判し、戦時中もその立場をつらぬいた。第二次世界大戦後は国会で長老的存在となり、1953（昭和28）年の選挙ではじめて落選し、翌年95歳で亡くなる。代議士最高齢、当選回数25回、代議士生活63年はすべて最高記録である。つねに中立、公正な立場から一貫して立憲政治、政党政治の擁護につとめ、「議会政治の父」とよばれる。その貢献をたたえ、1960年に国会前に建設された尾崎記念館が、現在の衆議院憲政記念館となっている。

おさだえんえもん　〈郷土〉

● 長田円右衛門　1795～1856年

昇仙峡に新道をつくった

江戸時代後期の農民、開発者。

甲斐国猪狩村（現在の山梨県甲府市）に農民の子として生まれた。当時、荒川上流の昇仙峡にくらす村人たちは、まきや炭、木工製品などを半日かけて甲府へはこび、それを売ることにより、生活を立てていた。円右衛門は、おじで猪狩村の名主の長田勇右衛門と協力して、荒川沿いに甲府までの近道をつくる計画を立てた。

自分の土地を質に入れて費用を調達すると、周辺の村々から働き手を集め、1834年に工事に着手した。川岸につづく岸壁を人力でほり進めるという、むずかしい工事だったが、9年後の1843年に新道が完成した。その後、工事中に発見した仙ヶ滝を紹介し、昇仙峡を世間に広めようとつとめた。現在、円右衛門が開発した昇仙峡は観光地となっている。

おさだひろし　〈絵本・児童〉〈詩・歌・俳句〉

● 長田弘　1939～2015年

思いがけない本質をつづる詩

昭和時代～平成時代の詩人、評論家。

福島県生まれ。早稲田大学独文科卒業。在学中に同人誌『鳥』を創刊、雑誌『現代詩』などにも加わり、1965（昭和40）年、詩集『われら新鮮な旅人』で文学界にデビューする。評論、戯曲、児童文学でも活躍。親しみやすくおだやかなことばで、思いがけない本質をつづる詩にあこがれるファンは多い。詩集では、『記憶のつくり方』で桑原武夫学芸賞（1998年）、『森の絵本』で講談社出版文化賞（2000年）、『世界はうつくしいと』で三好達治賞（2009年）、『奇跡―ミラクル』で毎日芸術賞（2013年）などを受賞。エッセーに『ねこに未来はない』『深呼吸の必要』などがある。

おさないかおる　〈映画・演劇〉

● 小山内薫　1881～1928年

近代演劇運動に力をつくす

明治時代～昭和時代の劇作家、演出家、作家。

広島県生まれ。画家の藤田嗣治はいとこ。東京帝国大学（現在の東京大学）英文科卒業。学生時代から新派俳優の伊

井蓉峰の一座に出入りし、森鷗外にみとめられて詩や小説や戯曲を書いていた。1907（明治40）年、雑誌『新思潮』を創刊し、西洋の近代演劇や文芸を紹介、演劇界に新風をもたらす。1909年、役者の2世市川左団次と組んで劇団・自由劇場を結成し、ノルウェーの劇作家イプセンなどの劇を上演した。さらに、1924（大正13）年には土方与志とともに築地小劇場を設立するなど、歌舞伎や新派演劇にかわる新しい演劇としての新劇を広める運動に力をつくした。また、映画の世界では松竹キネマ研究所をつくり、放送劇の世界でも、わが国初の本格的ラジオドラマ『炭坑の中』の翻訳や指揮をとるなど、先駆的な役割をはたした。

主な作品に戯曲『第一の世界』『国性爺合戦』や外国劇を翻案（大筋はそのまま、細かい部分をつくり直すこと）した『息子』や、小説『大川端』などがある。

（国立国会図書館）

おさふねながみつ 〔工芸〕

● 長船長光　　　　　生没年不詳

名刀を多くのこす刀工

鎌倉時代後期の刀工。

長船派の祖光忠の子。備前国長船村（現在の岡山県瀬戸内市）を拠点に活躍、13世紀後半に多くの刀剣などを作製して長船派の隆盛を築き、名工のほまれが高かった。足利将軍家の宝刀、「大般若長光」などの国宝6点、重要文化財に指定されている太刀や剣、なぎなたなどを多数のこしている。

正宗や吉光とならぶ名工。長船派にもう一人長光がいたが、2代長光は左近将監と名のった。

▲『太刀　銘長光』　（東京国立博物館 Image:TNM Image Archives）

オサマ・ビンラディン 〔政治〕

● オサマ・ビンラディン　　1957？～2011年

アメリカ同時多発テロを指揮したとされる

国際テロ組織アルカイダの指導者。

サウジアラビアの首都リヤドで、大規模な建設会社グループの経営者の家に生まれる。大学在学中から、イスラム原理主義の影響を受け、1979年のアフガン戦争ではアフガニスタンを支援、ソビエト連邦（ソ連）に対抗した。以後、兵士や資金を集め、1980年代末にアルカイダを組織した。1990年、湾岸戦争のきっかけとなったイラクのクウェート侵攻の際、サウジアラビア政府が

アメリカ軍の介入を支持したことから、サウジアラビアとアメリカ合衆国に強く反発するようになった。1996年以降、アフガニスタンを主な拠点として活動、1998年のケニア、タンザニアのアメリカ大使館爆破事件などにかかわったとされる。2001年9月11日のアメリカ同時多発テロも指揮したとされ、アメリカによる報復の標的となった。2011年5月、パキスタンのイスラマバード郊外で身をかくしていたビンラディンを、アメリカ海軍特殊部隊が発見し、殺害したと、アメリカ政府は発表した。

おさらぎじろう 〔文学〕

● 大佛次郎　　　　　1897～1973年

鞍馬天狗のシリーズで人気作家に

大正時代～昭和時代の作家。

神奈川県生まれ。本名は野尻清彦。東京帝国大学（現在の東京大学）政治学科卒業。旧制高等学校時代から小説を出版。卒業後は外務省につとめるが、関東大震災を機に退職。1924（大正13）年、鞍馬天狗を主人公にした『鬼面の老女』でみとめられた。鞍馬天狗はシリーズ化されて1965（昭和40）年までつづいた。

ほかに『赤穂浪士』『三姉妹』などの時代小説や風俗小説を発表した。清廉な市民的良識に根ざした作風で人気となる。ほかに、フランスの政治事件をとりあげた『ドレフュス事件』から『パリ燃ゆ』までの4部作や『帰郷』、幕末から明治時代への変革をえがいた『天皇の世紀』（未完）などがある。1964年文化勲章受章。

　学 文化勲章受章者一覧

おざわせいじ 〔音楽〕

● 小澤征爾　　　　　1935年～

世界にはばたいた指揮者

指揮者。

中国の奉天（現在の中華人民共和国、瀋陽）生まれ。桐朋学園短期大学卒業。歯科医の3男に生まれ、幼いころから音楽を学び、作曲家の齋藤秀雄から指揮の指導を受ける。1959（昭和34）年、フランスのブザンソン国際指揮者コンクールで優勝し、注目される。指揮者のカラヤンやミュンシュの教えを受ける。1961年、指揮者バーンスタインにみとめられ、ニューヨーク・フィルハーモニー管弦楽団の副指揮者となった。その後、サンフランシスコ交響楽団、ボストン交響楽団、新日本フィルハー

モニーなど、国内外の主要な交響楽団の指揮者、音楽監督をつとめる。2002（平成14）年には、ウィーン国立歌劇場の音楽監督に就任し、ウィーン学友協会でのニューイヤーコンサートで東洋人の指揮者としてはじめて指揮をおこなう。日本の作品を国際的に広めることにも力をつくし、現在も積極的に活動する。日本人として、もっとも成功した世界的な指揮者である。2008年、文化勲章受章。2016年、グラミー賞受賞。

学 文化勲章受章者一覧

おざわただし
● 小沢正　　　絵本・児童　1937～2008年

動物を主人公に生きることをえがく

昭和時代～平成時代の児童文学作家。

東京生まれ。早稲田大学教育学部卒業。小学生のころ『風の又三郎』や『銀河鉄道の夜』を読んで宮沢賢治のファンになる。在学中は、仲間と童話研究の同人誌『ぷう』を創刊し、『トラゴロウのみずのきば』などを発表。

1962（昭和37）年、最初の本『ほしからきたうま』でデビュー。食いしんぼうのトラの子を主人公にした童話集『目をさませトラゴロウ』は、こどもの思考や感性をユーモアをまじえて表現し、NHK児童文学奨励賞を受賞する。ほかに『こぶたのかくれんぼ』『のんびりこぶたとせかせかうさぎ』など。動物を主人公にして、人間の性格や生きるうえでの問題をユーモアをまじえてえがいた作品が多い。

オスマン, ジョルジュ＝ユージェーヌ
●　ジョルジュ＝ユージェーヌ・オスマン　政治　1809～1891年

パリを近代都市へと大改造した

フランスの行政官、政治家。

パリで、ドイツ系フランス人の家庭に生まれる。名門アンリ4世高校を卒業後、各地の地方官吏をつとめた。当時、ルイ・ナポレオンの腹心であった内務大臣ペルシニーにその手腕をみこまれ、1852年、ルイがナポレオン3世として皇帝に即位すると、翌年パリを管轄するセーヌ県知事に抜てきされた。

その後、パリ市の都市改造事業をおこなった。すぐれた土木技師や造園技師をまねくなど、地方官吏時代の人脈を生かし、計画をおし進めた。

また、保守的な役人を入れかえるなど、政治的手腕を発揮して抵抗勢力をしりぞけ、3次にわたる大改造を強行した。これにともない、シテおよびクロワゼ・ド・パリ両地区の改革、多数の広場の整理、オペラ座をはじめとする公共建築の工事を進め、上下水道、橋梁、街路の整備をおこなうなど、パリを近代都市へと生まれかわらせた。のちに、その功績から男爵となったが、これらの事業による多額の負債について多くの非難をあび、辞職した。

おだいらなみへい

● 小平浪平　　　産業　郷土　1874～1951年

日立製作所を創立した電気技師

明治時代～昭和時代の実業家。

栃木県下都賀郡家中村（現在の栃木県栃木市）に生まれる。東京帝国大学工科大学（現在の東京大学工学部）で電気工学を学び、卒業後、秋田県鹿角市にあった小坂鉱山に入社し、電気技師としてはたらいた。

33歳のとき、茨城県日立村（日立市）にあった久原鉱業所日立鉱山に入社し、鉱山用の発電所をつくった。また、修理工場で、鉱山でつかう機械の修理をしながら、外国から輸入した機械の仕組みを研究し、1910（明治43）年、5馬力のモーターを完成させた。

その後、国産の機械をつくるため、日立村に電気機械の修理工場を建設し、1920（大正9）年、久原鉱業から独立し、株式会社日立製作所を創立した。

おだうらくさい
● 織田有楽斎　　　戦国時代　1547～1621年

茶道にもすぐれた信長の弟

安土桃山時代～江戸時代初期の武将、茶人。

名は長益。織田信長の弟。1574年、尾張国（現在の愛知県西部）知多郡をあたえられ、甲州征伐などに従軍した。1582年、本能寺の変後は、豊臣秀吉につかえて御伽衆（相談役）となり、摂津国味舌（大阪府摂津市）の領主となり、2000石をあたえられた。1590年に仏門に入り、有楽と称する。1600年の関ヶ原の戦いでは、徳川家康の東軍につき、大和国（奈良県）で3万石をあたえられた。1614年の大坂冬の陣では大坂（阪）城に入り、豊臣秀頼を助けて休戦調停をつづける。その後引退し、大坂夏の陣には加わらなかった。1618年、京都の正伝院に住み、茶室の如庵（国宝）を建てる。千利休に茶の湯を学び、独自の有楽流をひらいた。東京都の有楽町の地名は、有楽斎の屋敷跡であることからついた。

おださくのすけ
● 織田作之助　　　文学　1913～1947年

『夫婦善哉』を書いた作家

昭和時代の作家。

大阪府生まれ。旧制第三高等学校（現在の京都大学）中退。学生時代から戯曲を書いていたが、フランスの作家スタンダールの影響を受けて作家をめざす。

1938（昭和13）年に『雨』で注目され、大阪を舞台にした人情豊かな作品を数多くのこした。代表作は、商売がへたで、たよりない夫を妻がささえる物語『夫婦善哉』（1940年）で、映画やドラマになり、人気を博した。

第二次世界大戦後は、『六白金星』『世相』『競馬』『可能性の文学』などを発表し、太宰治、坂口安吾とならぶ流行作家となる。しかし、無理な生活がたたり、肺結核のため33歳の若さで亡くなる。最後の作品『土曜夫人』は未完となった。

おだのなおたけ　絵画

● 小田野直武　1749〜1780年

西洋画の技法を故郷の秋田に伝える

（角館歴史村青柳家提供）

江戸時代中期〜後期の画家。出羽国秋田藩角館（現在の秋田県仙北市）の生まれ。小田野家は秋田藩士だった。1773年、鉱山開発を指導するために秋田をおとずれた平賀源内から西洋画の技法を学んだ。その後、藩主佐竹義敦（曙山）の命により江戸（東京）に出て、西洋画を研究し、蘭学者と交流した。1734年に出版された杉田玄白の『解体新書』の解剖図は、直武が医学書の銅版画を模写したものである。

また、西洋画の技法を、義敦やその弟の佐竹義躬に伝えて、秋田蘭画をおこした。秋田蘭画は、日本の伝統的な絵画に西洋画の陰影法や遠近法をとり入れた洋風画で、江戸の画家、司馬江漢らに影響をあたえた。代表作『不忍池図』は、国の重要文化財に指定されている。

おだのぶかつ　戦国時代

● 織田信雄　1558〜1630年

江戸時代に大名となった織田信長の次男

安土桃山時代〜江戸時代の武将。

「のぶお」とも読む。尾張国（現在の愛知県西部）出身。織田信長の次男。父の命で、伊勢国（三重県東部）の国司、北畠具房の養子となり、1575年、あとをついで伊勢国司となる。1579年、信長に無断で伊賀国（三重県西部）を攻め、大敗して激怒されるが、2年後の天正伊賀の乱で伊賀を平定する。信長の死後は、羽柴秀吉（のちの豊臣秀吉）と組んで、対立していた弟の織田信孝をやぶる。1583年、小牧・長久手の戦いでは徳川家康と組んで秀吉と戦ったが、有利に進まず和睦した。その後、領地のことで秀吉の怒りを買い、下野国（栃木県）烏山に流され、仏門に入り常真と称する。のちの関ヶ原の戦い、大坂の陣では家康につき、大和国宇陀松山藩（奈良県宇陀市）に5万石を得た。

おだのぶたか　戦国時代

● 織田信孝　1558〜1583年

信長の後継者をめぐって秀吉と対立

安土桃山時代の武将。

織田信長の3男。父の命で、伊勢国（現在の三重県東部）の領主、神戸具盛の養子となる。神戸信孝ともいう。

1571年、当主の座をつぎ、神戸領は織田領に組みこまれる。各地の一向一揆平定など、主な信長の戦いに出陣。1582年、本能寺の変のときには、四国攻めの総大将として摂津国（大阪府北西部・兵庫県南東部）にいたが、羽柴秀吉（のちの豊臣秀吉）と合流し、明智光秀を討った。信長の後継者となることはできず、美濃国（岐阜県南部）の城主となる。のちに、秀吉や、兄の織田信雄と対立。柴田勝家と組んで兵をあげるが、1583年、賤ヶ岳の戦いで勝家がやぶれ、信雄軍に岐阜城をかこまれて、秀吉に降伏する。尾張国（愛知県西部）の大御堂寺（美浜町）にて、自害させられた。

おだのぶただ　戦国時代

● 織田信忠　1557〜1582年

信長の天下統一を助けた後継者

安土桃山時代の武将。

尾張国（現在の愛知県西部）出身。織田信長の長男。幼名は奇妙丸。1572年に元服して勘九郎信重、のちに信忠と改名する。父にしたがい、1573年の小谷城の戦いを初陣とし、長島一向一揆、長篠の戦いなどに参戦。1575年、信長より当主の座をゆずられ、美濃国（岐阜県南部）の城主となる。1582年には甲斐国（山梨県）に攻め入り、武田勝頼・信勝父子を自害に追いこみ、武田氏を滅亡させた（甲州征伐）。武田氏の残党をかくまった恵林寺（山梨県甲州市）を攻め、僧侶150人あまりを焼き殺した。同年におきた本能寺の変の際は、中国攻めのため、妙覚寺（京都市）に滞在していた。信長がやぶれたのち、二条御所で明智光秀軍に包囲され、自害する。

おだのぶなが

織田信長 → 210 ページ

おだのぶひで　戦国時代

● 織田信秀　1510?〜1551年

尾張国で勢力を拡大し、信長の活躍の基礎を築いた

戦国時代の武将。

織田信長の父。尾張国（現在の愛知県西部）の勝幡城（稲沢市）の城主、織田信定の子として生まれる。尾張の守護代につかえる清洲三奉行の一人。父のあとをつぐと、今川氏豊を追放して那古野城（のちの名古屋城）に移り、1539年、熱田に古渡城を築く。室町幕府第13代将軍足利義輝に拝謁し、

朝廷へ献金するなど、積極的に中央権力とつながりをもった。1542年、小豆坂の戦いで駿河国（静岡県中部と北東部）の今川義元をやぶり、「尾張の虎」といわれるほど勢力を拡大していったが、美濃国（岐阜県南部）の斎藤道三にやぶれ、1548年、道三の娘の濃姫を、子の信長と結婚させ、和議をむすんだ。そののちも、弟、織田信清の反乱や、今川氏との対立がつづき、内外とも苦しい中で病死する。

おだまこと

● 小田実　1932～2007年　文学

平和運動にとりくんだ文学者

昭和時代～平成時代の作家、評論家、反戦運動家。

大阪府生まれ。東京大学文学部言語学科卒業。第二次世界大戦中の1945（昭和20）年3月13日、12歳で大阪大空襲を経験する。大学卒業後、アメリカ合衆国のハーバード大学に留学し、世界中を旅行して帰国。そのときの経験を本にまとめた『何でも見てやろう』（1961年）がベストセラーになる。以後、小説を執筆し、人種差別問題をとりあげた『アメリカ』や、若い女性の目で日本の社会の現実をえがいた『現代史』など、数々の話題作を発表する。

1960～1970年代は、評論家の鶴見俊輔、作家の開高健らと『ベ平連』（ベトナムに平和を!市民連合）を結成し、反戦運動の先頭に立って活動。1995（平成7）年の阪神・淡路大震災では、被災者支援の実現にとりくむなど、つねに小さな人間を意識しつつ、世界的視野で小説と評論、平和運動にとりくむ。代表作に、『ガ島』『HIROSHIMA』『ベトナムから遠く離れて』、川端康成文学賞を受賞した『「アボジ」を踏む』などがある。

おだみきお

● 織田幹雄　1905～1998年　スポーツ

日本初の陸上競技の金メダリスト

大正時代～昭和時代の陸上選手。

広島県生まれ。中学（旧制）時代、オリンピックに出場した陸上選手から講習会で指導を受け、走り高とびで身長より高くとんでほめられたことが、陸上へ進むきっかけとなった。

広島高等師範学校在学中の1924（大正13）年、19歳でパリオリンピックに出場し、三段とびで6位に入賞した。当時英語で「ホップ・ステップ・ジャンプ」とよばれていた競技を「三段とび」と命名した。

1928（昭和3）年に早稲田大学へ進学し、競走部（陸上競技部）に入部し、ロサンゼルスオリンピックの三段とび金メダリストとなった南部忠平らとともに早大の黄金時代を築いた。

同じ年に開催されたアムステルダム・オリンピックでは、三段とびで15.21mを記録して優勝し、日本人初の陸上競技で金メダリストとなった。現役引退後も陸上競技の教育・普及につくし、日本の陸上競技界に大きな功績をのこした。

学 オリンピック日本代表選手 メダル受賞者一覧

おちあいなおぶみ

● 落合直文　1861～1903年　学問　詩・歌・俳句

新しい考えで短歌をつくった

明治時代の歌人、日本文学者。

陸前国（現在の宮城県）に生まれ、国学者の落合直亮の養子となる。1881（明治14）年に上京し、翌年東京大学古典講習科に入学したが、兵役のため中退する。

1888年に皇典講究所（現在の国学院大学）の講師となり、『孝女白菊の歌』という七五調の長編叙事詩を『東洋学会雑誌』に発表し、これが評判となる。翌年から第一高等学校、東京専門学校（早稲田大学）、東京外語学校などで、教師として国文学の教育の普及につとめ、1893年には新しい短歌をめざして浅香社を結成し、与謝野鉄幹ら多くの歌人を育てた。

『日本大文典』、国語辞典『ことばの泉』など、多くの文法書、辞典、文学全集、歌集をのこしている。

オッカム

オッカム → ウィリアム・オブ・オッカム

オットー，ニコラウス

● ニコラウス・オットー　1832～1891年　発明・発見

4サイクルエンジンを実用化した技術者

19世紀のドイツの技術者。

西部のラインラント・プファルツ州生まれ。16歳ではたらきはじめ、のちに内燃機関の実験にとりくむ。1864年にケルンで内燃機関製造会社を設立、2年後に開発したガス機関（エンジン）が、翌年のパリ万国博覧会で金賞を受賞した。その後、4サイクル（ストローク）機関（吸入、圧縮、燃焼、排気の4行程からなるエンジン）を開発して、1877年、特許を取得した。1884年には、それまでの石炭ガス燃料から液体燃料の使用へと設計改良をおこない、交通機関で使用できるエンジンを完成させた。4サイクルエンジンの基本的な考え方である「オットー・サイクル」に名をのこしている。

オットーの会社から独立したダイムラーとマイバッハが、のちにこの技術を用いて自動車を開発した。

織田信長

おだのぶなが

戦国時代　1534〜1582年

天下統一をめざした戦国大名

▲織田信長像　（長興寺所蔵　豊田市郷土資料館写真協力）

■尾張国を統一する

戦国時代〜安土桃山時代の武将。

尾張国（現在の愛知県西部）をおさめていた守護斯波氏にかわって実権をにぎった守護代（守護の代官）織田氏の一族で、力をのばしていた那古野城（名古屋市）の城主、織田信秀の子として生まれた。

若いころの信長はたいへんな変わり者で、常識はずれの身なりや行動をしたので「大うつけ（大ばか者）」とよばれた。1551年、父が急死したため信長があとをついだが、家臣のあいだでは弟信行をおす声が高かった。

1555年、信長は守護代の織田信友を攻めて清洲城（清須市）をうばいとり居城とした。1557年、信長は、たびたび自分にそむこうとした信行を殺した。さらに1559年、29歳のとき、もう一人の守護代の居城である岩倉城（岩倉市）を攻め落とし尾張国をほぼ統一した。

■今川氏と斎藤氏をほろぼす

1560年、東海地方に広く勢力をはっていた今川義元が、2万5000の大軍をひきいて尾張国に進んできた。これを知った信長は、わずか2000ほどの兵をひきいて清洲城を出発し、今川軍が本陣をおいて休息していた桶狭間（豊明市）にむかい急襲した。すきをつかれた今川軍は大混乱となり義元はあっけなく討ちとられた。桶狭間の戦いに勝利した信長は、今川氏の人質となっていた三河国（愛知県東部）の徳川家康と同盟をむすんだあと斎藤氏が支配する美濃国（岐阜県南部）を攻めた。

信長は1548年に斎藤道三の娘の濃姫を妻にむかえて美濃と同盟関係にあったが、道三が息子の義竜とあらそって殺されたのを機会に美濃への進出をはじめたのである。

1567年、道三の孫の斎藤竜興を美濃から追放し稲葉山城（岐阜市）をうばいとった。信長は本拠地を稲葉山城に移し町の名を岐阜とあらためた。こののち信長は「天下布武」という印章を用い、武力による天下統一の意思をあらわした。

■天下統一にむけて

そのころ、信長の援助を受けるため、1565年に松永久秀に暗殺された室町幕府の第13代将軍足利義輝の弟足利義昭が岐阜にやってきた。1568年、信長は義昭をともなって京都に入り、第14代将軍足利義栄（義昭のいとこ）が亡くなったあと、義昭を第15代将軍につけた。そして将軍の名の下、各国の大名に京都へのぼるように命令をくだした。しかし、越前国（福井県北東部）の朝倉義景は命令にしたがわず、近江国（滋賀

▲長篠の戦い　川をはさんで右側が武田軍、左側が織田・徳川連合軍。『長篠合戦図屏風』より。　（大阪城天守閣所蔵）

▲安土城図　琵琶湖とつながり水運を利用できた。　（大阪城天守閣所蔵）

県）の浅井長政も朝倉方について抵抗したため、1570年、姉川（長浜市）の戦いで朝倉・浅井の連合軍を討ちやぶった。
　一方、信長に実権をにぎられて不満をもっていた将軍義昭は、朝倉・浅井の両氏や、比叡山延暦寺（滋賀県大津市）、石山本願寺（大阪市にあった浄土真宗の寺院）などの宗教勢力、さらには甲斐国（山梨県）の武田信玄、中国地方の毛利輝元らにはたらきかけ、信長をたおすための包囲網をつくった。これに怒った信長は、1571年、比叡山延暦寺を焼きはらい、1573年、将軍義昭を京都から追放して室町幕府をほろぼした。その後朝倉・浅井の両氏を攻めてほろぼした。

■長篠の戦いに勝利する
　信長がもっともおそれた甲斐の武田信玄は、1572年、三方ヶ原（静岡県浜松市）の戦いで徳川・織田の連合軍をやぶり、京都をめざして進んだが、その途中で病気にたおれ、1573年に亡くなった。信玄のあとをついだ子の武田勝頼は、1575年、三河国に侵入して徳川氏の長篠城（愛知県新城市）を攻めた。家康を助けるため出陣した信長は、長篠城に近い設楽原に武田軍をさそいだし、3000丁の鉄砲隊を配置して、攻め寄せる武田軍の騎馬隊をねらい撃ちにした。信長は鉄砲（火縄銃）を用いた新しい戦法で長篠の戦いに勝利した。

■安土城を築く
　1576年、信長は京都に近く交通の便利な琵琶湖のほとりに安土城（滋賀県近江八幡市）を築きはじめ、ここを本拠地とした。
　城下には家臣たちの屋敷を建てて住まわせ、いざというときに城の守りがかためられるようにした。また、城下に商人や職人を集め「楽市・楽座」のおふれをだして、だれもが自由に営業できるようにして、商工業の発展につとめた。さらに、仏教勢力に対抗させるため、キリスト教の宣教師たちに布教をゆるし、教会（南蛮寺）や神学校（セミナリヨ）を建てることをみとめた。

■統一なかばでたおれる
　本願寺の門跡（あとつぎ）顕如のよびかけで各地におこった一向一揆は信長にはげしく抵抗した。信長は顕如のいる大坂（阪）の石山本願寺を攻めつづけ、1580年、顕如を降伏させた。

1582年、信長に敵対していた甲斐の武田勝頼を天目山（山梨県甲州市）の戦いでやぶり武田氏をほろぼした。
　天下が平和になったことにより、信長は朝廷から、「太政大臣、関白、将軍、どれでもなりたい官職をあたえよう」という申し出を受けたが返事を保留した。中国地方には最後の強敵、毛利輝元がのこっていて、家臣の羽柴秀吉（のちの豊臣秀吉）が攻めていたからである。秀吉は毛利氏との決戦をむかえ信長に援軍を求めてきた。信長は家臣の明智光秀らに出陣を命じ、自分も安土城を出て京都に入り、100名くらいの近臣とともに本能寺に宿をとった。ところが、光秀は秀吉の救援にはむかわず、本能寺を1万3000の兵で攻めた。突然光秀の大軍にかこまれた信長は力をつくして戦ったが、ついにみずから命を絶った。付近の二条御所にいた長男の織田信忠も光秀軍に攻められ自害した。この本能寺の変により信長の天下統一の夢は絶たれた。

🎓 日本と世界の名言

「天下布武」の印

戦国時代になると文書に花押とよばれるサインを書くかわりに印判（印章）を用いる戦国大名がふえた。信長は公式な文書をだすときには「天下布武」の印判を用いた。天下布武とは、全国に武力を配置しておさめるという意味で天下を統一する意気ごみがあらわれている。

◀「天下布武」の印　四角い枠の中に縦書きで右側に「天下」、左側に「布武」と印字されている。
（京都府立総合資料館）

織田信長の一生

年	年齢	主なできごと
1534	1	尾張国に織田信秀の子として生まれる。
1551	18	父信秀が病死し、あとをつぐ。
1555	22	織田信友を討ち清洲城をうばう。
1559	26	尾張国をほぼ統一する。
1560	27	桶狭間の戦いで今川義元をやぶる。
1567	34	美濃国の斎藤竜興をやぶり、稲葉山城に移る。
1568	35	京都にのぼり足利義昭を第15代将軍につける。
1570	37	姉川の戦いで朝倉・浅井軍をやぶる。
1571	38	比叡山延暦寺を焼き打ちにする。
1573	40	将軍足利義昭を追放する（室町幕府の滅亡）。
1575	42	長篠の戦いで武田勝頼軍をやぶる。
1576	43	安土城を築きはじめる。
1580	47	石山本願寺の顕如を降伏させる。
1582	49	天目山の戦いで武田氏をほろぼす。京都本能寺で明智光秀におそわれ自害する（本能寺の変）。

※年齢は数え年であらわしている

オットーいっせい
【王族・皇族】
オットー1世　912〜973年

神聖ローマ帝国を誕生させる

東フランク王（在位936〜973年）、神聖ローマ帝国の初代皇帝（在位962〜973年）。

東フランク王国ザクセン朝（現在のドイツの地）の創始者、ハインリヒ1世の子。東フランク王に即位し、有力諸侯をおさえて国内統一につとめる一方、教会組織と高位聖職者の人事権をにぎり、強大な王権を確立。951年にイタリア皇女と結婚してイタリア王を自称。955年、西進していたマジャール人（ハンガリー人の祖）をやぶり（レヒフェルトの戦い）、デーン人やスラブ人も撃退。ヨーロッパ全域のキリスト教国を異教民族から守った英雄とたたえられる。962年、教皇ヨハネス12世より40年空位だったローマ皇帝の帝冠を受け、神聖ローマ帝国が誕生。5年後、息子オットー2世を共同皇帝とし、皇帝位をビザンツ帝国（東ローマ帝国）にも承認させるために交渉をつづけ、972年にビザンツ帝国の皇女を息子のきさきにむかえ、神聖ローマ帝国をビザンツ帝国に匹敵する位置へと高めた。学芸の保護にも尽力し、ルネサンスを花ひらかせたため、後世「オットー大帝」ともよばれる。

学 世界の主な王朝と王・皇帝

オッフェンバック，ジャック
【音楽】
ジャック・オッフェンバック　1819〜1880年

風刺のきいたオペレッタで人気

フランスの作曲家、チェロ奏者。

ドイツのケルン生まれ。本名はヤーコブ・エーベルスト。1833年、14歳でパリに出て音楽を学ぶ。チェロ奏者として劇場デビュー後、作曲も学び、舞台音楽を次々に発表する。1855年、シャンゼリゼにブーフ・パリジャン劇場を創設。独唱や合唱にせりふをまじえた歌劇（オペラやオペレッタ）の作曲が得意で、『地獄のオルフェ』（日本の題名は『天国と地獄』）は開設したばかりの劇場で大人気となる。オッフェンバックのオペレッタは、明るい音楽、フレンチ・カンカンやワルツなどの踊りやこっけいで風刺のきいた歌詞が特徴。死後にウィーンで人気となり、イギリスやアメリカ合衆国にも広がった。ほかに『ホフマン物語』『パリの生活』などがある。

オッペンハイマー，ジョン
【学問】
ジョン・オッペンハイマー　1904〜1967年

世界ではじめて原子爆弾を開発し、苦悩した物理学者

20世紀のアメリカ合衆国の理論物理学者。

ニューヨークで、ユダヤ系ドイツ移民の子として生まれる。若く

して科学の才能を発揮、ハーバード大学を3年間で卒業、イギリスのケンブリッジ大学へ留学。キャベンディッシュ研究所でボーアと出会い、量子力学のさかんなゲッティンゲン大学へ移り、博士号を取得、原子核物理の研究で成果を上げた。帰国後、カリフォルニア工科大学助教授などをへて、1936年に教授となる。第二次世界大戦がはじまると、原子爆弾製造計画（マンハッタン計画）に参加。ロスアラモス研究所で初代所長として指揮をとり、世界初の原子爆弾を開発した。1945年、広島と長崎に原爆が投下されると、苦悩を深めた。戦後、際限のない核兵器開発に懸念をしめすと、その社会的影響力をおそれた当局により、1954年、スパイ容疑がかけられ、公職追放となった。1963年、アメリカの物理学賞「フェルミ賞」を政府からあたえられ、名誉を回復した。

おづやすじろう
【映画・演劇】
小津安二郎　1903〜1963年

日本を代表する映画監督の一人

昭和時代の映画監督。

東京の深川生まれ。1923（大正12）年、松竹蒲田撮影所に撮影助手として入る。監督としての第1作は、1927（昭和2）年の時代劇『懺悔の刃』だった。1931年の『東京の合唱（コーラス）』、1932年の『生れてはみたけれど』などで、サラリーマン生活のもの悲しさをえがきだし、高く評価される。1936年には、はじめてのトーキー映画『一人息子』を発表した。1942年、『父ありき』の発表後、軍の映画班として戦地に送られる。

第二次世界大戦後は野田高梧と共同で脚本を書き、原節子、笠智衆を主演にむかえて、1949年の『晩春』、1951年の『麦秋』、1953年の『東京物語』など、名作を次々に発表した。低い位置にカメラをすえ、家族の愛情や葛藤を静かにとらえる独自の作風をつくり上げた。1963年、映画監督としてはじめて日本芸術院会員となる。死後も評価は高まる一方で、国内にかぎらず、海外の多くの映画人に影響をあたえている。

オドアケル
【古代】【政治】
オドアケル　433?〜493年

西ローマ帝国を滅亡させた傭兵隊長

西ローマ帝国の傭兵隊長。

ゲルマン人の名門の生まれで、470年、西ローマ帝国の親衛

軍に入り、やがて西ローマ帝国の傭兵隊長となる。476年、オドアケルの部隊は反乱をおこし、西ローマ皇帝ロムルス・アウグストゥルスを退位させる。その後、西ローマ皇帝の位を東ローマ帝国（ビザンツ帝国）皇帝へ返し、みずからはイタリア王と称して、首都ラベンナを中心にイタリアを統治した。

東ローマ皇帝は最初、このことを黙認していたが、のちに東ゴート王国のテオドリック大王にオドアケルの討伐を命じる。テオドリックはイタリアに侵攻し、オドアケルはラベンナに追いこまれて降伏するが、493年、テオドリックに殺害された。

おのあずさ　政治　学問
● 小野梓　1852～1886年

早稲田大学の創立や、良書の普及にとりくんだ

明治時代の政治家、政治思想家、法学者。

土佐国（現在の高知県）に生まれる。17歳で上京し、江戸幕府の学問所である昌平黌で学び、アメリカ合衆国、イギリスに留学して法律を学んだ。

1874（明治7）年、仲間とともに文化団体、共存同衆を結成。翌年には『共存雑誌』を発刊し、自由主義の普及につとめた。1876年、新政府の司法省官吏となり、元老院少書記官、会計検査官などをつとめる。1882年、大隈重信の片腕として立憲改進党を結成し、東京専門学校（現在の早稲田大学）の創立にかかわる。翌年には、神田で東洋館書店を開業し、法律や経済の本を中心に、良書の普及に力を入れた。みずからも『国憲汎論』をはじめ、多くの論文や著書を出版した。

おのえきくごろう　伝統芸能
● 尾上菊五郎　1844～1903年

「団菊左」と称された5世

▲ 5世尾上菊五郎
（国立国会図書館）

明治時代の歌舞伎俳優。

2017（平成29）年現在、7世まで存在する。屋号は音羽屋で、250年の歴史をもつ名門である。とくに初世、3世、5世、6世が名優として知られる。初世（1717～1784年）は京都生まれ。女方で人気が出て、やがて立役となった。『仮名手本忠臣蔵』の由良之助があたり役となり、生涯にしばしば演じた。3世（1784～1849年）は容貌や風姿にもすぐれ、いろいろな役をこなしたが、とくに『東海道四谷怪談』のお岩、小平、与茂七の3役など怪談物を得意とした。5世（1844～1903年）は、9世市川団十郎、初世市川左団次とともに「団菊左」と称され、明治時代の歌舞伎界を代表する俳優。家の芸として「新古演劇十種」を定めて上演、散切物を積極的に演じた。6世（1885～1949年）は昭和時代初期を代表する

名優であり、初世中村吉右衛門とともに「菊吉時代」といわれる時期をつくった。古典を新解釈、新演出で演じ、新作の上演にも意欲的にとりくんだ。舞踊にすぐれ、さらに日本俳優学校を設立するなど後継者の育成にも力をつくし、没後に文化勲章を受章した。

学 文化勲章受章者一覧

おのえしょうろく　伝統芸能
● 尾上松緑　1913～1989年

昭和の名優といわれた歌舞伎俳優の2世

▲ 2世尾上松緑

大正時代～昭和時代の歌舞伎俳優。

東京生まれ。本名は藤間豊。代々受けつがれる歌舞伎俳優の名で、屋号は音羽屋。7世松本幸四郎の3男。1918（大正7）年に松本豊の名で、石若丸で初舞台をふむ。1928（昭和3）年から6世尾上菊五郎に師事し、1935年に2世尾上松緑を襲名する。1937年に舞踊藤間流家元、4世藤間勘右衛門も襲名した。1975年、藤間流家元を長男・尾上辰之助にゆずり、舞踊名を藤間勘斎とあらためる。芸風は江戸前の爽快なもので、師ゆずりの世話物、時代物、藤間流の家元でもある舞踊のほか、父ゆずりの荒事、翻訳物と、芸の幅が広く、だれからも愛された。隈取がにあう風貌を生かした歌舞伎十八番『勧進帳』の弁慶役で、芸の大きさをしめし、昭和の名優の一人といわれた。1972年に重要無形文化財保持者（人間国宝）に認定され、1984年に文化功労者に選定される。1987年に文化勲章を受章した。長兄が11世市川団十郎、次兄が8世松本幸四郎（のちの初世松本白鸚）である。

学 文化勲章受章者一覧

おののいもこ　貴族・武将
● 小野妹子　生没年不詳

国書をもって隋にわたった

（『聖徳太子勝鬘経講讃像』（部分）／斑鳩寺所蔵）

飛鳥時代の官人。

近江国（現在の滋賀県）出身といわれる。朝廷につかえ、聖徳太子が制定した冠位十二階では上から5番目の大礼だった。聖徳太子にその能力を買われ、607年、遣隋使として、中国の隋にわたった。数十人の留学生・留学僧をともなった妹子は、隋の皇帝煬帝に国書を提出した。そこには「日出づるところの天子、書を日没するところの天子にいたす。つつがなきや（お元気ですか）」と書か

れていた。これをみた煬帝は、倭王（日本の天皇）が臣下としてではなく、対等な天子という立場で書を送ったとして、野蛮な国の無礼な書だとおこった。しかし、妹子が翌年帰国するとき、煬帝は裴世清という役人を国書の返礼をする使節として同行させた。これは、当時、隋は朝鮮半島の高句麗との関係が悪化していたので、倭を味方につけたほうがよいと考えたからだといわれている。妹子は、裴世清が帰国するとき、のちに大化改新で活躍する高向玄理、南淵請安、旻などの留学生や留学僧をともない、ふたたび隋に派遣された。

609年、帰国した妹子は遣隋使としての業績をみとめられ、冠位十二階の最高位の大徳に昇進した。

おののこまち
●小野小町　　　　　　　　　　　　　　　生没年不詳
詩・歌・俳句

絶世の美女といわれた歌人

（金刀比羅宮所蔵）

平安時代前期の歌人。平安時代の代表的な女流歌人として知られ、六歌仙（紀貫之がえらんだ6人の歌人）、三十六歌仙（藤原公任のえらんだ36人の歌人）の一人。生涯はほとんど不明。

貴族の文屋康秀や凡河内躬恒、僧の遍昭たちと歌のやりとりをし、情熱的な恋愛の歌をよんだ。『古今和歌集』の18首をふくむ勅撰集（天皇や上皇の命令でつくられた和歌集）に60首以上がのこされている。

「花の色は　うつりにけりな　いたづらに　わが身世にふる　ながめせしまに」という歌は、『古今和歌集』にのせられ、のちに藤原定家がまとめた『小倉百人一首』にえらばれた1首である。絶世の美女として有名だった小町には、後世さまざまな説話や伝説が生まれた。室町時代になると、小町の伝説をもとに「小町物」とよばれる能や、御伽草子（短編物語）の『小町草紙』がつくられた。

学 人名別 小倉百人一首

おののたかむら
●小野篁　　　　　　　　　　　　　　　802〜852年
学問　詩・歌・俳句

平安前期のすぐれた文人

平安時代前期の公卿（朝廷の高官）、学者、歌人。小野岑守の子。822年、文章生（朝廷の役人養成機関で歴史や詩文を学ぶ学生）、823年、東宮学士（皇太子の教師）となる。833年、清原夏野らと『令義解』（奈良時代につくられた養老令の解釈を統一する注釈書）をまとめた。834年、遣唐使の副使に任命された。しかし、836、837年の渡航で難破して失敗。838年の出航にあたり、病を理由に乗船しなかったた

め嵯峨上皇（譲位したのちの嵯峨天皇）の怒りにふれ、隠岐国（現在の島根県隠岐諸島）に流罪となった。その後、ゆるされて都にもどり、参議（朝廷の重要な官職）となった。博学多才で『古今和歌集』に6首の和歌を、『和漢朗詠集』に漢詩をのこしている。『小倉百人一首』には参議篁の名で出ている。

学 人名別 小倉百人一首

おののみちかぜ
●小野道風　　　　　　　　　　　　　　894〜967？年
絵画

美しい文字を書く、三蹟の一人

（国立国会図書館）

平安時代中期の官人、書家。小野篁の孫。小野好古の弟。道風は「とうふう」とも読む。920年、蔵人所（天皇の機密文書などを管理する役所）につとめ、醍醐天皇、朱雀天皇、村上天皇につかえ、文字を書くのがじょうずな能書家として活躍し、内蔵頭（天皇の財宝管理や物品の調達などをおこなった内蔵寮の長官）となった。

朝廷の宮門や建物の額、儀式をおこなう紫宸殿の障子の銘文の執筆や、天皇にたてまつる上表文の清書にたずさわり、能筆ぶりをしめした。朱雀天皇、村上天皇の大嘗祭（天皇が即位後、最初におこなう収穫を祝う新嘗祭）の屏風の色紙に文字を書き、当代一の能書家といわれた。書風は、中国の有名な書家、王羲之の書法をもとに、独自の豊かで美しい筆づかいで新しい書体を生みだし、和様書風の創始者となった。藤原行成、藤原佐理とともに「三蹟」とよばれた。

おののみねもり
●小野岑守　　　　　　　　　　　　　　778〜830年
詩・歌・俳句

『凌雲集』の編さんをした文人

平安時代前期の公卿（朝廷の高官）、文人。小野篁の父。806年、神野親王（のちの嵯峨天皇）の侍読（天皇につかえて学問を教える学者）となった。その後、内蔵頭（天皇の財宝管理や物品の調達などをおこなう内蔵寮の長官）、阿波守（現在の徳島県の長官）などをへて822年、参議となり大宰大弐（九州を統括する大宰府の次官）をかねた。大宰府在任中の823年、管内の不作や疫病による人々の苦難を救うとともに、農業生産力を高めて国の収入を確保するため、公営田の設置を申請した。これは口分田（国家の土地）を耕作する人々を税の面で優遇して食料などをあたえ、残りを国の収入とするしくみだった。

また、税などをはこぶ人々のための施設、続命院の設置を申請するなど善政をおこなった。漢詩文にすぐれ、『文華秀麗集』

や『経国集』に漢詩がおさめられ、勅撰漢詩集『凌雲集』の編さんにたずさわった。

おののよしふる
貴族・武将　詩・歌・俳句

● 小野好古　884〜968年

武勇のほまれ高い平安貴族

平安時代前期の公卿（朝廷の高官）、武人、歌人。小野篁の孫。小野道風の兄。938年、右近衛少将（京内の警備をおこなう右近衛府の大将、中将に次ぐ役職）となる。940年、藤原純友の乱のとき、山陽道と南海道の追捕使（犯罪人をとりしまる官職）に任じられ、翌年、博多津（福岡県福岡市博多港）で純友軍を撃破した。

945〜950年、大宰大弐（九州を統括する大宰府の次官）に任じられ、947年、参議となる。960〜965年、ふたたび大宰大弐に任じられた。歌人としても知られ勅撰集『後撰和歌集』などに歌がのこされている。

おのらんざん
学問

● 小野蘭山　1729〜1810年

諸国で薬草を採集し、『採薬記』にまとめた学者

江戸時代後期の本草学者。
京都生まれ。松岡恕庵に入門して本草学（動植物・鉱物などを研究する学問）を学び、1755年、京都に塾、衆芳軒をひらいた。門人の数は1000人をこえたといわれ、杉田玄白らの蘭学者（西洋の知識や文化を研究する蘭学を学ぶ人）や、多くの優秀な本草学者を育てた。1799年、71歳のとき幕府にまねかれて江戸（現在の東京）に行き、医学館で本草学を講義した。

また、幕府の命により1801年から1805年まで諸国で薬草を採集し、その成果を地域別に『採薬記』にまとめ提出した。著書に日本の動物、植物、鉱物を網羅した日本最大の本草学書である『本草綱目啓蒙』全48巻がある。

オパーリン，アレクサンドル
学問

● アレクサンドル・オパーリン　1894〜1980年

生命進化の科学的な研究をうながす

ソビエト連邦（ソ連）の生化学者。
旧ソ連西部のウグリチ（現在のロシアのヤロスラブリ州）に生まれる。モスクワ大学で植物生化学や進化論を学ぶ。はじめ食品関係の化学技師としてはたらき、1917年から、植物の呼吸や酵素について研究する。

1922年、生命の起源について、誕生したばかりの地球上で、単純な物質が化学変化により複雑な有機物へと進化して生命が誕生したとする理論を発表。生命の誕生から現在の多様な生物にいたるまでの道筋を、物質の化学変化にもとづいて、はじめて科学的に明らかにした理論として注目された。1936年、これを『生命の起源』として出版し、以後も研究の進歩にしたがって改訂を加えた。

おばたたかまさ
郷土

● 小幡高政　1817〜1906年

ナツミカンを萩の特産物にした役人

江戸時代〜明治時代の役人。
長門国長州藩（現在の山口県）藩士の子として、周防国吉敷郡恒富村（山口市）に生まれた。萩（萩市）に移って、小幡家の養子となり、町奉行（町の行政・裁判・警察を担当した役人）などをつとめた。

明治新政府につかえて各地に赴任したが、母の病気のため萩にもどる。そのころ職を失った士族（旧武士）たちが萩の乱をおこし、政府軍に鎮圧された。士族たちの生活を救うため、耐久社を結成し、家の庭先などに植えられていたナツミカンを本格的に栽培し、収入を得ることを考えた。自宅に苗を植えて1万本の苗木を用意し、士族たちの屋敷や空き地に植えさせた。ナツミカンは萩の特産物となり、大きな収入をもたらした。

オバマ，バラク
政治

● バラク・オバマ　1961年〜

アメリカ史上初のアフリカ系アメリカ人大統領

アメリカ合衆国の政治家。第44代大統領（在任2009〜2017年）。

ハワイ州生まれ。父親はケニア出身の黒人、母親はカンザス州生まれの白人。幼少の一時期をインドネシアですごす。コロンビア大学、ハーバード大学ロースクール（法律専門の大学院）を卒業。1992年からシカゴ大学ロースクールで憲法を教える講師となったのち、弁護士としてはたらき、1996年にイリノイ州議会の上院議員、2004年には連邦議会上院議員に当選した。2008年のアメリカ大統領選挙に民主党から立候補し、「Change.（変革）」、「Yes, we can.（そう、私たちにはできるのだ）」と国民にうったえ、共和党のマケイン候補を大差でやぶり、2009年、大統領に就任した。アメリカ史上初のアフリカ系アメリカ人（黒人）の大統領である。核なき世界、イスラム世界との融和をかかげ、とりわけ、核軍縮政策についての理念やとりくみなどが評価され、同年、ノーベル平和賞を受賞。2012年の大統領選挙で再選された。なお、2016年5月、アメリカの現職大統領としてはじめて被爆地である広島を訪問して、追悼の意をあらわした。

学 アメリカ合衆国大統領一覧　学 ノーベル賞受賞者一覧

おぶちけいぞう

● 小渕恵三　　政治　　1937～2000年

多くの重要な法案を成立させた

昭和時代～平成時代の政治家。第84代内閣総理大臣（在任1998～2000年）。

群馬県生まれ。父は衆議院議員の小渕光平。早稲田大学を卒業し、大学院の政治学研究科を修了した。大学院在学中の1963（昭和38）年、総選挙に出馬し26歳で初当選。その後も連続12回当選した。

郵政事務次官などをへて、1979年、第2次大平正芳内閣で総理府総務長官兼沖縄開発庁長官として初入閣。1987年、竹下登内閣の内閣官房長官に就任する。1989年の元号変更では、記者会見で「平成」という墨書きの台紙をかかげて発表した。1991（平成3）年に自由民主党幹事長、1994年には副総裁に就任。1997年、第2次橋本龍太郎内閣で外務大臣に就任。対人地雷全面禁止条約（オタワ条約）を締結。1998年、梶山静六、小泉純一郎をおさえて自民党総裁選に勝利し、総理大臣に就任した。

自由党との連立政権、さらに公明党を加えた3党の連立政権を実現。日本周辺で、日本の平和・安全に重大な影響をあたえる事態が発生した場合の対処や手続きを定めた周辺事態法や、日の丸を国旗、『君が代』を国歌とする国旗・国家法、組織犯罪を捜査するため通信を傍受することをみとめる通信傍受法などを成立させた。2000年、自由党の連立離脱直後に脳梗塞でたおれた。

学 歴代の内閣総理大臣一覧

おぶちしち

● 小渕志ち　　郷土　　1847～1929年

明治時代の製糸業に貢献

明治時代～大正時代の実業家。

上野国南勢多郡石井村（現在の群馬県前橋市富士見町）の貧しい農家に生まれた。幼いころから母親に生糸のつむぎ方を習った。1862年ころから製糸業にたずさわり技術をおぼえた。その後結婚するが、夫との仲がうまくいかず15年後離婚した。その後各地を放浪したが、1879（明治12）年、愛知県二川町（豊橋市）に移り住んだ。志ちはたくみな製糸技術をみこまれ、1885年製糸工場を創業した。その後、くずまゆといわれた玉まゆから糸をつむぐ製糸法を開発し、1892年、「玉糸」とよばれる高品質の糸をつくることに成功した。志ちは三河地方の製糸業の発展につくし、豊橋市は生糸の輸出がさかんになり「玉糸王国」とよばれるようになった。

オマル

オマル → ウマル

オマル・ハイヤーム

学問　詩・歌・俳句

● オマル・ハイヤーム　　1048?～1131?年

四行詩『ルバイヤート』をのこす

ペルシアの数学者、天文学者、詩人。

ペルシアのニシャプール（現在のイラン北東部）生まれ。父親は天幕職人だったとされる。数学、天文学、哲学、語学などにすぐれた天才で、若くして学者となる。

天文学の分野では、セルジューク朝の政治家、ニザーム・アルムルクに求められ、26歳のときに天文台長となる。ペルシア暦を改良して、ジャラーリー暦（マリキー暦）とよばれる暦をつくった。数学の分野では『代数学』を著し、13種類の三次方程式の一部にとき方をしめしたほか、二項展開を発見している。

文学では、143編の四行詩からなる詩集『ルバイヤート』を書いた。この詩集は、1859年にイギリスの詩人、エドワード・フィッツジェラルドが英訳して出版したところ、評判をよび、世界中に知られる名詩集となった。酒と自由を愛し、ときにユーモアもまじえて、生きることのはかなさを歌う詩が多い。人生の教訓としてもよく引用され、時代をこえて読みつがれている。

▲詩集『ルバイヤート』のさし絵

おやまともまさ

貴族・武将

● 小山朝政　　1155?～1238年

数々の軍功により源頼朝の信任を得る

鎌倉時代前期の武将。

鎌倉幕府の将軍と主従関係をむすんだ、下野国（現在の栃木県）の有力御家人。小山政光の子で、母は源頼朝の乳母の寒河尼。

1183年、源頼朝に反旗をひるがえしたおじの源義広をやぶった功により、常陸国（茨城県）の荘園（私有地）と下野国の荘園の地頭（荘園などから徴税する役職）に任命される。源平の合戦では、源範頼にしたがって戦った。

1189年、奥州藤原氏追討の戦いで軍功をあげ、右衛門尉（宮中の警備をする役所である右衛門府の督、佐に次ぐ官職）となる。その後、下野国の守護（国の軍事をまとめる役職）に任命される。

1199年、播磨国（兵庫県南部）の守護をかねた。

オラニエこうウィレム　王族・皇族

オラニエ公ウィレム　1533〜1584年

オランダ建国の父

ネーデルラント連邦共和国の初代総督。

ドイツのナッサウ伯ウィルヘルムの子。従兄の死後、広大なネーデルラント地方（現在のベルギー、オランダ、ルクセンブルク）の領地を相続して大貴族となる。その地方を支配していた神聖ローマ皇帝カール5世とその子のスペイン王フェリペ2世につかえ、国政にも参加。しかし、ネーデルラント貴族を排除して外国生まれの官僚を登用し、新教徒を弾圧、軍隊で威圧しようとする政府と対立。1568年、反乱にふみ切った。

1572年、ホラント、ゼーラント両州の主要都市を占拠して総督となり、1576年、ヘントの和平によって休戦した。ネーデルラントの大半を結束させたが、南部諸州がアラス同盟を結成、フェリペ2世に協調するようになると、北部7州でユトレヒト同盟を締結し、ネーデルラント連邦共和国の基礎が築かれた。ウィレムはユトレヒト同盟をひきいてスペインと戦い、新国家の組織化に尽力したが、こころざしなかばで暗殺された。オランダでは「国父」と称される。

オランド，フランソワ　政治

フランソワ・オランド　1954年〜

構造改革と経済成長戦略を進めるフランス大統領

フランスの政治家。大統領（在任2012年〜）。

北部のルーアン生まれ。エリート教育機関であるパリ政治学院、国立行政学院などで学ぶ。学生時代から政治運動に参加し、1979年、社会党に入党。翌年にはすべての学業を修了し、1981年にミッテラン大統領のもと、大統領府の経済問題を担当する秘書官をつとめた。1988年、国民議会議員に初当選。

1994年に社会党の書記となり、1997年の再選後は社会党第一書記に就任、2008年までつとめる。一方でテュール市長、コレーズ県議会議長を歴任した。2012年の大統領選挙に出馬し、サルコジ大統領が財政赤字の改善をおし進めていたのに対し、社会保障の重視などをかかげて当選、17年ぶりの社会党政権誕生をもたらした。2009年からのフランスの財政・経済危機を背景に、構造改革と経済成長戦略をともに実施する現実的な政権運営をおこなう意向を表明したが、フランス経済の低迷はつづいている。

学　主な国・地域の大統領・首相一覧

オリオール，バンサン　政治

バンサン・オリオール　1884〜1966年

経済改革につとめたのち、レジスタンスから大統領へ

フランスの政治家。第16代大統領（在任1947〜1954年）。

ルベルに生まれる。ルベル・カレッジで法律を学び、1904年に弁護士となる。第一次世界大戦前から社会党員として活動。1914年に下院議員、1924年に下院財政委員長に就任した。1936年、ブルムの人民戦線内閣が成立すると、財務大臣として入閣。通貨フランの対外価値の切り下げをおこなう。その後、司法大臣、国務大臣をつとめた。

第二次世界大戦初頭のフランスの敗戦で、ペタン元帥に国のすべての権限をあたえるという法律の制定に反対し軟禁されたが、レジスタンス（抵抗運動）に加わりロンドンに脱出。1943年、ロンドンでド・ゴール将軍の「自由フランス」に参加。ド・ゴール臨時政府の国務大臣をへて、1947年、第四共和政の初代大統領に就任。1954年に任期を終えて引退した。

学　主な国・地域の大統領・首相一覧

おりくちしのぶ　学問

折口信夫　1887〜1953年

国文学に民俗学的研究を導入した国文学者

（日本近代文学館）

大正時代〜昭和時代の国文学者、民俗学者、歌人。

大阪府生まれ。歌人、詩人として釈迢空という筆名がある。1905（明治38）年、天王寺中学を卒業し、国学院大学に入学。大学では国学者の三矢重松に強い影響を受けた。卒業後は大阪の今宮中学の教員となったが、のちに退職して上京、国文学の研究と短歌の創作に情熱をそそいだ。1916（大正5）年から1917年にかけて、『万葉集』に訓読と口語訳をつけた『口訳万葉集』を発表して注目を集める。1919年、国学院大学講師、のち教授となった。

民俗学者の柳田国男の影響を受け、1921年から沖縄など各地を旅行して民俗芸能を調査した。その成果は1929（昭和4）年から1930年にかけて刊行した全3巻の『古代研究』にあらわれており、「折口学」と世間から称される学問体系をつくった。歌人としても、1917年から雑誌『アララギ』に歌や歌の評論を発表した。小説『死者の書』や歌集『海やまのあひだ』は民俗学、国文学を背景にした作品として評価が高い。

おりもとりょうへい　折本良平　1834〜1912年　郷土

帆引き網漁を創案した漁師

江戸時代後期〜明治時代の漁師。

常陸国新治郡坂村（現在の茨城県かすみがうら市）に生まれる。霞ヶ浦では、沖に網を張りめぐらせて船でひきよせたり、陸にひきよせたりする大徳網漁がおこなわれていた。

しかし、人手がかかるわりには、一人ひとりの分け前はわずかだった。

少人数による漁ができれば、暮らしもよくなると考え、風を利用して船を走らせ、船につけた網をひいて魚をとる方法を思いついた。船が横向きに走るように帆をつけ、帆柱につけた帆げたにつり縄をむすびつけ、その先につけた網をひいて大量の魚をとるという独創的な方法「帆引き網漁」を考案した。1880年から帆引き舟を用いた帆引き網漁がはじまり、霞ヶ浦周辺の漁師にも広めたので、霞ヶ浦の漁業がさかんになった。

オルガンチノ　オルガンチノ　1533?〜1609年　宗教

日本人を愛し、キリスト教の布教に力をつくした

安土桃山時代に来日した、イタリア人宣教師。

イタリアのカストで生まれ、22歳でキリスト教のイエズス会に入会し、コレジヨ（大神学校）で教え、インドで布教した。

1570年、カブラルらとともに来日。肥後国天草（現在の熊本県天草市）の志岐に上陸し、日本語と日本の習慣を学んだのち京都へ派遣され、ポルトガルの宣教師、フロイスを助けながら布教をはじめる。織田信長の信任を得て、1576年、京都に南蛮寺（教会）、安土にセミナリヨ（神学校）と司祭館を設立。30年以上にわたって京都で布教活動をつづけ、日本を愛し「宇留岸伴天連」の愛称で多くの日本人からしたわれた。しかし、豊臣秀吉の時代になると迫害を受けて京都からのがれ、長崎で病死した。

オルコット, ルイーザ・メイ　ルイーザ・メイ・オルコット　1832〜1888年　文学　絵本・児童

『若草物語』の作者

アメリカ合衆国の作家、児童文学作家。

ペンシルベニア州フィラデルフィアで4人姉妹の次女に生まれる。教育家で思想家の父は進歩的で、知的な環境で育った。7歳のとき一家はマサチューセッツ州コンコードに移る。16歳のとき、家計を助けるため教員となり、南北戦争中（1861〜1865年）は、看護師としてはたらいた。同時に、つねに執筆をおこない、児童雑誌の編集などにもかかわっていた。

1868年に、マーチ家の4人姉妹をえがいた『若草物語』を発表し、作家としてみとめられる。みずからの姉妹をモデルにし

ていて、自身は次女のジョーにあたるといわれる。生き生きとした会話に魅力があり、登場人物の性格があざやかにえがきわけられた物語は、現在も世界中で読まれるベストセラーである。のちに、同じ家族を題材にした『続・若草物語』『第三若草物語』『第四若草物語』の続編も発表した。ほかの作品に『八人のいとこ』『ライラックの花の下』などがある。

オルフ, カール　カール・オルフ　1895〜1982年　音楽

こどものための音楽教育に力をつくす

ドイツの作曲家、音楽教育家。

ミュンヘン生まれ。5歳でピアニストの母からピアノを習い、舞台芸術に興味をもつ。16歳のとき、すでに自作の作品集を出版した。ミュンヘン高等音楽学校を卒業後、1919年まで室内楽団の音楽監督や歌劇場の楽長をつとめる。

1924年、舞踊家のギュンターとともに、少年のための舞踊と音楽の学校、ギュンターシューレを創設。ことばと音楽、身体の動きの一体化をめざし、即興演奏と舞踊という独特の方法で音楽教育をはじめる。教則本『子どものための音楽』全5巻（1950〜1954年）の刊行など、こどもの音楽教育に力を入れる。代表作に『カルミナ・ブラーナ』などがある。1962年来日。

おんかほう（ウェンチアパオ）　温家宝　1942年〜　政治

胡錦濤政権を首相としてささえた中国の政治家

中華人民共和国（中国）の政治家。首相（在任2003〜2013年）。

天津市生まれ。1965年、共産党に入党。北京地質学院で地質学を学び、研究課程修了後、甘粛省地質局で技術者としてはたらき、のちに地質局幹部となる。開明的指導者だった胡耀邦にみとめられ、共産党の秘書部門である中央弁公庁に移動、胡耀邦、趙紫陽、江沢民の3代の総書記の信頼を得て主任をつとめた。2003年から2013年まで、胡錦濤国家主席に抜てきされ、国の最高行政機関である国務院総理（首相）をつとめた。2008年におきた四川地震への対応なども早く、国民からの人気は高かった。

日本との関係では、小泉純一郎首相とは不和だったが、2007（平成19）年来日の際には、中国の首相としてはじめて国会で演説をおこなった。

主な国・地域の大統領・首相一覧

か

Biographical Dictionary 1

ガーシュイン，ジョージ 〈音楽〉

ジョージ・ガーシュイン　1898～1937年

シンフォニック・ジャズをつくりだす

アメリカ合衆国の作曲家、ピアニスト。

ニューヨーク生まれ。ユダヤ系ロシア移民の家系で、12歳でピアノを習いはじめ、10代なかばから楽譜出版社の店頭ピアニストとしてはたらく。1918年につくったポピュラー歌曲『スワニー』が大ヒットし、作曲家としてみとめられる。

1924年に発表した『ラプソディ・イン・ブルー』は、ジャズとクラシック音楽を融合させたシンフォニック・ジャズとして高く評価され、ジャズだけでなくクラシックの世界にも影響をあたえた。1931年、作曲を担当した『君がために歌わん』がミュージカル初のピュリッツァー賞（戯曲部門）を受賞。オペラでは、アメリカ黒人音楽の諸要素をとり入れた『ポーギーとベス』（劇中歌『サマータイム』が有名）で、アメリカ的なオペラをつくりだす。以後も、映画・劇音楽で多くの作品をのこす。主な作品に、管弦楽曲『パリのアメリカ人』、クラシック様式の『ピアノ協奏曲ヘ長調』などがある。

カーソン，レイチェル 〈政治〉〈学問〉

レイチェル・カーソン　1907～1964年

環境問題を世界に先がけてうったえた

▲レイチェル・カーソン

アメリカ合衆国の作家、海洋生物学者。

ペンシルベニア州生まれ。少女時代は豊かな自然の中ですごし、母からどんな小さな生物でもしっかり観察するよう教わった。10歳のとき、児童雑誌に投稿した作文『雲のなかの戦い』が銀賞となり、作家になる夢をいだいた。

1924年、ペンシルベニア女子大学に入学。専攻を英文学から生物学にかえた。大学卒業後はジョンズ・ホプキンス大学の大学院に進み、夏の研修をウッドホール海洋研究所で受けるなど、のちの専門分野となる海に接した。大学院卒業後は、大学で講師などをしながら研究をつづけた。

1935年、父が亡くなったため、研究者の道をあきらめ、漁業局（のちの魚類・野生生物局）に就職。1941年にはじめての本『潮風の下で』を出版する。その後も仕事のかたわら、『われらをめぐる海』の執筆をつづけた。この本は地球の誕生から海の起源、海のさまざまな生物のようすなどをつづり、最後に自然界のバランスがくずれると弱いものから絶滅してしまうことを警告する内容で、1951年に出版されるとベストセラーとなり、全米ノンフィクション賞を受賞した。

魚類・野生生物局をやめ、執筆に専念。1955年に『海辺』を出版。その後、友人からの手紙で、病虫害をふせぐために飛行機から大量にまかれた農薬により、森の鳥がたくさん死んだという知らせを受ける。農薬が環境を破壊している証拠を集めようと調査をはじめるが、「農薬は安全」と主張する化学企業や政府を敵にまわすことになった。

そのようなとき、悪性のがんが発見されたが、執筆をつづけ、1962年、化学物質がもたらす環境汚染に対して警告した『沈黙の春』を出版する。この本は発売と同時に大きな反響をよぶが、非科学的だという非難や攻撃も多かった。当時の大統領ケネディは科学諮問委員会に農薬問題を調査するよう命じ、その報告書はカーソンの正しさをみとめる内容で発表された。

『沈黙の春』発表から2年後、56歳で死去。環境保護運動の先がけとなったこの本は多くの国で翻訳され、地球環境問題に関心のある世界中の人々に読みつがれている。

▲著作『沈黙の春』のとびらページ

カーター，ジミー 〈政治〉

ジミー・カーター　1924年～

世界の紛争や人権問題解決に活躍する元アメリカ大統領

アメリカ合衆国の政治家。第39代大統領（在任1977～1981年）。

南部のジョージア州出身。第二次世界大戦後に、技術者の海軍少尉として原子力潜水艦の開発にたずさわる。父親の死を受けて

軍を退役、家業のピーナッツ農園を受けつぐ。1962年、ジョージア州上院議員に当選、同州知事をへて、1976年、民主党大統領候補として現職のフォード大統領をやぶって当選し、翌年、大統領に就任した。「人権外交」をかかげ、1978年、エジプトのサダト大統領とイスラエルのベギン首相をまねき、パレスチナ問題で対立していた両国の平和条約締結への合意をとりつけた（キャンプ・デービッド合意）。1979年のソビエト連邦のアフガニスタン侵攻に対し、オリンピック・モスクワ大会のボイコットを世界によびかけた。同年、イラン革命後におきたアメリカ大使館員人質事件を解決できず、「弱腰外交」と非難され、1980年の大統領選でレーガンにやぶれた。大統領退陣後も世界各地の紛争や人権問題解決に活躍、朝鮮民主主義人民共和国（北朝鮮）やキューバを訪問して平和外交を進め、世界的に評価を受け、2002年にノーベル平和賞を受賞した。

学 アメリカ合衆国大統領一覧　学 ノーベル賞受賞者一覧

カーター，ハワード　［学問］［発明・発見］

ハワード・カーター　1874～1939年

王家の谷でツタンカーメン王の墓を発掘

イギリスのエジプト考古学者。ロンドンに生まれる。1891年、エジプトへの調査旅行に画家として同行。翌年、考古学者の助手になり、やがて実力がみとめられ、1899年、エジプト考古局主席監督官となった。

イギリス貴族カーナボン伯爵の支援で、念願だったルクソール西岸の王家の谷の発掘権利を得て、1917年に本格的な発掘作業を開始。1922年、ついにツタンカーメン王の墓を発見した。10年の歳月をかけて王墓から純金製のマスクやひつぎ、神の像、家具、装飾品など、1703点の遺物を発掘、カイロ博物館におさめた。『ツタンカーメン発掘記』を書いたのち、ロンドンに帰り、学術報告書にとりかかったが、完成しないうちに亡くなった。

世紀の大発見のあと、カーナボンをはじめ発掘関係者があいついで死亡したことで、ファラオののろいといううわさが広まったが、カーター自身は「ファラオののろいというのは、墓への侵入者をふせぐためのこっけいな作り話だ」と『ツタンカーメン発掘記』に書いており、天寿をまっとうした。

カートライト，エドムンド　［発明・発見］

エドムンド・カートライト　1743～1823年

力織機をつくった産業革命期の発明家

18世紀のイギリスの発明家、企業家、牧師。

ノッティンガム州の名家に生まれる。オックスフォード大学を卒業後、イングランド国教会の牧師となり、40歳代まで聖職者をつとめた。18世紀後半に紡績機の発達によって良質の綿糸が大量生産されると、これを織る工業力が不足した。カートライトは力織機（蒸気機関などを動力にした織機）の必要性を予見し、アークライトの水力紡績機をヒントに設計をおこない、力織機の基本特許を1785年に取

得、織物工場も設立した。2年後には、動力に蒸気機関を導入、機織りの機械化を大きく前進させた。しかし、1792年、力織機の普及に反対する職人たちにより、工場は焼き打ちにあった。

梳毛機（羊毛などから毛糸をつくる機械）やロープ製造機、水のかわりにアルコールをつかう蒸気機関などの発明も重ね、イギリスの産業革命に貢献した。1809年、功績をたたえて英国議会庶民院から1万ポンドが贈られ、1821年には王立協会のフェローに選出された。

カーネギー，アンドリュー　［産業］

アンドリュー・カーネギー　1835～1919年

鉄鋼業で成功し、その富を慈善事業につかった

アメリカ合衆国の実業家、慈善事業家。

イギリス、スコットランドのエディンバラ近くの町ダムファーリンに生まれる。父は小さな織物業をしていたが、織機が手織り機から蒸気機関をつかった機械にかわる時代で、織物の値段が下がる、大きな打撃を受けた。1848年、父は一家をひきつれてアメリカ東部のペンシルベニア州ピッ

▲アンドリュー・カーネギー

ツバーグに移住し、綿織物工場ではたらいた。13歳になったアンドリューも糸巻きの仕事をてつだい、次いでボイラーのかまたきなどをして、1850年に電報配達の仕事を得て、ここで電信技術を身につけて電信技手になった。1853年にはアメリカ東部の工業地帯をむすぶペンシルベニア鉄道の通信技手となり、1859年、24歳のときにピッツバーグ地区の主任となった。

1865年に鉄道会社をやめ、以後、レールなど鉄道の資材を供給する会社や、機関車を製造する会社、鉄橋をかける会社などを立ち上げた。1868年にはイギリスを視察して、最新式のベッセマー製鋼法をとり入れた製鋼所をおこした。その後、ほかのライバル会社を支配下におさめ、1890年代には鉄や石炭の鉱山、

輸送船、鉄道などの会社を買収し、原料から完成品にいたるまで、一貫して生産する体制を打ち立てた。こうしてアメリカの鉄鋼の4分の1を生産するまでになり、鉄鋼王とよばれた。

1901年にモルガン商会が鉄鋼業の大合同をはかり、USスチールをおこすと、みずからてがけてきた事業すべてを売りわたし、実業界から引退した。その後は、莫大な財産を人類の進歩のためにつかおうと考えてカーネギー財団をつくり、大学や研究所、教育振興基金、国際平和財団、図書館などに資金を提供し、慈善事業につくした。ニューヨークのコンサートホールであるカーネギーホールは、1898年、カーネギーの出資により改築され、いまも音楽家たちにとって晴れの舞台となっている。

またヨーロッパなど各地を旅し、『アメリカ人の馬車の旅』『世界一周』などの旅行書や『富の福音』などの時評、自伝など多くの著書をのこした。『富の福音』では、「富を得たものは、それを公共のためにかしこく分配する社会的責任がある」としるしている。

▲アンドリューが建てたニューヨークのカーネギーホール

カーネル・サンダース　産業
🌐 カーネル・サンダース　1890〜1980年

ケンタッキーフライドチキンの創業者

アメリカ合衆国の産業人。

インディアナ州に生まれる。本名はハーランド・デービッド・サンダース。6歳で料理をはじめ、10歳で農場にはたらきに出る。その後、陸軍、機関車の修理工、判事助手、保険外交員、タイヤのセールスなど多くの職をへて、1930年にケンタッキー州でガソリンスタンドをはじめる。併設したレストランのフライドチキンが評判となり、1935年、州から「ケンタッキー・カーネル」の名誉称号をさずかる。1955年、フライドチキンの製法を教え、売上げから対価をとる経営方式（フランチャイズ）で成功し、ケンタッキーフライドチキンが世界に広まった。みずから広告塔としても活躍し、「カーネル・サンダース」「カーネルおじさん」の愛称で親しまれた。

カーメルリング・オンネス，ヘイケ　学問　発明・発見
🌐 ヘイケ・カーメルリング・オンネス　1853〜1926年

ヘリウム液化、超伝導の発見など、低温物理学の開拓者

20世紀のオランダの物理学者。

フローニンゲンで、れんが工場を経営する家に生まれる。フローニンゲン大学に入学後、ドイツへ留学してハイデルベルク大学で学ぶ。帰国後、デルフト工科大学の助手、ついで講師となった。この時期に物理学者ファン・デル・ワールスと知り合い、低温現象の研究をはじめた。1882年、ライデン大学実験物理学教授となり、2年後、大学内に低温物理学研究所を設立。1908年、世界初のヘリウムの液化に成功し、さらに当時の世界最低温度を実現した。1911年、絶対零度近く（−273℃）で電気抵抗が0になる超電導を発見。これらの功績により、1913年にノーベル物理学賞を受賞した。　学 ノーベル賞受賞者一覧

カーリダーサ　詩・歌・俳句　映画・演劇
🌐 カーリダーサ　生没年不詳

「インドのシェークスピア」と称賛される劇作家

4〜5世紀のインドの詩人、劇作家。

アバンティ国のウッジャインで古代のグプタ朝チャンドラグプタ2世の宮廷詩人として活躍したと伝わる。神話や伝説、自然などを題材に恋愛や冒険を流麗なことばでえがき、「インドのシェークスピア」と称賛される。

戯曲『シャクンタラー』は、古代インド語（サンスクリット語）で書かれた最高の戯曲とされ、指輪をめぐる仙人の娘と王様の恋の物語。この作品は18世紀に英語訳されて、ヨーロッパの文学者に愛読され、ゲーテは『ファウスト』の書き出しに、『シャクンタラー』を参考にしたという。

『公女マーラビカーとアグニミトラ王』（『マーラビカーグニミトラ』）は、召し使いのマーラビカーと、彼女の心をつかもうと苦心するアグニミトラ王をめぐる喜劇となっている。ほかに、心情や自然をうたった『雲の使者』『季節のめぐり』や、神話を題材にした『軍神クマーラの誕生』などがある。

カール，エリック　絵本・児童
🌐 エリック・カール　1929年〜

次々と可能性を広げる「絵本の魔術師」

アメリカ合衆国の絵本作家。

ニューヨークで生まれ、ドイツ人の両親とともに6歳のときにドイツに移住する。ドイツで美術を学び、23歳でアメリカにもどり、新聞や広告のグラフィックデザイナーとして活躍する。絵本作家で詩人のビル・マーチンの依頼で『くまさんくまさんなにみてるの？』のさし絵をえがき、これをきっかけに絵本づくりに興味をもつ。

1968年、『1、2、3どうぶつえんへ』でボローニャ国際児童図書展グラフィック大賞を受賞。翌年に発表した代表作『はらぺこあおむし』は、青虫がなにかを食べるたびにページに穴があいていくというユニークなしかけ絵本で、世界中で翻訳されている。

アクリル絵の具で色をつけた薄紙を切ってはりあわせる手法で、大胆な構図と色あざやかな絵本を次々と発表。ICチップをつかった光る絵本や音の出る絵本など、さまざまな可能性を広げて「絵本の魔術師」といわれる。

カールよんせい　　　王族・皇族
カール4世　　　1316～1378年

金印勅書を定めた皇帝

ドイツ王（在位 1346 ～ 1378 年）、ボヘミア王（在位 1347 ～ 1378 年）、神聖ローマ皇帝（在位 1347 ～ 1378 年）。

神聖ローマ皇帝ハインリヒ7世の孫。父はボヘミア王ヨハン。プラハで生まれ、7～14歳までパリの宮廷で育つ。1340年から父の代理としてボヘミアを統治。弱体化していた王権の回復につとめ、1346年にはドイツ王に選出された。1347年、百年戦争での父の死によってボヘミア王をかね、同年に神聖ローマ皇帝となる。1356年に金印勅書を発布し、皇帝選挙の手続きを定めた。1377年にはフランス王の圧力でフランスにいたローマ教皇をローマに帰還させ、「教皇のバビロン捕囚」を終わらせた。語学に堪能な文化人であり、プラハ大学の創立など、プラハを大きく発展させた。　　学 世界の主な王朝と王・皇帝

カールごせい　　　王族・皇族
カール5世　　　1500～1558年

「太陽のしずまない国」を築いた

スペイン王（在位 1516 ～ 1556 年）、神聖ローマ皇帝（在位 1519 ～ 1556 年）。

母方の祖父フェルナンド2世が亡くなって、わずか16歳でスペイン王として即位し、カルロス1世とよばれ、アメリカ大陸の植民地をふくむ広大な領土を所有した。父方の祖父である神聖ローマ皇帝マクシミリアン1世が亡くなると、生涯の宿敵であるフランス王フランソワ1世をやぶって皇帝に選出され、ヨーロッパ最大の勢力となる。ヨーロッパからアメリカ大陸、アジアにいたる世界中に領地をもち、その帝国は「太陽のしずまない国」とよばれた。最終的にはカトリック教会にもとづくキリスト教的なヨーロッパの統一をめざしたが、覇権をあらそうフランス王国との戦いや、宗教改革、オスマン帝国のスレイマン1世の脅威にもさらされ、あと一歩で目的ははたせなかった。ネーデルラント17州の独立をみとめ、アメリカ先住民（インディオ）の人権問題などに関する審議会をひらくなど、柔軟な思想もあった。晩年はあいつぐ戦争に疲れ、病気もあってみずから退位し、修道院に移り住んだ。

学 世界の主な王朝と王・皇帝

カールじゅうにせい　　　王族・皇族
カール12世　　　1682～1718年

北方戦争で各地を転戦

スウェーデン王（在位 1697 ～ 1718 年）。

1697年、父のカール11世が亡くなると、14歳で王位につく。バルト海を制圧するスウェーデンに対抗して、デンマークやロシア、ポーランドなどが北方同盟をむすぶと、1700年、デンマークに攻め入って、北方戦争がはじまる。つづいてロシアに侵入し、ナルバの戦いで勝利。その後、ポーランドの国王を退位させ、いちじ傀儡政権を打ち立てるなど、戦闘を優位に進めた。1709年、ふたたびロシアに攻め入り、ポルタバ（現在のウクライナ、ポルタバ州）の戦いでやぶれる。オスマン帝国領内にのがれて、ともにロシアへの進撃をはかるが失敗。1715年、帰国。ノルウェーに遠征中、陣中で亡くなった。

カールたいてい　　　王族・皇族
カール大帝　　　742～814年

西ヨーロッパを統一

フランク王国、カロリング朝の第2代国王（在位 768 ～ 814 年）、西ローマ皇帝（在位 800 ～ 814 年）。

フランス語ではシャルルマーニュという。カロリング朝の創始者ピピンの長男として生まれる。768年、26歳のときに父が亡くなると、王国を弟と2つに分けて、カールは北半分を、弟のカールマンは南半分を統治したが、771年に弟が亡くなると、両方を統治した。

772年からヨーロッパ各地へ遠征を開始。最初にむかったドイツ東部のザクセン地方では、キリスト教をこばみ、独立をたもとうとするザクセン族のはげしい抵抗にあい、30年以上にわたり何度も遠征をくりかえし、804年にようやく平定した。また、ドイツ南部のバイエルン地方を788年に併合した。

南のイタリアでは、ランゴバルド王国（ゲルマン人の一派が568年に北イタリアに侵入して建てた王国）が教皇領を侵略したため、ローマ教皇からの要請を受けて773年に出兵し、翌年、これをほろぼした。イスラム教徒が支配していた西のイベリア半島へは、778年からピレネー山脈をこえて出兵。スペイン北東部

のカタルーニャ地方に辺境伯領をおき、イスラム勢力による侵略をふせぐ拠点とした。

こうして東はドイツのエルベ川から西はピレネー山脈まで、北は北海沿岸から南はイタリア中部まで領土を広げ、ゲルマン系の諸部族を一つにまとめ、西ヨーロッパを統一した。800年12月25日、ローマのサンピエトロ大聖堂で教皇レオ3世からローマ皇帝の冠をさずかり、476年に滅亡した西ローマ帝国を復活させた。これによりビザンツ帝国（東ローマ帝国）とは別に、西ローマ帝国が成立したことで、キリスト教も東のギリシャ正教と西のローマカトリックに分かれることになった。

広大な領土を支配するため、国内を地方行政区に分け地方行政官の伯をおき、地方分権をみとめ、領内の裁判や徴税、兵の招集などにあたらせた。学問や教育にも力を入れ、首都のアーヘンには宮廷学校を、各地にも学校を建て、ラテン語による教育をおこなった。また宮廷にはヨーロッパ各地からアルクインら神学者や哲学者をまねいて学芸の発展につとめ、かつてのローマ帝国以来の文芸復興をもたらした。ゲルマン文化とキリスト教が一体となったこの時代の文化を、カロリング・ルネサンスという。

3人の息子に国を分割してつがせようとしたが、上の2人は先に死んでしまったため、カールは3番目のルートウィヒ（のちのルートウィヒ1世）を皇帝に任じ、814年に亡くなった。

学 世界の主な王朝と王・皇帝

カール・マルテル　政治

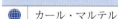

カール・マルテル　688?〜741年

フランク王国を再統一し、イスラム勢力を撃退

フランク王国、メロビング朝の宮宰。

宮廷の実権をにぎっていたカロリング家の出身。フランク王国の1分国であるアウストラシアの宮宰（最高官職）をつとめたピピン2世の子として生まれる。714年に父が亡くなると、あとをついで宮宰に就任した。その後、ネウストリア、ブルグント（ともにフランク王国の分国）も統一して、フランク王国全体の宮宰となる。

実質上、国の支配者となったカールは、ザクセンやバイエルンなどへ遠征を開始する。732年には、南フランスでウマイヤ朝イスラム軍を撃退し（トゥール・ポワティエ間の戦い）、キリスト教世界の西ヨーロッパをイスラム勢力から守った。この戦いでカールの権威は高まり、その子ピピンがついに王位について、カロリング朝を創始する。

カーロ，フリーダ　絵画

フリーダ・カーロ　1907〜1954年

自分の体験をテーマにえがいた画家

メキシコの画家。

メキシコシティ郊外に生まれる。父はドイツ系ユダヤ人の写真家で、母はメキシコ先住民の血をひく。小児麻痺が原因で右足に障害があったが、難関の国立予科高等学校に合格した。将

来は、医者になるのが夢だった。

18歳のときにバスに乗っていて、交通事故にあい、全身を骨折するなどの重傷を負う。1年近くベッドの上での生活がつづいたときに、自画像をえがきはじめ、独学で画家への道を進んだ。22歳で20歳年上の壁画家、ディエゴ・リベラと結婚する。1938年にニューヨークで初の個展をひらき、翌年、パリでひらいた個展が注目され、画家としての名声を得た。

孤独や心のいたみなど、自分の体験をテーマに、メキシコの民族衣装を思わせる、あざやかな色彩をつかって、不思議な世界をつくりだしている。交通事故、約30回もの手術にたえ、後遺症に苦しみつづけながらも力強く生きた。

かいおんじちょうごろう　文学

海音寺潮五郎　1901〜1977年

歴史小説の第一人者

昭和時代の作家。

鹿児島県生まれ。本名は末富東作。国学院大学卒業。旧制中学の教師をつとめながら小説を書き、『サンデー毎日』の懸賞小説に当選して、1934（昭和9）年から作家活動に専念。1936年に、『天正女合戦』と『武道伝来記』で直木賞を受賞。上杉謙信をえがいてNHKの大河ドラマとなった『天と地と』のほか、『武将列伝』『平将門』『海と風と虹と』など、数々の代表作がある。同県人の西郷隆盛は何度も作品にしている。日本と中国の古典にくわしく、執筆のための調査、分析は徹底していた。歴史小説の第一人者と称され、歴史上の事実をもとに、虚構を排した史伝文学を再興した。1973年、文化功労者。

学 芥川賞・直木賞受賞者一覧

ガイガー，ハンス　学問　発明・発見

ハンス・ガイガー　1882〜1945年

ガイガーカウンターで知られる物理学者

20世紀のドイツの物理学者。

ドイツ南西部、現在のラインラント＝プファルツ州生まれ。父はインド研究家の大学教授。エルランゲン大学で物理学と数学を学び、1906年に博士号を取得。翌年、イギリスのマンチェスター大学の原子物理学者ラザフォードのもとで、放射線の一種のα線を構成するα粒子の検出器を開発した。この装置は、後年の放射線計測のもととなった。1909年、マースデンとともにα粒子の散乱実験をおこない、ラザフォードの原子構造の研究に貢献した。1928年には、ミュラーと共同で放射線量を測定するガイガー

=ミュラー計数管（ガイガーカウンター）を発明し、1929年、イギリスの王立協会からヒューズメダルを授与された。

かいけい　［彫刻］

● 快慶　　　　　　　　　　生没年不詳

運慶とともに活躍した仏師

鎌倉時代前期の仏師。

運慶の父、康慶の弟子と推定されている。1180年、源平の合戦がおこり、平氏の焼き打ちで焼失した東大寺を復興した僧、重源に大きな影響を受けて浄土宗を信仰し、安阿弥陀仏と称して像高3尺（約1m）の阿弥陀如来像を数多く制作した。1194年、東大寺中門の二天像のうち東方天を制作。

1201年、東大寺の僧形八幡神像を制作、1203年、東大寺の仏像を制作した功により法橋（僧位の第3位）をさずけられ、同年、運慶とともに東大寺南大門の金剛力士像（仁王像、国宝）をつくった。1208年から1210年ごろ、法眼（僧位の第2位）をさずけられる。1219年、長谷寺（奈良県桜井市）の十一面観音像をてがけた。運慶とともに鎌倉時代を代表する仏師で、運慶の作品が写実的で力強いといわれるのに対し、快慶の作品は優美で親しみやすいといわれる。

▲阿弥陀三尊像　　　　　　　　（浄土寺）

かいこうたけし　［文学］

● 開高健　　　　　　　　　　1930～1989年

社会問題を独自の視点でえがく

昭和時代の作家。

大阪府生まれ。大阪市立大学法学科卒業。学生時代から小説を書き、卒業後は寿屋（現在のサントリー）の宣伝部に勤務、独創的なコピーライターとして才能を発揮する。

1957（昭和32）年に発表した小説『パニック』で評価され、翌年『裸の王様』で芥川賞を受賞する。その後、喜劇タッチの『日本三文オペラ』や叙事詩的な『流亡記』、ベトナム戦争の苦悩をえがく『輝ける闇』など、社会問題をテーマにして独自の視点を生かした作品を次々に発表、行動する作家として活躍する。

戦場をルポルタージュした『ベトナム戦記』や南北アメリカ大陸を釣り歩く紀行文『もっと遠く!』『もっと広く!』、随筆集『最後の晩餐』などの作品により多くの読者を得た。

学　芥川賞・直木賞受賞者一覧

かいばらえきけん　［学問］

● 貝原益軒　　　　　　　　　　1630～1714年

『大和本草』や『養生訓』など多くの著作をのこした

（国立国会図書館）

江戸時代中期の儒学者、本草学者。

筑前国福岡藩（現在の福岡県北西部）の藩士の子として生まれる。19歳で福岡藩にめしかかえられてから、71歳で隠居するまで藩主黒田氏につかえ、儒学者の立場から政治にかかわった。その間、藩命により、江戸（東京）や京都、長崎に遊学して幅広く学問をおさめ、儒学者の木下順庵や農学者の宮崎安貞らと親しく交流した。

益軒の学問は儒学にとどまらず、本草学（動物、植物、鉱物などを研究する学問）、医学、地理学、文学、農学にもおよんだ。領内の歴史や地理、産物などを記録した『筑前国続風土記』を編さんしたり、植物、動物、鉱物についてしるした博物誌『大和本草』を著したりした。隠居後は著作活動にはげみ、多くの著書をのこした。著書には庶民むけの実用書も多く、みずからの体験をもとに、健康で長生きをするための心得を書いた『養生訓』は、大ベストセラーになった。江戸時代を通じて広く読まれた女性用の教訓書『女大学』は、益軒の児童教訓書『和俗童子訓』の記述をもとに編まれた。

学　日本と世界の名言

かいふとしき　［政治］

● 海部俊樹　　　　　　　　　　1931年～

湾岸戦争で多国籍軍を支援した首相

政治家。第76、77代内閣総理大臣（在任1989～1991年）。

愛知県生まれ。早稲田大学法学部を卒業し、1960（昭和35）年、自由民主党から衆議院議員に初当選。福田赳夫内閣および第2次中曽根康弘内閣で文部大臣をつとめ、大学入試に共通一次試験を導入した。株取引に関する贈収賄事件であるリクルート事件で、自民党が参議院選挙で敗北した1989（平成元）年、内閣総理大臣に就任。弁論のたくみさ、若さと清新なイメージで支持を得て、翌年の衆議院選挙で安定過半数を確保した。

湾岸戦争では多国籍軍に多額の支援をおこない、停戦後は海上自衛隊掃海部隊を派遣。1991年、内閣総辞職により辞任した。1994年に新進党の初代党首となる。その後、自民党に復党したが、2009年に政界を引退した。水玉模様のネクタイがトレードマークであった。

学　歴代の内閣総理大臣一覧

かいふハナ （郷土）

● 海部ハナ　1831～1919年

阿波しじら織りの考案者

江戸時代後期～明治時代前期の機織り職人。

阿波国那賀郡平易村（現在の徳島県阿南市）に生まれる。25歳のとき、名東郡安宅村（徳島市）の指し物大工、海部勝蔵にとついだ。農家の仕事をてつだいながら、得意の機織りをして家計を助けた。

ある日、戸外にほしておいた木綿の織物が雨にあたってぬれ、かわかすとちぢんだ。このちぢみ方がおもしろいと思い、新しい織物をくふうしようと考えた。熱湯をかけてから、かわかしたりして研究し、表面にしぼ（でこぼこ）のある肌ざわりのよい縮み織りを発明した。呉服屋の安倍重兵衛がこの縮み織りを気に入って、販売を一手にひきうけ「阿波しじら」として売りだしたところ評判となり、その後、阿波の特産品となった。

現在、徳島県の藍でそめた糸から織った「阿波正藍しじらおり」は、国の伝統的工芸品に指定されている。

▲阿波正藍しじらおり
（長尾織布合名会社）

かいほうゆうしょう （絵画）

● 海北友松　1533～1615年

大画面の水墨画をえがいた画家

（海北友松夫婦画像／東京大学史料編纂所所蔵模本）

安土桃山時代の画家。

近江国（現在の滋賀県）に生まれる。名は紹益。浅井家につかえる武家の5男で、幼くして京都の禅寺、東福寺にあずけられる。ここで狩野派の絵を学び、中国の南宋や元の画家についても研究した。1573年、織田信長によって浅井家が攻撃され、海北家もほろぼされるが、寺にいたため、難をのがれた。その後、家の再興を志して寺を出るが、武士として身を立てることができず、後半生は豊臣秀吉などの注文にこたえる画家として生きた。

建仁寺の方丈（住職などが住む場所）に水墨でかいた、『琴棋書画図』『花鳥図』『竹林七賢図』など全50面におよぶ障壁画が初期の代表作である。気迫のみなぎる画面には、武士をめざしていたころの強い意志があらわれている。全体に大画面の水墨画が多いが、後期には妙心寺の『花卉図』のように、金ぱくの上に着色した屏風絵ものこしている。

かいほせいりょう （思想・哲学）

● 海保青陵　1755～1817年

殖産興業、藩専売制の採用を説いた

江戸時代後期の思想家、経済学者。

丹後国宮津藩（現在の京都府宮津市）の家老の子として江戸（東京）に生まれる。2歳のとき、父が藩内の争いにまきこまれて隠居したので、家をついだ。古文辞学派（荻生徂徠がおこした儒学の一派）を学ぶ一方で、蘭学者の桂川甫周と交流して西洋の知識を吸収した。丹波国篠山藩（兵庫県篠山市）に儒学者として7年間つかえたのち、35歳のときから、経世家（政治経済論を語る人）になるため、諸国をめぐり見聞を広めた。1806年、52歳のとき、京都に塾をひらいて門人に経世論（政治経済論）を講義した。そのかたわら、『稽古談』などを著し、経済の流通のしくみをわかりやすく解説し、殖産興業（生産をふやし、産業を発展させること）、藩専売制（藩が特定の商品の仕入れや販売を独占すること）の採用などを説いた。

ガウス，カール・フリードリヒ （学問）

● カール・フリードリヒ・ガウス　1777～1855年

近代数学に多大な影響をあたえた数学者

19世紀のドイツの数学者。

中北部のブラウンシュワイクで、れんが職人の子として生まれる。幼いときから才能を発揮し、3歳のときには算数の計算をとき、小学校で積分の概念をもつにいたっていたという。15歳のときには素数定理の成立を予測。奨学金を得てゲッティンゲン大学に進学すると、正多角形の作図問題で大きな発見をおこない、とくに1796年の正17角形の作図法は数学界に衝撃をあたえた。1801年には『整数論の研究』を出版し、複素数表記などを導入。1807年、ゲッティンゲン大学の天文台長となり、2年後には『天体運行論』を発表、科学計算の基本となる最小二乗法を用いた検討をおこなう。このほかにも当時は発表しなかった多数の数学的業績を上げている。

数学以外でも電磁気学や物理現象の研究をおこない、電信機の開発はのちのモース（モールス）による電信機発明につながったといわれる。ユーロ紙幣になる前の10ドイツマルク紙幣にその肖像がつかわれていた。磁束密度の単位G（ガウス）に名がのこっている。

ガウタマ・シッダールタ

ガウタマ・シッダールタ → シャカ

カウツキー，カール
政治 思想・哲学

カール・カウツキー　1854～1938年

ドイツ社会民主党の理論的指導者

ドイツの社会主義者、歴史家、政治家。

プラハ生まれ。ウィーン大学で歴史哲学を学び、1875年にオーストリア社会民主党に入党。エンゲルスらの指導を受け、ドイツ社会民主党の機関誌『新時代』を創刊、編集するなど、マルクス主義の普及につとめた。その後も、同党初のマルクス主義綱領である「エルフルト綱領」を起草し、ベルンシュタインら修正主義者と論争した。しかし第一次世界大戦の際、党の軍事増強の方針に反対。平和主義者で同志のフーゴ・ハーゼと独立社会民主党をつくった。1919年、ドイツ革命後のワイマール共和国では、外務省副大臣に就任するが辞職。その後、ドイツ社会民主党に復帰したが、1924年に政治活動から引退。ナチスに追われ、オランダのアムステルダムで亡くなった。

ガウディ，アントニ
建築

アントニ・ガウディ　1852～1926年

独創的な設計で知られる建築家

▲アントニ・ガウディ

スペインの建築家。

カタルーニャ地方の町に生まれる。父は銅細工師で、主に酒の蒸留器をつくっていた。経済的にはめぐまれなかったが、板金から立体物ができ上がっていく工程をみていて、立体的な物づくりの感覚を身につけた。

1873年にバルセロナ建築学校（現在のカタルーニャ工科大学建築学部）に入学してからは、学費をかせぐために、建築家の仕事をてつだって、建築や設計を学んだ。卒業後も建築家の助手をしていたが、1878年に革手袋店からパリ万国博覧会に出展するショーケースの依頼を受け、全面ガラス張りの斬新なケースをつくり、評判となった。これをみた実業家のアウゼビ・グエルが、フィンカ・グエルの門、グエル邸と、次々に依頼をしてきた。なかでもグエル邸の独創的なデザインが注目され、建築家として自立できるようになった。

1900年代に入ると、カサ・カルベ（1904年）、カサ・ミラ（1910年）、グエル公園（1900～1914年）、コロニア・グエル教会地下聖堂（1908～1914年）など、自由で大胆な構成で独創的な設計をおこなうようになった。中世ヨーロッパのゴシック建築やイスラムの美しい装飾、アールヌーボー（新芸術運動）などの様式をとり入れ、自然界にみられる生命感あふれる造形や、うねるような曲線などを用いた幻想的な作品をつくった。

1883年、31歳のとき、バルセロナのサグラダファミリア聖堂の設計を受けついだ。1900年ごろファサード（建物正面）の一つができ上がると評判となり、バルセロナの象徴として市民からも期待されるようになった。しかし、資金難からしばしば工事中断の危機に追いこまれた。1914年以降はこの聖堂に専念し、晩年は聖堂内の仕事場に泊まりこんで仕事に打ちこんだ。地下の祭室、東側のファサード、4本の塔などを完成させたが、73歳のとき、路面電車にはねられ、3日後に息をひきとった。その後、建設作業は一時中断することもあったが、2026年の完成にむけて急ピッチで進められている。

▲サグラダファミリア聖堂

このサグラダファミリア聖堂をはじめ、カサ・ミラ、グエル邸、グエル公園などは、「アントニ・ガウディの作品群」として世界遺産に登録されている。

がうんたっち
発明・発見

臥雲辰致　1842～1900年

日本の綿業発展の基礎をつくった

（安曇野市）

明治時代の発明家、紡績技術者。

信濃国（現在の長野県）の足袋底問屋に生まれる。名は「たつむね」「ときむね」などとも読む。20歳で僧侶となり、26歳で臥雲山の寺の住職になったが、1871（明治4）年、明治政府の仏教寺院を削減する政策（廃仏毀釈）により、還俗（僧侶をやめて俗人にもどること）する。

少年時代から関心があった、足袋底用の綿糸を生産する手動の紡績道具の改良に熱中し、1873年、つくりのかんたんな日本初の紡績機を完成させる。この臥雲式紡績機は水車を動力源とするもので、ガラガラという音がすることから「ガラ紡」とよばれた。臥雲はこれにさらに改良を重ね、連綿社を設立し、ガラ紡製作を事業化した。1877年、第1回内国勧業博覧会に出品し、第1位の鳳紋賞牌を受賞する。ガラ紡は全国に広がり、明治時代の日本の綿業をささえたが、当時は専売特許法が確立されておらず、模造品が続出した（ガラ紡事件）。そのため連綿社は経営が苦しくなり、1880年に閉鎖した。

カエサル，ユリウス
古代 政治

ユリウス・カエサル　紀元前100～紀元前44年

ガリアに領土を広げたローマの支配者

古代ローマの軍人、政治家。

ローマの名門貴族の家の長男に生まれる。ローマは、保守

▲ユリウス・カエサル

的な元老院議員を中心とするスラ派と、平民が支持するマリウス派に分かれて対立しており、カエサルはスラ派から政敵とみなされていた。紀元前82年、スラが独裁官（ディクタトル）につくと、小アジア（トルコ）にわたり、軍務についた。紀元前78年にスラが亡くなると、ローマにもどり、法廷の弁論家として政界に登場し、財務官や法務官などをつとめた。

紀元前61年、イスパニア（現在のスペイン）総督となり、戦果をあげてローマに多くの富をもたらした。そして紀元前60年に、ポンペイウスやクラッススと第1回三頭政治をはじめ、翌年には国政全体をとりしきる執政官（コンスル）の地位につき、娘のユリアをポンペイウスと結婚させるなど、ポンペイウスとのむすびつきを強めた。

紀元前58年、ガリア（フランス、ベルギー、オランダ、スイス）総督となり、平定にむかった。ケルト人を討ち、ライン川をこえてゲルマン人と戦い、ブリタニア（イギリス）へも出兵した。こうして紀元前52年ころまでには、アルプスの北の地域をほぼ平定した。同時にヨーロッパの内陸部にまでギリシャ・ローマ文化を広めることになった。

このあいだに娘のユリアとクラッススが亡くなり、執政官となったポンペイウスと、カエサルとの対立が深まった。紀元前49年、ポンペイウスは元老院の保守派と組んで、カエサルをしりぞけようと、軍隊を解散してローマへもどすことを決議した。カエサルは軍をひきいてイタリアとの国境にあるルビコン川をわたり、ローマに進軍。東方にのがれたポンペイウスたちを追って、軍をやぶる。さらにポンペイウスを追ってエジプトにわたり、そこで王位継承争いにかかわり、クレオパトラを王位につけた。つづいて小アジアのポントスを攻めて支配下におさめ、さらにチュニジアでポンペイウスの残党をやぶり、紀元前46年に内乱を終わらせた。

ローマにもどると、終身の独裁官に任じられ、軍の指揮権や国庫の管理、元老院の議員をえらぶ権利など、多くの特権を手にした。また、ローマの都市計画を進め、退役した兵士や無産の市民に土地をあたえ、エジプトの太陽暦をもとにしたユリウス暦を採用するなど、多くの成果をあげた。

しかし、あまりにも強大な権力をもったため、共和制をおびや

▲バシリカ・ユリア　カエサルが建設した公会堂。

かすおそれがあるとして、紀元前44年、56歳のとき、ブルートゥスら元老院議員によって暗殺された。すぐれた軍人として、また政治家として名をはせる一方、雄弁家や文人としてもすぐれ、『ガリア戦記』『内乱記』などをのこした。

ガガーリン，ユーリ　探検・開拓

ユーリ・ガガーリン　1934〜1968年

人類初の大気圏外有人飛行をした宇宙飛行士

20世紀のソビエト連邦（ソ連）の宇宙飛行士、軍人。

ソ連（現在のロシア）西端のスモレンスク州生まれ。両親はコルホーズ（ソ連の集団農場）ではたらいていた。飛行クラブで飛行機の操縦を学んでパイロットを志す。1955年に空軍士官学校へ入学。卒業後、空軍に入り、ノルウェー国境近くのムルマンスクに配属された。当時、米ソの宇宙開発競争が本格化しており、彼は宇宙飛行士候補生にえらばれた。1961年4月12日、宇宙船ボストーク1号に搭乗、人類史上初の大気圏外の有人飛行を成功させる。飛行中の発言である「空は非常に暗かった。一方、地球は青みがかっていた」は、日本では「地球は青かった」としてよく知られている。

帰還後はソ連の宇宙計画の広報や政治的宣伝のために世界中をまわるが、しだいに精神が衰弱していったといわれる。その後、スランプを克服し、後進の宇宙飛行士の養成につとめたが、34歳のとき、搭乗したジェット練習機が墜落、命を落とした。

学 日本と世界の名言

かがおとひこ　文学

加賀乙彦　1929年〜

人間の精神の奥にせまる小説を書く

作家、精神科医。

東京生まれ。本名は小木貞孝。東京大学医学部卒業。小さいころから本が好きで、小学生のときに世界文学全集を読む。大学で犯罪心理学と精神医学を学び、病院や東京拘置所で精神科医として勤務。1957（昭和32）年から、フランスに留学し、帰国後に現代人の精神のなやみをえがいた長編小説『フランドルの冬』を発表、芸術選奨文部大臣新人賞を受賞した。

主な作品に、死刑囚の心理を描写した長編小説『宣告』のほか、『帰らざる夏』『湿原』や『永遠の都』3部作、『雲の都』など。人間の精神の奥にせまる作品を発表し、多くの文学賞を受ける。

犯罪心理学、精神医学で研究をつづけ、小説の評論もおこなう。2011（平成23）年、文化功労者。

かがのちよじょ

● 加賀千代女　　　　　　　　　　　　1703～1775年　【詩・歌・俳句】

わかりやすく親しみやすい俳句をよむ

(『古今名婦伝　加賀の千代』／都立中央図書館特別文庫室所蔵)

江戸時代中期の俳人。
加賀千代、千代女、千代尼ともいわれる。加賀国(現在の石川県南部)の表具師(掛け軸や屏風などをつくる職人)の娘として生まれる。幼いころから俳諧(こっけいみをおびた和歌や連歌、のちに俳句などのこと)を学び、16歳のころ、女性俳人として頭角をあらわした。17歳のとき、諸国を旅していた松尾芭蕉の弟子の各務支考と出会い、才能をみとめられて全国に名前が知れわたった。18歳で結婚するが、夫に先立たれて実家にもどったといわれ、のちに出家して尼になった。与謝蕪村が編さんした女流俳人句集『玉藻集』に序文を書いている。句集に『千代尼句集』『松の声』などがあり、わかりやすい表現で人々に親しまれた。有名な句に「朝顔に　釣瓶とられて　もらひ水」がある。

かがわかげき

● 香川景樹　　　　　　　　　　　　1768～1843年　【詩・歌・俳句】

独自の歌風を追求した歌人

江戸時代後期の歌人。
鳥取藩(現在の鳥取県)藩士の子として生まれる。国学を学んだが、26歳のとき京都に出て和歌の修業にはげんだ。やがて、その才能をみとめられて二条派(歌人の一派)の歌人、香川景柄の養子になる。その後、二条派をはなれ、1804年、和歌の現代性を強調した独自の歌風を追求して門人とともに桂園派を立てた。門人は全国におよび、桂園派は幕末から明治時代のはじめにかけて歌壇の一大勢力になった。歌集に『桂園一枝』などがある。

かがわとよひこ

● 賀川豊彦　　　　　　　　　　　　1888～1960年　【政治】

キリスト教の伝道と社会事業に生涯をささげた

大正時代～昭和時代の社会運動家。
兵庫県生まれ。中学校時代に洗礼を受け、キリスト教徒となる。神戸神学校に入学後、神戸市葺合の貧民街に住みこみ、そこで出会った妻はるとともに、貧しい人々の救済にあたった。1914(大正3)年、アメリカ合衆国のプリンストン大学・プリンストン神学校に留学し、労働運動の必要性を痛感する。帰国後はふたたび貧民街にもどり、キリスト教の伝道と社会事業をはじめた。

(日本近代文学館)

1919年、友愛会関西労働同盟会の結成に参加、神戸の川崎・三菱両造船所の大争議を指導したが、惨敗に終わった。この間、出版した自伝的小説『死線を越えて』が大ベストセラーとなる。
1922年には杉山元治郎らと日本農民組合(日農)を結成、農民運動の指導者となった。無産政党運動にも関与し、労働農民党の結成で中央委員となるが分裂後は一線からしりぞいた。関東大震災時の罹災者救済活動などの一方で、伝道のため世界各地をまわり、「日本の聖者」とよばれた。第二次世界大戦後は日本社会党結成にも参加、のちに世界連邦運動を推進した。

かきざきのぶひろ

蠣崎信広 → 武田信広

かきたいくま

● 垣田幾馬　　　　　　　　　　　　1868～1934年　【郷土】

大分県の火山灰地に用水をひいた大庄屋

明治時代～昭和時代の農民、治水家。
豊後国柏原村(現在の大分県竹田市)の大庄屋(名主のまとめ役)の家に生まれた。37歳のとき、柏原村の村長になった。柏原村ととなりの荻村は、阿蘇山の火山灰がつもってできたやせた土地で、水田をひらくことができなかった。父の遺志を受けつぎ、幾馬は、大野川上流から用水をひく計画を立てていた。1909(明治42)年から荻村の村長、後藤哲彦とともに、大分県に援助を願いでて、翌年から測量がおこなわれた。1923年、鉱山の開発をてがけていた技師の協力を得て、工事に着手し、1926年、荻柏原井路を完成した。これにより、柏原村と荻村に約380haの水田がひらかれた。

かきのもとのひとまろ

● 柿本人麻呂　　　　　　　　　　　生没年不詳　【詩・歌・俳句】

歌聖・歌神とたたえられた万葉歌人

飛鳥時代の官人、歌人。
三十六歌仙の一人。7世紀後半から8世紀はじめに活躍したが、生涯はほとんど不明。天武天皇、持統天皇、文武天皇の朝廷につかえたが、官位は低かったとされる。晩年は地方役人として石見国(現在の島根県西部)で亡くなったといわれるが、流罪になって刑死したという説もある。三十六歌仙(藤原公任のえらんだ36人の歌人)の一人。天皇をたたえる歌、天皇や皇族の外出にともない自然の情景をよんだ歌、皇子・皇女の死をいたむ歌(挽歌)、恋愛の歌などをよんだ。

「東の野にかぎろひの立つ見えて　かへり見すれば　月傾きぬ」は、軽皇子（のちの文武天皇）の狩りにお供をして出かけ、安騎（奈良県宇陀市）の草原で野宿をしたときによんだ代表作。奈良時代に編さんされた『万葉集』第一の歌人といわれ、長歌（五・七の句をくりかえす形式）、短歌（五・七・五・七・七の形式）、旋頭歌（五・七・七・五・七・七の形式）など、400首をこえる作品がおさめられている。その歌は、特定の語句の前につく枕詞や序詞、2つの句が対応する形式の対句などの技法をたくみに用い、重厚で格調高くリズムがある。後世には歌聖・歌神としてうやまわれ、和歌の上達を願って多くの肖像画がえがかれた。

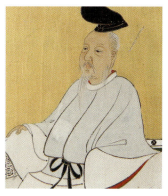
（金刀比羅宮所蔵）

学　人名別　小倉百人一首

かぎやカナ　　　　　　　　　　　　　　　郷土
● 鍵谷カナ　　　　　　　　　　　1782～1864年

伊予絣の考案者

▲鍵谷カナの銅像
（民芸伊予かすり会館）

江戸時代後期の機織り職人。
伊予国垣生村今出（現在の愛媛県松山市）の農家に生まれた。手先が器用だったので、木綿糸づくりや機織りを教えられて上達し、近所でも評判の織り子となった。農家のわら屋根のふきかえのとき、太陽にあたった部分は茶褐色で、タケの縄でくくった部分は白っぽく、きれいな模様だったことに心をひかれ、模様を織物にしたいと考えたといわれる。木綿糸のところどころを糸でしばり、そまらないようにして、糸に模様をつくり、何度も織り方をかえて試した。その後、縦糸と横糸のどの部分に模様をつけるかを計算して、複雑な模様を織りだすことに成功した。

こうして藍汁で糸をそめ、出生地の名をつけた「今出絣」が誕生した。今出絣は、のちに国名をとって「伊予絣」とよばれ、農民の作業衣などとして各地に普及した。伊予絣は久留米絣、備後絣とともに日本三大絣の一つとされている。

かくしゅけい　　　　　　　　　　　　　　学問
● 郭守敬　　　　　　　　　　　　1231～1316年

新しい暦「授時暦」をつくった

中国、元の科学者、天文学者、数学者、水利技術者。順徳（現在の河北省）邢台に生まれる。学者の祖父から水利（水の利用）技術、天文学、数学を学んだ。初代皇帝フビライ・ハン臣下の劉秉忠らにも学び、1262年には元につかえて治水事業を多くおこない、功績をあげた。1276年、当時つかわれていた暦が天文現象とずれていたため、フビライによって暦の改正の命令がだされ、新暦作成の研究に参加。多くの天体観測機を設計し、星の位置の観測や、太陽の角度を正確に計測するなどして、1年（1太陽年）の日数365.2425日という、きわめて正確な値を割りだした。1280年、それらの数値をもとに授時暦をつくった。その後も研究を重ね、授時暦の暦法をまとめた『授時暦経』を著す。これは日本の貞享暦を作成する参考となった。また1293年には大都（北京）から天津にいたる大運河である通恵河を開通させた。大都は中近東やインドなどから物資がはこばれて栄え、通恵河は元の交易において重要な役割をはたした。

がくひ　　　　　　　　　　　　　　　　　政治
● 岳飛　　　　　　　　　　　　　1103～1142年

宋を救った英雄

中国、南宋初期の軍人。
農家に生まれ、幼いころに父を亡くした。北宋末期の1122年、侵入してくる北方の金と戦うために義勇軍に参加。武勇にすぐれ、たちまち頭角をあらわした。1127年、高宗が南宋を再興したのち、1134年には地方軍司令官（節度使）、1136年には地方軍事長官（宣撫使）に任命される。軍事、行政、財政の三権をにぎって、現在の湖北省一帯を拠点に、南宋政府に対抗できるほどの勢力を築いた。金との交戦を主張し、和平を模索する宰相秦檜に反対する。文官による中央集権政治の回復をはかる秦檜に、軍閥間の対立を利用されて実権をうばわれ、謀反を口実に投獄されて獄死した。しかし死後、名誉は回復され、杭州の岳飛廟に祭られ、救国の英雄として尊敬を集めている。

かげやまひでこ
景山英子 → 福田英子

かこくほう（ホワクオフォン）　　　　　　政治
● 華国鋒　　　　　　　　　　　　1920～2008年

文化大革命の混乱を処理した中国の首相

中華人民共和国（中国）の政治家。首相（在任1976～1980年）。
山西省生まれ。学生時代、中国共産党に入党し、満州事変後の抗日運動に参加した。1949年から湖南省で党の役職につき、農村事業などで実績をあげて、毛沢東にみとめられた。

1969年以降、同省共産党の幹部職を歴任、1971年からは日本の内閣にあたる国務院で業務にあたり、1975年には副首相となった。

1976年1月の周恩来死去にともなって首相代行をつとめ、4月、正式に首相に就任した。同年9月の毛沢東死去後、10月に文化大革命の主謀者である「四人組」を逮捕、文化大革命による混乱の処理で評価を得て、党主席に就任した。

外交面では、アメリカ合衆国と国交をむすび、日本とは日中平和友好条約を締結した。一方、ソビエト連邦（ソ連）とは対立を深めた。経済政策の失敗や鄧小平の台頭などによって、1980年、首相を辞任し、翌年には共産党主席からも降格した。毛沢東の崇拝者であったといわれる。

学 主な国・地域の大統領・首相一覧

かこさとし

● かこさとし　　　　　　　　　　1926年〜

紙芝居や絵本でこどもたちを魅了

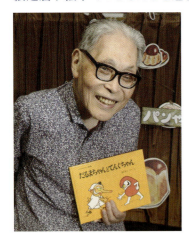

絵本作家、紙芝居作家、児童文化研究者、工学博士。

福井県生まれ。本名は中島哲。加古里子の筆名もある。東京大学卒業。3人兄弟の末っ子として育った。代表作『だるまちゃんとてんぐちゃん』をはじめとする『だるまちゃん』シリーズに登場するお父さんのだるまどんは、子ぼんのうだった父親がモデルになっている。民間企業の研究所につとめながら、趣味の絵を生かしてボランティアでこどもに手づくりの紙芝居を上演していた。こどもと直接ふれあいながら、こどもの遊びについて研究と実践をおこなう。

数多くの紙芝居をはじめ、『だるまちゃん』シリーズや『からすのパンやさん』のような楽しい絵本、『かわ』『海』『地球』のような科学的な本など、幅広い作品を発表する。日本の伝承遊びや昔話、風習の研究でも知られ、『伝承遊び考』（全4巻）で2008（平成20）年に菊池寛賞、翌年に日本児童文学学会賞特別賞を受賞した。

かさいじゅんぱち

● 笠井順八　　　　　　　　　　1835〜1919年

日本で最初の民間セメント工場を創立

江戸時代後期〜明治時代の実業家。

長州藩（現在の山口県）の下級武士の子として生まれた。藩校の明倫館で学んだあと、藩の財政を管理する役職についた。明治維新後、山口県の役人になるが、やがて県庁をやめて石炭の同業組合の頭取となり、職を失った士族（旧武士）の救済を考えた。

東京の官営（国営）セメント工場で、建物をつくるときに石と石をつなぐセメントの製造技術を学んだ。順八は、原料の石灰石や粘土、燃料の石炭を得られる土地をさがし、小野田（山口県山陽小野田市）に工場を建てることにした。1881（明治14）年、日本で最初の民間セメント工場「小野田セメント」（現在の太平洋セメント）が創立され、小野田が工業都市として発展する基礎を築いた。

かさいぜんぞう

● 葛西善蔵　　　　　　　　　　1887〜1928年

冷静に自己をみつめる私小説作家

大正時代の作家。

青森県生まれ。ほかに歌棄、酔狸州の筆名がある。哲学館大学（現在の東洋大学）中退後に、早稲田大学の聴講生となる。1912（大正元）年、のちに作家となる広津和郎らと同人誌『奇蹟』を創刊し、歌棄の筆名で『哀しき父』を発表する。1918年、家賃滞納で部屋を追いだされ、こどもと町をさまよう『子をつれて』で作家としてみとめられた。

作品にはほかに『不良児』『おせい』『椎の若葉』『湖畔手記』などがある。

貧乏、病気、酒びたりの日常など、自身の破滅型の生活をみつめた私小説が中心だが、暗さの中に明るさもただよう。詩情あふれる文体で、大正文学史にユニークな足跡をのこす。

かさぎシヅこ

● 笠置シヅ子　　　　　　　　　1914〜1985年

昭和時代をいろどる「ブギの女王」

昭和時代の歌手、女優。

香川県生まれ。本名は亀井静子。13歳で松竹楽劇部（のちの大阪松竹少女歌劇団、現在のOSK日本歌劇団）に入り、三笠静子の名でデビューする。力強い声量とリズム感あふれる歌唱で人気となる。1935（昭和10）年に芸名を笠置シヅ子とあらためる。1938年ごろ、作曲家の服部良一に出会い、服部が指揮するジャズの歌手として売りだす。第二次世界大戦中は軍部により公演中止や活動の制限をせまられた。

戦後はジャズの解禁とともに、アメリカ合衆国南部から流行しはじめたダンス音楽、ブギをいち早くとり入れ、1947年には、服

部の作曲による『東京ブギウギ』を舞台で歌って、大人気となる。その後も、『買物ブギー』『ジャングル・ブギー』と次々にヒット曲をだし、「ブギの女王」の愛称で活躍する。

1955年に歌手を引退し、その後は晩年まで映画やテレビドラマ、コマーシャルなどで、女優として活躍した。

かさはらはくおう　医学　郷土
● 笠原白翁　1809〜1880年

天然痘予防につくした医者

（福井市立郷土歴史博物館）

江戸時代後期〜明治時代の医者。

越前国深見村（現在の福井県福井市）に医者の子として生まれた。本名は良策。医者になるため、福井藩（福井県東部）の医学校済生館で学び、さらに江戸（東京）や京都で修業をした。そのころの日本では、天然痘が毎年のように流行し、多くの死者をだしていた。白翁はヨーロッパや中国では、牛痘種痘法（ウシからとれるワクチンをつかった予防接種）が普及していることを知り、痘苗（ワクチン）を福井藩にとりよせたいと考え、藩主松平慶永に痘苗の輸入を願いでた。

1849年、京都で手に入れた痘苗を、苦心して福井へ持ちかえり、城下でこどもたちに種痘をほどこした。最初のころは理解されなかったが、1852年、種痘を受けたこどもたちが天然痘に感染しなかったことから、しだいにみとめられるようになった。その後も天然痘の予防につくし、おおぜいのこどもの命を救った。

かさまつさだゆう　郷土
● 笠松左太夫　1596〜1673年

保田紙の生産を広めた庄屋

江戸時代前期の農民。

紀伊国有田郡山保田庄（現在の和歌山県有田川町）に生まれる。40歳のころ、紀州藩から大庄屋（庄屋のまとめ役）に抜てきされ、用水路や池をつくって、田畑をひらいた。藩主の徳川頼宣に信頼され、領内での紙づくりを命じられた。しかし紙すきの技術を知る者はなく、他藩で学ぼうとしたが、紙すきの技術は秘密で、見学もさせてもらえなかった。そこで、製紙のさかんな吉野（奈良県吉野町）に若者たちを送りこみ、紙すきの技術をもつ女性と結婚して、もどってくるようにたのんだ。こうして吉野からやって来た女性たちによって技術が伝わり、良質な紙（保田紙）の生産がはじまった。その後、有田郡内で製紙業がさかんになった。

カザルス，パブロ　音楽
 パブロ・カザルス　1876〜1973年

「弓の王」とよばれるチェロ界の巨匠

スペインのチェロ奏者、指揮者、作曲家。

カタルーニャ生まれ。マドリード音楽院卒業。幼いころから音楽の才能を発揮し、ピアノやオルガンを習う。11歳でチェロ奏者を志し、バルセロナ市立音楽院に学ぶ。サン=サーンスの指導を受け、19歳のとき、パリで演奏家としてデビューする。1904年の演奏会では、それまで練習曲とされていたバッハの『無伴奏チェロ組曲』を、豊かな表情と深い共感をもってひきこなし、チェロの名曲にひき上げた。1905年からピアノのアルフレッド・コルトー、バイオリンのジャック・ティボーとカザルス三重奏団を結成し、名演奏をのこす。

楽器としてのチェロの可能性を広げた音楽家として知られ、ひじをやわらかくつかう画期的な弓づかいを考案、現在につながる演奏スタイルを確立し「弓の王」とよばれる。平和への願いをこめ、故郷の民謡をもとに作曲した『鳥の歌』の演奏をつづけ、ニューヨークの国連本部でも披露した。

ガザン・ハン　王族・皇族
● ガザン・ハン　1271〜1304年

イル・ハン国をイスラム化した君主

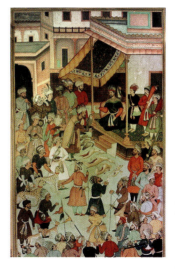

イル・ハン国の第7代君主（在位1295〜1304年）。

イル・ハン国はイランを中心とし、モンゴル帝国を構成する地方政権で、チンギス・ハンの孫であるフラグが建国した。ガザン・ハンはフラグのひ孫にあたり、第4代君主アルグンの子。1291年の父の死後、おじが君主となったが政治に失敗し、1295年にいとこのバイドゥに殺害される。ガザンは反乱をおこし、最初は劣勢であったが、イスラム教に改宗して臣下の支持を得て、バイドゥをほろぼし即位した。イル・ハン国の大半はイラン人のイスラム教徒であった。それまでは宗教に寛容で、キリスト教や仏教、チベット仏教、ユダヤ教の布教もゆるされていたが、イスラ

ム教以外は禁止され、寺院や教会は破壊された。また宰相に、イラン人のラシード・アッディーンを登用。モンゴル式の税制を廃止し、イスラム式の税制地租にするなど中央集権的諸改革を進め、モンゴル帝国（当時は元）と完全に分離した。学問・芸術を奨励し、イル・ハン国は全盛期をむかえたが、34歳の若さで病死した。

かじいもとじろう

梶井基次郎　1901〜1932年　文学

簡潔な描写と詩的な散文

大正時代〜昭和時代の作家。
大阪生まれ。東京帝国大学（現在の東京大学）英文科中退。在学中に中谷孝雄や外村繁らと同人誌『青空』を創刊し、『檸檬』『城のある町にて』などを発表する。大学に入る前からわずらっていた肺結核のため、伊豆の湯ヶ島に移り、さらに大阪へ帰る。病床にふしながら『蒼穹』『冬の蠅』『冬の日』『桜の樹の下には』などを発表する。1931（昭和6）年、友人たちの尽力で創作集『檸檬』を出版したのち、患者と周囲の関係をえがいた『のんきな患者』をのこし、32歳で生涯をとじた。青春の不安や生と死を冷静にみつめ、とぎすまされた文章で表現した作品は、詩に近い散文の傑作といわれる。

かしおただお

樫尾忠雄　1917〜1993年　産業

カシオ計算機の創業者

昭和時代の実業家。
高知県生まれ。5歳のころ、おじにさそわれて一家で上京。高等小学校卒業後、家計を助けるため旋盤工としてはたらく。腕のよさがみとめられ、工場主のすすめもあり、はたらきながら早稲田工手学校（現在の早稲田大学）にかよった。卓越した技能と創造性が評判となり、部品加工の下請けを多くたのまれるようになる。1946（昭和21）年、父とともに東京都三鷹市に樫尾製作所を創業。その後、弟3人が経営に加わる。業務内容は精密機械加工だったが、弟の俊雄の発案で電気式計算機の開発にとりくむ。1957年、商品化した小型電子計算機は、リレー素子を採用した世界初の量産型計算機だった。社名をカシオ計算機と改名し、電卓時代の先がけとなる。
樫尾4兄弟は忠雄が財務担当、俊雄が開発担当、和雄を営業担当、幸雄を生産担当としてカシオを運営した。忠雄は1960年、社長に就任し、1965年には電子式卓上計算機を開発。画期的な製品を素早く低価格で発表し、消費者のニーズにこたえ、同社を急成長させた。

かじたたかあき

梶田隆章　1959年〜　学問

ニュートリノが質量をもつことを証明した物理学者

（東京大学宇宙線研究所）

物理学者。
埼玉県生まれ。埼玉大学で物理学を専攻し、東京大学大学院理学系研究科に進んで、ノーベル賞受賞者の小柴昌俊に師事。宇宙線の研究をおこなった。1986（昭和61）年、東大理学部附属素粒子物理国際研究センターの助手となり、電気をもたない素粒子であるニュートリノの研究にたずさわる。ニュートリノが別種のニュートリノに変化する「ニュートリノ振動」に着目し、岐阜県神岡町（現在の飛騨市）にあったニュートリノの観測装置「カミオカンデ」による観測をはじめた。
1996（平成8）年、さらに規模の大きな「スーパーカミオカンデ」が完成し、その膨大なデータの解析から、これまで質量をもたないと考えられていたニュートリノが質量をもつことを証明、1998年に発表した。この成果により1999年に仁科記念賞を受賞。2015年にはノーベル物理学賞を受賞、さらに文化勲章を受章した。東京大学宇宙線研究所長などをつとめる。

学 ノーベル賞受賞者一覧　学 文化勲章受章者一覧

カジミェシュだいおう

カジミェシュ大王　1310〜1370年　王族・皇族

ポーランドを大きく発展させた農民王

ポーランド王（在位1333〜1370年）。
カジミェシュ3世だが大王とよばれる。カシミール大王ともいう。ウワディスワフ1世の3男。父の死により即位。ポーランドは周辺諸国から強い軍事的圧力を受けていたが、武力ではなく外交による解決をはかった。1335年に南方のボヘミアと和睦、1343年にローマ教皇の仲介により西方のドイツ騎士団（キリスト教徒の組織の一つ）とも領土の一部をゆずることで和解。神聖ローマ皇帝カール4世とも和睦した。その後、東方に進出してウクライナなどを支配下におさめ、

領土を約3倍に広げた。内政においても王権を強化し、農民を手厚く保護。西ヨーロッパで迫害されたユダヤ人も保護し、国外からの移民による植民も奨励した結果、ポーランドは商業的にも発展した。『カジミェシュ法典』を整備し、首都クラクフに国内初となる大学（のちのヤギェウォ大学）を設立。ポーランドの国際的地位を高め、大国に発展させた。弱小農民をたいせつに守る善政をおこなったことから「カジミェシュ農民王」と称される。

かじもじろう　　　郷土
● 加地茂治郎　　　1869～1940年

豊稔池石積みダムを築いた商人

（豊稔池土地改良区）

明治時代～昭和時代の商人。讃岐国三豊郡大野原村（現在の香川県観音寺市）で藍と砂糖の問屋をいとなむ家に生まれた。1924（大正13）年の夏、大野原は大干ばつにおそわれて、水田はひびわれ、農民たちは飲み水にもこまった。耕地整理組合長になった茂治郎は、農民たちのうったえを聞き、柞田川上流に大池をほって水を確保しなければならないと考え、計画を県に提出し、東京に行き、国に請願した。その結果、県が池の築造を決定すれば、国が工事費の半分をだすことになった。新しい池は、ダム構造にして、堰堤（堤防）は土でなく石積みにするという画期的な計画だった。周辺の農民が工事に参加し、付近の山から石を切りだして、はこんだ。工事開始から4年後の1930（昭和5）年、のべ15万人を動員した石積みダム（現在は高さ約31m、長さ約128m）が完成し、「豊稔池」と名づけられた。翌年、茂治郎は県会議員に当選し、地域の発展につくした。

かしゅうみんぺい　　工芸　郷土
● 賀集珉平　　　1796～1871年

珉平（淡路）焼を創始した陶工

▲カラフルな焼き物の珉平焼
（洲本市立淡路文化資料館）

江戸時代後期の陶工。淡路国伊賀野村（現在の兵庫県南あわじ市）の庄屋（村の長）で、しょうゆ製造業をいとなむ家に生まれた。漢学（中国から伝来した学問）や国学を学び、茶道に親しんだ。壮年になって弟に庄屋をゆずり、陶器の製造を志した。
京都では、尾形周平が陶工として有名だった。尾形が堺（大阪府堺市）に来たとき弟子になり、京焼の技法を学んだ。その後、故郷に帰って窯をつくり、中国の陶磁器などを研究して制作にはげんだが、失敗の連続で借金がかさんだ。しかし、くじけずにくふうを重ねた結果、珉平焼（淡路焼）をつくりだした。
これが徳島藩（徳島県）にみとめられ、藩の御用陶器師にとりたてられた。明治時代になると珉平焼は海外にも輸出された。

かしわゆうと　　　郷土
● 柏有度　　　1776～1833年

奄美大島の製糖業につくした農民

（奄美市立奄美博物館）

江戸時代後期の農民。奄美大島の赤木名（現在の鹿児島県奄美市）に生まれた。奄美大島は当時薩摩藩（鹿児島県）の支配下にあり、島民はサトウキビから黒砂糖をつくり、年貢としておさめていた。成人して黍横目（サトウキビの栽培や製糖の指導、監督をおこなう役職）になり、黒砂糖の生産を高めるためには、サトウキビからより多くの汁をしぼることが必要だと考えた。
私財を投じて、砂糖車（サトウキビから汁をしぼる装置）の改良をおこない、1808年、33歳のとき、鉄製の砂糖車「鉄輪車」を発明した。鉄輪車は、それまでの木製の砂糖車にくらべて、2倍の能力があったので、奄美群島全域に普及した。
サトウキビ農業だけでなく、奄美大島の産業を育てることに力をそそいだ。果物のグァバを中国から持ちかえり、栽培を広めたといわれている。

かじわらいっき　　漫画・アニメ
● 梶原一騎　　　1936～1987年

スポ根漫画の原作者

昭和時代の漫画原作者。東京生まれ。本名、高森朝樹。小さいころからからだが大きく、けんかも強かった。一方で小説家をめざしており、児童雑誌でプロレスラーやボクサーの伝記などを書いていた。
1962（昭和37）年、『チャンピオン太』という漫画の原作で漫画界デビュー。1966年、『週刊少年マガジン』の編集長

にたのまれ、野球漫画『巨人の星』の原作を書いたところ、これが大ヒット。きびしい特訓、斬新な必殺技、因縁のライバルとの対決という熱い展開に加え、現実のプロ野球界のもり上がりにもあとおしされ、原作者として名声を得た。

以後、ボクシング漫画の『あしたのジョー』（高森朝雄名義）やプロレス漫画の『タイガーマスク』、極真空手を世に広めた『空手バカ一代』、少年誌で純愛をえがいた『愛と誠』など、さまざまな漫画の原作をてがける。

豪快だが、ときに繊細な男の戦いの描写が特徴。いわゆる「スポ根もの」という漫画のジャンルを確立した。

かじわらかげとき
梶原景時 〔貴族・武将〕 ?～1200年

源頼朝に重用されたが義経とは対立

（国立国会図書館）

鎌倉時代前期の武将。相模国鎌倉郡梶原郷（現在の神奈川県鎌倉市）を本拠地とした。源平の合戦がおこった1180年、石橋山の戦いでやぶれた源頼朝の危機を救ったことで頼朝に重用され、侍所所司（御家人の統率や軍事・警察を担当する侍所の次官）に任じられ、御家人を統制した。1184年、播磨国（兵庫県南部）、美作国（岡山県北東部）の守護（国の軍事をまとめる役職）に任命される。その後、源義経とともに平氏追討にむかうが、1185年の屋島（香川県高松市）の戦いでは作戦上の問題で源義経と対立した。それを頼朝にうったえたので義経は頼朝から遠ざけられるようになった。1199年、頼朝の死後、御家人の結城朝光をおとしいれようとしたことで有力御家人たちの反発を買い、鎌倉を追放された。1200年、謀反をくわだてて京にのぼろうとするが、駿河国（静岡県中部と北東部）で在地武士の攻撃を受け、討ち死にした。

かすがのつぼね
春日局 〔江戸時代〕 1579～1643年

大奥から大きな権力をふるった

（麟祥院）

江戸幕府の第3代将軍徳川家光の乳母。明智光秀の家臣、斎藤利三の娘で、名を福という。父が光秀と羽柴秀吉（のちの豊臣秀吉）の戦い（山崎の戦い）にやぶれて処刑されたのち、母方の実家である稲葉家に身を寄せ、のちに、稲葉正成と結婚して4人のこどもをもうけた。26歳のとき、第2代将軍徳川秀忠の子、竹千代（のちの徳川家光）の乳母になった。秀忠夫妻が、家光の弟、国松をかわいがり、国松を次の将軍にしようとしているといううわさが広まると、大御所となっていた徳川家康にその事情をうったえた。話を聞いた家康は、兄の竹千代が次の将軍であると断言し、家光があとつぎに決まった。1623年に家光が第3代将軍の座につくと、大奥の総取締役に任命された。

1629年、悪化していた幕府と天皇との関係を修復するため、宮中に参内して後水尾天皇に拝謁した。春日局という称号は、そのとき天皇からあたえられたものである。実子の稲葉正勝が幕府の老中になるなど、春日局とのかかわりで出世した者が多く、その影響力は大奥だけでなく、幕府や大名たちにもおよんだ。

かすがはちろう
春日八郎 〔音楽〕 1924～1991年

抜群の歌唱力で、演歌を確立

昭和時代の歌手。福島県生まれ。本名は渡部実。東洋音楽学校（現在の東京音楽大学）卒業。こどものころから歌がうまく、歌手をめざして上京した。1947（昭和22）年、大衆劇場、ムーランルージュ新宿座に入団。翌年、キングレコード主催の歌謡コンクールに合格し、1949年に専属歌手として入社する。しかし、ことばのなまりが強く、デビューのチャンスをつかむまで苦労を重ねる。1952年、はじめてのシングル・レコード『赤いランプの終列車』を発表すると大ヒットし、一躍人気となった。

明るく張りのある声と抜群の歌唱力で人々を魅了し、次々とヒット曲を送りだす。代表曲に歌舞伎の『与話情浮名横櫛』を題材にした『お富さん』や『別れの一本杉』『長崎の女』などがある。日本の歌謡曲、なかでも演歌を一つのジャンルとして発展させた。晩年、歌手の三橋美智也、村田英雄と「三人の会」をおこす。1989（平成元）年、紫綬褒章受章。

カスティリオーネ，ジュゼッペ
ジュゼッペ・カスティリオーネ 〔宗教〕 1688～1766年

清朝で宮廷画家となったイタリアのキリスト教宣教師

17～18世紀、イタリアのイエズス会の宣教師、美術家。漢名（中国名）は郎世寧。ミラノに生まれ、1709年にキリスト教カトリックの修道会であるイエズス会の会士となる。すでにすぐれた画家であったが、中国の皇帝が西洋の画家を求めている

ことを知り、1715年に北京をおとずれる。清朝の宮廷画家として康熙帝、雍正帝、乾隆帝の3帝につかえた。

康熙帝は儒教思想を否定して中国人の伝統や文化を軽視するフランシスコ会とドミニコ会のキリスト教の布教を禁止したが、儒教を否定しないイエズス会には布教をみとめていた。しかし雍正帝はキリスト教布教をすべて禁止した。カスティリオーネは美術の才能をみとめられて皇帝にたいせつにされている立場から、イエズス会の布教がふたたびできるように何度も願いでている。

彼の明暗法や遠近法などの西洋画法は中国画に大きな影響をあたえた。絵画では乾隆帝大閲図、ジュンガル討伐戦の情景画、香妃肖像画などが有名。彼の絵は台北の故宮博物院に多数収蔵されている。北京郊外にある清朝の離宮の円明園も設計した。

カストロ, フィデル 〔政治〕
フィデル・カストロ　1926～2016年

キューバに社会主義政権を築いた革命家

▲フィデル・カストロ

キューバ革命の指導者、政治家。

キューバ東部にあるサトウキビ農園主の子として生まれる。1945年、ハバナ大学に入学し法律を学ぶかたわら、学生運動の指導者となった。大学卒業後、弁護士となり、政治犯や貧しい人々の弁護をした。1952年、バティスタ軍曹がクーデターをおこして独裁政権を立てると、翌年、バティスタ政権打倒をはかり、同志とともにモンカダ兵営をおそうが、失敗。とらえられ裁判にかけられた。その席でカストロは「歴史は私を無罪にするだろう」という自己弁護をおこなった。

1955年に釈放されると、メキシコにわたり、革命組織の7月26日運動を結成、革命の準備をする。ここでアルゼンチンから来た医師ゲバラと知り合う。翌年11月、総勢82人の同志とともにヨットのグランマ号に乗りメキシコを出発。キューバに上陸し、山中に入ってゲリラ戦を展開。数的には圧倒的に不利であったが、政府に不満をいだく国民の支持を受け、2年あまりあとの1959年1月、バティスタ政権を打倒、ラテンアメリカ初の社会主義革命に成功した。首相となったカストロは、地主の農園を貧しい農民に分けあたえ、アメリカ合衆国資本の下にあった産業を国有化し、医療費や教育費を無料にするなど、社会主義政策をおし進めた。一方、アメリカはキューバへの経済制裁をおこなった。1962年には、ソビエト連邦（ソ連）にミサイル基地を貸したことから、米ソのあいだで武力衝突の緊張が高まるキューバ危機がおきた（ソ連が基地を撤去して、衝突を回避）。

1965年にキューバ共産党を結成し第一書記に就任。1975年には社会主義憲法を制定、翌年、国家評議会議長に就任した。1991年のソ連崩壊にともない、キューバは深刻な経済危機におちいり、その後も経済の崩壊状態はつづき、脱出者が多い。2008年、健康悪化を理由にすべての公職をしりぞき、弟のラウルが国家評議会議長となった。

強いリーダーシップをもつ、清廉潔白の革命家として、社会主義者以外の人からも敬愛されるが、キューバの経済を破綻させた責任を問う声もある。数多くの暗殺をのがれた強運の持ち主でもある。また、演説の名人、野球好きとしても知られる。なお、2015年7月、キューバはアメリカと54年ぶりに国交を回復した。

▲演説するカストロ

かずのみや 〔幕末〕
和宮　1846～1877年

天皇家から将軍家へとついだ

（『伝和宮（静寛院宮）肖像』/ 財団法人徳川記念財団）

幕末～明治時代の江戸幕府第14代将軍徳川家茂の正室。仁孝天皇の子。孝明天皇の妹。名は親子。1851年、6歳のとき皇族の有栖川宮熾仁親王と婚約した。朝廷と幕府の関係を修復して協力するという、公武合体をめざす幕府から、何度も家茂との結婚の要請があり、兄の孝明天皇は外国勢力を追いはらう攘夷を条件にそれをゆるした。1862年、和宮は1万5000人の行列をしたがえて京都から江戸（現在の東京）にむかい、江戸城で家茂と結婚した。政略結婚だったが夫婦の仲はよかったという。

1866年、第二次長州出兵で大坂（阪）城におもむいた家茂が病死すると、出家して静寛院と名のった。1868年、戊辰戦争で旧幕府軍が新政府軍にやぶれて朝敵となったが、和宮は徳川家の存続のため、嘆願書を朝廷に送った。

かたおかけんきち 〔政治〕
片岡健吉　1843～1903年

国会開設をめざしつづけた

明治時代の政治家、自由民権家。

土佐国（現在の高知県）生まれ。ロンドンに留学後、海軍

中佐となるが、征韓論争（明治六年の政変）で辞職する。1874（明治7）年、板垣退助らとともに、自由民権運動の中心となる政治団体、立志社をつくる。

国会開設を求める建白書を提出するが受理されず、1877年、挙兵をくわだてたうたがいで逮捕され（立志社の獄）、入獄する。そしてふたたび政治結社、国会期成同盟の代表として国会開設の請願書を提出するが、またもや受理されなかった。1881年、自由党の結成に参加。1885年、キリスト教に入信。1887年、自由民権運動の弾圧を目的とした保安条例による東京からの退去を拒否したため、またも入獄し、出獄後は、衆議院議員、衆議院議長をつとめた。

かたおかたまこ　　　　　　　　　絵画
● 片岡球子　　　　　　　　1905～2008年

あざやかな色彩と力強い画風の画家

昭和時代～平成時代の日本画家。

北海道生まれ。女子美術専門学校（現在の女子美術大学）卒業後、横浜で小学校の教師をしながら、画家を志す。はじめ帝国美術院展覧会（帝展）に出品するが、落選をくりかえし、1930（昭和5）年の日本美術院展覧会（院展）で『枇杷』が初入選した。1946年、日本画家の安田靫彦に入門した。1952年、日本美術院の同人となる。1955年、小学校の教師をやめ、女子美術大学の講師になり、1965年に教授、その翌年には開校したばかりの愛知県立芸術大学の主任教授となる。1960年代には各地の火山を取材し、あざやかな色を用いた力強い風景画を発表した。やがて題材を富士山に移し、晩年までえがきつづけた。一方1966年からは、大胆な構成で歴史上の人物をとらえる『面構』シリーズを制作した。1974年には、『面構（鳥文斎栄之）』で日本芸術院恩賜賞を受賞した。1989（平成元）年、文化勲章を受章した。

学 文化勲章受章者一覧

かたおかなおはる　　　　　　　　政治
● 片岡直温　　　　　　　　1859～1934年

昭和金融恐慌のきっかけをつくってしまった大蔵大臣

明治時代～昭和時代の実業家、政治家。

土佐国（現在の高知県）出身。郡役所勤務などをへて内務省に入り、退官後、日本生命保険の設立にかかわって副社長となる。1903（明治36）年から1919（大正8）年の17年間、社長をつとめ、同時に他会社の役員なども兼任した。実業界で活躍する一方、政界にも進出し、1892年に衆議院議員となり、第2次加藤高明内閣では商工大臣、第1次若槻礼次郎内閣では大蔵大臣をつとめた。大蔵大臣時代の1927（昭和2）年、震災手形処理法案審議中に、破綻寸前だった東京渡辺銀行を「破綻した」と失言、金融不安が高まり、昭和金融恐慌の発端となる。これが若槻内閣が総辞職に追いこまれる原因となった。

かたぎりかつもと　　　　　　　　戦国時代
● 片桐且元　　　　　　　　1556～1615年

豊臣政権を中心となってささえた一人

安土桃山時代～江戸時代前期の武将。

近江国（現在の滋賀県）の浅井氏家臣、片桐直貞の長男として生まれる。初名は直盛、通称は助作。

豊臣秀吉につかえ、1583年の賤ヶ岳の戦いで功績をあげた「七本槍（7人のすぐれた家臣）」の一人として、1万石をあたえられた。小牧・長久手の戦いや、九州・小田原征伐、朝鮮出兵に従軍し、日本各地の検地や街道整備などの奉行としても活躍。石田三成、大谷吉継らと豊臣政権を中心となってささえた。

秀吉の死後は、豊臣秀頼の後見役となり、豊臣氏の家老としてはたらいたが、1614年、方広寺大仏殿（京都市）の鐘にほった文の「国家安康」の語句が、徳川家康の名を「安」の字で引き裂くのろいではないかと問いつめられ（方広寺鐘銘事件）、問題を仲介しようとしたが淀殿らの信頼を失い、大坂冬の陣の直前に大坂（阪）城を去る。大坂夏の陣では、徳川家康方に属した。

かだのあずままろ　　　　　　　　学問
● 荷田春満　　　　　　　　1669～1736年

赤穂浪士の討ち入りに協力した国学者

（国立国会図書館）

江戸時代中期の国学者、歌人。

京都の伏見稲荷神社の神官羽倉家に生まれ、幼いころから神道を学び、和歌の作法や歴史などを研究した。1697年、霊元天皇の子につかえ、和歌を講義。1700年、江戸（現在の東京）に出て神道や有職故実（朝廷や武家の儀式、官職、法令、装束などに関する知識）などを講義した。江戸幕府の第8代将軍徳川吉宗に信頼されて和書の真偽の調査を命じられ、諸国から収集された和書の鑑定をおこなった。1723年に京都にもどり、『万葉集』『古事記』『日本書紀』などの古典の研究にも力をつくし、復古神道を説いて国学の基礎を築いた。門人に賀茂真淵、荷田在満がいる。江戸

では赤穂浪士の行動に感動し、討ち入りに力を貸したともいわれている。

かたひらかんぺい

郷土

● 片平観平　　　　　　　　　　　　生没年不詳

蔵本堰を築造した武士

江戸時代後期の武士、治水家。

江戸時代後期、陸奥国仙台藩（現在の宮城県）ではたびたびおきる凶作から農民を救うために、白石川に大堰をつくり、村へ水をひくなどの対策をとった。しかし、大雨で川の水量がふえるたびにこわれ、田畑が大被害を受けた。そのため、岩壁にトンネルをほり、松淵（白石市福岡蔵本）まで水をひこうと計画した。

1830年、工事を開始したが、トンネルがくずれたり、農民が集まらなかったりするなど、困難の連続だった。しかし、私財を投じ、借金して資金を集めて工事をおし進め、ついに1840年にトンネルが貫通した。こうして250間（約450m）の蔵本堰が完成し、白石川から安定した水を供給できるようになり、村々に豊かな収穫をもたらした。

カダフィ，ムアマル

政治

● ムアマル・カダフィ　　　　　　　1942～2011年

リビアに軍事政権を打ち立てた軍人

リビアの軍人、政治家。事実上の国家元首（在任1969～2011年）。

遊牧民の生まれ。エジプト革命をおこしたナセルの影響を受け、陸軍士官学校時代に自由将校団を組織して革命を計画。その後、1969年、無血クーデターで国王を追放し、軍事政権を樹立。革命評議会議長に就任し、イスラム教、社会主義、アラブ民族主義を融合した国家の建設をめざした。1979年、すべての役職を放棄したが、以後も事実上の国家元首として独裁政治をつづけた。

アフリカの団結と統一をめざすアフリカ連合（AU）の創設にも指導力を発揮、豊かな石油収入を背景に欧米に強硬な姿勢をとった。パンナム機爆破事件などテロ事件との関与がうたがわれ、常軌を逸した言動も話題になった。しかし、2001年のアメリカ同時多発テロのときは、テロリストを強く非難し、以後は国際協調路線に転じた。2011年、アラブ諸国の民主化運動（アラブの春）の影響を受けて政権が崩壊。同年10月、リビア中部のシルトで殺害された。日本では「カダフィ大佐」の呼び名で知られた。

かたやません

政治

● 片山潜　　　　　　　　　　　　　1859～1933年

労働者の地位向上をめざした

（日本近代文学館）

明治時代～昭和時代の労働運動家、社会主義者。

美作国（現在の岡山県）の庄屋の家に生まれる。1884（明治17）年、アメリカ合衆国へ留学し、皿洗いなど苦学をしながらグリンネル大学、エール大学を卒業。この間にキリスト教社会主義の影響を受け、貧民問題や労働問題に関心をもつ。1896年に帰国すると、翌年、神田に社会運動の拠点となる施設「キングスレー館」をひらく。また労働組合期成会を結成し、機関誌『労働世界』の編集にあたった。

1901年、幸徳秋水らと日本初の社会主義政党である社会民主党を結成。日露戦争では反戦をうったえた。その後、議会を通じた普通選挙の実現や、労働者の団結に力をつくす。1912年、東京市電の労働者がおこなったストライキ（東京市電争議）を指導したとして投獄され、やがてアメリカに亡命した。

1917（大正6）年にロシア革命がおこると、ソビエト連邦へわたり、コミンテルン（共産主義インターナショナル）の幹部会員となり、日本共産党の結成を指導した。

かたやまてつ

政治

● 片山哲　　　　　　　　　　　　　1887～1978年

戦後の日本の憲法制度をささえた

（国立国会図書館）

明治時代～昭和時代の政治家。第46代内閣総理大臣（在任1947～1948年）。

和歌山県生まれ。東京帝国大学（現在の東京大学）在学中から労働運動に加わる。卒業後は弁護士となって中央法律相談所を開設。日本労働総同盟、日本農民組合などの法律顧問をつとめた。1926（大正15）年に社会民衆党の創立に参加。1930（昭和5）年には、衆議院議員に当選した。

第二次世界大戦後は、日本社会党結成の中心となり、のちに委員長となる。1947年には内閣総理大臣に就任。民主党・

国民協同党とともに三党連立内閣を組織した。新憲法下で、国家公務員法制定、警察制度の改革、民法や刑法の改正、労働省の設置などを実現した。しかし党内右派と左派の対立で、翌年総辞職、委員長も辞任した。

1955年、ふたたび社会党が統一したのち、党最高顧問に就任。5年後には新しく結成した民主社会党へと移り、最高顧問となる。1963年、衆議院議員総選挙で落選し、政界を引退した。引退後も、憲法擁護と日中の友好関係に力をつくした。

学 歴代の内閣総理大臣一覧

かたやまとうくま

● 片山東熊　　　　　　　1854～1917年　建築

多くの宮廷建築をてがけた建築家

（日本建築学会図書館蔵）

明治時代の建築家。長門国（現在の山口県）の萩に生まれる。少年時代に奇兵隊の隊員となり、戊辰戦争に従軍する。1879（明治12）年、工部大学校（現在の東京大学）造家（建築）学科の第1回生として卒業した。辰野金吾らとともに建築家ジョサイア・コンドルの指導を受ける。工部省などをへて、1881年にはコンドルが設計した有栖川邸の建築を担当した。1886年から宮内省に勤務し、以来、宮廷建築家として生涯を送る。

1909年に完成した東宮御所（現在の迎賓館）は、彼の代表作であるとともに、明治時代の洋風建築の到達点といわれ、近代建築としては初の国宝に指定された。

そのほかの作品には、日本赤十字病院（1890年）、帝国奈良博物館（現在の奈良国立博物館、1894年）、帝国京都博物館（京都国立博物館、1895年）、表慶館（1908年）などがある。また、明治天皇の葬祭場の建設にもかかわった。

かたよせへいぞう

● 片寄平蔵　　　　　　　1813～1860年　郷土

常磐炭田を発見した商人

江戸時代後期の商人。

陸奥国磐城郡大森村（現在の福島県いわき市四倉村）に生まれ、材木商をいとなむおじの養子となった。1853年、ペリーが来航したとき、江戸（東京）にきていて、黒船は、石炭を燃やし、水を蒸気にかえて走る船だと知った。石炭を発見すれば、利益が得られると考え、村の周辺を歩きまわり、1855年、夏井川の上流で石炭のかたまりをみつけ、さらに弥勒沢（いわき市内郷白水町）で石炭の露頭を発見した。

この地をおさめる湯長屋藩（いわき市）に採掘を願いでて許可され、石炭を小名浜港（いわき市）から江戸にはこび、販売した。翌年、幕府から3000俵の石炭をおさめるように命じられ、採掘がさかんになり、炭坑も広がっていった。

（いわき市石炭・化石館）

1859年、横浜（神奈川県横浜市）に石炭販売店「石炭屋」をひらいて、外国船と取り引きをはじめ、特産物の和紙や干ししいたけもあつかって、貿易商としても活躍した。

かつかいしゅう

● 勝海舟　　　　　　　1823～1899年　幕末

江戸城の無血開城を実現

（慶應義塾福沢研究センター）

幕末期の幕臣、明治時代の政治家。

麟太郎ともいう。江戸（現在の東京）に旗本、勝小吉の子として生まれる。1839年、父が隠居してあとをつぐが、仕事はなく、剣術や、蘭学（西洋の知識や技術、文化を研究する学問）、兵学を学んだ。1850年、私塾をひらき蘭学、兵学を教える。1853年、ペリーが来航したとき、海防の整備などを説いた意見書を幕府に提出して幕府にみとめられ、1855年、外国の書物を翻訳する蕃書翻訳掛に登用された。同年、江戸幕府が創設した長崎の海軍の教育機関、海軍伝習所に入って、オランダの海軍士官に航海術などを学び、諸藩から送られた伝習生の指導にあたった。1859年、軍艦操練所教授方頭取となった。

1860年、日米修好通商条約の批准書交換のために送られた遣米使節の護衛艦、咸臨丸の艦長として太平洋横断に成功して、アメリカ合衆国にわたった。同じ船には福沢諭吉やジョン万次郎が乗っており、福沢によれば、海舟は船酔いのため船室から外にほとんど出なかったという。

1862年、軍艦操練所頭取、幕府の海軍を統括する軍艦奉行並に抜てきされた。

1864年、軍艦奉行となり神戸海軍操練所を設立し、諸藩の

武士たちに航海術を教えたが、その中には土佐藩（高知県）を脱藩した浪人の坂本龍馬などもいた。同年、龍馬や西郷隆盛と交流するなど、幕府の方針に反するような動きがうたがわれて操練所は閉鎖された。海舟は軍艦奉行をやめさせられ、謹慎となった。

1866年、幕府の第2次長州出兵で幕府軍が劣勢になったとき、ふたたび軍艦奉行に任命されると、幕府の全権として長州藩（山口県）と停戦交渉にあたった。

1868年、戊辰戦争がおこり、旧幕府軍が新政府軍にやぶれたあと、江戸にのがれた第15代将軍徳川慶喜によって陸軍総裁に任命される。新政府軍参謀の西郷隆盛と会談し、江戸城総攻撃をやめさせて、江戸城は戦いによる血を流さずに明けわたされた。

明治維新後は新政府にまねかれ、1872（明治5）年に海軍大輔（海軍省の次官）、1873年に参議と海軍卿（海軍大臣）に就任したが辞任して、旧幕府の家臣たちの援助につくした。台湾出兵や日清戦争など、日本のアジア進出には反対していた。

学 日本と世界の名言

かづきやすお　絵画

● 香月泰男　1911〜1974年

戦争の悲惨さをえがいた洋画家

昭和時代の洋画家。山口県に生まれる。1931（昭和6）年、東京美術学校（現在の東京藝術大学）に入学し、洋画家の藤島武二に学ぶ。在学中から、梅原龍三郎らがひきいる国画会展に出品した。

1934年に初入選をはたす。卒業後は、北海道や山口県で教師をつとめながら制作をつづけ、1940年に国画会の同人となる。1943年、兵士として満州（現在の中国東北部）に動員され、第二次世界大戦後、1947年までシベリアに抑留される。

1949年、シベリアでの抑留体験をもとに『埋葬』を発表した。以来、故郷のアトリエで約20年にわたって『シベリア・シリーズ』とよばれる作品をえがきつづけた。

黒と黄土色を基調とする静かな画面の中に、戦争の悲惨さや亡くなった仲間への思いをあらわした連作は、1969年の第1回新潮社日本芸術大賞を受賞した。また、身のまわりの品々や家族の日常、ふるさとの風景などを題材にした作品ものこしている。

かつしかほくさい

葛飾北斎 → 240ページ

ガッバーナ，ステファノ　デザイン

🌐 ステファノ・ガッバーナ　1962年〜

イタリアの婦人服デザイナー

イタリアの服飾デザイナー。

ミラノに生まれる。15歳のころファッションに興味をもったが、広告業界に進みたいと考え、大学でグラフィックデザインを学んだ。卒業後、広告代理店から転職したデザイン事務所で服をつくりたいと考えはじめた。

1982年、ミラノでドルチェとともに「ドルチェ&ガッバーナ」ブランドを設立し、婦人服からはじめる。1985年にミラノ・コレクションに初参加し、のちに紳士服も発表する。1993年に歌手のマドンナの世界ツアーのステージ衣裳を担当して、世界的に有名になった。

婦人服は、南イタリアの強くたくましい女性をイメージしたデザインとなっている。

かつらがわほしゅう　医学

● 桂川甫周　1751〜1809年

日本ではじめて顕微鏡を医学に利用した医者

（早稲田大学図書館）

江戸時代後期の医者。江戸（現在の東京）生まれ。蘭方医の父、桂川甫三から蘭学（西洋の知識や技術、文化を研究する学問）を学んだ。少年のころから秀才といわれ、1769年、19歳で奥医師（江戸城で将軍家を診察する医者）になった。一方で、杉田玄白や前野良沢の『解体新書』の翻訳に参加し、オランダ商館の医師ツンベルグから外科医術を学んだ。

地理学にも興味をもち、1794年、ロシアより帰国した大黒屋光太夫からロシアの政治や経済、社会、文化、風俗などを聞きとり、『北槎聞略』を著した。同年、医学館（幕府直轄の医学校）の教授になった。1802年、日本ではじめて顕微鏡を医学に利用し、『顕微鏡用法』を著した。ほかに医学書『和蘭薬撰』や『地球全図』などがある。

かつらこごろう

桂小五郎 → 木戸孝允

かつしかほくさい

葛飾北斎

絵画　1760～1849年

ヨーロッパの画家に影響をあたえた浮世絵師

■浮世絵師として登場

　江戸時代中期～後期の浮世絵師。江戸の本所（現在の東京都墨田区）に生まれた。幼名を時太郎といい、のちに鉄蔵とあらためた。幼いときから絵が得意で14歳ごろから数年間、版木彫師（浮世絵の図版を版木にほる職人）について木

▲葛飾北斎　『葛飾北斎伝』より。
（名古屋市蓬左文庫）

版彫刻の技術を学んだ。1778年、19歳のとき絵師になる決心をして役者絵（歌舞伎役者の似顔をえがいた絵）で人気のあった浮世絵師勝川春章に入門し、翌年、勝川春朗の名前で登場した。
　北斎は勝川派の絵師として役者絵や美人画などをえがいたが、それに満足できず、ひそかに狩野派（狩野正信・狩野元信父子にはじまる絵画の流派）の画法を学んだため、勝川派を破門された。その後、土佐派（平安時代以来の大和絵の様式を受けつぐ絵画の流派）や琳派（俵屋宗達にはじまり、尾形光琳、酒井抱一らによって受けつがれた絵画の流派）、西洋画の遠近法などを学んで腕をみがき、独自の画風を確立した。

■『富嶽三十六景』をえがく

　文化年間（1804～1818年）には、読本（文章を中心とする読み物）のさし絵をてがけて名声を高め、戯作者（作家）の滝沢馬琴と組んで『椿説弓張月』などの傑作をあらわした。

▲『富嶽三十六景　神奈川沖浪裏』
（東京国立博物館 Image:TNM Image Archives）

　46歳のころ、名前を北斎にあらためたが、これは一時の画号で、ほかに宗理、画狂老人、卍など生涯に30回以上名前をかえた。また、93回も引越しをしたことでも知られる。生涯せまい借家住まいだったが、絵をえがくことに熱中し、部屋がごみだらけになると引越しをしたといわれ、1日に3回引越したこともあったという。200人以上の門人があり、1814年、門人たちのために手本となる絵を集めた『北斎漫画』を出版した。
　60歳をすぎてから風景画にとりくみ、1831年、72歳のとき、代表作『富嶽三十六景』を発表した。これは、町の中や街道、田園などいろいろな場所からみた富士山をえがいたもので、大胆な構図と色づかいが評判をよんだ。次いで75歳のときには『富嶽百景』を発表し、風景画家として不動の地位を築いた。

■生涯絵をえがきつづけた

　北斎は、120畳もの大きな紙に大だるまの絵をかいたり、米粒に2羽のスズメをえがいたりして人々をおどろかせた。1842年、83歳のとき、信濃国小布施（長野県小布施町）の豪商高井鴻山のまねきに応じて、水野忠邦の天保の改革で自由に絵をえがけなくなった江戸をはなれ、小布施をはじめておとずれた。そこで祭りの屋台や寺の天井絵を制作した。
　北斎の絵に対する情熱は生涯失われることはなく、「あと5年生きられたら本物の絵かきになれるのに」といいのこし、1849年、90歳で亡くなった。のちに北斎の作品は、ヨーロッパにもたらされてモネやドガ、ルノアールなど19世紀の印象派の画家たちに大きな影響をあたえた。

▲『八方睨み鳳凰図』　小布施をたずねたときに岩松院の本堂の天井にえがいた。
（岩松院）

学　切手の肖像になった人物一覧

葛飾北斎の一生

年	年齢	主なできごと
1760	1	江戸に生まれる。
1778	19	浮世絵師の勝川春章に入門する。
1779	20	勝川春朗の名前で役者絵などをえがく。
1814	55	『北斎漫画』を出版する。
1831	72	『富嶽三十六景』を発表する。
1834	75	『富嶽百景』を発表する。
1842	83	小布施に行く。
1849	90	江戸の浅草で亡くなる。

※年齢は数え年であらわしている

かつらたろう
● 桂太郎　　　　　政治　　1847〜1913年

3度首相になった軍人、政治家

（国立国会図書館）

　明治時代の軍人、政治家。第11、13、15代内閣総理大臣（在任1901〜1906年、1908〜1911年、1912〜1913年）。
　長州藩（現在の山口県）生まれ。戊辰戦争に参加し、1870（明治3）年、ドイツに留学。軍事学を学び、ドイツ大使館づき武官などをつとめた。1884年に兵制視察のためにふたたびヨーロッパにわたり、帰国後は陸軍にドイツ式兵制をとり入れ、兵制改革をおこなう。第3次伊藤博文内閣など、4代の内閣にわたって陸軍大臣を歴任し、軍の拡張政策を進めた。
　1901年に内閣総理大臣となり、以降、西園寺公望と交互に3度政権をとった（桂園時代とよばれる）。日英同盟、日露戦争、韓国併合を断行。明治天皇暗殺を計画したとして多数の死刑者をだした1910年の大逆事件をはじめ、社会主義運動を弾圧する。1912（大正元）年、第3次内閣において、憲法を無視した非立憲政治との批判が高まり、民衆が暴動化、翌年に総辞職した（大正政変）。笑顔で対立する政治家の肩をたたいてまるめこみ、難局を切りぬけるたくみさは「ニコポン主義」とよばれた。

学　歴代の内閣総理大臣一覧

かつらぶんらく
● 桂文楽　　　　　伝統芸能　　1892〜1971年

東京落語で活躍した6代

▲6代桂文楽

　大正時代〜昭和時代の落語家。青森県生まれ。本名は並河益義。1908（明治41）年に初代桂小南に入門した。1920（大正9）年に6代桂文楽を襲名するが、縁起をかついで8代とした。以来、正統派の東京落語の中心として活躍した。昭和時代の名人として、5代古今亭志ん生とならび称されたが、芸風は、八方やぶれな志ん生とは対照的な完璧主義で、ねたは何度もねり直し、完璧にして高座にかけた。代表的な演目としては『明烏』『船徳』『素人鰻』『富久』『つるつる』『愛宕山』などがある。
　1971年、落語の途中でことばにつまり、「もう一度勉強しなおしてまいります」といいのこし、高座をおりてから、その年末に亡くなるまで、二度と落語を口にしなかったといわれる。上野黒門町（現在の上野1丁目）に住んでいたので、「黒門町の師匠」とよばれた。1954（昭和29）年に芸術祭賞を受賞し、1961年に落語家として初の紫綬褒章を受章した。

かつらべいちょう
● 桂米朝　　　　　伝統芸能　　1925〜2015年

関西の落語界の復興につくした3代

▲3代桂米朝

　昭和時代〜平成時代の落語家。
　旧満州（現在の中国東北部）生まれ。本名は中川清。大東文化学院（現在の大東文化大学）に在学中、作家で落語研究家の正岡容に入門する。1947（昭和22）年、正岡の紹介で4代桂米団治に入門し、3代桂米朝を名のる。やがて6代笑福亭松鶴、5代桂文枝、3代桂春団治とともに「上方落語の四天王」とよばれ、衰退していた関西の落語界の復興に力をつくした。うずもれていた古典をほりおこすなど、一流の落語研究者としても知られる。
　1996（平成8）年、上方落語界では初の重要無形文化財保持者（人間国宝）となり、2002年には演芸人としてはじめて文化功労者となる。精力的に独演会をひらく一方、弟子の育成に力をそそいだ。門下に、月亭可朝、2代桂枝雀、2代桂ざこばらがいる。『米朝落語全集』『上方落語ノート』『落語と私』など、著書も多い。2009年、文化勲章を受章した。

学　文化勲章受章者一覧

かとうかげのぶ
● 加藤景延　　　　工芸　郷土　　1574〜1632年

美濃焼を創始した陶工

　安土桃山時代〜江戸時代前期の陶工。
　陶工として名高かった加藤景光の子として生まれた。のちに父とともに美濃国久尻村（現在の岐阜県土岐市）に移住し、陶器の製造をおこなった。苦心の末に、白色の上薬（陶磁器に光沢をあたえる溶液）をつくりだした。さらに陶器を焼く窯の改良にとりくみ、肥前国唐津（佐賀県唐津市）に行って、窯づくりを研究した。1605年ごろ、美濃国で連房式登窯（焼成室が斜面につづく窯）をつくって美濃焼をはじめた。その後、瀬戸黒、黄瀬戸、志野、織部などの新しい美濃焼

▲元屋敷陶器窯跡（連房式登窯）（土岐市美濃陶磁歴史館）

（岐阜県土岐市、多治見市、瑞浪市、可児市などで製作される陶磁器）がくふうされた。現在、景延がつくった元屋敷窯跡は、国の史跡に指定されている。

かとうかげまさ

工芸

● 加藤景正　　　　　　　　　　　生没年不詳

日本の陶磁器のはじまり、瀬戸焼をつくった

（瀬戸蔵ミュージアム蔵）

鎌倉時代前期の陶工。京都に生まれる。
瀬戸焼の祖とされる伝説的な陶工で、実在は不明。加藤四郎左衛門景正といい、藤四郎と称し、以後襲名される。1223年、曹洞宗をひらいた道元とともに中国の宋にわたって製陶を学び、1228年に帰国し、各地で陶器づくりをおこない、尾張国瀬戸村（現在の愛知県瀬戸市）で瀬戸焼をはじめたと伝えられる。これが日本の陶磁器の起源だといわれ、陶磁器の通称として瀬戸物ということばが現在もつかわれている。

かとうかんじゅう

政治

● 加藤勘十　　　　　　　　　　　1892～1978年

労働運動をささえ、日本社会党から労働大臣に

大正時代～昭和時代の社会運動家、政治家。
愛知県生まれ。日本大学法学部中退。1918（大正7）年、シベリア出兵を経験するが、戦争の悲惨さを体験して反戦・労働運動に参加。帰国後、1920年に八幡製鉄争議を指導。全日本鉱夫組合委員長として各地の鉱山ストの陣頭に立つ。1934（昭和9）年、日本労働組合全国評議会を結成、1936年の第19回衆議院議員総選挙では反ファシズムをかかげて全国最高得票で当選する。翌年、日本無産党委員長に就任するが、人民戦線事件で検挙される。
第二次世界大戦後は日本社会党結成に参加し、芦田均内閣に労働大臣として入閣。1969年の衆議院議員総選挙には立候補せず、政界を引退、日本社会党顧問となる。夫人で政治家の加藤シヅエとともに「おしどり代議士」として知られた。

かとうきよまさ

戦国時代

● 加藤清正　　　　　　　　　　　1562～1611年

秀吉につかえ、朝鮮出兵で奮闘

安土桃山時代～江戸時代前期の武将。
尾張国（現在の愛知県西部）に生まれる。通称、虎之助。幼いころから羽柴秀吉（のちの豊臣秀吉）につかえ、1583年の賤ヶ岳の戦いで功績をあげた「七本槍（7人のすぐれた家臣）」の一人に数えられる。
1588年、肥後国（熊本県）の半国をあたえられ、朝鮮出兵（文禄・慶長の役）では、第二軍に属し、咸鏡道まで進んだ。その際、朝鮮との講和で和平を求めた文治派の石田三成らと対立を深め、1600年の関ヶ原の戦いでは、徳川家康ひきいる東軍につくこととなる。1603年、肥後一国をあたえられる。勇猛果敢な武将といわれる一方、合理的で細かな一面ももち、築城の名手として、日本三大名城の一つである熊本城を設計した。城下町を形成し、河川を改修し、新田の開発を進め、「土木の神様」といわれた。のちに、江戸城、名古屋城の建築工事でも活躍している。また、日蓮宗の信者で、キリスト教にはきびしい弾圧を加えた。

（熊本市熊本博物館）

かとうくぞう

郷土

● 加藤九蔵　　　　　　　　　　　1731～1808年

植林をして水源林をつくった人

江戸時代中期～後期の植林家。
伊勢国員弁郡深尾村（現在の三重県いなべ市）出身とも、近江国木ノ下村（滋賀県大津市）の八百屋の子ともいわれている。39歳のとき、膳所藩（大津市）の山林を管理する山林奉行のもとではたらいた。山中を巡回しながら、私費を投じて、スギやヒノキの苗を植えつけた。あるとき視察に出た山林奉行が九蔵の行動に気づき、藩は玄米1石（約180L）をあたえた。1774年、苗木植付方という役職に任命され、村人たちに木を植えることをすすめた。樹木は成長し、1854年の地震でこわれた膳所城などの修復につかわれた。植林した山林がたくわえた水分が川に流れ、田畑をうるおした。

かとうしゅういち

思想・哲学　文学

● 加藤周一　　　　　　　　　　　1919～2008年

国際的な視野をもつ文化人

昭和時代～平成時代の評論家、作家。
東京生まれ。東京帝国大学（現在の東京大学）医学部卒業。在学中から文学運動「マチネ・ポエティク」に参加、フランス文学や日本文学を読みふける。第二次世界大戦後、福永武彦、中村真一郎とともに『1946―文学的考察』を発表し、軍国主義を生んだ日本文化を批評する。やがて医学生としてフランスへ留学したのち、芸術の道へ進む。その後、日本、カナダ、ドイツ、アメリカ合衆国などの大学で日本の美術や文学、政治を講義し評論活動をするなど、国際的な視野と深い知識をもつ文化人として活躍した。作品に、小説『ある晴れた日に』『運命』、

評論『雑種文化』、自伝的回想録『羊の歌』など。1980（昭和55）年に『日本文学史序説』で大佛次郎賞受賞。

かとうしゅうそん
● 加藤楸邨　　　　　　　　　　　　詩・歌・俳句　1905〜1993年

人間探究派の俳句をよむ

昭和時代〜平成時代の俳人。

東京生まれ。本名は健雄。夫人の知世子も俳人。中学校の教師をしながら、水原秋桜子に師事し、句誌『馬酔木』に参加。やがて教師をやめ、『馬酔木』の編集などにたずさわりながら、東京文理科大学（現在の筑波大学）を卒業する。その後、句誌『寒雷』を創刊し、金子兜太、森澄雄などすぐれた俳人を育てる。

はじめのころの叙情的な作風から、やがて人間の生活や心の内面をほり下げた俳句をよんで、中村草田男らとともに「人間探究派」とよばれた。句集に『寒雷』『颱風眼』『まほろしの鹿』『起伏』などがある。松尾芭蕉や小林一茶の研究でも知られ、評釈『芭蕉講座発句篇』『一茶秀句』がある。

かとうたかあき
● 加藤高明　　　　　　　　　　　　政治　1860〜1926年

普通選挙法や治安維持法を制定した内閣総理大臣

明治時代〜大正時代の外交官。第24代内閣総理大臣（在任1924〜1926年）。尾張国（現在の愛知県西部）生まれ。本名は服部総吉。1872（明治5）年に加藤家の養子となり、その後高明と名をかえた。東京大学卒業後、郵便汽船三菱会社に入社すると、社長の岩崎弥太郎にみとめられ、その長女と結婚した。その後、官僚となり、1888年に外務省に入ると、駐英公使をつとめた。1900年の第4次伊藤博文内閣から、歴代内閣で外務大臣をつとめる。1913（大正2）年、桂太郎の死後、政党政治を求める立憲同志会の総理となる。1914年第2次大隈重信内閣の外務大臣として第一次世界大戦参戦へみちびき、翌年には21か条の要求を中華民国（中国）の袁世凱政府につきつけた。

1924年、第2次憲政擁護運動によって内閣総理大臣となり、護憲三派内閣を組織して普通選挙法や治安維持法を制定、イギリス式立憲政治の確立に貢献した。1925年に護憲三派は協調がとれなくなり崩壊したが、憲政会の単独内閣でひきつづき総理大臣をつとめた。しかし翌年、病気のため、在任中に死去した。

学 歴代の内閣総理大臣一覧

かとうたつのすけ
● 加藤辰之助　　　　　　　　　　　　工芸　郷土　1860〜1930年

信楽焼の発展に貢献した陶工

明治時代〜昭和時代の陶工。

近江国甲賀郡信楽町（現在の滋賀県甲賀市）で陶器の信楽焼をつくる家に生まれ、幼いころから陶器に親しんだ。明治時代になり、製茶業がさかんになると、茶壺の粗悪品がたくさん出まわり、信楽焼の評判を落とした。1902（明治35）年、同業組合を組織して組合長になり、信楽焼の名声をとりもどす活動をはじめた。製陶業者の指導をおこなう模範工場を設立し、焼き物師の養成や技術の向上をはかり、製品の改良をめざした。また、地元小学校の卒業生を実習生としてむかえて、後継者を育てた。その結果、信楽焼の名声が回復し、県下第一の伝統産業となり、のちに国の伝統的工芸品に指定された。

かとうたみきち
● 加藤民吉　　　　　　　　　　　　工芸　郷土　1772〜1824年

瀬戸の磁器生産を発展させた陶工

（瀬戸市まるっとミュージアム・観光協会）

江戸時代中期〜後期の陶工。尾張国瀬戸村（現在の愛知県瀬戸市）の窯屋（陶磁器の製造をいとなむ人）の次男として生まれた。当時、長男だけが窯をつぐ取り決めがあったため、家業をつぐことができず、父の吉左衛門と熱田（愛知県名古屋市）で新田開発の仕事をした。そこで、尾張藩（名古屋市）の熱田奉行津金文左衛門に才能を見いだされ、その援助を得て、染付磁器（藍色の顔料で下絵をほどこし、透明な上薬をかけて焼いた磁器）の製法を研究した。その後、瀬戸村に窯を築いて、染付磁器を焼きはじめた。1804年、33歳のとき、質のよい染付磁器をつくっていた肥前国（佐賀県、長崎県）などで製法を学ぶために九州へわたり、天草（熊本県天草市）や佐々（長崎県佐々町）などで修業した。36歳で瀬戸にもどり、染付磁器を焼くとともに、習得した磁器の製法を人々に広めて、瀬戸の磁器生産の発展につとめた。いまでも、瀬戸では磁器生産がさかんにおこなわれている。

かとうとうくろう
● 加藤唐九郎　　　　　　　　　　　　工芸　1897〜1985年

現代日本の代表的な陶芸家

大正時代〜昭和時代の陶芸家。

愛知県水野村（現在の瀬戸市）生まれ。幼いころから家業

かとう

の製陶業に従事する。そのかたわら、瀬戸周辺の古い窯を発掘調査して、器の材質や技法などを研究し、1929（昭和4）年、瀬戸古窯調査保存会を設立した。桃山時代の黄瀬戸、織部、志野など、瀬戸美濃地方の伝統的な陶芸にひかれ、その再現に力をそそぐ。1930年、志野茶碗を再現した『氷柱』を発表して注目を集め、翌年には帝国美術院展覧会（帝展）で初入選をはたした。1952年、織部の技法で第1回無形文化財記録保持者（人間国宝）にえらばれる。1960年、鎌倉時代の制作とされ、重要文化財に指定されていた器について、自分がつくったものであると表明し、のちに重要文化財と人間国宝の指定がとりけされる事件があった。これをきっかけに、いっさいの公職からはなれて制作に専念し、独特の作風にいっそうみがきをかけた。器にかぎらず、建築と陶芸の融合をめざした陶壁の制作でも知られる。

かとうともさぶろう
● 加藤友三郎　1861〜1923年　政治

ワシントン会議に代表として参加した

（国立国会図書館）

明治時代〜大正時代の軍人、政治家。第21代内閣総理大臣（在任1922〜1923年）。
安芸国（現在の広島県西部）生まれ。海軍軍人として日清戦争に出征し、黄海海戦で活躍。日露戦争では連合艦隊参謀長として日本海海戦を指揮した。海軍次官などをへて、1915（大正4）年、第2次大隈重信内閣の海軍大臣に就任すると、以降3代の内閣にわたって海軍大臣をつとめた。この間の1919年には、「八八艦隊」とよばれた日本海軍の拡張案を推進したが、1921年からひらかれたワシントン会議に主席全権委員として出席すると、一転して軍縮条約を締結させた。
1922年には、高橋是清内閣にかわり、海軍大臣を兼任しながら、内閣総理大臣に就任する。軍縮推進、シベリア撤兵完遂、協調外交の推進など、ワシントン会議での決定を実践していたが、在任中にがんのため亡くなった。その8日後、1923年9月1日には関東大震災が発生する。このとき日本は、正式な首相が不在という異常事態であり、臨時代理として外務大臣だった内田康哉がその任にあたった。
学 歴代の内閣総理大臣一覧

かとうひろゆき
● 加藤弘之　1836〜1916年　学問／教育

思想を180度かえて、競争社会をめざした

幕末〜明治時代の政治学者、教育者。
但馬国（現在の兵庫県北部）生まれ。藩校弘道館で学び、のちに江戸（東京）に出て、佐久間象山らの下で西洋学を学ぶ。
1860年から幕臣として蕃書調所（洋学の研究教育機関）の教授手伝などをつとめ、『真政大意』『国体新論』などで、欧米の立憲思想を紹介した。1873（明治6）年には、日本最初の学術団体である明六社の結成に参加し、啓蒙活動をおこなう。1881年、旧東京大学の初代総理になる。このころから優勝劣敗を説く「社会進化論」という考え方に転向し、1882年には『人権新説』を出版。すべての人間は平等であるとする「天賦人権説」を批判し、競争社会の進展をおし進めた。1890年、帝国大学（現在の東京大学）の第2代総長となる。

かどのえいこ
● 角野栄子　1935年〜　絵本・児童

『魔女の宅急便』の作者

▲角野栄子

児童文学作家。
東京生まれ。本姓は渡辺。早稲田大学教育学部卒業。卒業後、出版社の勤務をへて、夫とともに、太平洋、インド洋、大西洋をわたる2か月の船旅に出発。そのままブラジルに移住し、2年間サンパウロでくらした。その後、半年かけてヨーロッパ各地をまわって帰国。
1970年にノンフィクション『ルイジンニョ少年、ブラジルを訪ねて』でデビュー。以後、おばけのアッチ、コッチ、ソッチが登場する幼年童話『小さなおばけ』シリーズ、おっちょこちょいで変わり者のママしずかさんがまきおこす騒動をつづった『わたしのママはしずかさん』、もとズボン号の船長だった老人と少年の友情物語『ズボン船長さんの話』、代々泥棒の家系に生まれた39代目ブラブラ氏が活躍する『大どろぼうブラブラ氏』をはじめ、独特の発想とユーモアで、こどもの心をつかむ作品を次々と発表し人気を得る。産経児童出版文化賞大賞、路傍の石文学賞、野間児

▲『スパゲッティがたべたいよう』（『小さなおばけ』シリーズ）

童文芸賞、小学館文学賞など数々の賞に輝き、2000（平成12）年には紫綬褒章を受章する。

代表作の一つ『魔女の宅急便』は、宮崎駿監督でアニメ映画化されて大ヒットを記録した。この作品は、娘が中学生のときにかいた、ラジオをぶらさげたほうきに乗った魔女の絵にインスピレーションを得て生まれたもので、1985年から24年をかけて第6巻で完結した。13歳だった主人公のキキが結婚して双子の母親になるまでをえがいている。

カトリーヌ・ド・メディシス　王族・皇族

カトリーヌ・ド・メディシス　1519～1589年

サンバルテルミの虐殺をひきおこした王妃

フランス王国、バロワ朝の国王アンリ2世の王妃。

イタリアのフィレンツェに生まれる。父はロレンツォ・デ・メディチの孫のウルビーノ公、母はフランス王フランソワ1世のいとこのマルグリット。両親はカトリーヌが生まれてまもなく亡くなったため親せきに育てられ、1533年、14歳でフランソワ1世の第2子アンリと結婚した。

▲カトリーヌ・ド・メディシス

しばらく子にめぐまれなかったが、1544年に第1子フランソワを産んでから、次々と10人の子にめぐまれた。1547年、夫がアンリ2世としてフランス王となり、カトリーヌはその王妃となった。

1559年にアンリ2世が亡くなり、長男のフランソワ2世が王位をつぐが、彼もまた約1年半後に亡くなった。カトリーヌは次男のシャルル9世を王位につけ、みずからは摂政となって実権をにぎり、10歳の王をささえた。このころのフランス宮廷は、カトリック（旧教徒）とフランスのプロテスタント（新教徒）の一派であるユグノーがはげしく対立していた。旧教と新教を和解させて王権を安定させようと、1562年にユグノーの信仰の自由をみとめる王令をだしたが、これを不満とするカトリックがユグノーをおそい、多くの死者が出た。怒ったユグノーは各地で武装し、以後30年以上にわたるユグノー戦争がはじまった。

1572年、新旧両派の和解の象徴として、娘のマルグリットをユグノーの指導者アンリ・ド・ナバルと結婚させた。しかし、サンバルテルミの祭日（8月24日）に結婚を

▲シュノンソー城のカトリーヌの寝室

祝ってパリに集まっていたユグノーの貴族をカトリックがおそい（サンバルテルミの虐殺）、和解は実現しなかった。この襲撃はカトリーヌが指示したという説もある。抗争はパリから地方都市まで広がり、死者はフランス全土で1万人をこえたという。

1574年、シャルル9世が23歳で亡くなると、4男のアンリ3世を即位させ、カトリーヌは国内をまわって国王の権威をたもとうとしたが、新旧両派の対立ははげしさをましていった。その後もさまざまな手をつくしたが、長期間にわたったユグノー戦争でフランスは分裂し、王権は弱まり、多くの犠牲者をだした。1589年、カトリーヌが亡くなり、同年、アンリ3世が暗殺され、250年以上つづいたバロワ朝は断絶した。

生涯を通じて、イタリアのルネサンス文化をフランスに移入し、宮廷の儀礼をはじめ宮殿の造営、絵画や美術品の収集、歌と音楽と演劇を一つにしたバレエの創作、イタリアの食文化の導入など、宮廷文化の発展に貢献した。

かないしげのじょう　郷土

金井繁之丞　1758～1829年

足利織物業を発展させた農民

江戸時代後期の機業家。

下野国足利郡粟谷村（現在の栃木県足利市）に生まれた。村では農業のあいまにカイコを育て、生糸で機織りをしていた。機織りの機械は、高機（腰板に腰かけて足で踏み木をふんで織る織機）を使用したが、京都の西陣で織られる西陣織のような細かい模様は織ることができなかった。そのため、足利にやってきた西陣の紋織工の小坂半兵衛から、5年かけて紋織の技術を学んだ。その後も熱心に研究を重ね、花鳥、風景、人物などを織りだす模様紋織物や、模様玉川、お召縮緬とよばれる独自の織物をくふうしてつくった。この技術により、足利の織物業が大きく発展した。

かないとしゆき　郷土

金井俊行　1850～1897年

長崎に上水道をつくった政治家

明治時代前期の政治家。

肥前国長崎（現在の長崎市）に生まれた。1886（明治19）年、長崎区（長崎市）の区長（のちの市長）になった。当時、長崎では、1673年に完成した倉田水樋が古くなり、飲み水のよごれが問題になっていた。1885年に長崎で発生したコレラが全国に広がり、10万人以上の死者をだした。人々の健康のために近代的な上水道が必要だと考え、長崎県令（長官）の日下義雄と協議し、上水道の建設を決定した。建設にはばく大な費用がかかるので、はげしい反対運動がおこったが、反対派を説得し、1889年に工事をはじめ、2年後、長崎郊外の本河内に貯水池（本河内高部ダム）を完成した。これにより、日本で3番目の上水道が誕生した。

かないのりしげ　探検・開拓
● 金井宣茂　1976年〜

海上自衛隊の医師から転向した宇宙飛行士

宇宙飛行士、医師、元海上自衛隊員。

東京都生まれ、千葉県で育つ。2002（平成14）年、防衛医科大学校を卒業、医師免許を取得して海上自衛隊入隊。潜水艦乗組員の長期閉鎖環境における心身の健康状態（潜水医学）について学び、防衛医科大学校病院や自衛隊大湊病院などに勤務。2009年、宇宙航空研究開発機構（JAXA）の宇宙飛行士選抜試験に参加。2011年に国際宇宙ステーション（ISS）搭乗員基礎訓練を終了し、医師から転向した3人目の宇宙飛行士として認定を受けた。米国海底研究施設でのアメリカ航空宇宙局（NASA）極限環境ミッション運用訓練にも参加、2015年にISS長期滞在クルーに任命された。2017年11月から約6カ月間、ソユーズ宇宙船にフライトエンジニアとして搭乗し、ISSに滞在する予定。

かながきろぶん　文学
● 仮名垣魯文　1829〜1894年

世相をたくみにとらえたこっけい話で人気

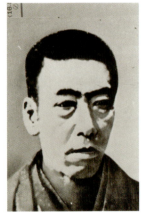
（日本近代文学館）

江戸時代後期〜明治時代の作家、新聞記者。

江戸（現在の東京）生まれ。本名は野崎文蔵。幼いころからはたらきに出るが、戯作（娯楽小説）が好きで、戯作者に弟子入りする。1860年に書いた『滑稽富士詣』で、戯作者としてみとめられた。明治時代になり、戯作者の十返舎一九が書いた『東海道中膝栗毛』をもとに、弥次さん、喜多さんの孫が外国旅行に出かけて、おもしろおかしい失敗を重ねる『西洋道中膝栗毛』（1870〜1876年）を発表し、人気を得る。1871年に発表した、当時流行の牛鍋屋につどう人々のようすをえがいた『安愚楽鍋』が大ヒットし、代表作となる。ジャーナリズムがさかんになると、『仮名読新聞』『いろは新聞』などを創刊し、編集者、新聞記者として活躍する。連載小説も好評で、新時代の世相や風俗を、風刺をまじえてユーモラスにえがき、魯文の時代といわれる一時代を築いた。

かなぐりしぞう　スポーツ
● 金栗四三　1891〜1983年

日本のマラソン界に貢献した

明治時代〜大正時代のマラソン選手。

熊本県生まれ。東京高等師範学校（現在の筑波大学）在学中、校長の嘉納治五郎に長距離選手としての才能を見いだされ、1912（明治45）年のストックホルム・オリンピックに、初の日本選手として、短距離の三島弥彦とともに参加した。

結果は途中棄権に終わったが、「世界で戦える選手を育てたい」との思いから、マラソンの普及と選手の育成にとりくみ、1920（大正9）の第1回東京箱根間往復大学駅伝競走（箱根駅伝）の開催に力をつくした。また高地トレーニングなどの新たな練習方法を発案するなど、日本マラソン界の発展に大きく貢献し、日本における「マラソンの父」とよばれている。

かなもりきちじろう　郷土
● 金森吉次郎　1864〜1930年

大垣の町を洪水から救った治水家

幕末〜昭和時代の治水家。

美濃国魚屋町（現在の岐阜県大垣市）の裕福な家に生まれた。15歳のとき、天竜川の治水工事を進めた金原明善のことを書いた新聞記事に感動し、治水を一生の仕事にしようと決意した。1896（明治29）年、大洪水によって、洪水から田畑や家を守るために周囲を堤防でかこまれていた大垣輪中に揖斐川の水が流れこみ、家は屋根まで水につかり、おおぜいの人が輪中にとりのこされた。吉治郎は、責任を一人で負う覚悟で横曽根の堤防を切り割って、浸水した水を揖斐川に流し、4万人の命を救った。また、歴史にうもれていた木曽川治水工事の指揮をとった平田靱負たちの功績を世間に知らせるため、千本松原（岐阜県海津市）に記念碑を建てた。

かなやそうぞう　郷土
● 金谷総蔵　1845〜1892年

ラッカセイの栽培に貢献した農業指導者

（旭市秘書広報課）

幕末〜明治時代の農業指導者。

下総国鎌数村（現在の千葉県旭市）に生まれた。村は干拓地のため下総台地の上にあり、砂の多い地質で、作物が育ちにくかった。やせた土地でも育つ作物はないかと考えていたが、千葉県令（県知事）がラッカセイ（ピーナッツ）の栽培をすすめていることを知った。県からラッカセイの種子をゆずりうけ、まいてみたところ、やせた土地でもみごとに収穫できた。

さっそく農家をまわって栽培をすすめた。ところが、ラッカセイは花が咲き終わると花のもとの部分が地中にもぐり、地下に実ができるというかわった植物で、この習性がきらわれたりすることがあり、なかなか普及しなかった。しかしラッカセイが東京で高く売

れることがわかり、種子や肥料を農家に利息なしで貸して、ねばり強く説得した結果、しだいに地域に広がり、特産品となった。現在では千葉県が全国のラッカセイ年間生産量の8割を占めている。

カニシカおう 王族・皇族

● カニシカ王 生没年不詳

仏教をあつく保護し、ガンダーラ美術が栄えた

▲カニシカ王の金貨

古代インド、クシャーナ朝の最盛期の王（在位2世紀中ごろ）。

1世紀ごろに西北インドを統一した、クシャーナ朝の第3代王。首都プルシャプラ（現在のペシャーワル）を中心に、中央アジアからガンジス川中流域まで領土を拡大し、大帝国を築いた。

王は、ローマとの交易も積極的におこない、ローマからもたらされた金をもとに大量の金貨をつくった。また、クシャーナ朝が支配した領土は、西のローマ帝国と東の後漢（中国）の中間に位置していたため、東西交易の中継地として繁栄した。

各地に多くの仏塔や寺院を建て、仏典を編さんするなど、仏教の保護に力をそそいだ。一方で、仏教以外の宗教の存在もみとめていて、王が発行した貨幣にはほかの宗教の神々もえがかれている。また、この時代は文化の融合も活発におこなわれ、プルシャプラ近辺のガンダーラ地方を中心に、ギリシャ彫刻の影響を受けた仏像などがつくられた。これらの仏教芸術はガンダーラ美術とよばれ、中国や日本にも伝わった。

カニング，ジョージ 政治

● ジョージ・カニング 1770〜1827年

モンロー宣言を支持したイギリスの外務大臣

イギリスの政治家、首相（在任1827年）。

ロンドンのウェストミンスターに生まれる。父が早くに亡くなったため、おじの援助でオックスフォード大学に進学、卒業した。その後、小ピットにみとめられトーリー党に入党、下院議員となった。1807年、ポートランド内閣の外務大臣に就任するが、当時の閣僚だったカッスルリーと衝突、決闘となり負傷するさわぎをおこしたうえ辞任した。その後、東インド会社総督をへて1822年に外務大臣に再任される。そして1827年に首相となるが、4か月後には病死した。

その外交方針は自由主義外交の提唱であり、中南米諸国の独立を承認、アメリカ合衆国のモンロー政策への賛同、ギリシャ独立戦争やポルトガルの自由主義運動を支援した。

カヌート

カヌート → クヌート

かねこおうてい 絵画

● 金子鷗亭 1906〜2001年

現代に広く親しまれる書を提案した書家

昭和時代〜平成時代の書家。北海道生まれ。本名は賢蔵。1929（昭和4）年、函館師範学校（現在の北海道教育大学函館校）を卒業後、小学校の教員となる。1932年に上京し、書道界の革新運動をひきいていた比田井天来に入門した。1933年、雑誌『書之研究』に新調和体についての論文を発表し、現代の書は、現代のことばを現代にふさわしい表現で書くべきだと主張する。

第二次世界大戦後の1948年、衰退していた書道界を復興するため、全日本書道展（現在の毎日書道展）の創設に力をつくす。1964年には創玄書道会を創立し、近代文学をわかりやすい書で表現する「近代詩文書」を提唱した。1966年、代表作となる『丘壑寄懐抱』で日展の文部大臣賞を受賞し、翌年には、日本芸術院賞を受賞した。また1990（平成2）年、文化勲章を受章した。1952年、第1回全国戦没者追悼式で墓標の書を担当し、1963年から1993年まで毎年、標柱の書を書きつづけた。

学 文化勲章受章者一覧

かねこけんたろう 政治

● 金子堅太郎 1853〜1942年

ポーツマス条約を日本に有利にみちびく

明治時代の政治家。

筑前国福岡藩（現在の福岡県北西部）の藩士の家に生まれる。アメリカ合衆国に留学し、ハーバード大学で法律を学ぶ。1885（明治18）年、内閣総理大臣秘書官に就任、翌年、伊藤博文内閣の下で、井上毅、伊東巳代治らとともに大日本帝国憲法、皇室典範、諸法典の起草に参画する。その後、同内閣において農商務大臣や司法大臣をつとめた。1904年に勃発した日露戦争の最中、アメリカへわたり、ローズベルト大統領と接触。日本に有利になるよう、広報外交を展開する。

翌年にはロシアに勝利し、その講和会議で交渉が難航した際、ローズベルトに援助を求め、ポーツマス条約の成立に貢献した。1906年に枢密顧問官となり、みずからを「憲法の番人」と称した。

かねことうた
● 金子兜太　　1919年～　詩・歌・俳句

社会性俳句で、戦後の俳句界をリード
俳人。
埼玉県生まれ。父は医師で俳人の元春（俳号は伊昔紅）。東京帝国大学（現在の東京大学）卒業。在学中に、俳人の加藤楸邨に教えを受け、句誌『寒雷』に作品を発表。第二次世界大戦中は南方の戦地に送られる。戦後は日本銀行ではたらきながら、1962（昭和37）年、『海程』を創刊する。
社会問題に対する自分の態度を明らかにする社会性俳句、前衛的俳句をよみ、戦後の俳句界をリードした。1956年、『少年』で現代俳句協会賞を受賞する。2002（平成14）年には『東国抄』『金子兜太集』で日本芸術院賞、2008年文化功労者、2010年毎日芸術賞特別賞、菊池寛賞を得る。

かねこなおきち
● 金子直吉　　1866～1944年　産業

日本の産業をもり立てた「財界のナポレオン」

（鈴木商店記念館）

明治時代～昭和時代の実業家。
土佐国（現在の高知県）生まれ。商家に生まれるが店がつぶれ、長屋で極貧生活をしながら、紙くずひろいで生計をささえた。学校へは行かず、でっち奉公をしたのち、神戸の砂糖商、鈴木商店に入る。1886（明治19）年に番頭となり、しょうのう精製業や製糖業をはじめ、神戸製鋼所の経営にあたるなど事業を拡大。非凡な経営能力と大胆な事業拡大戦略で鈴木商店を日本有数の総合商社に育てあげた。最盛期、その傘下には80社以上の企業があった。第一次世界大戦時、鉄材、船舶などが日本最大の取扱高となるが、台湾銀行に過度に依存していたため、1927（昭和2）年の金融恐慌で同行が破綻すると、鈴木商店も倒産した。しかし、鈴木商店を源流とした企業には、現在の帝人、日本製粉、J・オイルミルズ、昭和シェル石油、サッポロビールなどが名をつらね、日本経済に大きな位置を占めている。また直吉は、政財界の多数の有能な人材を育成し、「財界のナポレオン」と高く評価されている。

かねこみすず
● 金子みすゞ　　1903～1930年　詩・歌・俳句

あらゆるものの命を考える童謡詩人
大正時代～昭和時代の詩人、童謡詩人。
山口県生まれ。本名はテル。大津高等女学校（現在の県立

（金子みすゞ著作保存会）

大津緑洋高校）卒業。成績優秀で読書が好きな、優しい性格の少女だった。20歳のころから童謡を書きはじめ、雑誌『童話』や『婦人画報』に『お魚』『打出の小槌』などを投稿する。『童話』の選者をつとめていた西条八十に才能をみとめられ、「若き童謡詩人の中の巨星」と賞賛された。その詩には、小さいもの弱いものの中に命の輝きを見いだし、自然や風土に優しいまなざしをむける、稀有な詩人の才能がこめられている。代表作に『おとむらい』『大漁』『土』『露』『私と小鳥と鈴と』などがある。若くして離婚、病を得て前夫に最愛の娘をうばわれないため、28歳で服毒自殺をした。
没後52年をへて、みすゞの研究者で詩人の矢崎節夫により、みすゞの弟正祐の手もとにのこされていた未発表の作品が発見された。1984（昭和59）年に出版された『金子みすゞ全集』全3巻により、いまも多くのファンをひきつけている。

かねこみつはる
● 金子光晴　　1895～1975年　詩・歌・俳句

反骨と抵抗の詩人
大正時代～昭和時代の詩人。
愛媛県生まれ。本名は安和（保和）。早稲田大学英文科などを中退。幼いころに金子家の養子となる。弟は詩人、作家の大鹿卓。夫人は詩人、作家の森三千代。養父の死後、ベルギーにわたり詩作にふける。帰国後に出版した詩集『こがね虫』は、華麗なことばで注目された。1923（大正12）年の関東大震災で家を失って各地を放浪する。作家の森三千代と結婚したのち、東南アジアからヨーロッパで放浪をつづける。1937（昭和12）年、詩集『鮫』を出版し、反骨と抵抗を表現。第二次世界大戦後は、『落下傘』『蛾』『鬼の児の唄』などの反戦詩を次々と発表して高く評価された。1952年、『人間の悲劇』で読売文学賞受賞。

かねざわさねとき
● 金沢実時　　1224～1276年　貴族・武将

金沢文庫のもとになった膨大な書籍を収集
鎌倉時代中期の武将。
北条義時の孫。北条実時ともいう。1234年、小侍所別当（将軍の側近として警備などをおこなう小侍所の長）として歴代の将軍につかえた。1252年、引付衆（評定衆の下で所領関係の裁判をおこなった職）、1253年、評定衆（政治を統括する執権の下で裁判や政務をおこなった職）に加わって政治の中

心に立った。学問を好み、日本や中国の書籍を収集し書きうつした。集めた膨大な書籍は、所領のあった武蔵国六浦荘金沢（現在の神奈川県横浜市）の文庫におさめられ公開され、現在も多くの古文書や絵画を所蔵する金沢文庫のもとになった。1262年、真言律宗（空海の真言宗と戒律を重んじる宗派）をひらいた西大寺（奈良市）の僧、叡尊を深く尊敬して鎌倉（神奈川県鎌倉市）にまねき北条時頼とともに受戒（僧になるための戒律をさずかること）し、1267年、阿弥陀堂だった称名寺（横浜市）を真言律宗の寺院にあらためた。

（北条実時画像／東京大学史料編纂所所蔵模写）

ガネット，ルース・スタイルス　絵本・児童

● ルース・スタイルス・ガネット　1923年〜

ユーモアと空想にあふれたエルマーの世界をつくる

アメリカ合衆国の児童文学作家。

ニューヨーク生まれ。父は作家、書評家として新聞などに記事を書いていた。名門女子大学（現在は共学）のバッサー・カレッジを卒業。化学者として医学研究所や電波研究所ではたらいていたが、自分の本当の興味は児童文学にあると気づき、児童図書協会の職員となる。協会につとめながら1948年に、少年エルマーがどうぶつ島にとらわれている竜のこどもを助ける冒険物語『エルマーのぼうけん』を発表。高い評価と読者の熱烈な支持を得て、続編の『エルマーとりゅう』『エルマーと16ぴきのりゅう』が出版された。この3冊にファンタジックなさし絵をかいたルース・クリスマン・ガネットは、作者の義理の母で、画家として数々の児童書にすぐれたさし絵をかいている。

ユーモアと空想力に富んだエルマーの3部作は、20世紀の幼年童話の古典といわれ、世界各地で翻訳され、現在も読みつがれている。

かねよししんのう　王族・皇族

● 懐良親王　?〜1383年

九州の南朝勢力回復をまかされた皇子

鎌倉時代後期〜南北朝時代の皇子。

後醍醐天皇の第6皇子に生まれる。「かねなが」とも読む。後醍醐天皇は、建武の新政が崩壊したのち、みずからの皇子を全国に派遣して、南朝勢力の回復をめざした。懐良親王は奈良・平安時代に九州や四国を平定するためにおかれていた役職、征西将軍に任じられ、九州へ派遣されることとなった。

12人の家来に守られ、九州にむかう途中、伊予国（現在の愛媛県）忽那島に数年間滞在し、1342年に薩摩国（鹿児島県

（国立国会図書館）

西部）谷山城に入った。その後、九州を北上して1347年に肥後国（熊本県）に入り、1361年には大宰府（福岡県におかれた九州をおさめるための朝廷の機関）を占拠。九州の南朝勢力をもっとも強大にした。これを危険視した北朝勢力である室町幕府は、1371年、九州探題（室町幕府が九州を統括するためにおいた機関）として今川了俊を派遣。懐良親王は大宰府を追われ、南朝勢力は衰退した。その後は征西将軍の職をおいの良成親王にゆずり、隠居先の筑後国（福岡県南部）矢部で亡くなった。墓所は筑後・肥後各地にのこっているが、どれも確証にはいたっていない。

かのうえいとく　絵画

● 狩野永徳　1543〜1590年

狩野派の様式を大きく発展させた画家

安土桃山時代の画家。

京都生まれ。絵師をいとなむ狩野松栄の長男で、狩野元信の孫にあたる。幼名は源四郎。幼いころから将来を期待され、祖父の指導を受ける。1566年、わずか24歳で父とともに大徳寺聚光院の障壁画（障子絵や屏風絵などの総称）などを制作した。もっとも重要な部屋をまかされ、『四季花鳥図』『琴棋書画図』をえがいた。ウメとマツの巨木を力強く、ふすまの枠をつきやぶるように表現した『四季花鳥図』は、元信によって確立された狩野派の様式を大きく発展させるとともに、安土桃山時代の絵画全体にも影響をあたえることになる。

その大胆な表現は、やがて織田信長にみとめられ、1576年にはじまる安土城の建設では、京都の家や屋敷を弟の宗秀にゆずり、決死の覚悟で、一門をひきいて、障壁画の制作にあたった。花鳥画から中国の聖人像まで、さまざまな画題を、あらゆる技法を用いてえがいたといわれる。信長の死後は、豊臣秀吉に重用され、大坂城、聚楽第、正親町院御所、天瑞寺、後陽成天皇御所など、おびただしい数の障壁画を、工房の分業によって次々に制作した。

しかし、安土桃山時代の美術を代表するこれらの障壁画は、建物と運命を共にしたために、ほとんどが失われた。確実に永徳の作品とされているものに、大徳寺聚光院の障壁画のほか、織田信長が上杉謙信に

▲『唐獅子図屏風』　（宮内庁三の丸尚蔵館）

贈った『洛中洛外図屏風』がある。京都の中心部（洛中）と郊外（洛外）の情景を見下ろすようにとらえた作品で、そこには障壁画の大胆な表現とは打ってかわって、建物や人々の生活などが細かく、生き生きとえがかれている。

そのほか、宮内庁に所蔵されている『唐獅子図屏風』、東京国立博物館所蔵の『檜図屏風』『許由巣父図』、京都国立博物館所蔵の『仙人高士図』などが、永徳の作品とされている。

かのうさんらく　絵画
● 狩野山楽　1559～1635年
狩野派の一つ、京狩野の祖

（京都国立博物館）

戦国時代～江戸時代前期の画家。

近江国（現在の滋賀県）に、戦国大名浅井長政の家臣の子として生まれる。1573年、浅井氏が織田信長にほろぼされると、父が新たにつかえた豊臣秀吉の小姓としてつかえた。秀吉に絵の才能をみとめられ、秀吉の推薦で画家の狩野永徳の弟子になった。信長が本能寺の変でたおれたあとは、永徳とともに京都の伏見城や大坂（阪）城などの障壁画を制作したと考えられる。永徳の死後、豪壮な画風を受けつぎ、狩野派を代表する画家になった。江戸時代になると、狩野派の画家の多くが徳川氏との関係を深めて江戸（東京）に移ったが、山楽は京都にとどまった。豊臣氏とのかかわりから豊臣家滅亡後は苦しい立場に立ったが、ゆるされて京都で活躍し、京狩野とよばれる流派の祖になった。代表作に、大覚寺（京都市）のふすま絵『紅梅図』『牡丹図』や妙心寺（京都市）の『龍虎図屏風』などがある。

かのうじごろう　スポーツ　教育
● 嘉納治五郎　1860～1938年
近代柔道を創始した教育者

明治時代～昭和時代の教育者、講道館柔道の創始者。

兵庫県生まれ。東京大学在学中に柔術を学ぶ。卒業後は学習院で英語教師をするかたわら、1882（明治15）年に講道館を設立した。それまでの柔術を改良した近代柔道を創始した。

また長年にわたって東京高等師範学校（現在の筑波大学）の校長をつとめ、教育改革や学校体育の充実を進めた。

1909年に東洋初の 国際オリンピック委員会（IOC）委員となり、1940（昭和15）年の東京オリンピック招致に成功したが、第二次世界大戦の激化により返上した。1911年に大日本体育協会（現在の日本体育協会）を設立するなど、日本のスポーツ振興に力をつくし、「柔道の父」「日本の体育の父」とよばれる。

かのうそうしゅう　絵画
● 狩野宗秀　1551～1601年
兄をささえて狩野派一門で活躍した画家

▲『都の南蛮寺図』
（神戸市立博物館所蔵
Photo:Kobe City Museum/DNPartcom）

安土桃山時代の画家。

絵師の狩野松栄の次男で、狩野永徳の弟。名は元秀、秀信（季信）。兄の永徳から絵を学び、荒々しい画風をひきつぐ。永徳の信頼は厚く、1576年、狩野派一門が安土城の障壁画制作のため現地に移り住んだときは、狩野派の本拠である京都の屋敷をあずけられた。1583年、三河国（現在の愛知県）の長興寺でおこなわれた織田信長の一周忌法要のために、信長像の制作を依頼され、これを寺におさめる。1590年には、内裏の改造にあたり、永徳を補佐して障壁画（障子絵や屏風絵などの総称）の制作に参加した。この年、永徳が亡くなると、その長男である光信をささえ、狩野派をまとめた。

現在のこっている作品には、1596年に制作した『日禛上人像』（京都国立博物館所蔵）のほか、『四季花鳥図屏風』（大阪市立美術館所蔵）、『都の南蛮寺図』（神戸市立博物館所蔵）、山形市光明寺の『一遍上人絵伝』などがある。

かのうたんゆう　絵画
● 狩野探幽　1602～1674年
御用絵師となり、狩野派を繁栄にみちびく

（国立国会図書館）

江戸時代前期の画家。狩野派（狩野正信・狩野元信父子にはじまる絵画の流派）の画家狩野孝信の子として京都に生まれる。狩野永徳の孫。本名は守信。幼いころから絵の才能にすぐれ、13歳のとき、江戸幕府第2代将軍徳川秀忠の前で絵をえがいて、「祖父永徳の再来」と絶賛された。1617年、16歳で幕府の御用絵師（幕府や大名の命を受けて制作をおこなう画家）になり、のちに江戸城の外堀にかかる鍛冶橋（中央区八重洲にあった橋）門の外に広大な屋敷をあたえられた。

1619年、徳川和子の入内（宮中へ入ること）にそなえて御所（天皇などの住まい）の拡張工事がおこなわれると、その障壁画（障子絵や屏風絵などの総称）を制作した。以後、弟の尚信、安信らをひきいて江戸城をはじめ、二条城（京都市）、

名古屋城（名古屋市）、日光東照宮（栃木県日光市）、増上寺（東京都港区）など幕府の重要な建物の障壁画を数多くてがけた。1635年に34歳で髪をそり、探幽と名のった。幕府御用絵師としての地位をゆるぎないものにし、狩野派繁栄の基礎を築いた。また、第3代将軍徳川家光に絵を指導した。

探幽は、狩野派の伝統的な画法に加えて、土佐派（平安時代以来の大和絵の様式を受けつぐ絵画の流派）などの大和絵の画法も吸収し、はなやかで優美な江戸狩野様式とよばれる画風をつくりだした。代表的な作品に大徳寺方丈の『山水図襖』や名古屋城の『雪中梅竹遊禽図襖』、京都二条城の『松鷹図』などがある。

▲『大広間 四の間 松鷹図』
（元離宮二条城事務所／DNPartcom）

かのうないぜん

● 狩野内膳　1570～1616年

豊臣家につかえた狩野派の画家

安土桃山時代～江戸時代前期の画家。

戦国武将荒木村重の家臣の子として生まれる。少年時代に紀州（現在の和歌山県）の根来寺に入る。のちに寺を出て、絵師の狩野松栄（狩野永徳の父）に入門し、狩野姓を名のることをゆるされる。そのころ豊臣秀吉に目をかけられ、絵師として豊臣家につかえる。1604年、秀吉の七回忌を記念して、京都の豊国神社で祭りがおこなわれると、豊臣秀頼の命令でそのようすを記録した。2年後に完成した『豊国祭礼図屏風』には、祭りを楽しむ人々の姿が生き生きとえがかれている。そのほかの作品に、スペインやポルトガルとの交易のようすや、彼らの姿をえがいた『南蛮屏風』などがある。

かのうなおもり

● 加納直盛　1612～1673年

名張の新田を開発した武士

江戸時代前期の武士、治水家。

戦国時代の武将藤堂高虎につかえた武士の子として、紀伊国伊賀上野（現在の三重県伊賀市）に生まれ、伊賀郡（三重県北西部）の郡奉行（地方の行政を担当した役職）となった。雲出川から雲出井用水をひらいた土木技術者西島八兵衛の指導を受けたあと、原野の美濃原（三重県名張市新田）の開発に力を入れ、1654年、私財を投じて約50haを開墾して、新田をひらいた。翌年、小波田（名張市）から水をひいて、約150haの新田をひらいた。また、高尾山（伊賀市）から岩をほりくずして土手を築き、約15kmの用水路をひらいて、干ばつに苦しんでいた農民たちを救った。子の喜兵衛も父の遺志を受けつぎ、多くの新田をひらいた。

かのうながのぶ

● 狩野長信　1577～1654年

江戸幕府の御用絵師をつとめた狩野派の長老

江戸時代前期の狩野派の画家。

狩野松栄の子。狩野永徳の弟。安土桃山時代の狩野派の画家、狩野松栄の子として生まれる。父や兄永徳に絵を学んだ。京都で徳川家康に対面し、駿府城（現在の静岡市にあった城）で御用絵師をつとめた。家康が江戸に幕府をひらくと、1605年ごろに狩野派の中ではもっとも早く江戸に移り、幕府の御用絵師になり、江戸の狩野派の長老として重きをなした。代表作『花下遊楽図屏風』が国宝に指定されている。

かのうひでより

● 狩野秀頼　生没年不詳

狩野元信などの仕事をささえた画家

室町時代～安土桃山時代の画家。

絵画流派の狩野派の基礎をつくった狩野元信の次男、または孫として生まれたとされている。若いころ、東寺の仏画制作を家業とする本郷家の養子に入るが、のちに家業を息子にゆずって狩野家にもどり、狩野元信や狩野松栄、狩野永徳らの仕事をささえたと伝えられる。代表作は、紅葉狩りを楽しむさまざまな人々の姿をとらえた『高雄観楓図屏風』で、近世初期にえがかれた風俗画の最高傑作の一つとされている。そのほかに、酒に酔った李白をえがいた『酔李白図』、島根県の賀茂神社に伝わる絵馬『神馬図額』などの作品がある。

かのうほうがい

● 狩野芳崖　1828～1888年

西洋絵の具や遠近法をとり入れた日本画家

（国立国会図書館）

江戸時代後期～明治時代の日本画家。

長門国（現在の山口県西部）生まれ。長府藩の御用絵師の長男として、幼いころから父に絵を学ぶ。1846年、江戸（東京）に出て、江戸幕府の御用絵師の一人狩野勝川院に入門し、同日に入門した橋本雅邦とともに英才とたたえられた。1855年に故郷に帰り、御用絵師として長府と江戸を行き来した。明治維新後は職を失い、生活苦におちいる。1877（明治10）年にふたたび上京し、陶器の下絵などをえがいてようやく生活をささえるなか、アメリカ人の美術研究家のフェノロサや岡倉天心と知り合い、彼らの日本画革新運動に参加した。

1886年、西洋の絵の具や明暗法をとり入れた『仁王捉鬼図』を鑑画会に出品し、1等を受賞した。フェノロサ、岡倉と東京美術学校（現在の東京藝術大学）の設立に力をつくしたが、開校をまたずに亡くなった。死の直前までえがいた『悲母観音』は、近代初期の日本画を代表する作品として知られる。

学 切手の肖像になった人物一覧

かのうまさのぶ　絵画

● 狩野正信　1434〜1530年

狩野派の開祖

室町時代中期の画家。

室町時代から明治時代初期までつづく絵画の流派である狩野派の開祖である。関東地方の武家の出身で、京都にのぼり、室町幕府の御用絵師をつとめていた小栗宗湛に絵を学んだとされる。1463年、京都の相国寺雲頂院の壁画をえがき、しだいに御用絵師として活躍するようになる。

足利義政に目をかけられ、1483年には、義政がつくった東山山荘（現在の慈照寺）に、ふすま絵『瀟湘八景図』を制作した。1485年からは、東山山荘の東求堂に『十僧図』などをえがいた。また、足利義政や足利義尚、日野富子の肖像を制作したといわれ、義尚の像とされる『騎馬武者像』がのこっている。

作品のほとんどは、漢画とよばれる中国風の水墨画だが、仏画の制作もおこない、職業画家として幅広い画題や画風をこなした。代表作に『周茂叔愛蓮図』『崖下布袋図』、京都の真珠庵に伝わる『竹石白鶴図屏風』などがある。

▲『周茂叔愛蓮図』
（九州国立博物館蔵／藤森武撮影）

かのうもとのぶ　絵画

● 狩野元信　1477?〜1559年

狩野派の発展の基礎を築いた画家

室町時代後期の画家。

山城国（現在の京都府南部）に生まれる。狩野派の始祖である狩野正信の子である。正信と同じように、室町幕府の実権をにぎっていた細川氏につかえ、1507年に『細川澄元像』、1513年には細川高国の命令で『鞍馬寺縁起絵巻』をえがく。しかし、幕府が弱体化すると、宮廷や公家にもさかんに出入りし、石山本願寺などの寺院や、商工業者を中心とする町衆との関係を深めていった。大建築の障壁画（障子絵や屏風絵などの総称）から肖像画、絵巻、扇絵まで、てがけた作品の内容も形も幅広い。それらの注文に対応するため、弟子たちにさまざ

▲『四季花鳥図』（左隻）　（白鳳美術館）

まな画風を学ばせ、分業によって、一つの作品をつくり上げる体制を確立した。

代表作は、京都の大徳寺大仙院の障壁画と、妙心寺霊雲院の障壁画で、とくに前者の『四季花鳥図』は、桃山時代の障壁画の先がけとなる。中国風の水墨画に加え、大和絵の技法もとり入れ、狩野派の基礎を築いた。

かのうもとひで

狩野元秀 → 狩野宗秀

かのうよしのぶ　絵画

● 狩野吉信　1552〜1640年

『職人尽絵』で知られる狩野派の長老

江戸時代前期の画家。

狩野派発展の基礎を築いた狩野元信の弟の孫として生まれる。狩野長信とともに狩野派の長老として、幼くして狩野本家をついだ狩野安信のうしろだてをつとめるなど、重要な役割をはたした。代表作は、各種の職人のはたらく姿をえがいた『職人尽絵』で、国の重要文化財に指定されている。

かばやますけのり　政治

● 樺山資紀　1837〜1922年

「蛮勇演説」で知られる薩摩藩の重鎮

幕末の薩摩藩の藩士、明治時代〜大正時代の軍人、政治家。

薩摩藩（現在の鹿児島県）の藩士の子に生まれる。1868年、戊辰戦争で新政府軍に従軍した。新政府では陸軍に入り、台湾出兵や西南戦争に参加。1878（明治11）年、陸軍大佐となり、警視総監（警察官の最高位の階級）をへて、海軍に転向した。第1次山県有朋内閣と、つづく第1次松方正義内閣で海軍大臣をつとめる。議会で海軍拡張案が野党に反対されると、「日本が今日あるのは薩長政府の力だ」と非難して野党の怒りを買い、問題となった（蛮勇演説）。1894年、日清戦争では海軍軍令部長として作戦を指導した。翌年、初代台湾総督となって、台湾住民を鎮圧し、植民地行政を進めた。その後、内務大臣、文部大臣をへて、1904年以降、天皇に属して重要な国事を審議する枢密院の顧問官をつとめた。一方で郷土出身の子弟のための教育事業、社会事業につくした。

カバレフスキー，ドミトリー　音楽

ドミトリー・カバレフスキー　1904～1987年

こどものためのピアノ練習曲の作者

ソビエト連邦の作曲家。

サンクトペテルブルク生まれ。数学者の父のもと、幼いころから絵画や音楽などに才能をあらわした。1919年から、スクリャービン音楽学校やモスクワ音楽院で、作曲とピアノを学ぶ。卒業後はモスクワ音楽院で教授をつとめた。

作風は、はじめヨーロッパの伝統音楽によっていたが、しだいに、ロシア民謡をとり入れた明快なリズムの曲になる。交響曲、室内楽曲、オペラものこすが、ピアノ曲に力を入れ、こどもの練習曲にすぐれた小品集がある。主な作品に『ソナタ第1番』、『30のこどもの小品』、組曲『道化師』などがある。

カビール　宗教

カビール　1440ごろ～1518ごろ

神の前には皆平等。カースト制など階級制度を否定した

15～16世紀、インドの宗教思想家、宗教改革者。

北インドのバラーナスで最底辺の階層の貧しいイスラム教徒の織工の家に育つ（捨て子だったともいわれる）。正規の教育を受けることがまったくなく、読み書きができず、ヒンドゥー教とイスラム教の影響を受けながら、耳学問で宗教の真理を追究した。人はすべて神の前で平等であるとし、カーストの区別を否認。さまざまな呼称はあっても神はただ一つで、神は心の中にあり、巡礼も聖典も無用であると説き、ヒンドゥー教とイスラム教を批判的に統合して、独自の一神教をとなえた。宗教家として特別の生活を送ることはなく、死ぬまで織工としてはたらいた。思想はシク教の開祖ナーナクなどインド宗教家にひきつがれ、ガンディーにも影響をあたえたといわれる。彼のことば（宗教詩）は口述筆記され、弟子たちの手で『ビージャク』としてまとめられている。

カブール，カミーロ・ベンソ　政治

カミーロ・ベンソ・カブール　1810～1861年

イタリアの統一を実現し、初代首相となる

イタリアの政治家。サルデーニャ王国の初代首相（在任1861年）。

ピエモンテの名門貴族の子として、フランス帝国領トリノで生まれた。21歳で軍をはなれて農業経営にあたるかたわら、イギリスやフランスで議会政治を視察して、政治日刊紙『リソルジメント』を発行。政治活動をはじめ、サルデーニャ王家を中心としたイタリア統一を主張した。1848年にサルデーニャ王国の議員となり、国王ビットーリオ・エマヌエーレ2世によって、1852年に首相に就任。内政では近代化をおし進め、教会や修道院に課税することで税収をふやすなどし、外交ではヨーロッパ列強と対等の地位を得るために手腕を発揮。ナポレオン3世の支持を得るため、クリミア戦争に派兵して、オーストリアとの戦争にフランス軍を参加させることを約束させた。1860年、中部・南部イタリアを併合し、イタリア王国が成立すると、みずからは初代首相（閣僚評議会議長）となり近代化に力をつくした。マッツィーニ、ガリバルディとならび「イタリア統一の三傑」とよばれる。

カフカ，フランツ　文学

フランツ・カフカ　1883～1924年

筋道のない不条理の小説を書きのこす

チェコの作家。

プラハの生まれ。父はドイツ・ユダヤ系の大商人。幼いころから身体が弱く、おとなしい性格で、強い父をおそれて育つ。プラハ大学で法律学を学び、卒業後は労働者災害保険局につとめる。内気でひきこもりがちなまま、休日や夜は小説を書いてすごす。1917年、結核をわずらい、つとめをやめてドイツのベルリンへ出て小説家をめざす。その後、結核が悪化しウィーンで療養をするが、回復せず、亡くなった。

生前は短編がいくつか出版されただけだが、死後、原稿をあずかった友人のマックス・ブロートの手により、のこされた作品が発表され、世界的に知られた。ブロートが「死後、すべて燃やすように」という約束をやぶって発表した話は有名。作品は現実と夢が入りまじり、結末や筋といった条理がなく、不条理の作家とよばれる。日本では第二次世界大戦後にブームがおき、安部公房や倉橋由美子など、多くの作家に影響をあたえた。代表作に『変身』『審判』、短編集『田舎医者』などがある。

かぶらききよかた　絵画

鏑木清方　1878～1972年

卓上芸術のすばらしさも伝えた日本画家

明治時代～昭和時代の日本画家。

東京の神田生まれ。本名は健一。父は作家で、『東京日日新聞』（現在の毎日新聞）や『やまと新聞』の創刊者でもある条野採菊だった。浮世絵の流れをくむ水野年方に入門し、17歳のころから新聞のさし絵をえがき、名を知られる。1901（明治34）年、仲間と烏合会を結成し、さし絵画家から本格的な日本画

家への脱皮をめざす。翌年には初期の代表作『一葉女史の墓』を発表した。1914（大正3）年の『墨田河舟遊』など、次々と力作を制作した。文部省美術展覧会（文展）で活躍し、第1回帝国美術院展覧会（帝展）から審査員をつとめた。1927（昭和2）年、『築地明石町』で帝国美術院賞を受賞した。

代表作として、『三遊亭円朝像』や『一葉女史の墓』などが知られる。また、展覧会むけの絵とは別に、卓上で広げる芸術のすばらしさをとなえ、『朝夕安居』などの絵巻や色紙をのこした。随筆家としての評価も高い。1954年、文化勲章を受章した。

学 文化勲章受章者一覧

カブラル，フランシスコ　宗教

フランシスコ・カブラル　1528〜1609年

日本ぎらいのキリスト教宣教師

安土桃山時代に来日した、ポルトガル人宣教師。

北大西洋のポルトガル領サンミゲル島に生まれる。1554年、軍人として赴任していたインドのゴアで、キリスト教のイエズス会に入り、司祭となる。1570年、日本布教長として、オルガンチノらとともに来日。在住のイエズス会士を集め、肥後国天草（現在の熊本県天草市）で志岐会議をひらいて宣教方針を決めた。各地の教会を訪問し、室町幕府第15代将軍足利義昭や織田信長に謁見し、九州の有力な大名である有馬義直や大友宗麟らを改宗させるなど、11年にわたってキリスト教の布教につとめた。しかし、日本人や日本文化への評価はきびしく差別的であり、上司である宣教師バリニャーノと布教方針をめぐって対立し、1580年、布教長を解任され、マカオへ転出。のちにインド管区長をつとめた。

カブラル，ペドロ・アルバレス　探検・開拓

ペドロ・アルバレス・カブラル　1467?〜1520?年

ブラジルのポルトガル占有を宣言

ポルトガルの航海者。

内陸部のベルモンテの貴族の家に生まれ、ポルトガル王につかえる。バスコ・ダ・ガマのインド航路発見の航海後、すぐにインドとの交易を目的として第2次インド遠征艦隊が編成され、司令官に任命される。1500年3月、13隻の船をひきいて出港。大西洋を南下するうちに進路は西寄りとなり、4月にブラジルの海岸に漂着。ポルトガル王の名において占有宣言をする。これによってブラジルはポルトガル領とされた。その後も航海をつづけ、アフリカ最南端の喜望峰で船4隻を失ったが、9月にインド南西部のカリカットに到着。現地のイスラム商人とのトラブルから、イスラム商人の船を焼きはらい、カリカットの町を砲撃して去る。南のコーチンに移動し、攻撃をおそれた領主から大量の香辛料を買いつけ、1501年6月、リスボンに帰港。この航海により、インドとの香辛料貿易が本格化したが、カブラルが再度インドに行くことはなかった。

カボートふし　探検・開拓

カボート父子　父ジョバンニ・カボート　1450?〜1498年
　　　　　　　子セバスティアーノ・カボート　1476?〜1557年

北米大陸を探検した航海者の父子

イングランドのイタリア人航海者。

父ジョバンニ（英語ではジョン・カボット）はイタリアのジェノバに生まれる。1484年にイングランドへ移住し、1497年に国王ヘンリー7世の後援を得て、息子のセバスティアーノ（英語ではセバスチャン・カボット）とともに大西洋を西に航海し、カナダ南東岸のニューファンドランド島やラブラドル半島を発見。1498年にはグリーンランド東西沿岸の調査航海をおこない、南下してアメリカ大西洋岸中部のデラウェアとチェサピーク湾を発見。ジョバンニは航海途上で亡くなるものの、成果をあげて帰国した。この航海の発見は、イギリスが北米大陸の所有権を主張する根拠となった。セバスティアーノは1508年に北アメリカの東海岸を探検する。しかし、ヘンリー7世のあとをついだヘンリー8世が出資に消極的であったために、スペインの宮廷につかえる。1526年から翌年にかけては南アメリカのラプラタ川流域も探検。のちにイングランドへもどり、1555年、「新しい土地への冒険商人会社」を設立。ロシア貿易航路探検隊や北東航路探検隊を組織し、新たな航路発見に力をつくした。

カボットふし

カボット父子 → カボート父子

ガポン，ゲオルギー　宗教

ゲオルギー・ガポン　1870〜1906年

第一次ロシア革命のきっかけをつくった聖職者

帝政ロシアのロシア正教会の司祭、労働運動の指導者。

ポルタバ（現在のウクライナのポルタバ州）の富裕な地主の家に生まれる。神学校で学び、サンクトペテルブルクの大学で神学を専攻し1903年に卒業。労働者のあいだでキリスト教を伝道する中で、労働者の権利を擁護することが必要と考え、警察の後見のもとに活動する合法的な労働者組織をつくった。1905年1月に、ガポンの指導のもとで、労働者たちと家族たちがロシア皇帝ニコライ2世への嘆願を目的に、サンクトペテルブルクの大通りで平和的な大規模なデモをおこなっていたとき、軍隊が発砲し、数千人の死傷者が出る惨事となった（血の日曜日

事件)。この事件後、抗議のストライキは拡大し、ロシア革命につながる。ガポンは国外にのがれ、レーニンやウィッテと接触して、暴力革命路線に反対して平和的な改革を模索したが、ロシアにもどったあと秘密警察のスパイとうたがわれて、みずからが連携した社会改革党員に暗殺された。

かまださんのすけ　郷土
● 鎌田三之助　1863〜1950年

品井沼の干拓事業に貢献した政治家

(大崎市)

明治時代〜昭和時代の政治家。陸奥国木間塚村（現在の宮城県大崎市）の豪農の家に生まれた。16歳のとき、政治家をめざして、東京の明治法律学校（現在の明治大学）に学んだ。21歳で故郷にもどり、祖父や父が排水事業をした品井沼（鹿島台付近）の干拓事業に乗りだし、新しい排水路をつくろうとした。32歳で県会議員、40歳で衆議院議員となり、県や国に対して新しい排水路（明治排水路）をつくる運動を進めた結果、1906（明治39）年から工事がはじめられた。干拓資金がかかりすぎたこともあり、反対運動がおこるが、反対派を説得し、工事が再開された。

1909年、村長に当選し、工事を進めるとともに村の立て直しをはかり、わらじばきで毎日村をまわり節約をすすめた。以後38年間給料なしですごし、村人は「わらじ村長」とよんでうやまった。1910年、全長約7kmの明治排水路が完成し、品井沼を中心として約1300haが干拓された。

かまつだじんろく　郷土
● 鎌津田甚六　生没年不詳

雫石川から用水をひいた鉱山師

安土桃山時代〜江戸時代前期の鉱山師。
1597年、陸奥国盛岡藩（現在の岩手県）は、三戸（三戸町）から不来方（盛岡市）に城を移そうとして、城下町の造営工事をはじめた。城下町に

▲鹿妻穴堰
(鹿妻穴堰土地改良区)

住む武士、職人、商人など約3万人分の食料を生産する水田をつくるためには、台地に水をひくことが必要だったが、台地の下を流れる北上川は10〜25m低い位置にあったのでむずかしく、西を流れる雫石川から水をひくことになった。雫石川はたびたび洪水をおこす川で、工事は困難だったが、ひきうけた。

付近の山や川を歩きまわり、雫石川に面した岩山をほって、水の取り入れ口とすることにした。げんのう（大型の金づち）などをつかって岩をほる工事を進めたが、藩から資金が出たので、村人も協力した。2年後の1599年、幅約2m、長さ約11mのトンネル（鹿妻穴堰）が完成し、雫石川の流れを台地にみちびき、広大な水田がひらかれ、盛岡繁栄のもとを築いた。

かまもとくにしげ　スポーツ
● 釜本邦茂　1944年〜

日本サッカー史上最高のストライカー

サッカー選手、監督。
京都府生まれ。山城高校時代には、国体で優勝、全国高校サッカー選手権で準優勝している。1963（昭和38）年に早稲田大学へ入学した。翌年には日本代表として東京オリンピックに出場、ベスト8にのこる活躍をみせたが、準々決勝で敗退した。

1967年にヤンマーディーゼルへ入社した。以後、得点王7回、アシスト王3回など大活躍し、チームを日本リーグや天皇杯優勝にみちびいた。

1968年のメキシコ・オリンピックでは、準決勝でハンガリーにやぶれたが、3位決定戦で地元メキシコをやぶり、銅メダルを獲得した。7得点2アシストと全得点にからむ活躍で、得点王に輝いた。

1978年にヤンマーディーゼルの選手兼任監督に就任し、3年目の1980年に監督として初のリーグ制覇をなしとげた。

右足からくりだされる強力なシュートが最大の武器で、日本サッカー史上最高のストライカーといわれている。1995（平成7）年から参議院議員をつとめた。

学 オリンピック日本代表選手 メダル受賞者一覧

かみのきんのすけ　郷土
● 神野金之助　1849〜1922年

愛知県の発展につくした実業家

明治時代の実業家、新田開発者。
尾張国海西郡江西村（現在の愛知県愛西市）の豪農の家に生まれ、16歳で家をついだ。28歳のとき兄が養子となっていた名古屋の呉服店、紅葉屋の経営に参加した。1882（明治15）年、名古屋銀行の設立発起人となる。1893年、渥美郡牟呂村（愛知県豊橋市）の三河湾沿岸にあり災害により開発が中止されていた毛利新田を買いとり、巨額を投じて修復、再開発にとりかかり、3年後に神野新田約1100haを完成させた。1906年、名古屋電力の設立にあたり取締役となり、1907年、豊田式織機株式会社設立の発起人となるなど、愛知県の発展につくした。

かみやじゅてい

神屋寿禎 　産業　
生没年不詳

石見銀山を発見し、灰吹法で銀の生産高を増大させた

戦国時代の商人、鉱業家。

神谷とも書く。筑前国（現在の福岡県北西部）で貿易商をいとなんでいたが、石見国（島根県西部）の銀峯山に参詣した際、偶然、銀鉱の石見銀山を発見し、1526年から採鉱をはじめた。1533年に、博多で吹大工をしていた朝鮮人の宗丹と桂寿をまねいて、朝鮮の銀採掘の技術をとり入れ、日本ではじめて、灰吹法による銀の現地での製錬に成功した。灰吹法とは、金銀を一度鉱石から鉛にとけこませ、そこから金銀を抽出する方法である。当時、銀は鉱石のまま積みだされて取引されていたが、これにより、銀の生産高は飛躍的に増大。金の精錬にも応用され、日本における貴金属鉱業の大きな発展をもたらした。
神屋宗湛は曽孫にあたる。

かみやそうたん

神屋宗湛 　産業　
1553～1635年

秀吉の下、博多を復興した商人

安土桃山時代～江戸時代初期の商人、茶人。

戦国時代の鉱業家、神屋寿禎の曽孫。神谷、紙屋宗旦、宗丹とも書く。代々、筑前国（現在の福岡県北西部）の博多で貿易商をいとなむ。1569年、大友・毛利氏の争いで、博多が焼け野原になると、肥前国（佐賀県・長崎県）の唐津に移り、1586年、出家して宗湛と称した。

1587年、豊臣秀吉の茶会にまねかれ、千利休らと交流する。翌年、秀吉の命で島井宗室らとともに博多の復興事業にとりかかると、特権をあたえられ、南洋貿易や鉱山開発、ハゼ蠟（ろうそくの原料）の生産などをおこない、産業開発に力をつくした。秀吉の側近として活躍したが、秀吉の死後、徳川家康からは冷遇された。

かみやみえこ

神谷美恵子 　医学　
1914～1979年

ハンセン病患者につくした女性医師

昭和時代の医学者、エッセイスト。

岡山県生まれ。文部大臣もつとめた父の前田多門の海外赴任によりスイスで教育を受けた。一時帰国したおりにオルガン伴奏者としておとずれたハンセン病療養施設で衝撃を受け、医学に関心を寄せた。アメリカ合衆国のコロンビア大学で医学を学び、帰国後、東京女子医学専門学校（現在の東京女子医科大学）をへて、30歳のときに医師免許を取得。第二次世界大戦後に父の秘書として連合国軍最高司令官総司令部（GHQ）との折衝などに従事する一方、医療活動もつづけ、1957（昭和32）年に岡山県の長島愛生園でハンセン病患者の精神医学調査を実施。

その後、同園の精神科医長として診療にたずさわるかたわら、翻訳や執筆をおこなった。バージニア・ウルフ研究でも知られ、著書『生きがいについて』は、現在も多くの人に読みつがれる名著といわれる。

カミュ，アルベール

アルベール・カミュ 　文学　
1913～1960年

小説で、人間はどんな存在かを追求する

フランスの作家、劇作家、思想家。

フランスの植民地だったアルジェリアの生まれ。幼いときに、農園労働者だった父が亡くなり、貧しい生活を送る。授業料免除の試験に合格して進学し、高校時代に文学に興味をもつようになった。大学では、勉強のかたわら演劇活動をおこない、卒業後は地元の新聞社につとめる。

第二次世界大戦中、植民地主義に反対し、アルジェリアから追放されると、パリに出て、1942年、小説『異邦人』を発表、非常に高く評価された。その後ドイツへのレジスタンス（抵抗運動）に参加し、雑誌の編集長をつとめ、出版する作品がすべて好評を得るなど活躍する。1957年、ノーベル文学賞を受賞。

自分の文学や思想を「不条理の哲学」と表現し、筋書き（条理）よりも人の心の内をえがいて、人間とはどんな存在かを追い求めた。戦後は暴力を否定する立場で論評や小説を著す。代表作に『ペスト』、評論『反抗的人間』などがある。

学 ノーベル賞受賞者一覧

かめいかついちろう

亀井勝一郎 　思想・哲学　
1907～1966年

古代日本の美と心を追究した文芸評論家

昭和時代の文芸評論家。

北海道生まれ。東京帝国大学（現在の東京大学）文学部美学科に入学するが、共産主義に関心を寄せ政治活動に参加、1928（昭和3）年、大学を中退した。同年、治安維持法違反で投獄され、獄中で思想転向を表明して保釈。1932年、日本プロレタリア作家同盟に参加するが、翌年には解散となる。その後は日本の伝統の復興をとなえる文学思想へと傾倒し、1934年、最初の評論集『転形期の文学』を発行した。翌年、機関誌『日本浪曼派』を創刊し、日本の古典や仏教美術への関心を深めていき、1943年に『大和古寺風物誌』を著した。1959年以降、『文学界』で『日本人の精神史研究』を長期連載した。太宰治や武者小路実篤と親交が深かった。

かめくらゆうさく

● 亀倉雄策　　　　　　　　　1915～1997年　【デザイン】

東京オリンピックのポスターをデザイン

昭和時代～平成時代のグラフィックデザイナー。

新潟県生まれ。日本大学第二中学校（現在の日本大学第二高等学校）に在学中、フランスのデザイナー、カッサンドルのポスターにひかれ、デザイナーを志す。その後、新建築工芸学院に入学し、ドイツの芸術学校バウハウス（総合造形学校）の流れをくむデザイン思想を学ぶ。1938（昭和13）年、写真家とデザイナーが集まる日本工房に入社し、海外むけの宣伝雑誌『NIPPON』のアートディレクターをつとめる。第二次世界大戦後の1951年、日本宣伝美術会の創立に参加し、1960年に日本デザインセンターを創設するなど、戦後日本のデザイン界で指導的役割をはたした。

代表作には1964年にひらかれた東京オリンピックのポスターのほか、札幌オリンピック、大阪の万国博覧会のポスターなどがある。また、グッドデザイン賞やNTTのシンボルマークなど、数多くのロゴマークのデザインもてがけた。1991（平成3）年、文化功労者にえらばれた。

かめやまてんのう

● 亀山天皇　　　　　　　　　1249～1305年　【王族・皇族】

大覚寺統の財政基盤をかためた

鎌倉時代中期の第90代天皇（在位1259～1274年）。後嵯峨天皇の子で、後深草天皇の弟にあたる。即位する前は恒仁親王とよばれた。

1258年、兄の後深草天皇の皇太弟（天皇のあとつぎの弟）となり、翌年即位した。1272年、後嵯峨上皇（譲位した後嵯峨天皇）の死後、皇位継承や所領をめぐる問題がおこり、後深草天皇と対立したが、後嵯峨天皇の中宮（皇后と同じ身分）だった大宮院が亀山天皇を支持したので、鎌倉幕府も了承した。その後は、亀山天皇の子孫（大覚寺統）と、後深草天皇の子孫（持明院統）が交互に皇位につくことになった。これを両統迭立といい、14世紀の終わりまでつづけられた。1274年、8歳の皇太子、世仁親王（後宇多天皇）に譲位して、13年間院政をおこなった。1274（文永11）年と1281（弘安4）年に元軍が襲来した元寇（文永の役・弘安の役）の際には、伊勢神宮（三重県）に敵国調伏（降伏させること）の祈願をおこなった。また、大覚寺統の将来を考え、鳥羽天皇の皇女の八条院が所有した膨大な所領を相続するなど、大覚寺統の財政の基礎をつくった。

【学】天皇系図

がもううじさと

● 蒲生氏郷　　　　　　　　　1556～1595年　【戦国時代】

信長にもみとめられた文武にすぐれた武将

安土桃山時代の武将、茶人。

近江国（現在の滋賀県）日野の城主、蒲生賢秀の長男として生まれる。1568年、織田信長の人質として岐阜に送られ、信長のもとで元服する。翌年、14歳で初陣をはたし、信長の娘、冬姫と結婚し、日野にもどる。以後、信長にしたがい、各地で戦功をあげた。

1582年の本能寺の変では、やぶれた信長の一族を保護して明智光秀に対抗し、その後、豊臣秀吉につかえる。武勇にすぐれ、1584年の小牧・長久手の戦いなどで武功をあげ、伊勢国（三重県東部）松ヶ島城主となる。のちに陸奥国会津（福島県会津若松市）に移り、92万石の大名となる。熱心なキリスト教信者でもあり、茶道においては利休七哲の一人に数えられるほどの文化人であった。

がもうくんぺい

● 蒲生君平　　　　　　　　　1768～1813年　【学問】

前方後円墳の名づけ親

（国立国会図書館）

江戸時代後期の思想家、儒学者。

下野国（現在の栃木県）に商人の子として生まれる。祖先が安土桃山時代の武将の蒲生氏郷であるという言い伝えにちなみ、みずから姓を蒲生にあらためた。儒学を学び、さらに水戸藩（茨城県水戸市）の藩士、藤田幽谷から水戸学の影響を受けた。北方問題への関心が高く、1807年、ロシア船が択捉島を襲撃したことを知ると『不恤緯』を著して幕府に海防の必要性をうったえた。また、歴代の天皇陵が荒廃しているのをなげいて近畿地方の天皇陵の調査をおこない『山陵志』を著し、幕末の尊王論に大きな影響をあたえた。『山陵志』の中で、日本独特の古墳の形を「前方後円墳」と名づけた。

林子平、高山彦九郎とともに寛政の三奇人（奇妙な行動をするすぐれた人物）の一人といわれる。

かもだしょうじ

● 加守田章二　　　　　　　　1933～1983年　【工芸】

現代の陶芸界に影響をあたえた鬼才

昭和時代の陶芸家。

大阪府生まれ。1952（昭和27）年、京都市立美術大学

（現在の京都市立芸術大学）に入学し、陶芸家の富本憲吉、近藤悠三の指導を受ける。卒業後は茨城県日立市の日立製作所の製陶所の技術員をへて、栃木県の益子町で独立した。1961 年、日本伝統工芸展で初入選し、1967 年には、陶芸家としてはじめて高村光太郎賞を受賞する。しかし、伝統的な作風からはなれるため、日本伝統工芸展への出品をやめ、1969 年に仕事場を岩手県遠野市に移した。

独特の器に波状の曲線をめぐらせた曲線彫文や、色の文様をほどこした彩陶など、次々に新しい作風を発表し、現代の陶芸界に影響をあたえた。

かものちょうめい

文学 / 詩・歌・俳句

鴨長明　1155？〜1216年

日本三大随筆の一つ『方丈記』を著した

（国立国会図書館）

鎌倉時代前期の歌人、随筆家。

名は「ながあきら」とも読む。京都の賀茂御祖神社（下鴨神社）の禰宜（宮司に次ぐ神官）の子として生まれたが、父が早くに亡くなったため、あとをつげなかった。若いころから和歌や琵琶を学んで才能を発揮する。勅撰集（天皇や上皇の命によってつくられた和歌集）の『千載和歌集』『新古今和歌集』に歌がおさめられている。1200 年、後鳥羽上皇（譲位した後鳥羽天皇）に和歌の才能をみとめられ、翌年、和歌の選定などをおこなう和歌所の職員に抜てきされた。

1204 年、賀茂御祖神社と縁の深い河合神社の禰宜につこうとしたがかなわず、失望して出家する。1208 年、日野（現在の滋賀県日野町）に方丈の庵（約 3m 四方の質素な家）をつくって移り住む。1211 年、鎌倉（神奈川県鎌倉市）にむかい、源実朝に会って和歌を講義した。

1212 年、隠遁生活の心境をしるした随筆『方丈記』が成立した。これには、源平の合戦、いおりでの暮らし、人の世の無常などが、仏教的な感覚からつづられている。『方丈記』は、清少納言の『枕草子』、兼好法師の『徒然草』とともに日本三大随筆の一つとされている。

学 日本と世界の名言

かものまぶち

学問

賀茂真淵　1697〜1769年

国学の基礎を築いた

江戸時代中期の国学者、歌人。

遠江国（現在の静岡県西部）の賀茂神社の神官の子として生まれる。1733 年、37 歳のとき京都にのぼり、荷田春満に日本の古典を学んだ。1736 年、春満が亡くなったあと江戸（東京）に出て、塾をひらき、古典を講義する一方で、学問にはげんだ。1746 年、8 代将軍徳川吉宗の次男で御三卿（徳川氏の一族で田安、一橋、清水の 3 家）の一人、田安宗武につかえた。1760 年に隠居してからも研究をつづけ、数多くの著作を書いた。

（国立国会図書館）

真淵は、『万葉集』を中心に日本の古典を研究して、仏教や儒教などの外国の思想の影響を受ける前の、本来の日本人の考え方や文化を明らかにして、それをたいせつにするという復古主義を説き、国学の基礎を築いた。門人には村田春海や塙保己一、のちに国学を大成した本居宣長らがいる。『万葉集』の注釈書『万葉考』をはじめ、『国意考』『祝詞考』など、多数の著作をのこした。

ガモフ，ジョージ

学問

ジョージ・ガモフ　1904〜1968年

ビッグバン宇宙論の「火の玉宇宙」を提唱

ロシア生まれのアメリカ合衆国の物理学者。

ロシア帝国領（現在はウクライナ領）のオデッサ生まれ。1928 年にレニングラード大学を卒業し、ケンブリッジ大学キャベンディッシュ研究所などで研究をおこなう。原子核のα崩壊をはじめて量子論を応用して検討し、α粒子がトンネル効果で原子核の外にとびだす理論を構築した。

1933 年、アメリカへわたり、翌年にはジョージ・ワシントン大学教授となり、のちにコロラド大学へ移った。

1948 年、宇宙の核反応についての「α-β-γ理論」を、共同研究者のアルファー、ベーテと発表。これをもとに、ルメートルによるビッグバン宇宙論を支持する「火の玉宇宙論」、つまり、生まれたばかりの宇宙は高温高密度の火の玉のような状態で、このときすべての元素がつくられたという考え方を提唱し、宇宙背景放射（周波数の下がる赤方偏移をおこすマイクロ波）の存在を予言した。

当時は宇宙の構造はつねに不変であるという定常宇宙論と対立して議論となったが、宇宙背景放射がのちの 1965 年に実際に観測され、ビッグバンは標準的な宇宙モデルとして受け入れられるようになった。晩年はコロラド大学で教鞭をとり、一方では『不思議の国のトムキンス』など、多数の一般むけ科学啓蒙書を執筆した。

かやのしげる
萱野茂　1926〜2006年　学問

アイヌの文化保存に力を尽くした

昭和時代〜平成時代のアイヌ民族運動家、政治家。

北海道平取町二風谷生まれ。アイヌ語の話者が少なくなっていた当時、アイヌ語しか話さない祖母に育てられ、炭焼きや山仕事をしてくらしていた。ふだん使いの民具がアイヌ以外の研究者や収集家にもちだされていくことに危機感をいだき、アイヌの民具、民話をみずから収集記録しはじめる。50年かけて集めた民具の多くは重要有形民俗文化財に指定された。古老が語りついだ民話は日本語訳をそえて『ウエペケレ集大成』として出版し、1975（昭和50）年菊池寛賞を受賞した。

私塾のアイヌ語教室では小・中学生を指導したり、資料館をひらき収集物を展示したりした。このときの建物を再利用し、新たなアイヌ民具コレクションと民具資料によって、1992（平成4）年、萱野茂二風谷アイヌ資料館を開館。1994年、アイヌ初の参議院議員に当選し、アイヌ文化振興法の成立に尽力した。約80冊の著書、1万4000語を収録したアイヌ語辞典の刊行など、アイヌ文化の保存・継承のために生涯活動をつづけた。

かやままたぞう
加山又造　1927〜2004年　絵画

現代の琳派と称された日本画家

▲加山又造

昭和時代〜平成時代の日本画家。

京都府生まれ。父は、西陣織の衣装図案家だった。京都市立美術工芸学校で日本画を学んだのち、東京美術学校（現在の東京藝術大学）で学ぶ。1949（昭和24）年に卒業してから、日本画家の山本丘人の弟子となる。山本らがはじめた創造美術展、つづく新制作展に作品をだし、1951年に『原始時代』が新作家賞を受賞した。さらに1953年から3年連続で新作家賞を受賞し、1956年には新制作協会の会員となる。このころは、主に動物を題材にし、シュールレアリスム（超現実主義）など西洋美術をとり入れた画風で注目された。1958年、国際的なグッゲンハイム美術賞展で受賞した。

1960年代に入ると、『春秋波濤』『雪月花』『千羽鶴』などの装飾的な大作を次々に発表し、「現代の琳派」とよばれるようになる。1973年、日本芸術大賞を受賞し、翌年、創画会の結成に参加した。1978年には、東京国立近代美術館の壁画を8年かけて完成させた。

1970年代には、線の美しさを追求した裸婦像をえがくようになり、1970年代末からは水墨をつかった表現にもいどんだ。1979年に発表した水墨画『月光波濤』は、翌年の芸術選奨文部大臣賞を受賞した。さらに、1984年に身延山久遠寺本堂の天井画『墨龍』、1997（平成9）年には天龍寺法堂の天井画『雲龍』を完成させた。そのほかにも、陶板の制作から飛行機や車の装飾まで、さまざまな分野に挑戦して、日本や中国の古典から多くを学びながら、つねに現代的な感覚をもりこみ、日本画壇に衝撃をあたえつづけた。

作品の制作のかたわら、1966年から多摩美術大学教授、1988年からは東京藝術大学教授として、後進の指導にあたった。

1995年に東京藝術大学名誉教授、1997年に文化功労者となる。2003年、文化勲章を受章した。

▲天龍寺法堂の天井画『雲龍』

学　文化勲章受章者一覧

からいせんりゅう
柄井川柳　1718〜1790年　詩・歌・俳句

川柳の始祖

（国立国会図書館）

江戸時代中期の前句付の点者。

本名は正通、通称は八右衛門。江戸の浅草の龍宝寺門前町（現在の東京都台東区）の名主の家に生まれる。1755年、38歳のとき父のあとをついで名主になった。俳人の西山宗因がはじめた談林派の俳諧（こっけいみのある和歌や連歌、のちの俳句など）を学んだといわれる。当時流行していた前句付（出題された七・七の前句に五・七・五のつけ句をつけて短歌の形にする遊び）の点者（句に評点をつける人）になり、1757年、江戸でつけ句を募集して万句会を興行した。これが江戸の人々の好みに合い、以来、1789年までつづけ、この中から前句（題）がなくても句の意味がわかるすぐれたつけ句だけをえらんで『誹風柳多留』を出版した。これにより前句付の人気はますます高

まり、五・七・五のつけ句だけが独立してあつかわれるようになると、柄井川柳の名前にちなんで川柳とよばれるようになった。川柳の始祖といわれる。

カラカラてい

【王族・皇族】【古代】

カラカラ帝　188〜217年

ローマ市民権を拡大、公衆浴場を建設した皇帝

ローマ帝国の皇帝（在位211〜217年）。
カラカラは愛称。フードつきのたけの長い上着のことで、皇帝が好んで着ていたことからつけられた。正式名は、マルクス・アウレリウス・アントニヌス（五賢帝最後の皇帝と同名）。セウェルス朝の初代君主の長男に生まれる。父の在位中は、弟ゲタと共同皇帝として帝国を統治していたが、父が死去すると、主導権をめぐって兄弟がはげしく対立。

211年、カラカラは弟とその側近たちをおおぜい殺害して、ローマ帝国の単独の支配者となった。212年には「アントニヌス勅令」を発令し、帝国領内の奴隷以外の全自由民にローマ市民権をあたえた。市民権を拡大したローマは、世界国家として認知されることになった。しかし、真のねらいは市民権をあたえて遺産相続税などの税率をひき上げることによる税収不足の解消だったといわれる。

略奪や虐殺など暴政の限りをつくし、約2万人が犠牲になった。217年、パルティアとの争いのさなか、部下によって暗殺された。ローマ市に巨大なカラカラ浴場を建設した皇帝としても有名。

学　世界の主な王朝と王・皇帝

からくりぎえもん

からくり儀右衛門　→田中久重

からじゅうろう

【映画・演劇】

唐十郎　1940年〜

紅テントの状況劇場でアングラ演劇をつくりだす

劇作家、演出家、小説家、俳優。
東京生まれ。本名、大靏義英。明治大学文学部演劇学科卒業。1963（昭和38）年、劇団状況劇場を結成、主宰をつとめた。状況劇場は看板女優、李礼仙（のちの李麗仙）のほか、麿赤兒、根津甚八、小林薫、渡辺いっけいらの名優を輩出した。新宿、花園神社境内に紅テントを建て、『腰巻お仙・義理人情いろはにほへと篇』を上演。既存の枠をこえ、実験的精神と独自性に富んだ街頭野外劇を試み、アングラ演劇の旗手と称され

た。演劇論『特権的肉体論』などが入った戯曲集では、俳優個々の身体を独特の視点でみつめ、のちの世代に強い影響をおよぼした。1970年に『少女仮面』で岸田国士戯曲賞を受賞。1982年には『佐川君からの手紙』で芥川賞を受賞し、文学における才能も評価された。1988年、状況劇場を解散し、劇団唐組を旗揚げする。俳優として自作以外の映画やテレビドラマに出演することもある。横浜国立大学教授のほか、近畿大学や明治大学の客員教授を歴任する。

学　芥川賞・直木賞受賞者一覧

カラス，マリア

【音楽】

マリア・カラス　1923〜1977年

20世紀最高のソプラノ歌手

ソプラノ歌手。
アメリカ合衆国のニューヨーク生まれ。本名はマリア・アンナ・カロゲロプロス。ギリシャ系移民の子に生まれ、歌の才能を見いだされて、7歳でピアノをはじめる。13歳のとき母とギリシャにわたり、アテネ音楽院で学ぶ。1947年、イタリアのベローナ音楽祭で、ポンキエッリのオペラ『ラ・ジョコンダ』の主役をつとめ、注目を集める。その後、プッチーニの『トスカ』や『トゥーランドット』など、イタリアで多くのオペラに出演する。

1954年、アメリカでの演奏活動をはじめ、1956年にニューヨークのメトロポリタン歌劇場で、ベッリーニの『ノルマ』やプッチーニの『トスカ』などを次々と演じた。

2オクターブ半という広い声域と多彩な声質にめぐまれ、高度な歌唱力とすぐれた演技力をそなえて、「20世紀最高のプリマドンナ」、「ディーバ（女神）」などと称賛される。晩年は、映画の出演やリサイタルなどでも活躍した。

カラバッジョ

【絵画】

カラバッジョ　1571〜1610年

やみと光を強調した画法の宗教画家

イタリアの画家。
北イタリアのカラバッジョに建築家の長男として生まれる。本名

はミケランジェロ・メリジ。1584～1588年、ミラノの画家の下で修業を積み、1592年ころローマに出た。1599～1602年、ローマのサン・ルイジ・ディ・フランチェージ聖堂の礼拝堂に宗教画の連作『マタイ伝』をかき、一気に名声を得る。人生の後半は決闘やいさかいがたえず、1606年には殺人を犯してイタリア各地を転々として、マルタ島でふたたび殺人を犯して投獄された。最後まですぐれた宗教画をえがきつづけた。

真にせまる写実描写が特徴で、ほとんど暗黒のやみに対し、人工的な強い光のコントラストで場面を強調した。背景や装飾物のような主題に不要なものはかかなかったが、世俗的な人間像は多くかきこんだ。

代表作に『悔悛するマグダラのマリア』『バッカス』『占い師』『キリスト十字架降下』などがある。バロック絵画に大きな影響をあたえた画家である。

カラヤン, ヘルベルト・フォン 音楽
ヘルベルト・フォン・カラヤン　1908～1989年

20世紀の音楽界の「帝王」とよばれる指揮者

オーストリアの指揮者。ザルツブルク生まれ。ウィーン音楽院とザルツブルクのモーツァルテウム音楽院で学ぶ。1929年にドイツのウルム歌劇場の指揮者となり、以後、ドイツ各地の指揮者をつとめる。第二次世界大戦後、元ナチス党員だったとして公職から追放されるが、1947年から演奏活動を再開する。

1955年にベルリン・フィルハーモニー管弦楽団の常任指揮者となると、世界の有名な管弦楽団で客演を重ねる。1954（昭和29）年に来日し、NHK交響楽団の指揮もしている。1969年より自身の財団を設立し、カラヤン国際指揮者コンクールを開催して若い指揮者の発掘にも力を入れる。

機械操作が得意で、録音技術にも高い関心をしめし、デジタル音源の先がけとなるCD録音を積極的におこなった。洗練された重厚な演奏と明快な表現で聴衆を魅了し、20世紀後半を代表する指揮者として「帝王」とよばれる。

カランサ, ベヌスティアーノ 政治
ベヌスティアーノ・カランサ　1859～1920年

メキシコ革命の指導者の一人

メキシコの政治家。第45代大統領（在任1917～1920年）。コアウィラ州生まれ。1910年、自由主義者マデロが指揮するメキシコ革命に参加。1911年、ディアスの独裁政権がたおれると、故郷の州知事となる。1913年、マデロが軍の指導者ウエルタに暗殺されると、その改革精神を受けついで、ウエルタを国外へ追放。1914年、暫定大統領となる。その後、農地改革を主張したビリャやサパタなどの急進派が反乱をおこして、いちじ主導権をうばわれるが、軍司令官オブレゴンの支持によりまき返し、「1917年憲法」を制定。正式に大統領に就任した。外交ではアメリカ合衆国に対する強硬政策をとり、内政では鉱山の国営化、インディオ共有地の返還などをおこなった。新憲法では、国家が土地を所有し、鉱山、石油の権利は国家にあるとした。外国資本や大地主、教会などの土地所有を制限して、農民共有地を定めたが、みずからは憲法を忠実に実行せず、労働運動を弾圧。民衆の支持を失い、その後、後任問題がこじれ、オブレゴンの反乱のなかで暗殺された。

ガリバルディ, ジュゼッペ 政治
ジュゼッペ・ガリバルディ　1807～1882年

イタリア統一運動をひきいた英雄

イタリアの統一運動指導者、軍人。

フランス南部のニースで船員の子として生まれる。15歳のころから船員となり、地中海や黒海方面への航海をしていた。1833年、イタリアの統一をめざすマッツィーニの政治グループ、青年イタリアに参加。1834年、彼がくわだてたジェノバ蜂起に失敗し、裁判で死刑を宣告され、南アメリカに亡命した。ブラジルやウルグアイでの独立運動に参加して、ゲリラ戦法を学んだ。1848年、イタリアの北部を支配していたオーストリアからの独立運動がおこると、帰国して義勇軍を組織し独立戦争に参加。しかしオーストリア軍にやぶれ、ローマ共和国の防衛にもやぶれると、ふたたびイタリアを脱出。アメリカ合衆国のニューヨークへむかい、遠洋航路の船長

となって中国や東南アジア、オーストラリアなどの海を航行した。

1854年に帰国すると、サルデーニャ島近くのカプレーラ島に住み、イタリアの統一をめざすサルデーニャ王国のビットーリオ・エマヌエーレ2世に接近。1859年にオーストリアからの独立戦争がはじまると、サルデーニャ軍の将軍に任じられ、アルプス義勇軍をひきいて戦った。しかしサルデーニャ王国の首相カブールがニースをフランスにゆずると、これに反対して将軍を辞した。

1860年、シチリア島でスペインのブルボン朝が支配するナポリ王国に対する反乱がおこると、義勇軍の赤シャツ隊（千人隊）をひきいて島に上陸。首都のパレルモを解放し、つづいてイタリア本土にわたり、ナポリ王国をほろぼし、これらの征服地をビットーリオ・エマヌエーレ2世にささげた。こうして1861年、イタリア王国が成立し、一つの国にまとまった。その後、教皇庁の支配下にあるローマを解放しようとローマに進軍するが政府軍にはばまれた。

1870年にプロイセンとフランスのあいだで普仏戦争がおこると、フランス共和国軍を支援して勝利し、ボルドーの国民議会議員にえらばれた。また国際労働者協会（第一インターナショナル）のイタリア支部に加わり、社会主義運動にも参加した。イタリアではイタリア統一をはたした国民の英雄として、国際的には抑圧された人々の解放をめざして戦った人物としてたたえられている。

ガリレイ, ガリレオ

→264ページ

カルザイ, ハミド

カルザイ, ハミド → ハミド・カルザイ

ガルシア・マルケス, ガブリエル 〔文学〕

ガブリエル・ガルシア・マルケス　1928〜2014年

現代ラテンアメリカの代表的作家

コロンビアの作家。

カリブ海に近いアラカタカの生まれ。家は貧しく、幼いころは祖父母のもとで育つ。国立ボゴタ大学法学部を中退し、新聞記者になって活躍する。1959年、キューバで革命がおきると、キューバの新聞社ではたらいて支援する。フォークナーの作品に興味をもち、1950年代から小説も書きはじめた。1967年、架空の土地マコンドを舞台に、その創世から滅亡までをえがいた小説『百年の孤独』を出版して、世界中から注目された。その後も小説をだすごとに話題を集め、『族長の秋』でラテンアメリカを代表する作家となる。1982年、ノーベル文学賞を受賞する。

コロンビアの民話の要素もとり入れた、空想と現実がまじりあう独特のスタイルで、「魔術的リアリズム」とよばれる。作品の多くが外国で翻訳、出版され、『予告された殺人の記憶』『コレラの時代の愛』などは映画の原作にもなった。

[学] ノーベル賞受賞者一覧

ガルシン, フセボロド 〔文学〕〔絵本・児童〕

フセボロド・ガルシン　1855〜1888年

純真な心で現実とむきあった作家

ロシアの作家。

エカチェリノスラフ（現在のウクライナのドニエプロペトロフスク）生まれ。専門学校を中退。ロシアとトルコのあいだでロシア・トルコ戦争（1877〜1878年）がおこると、兵士に志願。その体験をもとに、1877年、戦争を否定する『四日間』を著し、話題を集める。心を病んだ青年が赤いケシを社会の悪と思い、戦う姿をえがいた『赤い花』（1883年）が代表作。小説に『信号』『夢語り』『アッタレーア・プリンケプス』、童話に『がま蛙とばらの花』『空飛ぶかえるの旅行家』などがある。純粋な心をもち、幼いころから心を病んで現実と良心の対立に苦しみ、33歳の若さで、アパートからとびおりて亡くなる。

カルダーノ, ジロラモ 〔学問〕

ジロラモ・カルダーノ　1501〜1576年

ルネサンス時代の数学者

イタリアの数学者、医者。

ミラノに生まれる。本業は医者で、腸チフスやアレルギー症の発見、ヒ素中毒の研究、痛風と発熱性疾患の治療法の確立に貢献した。また、発明家、古星術師、賭博師でもあった。バビロニア数学が2次方程式を解明してから、2000年のあいだ、数々の数学者が挑戦してきた3次方程式を解く方法を、イタリアの数学者タルタリアが解明したものだとして、著書『アルス・マグナ』で公表し、「カルダーノの公式」として知られるようになった。解をしめすときに、カルダーノははじめて虚数の概念を導入している。また、当時秘術とされていた数学の解法を刊行物により公開したことでも、数学の発展に寄与した。

カルダン, ピエール 〔デザイン〕

ピエール・カルダン　1922年〜

一般の人にむけた既製服をデザイン

フランスの服飾デザイナー。

イタリア北東部ベネツィアの裕福な家庭に生まれる。幼いころからバレエや演劇のはなやかな舞台衣装にあこがれ、17歳でフランスのビシーの紳士服店につとめた。第二次世界大戦後、パリの有名デザイナーの店ではたらき、1946年には、芸術家コクトーの映画『美女と野獣』などの衣装をデザインする。1947年、ディオールの店に移り、1950年に独立した。宇宙服を思わせる「ス

ペースエイジ」などのコレクションを発表した。既製服のデザインをいち早くてがけ、大量生産にむすびつけたことから、ぜいたく品だったファッションを一般大衆に開放した先駆者ともいわれる。

カルティエ，ルイ＝フランソワ
デザイン

ルイ＝フランソワ・カルティエ　1819～1904年

高い技術で人気を集めた宝飾師

フランスの宝飾師。

出身地は不詳。宝石職人ピカールの工房ではたらき、1847年、28歳で工房をゆずりうけ、親の望みどおり独立した。

宝飾品にいち早くプラチナを使用するなど、アイディアに富んだデザインと高い技術で、パリの上流階級の人気を集めた。1859年にイタリアン大通りに店をだすと、ナポレオン3世のほか、イギリスやスペインなど各国の王侯貴族のご用達となり、高級宝飾店としての名声を確立した。やわらかな線を特徴とするアールヌーボー様式の全盛期に、直線がきわだつ独自の「カルティエ・スタイル」をつくり、アールデコ様式の先がけになった。

カルティエ＝ブレッソン，アンリ
写真

アンリ・カルティエ＝ブレッソン　1908～2004年

日常生活の瞬間をとらえた写真家

フランスの写真家。

ノルマンディー地方の裕福な家庭に生まれる。幼いころから絵をかくのが好きだったが、カメラを買ってもらってスナップ写真も撮っていた。

10代なかばで当時流行していたシュールレアリスム（超現実主義）に熱中し、パリの美術学校で1年ほど絵画を学ぶ。その後、写真をはじめ、イタリア、スペインなどを旅行し、ライカの小型カメラで撮影してまわった。第二次世界大戦従軍中にドイツ軍捕虜となったが、脱出してフランスのレジスタンス運動（抵抗運動）に参加する。1947年にはキャパたちと写真家集団「マグナム・フォト」を設立した。1952年に出版した初の写真集『決定的瞬間』が高く評価され、20世紀を代表する写真家となった。

みずからを「フォトジャーナリスト」とよび、報道写真もかなり撮ったが、日常の中で人々がふとみせる表情や一瞬の動きをとらえた作品も多い。

カルティニ，ラデン・アジェン
政治

ラデン・アジェン・カルティニ　1879～1904年

手紙でジャワ女性の解放をうったえる

インドネシアの女性解放運動の先駆者。

中部ジャワのジャパラに貴族の娘として生まれる。祖父の考えで近代教育を受け、欧米人学校で学び、社会生活の変革の必要性を自覚していった。

古くからのインドネシアの慣習で13歳から結婚するまで自宅の敷地内で生活する「閉居」を自らも経験し、そのあいだに当時オランダ領東インドの教育省宗教産業局長だったアベンダノンに手紙を送り、ヨーロッパとの文化のちがい、一夫多妻制や女性の強制結婚などの慣習の批判、女性の教育の必要性をうったえた。

結婚を機に活動の幅を広げ、1902年に私塾をひらき、ジャワの女性の経済的自立の促進をはかったが、25歳で亡くなった。誕生日の4月21日は女性解放記念日としてインドネシアの祝日に指定されている。

カルデナス，ラサロ
政治

ラサロ・カルデナス　1895～1970年

メキシコ革命後に大統領となり、改革を完成させた

メキシコの政治家。第52代大統領（在任1934～1940年）。

ミチョアカン州の貧しい農家の家に生まれる。印刷工としてはたらいていたが、革命軍に入り、1910年、メキシコ革命に参加して将軍となった。その後、故郷の州知事に就任。1933年、カリエス内閣で陸軍大臣をつとめる。

革命党党首となると、「メキシコの労働者よ、団結せよ」をスローガンに、大統領選挙に出馬して当選。1934年に大統領に就任した。

鉄道や石油産業の国有化、教育の普及、先住民の保護、外国人財産の没収、大規模所有地を押収し小農へ分配するなど、誠実な行政をおこない、急進的な政策に反対する者からも尊敬された。1940年に任期を終え、後任に地位をゆずった。1955年、スターリン平和賞を受賞したが、賞金は平和事業のために寄付した。

カルノー，サディ
学問

サディ・カルノー　1796～1832年

熱力学の先駆者

19世紀のフランスの物理学者、軍人。

パリ生まれ。幼いときから科学に興味をもち、1812年、フランスの理工系公立高等教育であるエコール・ポリテクニークに入学。卒業後、公務実施学校工兵科に勤務。

その後、パリ参謀部の中尉にまでなるが、休職してパリ近郊で科学研究の生活をはじめる。1824年には、のちに熱力学の画期的論文と評価される『火の動力に関する考察』を出版するが、当時は注目されなかった。出版後、軍に復帰するが、ふたたび除隊して研究を再開。しかし、1832年、コレラにかかり、36歳の若さで亡くなった。業績は死後に評価され、考案した熱機関の理想作動工程に「カルノーサイクル」の名がつけられている。

ガリレイ,ガリレオ　　　　　学問　発明・発見　1564〜1642年

ガリレオ・ガリレイ

地動説をとなえ裁判にかけられた近代科学の創始者

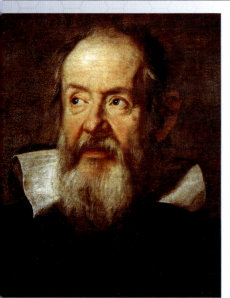

▲ガリレオ・ガリレイ

■振り子の等時性を発見

イタリアの物理学者、天文学者。

北部の都市ピサ生まれ。父はフィレンツェの貴族の出身で、音楽教師のかたわら織物商もしていた。ガリレオは1581年、ピサ大学医学部に入学した。在学中に、礼拝堂のつりランプがゆれるのをみて、大きくゆれても小さくゆれても1回の運動にかかる時間は同じであることに気づいたといわれている。これは、のちの振り子の等時性の発見につながった。大学の講義に興味をもてなかったガリレオは、トスカナ大公が主宰する貴族学校に入った。そこで、古代ギリシャのユークリッドの幾何学やアルキメデスの力学を学んだ。また、数学の重要性を知り、その研究に打ちこんだ。

■物体の運動と落下についての実験

1585年、ピサ大学を中退し、その後、家庭教師などをしながら、アルキメデスの考えを解説する『小てんびん』という本を書いた。この本では、貨幣にふくまれる金と銀の量を、てんびんと比重を利用して高い精度で調べるなど、自分でくふうした方法でアルキメデスの実験を再現したことをしるした。これを読んだデル・モンテ侯爵の後援により、1589年、ピサ大学の数学講師となった。大学ではユークリッドの幾何学とプトレマイオスの天文学を教え、そのかたわら力学の研究に熱中した。

1590年、物体の運動と落下に関する考えをまとめた『運動について』という本を書き、物体の落下速度は落とした物の重さには関係ないことを主張した。なお、ピサの斜塔から物体を落とす実験は、のちの伝記作家の脚色ともいわれている。

1592年、イタリア北東部のパドバ大学の数学教授となり、学生に教えるかたわら、軍隊の指導官たちに機械学を教えた。その中の一つに大砲の砲弾の動きの研究がある。ガリレオは、砲弾は爆発による推力と重力の2つの力のもとで放物線をえがいて飛ぶことをしめし、水平から45度の角度にむけて打ち上げると、飛ぶ距離は最大になることを証明した。またそのころ、斜面の上で球をころがし、距離をかえて時間をはかる実験をおこない、球の速度がじょじょに速くなる（加速する）ことを発見した。そこから、落下距離は落下速度の2乗に比例するという結論をみちびいた。18年にわたるパドバ大学時代、ガリレオは『かんたんな軍事技術入門』『築城論』『機械学』などの本を著し、また計算尺や幾何学的軍事コンパスをつくって販売したが、どれも事業としては成功しなかった。力学や数学を駆使して、実学への関心を深めていった。

▶幾何学的軍事コンパス
2本の定規をつなぎ、角度を自由にかえられるようにして、測量用につかった。大砲の火薬の量や発射するときの目安にする角度（仰角）の目盛りもついていた。

■望遠鏡を自作し天体観測を開始

1609年、オランダで望遠鏡が発明されたことを知ったガリレオは、さっそく望遠鏡づくりに熱中した。レンズをみがき精度を上げ、レンズの先端におおいをつけ像のゆがみをなくすなど、独自の改良を加えて高倍率の望遠鏡をつくり、月や木星、太陽など天体の観測を開始。月は完全な球ではなく凹凸があること、木星に4つの衛星があり木星のまわりを公転していることなどを発見。それらの観測結果をまとめて、1610年、『星界からの報告』を刊行した。月は完全な球体であると考えられていたので、人々の天体への関心を高めるとともに、論争をまきおこした。これを機にフィレンツェのメディチ家にめしかかえられ、フィレンツェに移った。

■コペルニクスの地動説を確信する

ガリレオは金星の観測をおこない、金星は1年半かけて満ち欠けをする現象を発見した。これは太陽のまわりをまわっているためで、水星やほかの惑星も同じだと考えた。天文観測を通して、ポーランド人のコペルニクスがとなえた地動説への確信を深めたが、カトリックの国では地動説は聖書の教えに反する異端の考えとみなされていたため、敬虔なカトリックを自認していたガリレオは、それを公にしなかった。そのころ、ドミニコ会の修道士が、ガリ

▼実験をするガリレオ　斜面をつかって球がころがる時間をはかっている。

レオは聖書の教えに反して、コペルニクスの教えを擁護していると告発した。また、コペルニクスの地動説を支持することを書いた弟子への手紙が教皇庁に知られ、1615年、ガリレオは異端として告発された。こうした告発を受けて、教皇庁は1616年、ガリレオにコペルニクスの地動説を放棄することを命じ、それを教えたりすることを禁じた。

■宗教裁判で有罪判決に

ガリレオは、1624年、ローマ教皇ウルバヌス8世に謁見し、業績をたたえられ、カトリックの信仰のあつさを称讃された。これに自信を得たガリレオは、天文学上の研究の集大成となる本の執筆にとりくみ、1632年2月、『天文対話』を刊行した。本書はプトレマイオスの天動説とコペルニクスの地動説について中立的な立場から論じようとしたものだが、最後にコペルニクスを支持する内容だったため、教皇庁は7月に発売禁止令をだし、ガリレオは異端審問所によびだされた。裁判は1633年4月からはじまり、6月、「1616年にだされた禁止命令に違反した」として有罪判決をいいわたされた。そして自分のあやまちと異端の罪をみとめ、その文書に署名した。

■オランダで『新科学対話』を出版

その後、フィレンツェ郊外のアルチェトリに軟禁された。しかし科学への情熱はおとろえず、物質の特性や物体の運動についてまとめた『新科学対話』を書き上げた。カトリックの強いイタリアでは出版できず、1638年、新教徒（プロテスタント）の国オランダで出版した。このころ両目とも視力を失ったが、弟子のトリチェリに口述筆記させ、『新科学対話』の続編を書きつづけ、1642年、77歳で亡くなった。

ガリレオは自然現象を実験や観察を通して検証し、一定の法則を見いだそうとする近代科学の方法を確立した。

1992年、ローマ教皇ヨハネ・パウロ2世は、ガリレオ裁判があやまりであったことをみとめ、350年ぶりに彼の名誉が回復された。

学 日本と世界の名言

▲ガリレオがつくった望遠鏡 長いほうが倍率14倍、短いほうは20倍。

天動説と地動説

天動説は、宇宙の中心は地球で、そのまわりを月や太陽をはじめとする天体がまわっているという説で、地球中心説ともいう。2世紀のアレクサンドリアの天文学者プトレマイオスがこの説を完成させた。その後、キリスト教会に支持され、古代、中世を通じて定説となった。

地動説は、宇宙の中心は太陽で、そのまわりを地球などの惑星がまわっているという説で、太陽中心説ともいう。16世紀にポーランドの天文学者コペルニクスによりとなえられ、その後、科学の発達にともない、定説となっていった。

▲プトレマイオスの天体モデル 地球が中心にあるという天動説の考えでえがかれている。

ガリレオ・ガリレイの一生

年	年齢	主なできごと
1564	0	2月15日、イタリアのピサで生まれる。
1583	19	振り子の等時性を発見。
1586	22	最初の論文『小てんびん』を書く。
1589	25	ピサ大学の数学講師となる。
1592	28	パドバ大学の数学教授となる。
1610	46	『星界からの報告』を刊行。
1615	51	ローマの異端審問所に告発される。
1632	68	『天文対話』を刊行。発売禁止に。
1633	69	宗教裁判で有罪となり、軟禁される。
1638	74	両目を失明する。『新科学対話』を刊行。
1642	77	1月9日、亡くなる。

※年齢は満年齢であらわしている

▼ガリレオの宗教裁判のようす 1633年4月、69歳のときに裁判にかけられた。左上のすみに立っているのがガリレオ。最後に「それでも地球は動いている」とつぶやいたといわれている。

カルバン, ジャン 〔宗教〕
ジャン・カルバン　1509〜1564年

宗教改革で福音主義を説いた宗教改革者

16世紀のスイスで活躍したフランスの神学者、宗教改革者。

フランス北部のノワイヨン生まれ。大学で哲学、神学を学んだのち、法律を研究。1534年、パリでカトリック（旧教）の教えに反する演説をおこない外国へ亡命、各地を転々としたのち、スイスの改革派にまねかれた。1536年に『キリスト教綱要』を刊行、「人間は、教会での儀式や規則ではなく、聖書の中のキリストのことば（福音）によってこそ救われる」という福音主義をとなえ、ルターの思想をより先鋭化させた宗教改革をジュネーブでおこなった。「魂の救済は全知全能の神に予定されている」という予定説をとなえ、聖書の教えを忠実に実践する熱狂的な信者をふやした。死後、その教えは全ヨーロッパに広まり、現在もプロテスタント（新教）の有力な一派となっている。

一方、ジュネーブの封建領主を追放して政治権力をにぎり、市民に質素倹約を徹底させ、教義や規則にさからう者をきびしく粛清、神学者ミゲル・セルベートを生きながら火刑に処するなど恐怖政治をおこなったことには否定的な意見も多い。

カルピニ, ジョバンニ・ダ・ピアン・デル 〔宗教〕
ジョバンニ・ダ・ピアン・デル・カルピニ　1200ごろ〜1252年

モンゴル帝国のグユクに面会したキリスト教修道士

イタリア・ベネツィア共和国の修道士。

プラノ・カルピニとも表記される。ペルージヤ地方生まれ。1220年ころフランシスコ修道会で司祭となる。1241年のバトゥのひきいるモンゴル軍侵攻によってヨーロッパのキリスト教世界は恐怖におちいったため、ローマ教皇インノケンティウス4世はモンゴル帝国についての内情をさぐり、キリスト教への改宗をすすめて友好関係をむすぶために、カルピニをモンゴルへ派遣した。

1245年にカルピニはリヨンを出発。途中ボルガ河畔のバトゥの本営に寄り、モンゴル帝国首都カラコルムに到着。第3代ハン（皇帝）のグユクの即位式に列席し、グユクの勅書（返書）を受けとって1247年に帰国。

勅書はモンゴル帝国への帰順を命じた内容で、友好関係はむすぶことができなかったが、ペルシア語の勅書は貴重な史料としてバチカン図書館に現在も保存されている。またカルピニの報告書はモンゴルの実情や生活をヨーロッパにはじめて伝えたすぐれた見聞録となっている。

カルロスいっせい
カルロス1世 → カール5世

ガレ, エミール 〔工芸〕
エミール・ガレ　1846〜1904年

アールヌーボー様式の工芸家

フランスのガラス工芸家、家具作家。

ロレーヌ地方に生まれる。ガラス工場をいとなむ父のすすめで高等中学校に入り、語学、歴史、植物学などを勉強して優秀な成績をおさめた。その後、ドイツのワイマールに留学し、鉱物学、化学や絵画、音楽を学ぶ。帰国後はマイゼンタールにあるガラス会社で修業し、家業をついだ。新しい技法の開発やデザインのくふうに熱心で、1878年にひらかれたパリ万国博覧会に、酸化コバルトをつかった月光色のガラス器などを出品して、一躍有名になった。1886年に家具工房を設立し、家具のデザインもてがける。1889年のパリ万国博覧会では最高賞を受賞した。1900年以降は、地元ナンシーのガラス工芸産業の発展にも力をつくした。

身近な自然をえがく日本美術にひかれ、草花やキノコ、トンボなどの昆虫をモチーフにした作品を多くつくった。アールヌーボー（新芸術運動）様式とよばれ、その第一人者として名高い。

ガロア, エバリスト 〔学問〕
エバリスト・ガロア　1811〜1832年

早熟な天才といわれた数学者

フランスの数学者、革命家。パリ郊外に生まれた。数学はほとんど独学で学び、17歳で最初の論文を書いた。1830年に高等師範学校に入学する。執筆した論文がたびたび紛失されたことで生活が荒れて政治活動に関与することがふえ、家族に「もし民衆を蜂起させるために、だれかの死体が必要なら、ぼくがなってもいい」と語った。

1831年には2度逮捕され、12月には収監されるにいたった。仮出所ののちには2人の愛国者に決闘を申しこまれ、そこで受けた負傷がもとで死亡した。「泣かないでくれ。20歳で死ぬのには、ありったけの勇気がいるのだから！」と、死の直前に弟に

語った。

　ガロアの理論は、その生前は数学者からも理解されなかった。決闘直前にも加筆をつづけていた論文は、死の14年後に公表され、リウビルやデデキントらの数学者の関心をよび、「5次以上の代数方程式は四則演算と累乗根n√の有限個の組み合わせだけで書けるような一般的な解の公式が存在しないことを、群の概念を用いて正確な証明をあたえた」ものであるとされた。のちに「ガロア理論」と名づけられた。

カロザース，ウォーレス・ヒューム　学問　発明・発見
● ウォーレス・ヒューム・カロザース　1896〜1937年

ナイロンを発明した化学者

　20世紀のアメリカ合衆国の化学者。

　アイオワ州生まれ。商業専門学校に学ぶが、化学に転向。1920年、イリノイ大学大学院に進学して翌年に修士号、1924年には博士号を取得した。その後、ハーバード大学の有機化学の講師となり、1928年にはアメリカの化学工業会社デュポン社に入社して、有機化学部門のリーダーをつとめた。原子が数千個つながった、巨大な分子からなる高分子化合物（デンプン、タンパク質、プラスチックなどが代表例）の人工合成の研究を進め、1931年、人工ゴムをつくる方法を発見。1935年には人類初の人工繊維「ナイロン」を発明した。その功績から、産業界の化学者では初のアメリカ科学アカデミーの会員にえらばれるが、うつ病が悪化し、青酸カリによって自殺した。ナイロンは死後の1940年に発売され、絹よりも細く、じょうぶで、安価な人工繊維として世界中に広まった。

カロッサ，ハンス　文学
● ハンス・カロッサ　1878〜1956年

近代ドイツ文学の最高峰の一人

　ドイツの詩人、作家、医師。

　バイエルン州生まれ。バイエルン地方で生涯をすごす。ミュンヘン大学ほかで医学を学び、開業医になる。1910年、『詩集』を発表。若い医師の苦悩をつづった『ドクトル・ビュルガーの運命』（1913年初稿）は、ゲーテの名作『若きウェルテルの悩み』の20世紀版とされる。第一次世界大戦に軍医として参戦した体験をつづった『ルーマニア日記』、戦火の思い出をつづる『幼年時代』、高校時代の『青春変転』、医学生時代の『美しき惑いの年』など、過去の体験をたどりながら、そこに普遍的なものを見いだそうとする作品を書きつづけた。近代ドイツ文学の最高峰の一人。

かわいえいじろう　思想・哲学　学問
● 河合栄治郎　1891〜1944年

マルクス主義もファシズムも批判した理想主義思想家

　大正時代〜昭和時代の思想家、民主社会主義者、教育者。

　東京生まれ。東京帝国大学（現在の東京大学）法科卒業後、農商務省勤務をへて、東京大学助教授となった。1922（大正11）年、イギリスへ留学し、イギリス理想主義の影響を受ける。帰国後、東京大学教授となり、日本でのマルクス主義のもり上がりを批判し、理想主義にもとづく自由主義政治を主張した。その後、勢力をました国家主義に対しても批判的な立場をとり、1938（昭和13）年、著書が発禁処分となり、翌年には休職処分を受けた。第二次世界大戦中、言論活動を禁止されたまま、病気で死去した。政治的には自由主義を、経済的には社会主義をとる、独自の社会構想を打ち立て、さかんな言論活動をおこなった。

かわいきさぶろう　工芸
● 河合喜三郎　1857?〜1916年

国産第1号のリードオルガンをつくる

　リードオルガンの製作者。

　もともと、浜松（現在の静岡県浜松市）の金属細工のかざり職人だった。1887（明治20）年、現在のヤマハ楽器の創業者である技術者の山葉寅楠にさそわれ、リードオルガンの修理をてがけたことをきっかけに、ともに国産のリードオルガンづくりをめざす。翌年、国産第1号となる39鍵盤のリードオルガンを完成。山葉と2人、てんびん棒でオルガンをかつぎ、東京の東京音楽学校（現在の東京藝術大学）まで歩いてはこび、校長の伊沢修二らの助言を受ける。山葉と東京で調律法を学ぶと、正しい音程のオルガン製作にとりくみ、第2号のオルガンを製作。伊沢らの宣伝と、学校教育に唱歌がとり入れられたことで、山葉オルガンの注文が殺到、オルガン製作が軌道に乗る。1889年、山葉に資金協力をおこない、山葉風琴製造所を設立。浜松市が日本一の楽器の生産地となる基礎を築いた。

かわいぎょくどう　絵画
● 川合玉堂　1873〜1957年

狩野派と四条派に学び独自の画風を確立

　明治時代〜昭和時代の日本画家。

　愛知県生まれ。本名は芳三郎。14歳で京都に出て、日本画家の望月玉泉に弟子入りし、1890（明治23）年から幸野楳嶺のもとで四条派の絵を学ぶ。1895年、京都でひらかれた第4

回内国勧業博覧会で橋本雅邦の『龍虎図』をみて感動し、翌年に上京した。橋本の門に入り、狩野派の表現を学ぶ。橋本らがつどう日本美術院には、1898年の設立から参加した。1907年、東京勧業博覧会に『二日月』を出品し、1等賞となる。狩野派の線による表現に四条派の写生的な表現をあわせた画風が、高い評価を得る。また、文部省美術展覧会（文展）の第1回展から審査員となり、政府が主催する展覧会で活躍した。

1900年ころから私塾の長流画塾をひらく一方、1915（大正4）年から1936（昭和11）年まで東京美術学校（現在の東京藝術大学）の教授をつとめる。1940年に代表作の『彩雨』を発表し、同年、文化勲章を受章した。　学 文化勲章受章者一覧

かわいつぎのすけ　幕末
● 河井継之助　1827～1868年

幕末の長岡藩をみちびいた

（長岡市立中央図書館写真提供）

幕末の長岡藩（現在の新潟県長岡市）の藩士。

名は「つぐのすけ」とも読む。越後国長岡藩の藩士の子に生まれる。1853年、江戸（東京）では開国論者の佐久間象山に学び、長崎では西洋の事情を知ったため、開国論者になる。1865年、幕府の第二次長州出兵では藩の出兵を中止した。1866年、藩政をつかさどる重職に抜てきされ、藩政改革をおこなって財政を立て直し、11万両をたくわえた。1867年、第15代将軍徳川慶喜が朝廷に政権を返した大政奉還のあと、藩の家老（藩主を補佐して政治をおこなう役職）となり、藩主のかわりとして京都へ行き、朝廷に対して幕府に政権をもどすように進言したので、長岡藩は幕府側とみなされた。

1868年、戊辰戦争がおこると、長岡藩は連発ガトリング砲、新式のミニエール銃などの近代兵器を購入して軍備をととのえ、新政府にも幕府にもつかない、中立の立場をとった。しかし新政府軍はこれをみとめず戦いとなり、4000名の新政府軍は1800名の長岡軍を攻めて長岡城をうばった。河井の指揮する軍ははげしい戦いの末、いちじ長岡城をとりもどしたが、このときの銃弾による傷がもとで亡くなった。

かわかみおとじろう　映画・演劇
● 川上音二郎　1864～1911年

新しい演劇「新派」の立役者

（国立国会図書館）

明治時代の俳優、興行師。

筑前国博多（現在の福岡市博多区）生まれ。14歳で上京し、職を転々として苦労したのち、大阪で自由民権運動に同調。自由童子と名のって政府攻撃の演説などをおこない、たびたび投獄される。やがて落語家の桂文之助に入門。浮世亭○○の芸名で大阪の寄席にあらわれ、時局風刺の『オッペケペー節』が評判となった。1891（明治24）年、堺・卯之日座に、新派劇の前身である書生芝居を旗揚げ。その後ふたたび上京して、念願の浅草・中村座で『板垣君遭難実記』の公演をはたし、さらに日清戦争の勃発に乗じて『日清戦争』を上演して大あたりとなった。1899年以降、妻の貞奴らとアメリカ合衆国やヨーロッパを巡業、好評を得て帰国。その後は正劇（せりふを主とした演劇）と称して、『オセロ』『ハムレット』などの翻訳劇を上演した。しかし俳優としては成功せず、興行師としての仕事に専心。帝国女優養成所を開設、洋風の劇場・帝国座を建設した。歌舞伎に対する新しい演劇、新派劇の先駆者として評価される。

かわかみきよし　政治
● 河上清　1873～1949年

アメリカで活躍した日本人ジャーナリスト

明治時代～昭和時代のジャーナリスト。

山形県生まれ。旧名は宮下雄七だが、祖父の河上家をついで改名した。上京後、慶應義塾、東京法学院（現在の中央大学）、青山学院をへて、新聞『万朝報』の記者となり、社会主義に関心をもつ。社会主義研究会や社会主義協会に参加し、労働組合の機関紙『労働世界』の編集に協力したのち、1901（明治34）年、片山潜らと社会民主党を創立。同党が禁止されると渡米し、『時事新報』『大阪毎日新聞』などの客員特派員として活躍した。その後はカール・キヨシの筆名で国際情勢などを評論し、イギリス、アメリカ合衆国の雑誌に寄稿。アメリカで結婚し、ワシントンで亡くなった。著書に『米国は戦うか』『米ソ戦わば?』、訳書に『近世社会主義』がある。

かわかみぜんべえ　郷土
● 川上善兵衛　1868～1944年

ブドウ栽培と国産ワイン製造につくした地主

明治時代～昭和時代のワイン用ブドウ栽培および醸造家。

越後国北方村（現在の新潟県上越市）の大地主の家に生

まれた。凶作にみまわれて苦しい生活をしていた村人を救うため、やせた土地でも栽培できるブドウに着目し、ブドウ栽培とワインづくりを決意した。ワインづくりを志したのは、川上家と親交のあった勝海舟から欧米の食生活に欠かせないワインのことを聞き、日本でも普及するだろうと考えたからだった。山梨県のブドウ園などで栽培技術を学ん

（岩の原葡萄園）

だのち1890（明治23）年、22歳のとき私財を投じてブドウ畑をつくり、苗木を植えた。

２年後にはブドウが収穫でき、ワインづくりをはじめたが、発酵がうまくいかず、よいワインができなかった。その後、設備をととのえ、外国から苗木をとりよせて品種改良にとりくみ、「マスカット・ベリーA」など日本の気候でもワインに適した品種を開発した。それらを原料に品質のよいワインの製造に成功し、国産ワインの基礎を築いた。

かわかみてつはる
● 川上哲治　1920〜2013年　スポーツ

「打撃の神さま」といわれたプロ野球選手

昭和時代のプロ野球選手、監督。

熊本県生まれ。幼少期は生活が苦しく、援助を受けて熊本県立工業（現在の熊本工業高校）に進学する。在学中は投手、中心打者として甲子園でひらかれた全国中等学校優勝野球大会に３回出場、２回準優勝した。1938（昭和13）年、東京巨人軍（現在の読売ジャイアンツ）に入団し、打撃の才能をみとめられて一塁手に転向し、翌年、はじめて首位打者になった。

一時、軍隊入りしたが、第二次世界大戦後の1946年に巨人へ復帰した。赤いバットをつかって大活躍したことから、青バットの大下弘とならんでファンに強烈な印象をのこした。

首位打者５回、本塁打王２回、最多安打６回など数多くのタイトルを獲得し、すぐれた打撃技術から「打撃の神さま」ともいわれた。

現役を引退後、1961年に読売ジャイアンツの監督に就任。長嶋茂雄、王貞治らをひきいて、1965年から1973年まで９年連続のリーグ優勝と日本シリーズ優勝の９連覇（V9）を達成。ジャイアンツの黄金時代を築き上げ、1974年に監督を退任した。

かわかみはじめ
● 河上肇　1879〜1946年　学問

『貧乏物語』を書いた経済学者

明治時代〜昭和時代の経済学者、思想家。

山口県生まれ。1902（明治35）年、東京帝国大学（現在の東京大学）法科大学政治科を卒業。大学時代に木下尚江、内村鑑三らの演説を聞き、聖書にふれ、絶対的な無我主義を意識するようになる。

（国立国会図書館）

足尾鉱毒事件救済のため、衣類など持ち物すべてを寄付し、『東京毎日新聞』に「奇特の士」として掲載された。卒業後は東京帝国大学農科大学の講師となり、農政学を教えた。京都帝国大学（京都大学）講師をへて、1915（大正4）年に教授となる。経済学史を担当するが、しだいに社会主義に関心を寄せた。

1916年、『大阪朝日新聞』に『貧乏物語』を連載、貧困の背景と問題点をとり上げた内容が社会に大きな衝撃をあたえ、その名を一躍有名にした。

その後、個人雑誌『社会問題研究』を刊行し、マルクス主義に傾倒していった。大学を辞職し、1932（昭和7）年、日本共産党に入党したが、翌年１月に治安維持法で検挙され、1937年まで獄中ですごした。晩年は京都に住まいを移し、『自叙伝』を執筆した。

かわかみひろみ
● 川上弘美　1958年〜　文学

幻想的な世界と日常が入り組む小説

作家。

東京生まれ。お茶の水女子大学卒業。大学で生物学を学び、在学中よりSF（空想科学小説）雑誌に短編作品を投稿する。卒業後は、高校で生物の教師をつとめるかたわら小説を書きつづける。

1994（平成6）年、『神様』でパスカル短編文学新人賞、紫式部文学賞などを受賞して作家活動に専念する。1996年に『蛇を踏む』で芥川賞を受賞。日常の風景と異形のものが登場する幻想的な世界が入り組む作風で読者の支持を得る。

代表作の『センセイの鞄』『古道具中野商店』、短編集『溺レる』『真鶴』『水声』などで、数々の文学賞を受賞している。エッセーや俳句の世界でも活躍している。

学 芥川賞・直木賞受賞者一覧

かわぐちえかい
● 河口慧海　1866〜1945年
【宗教】【探検・開拓】

チベットへの苦難の旅の末、仏教を学んだ

明治時代〜昭和時代の仏教学者、探検家。

和泉国（現在の大阪府南西部）生まれ。幼名は定次郎。哲学館（現在の東洋大学）を卒業し、1890（明治23）年に出家する。日本の仏典が中国から伝わった漢文であることに疑問をもち、原典を求めて、当時鎖国状態にあったチベットに行くことを決意する。チベットの医師といつわり、インド、ネパールをへてチベットへ密入国。1900年、日本人としてはじめて首都ラサに入る。セラ寺にとどまり仏教を学んだが、日本人であることが発覚し、脱出する。ネパールで仏典を集め、1903年にいったん帰国した。1913（大正2）年には、ふたたびインドからチベットに入国。阿弥陀仏の化身の転生者と信じられているパンチェン・ラマの協力を得て集めたチベット仏典やサンスクリット仏典など、多くの貴重な資料や仏具などを日本へもち帰った。帰国後は、大正大学教授として、仏教の原典やチベット文化の研究につくし、チベット学者の養成に力をそそいだ。『チベット旅行記』『在家仏教』など、多くの著書をのこす。

かわぐちまつたろう
● 川口松太郎　1899〜1985年
【文学】【映画・演劇】

戦後の演劇界をリードする

大正時代〜昭和時代の作家、劇作家、演出家。

東京生まれ。幼いころからいろいろな仕事につき、作家の久保田万太郎や、講談師（寄席で合戦や偉人の話などを語る）の悟道軒円玉から文学を学ぶ。1923（大正12）年、劇作家の小山内薫の雑誌『劇と評論』に戯曲『足袋』が掲載される。

庶民の人情や芸人の世界を、独特の語り口調でえがくのを得意とする。1935（昭和10）年に『鶴八鶴次郎』『風流深川唄』ほかで第1回直木賞、1969年には『しぐれ茶屋おりく』で吉川英治文学賞を受賞。『愛染かつら』『新吾十番勝負』などでも人気を博した。新派劇にもかかわり、新生新派を育てた功績で、1963年に菊池寛賞を受賞。1973年文化功労者。

【学】芥川賞・直木賞受賞者一覧

かわさきしょうぞう
● 川崎正蔵　1837〜1912年
【産業】

造船業の基礎を築いた実業家

明治時代の実業家。

薩摩国（現在の鹿児島県西部）の呉服商人の長男として生まれる。独学で国学や英語を学び、17歳で長崎へ出て、鹿児島との雑貨の交易などを通じて貿易商の修行を積んだ。

（国立国会図書館）

27歳のとき、大阪で海運業をはじめ、1871（明治4）年に上京。明治政府から琉球王国（沖縄県）の特産品の調査を依頼される。2年後、日本国郵便蒸汽船会社の副頭取として、琉球航路の開設に成功。この間に、何度も海難事故や遭難にあった経験から、速度が速くて安定性のある西洋の船に関心をもち、造船への決意をかためた。

1878年に川崎築地造船所をつくり、兵庫にも増設した。のちに借り受けた官営兵庫造船所とこれらをあわせ、1887年、川崎造船所（現在の川崎重工業）を設立。造船業の基礎をつくった。

神戸の自宅内に「長春閣」という美術館をつくるなど、美術品の収集家としても知られている。

かわさきひろし
● 川崎洋　1930〜2004年
【詩・歌・俳句】

豊かなことばの世界をひらく詩人

昭和時代の詩人。

東京生まれ。西南学院専門学校（現在の西南学院大学）中退。1946（昭和21）年、詩人の丸山豊らの詩誌『母音』に参加。1953年、詩人の茨木のり子と詩誌『櫂』を創刊し、のちに詩人の大岡信、谷川俊太郎らも加わる。主な作品は、『はくちょう』『木の考え方』『祝婚歌』など。なにげない表現で、豊かなことばの世界にみちびく詩をよんだ。1971年にラジオドラマの脚本『ジャンボアフリカ』で芸術選奨文部大臣賞、1987年『ビスケットの空カン』で高見順賞、1998（平成10）年には評論『かがやく日本語の悪態』ほかで藤村記念歴程賞を受賞。『読売新聞』の「こどもの詩」の選者を20年以上つとめた。

かわさきへいえもん
● 川崎平右衛門　1694〜1767年
【郷土】

武蔵野新田の開発につくした農政家

（府中市郷土の森博物館）

江戸時代中期の農政家。

武蔵国押立村（現在の東京都府中市）の名主（村の長）の家に生まれる。父のあとをついで名主となったころ、8代将軍徳川吉宗が享保の改革をおこなっており、年貢増収のため武蔵野台地に新田を開発する

計画を進めた。新田開発にとりくんだがなかなか進まず、1738年の凶作で、村々が被害を受けたとき、私財を投じて人々を救ったといわれる。

その後、町奉行（町の行政・裁判・警察を担当した役人）をつとめていた大岡忠相にみとめられ、幕府の武蔵野新田開発の世話役になり、新田の立て直しにとりくんだ。開墾した面積に応じて肥料を安く貸しつけ、用水工事などの公共事業をおこない、賃金のかわりに食料をわたすなど、新しい制度をとり入れて生産性を高め、江戸（東京）への農作物供給地として発展した。その後、幕府の代官（地方の事務をおこなう役職）となり、美濃国（岐阜県南部）の治水事業や石見銀山（島根県大田市）の経営にたずさわった。

かわじとしあきら　〔幕末〕
● 川路聖謨　1801〜1868年

幕末の外交にたずさわった

（川路聖謨肖像／東京大学史料編纂所所蔵）

幕末の幕臣。井上清直の兄。豊後国（現在の大分県）出身。江戸（東京）の旗本川路家の養子となる。勘定所（財政や民政を担当する役所）の役人から出世を重ね、各地の遠国奉行（江戸以外の幕府直轄地で政務をおこなった役人）などを歴任した。1852年、勘定奉行（税の徴収など幕府の財政運営をおこなった役職）に昇進し、外国の侵略をふせぐ海防掛をかねた。1853年、ペリーが来航したときには、アメリカ合衆国大統領の国書を受けとるように主張した。同年、ロシア使節プチャーチンが長崎に来航したとき応接掛を命じられ、1854年、静岡の下田で日露和親条約に調印した。1858年、日米修好通商条約調印の許可を得るため老中の堀田正睦にしたがい、岩瀬忠震とともに京都に行ったが、天皇のゆるしを得られなかった。また、当時問題となっていた将軍の後継者問題では、一橋慶喜（のちの徳川慶喜）をおす一橋派に属していたので、徳川慶福（徳川家茂）をおす大老井伊直弼ににらまれ、免職・隠居を命じられた。1863年、外国奉行（外国関係の事がらをあつかう役職）に起用されたが、病気のためまもなく辞職した。1868年、戊辰戦争で新政府軍が江戸にせまったとき、辞世の句をよみ、短銃で自殺した。

かわしまたけよし　〔学問〕
● 川島武宜　1909〜1992年

社会学全般に影響をあたえた昭和時代の法学者

昭和時代の民法学者、法社会学者。
岐阜県生まれ。東京帝国大学（現在の東京大学）法学部卒業後、同大学助教授となり、1945（昭和20）年には教授となった。第二次世界大戦中に執筆した『所有権法の理論』では、近代化した社会における法の支配について考察した。戦後の代表的な著作となった『日本社会の家族的構成』では、日本社会の特徴を分析し、社会実態に即した具体的、実践的な法律研究を展開した。『科学としての法律学』では、法律学という学問のあり方を問い直した。法律の解釈にとどまらず、社会生活の中で法律が活用されるための法学を提唱し、法律のみならず、社会学全般に影響をあたえた。1991（平成3）年、文化功労者にえらばれた。

かわたけもくあみ　〔伝統芸能〕
● 河竹黙阿弥　1816〜1893年

江戸歌舞伎を集大成した作者

（国立国会図書館）

江戸時代後期〜明治時代の歌舞伎作者。
本名は吉村芳三郎。江戸（現在の東京）日本橋の出身。1835年、歌舞伎作者の5世鶴屋南北に入門し修業した。1843年、2世河竹新七を襲名して歌舞伎作者となる。
1854年、『都鳥廓白浪』によって名優の4世市川小団次と意気投合し、『三人吉三廓初買』など多くの世話物（町人社会の事件や義理、人情をえがいた作品）を書いて評判となった。明治時代になると、9世市川団十郎のための活歴物（歴史の史実を写実的に演出した歌舞伎）『北条九代名家功』や、5世尾上菊五郎のための散切物（明治時代初期の新風俗をえがいた歌舞伎）『島鵆月白浪』など、新時代に合った作品を書いた。しかし、明治新政府の方針により芸能が取り締まりを受けるようになり、学者たちが伝統的な歌舞伎狂言に対して批判すると、1881（明治14）年引退宣言し、もとのもくあみという意味で黙阿弥と改名した。しかし、その人気のために実際は晩年まで作品を書き、360編以上の作品をのこした。江戸歌舞伎を集大成し、次の時代へつなげた作者である。

かわだりょうきち　〔郷土〕
● 川田龍吉　1856〜1951年

男爵いもを普及させた実業家

明治時代〜昭和時代の実業家、農場経営者。
土佐国土佐郡（現在の高知県高知市）で豊かな郷士（武士の待遇を受けていた旧家）の家に生まれた。父はのちに日本銀行総裁となり、民間人ではじめて貴族の位、男爵をさずけられた。慶應義塾（現在の慶應義塾大学）を卒業後、21歳でイギリスに留学し、造船技術などを学んだ。帰国後、造船会社

の社長となり、51歳のとき函館ドックを再建するために北海道にわたった。

（株式会社男爵倶楽部）

仕事のかたわら函館郊外に農場をひらいて、留学中にスコットランドの農村で食べたおいしいジャガイモをつくろうとした。日本のジャガイモは、病気に弱く、品質も悪かったので、外国から種いもをとりよせた。アメリカ合衆国原産のアイリッシュ・コブラーという品種が、病虫害に強くて、収穫も早く、味がよいとわかり、普及につとめた。その後、「男爵いも」と名づけられたいもを購入する農家がふえ、北海道中に広まった。

かわてぶんじろう 〔宗教〕
● 川手文治郎　1814～1883年

金光教の教祖
江戸時代後期～明治時代の宗教家。
赤沢文治ともいう。備中国（現在の岡山県西部）出身。1855年、42歳のときのどの重病にかかったが奇跡的に助かった。これを同地方で信仰されていたたたり神の「金神」によるものと信じた。その後、神秘的体験をするようになり、金神を「天地金乃神」と名をかえて幸福の守り神として信仰し、そのことばを受けとるようになった。
1859年、教派神道（神道を信仰する民間宗教）の金光教をひらいて、現実の暮らしにそった教えを広めて、農民たちの支持を得た。1868（明治元）年、金光大神と称するようになり、明治新政府などからの弾圧もあったが、西日本を中心に金光教を広めた。著作に自叙伝『金光大神御覚書』や、『お知らせ事覚帳』『理解』がある。

かわばたぎょくしょう 〔絵画〕
● 川端玉章　1842～1913年

写生重視の指導をした日本画家
明治時代の日本画家。
京都の蒔絵師の家に生まれる。本名は滝之助。こどものころから、日本画家の中島来章のもとで、円山派の絵を学ぶ。1866年、江戸（現在の東京）に出て、高橋由一について西洋画も学んだ。1882（明治15）年と1884年の内国絵画共進会で銅賞を受賞した。
1889年には、開校したばかりの東京美術学校（現在の東京藝術大学）の教員にむかえられ、写生を重視した指導をおこなった。1907年文部省美術展覧会（文展）がひらかれると、第1回から審査員をつとめる。1909年には川端画学校を設立した。門下には平福百穂、結城素明らがいる。『四時ノ名勝』などが代表作である。

かわばたやすなり 〔文学〕
● 川端康成　1899～1972年

日本人として初のノーベル文学賞を受賞

（日本近代文学館）

大正時代～昭和時代の作家。
大阪府生まれ。東京帝国大学（現在の東京大学）国文科卒業。父は医師であったが、こどものころから両親、祖父母、姉と肉親を次々に亡くし、16歳で孤児となる。大学在学中に発表した小説『招魂祭一景』が菊池寛らにみとめられ、同人誌『文藝春秋』に参加する。卒業後、横光利一らと雑誌『文芸時代』を創刊して、短編よりさらに短い「掌の小説」や評論を発表し、新感覚派とよばれて注目された。旅芸人の少女への思いをつづった『伊豆の踊子』などで作家としてみとめられる。日本的な美意識を追い求める作品で、多くの読者をひきつけ、代表作の『雪国』は叙情文学の傑作とされる。
批評家としてのすぐれた才能をもち、堀辰雄、岡本かの子、三島由紀夫など多くの作家が世に出るきっかけをつくった。1961（昭和36）年に文化勲章受章。1968年にノーベル文学賞を受賞したが、ガス自殺をする。死後、2015（平成27）年に60年ぶりに復刊された幻の少女小説『親友』が話題になった。

学 ノーベル賞受賞者一覧　学 文化勲章受章者一覧
学 切手の肖像になった人物一覧

かわばたりゅうし 〔絵画〕
● 川端龍子　1885～1966年

力強い「会場芸術」をめざした日本画家

（大田区立龍子記念館）

大正時代～昭和時代の日本画家。
和歌山県生まれ。俳人の川端茅舎は弟である。東京の中学校を中退し、白馬会洋画研究所、太平洋画会研究所で洋画を学ぶ。早くからさし絵画家として知られ、1907（明治40）年には国民新聞社に入り、平福百穂とともにさし絵を担当した。1913（大正2）年に渡米し、帰国後は日本画に転向した。
はじめ无声会に参加し、1915年に平福百穂、小川芋銭らと珊瑚会を結成した。この年、再興日本美術院展で初入選をはたし、1917年に同人となるが、その大胆な表現が批判され、

1928（昭和3）年に日本美術院を脱退し、翌年、青龍社を結成した。床の間にかざるような絵ではなく、展覧会場にふさわしい、力強くのびのびとした「会場芸術」をめざした。1935年、帝国美術院会員に、1937年には帝国芸術院会員に任命されるが、いずれも辞退した。代表作に『鳴門』『新樹の曲』『潮騒』などがある。1959年、文化勲章を受章した。

学 文化勲章受章者一覧

かわひがしへきごとう　詩・歌・俳句
● 河東碧梧桐　1873〜1937年

人間味のある自由律俳句で知られる

（日本近代文学館）

明治時代〜大正時代の俳人。愛媛県生まれ。本名は秉五郎。父は漢学者で正岡子規の友人。旧制第二高等学校（仙台）中退。子規に俳句を学び、同郷の高浜虚子とともに子規門下の双璧とされた。子規がはじめた俳句革新に賛同して運動を進め、五・七・五の定型や季語にこだわらない俳句、心情をえがきだす新傾向の俳句をめざした。人間味のある自由な俳句で知られる。三千里全国遍歴と称して、新傾向俳句を広めるため全国を旅してまわり、その経験をつづった紀行文『三千里』などものこしている。主な作品に、句集『碧梧桐句集』『新傾向句集』や『子規の回想』などがある。

かわむらずいけん　産業　郷土
● 河村瑞賢　1618〜1699年

西廻り航路と東廻り航路をひらいた

江戸時代前期の豪商。
伊勢国（現在の三重県東部）に農民の子として生まれる。13歳で江戸（東京）に出て、苦労して金をため、材木商になった。1657（明暦3）年、明暦の大火がおこると、木曽（長野県木曽町）の山林を買い占めて売りさばき、巨万の富を手にしたといわれる。その後、江戸幕府や諸藩の土木工事を請け負い、財産をふやした。1671年、御家人となり、幕府に命じられ、東北・北陸地方の年貢米を、太平洋沿岸を通って江戸にはこぶ「東廻り航路」を、翌年には日本海沿岸を通って大坂（阪）にはこぶ「西廻り航路」をひらいた。また、大坂の淀川の水害をふせぐため、河口に新安治川をひらいたのをはじめ、多くの治水工事にもたずさわった。1698年、それらの功績により、武士にとりたてられて旗本になった。

かわむらたかし　絵本・児童
● 川村たかし　1931〜2010年

『新十津川物語』の作者

昭和時代〜平成時代の児童文学作家。奈良県生まれ。本名は隆。奈良学芸大学（現在の奈良教育大学）卒業。農家の長男として生まれ、教師をしながら生涯を生地でおくる。児童文学作家の花岡大学らと同人誌『近畿児童文化』をだし、作品を発表する。1980（昭和55）年に『山へいく牛』で国際アンデルセン優良作品賞を受賞。代表作の『新十津川物語』は、奈良県十津川の大洪水で家と土地を失い、新天地を求めて北海道開拓にいどむ人々をえがいた長編で、産経児童出版文化大賞などを受賞した。1981年からは、那須正幹らと同人誌『亜空間』を創刊し、多くの新人を育てることに力をそそぐ。

かわむらまごべえ　郷土
● 川村孫兵衛　1575〜1648年

北上川などを改修した治水の名手

（宮城県石巻市提供）

安土桃山時代〜江戸時代前期の武士、治水家。
長門国（現在の山口県西部）の武士の家に生まれ、数学、土木工学、測量などを学んだ。1600年の関ヶ原の戦いで藩主の毛利氏がやぶれ、浪人となったが、陸奥国仙台藩（宮城県、岩手県南部）藩主の伊達政宗に土木技術の才能をみこまれ、家臣となり仙台藩の開発をてがけた。まず、阿武隈川河口から名取川河口まで約15kmの運河（貞山堀）をほって、水利をよくし、仙台城を築く資材や物資運搬に役だてた。
その後石巻に移り、たびたび洪水をおこしていた北上川、江合川、迫川を改修し、北上川の水流を石巻港にみちびく大工事にとりかかった。藩の財政では資金をまかなえなかったので、金山の開発、鉄の生産、製塩などで、工事の費用をつくった。4年間かけて、1627年に改修工事が完成し、仙台平野北部の新田がふえた。石巻港の完成により、大量の米が江戸（東京）にはこばれて仙台藩の大きな収入となった。

かんあみ　伝統芸能
● 観阿弥　1333〜1384年

京都に進出し、観世流発展の基礎を築いた

（名張市役所）

室町時代前期の能役者、能作者。
大和国山田（現在の奈良県桜井市）に生まれ、早くから大和の代表的な猿楽座の一つ、結崎座の能役者となった。それまでの猿楽に、田

楽や曲舞などをとり入れて、現代まで演じつがれる能の基礎を築いた。1374年、子の世阿弥とともに京都の今熊野で能を演じ、室町幕府第3代将軍足利義満の目にとまって以来、義満の保護を受けて絶大な人気を得るようになり、観世流発展のもとを築いた。体格は大男であったのに、女能で女性を演じると細々とした印象をあたえる、すばらしい演技力をもち、芸域の広い役者であったため、多くの観客を魅了した。また、能の作者でもあった。『自然居士』『卒都婆小町』などが代表作で、素材が人々に身近なもので、会話が生き生きとし、ものまね的なおもしろさと、味わい深いおもしろさが融合している点に特色がある。

子の世阿弥とともに能を大成したと評価されている。1384年、能をおこなっていた駿河国（静岡県中部と北東部）で、52歳で亡くなった。

かんう

政治

関羽　　　　　　　　　　　　　　　　?～219年

軍神として祭られる、蜀の勇将

中国、三国時代の蜀の武将。

字は雲長。美しいひげのため、小説『三国志演義』では「美髯公」ともよばれる。河東郡（現在の山西省）解の出身。涿郡（河北省）にやってきて劉備と出会う。184年に黄巾の乱がおこった際に劉備が兵をあげると、張飛とともにそれにしたがい、各地で戦って功績をあげた。200年に曹操との戦いにやぶれてとらえられる。その武勇と忠義を高く評価した曹操から、臣下になるようさそわれて丁重にもてなされたが、曹操と敵対していた武将を討ち功績をあげたのちに、劉備の下へ帰った。208年に劉備と孫権が連合して曹操と戦った赤壁の戦いのときにも、劉備の配下として活躍した。

その後、劉備が荊州（湖北省）を支配下におき、さらに益州（四川省）に攻めこむときには、荊州を守る役目となった。219年には曹操の部下を攻めて優勢であったが、曹操と同盟した孫権に攻められて戦死した。劉備への忠義と武勇は人々の尊敬を集め、のちに軍神、財神となった。関帝として祭られ、信仰されている。

かんえい

政治

甘英　　　　　　　　　　　　　　　　生没年不詳

ローマをめざし、後漢に西域の情報をもたらす

中国、後漢の西域支配に貢献した武将。

97年、西域を統括していた班超の命により、国交をひらく目的で、西の大秦（ローマ帝国）にむけて出発した。『後漢書』西域伝にしるされるところによると、イラン高原にあった安息国（パルティア）を通って、シリアあるいはイランにあったとされる条支国へとたどりついたが、大海（地中海かペルシャ湾とされる）を前にひきかえし、結局大秦には到達しなかったと考えられている。当時もっとも西方まで旅した中国人であり、後漢に西方の情勢をもたらした。

その後の中国の歴史書には西域の情報が豊富にしるされている。

かんおはるひで

江戸時代

神尾春央　　　　　　　　　　　　　1687～1753年

年貢の増収政策をおし進めた幕臣

江戸時代中期の幕臣。

旗本神尾春政の養子になり、1701年15歳で養父のあとをついで旗本になった。1737年、会計を担当する勘定方の最高責任者である勘定奉行になり、江戸幕府の8代将軍徳川吉宗の老中松平乗邑の下、年貢の増収政策をおし進めた。1744年には、みずから近畿地方や中国地方で検地をおこない、年貢の増収、隠田（農民がかくして耕作していた田）の摘発を実施した。

春央のはたらきによって幕府の収入はふえたが農民からはにくまれた。思想家の本多利明は著書『西域物語』で、神尾を「ゴマの油と百姓は、しぼればしぼるほど出るものなり」と語った人物として批判している。

かんがんあくだ

完顔阿骨打 → 完顔阿骨打

かんこう

王族・皇族

桓公　　　　　　　　　　　　　　　?～紀元前643年

春秋時代、最初の覇者

中国、春秋時代の斉の君主。

名は小白。兄の襄公の死後、異母兄の糾との争いに勝って、斉の君主となった。

家臣の鮑叔牙の推薦で、糾の家臣であった管仲を宰相にした。管仲のすぐれた政治手腕に助けられて、手工業や商業の育成につとめるなど、富国強兵を進め、北方の異民族や、侵入してきた楚をやぶる。

紀元前651年に諸侯を集めて覇者となり、諸侯をまとめたり、力を貸したりするようになった。しかし、天子（君主）だけがおこなえる儀式をしようとして諸侯の反発をよび、また管仲の死後は政治が乱れはじめた。紀元前643年に亡くなると、後継者争いがおこったため、遺体は2か月間もほうむられずに放置された。春秋時代の最初の覇者で、「春秋五覇」の一人。

世界の主な王朝と王・皇帝

かんざわとしこ

絵本・児童

神沢利子　　　1924年〜

幼年童話『くまの子ウーフ』の作者

児童文学作家。

福岡県生まれ。本名は古河トシ。文化学院卒業。炭坑技師の父の転勤で、東京、北海道、樺太（サハリン）と移り住む。樺太のきびしい大自然の中ですごした体験は、のちの壮大なファンタジーに色濃くあらわれている。1960（昭和35）年、雑誌『母の友』に、北国の果てに住む少年カムの冒険を豊かな想像力でえがいた『ちびっこカムのぼうけん』を連載し、注目された。ほかに『ヌーチェのぼうけん』『銀のほのおの国』『いないいないばあや』などがある。代表作の『くまの子ウーフ』は、生きるよろこびと不思議を、みずみずしいこどもの感性でえがき、1969年の刊行以来、世代をこえて読みつがれている。

がんじん

鑑真 → 276ページ

がんしんけい

絵画

顔真卿　　　709〜785年

肉太で力強い書風をつくった書家

（国立国会図書館）

中国、唐代の政治家、書家。

山東省の出身で、学者や書家の多い家系に育つ。こども時代から書に親しみ、勉強にも熱心にとりくんだ。26歳で官吏になるためのむずかしい試験に合格し、しだいに位の高い役職へと上がった。755年、安禄山の反乱がおきたときには平原太守という役職になっていた。ほかの多くの太守があきらめるなか、兵をだして戦い、玄宗皇帝の統治する唐を守った。官吏として、合計で4代の皇帝につかえた。70代のなかばに謀反がおこると、それをおさめようと出むいた先で、とらわれてしまう。3年後に殺害され、生涯を終えた。書については、すぐれた先人たちの書風を学びながら、肉太の線による力強く生き生きとした書風をつくった。とくに楷書では、書きだしがカイコの頭に、右の払いがツバメの尾に似ていることから「蚕頭燕尾」とよぶ書き方を考案した。欧陽詢など唐代初期の三大書家とともに、「四大家」とよばれる。

ガンディー

政治

ガンディー　　　1869〜1948年

インドを独立にみちびいた

インドの独立運動指導者、思想家。

インド西部、カーチャワール半島の小藩王国（現在のグジャラート州）の大臣の長男に生まれる。イギリスのロンドンで法律を学び、弁護士の資格を得て、1891年に帰国した。1893年、訴訟事件を依頼され南アフリカにわたり、そこでインド人の労働者に対する白人の人種差別をみて、インド人の権利を獲得する運動を指導した。暴力をつかわないことを原則とした非暴力の抵抗運動は、このときに芽生えた。

▲ガンディー

第一次世界大戦中の1915年、インドに帰国。インドを支配していたイギリスは、戦後、さらに弾圧を強める法律を制定し、1919年、イギリス軍によりインド人400人あまりが虐殺される（アムリットサル事件）と、ガンディーはイギリスに対する非協力運動を開始。イギリス製品をボイコットして国産の綿製品をつかうようよびかけ、みずからもインド古来の手つむぎ車で糸をつむぎ、国民に経済的自立をうながした。こうして国内に非暴力・不服従の運動を広めて、民族運動をになうインド国民会議派の最高指導者となった。

1930年、イギリスが製塩を禁止し、塩に重い税金を課していた塩専売法に反対し、24日間かけて380kmの道を歩き、ボンベイ（ムンバイ）に近いダンディー海岸で塩を採取した（塩の行進）。

▲手つむぎ車で糸をつむぐガンディー

その後、この行動を支持した10万人がデモ行進をおこない、警官が発砲する中を逮捕してくれと攻めよせた。イギリス支配に反対する運動は、あらゆる階層の人をまきこんだ。

一方、カーストという身分制度の中で、いちばん下におかれた貧しい人を救おうと、彼らを「ハリジャン（神の子）」とよんで解放運動を進めるなど、社会問題の解決にも積極的にとりくんだ。第二次世界大戦がはじまると、「いっさいの戦争に反対する」という声明を発表し、1942年、イギリスに対して「インドから出て行け」と要求した。

戦後の1947年、インドの独立がみとめられたが、ガンディーが望んでいた一つのインドではなく、イスラム教徒のパキスタンとヒンドゥー教徒のインドに分離されての独立だった。その後も、イスラム教徒とヒンドゥー教徒の融和をうながし、インドの統一をめざす活動をつづけていたが、1948年、78歳のとき、ニューデリーでインド統一に反対するヒンドゥー教徒に暗殺された。

現在も「マハートマー（偉大なる魂）」や「インド独立の父」とよばれ、尊敬されている。

がんじん

鑑真

宗教　688〜763年

日本に仏教の戒律を伝えた唐の僧

▲鑑真和上像　日本最古の肖像彫刻。高さ約80cm。
（唐招提寺所蔵／奈良国立博物館写真提供／森村欣司撮影）

■唐の有名な高僧となる

　唐（現在の中国）の僧。揚州江陽県（揚州市）に生まれた。14歳のとき、揚州大雲寺の仏像をみて感動し仏教を学んで僧になりたいと思った。仏教の信者で禅宗（座禅による修行を重んじる仏教の宗派）を学んでいた父は、鑑真の願いを聞きいれて出家させた。18歳で受戒（僧になるための戒律を受けること）し、洛陽や長安の寺に入って高僧から仏教を学んだ。
　26歳で揚州にもどった鑑真は寺院の高座にあがって戒律を講義するまでになり、多くの寺を建て仏像をつくった。46歳で戒律をさずける授戒大師となり、名声が高まった。戒律をさずけた弟子の数は4万人以上になったという。

■苦難の来日

　742年、55歳のとき、聖武天皇から戒律をさずける高僧をさがしてくるように命令を受けた日本の留学僧、栄叡と普照が揚州大明寺にいた鑑真をたずねた。このころ、鑑真は唐ではならぶもののない高僧として知られていた。2人は「日本では正式な戒律をさずけることのできる僧を求めています」といって徳の高い僧の来日を願った。
　しかし、日本への航海は遭難という危険がともなっていたので、鑑真の弟子たちはしりごみしてだれひとり名のり出ようとしなかった。とうとう鑑真が

「仏法（仏教）のためならなんで命がおしかろう。皆が行かぬなら私が行こう」と日本への渡航を決意した。しかし日本への渡航には唐の朝廷の許可が必要で、高僧の鑑真への許可はおりそうにもなかった。鑑真はひそかに日本へわたろうとした。
　743年、1回目の渡航は日本へむかうことに反対する弟子の密告によって失敗した。同年、2回目は船が海に出たところで突風にあおられて難破した。744年、3回目の渡航計画はまたも弟子の密告により栄叡が逮捕されてしまった。同年、4回目の計画も弟子の密告で失敗した。748年、5回目の渡航では海に出た一行を暴風雨がおそって流され中国の南にある海南島へ漂着した。鑑真はたび重なる苦難のため、そのころ失明したといわれる。
　6回目は753年、日本へ帰国する遣唐使船にひそかに乗ることができるという機会が到来した。鑑真は遣唐使の藤原清河とともに第1船に乗る予定だったが、つごうで第2船に乗船した。第1船は南へ流されてしまい日本へは帰れなかった。第2船は無事に九州の秋目（現在の鹿児島県南さつま市坊津町）にた

●鑑真の日本渡航地図

▼難破した遣唐使船　人々や積み荷は波にのまれているが左上方の鑑真だけは奇跡で海上に浮いている。『鑑真和上東征伝絵巻』より。（唐招提寺所蔵／奈良国立博物館写真提供／森村欣司撮影）

どりついた。渡航を計画してから10年あまり、鑑真は66歳になっていた。鑑真は、仏教の経典、仏像、仏具、仏教関係の画像、薬などを日本にもたらした。

■ 聖武上皇に戒律をさずける

754年、鑑真は平城京（奈良市）にのぼり、東大寺（奈良市）の大仏殿前に戒律をさずける儀式をおこなう戒壇をもうけた。そうして聖武上皇（譲位した聖武天皇）、光明皇太后（聖武上皇のきさきだった光明皇后）、孝謙天皇をはじめ400人以上に戒律をさずけた。上皇たちは三宝（仏、法〈経典〉、僧）をうやまうことを誓った。その後、鑑真は東大寺に律宗（仏教の一宗派で戒律を中心とし受戒を重んじる宗教）を伝えた。

鑑真は、仏教の経典を暗唱していたので、東大寺が所有していた何千巻という経典の誤りをみつけてすべて直したという。また、薬にくわしく、においをかぐだけでその薬のききめをいいあてたという。聖武上皇や光明皇太后が病気になったとき、鑑真のすすめた薬はよくきいたという。これらのさまざまな功績により756年、大僧都（僧の位の僧正に次ぐ位）をさずかり758年、大和上（律宗の僧の最高位）の称号を贈られた。

■ 唐招提寺を創建する

759年、鑑真は天武天皇の皇子新田部親王の旧宅をゆずられ、律宗の寺を創建した。これがいまにつづく唐招提寺（奈良市）で律宗の総本山になっている。

鑑真は多くの弟子を育てる一方で、医学、薬学の知識を伝え、美術、工芸技術の普及につとめるなど奈良時代の日本文化の発展につくした。

763年の春、健康がすぐれなくなった鑑真は「私が亡くなるときは座して死にたい」と遺言した。76歳で亡くなったが、鑑真は遺言どおりにあぐらを組んで顔を仏のいる西方にむけよろこんでいるかのようだったという。死後3日たっても頭部はあたたかく、のちに火葬したときはよい香りが山に満ちたという。

現在、唐招提寺にのこされている国宝の鑑真和上像は亡くなるときの鑑真の姿を伝えているといわれる。弟子の忍基が唐招提寺の講堂の棟やはりが折れる夢をみて鑑真の死期が近いことをさとり、ほかの弟子たちとともにいそいで制作したといわれる。

▲唐招提寺金堂　2009（平成21）年、解体修理工事が完成。創建当時のままの姿がのこされている。
（奈良観光協会写真提供）

▲鑑真の墓　唐招提寺境内奥にある。

戒律とは

鑑真は日本に正式な戒律を伝えた。戒律は、僧や信者たちが守るべき道徳や決まりで、仏教の一宗派である律宗は戒律を重んじ実践することを中心においている。聖武上皇や光明皇太后がさずかったのは菩薩戒で「殺さない、盗まない、みだらなことをしない、うそをつかない、酒を飲まない」という5つの戒で、僧や一般の信者も菩薩戒を守ることを誓った。戒律にはほかにも出家した男女の修行者が守るべき具足戒があり、男の僧には250の戒律、女の僧（尼僧）には348の戒律が決められているという。

▲唐招提寺戒壇　759年に築かれたという。約16m四方。

鑑真の一生

年	年齢	主なできごと
688	1	唐の揚州に生まれる。
701	14	大雲寺で出家する。
705	18	戒律をさずかり、洛陽や長安で学ぶ。
733	46	戒律をさずける授戒大師となり名声が高まる。
742	55	日本の僧が来日を願い渡航を決意する。
743	56	1回目の渡航は弟子の密告により失敗する。2回目の渡航も船が難破して失敗する。
744	57	3回目の渡航は密告により失敗する。4回目の渡航も弟子の密告により失敗する。
748	61	5回目の渡航は暴風雨にあい失敗する。このころ失明する。
753	66	6回目、日本の遣唐使船に乗船し来日に成功する。
754	67	聖武上皇、光明皇太后、孝謙天皇に戒律をさずける。
756	69	大僧都の僧位をさずかる。
758	71	大和上の尊号を贈られる。
759	72	唐招提寺を創建する。
763	76	唐招提寺で亡くなる。

※年齢は数え年であらわしている

ガンディー，インディラ　〔政治〕

インディラ・ガンディー　1917～1984年

インドの首相となったネルーの娘

インドの政治家。首相（在任1966～1977年、1980～1984年）。

中部のアラハバード生まれ。父はインド共和国の初代首相のネルー。インドのシャンティニケタン大学やイギリスのオックスフォード大学で学んだ。1938年、イギリスからの独立を求める政治組織インド国民会議派に入り、独立運動に参加。1942年、政治家のフェローズ・ガンディーと結婚した。

1947年のインドの独立にともない首相になった父のもとで政治経験を積み、1959年、国民会議派の議長に就任。1964年に情報相として入閣、1966年には首相に就任した。1972年、パキスタンとの戦争に勝利し、東パキスタンをバングラデシュとして独立させた。「貧困の追放」をかかげて指導力を発揮するが、汚職をあばかれて反政府運動が高まると、非常事態宣言を発し、言論や人権を抑圧した。一度、下野したが、1980年にふたたび首相の座についた。1984年6月、シク教徒の反乱を弾圧したことから反発をまねき、同年10月、シク教徒過激派に暗殺された。死後、子のラジブ・ガンディーが首相になった。

ガンディー，ラジブ　〔政治〕

ラジブ・ガンディー　1944～1991年

政治改革を期待された名家出身の首相

インドの政治家。首相（在任1984～1989年）。

インドのボンベイ（現在のムンバイ）に生まれる。祖父は初代首相のネルー、母は元首相のインディラ・ガンディー。イギリスで機械工学を学び、パイロットとなったが、母の後継者とされていた弟が飛行機事故により死亡したため、政界に入った。1981年、下院議員に当選、1984年、首相であった母インディラの暗殺を受けて、首相に就任した。就任直後の総選挙で、与党の国民会議を勝利にみちびき、国民の信任を得た。若くクリーンなイメージをもつ首相として、官僚的な政府組織の改革、経済や工業技術の近代化、対話による民族紛争の解決をめざした。

1989年、汚職疑惑によりイメージが悪化、選挙で敗北して辞職したが、その後も国民会議ではトップとして活動し、首相復活が期待された。1991年、46歳のとき、スリランカのテロ組織タミル・イーラム解放のトラ（LTTE）によって暗殺された。

カンディンスキー，ワシリー　〔絵画〕

ワシリー・カンディンスキー　1866～1944年

前衛美術に影響をあたえた抽象画家

ロシア出身の画家。モスクワの裕福な家庭に生まれる。はじめは、法律と経済を学んでいた。1895年に印象派画家モネの影響を受け、翌年30歳でドイツのミュンヘンで絵画を学びはじめる。1909年、ミュンヘン新芸術家協会を設立して代表となり、1911年にはドイツ表現主義を代表する「青騎士」を組織し、前衛美術運動をおし進めた。第一次世界大戦中はロシアにもどるが、1922から1933年にドイツのワイマール、デッサウ、ベルリンでバウハウス（総合造形学校）の美術工芸学校教授をつとめた。

はじめ印象派の色彩とアールヌーボー（新芸術運動）の形を研究していたが、しだいに色彩を強調して、形を大きく変形させる表現主義へとむかった。さらに対象物の具体的な描写ではなく、心の内面のイメージを表現する抽象画へと進み、前衛美術に大きな影響をあたえた。代表作に『カーブとアングル』、連作『即興曲』『コンポジション』などがある。

カント，インマヌエル　〔思想・哲学〕

インマヌエル・カント　1724～1804年

近代哲学の祖、ドイツ観念論の祖とされる哲学者

ドイツの哲学者。プロイセンのケーニヒスベルク（現在のロシア領カリーニングラード）生まれ。ケーニヒスベルク大学で、神学、哲学、自然科学、数学などを学ぶ。卒業後、ニュートンの物理学に感銘を受け、独自の宇宙論を展開した。母校で論理学や人間学などの教授をつとめる一方、イギリス経験論の哲学者ヒュームの懐疑論に反発する形で、哲学にめざめた。理論より経験を重んじる経験論、理論こそ経験にまさるという合理論、そのどちらもかたよった考えだと批判。『純粋理性批判』『実践理性批判』『判断力批判』などの著書で批判哲学を展開し、ドイツ観念論を打ち立てた。また、フランスの啓

蒙思想家ルソーの影響を受け、哲学は独立した自由な人格をもった人間のための学問であるべきだと主張した。カント哲学は、のちのフィヒテやヘーゲルらドイツの哲学者だけではなく、イギリス、フランスの理想主義、さらには、多くの近代哲学の源流となっている。

学 日本と世界の名言

かんなおと

政治

● 菅直人　1946年～

東日本大震災の対応に追われた首相

政治家。第94代内閣総理大臣（在任2010～2011年）。
山口県生まれ。東京工業大学理学部を卒業後、市民運動に参加。婦人運動家、市川房枝の選挙事務長をつとめた。1978（昭和53）年、社会民主連合を結成。2年後、衆議院議員に当選。1994（平成6）年に新党さきがけに入党、第1次橋本龍太郎内閣では厚生大臣として薬害エイズ問題にとりくみ、被害者に謝罪した。1996年に民主党を結成すると、鳩山由紀夫とともに共同代表に就任。2年後、代表に就任。鳩山内閣で副総理、国家戦略担当大臣、内閣府特命担当大臣（経済財政政策・科学技術政策）、財務大臣を兼任。2010年には第94代内閣総理大臣に就任。2011年の東日本大震災、福島第一原子力発電所事故の災害対策にあたる。2011年9月に退任した。

学 歴代の内閣総理大臣一覧

かんのすが

政治

● 管野すが　1881～1911年

大逆事件で処刑された唯一の女性

明治時代の社会主義運動家、新聞記者。
大阪生まれ。父の鉱山業が失敗して、各地を転々とする。19歳で東京深川の商人、小宮福太郎と結婚するが、3年で離婚。小説家の宇田川文海から文学を学び、『大阪朝報』の記者となる。1904（明治37）年、女性地位向上運動団体である婦人矯風会の大阪支部代表として上京するが、木下尚江の演説に影響を受け、社会主義運動への関心を深めていく。
1906年に『牟婁新報』へ移り、その後、『毎日電報（現在の毎日新聞）』社会部の記者となった。翌年荒畑寒村と結婚するが、のちに離婚。1908年には、幸徳秋水らと赤旗をかかげて行進し（赤旗事件）、起訴される。その後無罪となったが、天皇制や国家権力に反発して、アナキズム（無政府主義）に共感。『自由思想』を発行するが、発行禁止となる。1910年、宮下太吉らとともに明治天皇の暗殺を計画したとされる、大逆事件でとらえられ、31歳で処刑された。獄中で『死出の道艸』という手記をのこしている。

カンハン（きょうこう）

学問

● 姜沆　1567～1618年

日本の捕虜となって『看羊録』を書いた

安土桃山時代に来日した、朝鮮王朝の官僚、儒学者。
朝鮮の名門儒学者の家に生まれ、1593年に科挙（官僚の採用試験）に合格し、官僚となる。
1597（慶長2）年、豊臣秀吉の第2次朝鮮出兵（慶長の役）の晋州城攻防戦で、藤堂高虎の水軍の捕虜となって日本に連行される。伊予国（現在の愛媛県）に拘留されたのち、京都伏見に幽閉される。しかし、すぐれた儒学者であったため、捕虜でありながら、その待遇は特別であった。播磨国（兵庫県南部）の竜野城主、赤松広通の保護の下で、相国寺（京都市上京区）の禅僧、藤原惺窩と交友し、『四書五経』を日本語に訳すなどして朱子学をつたえ、日本に儒学を広める基礎を築いた。
1600年に釈放され、帰国。約3年にわたる日本での捕虜生活や、当時の日本の国土や大名についてなどの内情を『看羊録』に著し、本国政府に報告した。また、捕虜となる際に目の前でわが子を殺され、みずからも何度も脱走をはかったことなどの、生々しいようすもしるされている。

かんぴ

思想・哲学

● 韓非　？～紀元前233年

性悪説、信賞必罰をもとに法家を大成させた思想家

古代中国の戦国時代の思想家。
韓の国の王族に生まれる。吃音のため話すのは苦手だったが、すぐれた文章を書いた。性悪説をとなえた儒家の荀子のもとで学ぶ。同門にはのちに秦の大臣となる李斯がいた。儒家の徳（人間どうしの信頼や愛）によって国をおさめようとする政治を時代錯誤と批判し、賞罰を重んじて法によっておこなう統治を現実的として、商鞅らの実践してきた法治主義を大成させた。秦が韓を攻めようとした際に、使者として秦に行き、そのとき、秦の王（のちの始皇帝）が韓非を重用するのをねたんだ李斯の策略でとらえられ、獄中で自殺に追いこまれた。韓非の思想やことばをまとめた『韓非子』は、法家の代表的な古典として名高く、始皇帝も愛読したといわれている。

かんぽうてい

王族・皇族

● 咸豊帝　1831～1861年

太平天国の乱、アロー号事件、北京占領に直面した皇帝

中国、清の第9代皇帝（在位1850～1861年）。
道光帝の第4子として生まれる。19歳で即位するとまもなく太平天国の乱がおこり、1853年には南京を占領された。漢民

族を積極的に登用し、太平天国軍の北上をはばみ、動乱はいったんしずまった。しかし、アヘン戦争敗北を機にむすばれた1842年の南京条約以後、主要5港を開港させられ各地で紛争が絶えず、1856年のアロー号事件をきっかけに、英仏軍が広州を攻撃してアロー戦争に発展した。即位したころは熱心に取りくんだが、国内外のきびしい状況にしだいに政治への意欲を失っていった。

その後も英仏連合軍が北京を占領し、咸豊帝は熱河（現在の河北省）にのがれ、弟の愛新覚羅奕訢により北京条約がむすばれた。その翌年、咸豊帝は結核により熱河で死去した。

学 世界の主な王朝と王・皇帝

かんむてんのう

王族・皇族

● 桓武天皇　　　　　737〜806年

大寺院の影響を受けない、新しい政治をおこなった

（延暦寺）

平安時代前期の第50代天皇（在位781〜806年）。

天智天皇の孫で光仁天皇の子。母は、渡来人の血をひく高野新笠。即位する前は山部親王とよばれた。母の身分が低く、はじめ、皇太子には立てられなかった。しかし772年、光仁天皇の皇后の井上内親王が天皇をのろったという罪で退位させられ、皇太子の他戸親王とともにとらえられた翌年、皇太子に立てられた。781年、光仁天皇が退位し、45歳の皇太子、山部親王が即位して桓武天皇となった。父のころからの腹臣、藤原百川にはあつい信頼を寄せていた。

784年、都を平城京（奈良市）から長岡京（京都府長岡京市・向日市）に移した。その理由は、政治に大きな影響力をもっていた奈良の大寺院の圧力を受けない場所で、新しい政治をおこなおうとしたからだといわれている。

785年、長岡京の造営工事を進めるなか、天皇が工事の中心人物とした藤原種継が暗殺された。この事件は、朝廷の権力をにぎっていた藤原氏に不満をもつ大伴氏の犯行だとされ関係者が処分された。さらに、皇太弟（天皇のあとつぎの弟）の早良親王が事件に関係していたとしてとらえられ、淡路（兵庫県淡路島）に流罪となったが、親王は無実をうったえて断食し、途中で亡くなった。

早良親王の死後、朝廷では桓武天皇の皇后や近親の人々が疫病である天然痘で次々に亡くなるという不幸がつづいた。また、長岡京を流れる川がたびたびはんらんをおこしたので、工事は中断された。794年、天皇は長岡京造営を中止し、北方の平安京（京都府）に都を移した。不吉な地をのがれ、人心を一新して政治をはじめようと考え、永遠の平和、平安楽土を願って「平安京」と名づけた。

▲天皇陵の柏原陵
（宮内庁書陵部）

平安京の都づくりを進める一方で、そのころ東北地方で勢力をもち、しばしば反乱をおこした蝦夷をしずめて朝廷の支配下におくため、坂上田村麻呂などを征夷大将軍に任命して軍隊を送った。しかし、長岡京、平安京とあいつぐ造営工事と蝦夷平定には、ばく大な費用がかかり、工事に動員された人々は農作業もできず苦しんでいた。

805年、天皇は天下の徳政（善政）について臣下に意見を聞いたところ、百川の子、藤原緒嗣は「軍事（蝦夷平定）と造作（都づくり）は天下の苦しむところであり、すぐに中止するべきです」と進言した。天皇は緒嗣の意見を重んじ、二大事業を中止させ、翌年病で亡くなった。

学 天皇系図

かんゆ

政治　詩・歌・俳句

● 韓愈　　　　　768〜824年

唐代の代表的な文章家の一人

中国、唐代の政治家、文学者、詩人、思想家。

河内南陽（現在の河南省）生まれ。韓昌黎ともよばれる。幼いころに両親を亡くし、兄夫婦に育てられる。792年、当時の官僚の採用試験であった科挙に合格し役人となる。軍閥（地方の豪族）の反乱をおさめて、刑部侍郎（司法の管理職）の地位を得る。いったんは皇帝の仏教保護に反対し、地位を下げられるが、のちに復帰して役人生活を終えた。

文学者としては、当時の形式にこだわる文章体をやめて、自由な発想ができる古い文章体を主張し、多くの人がそれにならった。これは次の宋の時代に受けつがれた。

唐宋八大家（唐・宋時代の代表的な8人の文章家）の一人とされる。

詩人としては、かたい表現を好み、大詩人の白居易らとならんで唐を代表する詩人とされ、作品は『昌黎先生集』におさめられている。

また、儒学の復興につとめた思想家でもあった。日本では『韓愈詩訳注』、『唐宋八大家文読本 韓愈』などが刊行されている。

カンユーウェイ

康有為 → 康有為

かんろく　　　　　　　　　　　　　　　　宗教

● 観勒　　　　　　　　　　　　　　　　生没年不詳

暦や天文地理などをもたらした渡来僧

飛鳥時代に渡来した、百済の僧。

602年、朝鮮半島の百済から倭（日本）に渡来し、暦法、天文地理、遁甲（占星術の一種）の法術書などを伝え、また、日本で仏教を指導した。624年、ある僧が祖父をなぐり殺すという事件がおきたとき、推古天皇は蘇我馬子に命じて諸寺の僧尼も罰しようとしたが、観勒は悪逆な僧以外の赦免を推古天皇に願いでてゆるされたという。その後、僧尼を統制するために僧正や僧都などの制度が定められ、観勒は僧正に任命された。

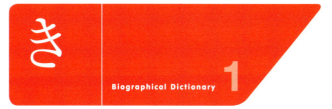

Biographical Dictionary 1

キージンガー，クルト・ゲオルク　　　　政治

● クルト・ゲオルク・キージンガー　　　1904〜1988年

東欧諸国と国交をむすんだ西ドイツ首相

西ドイツの政治家。連邦政府首相（在任 1966 〜 1969 年）

南部のバーデン・ウュルテンベルク州生まれ。ベルリン大学卒業後、弁護士となる。1933年、ナチスに入党したが、積極的な活動はおこなわず、第二次世界大戦中は外務省に勤務、連絡係をしていた。戦後の1949年、キリスト教民主同盟の連邦議会議員となり、1958年にバーデン・ウュルテンベルク州首相に就任。1966年にはキリスト教民主同盟と社会民主党の大連立政権を樹立させ、みずから連邦政府首相（西ドイツ首相）に就任したが、ナチスにいた経歴を批判されることも多かった。1967年、キリスト教民主同盟党首に選出され、チェコスロバキア、ルーマニア、ユーゴスラビアなど東欧諸国と国交をひらいた。1969年の総選挙後、首相を辞職した。

学 主な国・地域の大統領・首相一覧

キイス，ダニエル　　　　　　　　　　文学

● ダニエル・キイス　　　　　　　　1927〜2014年

知的障害に文学的なスポットをあてる

アメリカ合衆国の作家。

ニューヨーク生まれ。ブルックリン・カレッジで心理学を学んだあと、雑誌編集や教師をしながら、英米文学の修士号を得る。1959年、知的障害をもつ青年を主人公にした中編小説『アルジャーノンに花束を』を発表し、翌年、SF・ファンタジーに贈られるヒューゴー賞を受賞。1966年には、同じ作品を長編小説にして、ヒューゴー賞とならぶネビュラ賞を獲得。この作品は世界中で大ヒットし、日本でもテレビドラマ化された。当時まだ知られていなかった多重人格者をとりあげた『24人のビリー・ミリガン』（1981年）、その続編『ビリー・ミリガンと23の棺』（1994年）も話題を集めた。

キーツ，エズラ・ジャック　　　　　絵本・児童

● エズラ・ジャック・キーツ　　　　1916〜1983年

こどもの日常を豊かにえがく絵本作家

アメリカ合衆国の絵本作家。

ニューヨーク生まれ。両親はナチスの迫害からのがれ、ポーランドからアメリカにわたったユダヤ人。幼いころから絵が好きで画

家をめざすが、貧しく、独学で絵を学ぶ。雑誌のイラストレーションの仕事などをしながら絵本をかきはじめ、1962年に『ゆきのひ』を出版する。雪がつもった朝、一人雪遊びをする黒人の少年ピーターの姿と心の風景を色紙や模様紙のコラージュ（切り絵）や油彩などをまじえて印象的にえがいている。この作品により、コルデコット賞（アメリカで、その年のもっともすぐれた絵本に贈られる賞）を受賞し、絵本作家としての地位を手にした。

同じ少年を主人公にして、こどもの日常生活を愛情深くとらえた作品に『ピーターのくちぶえ』『ピーターのいす』『ピーターのめがね』などがある。

日本の文化にも強い関心をもち、コラージュには和紙もつかわれている。俳句を題材にした絵本『春の日や　庭に雀の　砂あひて』もてがけた。

キーツ，ジョン 〔詩・歌・俳句〕

ジョン・キーツ　　1795〜1821年

イギリスロマン派の代表詩人

イギリスの詩人。

ロンドン生まれ。少年のころに両親を亡くし、生活は貧しかったが中学校にかよい、文学を愛するようになった。

医学生をめざして医師の下働きののち、病院につとめるようになると、詩を書き、1817年、友人の好意で最初の作品集を出版した。翌年には『エンディミオン』という大作を発表するが、評判はよくなかった。その後、弟が肺結核で亡くなり、恋人にも去られる。不幸をのりこえ、1819年には多くの詩を発表したが、結核をわずらい、25歳でこの世を去った。

自然を愛し、生きるよろこびやロマンを、美しいことばでうたった。イギリス・ロマン派の最高峰の詩人として名高い。

キーファー，アンセルム 〔絵画〕

アンセルム・キーファー　　1945年〜

新表現主義の現代美術家

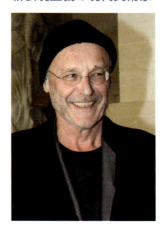

ドイツの美術家、写真家。

南西部のドナウエシンゲンに生まれる。幼少のころから紙をはりあわせて本をつくっていた。フライブルク大学法学部卒業後、芸術の道に転向する。画家アンテスと美術家ボイスのもとで水彩画や写真を学び、作品制作をはじめる。

1969年、ナチスをあつかった写真の連作『占領』を発表。ドイツ人にとってタブーとされていたテーマであったことから、美術界に大きな衝撃をあたえた。1980年、イタリアの美術展ベネチア・ビエンナーレで注目される。

テーマ性に重きをおき、歴史、伝説、宗教などをとり上げている。砂、わら、鉛などをはりつけた大画面に、油彩をはじめとしたさまざまな手法で、迫力ある作品をえがく。代表作に『あしか作戦』『メランコリア』『革命の女たち』などがある。現代美術における新表現主義の代表とされる。1992（平成4）年に日本で初の個展を開催した。

キーン，ドナルド 〔文学〕

ドナルド・キーン　　1922年〜

日本の文学を世界に紹介

アメリカ合衆国の日本文学研究者、評論家。

ニューヨーク生まれ。コロンビア大学在学中に英訳の『源氏物語』を読み、日本文学や日本文化に興味をもつ。第二次世界大戦後、コロンビア大学大学院、イギリスのケンブリッジ大学をへて、1953（昭和28）年、京都大学大学院に留学する。帰国後、コロンビア大学で日本文学を教えながら、古典から現代までの日本文学を広く研究する。帰国後もたびたび来日し、川端康成、三島由紀夫、谷崎潤一郎など多くの作家と交流を深めた。それとともに日本の文学作品を次々と英語に翻訳して発表し、その魅力を世界に広めた。

日本人の日記を研究した『百代の過客』で読売文学賞（1984年）、日本文学大賞（1985年）を受賞。ほかに、『日本文学の歴史』（全18巻）、『明治天皇』『ドナルド・キーン自伝』など。2002（平成14）年文化功労者。2008年に、文化勲章を受章。2012年、日本国籍を取得。現在、コロンビア大学名誉教授。

学 文化勲章受章者一覧

きくたかずお 〔映画・演劇〕

菊田一夫　　1908〜1973年

恋愛ドラマ『君の名は』が大ヒット

昭和時代の劇作家、演出家。

神奈川県生まれ。本名は数男。幼いころに養子にだされ、貧しい生活を送る。小学校卒業後、はたらきながら夜間学校で学ぶ。萩原朔太郎の紹介でサトウハチローに教えを受け、榎本健一、古川緑波など当時の大スターに戯曲を提供してみとめられる。第二次世界大戦後は放送劇を書き、戦争孤児のドラマ『鐘の鳴る丘』、恋愛ドラマ『君の名は』が大ヒットする。1955（昭和30）年、東宝の取締役になり、舞台『がめつい奴』『放浪記』、ミュージカル『マイ・フェア・レディ』や『屋根の上のヴァイオリン弾き』などの名作を手がける。ふつうの人々の喜

怒哀楽をわかりやすくえがいて共感を集め、多くのスターを生みだした。1975年、菊田一夫演劇賞が創設された。

きくちかん

● 菊池寛　　1888〜1948年　　文学

『恩讐の彼方に』の作者

（日本近代文学館）

大正時代〜昭和時代の作家、劇作家。

香川県生まれ。本名は寛。京都帝国大学（現在の京都大学）英文科卒業。第一高等学校に在学中に、芥川龍之介、久米正雄、山本有三らと同級になり、その後、いっしょに第3・4次『新思潮』に参加する。はじめ劇作家をめざし、戯曲『屋上の狂人』『父帰る』などを発表するが、ほとんど評価を得られなかった。大学卒業後は『時事新報』の記者としてつとめがなら小説を書き、『無名作家の日記』『忠直卿行状記』で新進作家としてみとめられると、『恩讐の彼方に』『藤十郎の恋』などで一流作家の地位を築いた。その後、新聞に『真珠夫人』を連載して大衆小説に進み、流行作家として活躍した。

1923（大正12）年には、文藝春秋社をおこし『文藝春秋』を創刊。経営者としての手腕をふるい、多くの新人を発掘し、育てた。また文芸家協会の設立、芥川賞と直木賞の創設など、文壇の大御所として、文学の普及に力をつくす。1953（昭和28）年には、彼の名を記念して菊池寛賞がもうけられた。

きくちたけお

● 菊池武夫　　1854〜1912年　　学問　教育

日本人初の法学博士

明治時代の法学者。

盛岡藩（現在の岩手県北部・青森県東部）の藩士の家に生まれる。1875（明治8）年、大学南校（現在の東京大学）を卒業。明治政府の留学制度である文部省貸費留学生規則の第1期生として、アメリカ合衆国のボストン大学法学校へ留学した。同じ制度の第1期生として、小村寿太郎などもいた。帰国後は、司法大臣秘書官や司法省民事局長、民法草案編纂委員などを歴任。その後、独立して弁護士となり、東京弁護士会会長もつとめた。

法学の教育にも力をそそぎ、1885年に、仲間とともに英吉利法律学校（中央大学）を創立。中央大学となったあと、初代学長もつとめた。1888年、日本ではじめて法学博士号を授与される。

きくちたけとき

● 菊池武時　　?〜1333年　　貴族・武将

鎮西探題の館を攻めたが敗死

鎌倉時代後期の武士。

肥後国（現在の熊本県）の豪族で、鎌倉幕府の有力な御家人である菊池氏の出身。

1333年、鎌倉幕府をたおそうとして失敗して隠岐（島根県隠岐諸島）に流されていた後醍醐天皇が脱出し、伯耆国（鳥取県中部と西部）に陣をかまえた。後醍醐天皇の息子の護良親王から幕府を討てという命令書を受けた武時は、幕府に不満をいだいていたこともあってそれに応じ、鎌倉幕府が九州統括のために設置した鎮西探題を攻めようと決意する。博多（福岡市）にむかい鎮西探題北条英時の館を攻めたが、九州守護層の少弐貞経、大友貞宗の味方にうらぎられたこともあり、一族とともに敗死した。

きくちたけみつ

● 菊池武光　　?〜1373年　　貴族・武将

南朝を助けた九州の勇将

鎌倉時代末期〜南北朝時代の武将。

肥後国（現在の熊本県）の御家人、菊池武時の子に生まれる。1343年、北朝（室町幕府）にうばわれていた菊池氏の本拠の深川城をとりもどし、第15代当主となった。1348年、後醍醐天皇によって征西将軍に任じられた懐良親王を肥後国にむかえ、九州における南朝方の勢力の中心として各地に転戦し、室町幕府と戦った。1353年、筑前国（福岡県北西部）の針摺原の戦いで、九州探題（室町幕府が九州を統括するためにおいた機関）の一色範氏をやぶる。さらに1559年、筑後国（福岡県南部）の筑後川の戦いで、筑前国の守護、少弐頼尚らをやぶり、1361年には大宰府（朝廷が九州をおさめるため現在の福岡県においた朝廷の機関）を占領し、征西府を移した。これにより九州の北半分を制し、南朝方の最盛期を築いた。しかし、1372年に九州探題として送られてきた今川了俊に追われ、大宰府を放棄し、筑後高良山へのがれた。

きくちたてえ

● 菊池楯衛　　1846〜1918年　　郷土

青森のリンゴ栽培の功労者

幕末の武士。明治時代の果樹園芸家。

陸奥国弘前藩（現在の青森県）藩士の子として生まれた。1871（明治4）年、青森県庁の役人となる。明治政府が、アメリカ合衆国から取りよせたリンゴの苗木の栽培を青森県に命じたとき、その係となり、苗木を県庁の敷地や自宅の庭に植えた。アメリカのリンゴは、1年近く貯蔵できることを知る。本格的にリンゴづくりを学ぶために、県庁をやめて北海道に行き、アメリカ人

の農業技師からリンゴの苗木の育て方、つぎ木の方法を学ぶ。弘前にもどり、化育社という農業研究団体をつくり、1881年、自宅につぎ木伝習所をひらいて、農家の人々につぎ木の方法を教えた。「リンゴの木1本で米16俵のもうけがある」などといわれ、弘前を中心にリンゴ栽培が全県に広がった。

きくちとうごろう

郷土

● 菊池藤五郎　　　　　　　　生没年不詳

寒河江川に高松堰をつくった

江戸時代前期の農民、治水家。

出羽国柴橋村（現在の山形県寒河江市）の農家に生まれた。先祖は、もともと豊後国（大分県）の武士だったという。この地域は最上川と寒河江川のあいだにあるが、土地が高いため川から水をひくことができず、荒れ地のままだった。各地を測量した結果、寒河江川の上流に水の取り入れ口をつくる計画を立て、村々の名主（村の長）など有力者と相談して、工事をはじめた。苦労がつづく工事だったが、1609年寒河江川上流の高松堰から水をとり入れ、八鍬、寒河江、柴橋周辺の村々に、幅約3m、全長約8kmの用水路がひかれた。その後も改修されて、水路が延長し、現在は約700haの水田に水が行きわたっている。

きくやしんすけ

郷土

● 菊屋新助　　　　　　　　1773〜1835年

高機（織機）を発明し広めた機業家

江戸時代後期の機業家。

伊予国野間郡小部村（現在の愛媛県今治市）の農家に生まれたが、松山城下（松山市）に出て、菊屋という屋号で木綿を織る織り屋をいとなんだ。床にすわって操作する「地機」は、能率が悪かったので、京都の西陣から織機を取りよせて研究し、腰板に腰かけて織る高機をつくった。操作がしやすく、地機の倍以上の速さで織ることができた。高機を、農民、町人、下級武士に貸したので、木綿織物の生産がふえた。

1821年、松山藩（愛媛県）に鍵屋カナが発明した伊予絣をはじめ、木綿織物を特産品として藩外へ売りだすことを願いでた。藩はこれに応じ、織機づくりや糸の買い入れなどの資金をだして、援助した。伊予絣など木綿織物の販売先は、広島、岡山、大阪方面に広がった。織機の改良も進められ、明治時代の1904（明治37）年、木綿織物の生産量は日本一になった。

キケロ，マルクス・トゥリウス

古代　政治
思想・哲学

 マルクス・トゥリウス・キケロ　紀元前106〜紀元前43年

ヨーロッパの文学に大きな影響をあたえた

古代ローマの政治家、思想家、雄弁家。

地方の貴族の家に生まれる。ローマに出て、修辞学、法律を学び、弁護士として活動をはじめて成功した。アテネ、小アジア（トルコ）へ行き、哲学を学んだあとは、政治の世界に入って、

財務官、法務官などの官職につき、紀元前63年、執政官（コンスル）となった。このとき、貧民の不満を利用して反乱をおこそうとしたカティリナ一派の陰謀を制圧し、国を救ったことから、「国父」の称号を得る。

カエサルとポンペイウスの内戦では、負けた側のポンペイウスを支持したため、しばらく政治からはなれて学問に専念した。カエサルが暗殺されると政治に復帰するが、その後継者をねらうアントニウスと対立し、アウグストゥス（オクタウィアヌス）を支持した。しかし、第3回三頭政治の成立で失脚し、紀元前43年、アントニウスの部下によって殺された。

キケロには、『国家論』などの著作が数多くあり、そのラテン語の散文は、高い評価を受けている。

きしだえりこ

絵本・児童　詩・歌・俳句
音楽

● 岸田衿子　　　　　　　　1929〜2011年

自然や動物が登場する作品をのこす

昭和時代〜平成時代の詩人、児童文学作家。

東京生まれ。父は作家の岸田国士、妹は女優の今日子。東京藝術大学油絵科卒業。詩人の川崎洋、茨木のり子の詩誌『櫂』に参加。1955（昭和30）年、詩集『忘れた秋』を発表する。

群馬県の浅間山のふもとに住み、自然や動物が登場する作品を多くえがいた。主な作品は、詩集『クレヨンの歌』『だれもいそがない村』『ソナチネの木』など。絵本の『かばくん』（1966年）でドイツ児童図書賞、大きな木にすむキツネとその仲間をえがいた『かえってきたきつね』（1974年）でサンケイ児童出版文化賞を受賞。アニメ『アルプスの少女ハイジ』『フランダースの犬』などの主題歌の作詞もてがける。

きしだくにお

文学　映画・演劇

● 岸田国士　　　　　　　　1890〜1954年

文学座を創設し新劇の発展につくす

大正時代〜昭和時代の劇作家、演出家、作家、翻訳家。

東京生まれ。長女は童話作家の岸田衿子、次女は女優の今日子。陸軍士官学校卒業、東京帝国大学（現在の東京大学）中退。1920（大正9）年、パリへ留学し、演劇を学ぶ。帰国後、戯曲『古い玩具』『チロルの秋』『牛山ホテル』などを次々と発表し、演劇界に新しい旋風をおこす。1937（昭和12）年、作家の久保田万太郎と劇団文学座を創設する。

小説では、病院を舞台に複雑な人間関係と愛をえがいた『暖流』（1938年）が代表作。翻訳書は、ルナールの『にんじ

ん』が有名。新劇の発展につくし、岸田国士戯曲賞（1955年新劇戯曲賞として創設）は、新人劇作家の登竜門になっている。

きしだとしこ　政治　教育
● 岸田俊子　　1863～1901年

初の男女平等論をとなえた女性

（日本近代文学館）

明治時代の自由民権運動家、教育者。

京都の呉服商の長女として生まれ、中島湘烟の名でも知られる。17歳で宮中女官となったが辞任し、1882（明治15）年に、女性としてはじめて自由民権運動に参加する。全国各地で演説して、自由民権とともに男女同権をうったえ、福田英子（旧姓景山）など、多くの女性が民権運動に参加するきっかけをつくった。1883年、大津での演説「函入娘」が政治演説とみなされて逮捕され、罰金刑を受ける。

1884年、自由党副総理の中島信行と結婚。その後も、自由党系の新聞『自由燈』に「同胞姉妹に告ぐ」を連載し、『女学雑誌』に多くの評論を書くなど、男女平等をうったえた。また、教育にも熱心にとりくみ、新栄女学校で教壇に立った。1887年には、フェリス和英女学校（現在のフェリス女学院）の教授として、女性の自立のたいせつさを説いた。

1892年、イタリア公使として赴任する夫に同行するが、夫婦ともに病気にかかり、翌年帰国した。

きしだりゅうせい　絵画
● 岸田劉生　　1891～1929年

『麗子像』をえがきつづけた洋画家

（日本近代文学館）

明治時代～昭和時代の洋画家。

東京生まれ。父はジャーナリストの岸田吟香。1908（明治41）年、白馬会研究所に入り、黒田清輝に洋画を学ぶ。雑誌『白樺』を通して後期印象派の絵にひかれ、1912（大正元）年に高村光太郎らとフュウザン会を結成した。やがて一転して、デューラーやファン・アイク兄弟ら北欧ルネサンスの影響を受け、写実的で重厚な表現にかたむいていく。1915年、木村荘八と草土社を結成し、翌年には風景画の代表作となる『切通之写生』を発表した。その後、娘の麗子をモデルにし、亡くなるまでさまざまな『麗子像』をえがきつづける。

大正時代の末期からは、初期肉筆浮世絵や中国の宋・元時代の絵画、南画などにひかれ、東洋的な表現をみずからの作品にとり入れていく。晩年は水墨画もよくえがいた。1929（昭和4）年、中国をおとずれ、大連などで個展をひらいたが、帰国直後に山口県で急死した。

きしつふくしん　王族・皇族
● 鬼室福信　　？～663年

百済復興をめざして戦う

朝鮮半島、百済の王族。

武王のおい。660年、百済が、中国の唐と朝鮮半島の新羅の連合軍に攻められ占領されたとき、百済復興のために戦った。大和政権に救援軍を求めるとともに、日本にいた百済王族の豊璋をよびもどして国王にむかえたいと伝えると、662年、大和政権は援軍と武器や軍需物資を送った。そこで豊璋は帰国し、国王に即位。しかし、政府内のうちわもめで、福信と豊璋が対立し、663年、福信は豊璋に殺された。死後、百済の勢力はおとろえ、同年8月の白村江の戦いで唐・新羅連合軍に、百済軍と中大兄皇子（のちの天智天皇）の送った大和政権軍は大敗した。福信の子と考えられる鬼室集斯は日本に亡命し、子孫は日本の朝廷の官人となった。

きしのぶすけ　政治
● 岸信介　　1896～1987年

新安保条約を成立させ、アメリカと連携を強化した

昭和時代の政治家。第56、57代内閣総理大臣（在任1957～1958年、1958～1960年）。

山口県生まれ。のちに総理大臣となる佐藤栄作の兄で、同じく総理大臣となる安倍晋三の祖父。佐藤家に生まれ、父親の実家の岸家をついだ。少年時代は軍人を志望したが、体が弱く、運動が苦手だったことから、勉強に力を入れるようになった。東京帝国大学（現在の東京大学）法学部を成績優秀で卒業すると、官僚の道をえらび、農商務省に入省した。

1931（昭和6）年、政府が産業界を制限・指導する重要産業統制法の制定にかかわり、以降、軍部と接近。1936年に満州（中国東北部）にわたり、満州産業開発五か年計画を実施、

満洲国の経済軍事化（軍事に役だつ鉄の生産力を高めるなど）を進めた。帰国後の1941年に、東条英機内閣の商工大臣に就任、太平洋戦争開戦後の選挙で国会議員となると、国務大臣と軍需省次官を兼任して、戦時経済体制の中心をになった。終戦後、A級戦犯容疑で逮捕されたが、不起訴となる。

1948年に政治活動を再開、1952年に公職追放を解除され、翌年、国会議員に当選。1955年には自由民主党幹事長に就任した。1956年に石橋湛山内閣の外務大臣となり、病気で辞任した石橋にかわって、翌年、総理大臣に就任した。就任後は、日米安全保障条約の見直しと、アジアへの経済進出を大きな目標とした。

1958年、衆議院を解散して総選挙をおこない、再度総理大臣に就任して第2次内閣を組織した。この内閣では、東南アジア各国との経済協定を成立させる成果をあげた。また、日米安全保障条約の改定交渉を進めたが、新条約には、アメリカ合衆国が東アジアで戦争をした場合に日本が戦争にまきこまれる危険があるとして、国内で大規模な反対運動がおこった。1960年、国会での強行採決でこの新安保条約案が可決されると、反対デモが国会議事堂を包囲する事態となり、新条約成立後、内閣は総辞職した。総理大臣辞任後も、国会議員の議席を確保し、自民党の顧問などをつとめた。

官僚出身の保守派政治家であるが、強いリーダーシップと強運をもっていたといわれる。親米、反共的な政策で、台湾や大韓民国とも連携を強める一方、中華人民共和国との関係は悪化した。政策は国内の労働運動への圧力にもなった。

学 歴代の内閣総理大臣一覧

ぎじょう　宗教

● 義浄　635〜713年

南海諸国やインドをおとずれた僧侶

中国、唐代の僧侶。漢訳者。

斉州（現在の山東省済南市）生まれ。幼いときに出家し、10代のころから、法顕や玄奘のようにインドをおとずれ、仏教の学究を深めたいと願っていた。671年、37歳になってようやく広東から海路でインドにむかい、鹿野苑や祇園精舎を巡拝した。25年にわたってマレー諸島やインドネシア諸島など東南アジアの約30もの国々をまわり、各地の仏跡を巡礼し、695年に海路で帰国。400以上の経典などを洛陽にもち帰った。

女帝の則天武后（武則天）は、みずから洛陽の上東門外に出むかえたという。

帰国後は経典の漢訳（中国語訳）をおこなう。西域（漢民族が中国の西方地域をさしていった呼称。現在の新疆ウイグル自治区など）渡来の僧の協力も得て華厳経の新訳をおこなうなど、新たに漢訳された経典は56部230巻におよんだ。また見聞をまとめた旅行記『大唐南海寄帰内法伝』やインド求法僧伝記『大唐西域求法高僧伝』には、インドや東南アジアの仏教徒の生活がくわしく書かれている。新たな経典を中国仏教界に紹介した功績は大きく、旅行記は当時の風俗や社会状況に関する貴重な史料となっている。

きせん　詩・歌・俳句

● 喜撰　生没年不詳

『小倉百人一首』にえらばれた歌人

（国立国会図書館）

平安時代前期の僧、歌人。喜撰法師ともよばれる。六歌仙（紀貫之がえらんだ6人の歌人）の一人だが、生涯については不明で、宇治山（京都府宇治市にある山、喜撰山ともいう）に住んだ僧ということぐらいしかわからない。紀貫之は『古今和歌集』の序文で「宇治山の僧、喜撰は、詞かすかにして、はじめ終わりたしかならず。いはば、秋の月を見るに暁の雲にあへるがごとし」と評した。

代表歌の「わが庵は　都のたつみ　しかぞ住む　世をうぢ山と　人はいふなり」は『古今和歌集』におさめられ、のちに藤原定家がまとめた『小倉百人一首』にもえらばれている。

学 人名別 小倉百人一首

きそう　王族・皇族

● 徽宗　1082〜1135年

北宋を滅亡にみちびいた皇帝

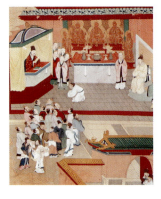

中国、北宋の第8代皇帝（在位1100〜1125年）。第6代皇帝神宗の6男。姓名は趙佶。兄の第7代皇帝哲宗の死後、帝位についた。詩文、書画などにすぐれた才能をしめし、造園、建築にも造詣が深く、文化、芸術の保護に力を入れ、美術の黄金時代がつくられた。

芸術面では北宋最高の一人といわれるが、政治には熱心でなく、宰相の蔡京にまかせきりにし、遊興の費用をまかなうために、人民に重税を課して国費を乱費した。国政は乱れ、方臘の乱をはじめとした農民暴動をひきおこした。

伝奇歴史小説の『水滸伝』はこの時期、山東で活動した反乱指導者の宋江をモデルとして誕生した。東北に建国されていた金が南下して北宋に侵入すると、帝位を子の欽宗に譲位したが、翌年に都の開封は金の侵攻を受けて陥落（靖康の変）。欽宗とともに捕虜となり、そのまま五国城（現在の黒竜江省）で亡くなった。

学 世界の主な王朝と王・皇帝

きそういえもん
喜早伊右衛門　1847〜1906年　郷土

東沢ため池をつくった治水家

江戸時代後期〜明治時代の農民、治水家。

出羽国楯岡（現在の山形県村山市）の地主の家に生まれた。この地方は昔から水の便が悪く、農民たちは田植えのころになると、干ばつになやまされることが多かった。

農民を救うため東沢（村山市楯岡）にため池をつくる計画を立て、1876年、私財をなげうって工事をはじめた。工事は困難をきわめたが、途中で伊右衛門の熱意をみとめた山形県から、資金が貸しだされた。5年後、東沢ため池が完成し、干ばつのときにもじゅうぶんな水が行きわたるようになった。現在もかんがい用水池として約36万トンの水をため、周辺の田畑をうるおしている。

きたいっき
北一輝　1883〜1937年　政治

戦前の国家主義運動の理論的な指導者

（毎日新聞社）

大正時代〜昭和時代の思想家、国家主義者。

新潟県生まれ。本名は輝次郎。1904（明治37）年に上京し、早稲田大学の聴講生となる。ほぼ独学で1000ページにおよぶ『国体論及び純正社会主義』を著し、自費出版する。しかし、大日本帝国憲法における天皇制を批判したことで発禁となり、警察の監視対象となった。宮崎滔天にさそわれ中国革命同盟会へ入党し、1911年に辛亥革命がおこると、中国の清にわたって革命に参加して、宋教仁らを支援した。中華民国（中国）成立後、1913（大正2）年に帰国し、『支那革命外史』を執筆。ふたたび中国にわたるが、1919年の五・四運動に直面して、上海で『国家改造案原理大綱』を書き上げた。その後『日本改造法案大綱』と改題して刊行され、右翼のバイブルとされ、大きな影響をあたえた。大川周明らと猶存社をつくるが、のちに大川と対立して解散。1936（昭和11）年に陸軍青年将校らによるクーデター、二・二六事件がおきると、直接の関与はなかったが、理論的指導者の一人とみなされ、西田税らと銃殺刑となった。

きたおおじろさんじん
北大路魯山人　1883〜1959年　工芸

料理と器の美しさを追求した芸術家

大正時代〜昭和時代の陶芸家、書家、料理研究家。

京都生まれ。本名は房次郎。生家は上賀茂神社の神職だっ

たが、生まれたときすでに父親は亡くなっており、養子先を転々として育つ。こどものころから日本画家を志していたが、1904（明治37）年、日本美術展覧会（日展）に出品した千字文の書が1等賞になり、以来書や篆刻に打ちこむようになる。

その後、長浜（滋賀県）や京都、金沢（石川県金沢市）を転々としているうちに美食にめざめ、料理の研究もはじめた。

陶芸にも興味をもち、1919（大正8）年、東京の京橋に古美術店の大雅堂を開店。翌年に会員制の美食倶楽部を、1925年には赤坂の日枝神社境内に会員制高級料亭星岡茶寮をひらくと、顧問兼料理長として腕をふるい、食器の演出にもたずさわった。

理想の器を求めて、1927（昭和2）年、神奈川県鎌倉市に星岡窯と住居を建てて、本格的な作陶活動を開始する。しかし、横暴なふるまいなどにより、1936年に星岡茶寮を追放されてからは陶芸に専念し、伝統的な焼き物の技法を身につけると、それを生かして自由でユニークな作品をつくった。現在もその美意識が高く評価され、影響をあたえつづけている。

きたがきくにみち
北垣国道　1836〜1916年　郷土

明治時代に京都府知事をつとめた官僚

（京都市上下水道局）

江戸時代後期〜明治時代の官僚。

但馬国養父郡能座村（現在の兵庫県養父市）の豪農の子として生まれた。1863年、28歳のとき、天誅組の乱に応じて、平野国臣らが倒幕挙兵を計画した生野の変に加わったがやぶれ、一時、長州（山口県）にのがれた。切腹をはかったが、母にいましめられ、思いとどまったという。

しかし、戊辰戦争では、鳥取藩（鳥取県）の兵として参加し、戦功をあげた。

明治維新後は新政府につかえ、高知・徳島県令（県知事）をへて、1881（明治14）年、京都府知事に就任した。11年あまりの在任中に、土木技術者の田辺朔郎を抜てきし、琵琶湖疏水工事を完成させて、京都市の発展に貢献した。また京都商工会議所の創設など、数々の功績をあげた。

その後、内務省次官、北海道庁長官などを歴任し、晩年は貴族院議員、枢密顧問官をつとめた。

きたがわうたまろ　　絵画

● 喜多川歌麿　　1753?～1806年

浮世絵美人画の第一人者

▲『葛飾北斎喜多川歌麿画帖』より
（国立国会図書館）

江戸時代中期〜後期の浮世絵師。

江戸（現在の東京）出身といわれるが、はっきりした出身地や経歴はわかっていない。画家の鳥山石燕に入門して絵を学び、北川豊章の名前で浮世絵師としてデビューした。はじめは黄表紙（表紙が黄色の大人むけの絵入り小説）や洒落本（遊里での遊びをえがいた小説）のさし絵などを多くてがけた。

1781年ころ、名前を喜多川歌麿にあらため、鳥居清長の画風に影響を受けた美人画をえがいた。やがて、版元（書物や浮世絵を出版するところ）の蔦屋重三郎に才能を見いだされ、蔦屋のもとで多色刷りの浮世絵版画である錦絵を多くえがき頭角をあらわしてくる。

1791年、老中（将軍を補佐して政治をおこなう役職）松平定信の寛政の改革で山東京伝の洒落本が風紀を乱すとされ、版元の蔦屋が財産の半分を没収される事件がおきた。

その直後、歌麿は、役者絵に用いられていた「大首絵（人物の上半身を画面にいっぱいにえがいた絵）」を美人画にとり入れ、女性の微妙な表情をあらわした独自の美人画を確立する。蔦屋から美人大首絵を次々と発表して評判となり、蔦屋の危機を救うとともに、美人画の第一人者になった。

代表的な作品に『婦女人相十品』をはじめ、江戸で評判の美人を平安時代に活躍した歌人に見たてた『高名美人六歌撰』、「寛政の三美人」とよばれた3人の女性をえがいた『当時三美人』などがある。

その後も美人画家として活躍したが、1797年、最大の理解者だった蔦屋が亡くなると、しだいに絵をかく意欲を失ったといわれる。

1804年、豊臣秀吉が1598年に京都の醍醐寺でもよおしたサクラの花見のうたげ（醍醐の花見）を題材にした『太閤五妻洛東遊観之図』が、江戸幕府第11代将軍徳川家斉のぜいたくな生活を風刺したものだと幕府からうたがわれ、手鎖（両手首に手錠をかけて自宅謹慎させる刑罰）50日の刑を受け、2年後、失意のうちに亡くなった。

きだきちえもん　　郷土

● 喜田吉右衛門　　生没年不詳

長良川から曽代用水をひらいた治水家

江戸時代前期の武士、治水家。

尾張藩（現在の愛知県）の藩士だったが、のちに藩をはなれて、弟の幽閑とともに美濃国関村（岐阜県関市）に移り住み、農業をいとなんだ。

関村の農民たちは水不足になやんでいた。それをみかねた2人は、地元の裕福な農民、柴山伊兵衛とともに、長良川から村まで用水をひく計画を立てた。藩に願いでたところ、許可

▲曽代用水　　（曽代用水土地改良区）

を得ることができたので、1667年、私財を投じて工事に着手し、3年におよぶ難工事の末に、全長約13kmの曽代用水を完成した。しかし、吉右衛門は全財産をつかいはたし、苦しい生活の中で病死した。

その後、柴山伊兵衛が力をつくし、荒れ地に大規模な水田がひらかれた。現在、曽代用水は美濃市、関市の農業用水として利用されている。

きたさだきち　　学問

● 喜田貞吉　　1871〜1939年

日本の古代史、民俗学をリードした、論争の歴史学者

明治時代〜昭和時代の日本史学者。

阿波国那賀郡（現在の徳島県小松島市）の農家に生まれる。1896（明治29）年、帝国大学文科大学（現在の東京大学文学部）を卒業後、同大学院で国史学を専攻。1899年、日本歴史地理研究会を設立、雑誌『歴史地理』を発行。1901年、文部省に入り、1909年、平城京の研究や法隆寺再建論などの論文により文学博士となる。この間、国定教科書の執筆や検定をおこなったが、小学校歴史教科書に南朝と北朝をならべて記述したことが問題となり（南北朝正閏論争）、1911年、休職処分となった。その後、京都帝国大学（京都大学）教授、東北帝国大学（東北大学）講師をつとめた。被差別部落研究の先がけとして、部落解放運動にも影響をあたえた。他の学者と論争が多かったことでも知られる。

きたさとしばさぶろう　　学問　医学

● 北里柴三郎　　1852〜1931年

破傷風の血清療法を発見、伝染病研究所を設立した

明治時代〜大正時代の医学者、細菌学者。

肥後国（現在の熊本県）で、庄屋の家に生まれる。武家の血をひく母からきびしいしつけを受け、親戚にあずけられて漢学

（国立国会図書館）

者のおじから四書五経を学び、儒学者の塾にも入塾した。
1869（明治2）年、細川藩の藩校時習館に学んだのち、18歳で熊本医学校に入り、オランダ人医師マンスフェルトに師事して医学を学ぶ。1875年、東京医学校（現在の東京大学医学部）へ進学、在学中に「医学者の使命は予防にある」と確信した。卒業後、内務省衛生局勤務をへて、1885年からドイツのベルリン大学へ留学、ロベルト・コッホ研究所に入所して研究をはじめた。

1889年、破傷風菌だけを抽出する純粋培養に世界ではじめて成功し、その後、破傷風菌やジフテリア菌の抗毒素を発見。さらに破傷風の血清療法を開発した。これは病原菌を実験動物の体内に少しずつ注入し、血清中に抗体をつくる治療法で、世界に大きな衝撃をあたえた。この研究を共同でおこなっていたベーリングは、のちに第1回ノーベル生理学・医学賞を受賞している（ベーリングはジフテリアの血清療法を発見）。

1892年に帰国して、福沢諭吉らの支援により伝染病研究所を、翌年には土筆ヶ岡養生園（のちの北里研究所病院）を設立。予防医学の研究と実践に力をそそぎ、1894年には、ペストの流行した香港で調査をおこない、ペスト菌を発見した。1899年、内務省管轄となった伝染病研究所の所長となったが、1914（大正3）年に所管が文部省に移され、東京大学の一機関になると所長を辞任。これは伝染病研究と衛生行政との連携をうったえてきた北里の意に反する移管だったためである。直後に私費を投じて北里研究所（現在の北里研究所）を設立、「実学としての医学」の精神を貫徹した。

その後、1917年に慶應義塾大学医学部の創設に力をそそぎ、初代学部長に就任。また、日本医師会を設立して、日本医学界の結束にも尽力した。1931（昭和6）年、脳溢血で78歳の生涯をとじたが、その精神は志賀潔、野口英世ほか多数の医学者によって、現代まで受けつがれている。近代日本の予防医学の礎を築いた業績から、「日本の細菌学の父」とよばれている。

学 切手の肖像になった人物一覧

きただてだいがくのすけとしなが
● 北館大学助利長　　　　郷土　1548～1625年

最上川支流の立谷沢川から水をひいた武士
戦国時代～江戸時代初期の武士、治水家。
名は利長ともいう。出羽国山形城（現在の山形市）城主、最上義光の家臣で、狩川城（山形県庄内町）の城主となった。狩川から西の最上川左岸の地域は川より高かったので、水の便

（庄内町役場）

が悪く、原野が広がっていた。10年かけて土地を調査し、用水をひいて開拓すれば、広大な新田がひらかれると確信した。

そうして、最上川支流の立谷沢川から山をほりけずって、京田川まで約32kmの用水をひくという大事業を計画した。藩主の最上義光はその熱意を知ると、最上、庄内、由利、仙北より大勢の工事人を集めることを許可した。

1612年から、川の流量や水位を調節する北楯大堰の難工事がはじまった。用水路の工事もふくめて3年で完成し、のちに約4200haの新田が開発され、多くの新しい農村がひらかれた。北楯大堰は、現在も農業用水として最上川左岸地域の田畑をうるおしている。

きたのまんどころ
北政所 → 高台院

きたばたけあきいえ
貴族・武将
● 北畠顕家　　　　1318～1338年

建武の新政をささえた、歴戦の猛者

（国立国会図書館）

南北朝時代の公卿、武将。
北畠親房の長男として生まれ、1333年、建武の新政下において陸奥守に任じられ、奥羽（陸奥国と出羽国、現在の東北地方）の経営のため後醍醐天皇の皇子、義良親王（のちの後村上天皇）を奉じて、父とともに陸奥国（山形県・秋田県をのぞく東北地方）へくだった。

1335年、鎮守府将軍に任じられ、足利尊氏が後醍醐天皇にそむくと、軍をひきいて京へもどり、尊氏を九州に敗走させた。1336年、義良親王を奉じ、大介鎮守府大将軍となってふたたび陸奥国にくだり、1337年には多賀（宮城県）の国府から伊達郡霊山（福島県相馬市と伊達市との境）へ移ったが、尊氏が光厳上皇（譲位した光厳天皇）を奉じて京をうばうと、天皇の命令にこたえ、ふたたび軍をひきいて西上した。1338年、美濃国（岐阜県南部）の青野ヶ原の戦いで幕府軍に勝利するが、自軍の消耗もはげしく、伊勢国（三重県東部）にむかってのち、畿内各地を転戦し、和泉国（大阪府南西部）石津の戦いで戦死した。

死の直前、天皇に対し、建武の新政の批判をまとめた奏上文をのこしている。

きたばたけちかふさ　　　　　　　　　貴族・武将
● 北畠親房　　　　　　　　　　　　1293〜1354年

南朝に属し、後醍醐天皇を中心的にささえた

（国文学研究資料館）

鎌倉時代後期〜南北朝時代の公卿、武将。

後醍醐天皇から信頼を得て、1324年に大納言となった。世良親王の養育をゆだねられていたが、親王が亡くなると出家した。建武の新政後の1333年に、陸奥守となった息子の北畠顕家とともに義良親王（のちの後村上天皇）を奉じて陸奥国（現在の東北地方）へくだった。1335年、足利尊氏が後醍醐天皇にそむくと、顕家の軍とともに京へもどった。尊氏がふたたび京に入ると、天皇と奈良の吉野に脱出し、以後は南朝の重臣として活躍した。1338年には、義良親王を奉じて伊勢国（三重県東部）大湊を出て海路で東国にむかうが、途中、暴風雨にあい、常陸国（茨城県）に上陸した。小田、関、大宝などの城を拠点として戦い、東国武士が南朝方につくよう活動しつつ、歴史書『神皇正統記』や、官職を研究した有職書の『職原鈔』を書いた。1343年、吉野へ帰り、後醍醐天皇死後の南朝の中心的存在となった。1352年には、京都奪還を実現し、このころ、准三后の称号をあたえられた。しかし尊氏との和平がくずれ、賀名生（奈良県）にもどり、1354年に亡くなった。

きたはらはくしゅう　　　　　　　　詩・歌・俳句　音楽
● 北原白秋　　　　　　　　　　　　1885〜1942年

日本的な叙情詩をのこした国民詩人

（日本近代文学館）

明治時代〜昭和時代の詩人、歌人。

福岡県生まれ。本名は隆吉。早稲田大学英文科中退。水郷の町柳川で海産物問屋をいとなむ裕福な家に生まれ、豊かな自然と情緒あふれる風物にかこまれ独特の感受性をやしなって育つ。旧制中学のころから雑誌に短歌や詩を投稿していた。やがて上京して大学に入学、与謝野鉄幹の新詩社に参加し、雑誌『明星』に作品を発表した。1908（明治41）年に木下杢太郎、吉井勇らとパンの会をおこし、美の形成を最高の目的とする耽美主義運動を進めた。1909年の詩集『邪宗門』、1911年の小曲集『思ひ出』により詩壇の第一人者としてみとめられる。

1918（大正7）年から、鈴木三重吉らの雑誌『赤い鳥』で童謡を担当し、新しい童謡を次々と発表、全国のわらべうたの収集にもはげむ。その後、山田耕筰とともに『詩と音楽』を創刊し、『待ちぼうけ』『からたちの花』など2人のコンビによる国民的な愛唱歌を数多くのこした。

歌集『桐の花』『雲母集』、詩集『水墨集』などのほか、国民詩人白秋の名にふさわしい、貴重な業績が多くある。

きたむらきぎん　　　　　　　　　　詩・歌・俳句
● 北村季吟　　　　　　　　　　　　1624〜1705年

古典を研究し、数多くの注釈書を著した

江戸時代前期の俳諧師、歌人、国学者。

通称は久助。近江国北村（現在の滋賀県野洲市）に医者の子として生まれ、医学を学んだ。19歳のころ歌人で俳人の松永貞徳の門人になり、和歌、俳諧（こっけいみのある和歌や連歌、のちの俳句など）を学ぶ。1648年、25歳で俳諧書『山之井』を出版して頭角をあらわした。その一方で日本の古典を研究し、『土佐日記抄』『源氏物語湖月抄』『枕草子春曙抄』など数多くの注釈書を著した。1689年、幕府の歌学方（和歌を研究する歌学を将軍に指導する役職）になり、再昌院の号を受けて5代将軍徳川綱吉につかえた。松尾芭蕉や山口素堂など、すぐれた門人を育てたことでも知られる。

きたむらせいぼう　　　　　　　　　彫刻
● 北村西望　　　　　　　　　　　　1884〜1987年

長崎の平和祈念像を制作した彫刻家

明治時代〜昭和時代の彫刻家。

長崎県生まれ。本名は北村西望。1907（明治40）年、京都市立美術工芸学校（現在の京都市立銅駝美術工芸高等学校）を卒業し、東京美術学校（現在の東京藝術大学）彫刻科で学ぶ。在学中の1908年、第2回文部省美術展覧会（文展）に初入選する。1915（大正4）年、第9回文展で『怒濤』が2等賞、翌年の第10回展で『晩鐘』が特選となり、才能を開花させる。帝国美術院展覧会（帝展）では、第1回展から審査員をつとめ、1925年には40歳にして帝国美術院会員となった。また、1921年から1944（昭和19）年まで東京美術学校の教授をつとめた。

動きのある力強い男性像を得意とする。第二次世界大戦中は、ウマに乗る軍人など、戦争を題材にした作品を多く制作し

たが、戦後は平和や自由などをテーマとした。代表作は、4年がかりで完成させた長崎の『平和祈念像』である。1958年、文化勲章を受章した。
　学　文化勲章受章者一覧

きたむらとうこく

● 北村透谷　　　　　　　　　　　　詩・歌・俳句
1868～1894年

明治浪漫主義文学の下地をつくる

（日本近代文学館）

明治時代の詩人、評論家。神奈川県生まれ。本名は門太郎。祖父が小田原藩の藩医をつとめた家系に生まれる。東京専門学校（現在の早稲田大学）に入学するがまもなく退学。政治家をめざし、自由と権利を求める自由民権運動に参加するが、やがて運動をはなれ、文学者を志すようになった。その後、恋愛や結婚を経験して、人間の内面に目をむけるようになる。最初の詩集『楚囚之詩』（1889年）や、劇詩『蓬莱曲』（1891年）で、心の葛藤をえがいたが、当時はほとんど注目されなかった。

1892（明治25）年、雑誌に発表した『厭世詩家と女性』の新しい恋愛観で青年たちに衝撃をあたえ、文芸評論家として注目された。翌年には、島崎藤村や上田敏らと、雑誌『文学界』を創刊し、樋口一葉、泉鏡花ら明治の浪漫主義文学が登場する下地をつくった。以後、精神的な世界を重視し、社会や文学を批判しつづけたが、現実の疲労と生活の困窮などになやみ、27歳で自殺した。

きたもりお

● 北杜夫　　　　　　　　　　　　　　　文学
1927～2011年

『どくとるマンボウ』シリーズの作者

昭和時代～平成時代の作家、精神科医。

東京生まれ。本名は斎藤宗吉。父は医師で歌人の斎藤茂吉。兄は精神科医でエッセイストの茂太。旧制松本高校時代までは昆虫学者をめざすが、父の考えで東北大学医学部に進む。在学中から小説を書き、雑誌などに投稿していた。1956（昭和31）年の『幽霊のいる町』などで注目される。

1960年、船医として調査船に乗り世界各地をまわった経験を軽妙につづったエッセー『どくとるマンボウ航海記』がベストセラーとなった。同じ年、ナチスの支配に抵抗したドイツの精神科医をえがいた小説『夜と霧の隅で』で芥川賞を受賞。ほかに長編小説『楡家の人々』、童話『船乗りクプクプの冒険』、SF（空想科学小説）やファンタジーなど多彩な作品がある。
　学　芥川賞・直木賞受賞者一覧

きたろっぺいた

● 喜多六平太　　　　　　　　　　　伝統芸能
1874～1971年

能楽界を代表する人物の14世

明治時代～昭和時代の能楽師。

東京で、父宇都野鶴五郎、母まつ（12世宗家喜多六平太能静の3女）の次男として生まれる。1881（明治14）年、8歳で、シテ方喜多流の宗家をつぎ、1894年、代々の名跡である14世喜多六平太を襲名した。能楽は、武家の式楽として長い歴史を誇るが、なかでも喜多流は、とくに武士気質が強く、素朴でおおらか、かつ力強さが感じられる芸風が特徴とされる。明治維新で一時はとだえかけたが、独創的な芸を確立し、再建にみちびいた。明治、大正、昭和の3時代を生きた14世六平太は、能楽界を代表する人物の一人として、気迫の強さ、鮮烈な技、表現の自在などの芸風で人々を魅了した。90歳近くまで公式の舞台に立ち、95歳で亡くなるまで、後進の指導にあたった。1953（昭和28）年、文化勲章を受章し、1955年、重要無形文化財保持者（人間国宝）に認定された。
　学　文化勲章受章者一覧

きたわきえいじ

● 北脇永治　　　　　　　　　　　　　郷土
1878～1950年

二十世紀梨の育ての親

（鳥取二十世紀梨記念館）

明治時代～昭和時代の果樹園芸家。

鳥取県高草郡桂見村（現在の鳥取市）に生まれる。22歳のとき、父が亡くなったあと、果樹栽培をはじめた。1904（明治37）年、千葉県八柱村（松戸市）の果樹園経営者松戸覚之助から10本のナシの苗木を買いつけ、果樹園に植えた。松戸覚之助が「二十世紀梨」と名づけた緑色のナシは、あまさとみずみずしさがあり、各地の農家の関心を集めた。二十世紀梨の苗木を育て、その普及を試みた。その後、鳥取県の農業試験場が、苗木を育てて農家にくばり、県の全域に広まった。

しかし、二十世紀梨は、果実がくさる黒斑病という病気に弱く、

栽培をあきらめる果樹園も出た。学者をまねいて黒斑病をふせぐ指導を受け、県内各地に組合をつくり、いっせいに薬剤を散布し、翌年も薬剤散布をつづけると効果があがった。1925（大正14）年、鳥取県梨共同販売所が設立されると初代所長となり、肥料などを研究して二十世紀梨の品質向上に力をつくした。

きっかわひろよし
郷土
● 吉川広嘉　1621〜1679年

錦帯橋を建設した武士

（岩国市産業振興部観光振興課提供）

江戸時代前期〜中期の武士。
周防国岩国藩（現在の山口県東部）藩主の子として生まれた。若くして病気となり、長い療養生活を送った。病気治療のため名医として名高い僧、独立を長崎からまねいた。そのとき独立がもたらした『西湖遊覧志』という本に、湖の島づたいに石橋がかかる絵図をみた。

岩国（岩国市）を流れる錦川の橋は、洪水のたびに流されていた。その絵図をヒントにして、錦川に小島のような橋台（石組）をつくり、その上に反り橋をかければ、洪水のときも流されないのではと考えた。側近の児玉久郎右衛門に設計をまかせ、工事にあたらせた。1673年、3か月ほどで全長193mの橋が完成したが、翌年の洪水で流されてしまった。同年、石組をさらに強化して再建された橋は「錦帯橋」とよばれ、その後300年近く洪水がおこっても流されなかった。

きっかわもとはる
戦国時代
● 吉川元春　1530〜1586年

毛利家をささえた名将

戦国時代〜安土桃山時代の武将。
安芸国（現在の広島県西部）の領主、毛利元就の次男として生まれる。毛利元春ともいう。1549年、安芸国大朝荘に勢力をもつ吉川興経の養子となり、吉川氏をのっとる形で相続する。兄の毛利隆元、弟の小早川隆景とともに、父を助け、毛利氏の勢力拡大に力をつくす。元春が山陰方面、隆景が山陽方面の制圧を担当し、「毛利の両川」とうたわれた。1555年に大内氏を討ち、1566年には出雲国（島根県東部）の尼子氏をほろぼし、毛利家は中国地方10か国120万石を領する大大名となった。父の死後は、後継者の毛利輝元を弟とともに助けた。
1582年、羽柴秀吉（のちの豊臣秀吉）と和平したのち隠居。その後、秀吉の要請を受けて九州侵攻に参加し、陣中で亡くなった。

きづかんすけ
郷土
● 木津勘助　1586〜1660年

大ききんのとき難民を救済した武士

戦国時代〜江戸時代前期の武士。
相模国（現在の神奈川県）に生まれ、本名は中村勘助といった。豊臣秀吉につかえて、木津村（大阪市浪速区）に移り住んだ。

大坂の陣のあと、葦島（大阪市大正区三軒家）の堤防工事や新田開発につくし、また、舟運を便利にするため、木津川を開削した。1639年、近畿地方が冷害で大ききんになったとき、私財を投げだして人々にあたえた。

さらに幕府に備蓄米をだすように願いでたが、聞き入れられなかったので、幕府の倉庫からひそかに米をうばい、難民たちを救った。そのために、葦島に流罪となった。しかし、一生を島の開発にささげたので、のちに幕府はその功績をみとめてゆるし、島を勘助島とよぶようになった。

キッシンジャー，ヘンリー
政治　学問
● ヘンリー・キッシンジャー　1923年〜

国際秩序維持に力をつくした政治学者、国務長官

アメリカ合衆国の政治学者、政治家。
ドイツ生まれ。1938年にヒトラーの支配するナチス体制からのがれて、両親とともにアメリカへ移住、のちにアメリカ国籍を取得する。第二次世界大戦中の1943年、アメリカ陸軍に入隊、ヨーロッパ戦線へ従軍。

戦後、ハーバード大学で外交政策を研究し、全面的な戦争ではなく、状況に応じて核兵器を段階的に使用する戦略理論を提示した『核兵器と外交政策』を発表。

戦略理論家として注目された。1962年より同大学の外交政策担当教授となる。1969年、ニクソン大統領の補佐官になると、すぐれた交渉力を生かしてベトナム戦争終結や、アメリカ、ソビエト連邦、中華人民共和国の3大国の勢力均衡による国際秩序維持に力をつくした。

1973年から1977年まで国務長官をつとめ、中東和平にも貢献。一方、自分への権力の集中、極端な秘密主義の外交スタイルに批判もあった。1973年、ベトナム戦争終結のための和平協定をみちびいたことにより、ノーベル平和賞を受賞した。国務長官を退任した1977年以降も、国際政治の研究と評論で幅広く活躍している。

学 ノーベル賞受賞者一覧

キップリング，ラドヤード

文学

ラドヤード・キップリング　1865〜1936年

『ジャングル・ブック』の作者

イギリスの作家、詩人。インドのボンベイ（現在のムンバイ）生まれ。両親はイギリス人で、父は建築彫刻の教授をしていた。

幼いころからイギリスで教育を受けたが、大学には行かず、インドにもどってラホールの新聞社で、記者や編集者の仕事についた。

1888年、短編集『高原平話』を発表する。

1889年からはイギリスに住み、1892年、インド帝国軍に従軍した体験をもとに書いた詩集『兵営の歌』で注目を集める。その後も、イギリスの植民地だったインドを背景に、数多くの短編小説を発表した。1907年、41歳でイギリス人としてはじめてのノーベル文学賞を受賞する。

代表作に『プークが丘の妖精パック』、『少年キム』、詩『マンダレー』などがある。

イギリスを代表する短編作家の一人であり、わかりやすい文章で小説を親しみやすいものにした。オオカミに育てられた少年や動物を主人公にした物語『ジャングル・ブック』は、いまも世界中で愛されている。

学 ノーベル賞受賞者一覧

ぎどうしゅうしん

宗教　詩・歌・俳句

義堂周信　1325〜1388年

五山文学の代表者

南北朝時代の僧、詩人。

土佐国（現在の高知県）に生まれる。空華道人とも称する。1338年、14歳で出家して比叡山に入り、17歳で上京し、臨済宗の禅僧である夢窓疎石の弟子となる。10年の修行ののち、臨済宗夢窓派をつぎ、1351年、疎石の死後は、建仁寺（京都市）の竜山徳見に文学を学ぶ。

1359年、鎌倉公方（室町幕府が関東支配のためにおいた鎌倉府の長官）の足利基氏にまねかれて鎌倉に行き、20年にわたって円覚寺（神奈川県鎌倉市）などで禅宗を教えた。1380年に3代将軍足利義満にまねかれて京都へ移り、建仁寺、南禅寺（京都市）などで住職をつとめる。また、すぐれた詩人でもあり、絶海中津とともに五山文学（漢文学）の代表に数えられる。著書に詩文集『空華集』、日記『空華日工集』などがある。

きどこういち

政治

木戸幸一　1889〜1977年

大きな影響力をもった最後の内大臣

大正時代〜昭和時代の政治家。

東京生まれ。木戸孝允（桂小五郎）は大おじ。京都帝国大学（現在の京都大学）卒業後の1915（大正4）年、農商務省に入る。1917年、父の死後侯爵をつぎ、貴族院議員になった。1930（昭和5）年、天皇を補佐する内大臣の秘書官長に就任し、1933年、宮内省宗秩寮（事務をおこなう部局）の総裁を兼任する。1937年、第1次近衛文麿内閣で文部大臣と厚生大臣、1939年の平沼騏一郎内閣で内務大臣となった。その後、内大臣となり、昭和天皇の側近として国政の実権をにぎり、西園寺公望にかわって内閣総理大臣指名にも大きな影響力をもった。1941年、東条英機を内閣総理大臣に推挙。太平洋戦争初期には東条内閣をささえたが、戦局が悪化すると天皇制をたもつため和平工作をおこなった。戦後、A級戦犯として終身禁錮となる。裁判で証拠として提示した日記は、東京裁判期の日記とあわせて『木戸日記』として刊行され、戦時期の貴重な資料となっている。1955年、病気で仮釈放。1958年にゆるされ、神奈川県大磯でくらした。

きどたかよし

幕末

木戸孝允　1833〜1877年

倒幕の中心となって動いた長州藩士

幕末の長州藩（現在の山口県）の藩士、明治時代の政治家。

西郷隆盛、大久保利通とともに「維新の三傑」の一人として知られる。長州藩の医師和田家に生まれ、8歳のとき医師桂九郎兵衛の養子となり、桂小五郎と称した。1849年、吉田松陰の松下村塾に入門し、尊王攘夷派（天皇をうやま

▲木戸孝允　（国立国会図書館）

い外国勢力を追いはらおうという考えの人々）として倒幕をめざした。1852年、江戸（東京）に出て剣術を修業し、翌年、ペリー

の来航に影響され、西洋砲術、造船技術などを学んだ。藩の長井雅楽の説く公武合体策（朝廷と徳川将軍家が協力すること）に反対し、久坂玄瑞、高杉晋作らと藩の尊王攘夷派の指導者となった。

1863年、公家の三条実美ら尊王攘夷派が宮中から追いだされる事件がおこり（八月十八日の政変）、長州藩もしりぞけられたが京都にとどまった。1864年、京都の池田屋で新選組に襲撃されるが、難をのがれる。その後、長州の過激派が京都に進攻することをふせごうとしたが止められず、禁門の変がおこり長州軍はやぶれた。木戸も幕府に追われて兵庫へのがれた。幕府は朝敵となった長州藩に対して第1次長州出兵をおこなった。長州藩は幕府に恭順の意志をしめし、禁門の変の責任者を処罰し、かくまっていた三条実美らを他藩に移した。

1865年、倒幕派の高杉晋作が挙兵し、藩の権力をにぎると長州にもどり、藩政の改革を進める。翌年、坂本龍馬の仲介で、薩摩藩（鹿児島県）の小松帯刀、西郷隆盛と京都の薩摩藩邸で会談し、薩長同盟をむすんで倒幕挙兵を計画した。

明治維新後の1868（明治元）年には新政府の参与となり、実権をにぎる一人となった。明治新政府の基本方針をしめした五箇条の御誓文の作成に参加し、版籍奉還や廃藩置県を断行した。1872年、岩倉使節団（伊藤博文、大久保利通、政府幹部、留学生などから構成された使節団）の副使として、欧米を視察する。翌年、帰国すると、西郷や板垣らの主張する国交を拒否し鎖国政策をとっている朝鮮に対し出兵するべきだという征韓論に反対して、内政の充実をすべきだとした。

1874年、大久保、岩倉具視らの主張する台湾出兵に反対して参議を辞職したが、翌年、立憲制を導入することを条件に参議に復職した。しかし、大久保が主導権をにぎる政府に不満をもち政府からはなれ、1877年、西南戦争の最中、病気のため京都で亡くなった。

▲のちの妻となる幾松が木戸をかくまう場面
（『日本名女咄 桂小五郎 芸者幾松』山口県立萩美術館・浦上記念館所蔵）

きぬがさささちお　　スポーツ
● 衣笠祥雄　　1947年～

「鉄人」とよばれたプロ野球選手

プロ野球選手。
京都府生まれ。平安高校時代、全国高等学校野球大会に捕手として2回出場し、ともにベスト8入りする。1965（昭和40）年、広島東洋カープに入団し、三塁手に転向した。山本浩二とともに中心打者として活躍し、1970年代後半から1980年代にかけてのカープの黄金時代を築き原動力となった。「鉄

人」とよばれ、どんなに不調でも、つねにフルスイングすることで有名だった。

1987年、連続試合出場記録がルー・ゲーリッグの世界記録の2130をぬいたことから、王貞治につづくプロ野球選手として2人目の国民栄誉賞を受賞する。その年、2215試合連続出場の記録を最後に、現役を引退した。

学 国民栄誉賞受賞者一覧

きぬやさへいじ　　郷土
● 絹屋佐平治　　1683～1744年

丹後ちりめんを創始した職人

江戸時代中期の機織り職人。
丹後国峰山（現在の京都府京丹後市）で織物業をいとなむ。この地方では昔から絹織物を生産していたが、18世紀はじめに京都の西陣でちりめんという絹織物が売りだされると、丹後の絹織物の需要が少なくなった。西陣の織屋に奉公して、ちりめんの製法をおぼえようとしたが、技術は秘密にされていた。しかし、ある夜、糸より機の糸のしかけをさぐることができた。丹後にもどり、記憶にある糸より機を組み立て、何度も失敗したが、1720年、西陣の織物より厚手で表面のしぼ（でこぼこ）が高いちりめんを織ることに成功した。丹後ちりめんとよばれたこの高級織物は、京都でも評判となった。

峰山藩はその功績をたたえ、名字帯刀をゆるした。佐平治は、名を森田治郎兵衛とあらためた。藩内の織屋をまとめて、ちりめんの生産を進め、京都に問屋をおいて販売したので、注文が増大した。

▲絹屋佐平治が奉納した絹織物
（禅定寺）

きねやじょうかん　　伝統芸能
● 稀音家浄観　　1874～1956年

長唄演奏の道をひらいた長唄三味線方の2世

明治時代～昭和時代の長唄三味線方奏者。
東京生まれ。本名は杉本金太郎。6世杵屋三郎助（初世稀音家浄観）の長男。演奏者一家に生まれ、幼少時代、祖母から三味線の手ほどきを受けるなど、環境にめぐまれて育つ。

1885（明治18）年12歳のとき、音楽取調掛（のちの東京音楽学校、現在の東京藝術大学）バイオリン科に入学したが、新鳥越町（現在の台東区浅草）に中村座が開場するにあたり、

▲2世稀音家浄観

三味線方としてさそわれ、バイオリン科をやめて、芝居の世界へ入る。芝居の仕事について2年後の1888年に、3世杵屋六四郎を襲名した。1926（大正15）年に「稀音家」と名前をあらためる。その後、4世吉住小三郎とともに長唄研精会をおこし、芝居をはなれた長唄演奏の確立へ道をひらいた。1929（昭和4）年、東京音楽学校に長唄の選科が開設されると、講師をつとめ、のちに教授となる。1939年、六四郎の名を長男にゆずり、2世浄観を襲名した。1955年に文化勲章を受章した。

学 文化勲章受章者一覧

きねやろくさぶろう

● 杵屋六三郎　　　1779〜1855年　伝統芸能

長唄の人気を復活させた中興の祖の4世

江戸時代後期の長唄三味線方。

杵屋六三郎は、現在までに12世を数える。4世六三郎は、江戸（現在の東京）の宿屋の次男に生まれる。本名は長次郎。幼いころから母に三味線を習っていたが、上達が早く、初世杵屋正次郎に弟子入りして、本格的に習いはじめる。10代で舞台に上がり、1808年、4世杵屋六三郎を名のる。

三味線演奏の名人とされ、作曲でも活躍する。歌舞伎役者7世市川団十郎のために、『勧進帳』『晒女』『吾妻八景』『松の緑』『老松』などの名曲をつくり、それらは現在も伝わっている。お座敷の長唄にも名曲をのこし、一時低迷していた長唄の人気を復活させた功労者とされる。

きのくにやぶんざえもん

● 紀伊国屋文左衛門　　1669?〜1734?年　産業

御用商人となり、ばく大な富を築いた

（国立国会図書館）

江戸時代前期の豪商。

紀伊国（現在の和歌山県・三重県南部）出身といわれるが、くわしい経歴はわかっていない。江戸幕府の第5代将軍徳川綱吉の時代に、江戸（東京）で材木商をいとなみ、火事がおこるたびに、駿河国（静岡県中部と北東部）の材木を買い占めて売りさばき、利益をあげた。のちに、老中柳沢吉保に接近し、幕府の御用商人となる。1698年、上野寛永寺（東京都台東区）の根本中堂建設における材木の調達を請け負い、50万両もの利益をあげた。

その後も、幕府の工事を次々と請け負って、ばく大な富をたくわえた。ぜいたくな暮らしぶりで知られ、節分の夜に豆のかわりに金貨をまいたり、江戸中の初がつおを買い占めたりした。これは自分の評判を高めるための戦略だったともされる。

しかし、徳川綱吉が亡くなり、第6代将軍徳川家宣の時代になると、新井白石が財政の引き締めをはかった。そのため、以前のようにもうけることができなくなり、材木商を廃業して深川（東京都江東区）に隠居したといわれる。

きのしたけいすけ

● 木下惠介　　　1912〜1998年　映画・演劇

日本映画史上に輝く名作をのこした監督

昭和時代〜平成時代の映画監督、脚本家。

静岡県生まれ。浜松工業学校（現在の静岡大学工学部）卒業。1933（昭和8）年、松竹蒲田撮影所に入所。カメラマン助手、助監督をへて、1943年、時局風刺をもりこんだ喜劇『花咲く港』で監督デビュー。主役2人だけのオールロケ作品『女』、日本初のカラー映画『カルメン故郷に帰る』、歌舞伎の手法と色彩心理を導入した『楢山節考』など、わき出るアイディアを映画製作に反映させ、49もの名作をのこした。脚本家としての才能も発揮し、監督作品の7割以上が自身の脚本である。テレビでは『木下惠介劇場』『木下惠介アワー』など長期シリーズで多数のドラマを提供し、人気を集めた。1977年に紫綬褒章、1984年に勲四等旭日小綬章を受章、1991（平成3）年には文化功労者にえらばれた。第二次世界大戦後の日本映画黄金期をリードし、庶民の生活や情感をあたたかなまなざしでえがいた作品を多くのこした。出身地静岡県浜松市の木下惠介記念館では毎月1回、作品の映画上映会がおこなわれている。

きのしたじゅんあん

● 木下順庵　　　1621〜1698年　学問　教育

新井白石、室鳩巣、雨森芳洲など多くの儒学者を育てた

（国立国会図書館）

江戸時代前期の儒学者。

京都生まれ。松永貞徳の子で藤原惺窩の門人、松永尺五に儒学を学んだ。1660年、加賀国加賀藩（現在の石川県・富山県）の藩主、前田利常にまねかれてつかえ、京都を拠点に江戸（東京）と金沢を行き来

しながら、多くの門人を教えた。1682年、江戸幕府につかえて第5代将軍徳川綱吉に儒学を講義する一方、儒学者の林鳳岡らとともに徳川幕府創建の歴史をしるした『武徳大成記』を編さんした。教育者としてもすぐれ、木門十哲とよばれる新井白石、室鳩巣、雨森芳洲など多くの儒学者を育てたことで知られる。彼らはのちに幕府や藩に登用されて活躍した。

きのしたじゅんじ　映画・演劇

● 木下順二　1914〜2006年

戦後、日本の演劇界をリード

昭和時代〜平成時代の劇作家。

東京生まれ。東京帝国大学（現在の東京大学）で英文学を学びながら、劇作をはじめる。日本の民話から着想した戯曲『彦市ばなし』や『三年寝太郎』『夕鶴』などを発表し、民話劇の作家として地位をかためる。

とくに『夕鶴』は毎日演劇賞を受賞（1950年）、教科書にも掲載されて国民的な戯曲となった。1954（昭和29）年には、明治維新ころの青年たちをえがいた『風浪』で岸田演劇賞を受賞。

社会問題にも関心をもち、太平洋戦争中にスパイ容疑で処刑された尾崎秀実をモデルにした戯曲『オットーと呼ばれる日本人』などの作品がある。シェークスピア作品の翻訳のほか演劇論などの評論も多い。

きのしたなおえ　政治　文学

● 木下尚江　1869〜1937年

鉱毒と廃娼運動を見出しに非戦運動

明治時代の社会運動家、評論家、小説家。

信濃国（現在の長野県）の松本藩士の家に生まれる。1888（明治21）年、東京専門学校（現在の早稲田大学）法律科を卒業する。

新聞『信陽日報』の記者となり、地方政治家の不正をあばくが受け入れられず、1893年に弁護士となり、『信府日報』（のちの『信濃日報』）の主筆も兼任、同年キリスト教に入信。1897年、日本ではじめて普通選挙運動をおこして逮捕され、入獄する。1899年に東京で『横浜毎日新聞』の記者となり、廃娼運動、足尾鉱毒問題などの社会問題にとりくむ。2年後には、社会民主党結成に参加。日露戦争では幸徳秋水、堺利彦らと反戦運動をおこし、『火の柱』『良人の自白』などを書くが、のちに社会主義小説として発売禁止の処分を受けた。

きのつらゆき　詩・歌・俳句

● 紀貫之　868?〜945?年

『土佐日記』を書いた歌人

平安時代前期の歌人、官人。

宮廷の代表的歌人として知られ、三十六歌仙の一人。下級貴族の家に生まれたが、早くから和歌の才能をあらわし、20代で朝廷の歌合（歌のできばえをきそい合う遊び）に列席した。905年、紀友則らとともに『古今和歌集』の撰者に任命され、102首をよんだ。また和歌集の中で、日本で最初の和歌論「仮名序」を書き、和歌を芸術の域に高めた。

▲『佐竹本三十六歌仙絵巻断簡』より　（耕三寺博物館）

その後、加賀介（現在の石川県南部の次官）、美濃介（岐阜県の次官）をへて、土佐守（高知県の長官）となり、4年後、任期を終えて都に帰り、翌年、その旅を記録した『土佐日記』をあらわした。現存する日本最古の日記で、かな文字で書かれている。『土佐日記』は、その後の日記文学や女性文学に大きな影響をあたえた。

『古今和歌集』のほか、天皇や上皇の命でつくられる勅撰和歌集全体では、400首をこえる和歌がのこされている。作品には、漢文学の教養を生かした理知的な歌が多い。

「人はいさ　心も知らず　ふるさとは　花ぞ昔の　香ににほひける」は、『古今和歌集』におさめられ、のちに藤原定家がまとめた『小倉百人一首』にもえらばれた1首。

学　人名別 小倉百人一首

学　日本と世界の名言

▲『古今和歌集』　（国立国会図書館）

きのとものり　詩・歌・俳句

● 紀友則　生没年不詳

三十六歌仙の一人

平安時代前期の歌人。

三十六歌仙（藤原公任のえらんだ36人の歌人）の一人。紀貫之のいとこ。40歳まで無官だったといわれ、897年に土佐掾（現在の高知県の守、介に次ぐ官職）に任ぜられた。

890年ころから宮廷の歌合に参加。その後、紀貫之、凡河内躬恒らとともに『古今和歌集』の撰者となり、46首をよんだ。これは貫之の102首、躬恒の60首に次ぐ数である。『古今和歌集』には、貫之らが友則の死をいたんだ歌がのこされていることから、『古今和歌集』をえらんでいる途中か、そのすぐあとに亡くなったと推定されている。

代表作「久方の　ひかりのどけき　春の日に　しづ心なく花の散るらむ」は、のちに藤原定家がまとめた『小倉百人一首』

の1首にもえらばれている。

学 人名別 小倉百人一首　学 日本と世界の名言

きのなつい

貴族・武将

● 紀夏井　　　　　　　　　　　　　生没年不詳

清廉な文人官僚

平安時代前期の官人。

紀善岑の子に生まれる。6尺3寸（約190cm）の長身で美男だったといわれる。小野篁に師事した漢字の古い書体である隷書の達人で、芸事にもすぐれ、医薬にも通じていたため、文徳天皇に重用され、850年に右中弁（各省を監督する右弁官局の次官）に昇進。菅原道真とも親交のあった有能な官僚だった。文徳天皇が亡くなったのち、讃岐守（現在の香川県の長官）に任命される。

4年の任期ののち、善政をおこなったので、農民らは任期延長を願い、さらに2年間とどまった。865年、肥後守（熊本県の長官）に任じられたが、866年におこった応天門の変に異母弟がかかわっていたことで、土佐国（高知県）に流された。このとき、肥後の農民たちがたいへん悲しんだという。

きはらひとし

学問

● 木原均　　　　　　　　　　　　1893〜1986年

ゲノムの研究からコムギの祖先を明らかにする

大正時代〜昭和時代の遺伝学者。

東京生まれ。北海道帝国大学（現在の北海道大学）農学部卒業。京都帝国大学（京都大学）の助手をへて教授となり、主にコムギ類の遺伝を研究する。

デオキシリボ核酸（DNA）にふくまれる遺伝情報であるゲノムの分析方法を確立し、栽培コムギの祖先を明らかにすることに成功した。1955（昭和30）年、第二次世界大戦後はじめての海外学術調査隊を組織して、西中央アジアのカラコルム地方におもむき、コムギの祖先を調査した。

また、種なしスイカをつくるなど、植物の品種改良でも実績をのこしている。木原生物学研究所を設立し、国立遺伝学研究所の所長をつとめるなど、日本の遺伝学をリードし、多くの研究者を育てた。

また、スポーツ愛好家としても知られ、冬季オリンピック選手団長をつとめるなど、スポーツ振興にも尽力した。1948年、文化勲章受章。1951年、文化功労者。著書に『小麦の細胞遺伝学的研究』などがある。

学 文化勲章受章者一覧

きびないしんのう

貴族・武将

● 吉備内親王　　　　　　　　　　?〜729年

長屋王の変で夫とともに自害した

奈良時代初期の皇女、長屋王のきさき。

草壁皇子と阿閇皇女（のちの元明天皇）の子に生まれる。天武天皇の子、長屋王にとついだ。729年、藤原不比等の娘で首皇子（聖武天皇）のきさきである光明子を、皇族以外ではじめての皇后にしようとする藤原氏に、長屋王が反対。しかし長屋王は藤原氏に負け、謀反の罪に問われ、自害することになった（長屋王の変）。このとき吉備内親王も、夫と膳夫王ら4人の子とともに自害した。長屋王とともに生駒山（奈良県生駒市と大阪府東大阪市の境にある山）にほうむられたが、吉備内親王に罪はないとして、通例の待遇で葬送された。

きびのまきび

貴族・武将　学問

● 吉備真備　　　　　　　　　　　695〜775年

学者から右大臣に出世した

▲吉備真備　（国立国会図書館）

奈良時代の公家の高官、留学生、学者。

吉備国（現在の岡山県・広島県東部）の豪族で、下級役人の子に生まれる。

朝廷の大学寮（役人になるための教育機関）に入る。717年、遣唐使にしたがう留学生として、阿倍仲麻呂や僧の玄昉と中国の唐にわたり、儒教、律令（法律）、軍事などを学ぶ。帰路で種子島に漂着しながらも、17年後に玄昉と帰国。書籍、楽器、武器などをたずさえて、朝廷に献上した。その後、阿倍内親王（のちの孝謙天皇、称徳天皇）の教師となり、聖武天皇に信頼された。737年、都をおそった疫病、天然痘により、朝廷の実権をにぎっていた藤原4兄弟が死んだのち、朝廷の中心に立った橘諸兄により、玄昉とともに登用されて活躍。746年、吉備の姓をあたえられた。しかし、朝廷の権力者である藤原仲麻呂にきらわれ、750年、筑前守（福岡県北西部の長官）に左遷された。

752年にも遣唐使として唐にわたり、阿倍仲麻呂と再会した。754年に僧の鑑真をともなって帰国。大宰大弐（九州を統括する役所である大宰府の次官）となると、朝鮮半島の新羅の襲来にそ

▲吉備大臣入唐絵巻（模本）
（東京国立博物館 Image:TNM Image Archives）

なえるため、怡土城（福岡県糸島市）を築くことを提案した。その後、10年以上不遇の時代をすごしたが、764年、造東大寺司長官（東大寺を造営する役所の長官）に任命されて、都にもどった。同年、藤原仲麻呂の乱がおこると、唐で学んだ軍事の知識を生かして軍の参謀となり、仲麻呂追討に大きな役割をはたした。

その後、称徳天皇の信頼を得て、学者としては異例の出世をとげ、766年、左大臣に次ぐ官職、右大臣に昇進した。

鎌倉時代につくられた絵巻『吉備大臣入唐絵巻』には、唐にわたった真備のことがえがかれており、阿倍仲麻呂が真備を助ける場面がある。

真備は、唐の学者からその能力をためされるため、『文選』という難解な書物について質問されたり、囲碁の名人と対局させられたりするが、次々と切りぬけて、人々をおどろかせた。実は、鬼になった仲麻呂が真備にいろいろと知恵をあたえて、助けたという物語である。

ギベルティ，ロレンツォ 〔彫刻〕

ロレンツォ・ギベルティ　1378〜1455年

初期ルネサンス時代の彫刻家

イタリアの彫刻家。

フィレンツェに生まれる。金細工師の父の下で早くから修業をし、腕をみがく。ペストがはやったため、故郷をはなれて、画家として生活していた。

1401年、フィレンツェにもどって、サン・ジョバンニ洗礼堂の北側門扉の制作コンクールに応募する。強敵ブルネレスキに勝ち、23歳で制作をまかされた。1403年にとりかかり、28枚の浮き彫りからなる門扉を1424年に完成させる。次に東側門扉の制作を依頼され、25年以上かけて1452年にしあげた。東側門扉はのちに同じイタリアの彫刻家、ミケランジェロに『天国の門』とよばれて、絶賛された。

北側門扉など、初期の彫刻作品はゴシック様式だが、その後はローマ古典美術をふまえた作風になっており、ルネサンス様式を生みだした一人にあげられる。

文章も得意で、14、15世紀の美術を知るうえで貴重な『覚え書』を書きのこした。

ぎましんじょう 〔郷土〕

儀間真常　1557〜1644年

沖縄の産業を発展させた村役人

戦国時代〜江戸時代前期の役人。

琉球王国の真和志間切・儀間村（現在の那覇市）に生まれた。1593年、儀間村の地頭になった。1605年、野国村（嘉手納町）の野國總管が、明（中国）からサツマイモを持ちかえったとき、苗を分けてもらい、栽培方法を研究して、十数年かけて国中に広めた。荒れ地でも栽培できるサツマイモを普及させ、ききんで人々が飢えに苦しむことが少なくなった。1609年、薩摩藩（鹿児島県）にとらえられた尚寧王にしたがって、薩摩へわたった。そこで木綿の原料になるワタの種を手に入れて故郷へ持ちかえり、薩摩国出身の女性の協力を得て、木綿を織り、のちの琉球絣の基礎を築いた。さらに、明（中国）に使者を送って、サトウキビから黒砂糖を製造する技術を習得させ、製糖業を広めた。

▲琉球絣（琉球絣事業協同組合）

キムイルソン（きんにっせい） 〔政治〕

金日成　1912〜1994年

北朝鮮の国家体制を確立した初代国家主席、最高指導者

朝鮮民主主義人民共和国（北朝鮮）の政治家。国家主席、最高指導者（在任1948〜1994年）。

平安南道（現在の平壌市）生まれ。満州（中国東北部）へ移住し、少年時代に共産組織で活動をはじめた。その後、中国共産党に入り、満州事変後の抗日闘争に参加、この活動を通して指導者としての頭角をあらわした。

1940年以降、ソビエト連邦（ソ連）のハバロフスクに拠点をおき、ソ連軍で訓練を受けた。第二次世界大戦後、帰国。ソ連軍のうしろだてにより「金日成将軍」として指導者となる。1948年の北朝鮮建国時、首相に就任、翌年には労働党委員長につき、権力をにぎる。1950年の朝鮮戦争では人民軍最高司令官として指揮をとった。

朝鮮戦争後、ソ連と中華人民共和国（中国）の対立に際して、独自の「チュチェ（主体）思想」を主張し、等距離外交路線をあゆんだ。政敵に対して徹底的な粛清をおこない、個人崇拝を強化、独裁体制をかため、1972年には憲法を制定して国家主席となり、その後、権力を長男の金正日にひきつがせた。社会主義でありながら世襲制度をとる、希有な支配体制を築いた。

学 主な国・地域の大統領・首相一覧

キムオッキュン

金玉均 → 金玉均

キムジョンイル

金正日　　1942〜2011年　政治

核兵器開発や核実験を断行した北朝鮮の最高指導者

朝鮮民主主義人民共和国（北朝鮮）の政治家。最高指導者（在任1994〜2011年）。

ソビエト連邦（ソ連）内で、抗日運動をおこなっていた金日成の長男として生まれる。第二次世界大戦後、帰国、1960年に金日成総合大学へ入学、翌年、朝鮮労働党に加入した。党の役職を歴任後、1970年代に金日成の後継者として周知された。1980年、労働党の幹部に任命され、公に姿をあらわすと、以降、権力継承のための活動を活発化させた。映像に造詣が深く、これをプロパガンダに利用したともいわれる。

1994年に金日成が死去すると、さらに権力を強め、1997年には朝鮮労働党中央委員会総書記に就任。翌年には憲法を改正して、国防委員会を国家の最高機関と定め、自身は国防委員長となって、独裁体制をしいた。

2000年には、大韓民国（韓国）の金大中大統領と初の南北首脳会談を実現。日本との関係では、2002年に日朝国交回復のための「日朝平壌宣言」に調印、日本人拉致をみとめて小泉純一郎首相に謝罪した。しかし、核兵器開発、核実験により、国際社会に挑戦的な姿勢をみせ、また国内では経済を破綻させた。

🎓 主な国・地域の大統領・首相一覧

キムジョンウン

金正恩　　1982？年〜　政治

金日成、金正日につづく、北朝鮮3代目の最高指導者

朝鮮民主主義人民共和国（北朝鮮）の政治家。最高指導者（在任2011年〜）。

金正日の3男、金日成の孫。1996年から2000年までスイスで教育を受け、帰国後は金日成総合大学や金日成軍事総合大学で学んだとされる。

2009年ごろから、金正日の後継者として活動をはじめ、2010年からは朝鮮労働党の副委員長をつとめた。2011年、金正日が死去すると、人民軍最高司令官、党第一書記、国防委員会第一委員長などに就任、最高指導者となる。

軍事を優先する先軍政治を継承し、核・ミサイル実験をくりかえし、国際社会の非難を受けている。友好関係にあった中華人民共和国（中国）を無視した行動も多く、中朝関係も良好ではないとみられる。国内では、親族をふくめた周囲の人物を粛清するなど、恐怖政治をおこなっている。

🎓 主な国・地域の大統領・首相一覧

キムダルス（きんたつじゅ）

金達寿　　1919〜1997年　文学

現代の在日朝鮮人文学の第一人者

昭和時代の作家。

朝鮮（現在の大韓民国）生まれ。日本大学卒業。10歳で来日し、はたらきながら日本語を学び、文学者を志す。第二次世界大戦後の1946（昭和21）年、雑誌『民主朝鮮』を創刊する。1948年、『後裔の街』を出版し、作家としてデビュー。その後、日本統治時代の朝鮮民族の苦しみをつづった長編小説『玄海灘』（1954年）、朝鮮人の姿をユーモアをまじえてえがく『朴達の裁判』（1958年）などを発表、在日朝鮮人文学の第一人者となる。

古代史研究家としても知られ、地名、古墳、神社などを手がかりに、日本各地の朝鮮文化をさぐる『日本の中の朝鮮文化』が好評を得て、シリーズ化された。

キムデジュン（きんだいちゅう）

金大中　　1925〜2009年　政治

ノーベル平和賞を受賞した韓国の大統領

大韓民国（韓国）の政治家。大統領（在任1998〜2003年）。

全羅南道生まれ。会社経営などをへて、1960年、議員に初当選。翌年の朴正熙の軍事クーデターで失脚するが、野党政治家として活動、1971年の大統領選挙に立候補し、朴正熙に僅差でやぶれた。翌年の訪日中、韓国に戒厳令がしかれて帰国困難となり亡命、日米を拠点に朴政権の独裁を非難した。1973年には東京滞在中に韓国の情報部員によって拉致され、ソウルにつれもどされて自宅に軟禁された（金大中事件）。1979年の朴大統領暗殺を受けて釈放されたが、その後、政権転覆を計画したとして逮捕され、死刑判決を受ける。国際世論のあとおしもあり減刑、1982年に釈放された。

1992年に政界を引退するが、3年後に復帰、1998年、大統領に就任した。2000年、朝鮮民主主義人民共和国（北朝鮮）の金正日総書記と、朝鮮戦争後初の南北首脳会談を実現させ、緊張緩和の政策の「太陽政策」を打ちだし、ノーベル平和賞を受賞した。韓国民主化の功労者であり、韓国内で禁止されていた日本文化の開放も進めた。

🎓 主な国・地域の大統領・首相一覧　🎓 ノーベル賞受賞者一覧

キムヨンサム

金泳三　政治　1927〜2015年

これまでの軍事政権を改善、韓国の民主化に尽力した

大韓民国（韓国）の政治家。大統領（在任1993〜1998年）。

慶尚南道生まれ。ソウル大学卒業後、政界に入り、1954年に与党から出馬して国会議員に初当選した。その後、野党に移籍し、若き大統領候補として頭角をあらわす。朴正熙大統領の独裁政権下で、民主化を求める運動を展開。朴大統領の死後は、金大中らと大統領の座をあらそったが、クーデターによって軍部に政権をうばわれた。その後の民主化運動で、大統領直接選挙制を定める憲法改正に成功したが、1987年の大統領選挙では盧泰愚にやぶれた。

1990年、与党に合流し、1992年、大統領に就任。朝鮮半島の南北関係の改善に意欲をしめしたが、対話は実現できず、経済政策も韓国の実情に合わず、1997年のアジア通貨危機にまきこまれ、翌年大統領を退任した。朴正熙軍事政権の時代に民主化を求め、大統領就任後は「文民政権」として軍部の政治への介入を制限し、韓国の民主化を進めたことは評価されている。

学 主な国・地域の大統領・首相一覧

きむらいへえ

木村伊兵衛　写真　1901〜1974年

日本写真界の発展に大きく貢献した写真家

昭和時代の写真家。

東京生まれ。商業学校卒業後、台湾の砂糖問屋ではたらきながら、近所の写真館で写真の基本を習う。帰国後、1924（大正13）年に写真館を開業した。1930（昭和5）年から、花王石鹸（現在の花王）の広告部に所属し、商業用の写真を提供する。ドイツ製の小型カメラ、ライカA型で都市生活のスナップ写真を撮りはじめ、1932年に野島康三らと創刊した写真雑誌『光画』に発表した。1933年、写真家の名取洋之助らと日本工房を設立し、第1回展『ライカによる文芸家肖像写真展』をひらき、評判となる。翌年には中央工房を設立し、報道写真の分野でも本格的に活動した。第二次世界大戦中は、東方社で外国むけの宣伝雑誌『FRONT』の写真を担当した。戦後は、日本写真家協会の初代会長をつとめた。

代表作に『秋田』シリーズがある。没後、新人写真家のための木村伊兵衛賞がもうけられた。

きむらひさし

木村栄　学問　1870〜1943年

Z項を発見し、日本の科学技術の信頼を高めた天文学者

（国立国会図書館）

明治時代〜大正時代の天文学者。

石川県生まれ。私塾をいとなむ木村民衛の養子となる。幼少期から才能を発揮、父にかわり教壇に立つこともあったという。東京帝国大学理科大学に学び、1899（明治32）年、岩手県の水沢緯度観測所（現在の国立天文台水沢VLBI観測所）所長に就任。1902年、緯度変化を計算するための公式に、新たな要素のZ項を加えると、地球上のどこでもより正確に計測結果が説明できることを発見した。これは天文学上の大発見で、現在もつかわれている。また、日本の科学技術に対する世界の評価を大いに上げた。

その後も25年間にわたり観測をつづけるほか、国際天文学連合と国際測地学地球物理学連合の緯度変化委員長などをつとめ、イギリスの王立天文学会ゴールドメダル、1937（昭和12）年には第1回文化勲章を受章した。水沢市では公的建造物や学校などに、Z項にちなむ名前や紋章が多く用いられている。宮沢賢治の『風の又三郎』にも登場。月の裏側のクレーターにも名をのこす。

学 文化勲章受章者一覧　学 切手の肖像になった人物一覧

きむらよしお

木村義雄　伝統芸能　1905〜1986年

「常勝将軍」とよばれた昭和時代の将棋棋士

大正時代〜昭和時代の将棋棋士。

東京生まれ。幼いころから囲碁と将棋が強く、地元の尋常小学校にかよいながら、1916（大正5）年に13世名人関根金次郎八段に入門する。翌年、柳沢保恵伯爵邸に書生として住みこみ、夜学にかよいながら、将棋にはげんだ。1926年に八段に昇進。1937（昭和12）年、関根名人の引退により、実力名人位決定戦で実力制第1期名人の地位につく。

1947年、塚田正夫八段にやぶれて名人位を失うが、1949年に返り咲き、1952年に大山康晴八段にやぶれるまで、名人位通算8期を誇った。将棋界の第一人者として圧倒的な強さをみせ、「常勝将軍」とよばれた。定跡書（最善とされるさし方を

しるしたもの）をしろうとにもわかりやすく解説した『将棋大観』を執筆するなど、将棋の普及にもつくした。1952年、現役引退後に14世名人の称号を贈られた。1960年、紫綬褒章を受章し、1978年に勲三等旭日中綬章の叙勲を受けた。

キャパ, ロバート 〔写真〕

ロバート・キャパ　1913～1954年

戦場の写真を撮りつづけた報道写真家

ハンガリー出身の報道写真家。ブダペストに生まれる。本名はアンドレ・フリードマン。ベルリンで専門学校にかよいながら写真会社ではたらいた。1933年、ナチスの迫害をのがれてパリに移住し、1936年ごろからロバート・キャパの名で作品を発表した。スペイン内戦の取材で、兵士が銃で撃たれ、くずれ落ちる瞬間を撮った写真が、アメリカ合衆国のグラフ誌『ライフ』に発表され、一躍有名になった。第二次世界大戦中には、『ライフ』の特派写真家としてノルマンディー上陸作戦などのヨーロッパ戦線を撮りつづけた。1947年にカルティエ＝ブレッソン、シーモアらと写真家集団「マグナム・フォト」を設立した。

戦争の最前線で活動し、写真で戦争の悲惨さをうったえつづけたが、インドシナ戦争の取材中、地雷により亡くなった。翌年、ロバート・キャパ・ゴールドメダル賞が設立され、毎年すぐれたフォトジャーナリストに贈られている。

キャベンディッシュ, ヘンリー 〔学問〕〔発明・発見〕

ヘンリー・キャベンディッシュ　1731～1810年

キャベンディッシュ研究所として名をのこす科学者

18世紀のイギリスの物理学者、化学者。

フランスのニース生まれ。家はイギリスの名門貴族であった。1749年にケンブリッジ大学トリニティ・カレッジに入学して優秀な成績をおさめたが、学位をとらずに退学し、ロンドンの父親のもとでくらす。1760年に王立協会会員になっていくつかの論文を発表。父親の死後、遺産を相続して研究に打ちこんだ。

1766年の論文で亜鉛などの金属に硫酸や塩酸を加えると、水素が発生することを発表。またプリーストリーの発見を受けて実験をおこない、水が化合物であることを証明した。さらに、のちにアルゴンと名づけられる気体も発見した。1798年には地球の密度を測定して発表し、のちに、これが万有引力定数であることがわかった。そのほか、物理や化学のさまざまな実験、発見をおこなったが、極端な人間ぎらいだったこともあり、評価が高まったのは死後であった。ノーベル賞受賞者を多数輩出するケンブリッジ大学のキャベンディッシュ研究所に名をのこしている。

キャメロン, デービッド 〔政治〕

デービッド・キャメロン　1966年～

イギリス史上2番目に若い首相

イギリスの政治家。首相（在任2010～2016年）。

ロンドン生まれ。銀行家の家系であり、エリザベス2世の遠縁でもある。オックスフォード大学で、哲学、政治学、経済学を学ぶ。卒業後、保守党の職員となり、サッチャー政権やメージャー政権下ではたらいた。一時、大手メディア企業につとめたのち、2001年下院議員に初当選。2003年からは保守党の影の内閣閣僚となる。2005年、保守党党首となり、2010年の総選挙では、ブラウン前首相ひきいる労働党をやぶった。保守党は第一党となったが、単独で過半数を得ることができなかったため、自由民主党との連立政権を組み、キャメロンが首相に就任した。イギリスで、連立政権が組まれたのは、第二次世界大戦中のチャーチル内閣以来のことである。首相就任は43歳7か月で、イギリスでは史上2番目に若い首相と誕生なった（1783年にピット（小ピット）が24歳で首相に就任している）。2016年、イギリスが国民投票でEU離脱を決定したことを受け、辞任した。

〔学〕主な国・地域の大統領・首相一覧

キャラハン, ジェームズ 〔政治〕

ジェームズ・キャラハン　1912～2005年

イギリス経済を立て直そうとした首相

イギリスの政治家。首相（在任1976～1979年）。

南部のポーツマスで、海軍下士官の家庭に生まれる。中学校卒業後、税務署職員となり、1931年、労働党に入党する。第二次世界大戦での従軍後、1945年に労働党から下院議員に当選した。1964年からはウィルソン内閣の大蔵大臣、内務大臣、外務大臣を歴任。1976年、ウィルソンが任期のなかばで突然、辞任したことにより、党首選挙の結果、首相に就任。労働組合と協定をむすび、賃上げの抑制をはかることで低迷するイギリス経済を立て直そうとしたが成功せず、1979年の選挙でサッチャーのひきいる保守党にやぶれた。

〔学〕主な国・地域の大統領・首相一覧

キャロル, ルイス 〔絵本・児童〕

ルイス・キャロル　1832～1898年

『不思議の国のアリス』で奇想天外な世界をつくる

イギリスの童話作家、数学者、写真家。

イングランド北西部のチェシャー州で牧師の家に生まれる。本

名はチャールズ・ラトウィッジ・ドジソン。オックスフォード大学を卒業後、数学の教師として母校にとどまり、生涯を独身ですごした。内向的な性格だったが、こどもには愛情をもって接した。1865年に出版された『不思議の国のアリス』は、大学の学寮長の3人の娘たちとテムズ川でボート遊びをしながら語り聞かせた物語を、次女のアリスにせがまれて書き下ろしたものだった。空想にあふれた奇想天外なファンタジーはこどもたちを楽しませ、姉妹編の『鏡の国のアリス』とともに時代をこえて読みつがれている。ほかにナンセンスの詩集『スナーク狩り』、小説『シルヴィーとブルーノ』などがある。数学者としては本名で著作をだしている。また当時流行しはじめていた写真にも熱心にとりくみ、有名人や少女の肖像写真を数多くのこした。

キャンドラー，エイサ 〔産業〕

エイサ・キャンドラー　1851～1929年

みごとな経営手腕でコカ・コーラを国民的飲料にした

アメリカ合衆国の産業人。

ジョージア州ビラリカ生まれ。アトランタでドラッグストアを経営した。1891年、薬剤師だったペンバートン博士が発明したコカ・コーラの製造販売権を取得して、翌年、コカ・コーラ社を設立。積極的な広報、販促活動と、西部開拓時代の終わりから急速に発達した流通網の拡大に乗って、またたく間にアメリカ全土にコカ・コーラを普及させ、国民的飲料として定着させた。1906年にキューバ、カナダ、パナマにびん詰工場を建設するなど、早くから海外に進出し、世界的企業の基礎をつくった。1916年には経営から身をひき、翌年、アトランタ市長に就任。1919年まで市政にたずさわった。

キュイ，ツェザーリ 〔音楽〕

ツェザーリ・キュイ　1835～1918年

ロシア国民楽派の一人

ロシア帝国の作曲家、音楽評論家。

ビリニュス（現在はリトアニア）生まれ。ペテルブルク工科学校卒業。フランス人の父とリトアニア人の母のもとで、少年のころから音楽の才能をあらわし、ピアノや楽典（音楽の基礎）、作曲を学んだ。軍事技術アカデミーで築城学を専攻、卒業後は母校で講師をつとめながら、作曲活動をおこなう。

1856年、バラキレフとの出会いは、リムスキー＝コルサコフらも加わり、民族の伝統と文化を重視するロシア国民学派「五人組」へと発展し、主に批評家として活動した。作品に、オペラ『ウィリアム・ラトクリフ』や、『オリエンタル』などの有名な小品をおさ

めたバイオリン曲集『万華鏡』がある。

きゅうえい 〔絵画〕

仇英　1494～1552年

明の時代に活躍した画家

中国、明代の画家。

江蘇省に生まれる。生没年についてはいろいろな説がある。身分は低かったが、絵の才能にめぐまれ、幼いうちに蘇州の有名な画家、周臣の弟子になって学んだ。さらに絵の収集家たちと交流し、宋代、元代などの名画をみせてもらって、かきうつしながら、技術を身につけた。

人物画、山水画には周臣の影響が大きいが、昔の絵画の技法もとり入れ、自分らしい画風を確立する。江南地方で人気画家として一時代を築き、娘の仇珠もあとをついで活躍した。

とり上げる題材が豊富で、緻密なえがき方と品のよさを特色とする。明代四大画家の1人に数えられる。

キューブリック，スタンリー 〔映画・演劇〕

スタンリー・キューブリック　1928～1999年

重いテーマを深くほり下げた映画監督

アメリカ合衆国の映画監督。

ニューヨーク生まれ。高校時代に雑誌『ルック』の契約カメラマンとして活躍する。映画監督のエイゼンシュテイン、チャップリンらの影響で、映画界ではたらくことを志した。1951年、短編ドキュメンタリー映画『拳闘試合の日』を制作し、1953年に自主制作映画『恐怖と欲望』を公開した。

つねに時代の先頭に立ち、意表をついた着想と表現で、人間にとって重いテーマを深くほり下げ、すぐれた作品を生みだした。映画の制作現場では第1作から脚本、監督、撮影、編集をすべて自分の手でおこなう姿勢をとった。『突撃』などを制作したのち、イギリスへわたり、活動した。

代表作に、SF映画『博士の異常な愛情』『2001年宇宙の旅』『時計じかけのオレンジ』や『シャイニング』『フルメタル・ジャケット』などがある。壮大な映像構成が特徴で、するどい映像感覚による問題作を発表した。

キュニョー，ニコラ・ジョセフ 〔発明・発見〕

ニコラ・ジョセフ・キュニョー　1725～1804年

世界初の自動車である蒸気自動車を開発した技術者

18世紀のフランスの技術者。

ロレーヌ公国ムース（現在のフランス北東部）に、農家の子

として生まれる。ブリュッセルで軍事技術を学び、23歳のときにオーストリア軍に入る。七年戦争が終わった1763年にパリに出て、軍事技術関連の著作をおこなう。その後、自走式の大砲運搬装置の開発にとりくみ、1769年に蒸気機関をつかった最初の試作車の試走に成功した。人が乗って操縦する世界初の車両で、自動車の元祖となる。1770年の2台目の車両の試走では操縦の失敗により壁に激突し、これが史上初の自動車事故となった。これらの蒸気自動車はのちに「キュニョーの砲車」とよばれた。

その後、フランス革命がおきるとブリュッセルにのがれたが、1800年にパリにもどって商事裁判官の職を得る。砲車の改良も試みたが大きな進展はなかったとされる。パリの国立工芸博物館に2台目の車両が保存され、生家には記念の石碑が建てられている。

キュリー，ピエール 〔学問〕〔発明・発見〕

ピエール・キュリー　1859～1906年

夫人とともに放射性元素を研究した物理学者

フランスの物理学者。

パリ生まれ。初等教育は家庭で受け、16歳でパリ大学理学部へ入学。物理学修了試験に合格後、母校で助手をつとめた。1880年、兄ジャックとピエゾ電気（圧電気。水晶などの結晶に圧力や張力を加えると、結晶の両端に電荷が発生する現象）を発見し、わずかな電気でも測定できる電位計を考案した。その後、パリ物理化学学校の実験主任となり、さまざまな物質の磁気的性質について研究した。

1895年、マリー（キュリー夫人）と結婚、1898年以降、妻の放射性元素研究に協力、ウラン鉱石からポロニウムとラジウムを発見し、分離にも成功した。この研究により、1903年、夫婦でノーベル物理学賞を受賞。翌年、パリ大学物理学教授に就任するが、1906年、馬車にはねられ、46歳で死去した。

〔学〕ノーベル賞受賞者一覧

キュリー，マリー

→304ページ

キュリロス 〔宗教〕

キュリロス　827ごろ～869年

スラブ文字のグラゴール文字を考案した宣教師

ギリシャ人のキリスト教（ギリシャ正教）宣教師。

ギリシャのテッサロニキ生まれ。コンスタンティノポリス（現在のイスタンブール）で哲学を学び、語学に堪能でキリスト教の理解も深く、早くから天才をうたわれた。卒業後に修道士となる。863年、モラビア王国（現在のチェコ東部とスロバキア近辺）のロスチスラフ王がビザンツ帝国（東ローマ帝国）にキリスト教宣教師を要請すると、モラビアへ兄メトディオスとともに派遣された。そのとき新たにグラゴール文字を考案して、聖書や典礼書をスラブ人の言語に訳し、スラブ世界におけるキリスト教伝道につとめた。そのためキュリロスとメトディオスの兄弟は、ともに「スラブ人の使徒」と称せられている。現在のロシアなどでつかわれているスラブ諸語のアルファベットである「キリル文字」は、キュリロスの名前に由来し、グラゴール文字はキリル文字の前身といわれている。

キュロスにせい 〔王族・皇族〕

キュロス2世　?～紀元前529年

アケメネス朝ペルシアの創始者

▲キュロス2世のレリーフ

アケメネス朝ペルシアの初代国王（在位紀元前559～紀元前529年）。メディア王国に服属する小国の王、カンビュセス1世の子として生まれる。紀元前550年、メディア王アステュアゲスをたおしてメディアをほろぼし、アケメネス朝を建てた。

次に小アジア（トルコ）西部のリュディア王クロイソスをやぶり、リュディア王国をほろぼす。その後も各地を征服し、紀元前539年には、新バビロニア王国をほろぼした。そのとき、バビロン捕囚で強制的に移住させられていたユダヤ人や、そのほかの民族を解放した。ユダヤ人を救ったことから、旧約聖書では「メシア（救世主）」とよばれている。征服された民族に対して寛大で、宗教や慣習をみとめ、才能ある者は臣下としたので、理想的な王として後世に伝えられた。

キュロス2世は、エジプトをのぞく古代オリエントを支配して大帝国を築き、みずから大王と称した。そのあとをついだ息子のカンビュセス2世が、エジプトを征服し、古代オリエントの統一をなしとげた。

ぎょう 〔架空〕

堯　生没年不詳

伝説上の賢帝

古代中国の伝説上の帝王。

姓は伊祁、名は放勲。陶唐氏とも称する。聖人たちにおさめられていたとされる伝説上の三皇五帝時代の、五帝の一人。同じく五帝である嚳の次男。父の死後、兄の摯が帝となるが、その兄も亡くなったため即位した。堯はすぐれた知識と大きな徳をもち、人々にしたわれた。質素な暮らしを好み、能力によって官職をあたえた。また、暦法を定め民へ農耕の時期を知らせる、刑罰や度量衡などを定めるなどの政治をおこなった。後年は名声のあった舜に娘をとつがせ、登用して政治をまかせる。死の際には舜に帝になるよういいのこした。

堯と舜の政治は「堯舜の治」とたたえられ、もっとも理想的な政治として、のちの中国の帝王たちの模範とされた。

キュリー，マリー　　　学問　発明・発見　1867～1934年

マリー・キュリー

放射能の研究につくした

■ポーランドからパリの大学へ

フランスの物理学者、化学者。

ポーランドのワルシャワ生まれ。ポーランド名はマリア・スクロドフスカ。中学校の数学と物理学の教師だった父の影響を受け、科学に興味をもった。1882年、15歳のとき女学校を卒業したのち、住みこみの家庭教師をして学費をかせぎ、1891年、パリ大学理学部に入学。粗末な食事をつづけ栄養失調になりながらも、ひたすら勉学にはげみ、1893年、物理学科を1位で、翌1894年、数学科を2位の成績で卒業した。その年、パリ物理化学学校の実験主任をしていた物理学者のピエール・キュリーと知り合い、1895年、結婚した。

▲マリー・キュリー　日本では「キュリー夫人」として親しまれている。

■新元素ポロニウム、ラジウムを発見

1897年、長女イレーヌを出産後、ドイツの物理学者レントゲンやフランスの物理学者ベクレルが発見した、物を突きぬける不思議な光線（放射線）を解明しようと研究を開始した。

ピエールが発明した電位計でウランの放射線をはかり、放射線はウランの内部から出てくるのではないかと考えた。さらにほかの元素も調べた結果、トリウムも強い放射線をだすことを発見。こうした放射線をだす性質のことを「放射能」とよんだ。また、ウランをふくんでいる鉱石の瀝青ウラン鉱を調べ、その中にウランよりも数倍も強い放射線をだす新元素を発見。祖国ポーランドにちなんで「ポロニウム」と名づけた。さらに、ポロニウムをとりのぞいた鉱石の中に、もっと強い放射線をだす物質をみつけ、「ラジウム」と名づけた。

1899年、ラジウムの存在を実証するため、鉱山からもらいうけたウラン鉱石のかすから、ラジウムをとりだす作業にとりかかった。吐き気や体の痛み、疲労などになやまされながら、1902年、ウランの数百倍もの放射能をもつ塩化ラジウム0.1gをとりだすことに成功。こうした研究により、1903年、ベクレルと夫ピエールとともにノーベル物理学賞を受賞した。

▼夫ピエールとともに実験にとりくむマリー。（1898年）

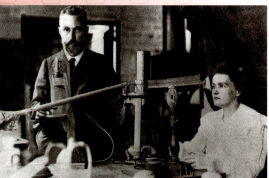

■2度目のノーベル賞受賞

1904年、次女のエーブが生まれ、夫のピエールはパリ大学教授となり、マリーにも実験室があたえられた。ところが1906年、放射線研究で体調をくずしていたピエールがパリの路上で馬車にはねられて死亡。悲しみのなか、2人のこどもを育てながら研究をつづけ、女性として初のパリ大学講師に、1908年、同大学の教授となった。その後も塩化ラジウムからラジウムの単体をとりだす実験をつづけ、1910年、金属ラジウムを得ることに成功。この功績がみとめられ、1911年、ノーベル化学賞を受賞した。

1914年、パリにラジウム研究所が設立され、その放射能実験室長に就任。同年、第一次世界大戦がはじまると、自動車にX線撮影装置を積んで、負傷兵の救護活動をおこなった。戦後もラジウムの研究をつづけるが、長年にわたる放射線の研究が原因で白血病にかかり、1934年、66歳で亡くなった。長女イレーヌは物理学者となり、夫フレデリック・ジョリオとともに人工放射能の研究をして、1935年、ノーベル化学賞を受賞した。　学 ノーベル賞受賞者一覧

▶長女イレーヌ（右）と次女エーブ（左）
夫が亡くなったあと、幼いこどもをかかえながら、研究に没頭した。（1908年）

マリー・キュリーの一生

年	年齢	主なできごと
1867	0	11月7日、ポーランドのワルシャワで生まれる。
1891	24	パリ大学理学部に入学。
1895	28	ピエール・キュリーと結婚。
1897	30	長女イレーヌが誕生。
1898	31	新元素ポロニウム、ラジウムを発見。
1903	36	ベクレル、夫ピエールとともにノーベル物理学賞を受賞。
1904	37	次女エーブが誕生。
1906	39	夫ピエールが死去。
1908	41	パリ大学教授に就任。
1911	44	ノーベル化学賞を受賞。
1914	47	パリのラジウム研究所の放射能実験室長に就任。
1934	66	7月4日、白血病で亡くなる。

※年齢は満年齢であらわしている

ぎょうき

行基　668〜749年　宗教

社会事業に力をつくした日本仏教の祖

▲行基菩薩坐像
（東大寺所蔵／朝日新聞社提供）

奈良時代の僧。朝鮮半島の百済からの渡来人、王仁の子孫で、高志才智の子。河内国（現在の大阪府東部）で生まれ、682年に出家し、道昭の弟子となる。道昭は、留学僧として中国の唐にわたり、帰国後、各地で仏教を広め、道や橋をつくって人々のためにつくした人であった。道昭に大きな影響を受けた行基は、37歳から、生家を寺にした家原寺で布教をはじめる。

当時の仏教は、国家鎮護といって、国を守ることが第一とされた。行基はこれに疑問をいだき、貧しい人々、苦しんでいる人々を救おうと決意。家原寺を出て、師の道昭と同じように各地に橋をかけ、道や港をつくって、交通を便利にし、池、溝、堤防を築いて、日照りや洪水の被害をふせいだ。また、全国から税の物品をはこんできた農民たちが飢えないように、食事と宿泊のできる布施屋をつくった。

行基の布教の拠点となる道場（寺）は、河内、大和（奈良県）、山背（京都府南部）など、49か所つくられた。

行基の説法を聞きに集まる人は、数千人にもなったという。しかし、当時の僧尼令では、国のみとめない道場をつくったり、かってに説法したりすることはかたく禁じられていた。717年、行基は「みだりに仏の教えを説いている」と役人に弾圧され、都での布教を禁じられた。これに対して行基はひるまず、布教と社会事業をつづけたため、人々は行基を「菩薩（さとりをひらき、人々を救う修行にはげむ人）」とよんでうやまった。

723年、新しく土地を開墾した者には、3代にわたり私有をみとめるという三世一身法がだされ、行基はおおぜいの人をひきいて多くの荒れ地を切りひらき、田畑にした。朝廷は行基の社会的影響力をみとめざるをえなくなり、731年、正式な僧としてみとめた。このころ、巨大な大仏づくりを考えていた聖武天皇は、行基の評判を聞いて協力を求め、行基はこれにこたえた。743年、大仏建立の詔がだされたとき、76歳の行基は弟子をひきい、おおぜいの人を集め、また、造営のための金品の寄付をつのる勧進役と

▲『行基菩薩行状絵伝』より港をつくる行基（家原寺所蔵／奈良国立博物館写真提供／森村欣司撮影）

なった。745年、その功績により大僧正という最高位の僧職をあたえられたが、大仏開眼をみることなく亡くなった。

平安時代になると行基信仰がはじまり、聖徳太子とともに日本仏教の祖としてあがめられた。

きょうこう

姜沆 → 姜沆

きようらけいご

清浦奎吾　1850〜1942年　政治

護憲運動によって半年で辞職となった総理大臣

（国立国会図書館）

明治時代〜大正時代の官僚、政治家。第23代内閣総理大臣（在任1924年）。

肥後国（現在の熊本県）の僧侶の家に生まれ、清浦家の養子となる。広瀬淡窓の創立した豊後国（大分県）の私塾・咸宜園で学んだ。埼玉県の役人となったのち、司法省につとめて、治罪法（現在の刑事訴訟法）の制定にかかわった。

1884（明治17）年に34歳で内務省警保局長となると、内務大臣の山県有朋の下で、出版条例・新聞紙条例の改正、保安条例の制定に加わった。それ以降、山県の側近として政界に進出し、1892年、第2次伊藤博文内閣で司法次官となり、その後の内閣では、司法大臣や農商務大臣、内務大臣をつとめた。

1914（大正3）年に第1次山本権兵衛内閣がシーメンス事件の影響でたおれると内閣総理大臣の候補となったが、海軍の反対を受けて辞退した。1924年には内閣総理大臣となったが、貴族院の勢力のみで内閣をつくったため、政党政治を求める護憲派の倒閣運動（第2次護憲運動）がおこり、政権発足から半年足らずで総辞職した。　学 歴代の内閣総理大臣一覧

きよおかたかゆき

清岡卓行　1922〜2006年　文学　詩・歌・俳句

亡き妻との愛をえがいた小説『アカシヤの大連』で知られる

昭和時代〜平成時代の詩人、作家。

満州（現在の中国東北部）の大連の生まれ。東京大学仏文科卒業。国際的な港であった大連で自由な雰囲気を味わいながら育つ。少年のころから詩に親しみ、とくにボードレールやランボーにひかれた。30歳をすぎてから詩作を再開し、1959（昭和34）年、はじめての詩集『氷った焔』を出版。1969年には、亡くなった妻との愛をえがいた小説『アカシヤの大連』を発表し、芥川賞を受賞する。中国紀行をまとめた『芸術的な握手』（読

売文学賞受賞）、詩集『初冬の中国で』ほか、大連への郷愁をにじませた作品も多い。1999（平成11）年には『マロニエの花が言った』で野間文芸賞受賞。野球好きで、日本野球連盟につとめていたころに「猛打賞」を考案したことでも知られる。

学 芥川賞・直木賞受賞者一覧

きょくていばきん

曲亭馬琴 → 滝沢馬琴

きよさわきよし　文学

● 清沢洌　1890〜1945年

第二次世界大戦中のようすを日記にのこす

（安曇野市教育委員会）

大正時代〜昭和時代のジャーナリスト、評論家。

長野県生まれ。小学校卒業後、内村鑑三の弟子で、キリスト教をもとに教育をおこなった井口喜源治の塾に入り、影響を受ける。1906（明治39）年、アメリカ合衆国へわたって大学で学びながら、日本語新聞の記者として活動する。1918（大正7）年に帰国して、中外商業新報社（現在の日本経済新聞社）に入社、海外情報の担当者として活躍する。その後、東京朝日新聞をへて、フリーの評論家となり、豊富な海外経験と人脈を生かし、『日本外交史』（1942年）などを発表する。自由主義の立場から、日中戦争や第二次世界大戦に反対した。

著書『暗黒日記』は、第二次世界大戦中の政治、経済、生活のようすを詳細にしるした日記で、当時を知る貴重な記録である。死後の2002（平成14）年には、自由主義者の立場からみた、大正時代〜昭和時代の外交問題をつづった論文集『清沢洌評論集』が発刊されている。

きよざわまんし　宗教　教育

● 清沢満之　1863〜1903年

仏教の近代化につとめた信念の宗教家

明治時代の浄土真宗大谷派の僧、宗教家、思想家。

尾張国名古屋（現在の愛知県名古屋市）の藩士の家に生まれる。名古屋の英語学校、医学校で学ぶが、16歳で真宗大谷派の僧侶となり、京都の東本願寺育英教校に入学。東本願寺の留学生として東京大学に入り、1887（明治20）年、哲学科を主席で卒業。翌年、京都府尋常中学校校長となり、1890年に辞任した。この頃から「ミニマム・ポシブル」といわれる、きびしい衣食住の禁欲生活に入り、苦行生活の中で、『宗教哲学骸骨』『他力門哲学骸骨試稿』を著した。

（西方寺）

1894年、肺結核を発病、療養生活に入る。翌年、宗門を近代的な教育制度や組織に改革するために『教界時言』を創刊、これが原因となり、一時、僧籍を剥奪された。1900年、東京に私塾の浩々洞をつくり、門下生を集め、のちに多くの真宗学者や仏教学者を輩出した。1901年、雑誌『精神界』を発刊し、精神主義をとなえ、近代的な仏教信仰の確立につとめた。同年、真宗大学（現在の大谷大学）の初代学長となるが、肺結核が悪化し、1903年、39歳で死去した。

キヨソーネ，エドアルド　絵画

● エドアルド・キヨソーネ　1833〜1898年

日本の紙幣や切手印刷を指導した版画家

（国立印刷局　お札と切手の博物館）

イタリア人の銅版画家。

ジェノバ近郊に生まれる。ジェノバの美術学校で銅版画を学ぶ。1867年のパリ万国博覧会に作品を出品して、銀牌を受賞した。翌年、紙幣の彫刻技師としてイタリアの国立銀行に就職し、印刷技術などを学ぶためドイツの印刷会社に派遣される。当時、明治政府もこの会社に紙幣の印刷を依頼していたことがきっかけで、1875（明治8）年、大蔵省紙幣寮（現在の国立印刷局）の彫刻師として、日本にまねかれる。来日後は、銅版画を利用したさまざまな印刷にたずさわるとともに、後進の技術指導にあたり、日本の紙幣・切手印刷の基礎を築いた。そのかたわら、明治天皇や西郷隆盛、大久保利通、大村益次郎らの肖像を銅版画などで制作した。

また、日本美術の収集家としても知られ、収集品はジェノバのキヨソーネ東洋美術館におさめられている。イタリアには帰国せず、東京の自宅で亡くなった。

きよはらのいえひら　貴族・武将

● 清原家衡　?〜1087年

後三年の役でやぶれた東北地方の豪族

平安時代後期の武将。

出羽国仙北郡（現在の秋田県仙北市・大仙市・横手市）の豪族で、前九年の役で安倍氏をほろぼした鎮守府将軍、清原武則の孫に生まれる。父は清原武貞、母は安倍頼時の娘。

清原氏の同族争いからはじまった後三年の役（1083～1087年）で、最初は異父兄の清衡（のちの藤原清衡）と手をむすび、異母兄で長男の清原真衡を攻めた。真衡が病死したあと、所領争いで清衡と対立、陸奥守（山形県・秋田県をのぞく東北地方の長官）の源義家に支援された清衡と戦った。1086年、沼柵の戦いでは、清衡・義家軍を敗退させた。おじの武衡の援助を受け、金沢柵に移ったが、1087年、義家軍に討たれた。その後、藤原清衡は奥州藤原氏繁栄のもとを築いた。

きよはらのきよひら

清原清衡 → 藤原清衡

きよはらのさねひら　貴族・武将

● 清原真衡　？～1083年

清原氏の最盛期を築いた

平安時代後期の武将。

出羽国仙北郡（現在の秋田県仙北市・大仙市・横手市）の豪族で、前九年の役で安倍氏をほろぼした鎮守府将軍、清原武則の孫に生まれる。

父である清原武貞のあとをついで、出羽国仙北郡と陸奥国（山形県・秋田県をのぞく東北地方）北部にある奥六郡（岩手県奥州市から盛岡市）を勢力下におさめ、清原氏の最盛期を築いた。

しかし、独裁的なふるまいが多かったために、前九年の役の功労者で老臣の吉彦秀武と対立するようになる。秀武は、真衡の弟である藤原清衡、清原家衡らをさそって挙兵し、後三年の役（1083～1087年）がおこった。はじめ、真衡側は形勢不利だったが、陸奥守（長官）である源義家に支援されて、勢いをとりもどすものの、陣中で病死した。その後、清衡と家衡が主導権をにぎった。

きよはらのたけのり　貴族・武将

● 清原武則　生没年不詳

前九年の役で活躍した東北の武将

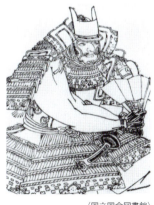

（国立国会図書館）

平安時代後期の武将。

出羽国仙北郡（現在の秋田県仙北市・大仙市・横手市）の豪族で、清原武貞の父。

前九年の役（1051～1062年）がおこったとき、安倍氏の軍と戦って、苦戦していた鎮守府将軍（東北地方をおさめる軍事的な役所の長官）の源頼義から応援をたのまれた。安倍氏は陸奥国（山形県・秋田県をのぞく東北地方）を支配し、国府をおそうなど争いがつづいた。そこで、1062年、武則は清原氏一族とともに、兵1万をひきいて参戦し、源頼義軍を有利にみちびき、安倍貞任ら安倍氏の軍を全滅に追いこんだ。

武則はその軍功により、鎮守府将軍に任じられた。さらに、陸奥国北部にある奥六郡（岩手県奥州市から盛岡市）を勢力下におき、奥州での清原氏発展のもとを築いた。

きよはらのなつの　貴族・武将

● 清原夏野　782～837年

『日本後紀』を編さんした

平安時代前期の公家の高官。

小倉王（舎人親王の孫）の子で、幼名は繁野。804年、桓武天皇より清原の姓をたまわり、夏野と改名する。823年、蔵人頭（天皇の機密文書などを管理する蔵人所の長官）、近江守（現在の滋賀県の長官）をへて、参議になる。825年に中納言、824年に民部卿（租税や民政をつかさどる役所である民部省の長官）、828年に権大納言、832年に正三位右大臣に昇進した。そのあいだ、819年にはじめられた、桓武天皇から淳和天皇までの時代をしるした歴史書『日本後紀』の編さんにたずさわった。

詩文にすぐれ、淳和天皇、仁明天皇を双岡（京都市にある丘）に建てた山荘にたびたびむかえ、詩のうたげをもよおしたので、「双岡大臣」と称された。

きよみずろくべえ　工芸　郷土

● 清水六兵衛　1738～1799年

京都の清水焼を発展させた陶工

江戸時代中期～後期の陶工。

摂津国東五百住村（現在の大阪府高槻市）に生まれる。幼名は、古藤栗太郎といった。京都に行き、五条坂で京焼（京都でつくられる陶磁器）の一つで、清水焼をつくる海老屋清兵衛のもとで、陶芸の修業をつづけた。その後、陶芸のさかんな信楽（滋賀県甲賀市）に行き、信楽焼を研究して、腕をみがいた。

京都にもどったのちの1771年、34歳のときに独立して、五条坂建仁寺（京都市東山区）に窯をひらき、名を清水六兵衛とあらためた。絵がらや彩色法をくふうし、黒楽茶碗などの抹茶茶碗や、置物を製作して、清水焼をさかんにした。また、京都の陶芸界を主導した。

清水焼はその後、清水六兵衛を名のる代々の子孫によって受けつがれ、現代までに8代を数える。清水焼は、現在、国の伝統的工芸品に指定されている。

▲6代目清水六兵衛がえがいた初代の想像画

（清水六兵衛提供）

きらこうずけのすけ

吉良上野介 → 吉良義央

きらよしなか

江戸時代

● 吉良義央　1641〜1702年

赤穂浪士にあだ討ちされた

(華厳寺蔵／西尾市教育委員会)

江戸時代の幕臣。

名は「よしひさ」とも読み、上野介ともいわれる。室町時代からの名家で、高家（幕府の儀式などをつかさどる役職）をつとめる吉良家に生まれる。18歳で、父のあとをついで高家となる。妻は米沢藩（現在の山形県米沢市）の藩主、上杉定勝の娘で、子の綱憲が上杉家の養子となるなど、上杉家とは縁が深かった。1701年、勅使（朝廷から派遣される天皇の使者）をむかえるにあたり、勅使の接待役の赤穂藩（兵庫県赤穂市）の藩主、浅野長矩の指導役となる。しかし、長矩と対立し、勅使が江戸城に登城する3月14日、長矩から切りつけられた。長矩は同日に切腹、浅野家はとりつぶされたが、義央は処罰されなかったため、翌年12月、大石内蔵助（大石良雄）を筆頭とした赤穂浪士46人が江戸本所（東京都墨田区）の吉良邸に討ち入り、義央を殺した。このあだ討ちは『仮名手本忠臣蔵』という歌舞伎の演目でも有名。領地の三河国吉良（愛知県西尾市）では、水害に苦しむ領民のために堤防を築いたりした名君と伝えられている。

キリコ，ジョルジョ・デ

絵画

● ジョルジョ・デ・キリコ　1888〜1978年

幻想的な独特の絵をえがいた現代画家

イタリアの画家。

ギリシャのボロスに生まれる。17歳よりドイツのミュンヘン美術学校で絵画を学び、そこでニーチェやショーペンハウアーの哲学と、ベックリンやクリンガーなどロマン派の絵画に影響を受ける。1908年にイタリアでルネサンス美術にふれ、1910年には、パリでアポリネールやバレリーらと交流した。また、キュビスム（立体派）にも関心をいだいた。1916年、イタリアの未来派画家のカッラと出会い、形而上絵画という絵画様式を確立して有名になった。

人間が一人もいない空間、マネキンや玩具、顔のない人形のような人物を登場させるなど、幻想に満ちた独自の世界をえがいた。なぞめいた夢のような画風は、シュールレアリスム（超現実主義）に大きな影響をあたえた。一時、古典的な様式にもどり、肖像画、静物画などをえがいたが、晩年は形而上絵画にもどった。代表作に『自画像』『街の神秘と憂鬱』などがある。

きりゅうゆうゆう

文学

● 桐生悠々　1873〜1941年

圧力に屈せず言論の自由を主張

明治時代〜昭和時代のジャーナリスト。

石川県生まれ。本名は政次。東京帝国大学（現在の東京大学）卒業。下野新聞社、大阪毎日新聞社、大阪朝日新聞社、東京朝日新聞社などの記者をつとめ、のちに『信濃毎日新聞』や『新愛知』で主筆（編集・論説の総責任者）となる。乃木希典の殉死（君主のあとを追って自殺すること）を批判する社説や、防空演習の方針を批判する社説「関東防空大演習を嗤ふ」をだした。そのために、たびたび軍部の圧力によって退社に追いこまれる。

しかし、圧力に屈することなく、1934（昭和9）年、名古屋で個人雑誌『他山の石』を創刊。言論の自由を主張して、第二次世界大戦を批判し、何度も発行中止になるが、病気で亡くなるまで、一人で闘いつづけた。作家の井出孫六による伝記『抵抗の新聞人　桐生悠々』、政治学者の太田雅夫編集による『桐生悠々自伝　思い出るまま』などがある。

キルケゴール，セーレン

思想・哲学

● セーレン・キルケゴール　1813〜1855年

現代のキリスト教思想や実存主義の先駆者

デンマークの思想家、哲学者。

コペンハーゲン生まれ。コペンハーゲン大学に入り、神学と哲学を学ぶ。父親が貧困から神をのろっていたこと、母親を結婚前に妊娠させたことを知り、ショックを受ける。また、2人の兄、3人の姉、母親を次々に亡くし、死への不安をかかえる。24歳で婚約するが、相手を愛すれば愛するほど、自分がふさわしくないと考え、破棄。その際の愛の苦しみや精神的葛藤を、『あ

れかこれか』『不安の概念』などの著作で発表した。不安と絶望からの救いを、真のキリスト教徒となることに求め、永遠なるものへの信仰を求めつづけた。そんな自分のあり方を、『死にいたる病』『キリスト教の修練』などの著作で追求。人間は自己の自由選択によって「単独者」として未来を生きるのであり、そのような人間存在を「実存」とよんだ。彼の思想は、ハイデッガーやヤスパースらに影響をあたえ、実存主義の先がけとなった。1855年、コペンハーゲンの路上で突然卒倒、42歳で死去した。

ギルバート，ウィリアム　　学問　発明・発見
ウィリアム・ギルバート　　1544〜1603年

磁石と静電気の研究で知られる物理学者

16世紀のイギリスの物理学者、医師。

イングランド東部の都市コルチェスター生まれ。ケンブリッジ大学で学び、1569年に医学博士となり、ロンドンで開業医としてはたらく一方、磁石の研究をおこなう。地球が巨大な磁石であるために方位磁針が南北をさすことや、鉄が磁石によって磁化され、加熱すると磁力を失うことなどを発見して、1600年に『磁石論』として出版。また、こはくを用いて静電気の研究もおこない、さらに、電気を測定する機器を発明したことから、「電気計測器の祖」ともいわれる。電気工学や電磁気学に大きな影響をあたえる研究をおこなった。1601年からはエリザベス1世などの侍医をつとめてナイトの称号を受けるが、59歳のときにペストとみられる感染症にかかってロンドンで亡くなった。

きんぎょくきん（キムオッキュン）　　政治
金玉均　　1851〜1894年

朝鮮の近代的な改革をめざした

朝鮮王朝の政治家。

忠清道公州に生まれる。科挙に主席で合格し、官職についた。当初から西洋の革新的な知識を得て、開化思想を形づくった。1881（明治14）年には視察団員として来日し、福沢諭吉、後藤象二郎などと会談。翌年もまた、来日し、近代化する日本に大きな影響を受けた。当時朝鮮では、中国の清と友好関係をむすぶ閔妃一派の保守派が政権をにぎっていたが、金玉均は日本の明治維新を手本に改革を進めることを決意する。1884年、閔妃一派を追放し、政権をにぎった（甲申の変）。しかし、清軍の反撃にあい、日本軍が後退したことで政変は失敗。朴泳孝らと日本に亡命した。1894年には、ふたたび朝鮮改革をうったえるため上海にわたったが、洪鐘宇に暗殺された。

キング，スティーブン　　文学
スティーブン・キング　　1947年〜

アメリカのホラー小説の王様

アメリカ合衆国の作家、脚本家。

メーン州生まれ。リチャード・バックマンという筆名もある。幼い

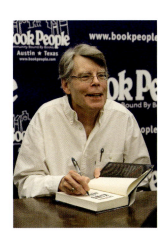

ころに父が家を出て、母に育てられる。中学時代から文章を書きはじめ、奨学金を得て、地元の州立大学に進学すると、学生新聞などに小説を発表しはじめた。

アルバイトや教師の仕事をしながら小説を書きつづける。1974年、超能力をもった少女を主人公にした、はじめての長編『キャリー』を発表すると、全米で大ベストセラーとなり、その後も作品をだすたびに大ヒットを記録する。映画の原作としても人気があり、『スタンド・バイ・ミー』をはじめ、50本以上の作品が映画やテレビドラマになっている。

アメリカのどこにでもある町を舞台に、幽霊、超能力者などが登場し、読者に恐怖をあたえるホラー小説が得意で、「ホラー小説の王様」とよばれる。映画『スタンド・バイ・ミー』や『ショーシャンクの空に』などの原作となったホラー以外の小説でも評価が高い。

キング，ビリー・ジーン　　スポーツ
ビリー・ジーン・キング　　1943年〜

女子テニス界で大活躍した選手

アメリカ合衆国のプロテニス選手、指導者。

16歳で選手としてデビューした。1961年にウィンブルドン選手権の女子ダブルス、1966年にシングルスで初優勝した。

1968年にプロへ転向した。その後も各大会で優勝を重ね、四大大会での優勝回数はシングルス12回、ダブルス16回、混合ダブルス11回など、長期にわたって女子テニス界で活躍した。1983年、39歳で現役を引退した。

1973年に女子テニス協会（WTA）を設立し、初代会長に就任すると、男女選手間の賞金格差問題にとりくむなど、女子選手の地位向上のために長年にわたって力をつくした。女子テニス界を改革した偉大な選手として、尊敬されている。

キング，マーティン・ルーサー・ジュニア　　政治
マーティン・ルーサー・キング・ジュニア　　1929〜1968年

公民権運動によって、黒人の人権拡大に尽力した指導者

アメリカ合衆国の牧師、黒人解放運動の指導者。

南部のジョージア州アトランタで牧師の子として生まれる。少年時代から成績優秀で、15歳のときに黒人男子のための大学モア・ハウスカレッジに入学した。19歳で牧師の資格を得て、北部のペンシルベニア州のクローザー神学校に入学。卒業後はボストン大学の大学院で神学博士号を取得。1954年に牧師として南部のアラバマ州モントゴメリに赴任する。翌年、バスの中で白人に席をゆずらなかった黒人女性が逮捕される事件がおきた。

これに抗議して、バスへの乗車をボイコットする運動をおこすと、いやがらせや暴力行為を受けたが、キングは「なんじの敵を愛せ」というキリスト教の教えと、インドの思想家ガンディーの不服従運動をあわせた非暴力の抵抗運動を進めた。1年あまりのちに、人種により座席を分けることは憲法に違反するとの連邦最高裁の判決がくだされた。

▲マーティン・ルーサー・キング・ジュニア

リンカン大統領の奴隷解放宣言から100周年となる1963年4月には、黒人に対する差別が根強くのこっていたアラバマ州バーミングハムで、非暴力の大規模な集会やデモ行進をおこなうと、参加者に対し警官がおそいかかり、多くの逮捕者をだした。このニュースは全米に伝わり、白人のあいだにもキングの支持者がふえていった。8月には、首都ワシントンで25万人が参加するワシントン大行進がおこなわれ、「私には夢がある（I have a dream）。いつの日か、私の4人のこどもたちが、皮膚の色ではなく、人がらによって評価されるような国に住むという夢が」という演説をして、多くの人々の心を動かした。

1964年、黒人に白人と平等な権利をみとめる公民権法が成立し、キングはノーベル平和賞を受賞した。その後も、人種差別や貧困問題にとりくみ、ベトナム戦争にも反対した。1968年、39歳のとき、ストライキを支援するためおとずれたテネシー州メンフィスで、犯罪をくりかえしていた白人により暗殺された。

キングは、黒人の人権拡大をめざす公民権運動のリーダーとして、とくに暴力を用いない抵抗の方法において、のちの社会運動に大きな影響をあたえた。死は多くの人におしまれ、1月の第3月曜日は、誕生日の1月15日にちなみ、国民の祝日となった。

学 ノーベル賞受賞者一覧

▲ワシントン大行進時に「I have a dream」の演説をするキング

きんじょうきよまつ
金城清松　医学　郷土　1880～1974年

結核の予防につくした医者
明治時代～昭和時代の医者。
沖縄県大宜味村出身。1900（明治33）年、沖縄県病院附属医生教習所を卒業し、内務省の医術開業試験に合格した。肺結核などを研究する大阪の医者石神亨が設立した伝染病研究所に入り、細菌学を研究した。1904年に帰郷し、那覇市で内科の病院を開業した。1911年、当時、治療方法がむずかしかった結核の予防と診療をおこなうため、結核療養所、白山療養園を開設して、多くの患者につくし、1917（大正6）年、沖縄結核予防会を設立した。第二次世界大戦後も沖縄医学界の長老として活躍し、後輩を指導した。1963（昭和38）年、天然痘など沖縄の医学の歴史を研究した『琉球の種痘』を著した。

きんそう
欽宗　王族・皇族　1100～1161年

北宋最後の皇帝
中国、北宋の第9代皇帝（在位1125～1127年）。
第8代皇帝徽宗の長子で、南宋の初代皇帝高宗の兄にあたる。姓名は趙桓。都の開封が金の攻撃を受ける直前、突然、譲位された。一度は金と和議をむすんだが、朝廷内は金との和平派と主戦派に分かれて混乱。金と不和になり、1126年、金の攻撃で開封は陥落。翌年、徽宗、后妃、皇族とともに金にとらえられ、北方の五国城（現在の黒竜江省）に抑留される。このとき、宋は一時中断した（靖康の変）。1135年、金で熙宗が即位すると待遇が改善され、金と南宋間の和議成立後は帰還も検討された。しかし、すでに南宋の皇帝に即位していた高宗が欽宗の帰還を望まなかったため、生涯宋にもどることはできなかった。

学 世界の主な王朝と王・皇帝

きんだいちきょうすけ
金田一京助　学問　1882～1971年

アイヌ語の研究に功績をのこした言語学者

（盛岡市先人記念館）

明治時代～昭和時代の言語学者。
岩手県生まれ。金田一久米之助の長男。金田一春彦の父。東京帝国大学（現在の東京大学）に在学中、師の上田万年に「アイヌは日本にしか住んでいないのだから、アイヌ語研究は、世界に対する日本の学者の責任だ」といわれ、アイヌ語に興味をもち、北海道の樺太（サハリン）でアイヌ語の調査をした。知里幸恵、金成マツらの協力を得て、アイヌ民族の言語、文学、民俗をはじめて体系的に研究し、『アイヌ叙事詩ユーカラの研究』をしるすなどアイヌ語の研究に功績をのこした。

第二次世界大戦後は、文部省（現在の文部科学省）国語審議会委員として、敬語や現代仮名づかいの整理につとめた。生涯にわたり、辞書や教科書など数百点の書籍・辞典類の編集にかかわり、監修者としても知られた。1954（昭和29）年に

文化勲章を受章した。

📖 文化勲章受章者一覧

きんだいちはるひこ　[学問]

● 金田一春彦　1913～2004年

アクセントの変化を研究した国語学者

昭和時代の国語学者。東京生まれ。言語学者金田一京助の長男。旧制高校時代に音楽家を志したが、断念し、東京帝国大学（現在の東京大学）国文科に進学し、音楽で興味をもったアクセントの研究に進む。その後、東京外国語大学や上智大学などの教授をつとめたほか、国語審議会委員、国語学会代表理事などを歴任した。

日本語の音韻史を中心に研究し、アクセントの歴史的変化を体系づけた。また全国各地の方言を調査し、方言アクセントの研究をおこなった。犯罪捜査で犯人のアクセントから出身地を割りだすこともあった。多くの著作や国語辞典の編さんなどで、現代日本語のあり方に指針をしめす一方、テレビ番組出演やエッセーなどで、幅広い世代の人に親しまれた。邦楽や童謡にも造詣が深く、1958（昭和33）年には童謡の作曲者本居長世の研究書『十五夜お月さん』で、毎日出版文化賞を受賞した。1997（平成9）年文化功労者となった。

きんだいちゅう

金大中 → 金大中（キムデジュン）

きんたつじゅ

金達寿 → 金達寿（キムダルス）

きんにっせい

金日成 → 金日成（キムイルソン）

きんばらめいぜん　[郷土]

● 金原明善　1832～1923年

天竜川の治水につくした実業家

江戸時代後期～明治時代の治山・治水家、実業家。
遠江国安間村（現在の静岡県浜松市）の大地主の家に生まれ、24歳のとき名主（村の長）になった。1868（明治元）年、「あばれ天竜」とよばれ、おそれられていた天竜川の実情を明治政府にうったえた結果、天竜川堤防御用掛に任命された。工事費のほとんどをみずから負担して、約7kmの堤防を築いた。1878年、財産のすべてを天竜川の工事費用としておさめること

（国立国会図書館）

を政府に申し入れた。明善の情熱に動かされた大久保利通は、工事への援助を約束し、その後、治水事業は政府に受けつがれた。

また、植林によって洪水をふせげないかと考え、天竜川上流を調査して、瀬尻村（浜松市）の山林で植林をはじめ、スギやヒノキの苗を植えた。明善が森林づくりにはげんだ山はやがて天竜美林とよばれるようになり、現在も天竜川の治水に役だっている。

きんめいてんのう　[王族・皇族]

● 欽明天皇　生没年不詳

百済から仏教が伝来したときの天皇

▲天皇陵の丸山古墳（檜隈坂合陵）
（宮内庁書陵部）

古墳時代の第29代天皇（在位6世紀ころ）。
『古事記』『日本書紀』によれば、継体天皇の子。きさきに蘇我稲目の娘の堅塩媛、小姉君、子に敏達天皇、推古天皇、用明天皇、崇峻天皇がいる。有力豪族の大伴金村、物部尾輿を大連、蘇我稲目を大臣として権勢をふるった。6世紀のなかばごろ朝鮮半島の百済の聖明王が金色に輝く仏像と経典をもたらし「遠くインドから中国、朝鮮半島の国々まで仏教が栄えています」と伝え、仏教信仰をすすめた。古くからの神々を信仰する物部氏は仏教信仰に反対、外国との関係を重視する蘇我氏は賛成した。欽明天皇は蘇我氏が寺をつくり仏像を祭ることをゆるした。570年、疫病がはやると、物部氏はこの病は仏教が原因だとうったえた。欽明天皇はうったえを聞き入れ、物部氏は蘇我氏の寺を焼き仏像を川に捨てたため、物部氏と蘇我氏の対立は深まった。墓は奈良県橿原市の丸山古墳という説が有力。

📖 天皇系図

人物事典
Biographical Dictionary

1

あ・い・う・え・お
か・き

2017年1月　第1刷発行

発行者
長谷川 均

発行所
株式会社ポプラ社
〒160-8565 東京都新宿区大京町22-1

電話
03-3357-2212（営業）
03-3357-2635（編集）

振替
00140-3-149271

ホームページ
http://www.poplar.co.jp/（ポプラ社）
http://www.poplar.co.jp/poplardia/（ポプラディアワールド）

印刷・製本
凸版印刷株式会社

無断転載・複写を禁じます。

©POPLAR2017 Printed in Japan
N.D.C.280／311P／29cm×22cm
ISBN978-4-591-15046-7

落丁本・乱丁本は、送料小社負担でお取り替えいたします。小社製作部宛にご連絡ください（電話0120-666-553）。
受付時間は月〜金曜日、9:00〜17:00（祝祭日は除く）。
読者の皆様からのお便りをお待ちしております。
いただいたお便りは編集部から監修・執筆・制作者にお渡しいたします。

本書のコピー、スキャン、デジタル化等の無断複製は、著作権法上での例外を除き禁じられています。
本書を代行業者等の第三者に依頼してスキャンやデジタル化することは、
たとえ個人や家庭内での利用であっても、著作権法上認められておりません。